경찰채용 | 경찰간부 | 경찰승진 시험대비 개정판

박문각 경찰

기본서

합격까지 함께
경찰학 만점 기본서

- 최신 출제 경향에 따른 학습 가능
- 최신 판례 및 개정법령 완벽 반영
- 경찰학 주요 핵심 이론 정리

이상훈 편저

동영상 강의 www.pmg.co.kr

이상훈 경찰학 #1 총론

이 책의 머리말

수험생 여러분 반갑습니다. 이상훈입니다.

제가 현장에서 강의를 시작한 지도 벌써 15년이 지났습니다. 지난 시간을 되돌아보면 시간이 쏜살처럼 지나간 것 같은데, 한편으로는 강의 현장에서 수험생 여러분들과 참 많은 일을 겪었습니다.

제가 처음 강의를 시작할 때 경찰학이라는 과목을 가장 쉽고 또 빠르게 가르치고 싶다는 욕심에 방대한 경찰학을 수험생들에게 어떻게 가르쳐야 하는 지에 대해 많은 고민을 했습니다. 그리고 지금도 매 시험 이후마다 다음 시험을 대비해서 어떤 방식으로 수업을 진행할 것인가, 수업 진행 중에는 어떤 부분을 강조해야 할 것인가, 수업 내용은 사례 중심이어야 하는가 법률조문 중심이어야 하는가 등 다양한 부분에 대한 고민을 하고 있습니다.

그런 고민들을 하나씩 메모를 해두고, 수업을 진행할 때 칠판에 필기되어 있는 내용들을 사진으로 찍어두고 하면서 매년 강의 내용을 보충했습니다. 또 수험생들이 자주 하는 질문을 따로 정리를 하면서 수험생들이 시험을 준비하면서 힘들어하는 부분을 확인하고, 시험에서 자주 출제되는 부분들을 따로 분류하는 과정을 반복했습니다. 아마도 그렇게 만들어진 자료를 활용해서 언젠가는 정말 좋은 교재를 만들어야겠다고 막연하게나마 생각했던 것 같습니다.

교재를 준비하는 동안 주위의 많은 분들께서 처음부터 너무 욕심을 부리면 안 된다는 말씀을 많이 하셨습니다. 매년 교재를 수정하는 과정을 통해서 교재를 완성시켜나가는 것이지, 처음부터 완벽할 수는 없다는 뜻으로 하신 말씀이었습니다.
처음에는 시시하고 보잘것없는 저의 자존심 때문에 그런 말씀을 새겨듣지 못하고 완벽한 교재를 만들기 위해 지나친 욕심을 부렸던 것 같습니다. 그런데 교재작업을 하던 중 문득 하나의 의문이 생겼습니다. 제가 지금 만들고 있는 이 교재가 '저 자신의 만족을 위한 교재인가' 아니면 '경찰시험을 준비하는 수험생을 위한 교재인가'라는 생각이었습니다.

결론은 분명했습니다. 경찰시험을 준비하는 수험생에게 도움이 되는 교재를 만들기 위해 교재의 편집방향을 새롭게 수정하고, 수험생이 이해하기 쉽도록 표현을 고치고, 적절한 사례를 활용해서 교재를 다시 편집했습니다.

이렇게 해서 만들어진 〈2025 이상훈 경찰학 기본 이론서〉의 특징은 다음과 같습니다.

1. 시험에 필요한 가장 기본적인 사항을 압축해서 분량을 최소화하려고 노력했습니다.
   시중 교재 중 지나치게 많은 분량으로 인해 경찰학을 접해보지 못했던 학생들이 교재만 보고 주눅이 드는 경우를 많이 접했습니다. 이 교재는 시험과는 무관한 불필요한 내용은 가급적 배제하고, 한 번이라도 시험에 출제되었던 내용들로 구성하려고 노력했습니다.
   '100점 맞을 생각하지 마라.' 제가 현장에서 강의를 할 때 자주 하는 말입니다. 시중의 아무리 두꺼운 경찰학 교재를 완전히 소화한다고 하더라도 절대 100점을 얻을 수 없는 과목이 경찰학입니다.
   조금만 욕심을 버리고 90점을 목표로 한다면 불필요한 부분을 배제할 수 있고 그만큼 효과적인 학습이 가능해집니다.

2. 법령 조문을 많이 반영했습니다.
   최근 기출문제는 판례보다는 이론과 법령 조문을 그대로 문제로 구성해서 출제하는 경향입니다. 그래서 시험에서 중요한 부분과 또 연관된 부분은 법령 조문을 원문 그대로 수록함으로써 수험생들이 중요한 법령 조문을 직접 확인할 수 있게 교재를 구성했습니다.

3. 각 부분별 기본 개념의 정리에 많은 노력을 기울였습니다.
   모든 과목이 마찬가지겠지만 경찰학도 기본 개념에서 출발합니다. 기본 개념이나 용어의 정의를 정확하게 알지 못하는 상황에서는 아무리 많은 법령 조문을 본다고 하더라도 사상누각에 불과합니다.
   그래서 각 부분별로 해당 부분을 공부하기 위해서 반드시 숙지해야 하는 기본 개념 및 용어를 정확하게 정의함으로써 공부 효과를 극대화할 수 있도록 했습니다.

앞서 말씀드렸던 것처럼 여전히 부족한 교재라는 마음은 지울 수가 없습니다. 이런 부분들은 앞으로의 개정과정을 통해 꼭 보완하겠다고 약속드립니다.

2025년 1차 시험도 며칠 남지 않았습니다. 수험생 여러분의 긴장감이 커지는 만큼 현장에서 강의를 하는 저도 긴장감이 커져만 갑니다. 얼마 남지 않은 시간이지만 최선을 다해서 모든 수험생 여러분이 원하는 결과를 얻을 수 있도록 응원하겠습니다.

2024년 12월

이상훈

CONTENTS

이 책의 **차례**

Part 1 총론

Part 2 각론

이상훈 경찰학

합격까지 박문각

PART

01

총론

CHAPTER

01 행정의 의의

제1절 행정의 개념

01 행정의 성립

행정이라는 개념은 권력분립을 바탕으로 역사적 · 제도적으로 성립 · 발전한 개념이다. 17세기 경찰국가 시대에는 절대군주가 통치라는 이름으로 모든 국가권력을 장악했으나 18세기 법치국가의 탄생과 함께 국민의 기본권을 보장하기 위해 권력을 분립하는 과정에서 입법 · 사법과는 다른 성질을 가진 국가작용으로 행정이라는 개념이 발전하기 시작하였다.

02 행정의 구분

(1) 형식적 의미의 행정

형식적 의미의 행정이란 제도나 조직상 담당기관을 기준으로 행정을 파악한 개념이다. 다시 말해 행정의 실질적인 내용이나 기능과는 관계없이 정부조직에 의해 행해지는 국가작용은 모두 행정이라고 정의한다.

(2) 실질적 의미의 행정

실질적 의미의 행정이란 국가작용의 성질과 기능을 기준으로 행정을 파악한 개념이다. 이는 국가기관 중 어떤 기관이 행하는 국가작용인지에 관계없이 법규에 근거하여 이를 구체적으로 집행하는 작용은 모두 실질적 의미의 행정에 해당한다고 정의한다.

제2절 통치행위

01 개념

(1) 공공의 안녕과 질서유지를 목적으로 하는 국가작용의 경우 그 성질상 국민의 기본권을 침해할 수밖에 없다. 이 경우 위법한 국가작용으로 인해 피해를 입은 상대방은 법원의 사법심사를 통해 그 피해를 구제받을 수 있으며, 이러한 사법심사를 통한 구제수단으로는 손해배상소송과 행정소송을 들 수 있다.

(2) 국가작용 중 고도의 정치성을 가지고 있기 때문에 사법심사의 대상으로 볼 수 없고, 설사 사법심사의 대상에 해당한다고 하더라도 사법부의 판결에 따른 집행이 불가능한 국가작용이 통치행위에 해당한다.

(3) O. Mayer는 통치행위란 입법·사법 및 행정의 그 어디에도 속하지 않는 제4의 국가작용이라고 정의하였다.

(4) 이러한 통치행위의 개념은 실정법에 명문으로 규정된 개념이 아니라 판례에 의해 확립된 개념이므로 각 나라마다 차이가 있다.

02 학설

(1) 부정설

행정소송법상 개괄주의를 채택하고 있는 입법주의에 따르면 모든 국가작용은 사법심사의 대상이라고 본다. 또한 법적 근거도 없이 일정한 국가작용을 사법심사의 영역에서 제외하는 것은 인정될 수 없다고 본다.

(2) 긍정설

재량행위설	통치행위는 국가 최고 기관의 정치적 재량행위이므로 그 권한의 행사에는 정치적 합목적성만 문제될 뿐이므로 사법심사의 대상이 될 수 없다고 본다.
대권행위설	영국의 대권행위불심사의 사상에서 유래한 견해로, 통치행위는 대권행위이므로 사법심사의 대상에서 제외된다고 본다.
권력분립설	정치적 성격을 지니는 국가작용의 적법·위법 여부 또는 당부(當否)는 정부 또는 국회에 의해 정치적으로 해결하거나 국민에 의해 통제되어야 할 사안이며, 정치적 책임이 없는 법원이 관여할 수 없다는 입장이다(다수설, 판례).
사법(부)자제설	통치행위도 원칙적으로 사법심사의 대상이지만, 법원이 정치적 문제에 관여하게 될 경우 정치화될 가능성이 있으므로 법원 스스로가 재판권의 행사를 자제하는 것이라고 본다.

판례 **고도의 정치성을 띤 국가행위인 이른바 통치행위가 사법심사의 대상이 되는지 여부(적극)**
통치행위의 개념을 인정한다고 하더라도 과도한 사법심사의 자제가 기본권을 보장하고 법치주의 이념을 구현하여야 할 법원의 책무를 태만히 하거나 포기하는 것이 되지 않도록 그 인정을 지극히 신중하게 하여야 하며, 그 판단은 오로지 사법부만에 의하여 이루어져야 한다[대법원 2004. 3. 26., 선고, 2003도7878, 판결].

03 우리나라의 통치행위

1. 헌법

헌법 제64조 제4항은 “국회의원의 자격심사, 징계, 제명처분에 대해서는 법원에 제소할 수 없다.”라고 규정하고 있으므로 헌법상의 명문규정에 의하여 사법심사가 배제되는 경우도 있다.

2. 관련 판례

(1) 대법원

① 계엄포고위반·계엄포고위반교사·계엄포고위반방조: 대통령의 계엄선포는 고도의 정치적·군사적 성격을 가진 것으로서 그 당·부당 내지 필요성 여부는 계엄해제요구권을 가진 국회만이 판단할 수 있는 것이고 당연무효가 아닌 한 사법심사의 대상이 되지 못한다(대판 1980.8.26, 80도1278).

② **의원제명취소무효확인등**: 지방자치법 제78조 내지 제81조의 규정에 의거한 지방의회의 의원징계의결은 그로 인해 의원의 권리에 직접 법률효과를 미치는 행정처분의 일종으로서 행정소송의 대상이 되고, 그와 같은 의원징계의결의 당부를 다투는 소송의 관할법원에 관하여는 동법에 특별한 규정이 없으므로 일반법인 행정소송법의 규정에 따라 지방의회의 소재지를 관할하는 고등법원이 그 소송의 제1심 관할법원이 된다. 그러므로 지방의회 의원의 징계·제명처분은 통치행위에 해당하지 않는다(대판 1993.11.26, 93누7341).

③ **외국환거래법위반·남북교류협력에 관한 법률위반·특정경제범죄가중처벌등에 관한 법률위반(배임)**: 남북정상회담의 개최는 고도의 정치적 성격을 지니고 있는 행위라 할 것이므로 특별한 사정이 없는 한 그 당부를 심판하는 것은 사법권의 내재적·본질적 한계를 넘어서는 것이 되어 적절하지 못하지만, 남북정상회담의 개최과정에서 재정경제부장관에게 신고하지 아니하거나 통일부장관의 협력사업 승인을 얻지 아니한 채 북한측에 사업권의 대가 명목으로 송금한 행위 자체는 헌법상 법치국가의 원리와 법 앞에 평등원칙 등에 비추어 볼 때 사법심사의 대상이 된다(대판 2004.3.26, 2003도7878).

④ **반란수괴·반란모의참여·반란중요임무종사·불법진퇴·지휘관계엄지역수소이탈·상관살해·상관살해미수·초병살해·내란수괴·내란모의참여·내란중요임무종사·내란목적살인·특정범죄가중처벌등에 관한 법률위반(뇌물)**: 대통령의 비상계엄의 선포나 확대 행위는 고도의 정치적·군사적 성격을 지니고 있는 행위라 할 것이므로, 그것이 누구에게도 일견하여 헌법이나 법률에 위반되는 것으로서 명백하게 인정될 수 있는 등 특별한 사정이 있는 경우라면 몰라도, 그러하지 아니한 이상 그 계엄선포의 요건 구비 여부나 선포의 당·부당을 판단할 권한이 사법부에는 없다고 할 것이나, 비상계엄의 선포나 확대가 국헌문란의 목적을 달성하기 위하여 행하여진 경우에는 법원은 그 자체가 범죄행위에 해당하는지의 여부에 관하여 심사할 수 있다[대판 1997.4.17, 96도3376(전합)].

⑤ **독립유공자서훈취소처분의 취소**: 구 상훈법(2011.8.4. 법률 제10985호로 개정되기 전의 것) 제8조는 서훈취소의 요건을 구체적으로 명시하고 있고 절차에 관하여 상세하게 규정하고 있다. 그리고 서훈취소는 서훈수여의 경우와는 달리 이미 발생된 서훈대상자 등의 권리 등에 영향을 미치는 행위로서 관련 당사자에게 미치는 불이익의 내용과 정도 등을 고려하면 사법심사의 필요성이 크다. 따라서 기본권의 보장 및 법치주의의 이념에 비추어 보면, 비록 서훈취소가 대통령이 국가원수로서 행하는 행위라고 하더라도 법원이 사법심사를 자제하여야 할 고도의 정치성을 띤 행위라고 볼 수는 없다(대판 2015.4.23, 2012두26920).

(2) 헌법재판소

① **긴급재정명령 등 위헌확인**: 대통령의 긴급재정경제명령은 국가긴급권의 일종으로서 고도의 정치적 결단에 의하여 발동되는 행위이고 그 결단을 존중하여야 할 필요성이 있는 행위라는 의미에서 이른바 통치행위에 속한다고 할 수 있으나, 통치행위를 포함하여 모든 국가작용은 국민의 기본권적 가치를 실현하기 위한 수단이라는 한계를 반드시 지켜야 하는 것이고, 헌법재판소는 헌법의 수호와 국민의 기본권 보장을 사명으로 하는 국가기관이므로 비록 고도의 정치적 결단에 의하여 행해지는 국가작용이라고 할지라도 그것이 국민의 기본권 침해와 직접 관련되는 경우에는 당연히 헌법재판소의 심판대상이 된다(헌재 1996.2.29, 93헌마186).

② **일반사병 이라크파병 위헌확인**: 외국에의 국군의 파견결정은 파견군인의 생명과 신체의 안전뿐만 아니라 국제사회에서의 우리나라의 지위와 역할, 동맹국과의 관계, 국가안보문제 등 궁극적으로 국민 내지 국익에 영향을 미치는 복잡하고도 중요한 문제로서 국내 및 국제정치관계 등 제반상황을 고려하여 미래를 예측하고 목표를 설정하는 등 고도의 정치적 결단이 요구되는 사안이다. 따라서 그와 같은 결정은 그 문제에 대해 정치적 책임을 질 수 있는 국민의 대의기관이 관계분야의 전문가들과 광범위하고 심도 있는 논의를 거쳐 신중히 결정하는 것이 바람직하며 우리 헌법도 그 권한을 국민으로부터 직접 선출되고 국민에게 직접 책임을 지는 대통령에게 부여하고 그 권한행사에 신중을 기하도록 하기 위해 국회로 하여금 파병에 대한 동의여부를 결정할 수 있도록

하고 있는바, 현행 헌법이 채택하고 있는 대의민주제 통치구조하에서 대의기관인 대통령과 국회의 그와 같은 고도의 정치적 결단은 가급적 존중되어야 한다(헌재 2004.4.29, 2003헌마814).

③ **신행정수도의 건설을 위한 특별조치법 위헌확인**: 신행정수도건설이나 수도이전의 문제가 정치적 성격을 가지고 있는 것은 인정할 수 있지만, 그 자체로 고도의 정치적 결단을 요하여 사법심사의 대상으로 하기에는 부적절한 문제라고까지는 할 수 없다. 더구나 이 사건 심판의 대상은 이 사건 법률의 위헌 여부이고 대통령의 행위의 위헌 여부가 아닌바, 법률의 위헌 여부가 헌법재판의 대상으로 된 경우 당해 법률이 정치적인 문제를 포함한다는 이유만으로 사법심사의 대상에서 제외된다고 할 수는 없다.
다만, 이 사건 법률의 위헌 여부를 판단하기 위한 선결문제로서 신행정수도건설이나 수도이전의 문제를 국민투표에 붙일지 여부에 관한 대통령의 의사결정이 사법심사의 대상이 될 경우 위 의사결정은 고도의 정치적 결단을 요하는 문제여서 사법심사를 자제함이 바람직하다고는 할 수 있고, 이에 따라 그 의사결정에 관련된 흠을 들어 위헌성이 주장되는 법률에 대한 사법심사 또한 자제함이 바람직하다고는 할 수 있다. 그러나 대통령의 위 의사결정이 국민의 기본권침해와 직접 관련되는 경우에는 헌법재판소의 심판대상이 될 수 있고, 이에 따라 위 의사결정과 관련된 법률도 헌법재판소의 심판대상이 될 수 있다.
그러므로 대통령의 의사결정이 국민의 국민투표권을 침해한다면, 가사 위 의사결정이 고도의 정치적 결단을 요하는 행위라고 하더라도 이는 국민의 기본권침해와 직접 관련되는 것으로서 헌법재판소의 심판대상이 될 수 있고, 따라서 이 사건 법률의 위헌성이 대통령의 의사결정과 관련하여 문제되는 경우라도 헌법소원의 대상이 될 수 있다(헌재 2004.10.21, 2004헌마554).

④ **2007년 전시증원연습 등 위헌확인**: 한미연합 군사훈련은 1978. 한미연합사령부의 창설 및 1979.2.15. 한미연합연습 양해각서의 체결 이후 연례적으로 실시되어 왔고, 특히 이 사건 연습은 대표적인 한미연합 군사훈련으로서, 피청구인이 2007.3.경에 한 이 사건 연습결정이 새삼 국방에 관련되는 고도의 정치적 결단에 해당하여 사법심사를 자제하여야 하는 통치행위에 해당된다고 보기 어렵다(헌재 2009.5.28, 2007헌마369).

⑤ **사면법 제5조 제1항 제2호 위헌소원**: 사면은 형의 선고의 효력 또는 공소권을 상실시키거나, 형의 집행을 면제시키는 국가원수의 고유한 권한을 의미하며, 사법부의 판단을 변경하는 제도로서 권력분립의 원리에 대한 예외가 된다. 사면제도는 역사적으로 절대군주인 국왕의 은사권(恩赦權)에서 유래하였으며, 대부분의 근대국가에서도 유지되어 왔고, 대통령제국가에서는 미국을 효시로 대통령에게 사면권이 부여되어 있다. 사면권은 전통적으로 국가원수에게 부여된 고유한 은사권이며, 국가원수가 이를 시혜적으로 행사한다(헌재 2000.6.1, 97헌바74).

CHAPTER 02

경찰의 의의

제1절 경찰의 개념과 특징

경찰이라는 개념은 시대 및 역사 그리고 각국의 전통과 사상을 배경으로 발달했기 때문에 일률적으로 정의를 내리기 어렵다. 이렇게 복잡하고 다양한 경찰의 개념을 파악하고 그 실체를 규명하는 학문이 경찰학이기 때문에, 경찰학이라는 학문 또한 다양하게 구성되고 편제될 수밖에 없다. 또한, 경찰학은 경찰의 개념뿐만 아니라 각 국가별 경찰개념의 형성과 발달과정 그리고 경찰활동의 법적 근거와 조직관리 등 경찰행정에 대한 광범위한 영역을 다루고 있어 그 학문적 범위도 매우 넓다는 특징을 가지고 있다.

01 대륙법계 국가의 경찰(전통적 의미의 경찰)

1. 개념

(1) 대륙법계 국가의 경찰개념은 일반통치권(경찰권)을 전제로 경찰권의 발동범위와 성질을 기준으로 형성되었다. 이러한 대륙법계 국가의 경찰개념은 경찰을 규범적 강제작용 측면에 한정하여 정의한 것으로 국가작용 중에서 명령적·강제적 요소가 있는 국가기능을 경찰작용이라고 정의한다.

(2) 대륙법계 국가에서 경찰이라는 개념은 공공의 안녕과 질서를 유지하기 위해 일반통치권에 근거하여 국민에게 명령·강제함으로써 그 자연적 자유를 제한하는 작용으로 정의하였다(권력적·수직적).

> **Add**
> 대륙법계 국가의 경찰개념은 '경찰(警察)이란 당위성을 전제로 국민의 자유·권리를 제한하는 소극적 기능'으로 파악한 견해이며, '경찰이란 무엇인가'라는 명제를 바탕으로 경찰개념을 정립하였다.

2. 경찰개념의 변천과정

(1) 고대의 경찰

경찰이라는 용어는 라틴어인 'politia'(그리스어로는 'politeia')에서 기원한 것으로 정치를 포함한 도시국가(polis)에 관한 일체의 작용, 특히 국가·헌법 또는 국가활동 등을 의미하는 다의적 개념이었다.

(2) 중세의 경찰

① 중세의 프랑스(14세기 말)에서는 경찰이 국가의 평온한 질서 있는 상태를 의미하였으며 이러한 프랑스의 경찰개념이 15세기 말에 독일로 계수되어 양호한 질서를 포함한 국가행정 전반을 포괄하는 의미로 사용되었다.

② 그러나 절대적인 권력을 행사하던 교황의 영향 탓에 교회행정에 대해서는 국왕이 개입할 수 없었고, 1530년에 독일에서 제정된 '제국경찰법'은 교황이 가지고 있던 교회행정 권한을 제외한 일체의 국가행정을 경찰(polizey)이라고 규정하였다.

(3) 경찰국가시대의 경찰

① 17세기 경찰국가시대에 이르러 왕권신수설에 기초한 군주주권론(J. Bodin)을 사상적 기초로 하여 군주(국왕)가 절대적 권한을 행사하는 절대왕정이 수립되었다.

② 독일에서는 국가의 기능이 분화되기 시작하여 외교 · 사법 · 군사 · 재정이 경찰개념에서 제외되고(경찰과 행정의 개념이 분화됨), 경찰개념이 국가의 작용 중에서 내무행정 전반으로 국한되었다.

Add

1. 당시 관료는 국왕의 절대적인 권력에 복종하고 헌신하는 대신, 국민에 대해서는 국왕으로부터 부여받은 포괄적인 권한에 근거하여 국민의 권리 · 의무 관계에 간섭할 수 있었다.
2. 1648년 독일의 베스트팔렌 조약을 계기로 사법이 국가의 특별작용으로 인정되면서 경찰과 사법이 분리되었다.

(4) 법치국가시대의 경찰

① 18세기 법치국가시대에 이르러 계몽철학 · 국민주권사상 · 천부인권(天賦人權)사상 등을 기초로 하여 시민혁명이 발생하였고, 그 결과 경찰국가시대의 절대왕정은 붕괴되고 시민이 통치의 주체로 부상하게 되었다. 이로 인해 종전에는 국왕의 절대적인 통치권에 복종하고 경찰권발동의 객체에 불과하던 시민이 국가권력의 주체가 되었다.

② 그 결과 종전의 내무행정 전반을 의미하던 경찰개념에서 적극적인 복지증진을 위한 경찰분야가 제외되고, 경찰권의 발동은 소극적인 위험방지분야(공공의 안녕과 질서유지)로 축소되었다.

Add

법치국가시대의 경찰개념 관련 사항

J. S. Putter	자신의 저서인 『독일공법제도』에서 주장한 "경찰의 직무는 임박한 위험을 방지하는 것이다. 복리증진은 경찰의 본래 직무가 아니다."라는 내용은 경찰국가 시대를 거치면서 확장된 경찰의 개념을 제한하였다.
프로이센 일반란트법 (1794년, 독일)	프로이센 일반란트법 제10조 제2항 제17호는 "공공의 평온 · 안녕 및 질서를 유지하고, 또한 공중 및 그 개개의 구성원들에 대한 절박한 위험을 방지하기 위하여 필요한 조치를 취하는 것이 경찰의 직무이다."라고 규정하여, 경찰의 직무를 공공의 안녕과 질서유지에 한정함으로써 이러한 사상을 반영하고 있다.
프로이센 경찰행정법 (1931년, 독일)	프로이센 경찰행정법 제4조 제1항은 "경찰관청은 일반 또는 개인에 대한 공공의 안녕과 질서를 위협하는 위험을 방지하기 위하여 현행법의 범위 내에서 의무에 합당한 재량에 따라 필요한 조치를 취하지 않으면 안 된다."고 규정하고 있다.
크로이츠베르크 (Kreuzberg) 판결 (1882년)	• 프로이센 고등행정법원의 크로이츠베르크 판결은 승전기념비의 전망을 확보할 목적으로 주변 건축물의 고도를 제한하기 위해 베를린 경찰청장이 제정한 법규명령은 독일의 프로이센 일반란트법 제2장 제17부 제10조에 근거한 복지행정적 조치이므로 위법하다는 취지의 판결이다. • 경찰행정관청이 일반 수권규정에 근거하여 법규명령을 발할 수 있는 분야는 위험방지분야에 한정되어야 한다고 판시한 판결이다. 경찰의 임무가 적극적 복지경찰 요소를 배제하고 소극적인 위험방지분야에 한정된다는 원칙이 법해석상 확정되는 계기가 된 판결이다.
죄와 형벌법전 (경죄처벌법전, 1795년, 프랑스)	경죄처벌법전 제16조는 "경찰은 공공의 질서 · 자유 · 재산 및 개인의 안전 보호를 임무로 한다."고 규정하여 경찰의 임무범위를 질서유지분야로 제한하였다.

지방자치법전 (1884년, 프랑스)	지방자치법전 제97조는 "자치체 경찰은 공공의 질서·안전 및 위생을 확보함을 목적으로 한다."고 규정하여 경찰의 직무를 소극목적에 한정하였다. 그러나 경찰의 임무에 위생사무 등 협의의 행정경찰사무가 포함되어 강학상 보안경찰작용과 협의의 행정경찰사무가 구분되지 않았다는 특징이 있다.

경찰개념을 소극적 질서유지로 제한하는 주요 법률과 판결을 시간적 순서대로 나열하면 프로이센 일반란트법(제10조) – 프랑스 죄와 형벌법전(제16조) – 크로이츠베르크 판결 – 프랑스 지방자치법전(제97조) – 프로이센 경찰행정법(제4조)의 순이다.

(5) **현대국가의 경찰(제2차 세계대전 이후)**

① 법치국가시대의 소극적 위험방지(공공의 안녕과 질서유지)업무에 해당하던 협의의 행정경찰사무가 비경찰화 과정을 거치면서 일반 행정기관으로 이관되어 경찰의 임무는 보안경찰(강학상·학문상)작용에 국한되었다.

② 비경찰화란 제2차 세계대전 이후 독일에서 범죄의 예방과 범인의 검거 등 보안경찰작용 이외의 행정경찰사무, 즉 영업경찰·위생경찰·건축경찰·산림경찰 등 협의의 행정경찰사무를 보통경찰행정기관이 아닌 다른 일반 행정기관의 사무로 이관한 조치를 말한다.

Add

비범죄화

비범죄화란 형법이 가지는 보충적 성격과 공식적 사회통제기능의 부담가중을 고려하여 일정한 범죄유형을 형벌에 대한 통제로부터 제외시키는 것을 말한다. 최근 형법에서 삭제된 혼인빙자간음죄나 간통죄도 비범죄화에 해당한다.

Add

대륙법계 경찰의 업무범위는 국정전반 ⇨ 내무행정 ⇨ 위험방지 ⇨ 보안경찰 순으로 축소되었다.

02 영미법계 국가의 경찰(현대적 의미의 경찰)

(1) **개념**

영미법계 국가의 경찰은 주권자인 시민으로부터 자치권을 위임받은 조직체인 경찰이 시민을 위해서 수행하는 기능 또는 역할을 중심으로 개념이 형성되었다는 데 그 특징이 있다. 영미법계 국가에서 경찰개념은 '경찰은 무엇을 하는가' 또는 '경찰활동이란 무엇인가'라는 문제로 논의되었다고 할 수 있다.

(2) **경찰기능**

영미법계 국가에서 경찰은 사회 질서를 유지하는 기능을 수행할 뿐만 아니라 국민의 생명과 재산을 보호하는 것을 궁극적인 목적으로 보았다. 이러한 목적을 달성하기 위한 수단과 방법 및 전략은 반드시 권력적 작용에 한정되는 것은 아니었으며, 대륙법계 국가의 경찰과는 달리 계몽·지도·봉사와 같은 비권력적인 서비스 제공에 크게 의존함으로써 경찰이 공공서비스 제공자의 기능을 한다고 파악하였다. 다시 말해 영미법계 경찰개념은 경찰과 국민을 수평적·상호협력 동반자 관계로 보았으며 비권력적 수단을 중시하였다.

Add ⊕

기타 참고 판례

1. Blanco 판결

공무원에 의해 발생한 손해는 국가가 배상해야 할 책임이 있고, 국가를 상대로 하는 손해배상소송의 관할은 행정재판소라는 원칙이 확립되는 계기가 되었던 판결이다.

2. Escobedo 판결

변호인과의 접견교통권을 침해하여 획득한 자백의 증거능력을 부정한 판결이다.

3. Miranda 판결

변호인선임권, 접견교통권 및 진술거부권을 고지하지 않은 상태에서 이루어진 자백의 증거능력을 부정하여, 자백의 임의성과 관계없이 채취과정에 위법이 있는 자백의 증거능력을 배제하는 계기가 된 판결이다.

제2절 형식적 의미의 경찰과 실질적 의미의 경찰

01 서설

(1) 형식적 의미의 경찰은 경찰작용의 성질에 관계없이 실정법상 보통경찰기관의 권한에 속하는 일체의 작용을 의미한다. 반면, 실질적 의미의 경찰은 공공의 안녕과 질서에 대한 위험방지를 위하여 일반통치권에 근거하여 국민에게 권력적 수단(명령·강제)을 통하여 그 자연적 자유를 제한하는 작용을 말한다.

(2) 형식적 의미의 경찰과 실질적 의미의 경찰은 서로 다른 별개의 기준으로 구분한 개념으로 경우에 따라서는 형식적 의미의 경찰과 실질적 의미의 경찰이 일치할 수도 있지만, 두 개념이 서로 일치하지 않는 경우도 있다. 다시 말해 어느 하나의 개념이 다른 하나의 개념에 포함되는 상위개념과 하위개념의 문제가 아니라 일정한 경우에 두 개념이 일치할 수도 있는 대등한 위치의 개념이다.

02 형식적 의미의 경찰

(1) 형식적 의미의 경찰개념

① 형식적 의미의 경찰이란 실정법상(정부조직법, 국가경찰과 자치경찰의 조직 및 운영에 관한 법률 등) 보통경찰기관(조직)에 분배되어 있는 임무를 달성하기 위해 이루어지는 경찰활동을 의미하며 역사적·제도적으로 발전해온 개념이다.

② 현행 국가경찰과 자치경찰의 조직 및 운영에 관한 법률 제3조에 규정된 경찰의 임무는 모두 형식적 의미의 경찰에 해당한다. 이러한 형식적 의미의 경찰은 조직을 중심으로 파악된 개념으로 이러한 형식적 의미의 경찰개념은 각국의 전통이나 현실적 환경에 따라 다르게 규정되고, 한 국가 내에서도 시간 변화에 따라 달라질 수 있다.

> **국가경찰과 자치경찰의 조직 및 운영에 관한 법률**
> **제3조 【경찰의 임무】** 경찰의 임무는 다음 각 호와 같다.
> 1. 국민의 생명 · 신체 및 재산의 보호
> 2. 범죄의 예방 · 진압 및 수사
> 3. 범죄피해자 보호
> 4. 경비 · 요인경호 및 대간첩 · 대테러 작전수행
> 5. 공공안녕에 대한 위험의 예방과 대응을 위한 정보의 수집 · 작성 및 배포
> 6. 교통의 단속과 위해의 방지
> 7. 외국 정부기관 및 국제기구와의 국제협력
> 8. 그 밖의 공공의 안녕과 질서유지

③ 앞에서 언급한 바와 같이 형식적 의미의 경찰과 실질적 의미의 경찰은 반드시 일치하는 것은 아니어서, 경찰기관이 행하는 경찰활동(형식적 의미의 경찰) 중에는 그 성질상 실질적 의미의 경찰작용으로 볼 수 없는 것[사법경찰, 정보경찰, 안보(보안 · 대공)경찰, 경찰의 서비스 제공 등]도 있다.

(2) 형식적 의미의 경찰개념의 범위

① 형식적 의미의 경찰은 실정법상 경찰기관의 권한에 속하는 모든 작용을 말한다. 따라서 현재의 실정법에 의해 보통경찰기관이 담당하도록 규정되어 있는 모든 사항은 그것이 소극적 질서유지에 관한 사항이든지, 적극적 서비스 제공의 성격을 띠었는지를 불문하고 모두 형식적 의미의 경찰에 속한다.

② 경찰관 직무집행법 제3조에 의한 불심검문은 범인을 검거하고 범죄를 예방하는 데 가장 중요한 경찰상 즉시강제의 권력작용이라는 측면에서 실질적 의미의 경찰에 해당하고, 실정법이 경찰행정기관에 그 권한을 맡긴 것이란 측면에서 형식적 의미의 경찰이기도 하다.

> **Tip**
> 경찰관직무집행법상 불심검문에 대해서 다수설은 경찰상 조사(행정조사)로 본다.

③ 실질적 의미의 경찰에는 해당하지 않고 형식적 의미의 경찰개념에만 속하는 작용에는 정보경찰, 안보경찰, 사법경찰 및 경찰이 담당하고 있는 서비스 제공 등이 있다.

④ 보통경찰기관의 범죄 예방, 정보 수집 · 작성 · 배포 활동은 실질적 의미의 경찰에는 해당하지 않고 형식적 의미의 경찰작용에만 해당하는 경찰활동이다.

03 실질적 의미의 경찰

(1) 실질적 의미의 경찰개념

① 실질적 의미의 경찰은 이론적 · 학문적으로 발전해온 개념으로 공공의 안녕과 질서를 유지(소극적 목적)하기 위하여 일반통치권에 근거하여 국민에게 명령 · 강제하는 권력적 작용을 의미한다. 이러한 실질적 의미의 경찰개념은 경찰행정조직을 기준으로 파악한 개념이 아니라, 행정작용의 성질을 기준으로 하여 정립한 개념으로 특별권력관계에 기초한 내부적 명령 · 강제작용(의회경찰, 법정경찰 등)은 명령 · 강제의 요소가 있다고 하더라도 실질적 의미의 경찰작용에 속하지 않는다.

② 실질적 의미의 경찰개념은 독일의 행정법학에서 경찰작용법상 일반수권조항의 존재를 전제로 하여, 경찰행정관청에 대한 포괄적 수권과 법치국가적 요청을 조화시키기 위해서 구성된 개념이다. 경찰작용법에서 다루게 될 경찰권발동의 한계에 대한 이론도 실질적 의미의 경찰개념을 바탕으로 하여 형성된 것이라고 볼 수 있다.

(2) 실질적 의미의 경찰개념의 범위

① 실질적 의미의 경찰은 '공공의 안녕과 질서유지'라는 소극적 목적을 달성하기 위해 발동되는 작용이며, 적극적으로 복지를 증진시키기 위해서는 발동될 수 없다는 경찰소극목적의 원칙이 적용된다.

② 형식적 의미의 경찰개념에는 해당하지 않고 실질적 의미의 경찰개념에만 속하는 작용에는 건축허가와 같은 건축경찰, 유흥주점허가와 같은 위생경찰 또는 영업경찰, 산림경찰, 경제경찰 등이 있으며, 이러한 작용들은 모두 비경찰화의 대상에 해당한다.

제3절 경찰의 구분

01 광의의 행정경찰과 사법경찰

(1) 구분기준

① 광의의 행정경찰과 사법경찰은 경찰의 목적 · 임무를 기준으로 한 구분이다. 이러한 경찰개념의 구분은 삼권분립 사상에 투철했던 프랑스에서 확립된 개념으로 1795년 프랑스의 죄와 형벌법전(경죄처벌법전) 제18조가 "행정경찰은 공공질서유지 · 범죄예방을 목적으로 하고, 사법경찰은 범죄의 수사 · 범인의 체포를 목적으로 한다."고 규정하여 최초로 행정경찰과 사법경찰의 구분을 법제화하였다.

② 우리나라의 경우 대륙법계 국가에 해당하지만 영미법계 국가의 영향을 받아 조직법상 행정경찰과 사법경찰이 구분되어 있지 않으며, 보통경찰기관이 양 사무를 모두 담당한다는 특징이 있다.

(2) 광의의 행정경찰

광의의 행정경찰은 실질적 의미의 경찰을 기초로 하여 형성된 경찰개념으로 일반통치권에 근거한 명령 · 강제라는 수단에 의해 국민의 자연적 자유를 제한하는 작용을 말한다. 이러한 광의의 행정경찰은 건축경찰 · 위생경찰 · 환경경찰 · 산림경찰 등 협의의 행정경찰과 (강학상 · 학문상) 보안경찰로 구성된다.

✎ 우리나라에서는 행정경찰과 사법경찰을 다른 기관에서 관장하지 않고 보통경찰기관이 양 사무를 동시에 담당하고 있다. 그러나 이 말은 엄밀히 말해 옳다고 할 수 없다. 광의의 행정경찰은 협의의 행정경찰과 강학상의 보안경찰로 구분할 수 있는데, 이 중에서 보통경찰기관이 담당하는 임무는 강학상의 보안경찰이고, 협의의 행정경찰 사무는 비경찰화 과정을 통해 일반 행정기관으로 이관되었다. 그러므로 "강학상 보안경찰과 사법경찰을 보통경찰기관에서 담당하고 있다."가 정확한 표현이다.

(3) 사법경찰

사법경찰이란 범인의 체포 · 수사 및 범죄를 진압하는 작용으로 일반적으로 수사경찰이라 부르는 것을 말한다. 사법경찰은 보통경찰기관이 담당하고 있다고 하더라도 형사소송법이 적용되고 국가수사본부장의 지휘를 받는다는 데 그 특징이 있다.

Add ⊕

광의의 행정경찰과 사법경찰의 비교

광의의 행정경찰	사법경찰
① 공공의 안녕과 질서를 유지하기 위하여 일반통치권에 근거하여 발동하는 권력적 작용(현재 및 장래의 위험에 대하여 발동하는 국가작용) ② 실질적 의미의 경찰 ③ 행정법규의 적용 ④ 예방경찰 ⑤ 경찰청장이 지휘	① 범죄의 진압, 수사 및 범인의 체포 등을 위하여 수사권에 근거하여 발동하는 작용(과거의 위법한 행위에 대한 작용) ② 형식적 의미의 경찰 ③ 형사소송법의 적용 ④ 진압경찰 ⑤ 국가수사본부장이 지휘

02 (강학상 · 학문상) 보안경찰과 협의의 행정경찰

(1) 구분기준

보안경찰과 협의의 행정경찰은 경찰업무의 독자성에 따른 구분 또는 경찰작용이 다른 행정작용에 부수하느냐의 여부를 기준으로 한 구분이라 할 수 있다.

(2) 보안경찰

보안경찰이란 공공의 안녕과 질서를 유지하기 위하여 다른 행정작용에 부수하지 않는 독립된 고유의 경찰작용을 말한다. 경찰청의 분장사무처럼 공공의 안녕과 질서를 유지하기 위하여 다른 행정작용을 동반하지 아니하고 오로지 경찰작용만으로 행정의 일부분을 구성하는 경우를 보안경찰이라 한다. 이러한 보안경찰작용은 보통경찰기관의 소관 사무에 해당하며 교통경찰(교통의 단속) · 풍속경찰 · 생활안전경찰작용 등이 보안경찰작용에 해당한다.

(3) 협의의 행정경찰

① 협의의 행정경찰이란 다른 행정작용(건축, 영업, 위생, 산림 등)에 부수하여 그 행정부문에 발생하는 장해를 방지 · 제거하기 위한 권력적 작용을 통해 경찰상의 목적을 달성하고자 하는 특수한 경찰작용을 말한다. 다시 말해 협의의 행정경찰작용은 다른 행정작용과 결합하여 특별한 사회적 이익의 보호를 목적으로 하면서 그 부수작용으로서 공공의 안녕과 질서를 유지하기 위한 경찰작용을 의미한다.

② 협의의 행정경찰은 제도상으로는 경찰에 해당하지 않고, 소속 기관으로 볼 때 보통경찰기관이 아닌 일반행정기관의 소관 사무에 해당한다. 협의의 행정경찰에는 건축경찰 · 영업경찰 · 위생경찰 · 산림경찰 · 산업경찰 · 경제경찰 · 철도경찰 등이 있다.

③ 업무의 독자성 여부로 구분되는 협의의 행정경찰은 실질적 의미의 경찰에 해당하고, 형식적 의미의 경찰에는 해당하지 않는다.

Add ⊕

비경찰화의 대상으로서 협의의 행정경찰작용

1. 협의의 행정경찰 개념은 19세기에 독일에서 정립된 개념이다. 당시 독일의 일반 경찰기관은 보안경찰과 협의의 행정경찰 사무를 동시에 관장하고 있었다. 이러한 경찰조직상의 특성으로 인해 경찰조직의 활동범위가 확대되어 경찰국가화되는 문제점이 나타났다.
2. 이후 독일(일본 및 우리나라)은 제2차 세계대전에서의 패배를 계기로 승전국에 의해 비경찰화 과정을 거치게 되었다. 그 결과 협의의 행정경찰 사무를 보통경찰기관의 소관 사항에서 제외하여 이를 각 주무행정관청의 소관 사항으로 이전시켜 보통경찰기관의 권한을 축소시켰으며, 우리나라와 일본에서도 이러한 비경찰화 과정이 진행되었다.

03 예방경찰과 진압경찰

(1) 구분기준

예방경찰과 진압경찰의 구분은 경찰권의 발동시점을 기준으로 구분한다.

(2) 예방경찰

예방경찰이란 공공의 안녕과 질서에 위험이 발생하기 전에 이를 방지하기 위한 권력적 작용으로 총포·화약류의 취급제한, 경찰관 직무집행법상의 보호조치(위해를 미칠 우려가 있는 정신착란자의 보호, 술에 취한 사람, 자살기도자의 보호)·위험발생의 방지조치(위험한 동물 등의 출현에 대한 조치) 등이 예방경찰에 해당한다.

(3) 진압경찰

진압경찰은 이미 발생한 위험을 제거하거나, 범죄를 진압·수사하고 범인을 체포하기 위한 권력적 작용(사법경찰)을 의미한다. 사람을 공격하는 멧돼지를 사살하는 것은 진압경찰에 해당한다.

04 국가경찰과 자치경찰

국가경찰과 자치경찰은 경찰권과 관련하여 권한과 책임의 소재에 따른 구분이다.

Tip **국가경찰과 자치경찰의 비교**

구분	국가경찰(대륙법계)	자치경찰(영미법계)
권한과 책임의 소재	국가	지방자치단체
수단	권력적 수단(명령·강제)을 통해 공공의 안녕과 질서를 유지하고자 한다.	권력적 수단보다는 비권력적 수단을 통해 국민의 생명과 신체·재산을 보호하고자 한다.
장점	① 강력한 경찰권 행사가 가능하고 비상시에 유리하다. ② 전국에 걸쳐 통일적으로 조직·운영·관리되므로 지역에 따른 차별 없이 보편적인 서비스의 제공이 가능하다. ③ 기동성과 능률성이 높다. ④ 전국단위의 통계자료 수집 및 정확성 확보가 가능하다.	① 지역 실정을 반영한 경찰조직의 운영·관리가 가능하다. ② 지역주민에 대한 경찰의 책임의식이 높다. ③ 지방자치단체별로 독립되어 있어 조직의 개혁이 용이하다.

단점	① 경찰 본연의 업무 이외의 다른 행정업무에 이용될 소지가 있다. ② 지방의 현실에 적합한 치안행정수행이 곤란하다. ③ 지역주민을 위한 봉사자 의식이 희박하다.	① 집행력과 기동성이 약하다. ② 전국적·통일적 경찰활동이 곤란하다. ③ 지방세력이 경찰행정에 개입함으로써 경찰부패를 초래할 수 있다.

05 질서경찰과 봉사경찰

(1) 구분기준

질서경찰과 봉사경찰은 경찰서비스의 질과 내용에 따른 구분이다.

(2) 질서경찰

① 질서경찰은 공공의 안녕과 질서를 유지하기 위하여 정부조직법, 국가경찰과 자치경찰의 조직 및 운영에 관한 법률 등에서 경찰행정조직의 직무범위로 규정한 사항 중 명령·강제를 제1차적 수단으로 하는 법집행작용을 말한다.

② 보통경찰기관이 사회공공의 안녕과 질서를 유지하기 위하여 강제력을 수단으로 즉시강제, 「경범죄 처벌법」 또는 「도로교통법」 위반자에 대한 통고처분 등 법집행을 행하는 경찰활동 및 경찰관 직무집행법에 근거한 경찰상 즉시강제 등이 포함된다.

(3) 봉사경찰

봉사경찰은 계몽·지도·서비스를 통하여 공공의 안녕과 질서를 유지하기 위한 경찰작용을 말한다. 여기에는 청소년선도, 방범지도, 교통정보제공, 방범순찰, 수난구호 등이 포함된다.

> **Add ⊕**
>
> 질서경찰과 봉사경찰은 경찰서비스의 질과 내용에는 차이가 있지만, 공공의 안녕과 질서유지를 목적으로 한다는 점에서는 동일하다.

06 평시경찰과 비상경찰

(1) 구분기준

평시경찰과 비상경찰은 위해의 정도 및 담당기관에 따른 구분이다.

(2) 평시경찰

평시경찰은 평온한 상태하에서 일반 경찰법규에 의하여 보통경찰기관이 행하는 경찰작용을 말한다.

(3) 비상경찰

비상경찰은 전시·사변이나 전국 또는 어느 한 지역에 통합방위법 등에 규정된 비상사태가 발생하거나 계엄이 선포될 경우, 군(軍)에 의해 공공의 안녕과 질서유지가 이루어지는 경우를 말한다.

07 고등경찰과 보통경찰

(1) 구분기준

고등경찰과 보통경찰은 프랑스에서 유래한 개념으로 보호법익을 기준으로 구분한다.

(2) 고등경찰

고도의 보호가치를 지니고 있는 국가 또는 사회의 이익을 보호하는 경찰작용으로서 정당·정치범죄·비밀결사·사회단체·정치집회·사상 등을 단속한다. 사회적으로 보다 우월한 가치를 지닌 법익을 보호하기 위한 경찰활동을 의미하였으나, 나중에는 사상·종교·집회·결사·언론의 자유에 대한 정보수집·단속과 같은 국가의 존립과 유지를 보장하기 위하여 국가적 기관 및 제도에 대한 위해를 방지하는 활동을 의미하게 되었다.

(3) 보통경찰

보호대상의 가치가 사상·정치 등의 고등가치(高等價値)를 갖지 않는 경찰작용을 말한다. 교통의 안전, 풍속의 유지, 범죄의 예방·진압과 같이 일반사회의 안녕과 질서유지를 목적으로 하는 활동을 의미한다.

08 기타 비경찰작용

(1) 개념

경찰이라는 용어를 사용하지만 의회경찰과 법정경찰 등은 그 권한의 발동이 일반권력관계를 전제로 하지 않고 특별권력관계에 기초하며, 사회 전체의 질서유지를 목적으로 하는 작용이 아닌 부분사회의 내부질서 유지를 목적으로 하기 때문에 경찰작용이 아니라 비경찰작용에 해당한다.

(2) 내용

의회경찰은 회기 중 국회의 원내질서를 유지하기 위하여 명령·강제하는 작용을 말하며, 이는 특별권력관계(국회경호권)에 기초한 명령·강제이므로 경찰작용에 해당하지 않는다. 또한, 법정경찰도 법정의 질서를 유지하고 법관의 판단에 대한 방해를 제지·배제하기 위하여 법원이 행하는 권력작용이며, 법정경찰도 특별권력관계(재판권)에 근거한 작용이므로 경찰작용에 해당하지 않는다.

국회법	**제143조【의장의 경호권】** 의장은 회기 중 국회의 질서를 유지하기 위하여 국회 안에서 경호권을 행사한다. **제144조【경위와 경찰관】** ① 국회의 경호를 위하여 국회에 경위를 둔다. ② 의장은 국회의 경호를 위하여 필요할 때에는 국회운영위원회의 동의를 받아 일정한 기간을 정하여 정부에 경찰공무원의 파견을 요구할 수 있다. ③ 경호업무는 의장의 지휘를 받아 수행하되, 경위는 회의장건물 안에서, 경찰공무원은 회의장건물 밖에서 경호한다.
법원조직법	**제55조의2【법원보안관리대】** ① 법정의 존엄과 질서유지 및 법원청사의 방호를 위하여 대법원과 각급 법원에 법원보안관리대를 두며, 그 설치와 조직 및 분장사무에 관한 사항은 대법원규칙으로 정한다. **제60조【경찰공무원의 파견요구】** ① 재판장은 법정에서의 질서유지를 위하여 필요하다고 인정할 때에는 개정 전후에 상관없이 관할 경찰서장에게 경찰공무원의 파견을 요구할 수 있다. ② 제1항의 요구에 따라 파견된 경찰공무원은 법정 내외의 질서유지에 관하여 재판장의 지휘를 받는다.

제4절 경찰의 임무 및 수단

01 경찰의 임무(목적 · 직무범위)

경찰행정기관의 임무에 대하여 여러 실정법에서 개별적 규정을 두고 있다. 이를 구체적으로 살펴보면 다음과 같다.

정부조직법	**제34조 【행정안전부】** ⑤ 치안에 관한 사무를 관장하기 위하여 행정안전부장관 소속으로 경찰청을 둔다. ⑥ 경찰청의 조직 · 직무범위 그 밖에 필요한 사항은 따로 법률로 정한다.
국가경찰과 자치경찰의 조직 및 운영에 관한 법률	**제3조 【경찰의 임무】** 경찰의 임무는 다음 각 호와 같다. 1. 국민의 생명 · 신체 및 재산의 보호 2. 범죄의 예방 · 진압 및 수사 3. 범죄피해자 보호 4. 경비 · 요인경호 및 대간첩 · 대테러 작전수행 5. 공공안녕에 대한 위험의 예방과 대응을 위한 정보의 수집 · 작성 및 배포 6. 교통의 단속과 위해의 방지 7. 외국 정부기관 및 국제기구와의 국제협력 8. 그 밖의 공공의 안녕과 질서유지
경비업법	**제4조 【경비업의 허가】** ① 경비업을 영위하고자 하는 법인은 도급받아 행하고자 하는 경비업무를 특정하여 그 법인의 주사무소의 소재지를 관할하는 시 · 도경찰청장의 허가를 받아야 한다. 도급받아 행하고자 하는 경비업무를 변경하는 경우에도 또한 같다.
경범죄 처벌법	**제7조 【통고처분】** ① 경찰서장, 해양경찰서장, 제주특별자치도지사 또는 철도특별사법경찰대장은 범칙자로 인정되는 사람에 대하여 그 이유를 명백히 나타낸 서면으로 범칙금을 부과하고 이를 납부할 것을 통고할 수 있다.
도로교통법	**제17조 【자동차 등과 노면전차의 속도】** ② 경찰청장이나 시 · 도경찰청장은 도로에서 일어나는 위험을 방지하고 교통의 안전과 원활한 소통을 확보하기 위하여 필요하다고 인정하는 경우에는 다음 각 호의 구분에 따라 구역이나 구간을 지정하여 제1항에 따라 정한 속도를 제한할 수 있다. 1. 경찰청장: 고속도로 2. 시 · 도경찰청장: 고속도로를 제외한 도로

이러한 실정법상의 규정을 기초로 경찰의 임무를 살펴보면 경찰의 임무는 경찰조직법(행정조직법)상의 보통경찰기관을 전제로 한 개념에 해당하고, 궁극적으로는 공공의 안녕과 질서유지를 그 임무로 한다고 볼 수 있다.

02 경찰의 기본적 임무

경찰의 기본적 임무는 공공의 안녕과 질서에 대한 위험방지, 범죄의 수사, 대국민 서비스 제공으로 구분할 수 있다.

1. 공공(公共)의 안녕과 질서에 대한 위험방지

(1) 공공의 안녕

공공의 안녕이란 개인의 생명 · 신체 및 재산과 같은 개인적 법익과 국가 및 그 밖의 공권력 주체의 제도와 시설 등과 같은 국가적 법익을 포함한 객관적인 성문법 질서가 침해되지 않는 상태를 말한다(이중적 개념).

① 법질서의 불가침

㉠ 법질서의 불가침은 공공의 안녕을 구성하는 제1요소로서 공공의 안녕을 구성하는 개념적 요소 중 가장 중요한 것이라고 할 수 있다.

㉡ 일반적으로 공법규범에 대한 위반은 공공의 안녕에 대한 직접적인 위험으로 간주된다. 그러나 사법(私法)상의 문제에 대해서는 법적 보호가 적시에 이루어지지 않고 경찰의 원조 없이는 법을 실현시키는 것이 무효화되거나 사실상 어려워질 경우에 한하여 최후 수단으로 경찰이 개입할 수 있다(보충성의 원칙).

② 국가의 존립과 국가기관의 기능성에 대한 불가침

㉠ 국가의 존립과 국가기관의 기능성에 대한 불가침은 국회 · 정부 · 법원 · 헌법재판소 · 선거관리위원회와 같은 헌법기관이나 기타 정부조직 및 자치단체 등 모든 국가기관의 기능성이 보호되어야 하며, 국가 자체의 존립을 보호하는 것을 말한다.

㉡ 국가의 존립과 국가기관의 기능성의 불가침을 확보하기 위하여 경찰활동은 형법상 가벌성의 범위 내에 이르지 아니하였더라도 국민의 자유와 권리를 침해하지 않는 범위 내에서 개별적 수권규정 없이 수사나 정보 · 안보(보안) · 외사경찰활동 등이 가능하다. 그러나 이러한 경우에도 해당 경찰활동은 조직법적 근거 내에서 이루어져야 한다는 한계가 있다.

③ 개인의 권리와 법익에 대한 불가침: 인간의 존엄 · 자유 · 명예 · 생명 등과 같은 개인적 법익뿐만 아니라 사유재산적 가치나 무형의 권리에 대한 위험방지도 경찰의 임무에 해당한다. 그러나 개인적 권리와 법익이 침해된 경우라고 하더라도 경찰의 원조는 잠정적인 보호에 국한되어야 하고, 최종적인 권리구제는 법원(法院)에 의하여야 한다.

(2) 공공의 질서

① 공공의 질서란 사회생활 속에서 각 개인이 행동할 때 준수해야 할 불문규범의 총체를 의미한다. 즉, 당시의 지배적인 윤리와 가치관을 기준으로 판단할 때 그것을 준수하는 것이 시민으로서 원만한 국가 공동체생활을 영위하기 위한 불가결적 전제조건이 되는 각 개인의 행동에 대한 불문규범을 의미한다.

② 공공의 질서는 불문법상의 개념이므로 절대적인 것이 아니며, 시대상황에 따라 변화하는 유동적 개념이다. 그러나 공공의 질서라는 개념도 일반통치권의 발동을 위한 경찰개입의 간접적 근거로 사용될 수 있고, 경찰권발동의 한계를 설정하는 기능을 수행하므로 그 해석에 있어 엄격한 합헌성이 요구되고, 제한적인 사용이 필요하다.

③ 법적 안정성의 확보를 위하여 불문규범이 성문화되어 가는 현상(법적 전면규범화 현상 또는 불문규범의 성문화 현상)으로 인하여, 오늘날 공공의 질서라는 개념은 그 범위가 점차 축소되고 있다.

(3) 위험

① 위험의 개념

㉠ 위험이란 가까운 장래에 공공의 안녕 또는 질서에 손해가 나타날 수 있는 가능성이 개개의 경우에 충분히 존재하는 상태를 말한다. 한편, 손해란 보호받는 개인 및 공동의 법익에 관한 정상적 상태의 객관적 감소를 뜻하고, 보호법익에 대한 현저한 침해행위가 있어야만 성립한다.

㉡ 단순한 성가심이나 불편함 등은 경찰개입의 대상이 아니며, 보호법익에 대한 위험이 인간의 행위에 의한 것인가(행위책임) 또는 단순히 자연력에 의한 결과 또는 물건의 상태(상태책임)에 의한 것인가는 문제되지 않는다.

㉢ 경찰은 경찰책임자(자연인)에 의해 야기된 위험뿐만 아니라 자연적 위험도 방지해야 할 의무가 있다.

② 위험의 구분

㉠ 주관적 위험과 객관적 위험

ⓐ 현장에 출동한 경찰관이 현장상황을 기초로 판단하는 위험은 사실에 기인하여 향후 발생할 사건에 관한 주관적 추정을 포함한다. 그러나 이러한 주관적 추정에 근거하여 경찰권을 발동할 경우 그러한 경찰권발동은 정당화될 수 없다.

ⓑ 그 이유는 경찰관 개개인이 가지고 있는 가치관이라든가 성격, 성장환경 등에 의해 동일한 현장상황에 대해서도 각 경찰관들이 위험에 대한 서로 다른 판단을 내릴 수 있기 때문이다.

ⓒ 경찰권의 발동이 정당화되기 위해서는 경찰권의 발동 이전에 위험에 대한 일종의 객관화가 이루어져야 하고, 객관화된 위험에 근거한 경찰권발동만이 정당화될 수 있다. 그러므로 위험을 객관화시키기 위해서 각 경찰관들은 '의무에 합당한 사려 깊은 판단'을 통해 위험을 인식하여야 한다.

㉡ **위험에 대한 인식 여부에 따른 구분**: 위험은 그 인식 여부에 따라 외관적 위험, 위험혐의, 오상위험으로 구분할 수 있다.

ⓐ **외관적 위험**: 외관적 위험이란 의무에 합당한 사려 깊은 상황판단을 했음에도 불구하고 위험을 잘못 긍정하는 경우를 말한다.

사례해설

Q1. 순찰근무 중이던 경찰관이 살려달라는 외침을 듣고 남의 집 출입문을 부수고 들어갔는데, 실제로는 귀가 어두운 노인이 TV 드라마를 보는 중 소리를 크게 켜놓아 TV 드라마의 외침소리가 밖으로 들렸던 경우

Q2. 의무에 합당한 사려 깊은 판단을 하였으나 집안에서 아이들이 서로 괴성을 지르며 장난치는 것을 밖에서 듣고 강도사건이 발생한 것으로 오인한 경찰관이 문을 부수고 들어간 경우

A. 이 경우 원칙적으로 경찰권의 발동은 정당화되므로 손해배상과 같은 문제가 발생하지 않는다.

ⓑ **위험혐의**: 위험혐의는 경찰이 의무에 합당한 사려 깊은 판단을 할 때 실제로 위험의 가능성은 예측이 되지만 그 실현이 불확실한 경우를 말한다.

사례해설

Q. 집중호우로 하천의 수위가 높아지고 있지만 하천이 범람하여 다리가 물에 잠길지 여부가 확실하지 않은 경우

A. 이 경우 경찰의 개입은 위험의 존재 여부가 명백해질 때까지는 예비적 조치(조사 차원의 개입)에만 국한되어야 한다. 다시 말해 위험혐의는 위험의 존재 여부가 명백해질 때까지 예비적으로 행하는 위험조사 차원의 개입을 정당화한다.

ⓒ **오상위험(추정적 위험·추정성 위험)**: 오상위험이란 이성적이고 객관적으로 판단할 때 위험의 외관이나 위험혐의가 정당화되지 아니함에도 불구하고 경찰이 위험의 존재를 잘못 추정한 경우를 말한다. 오상위험은 추정적 위험 또는 추정성 위험이라고도 한다. 오상위험에 기초하여 경찰권을 발동하는 경우 이러한 경찰권발동은 정당화될 수 없으며, 경찰관 개인에게는 민·형사상 책임이, 국가에게는 손해배상 책임이 발생할 수 있다.

㉢ 위험의 현실화 여부에 따른 구분

ⓐ 개념: 위험은 현실화 여부에 따라 추상적 위험과 구체적 위험으로 구분할 수 있다. 우선 추상적 위험이란 '구체적 위험의 예상 가능성'이 존재하는 경우를 말한다. 그리고 구체적 위험이란 구체적인 개개 사안에 있어 가까운 장래에 '손해발생의 충분한 가능성'이 존재하는 경우를 말한다.

ⓑ 경찰개입을 위해서는 구체적 위험이 존재해야 하지만, 범죄예방 및 위험방지 행위의 준비는 추상적 위험 상황에서도 가능하다. '추상적 위험'은 경찰상 법규명령으로 위험을 방지해야 할 필요성이 있는 전형적인 사례에 해당한다. 그러므로 경찰의 개입은 구체적 위험 내지 적어도 추상적 위험이 있을 때 가능하다.

ⓒ 경찰개입의 방식

㉮ 경찰권발동의 기준은 공공의 안녕과 질서에 대한 위험의 존재이므로 구체적 위험뿐만 아니라 추상적 위험이 존재하는 경우에도 경찰의 개입이 가능하다.

㉯ 범죄의 예방이나 위험의 방지를 위한 준비행위(일상적인 순찰활동이나 경찰방문 및 방범진단 등의 경찰활동)는 구체적 위험이 존재하는 상황뿐만 아니라 추상적 위험이 존재하는 상황에서도 할 수 있다.

㉰ 위험이 보호를 받게 되는 법익에 대해 필수적으로 존재해야만 경찰이 개입할 수 있는 것은 아니다. 예를 들어 늦은 밤 시간에 무단횡단을 하거나 또는 차도에 차가 한 대도 없는 상황에서 신호위반을 하더라도 경찰책임자가 된다. 해당 행위는 법률 위반행위로서 법질서의 불가침성을 침해하며, 공공의 안녕을 보호법익으로 하는 도로교통법(공법)을 위반한 것이기 때문에 경찰의 개입이 가능한 것이다.

③ 위험의 인식과 한계: 경찰이 방지해야 할 위험의 범주를 지나치게 확대하여서는 아니 된다. 위험의 범주가 지나치게 확대되면 경찰권발동이 무분별하게 이루어질 우려가 있고, 이로 인한 기본권 침해가 발생할 수 있으며, 이러한 무분별한 경찰활동은 시민의 저항을 불러일으킬 수 있다.

2. 범죄의 수사

(1) 범죄수사 법정주의

행정목적의 달성을 위한 경찰권의 행사(행정경찰권의 발동)는 행정편의주의원칙에 입각하여 대부분의 근거규정이 "~할 수 있다."라고 규정되어 있는 경우가 많다. 그러나 범죄수사에 관해서는 형사소송법상의 여러 규정들이 경찰의 수사권 발동과 관련하여 "~하여야 한다."라고 규정함으로써 사법경찰권(수사권)의 발동과 관련하여 법정주의 원칙을 분명히 하고 있는 경우가 대부분이다.

(2) 범죄수사활동의 특징

① 경찰관은 범죄행위가 있으면 친고죄 등 특별한 요건이 법에 규정된 경우를 제외하고는 수사를 하여야 할 의무가 발생한다. 이러한 범죄수사활동은 사법경찰작용에 해당하므로 광의의 행정경찰과 구분되는 경찰작용이지만, 범죄수사활동이 공공의 안녕과 질서유지임무와 구분되는 완전히 별개의 경찰작용이라고 정의할 수는 없다.

② 공공의 안녕과 질서에 대한 위험이 현실화될 때, 즉 어떠한 보호법익에 대하여 손해가 발생한 경우, 이는 경찰위반의 상태가 되고 동시에 그것이 형법이나 행정법규에 위반하여 범죄 구성요건을 충족시키는 경우에는 경찰의 수사대상에 해당하게 된다. 그러므로 위험의 방지활동과 범죄의 수사는 일련의 과정 속에서 상호 연관되어 있는 작용이라고 할 수 있다.

3. 적극적인 치안서비스의 제공

(1) 현대국가는 그 기능이 확장되면서 이로 인하여 행정이 전문화되고 복지서비스에 대한 수요가 강화되었다. 그 결과 전통적인 경찰활동인 공공의 안녕과 질서에 대한 위험방지업무뿐만 아니라 적극적인 서비스 제공을 통해 국민에게 봉사하는 경찰의 역할이 점차 중요해지고 있다.

(2) 서비스 제공과 관련된 경찰활동에는 교통・지리정보의 제공, 인명구조와 같은 각종 보호조치, 어린이 교통안전교육, 순찰활동을 통한 범죄의 예방 등을 들 수 있다.

03 경찰의 수단

경찰의 수단이란 경찰이 공공의 안녕과 질서유지라는 임무를 달성하기 위해 사용하는 방법을 말한다. 전통적인 견해에 따르면 국민에 대한 명령과 강제를 통해서만 공공의 안녕과 질서유지라는 목적을 달성할 수 있다고 보았으나, 오늘날에 경찰에게 부여된 다양한 임무는 권력적 수단만으로는 달성하기 어렵고 비권력적 수단을 적절하게 활용하여 경찰상의 목적을 달성하여야 하는 것으로 파악하고 있다.

1. 권력적 수단(명령・강제)

(1) 개념

경찰은 공공의 안녕과 질서를 유지하고 위험을 방지하기 위하여 권력적 수단을 사용한다. 권력적 수단은 명령과 강제로 구성되어 있으며, 이러한 명령과 강제는 법령에 의해 직접 국민에게 의무를 부과하거나 법령에 근거한 경찰행정관청에 의한 처분의 형식으로 의무를 부과하는 것이 일반적이다. 또한, 이러한 명령과 강제는 국민의 자유・권리를 제한하고 새로운 의무를 부과한다는 데 그 특색이 있다.

① 명령(경찰하명)

㉠ 법령 또는 경찰행정관청의 처분에 의하여 개인에게 일정한 작위・수인・급부・부작위의무를 과하는 행위(경찰금지・경찰명령) 또는 개인에게 과하여진 의무를 특정한 경우에 해제하는 행위(경찰허가・경찰면제)를 총칭하는 개념이다.

㉡ 그 예로 운전면허가 없는 사람은 자동차를 운전하여서는 아니 되며, 이는 경찰하명 중 경찰금지(부작위하명)에 해당한다.

> **도로교통법**
> **제43조【무면허운전 등의 금지】** 누구든지 제80조에 따라 시・도경찰청장으로부터 운전면허를 받지 아니하거나 운전면허의 효력이 정지된 경우에는 자동차등을 운전하여서는 아니 된다.

② 강제: 경찰목적을 위하여 상대방의 의사에 관계없이 그의 신체・재산・가택 등에 대하여 실력을 행사함으로써 공공의 안녕과 질서유지에 필요한 상태를 실현시키는 작용을 말하며 권력적 사실행위에 해당한다. 이러한 경찰강제는 다시 경찰상 강제집행과 경찰상 즉시강제로 구분할 수 있다.

(2) 한계

국가경찰과 자치경찰의 조직 및 운영에 관한 법률 제5조는 "경찰은 그 직무를 수행할 때 헌법과 법률에 따라 국민의 자유와 권리 및 모든 개인이 가지는 불가침의 기본적 인권을 보호하고, 국민 전체에 대한 봉사자로서 공정·중립을 지켜야 하며, 부여된 권한을 남용하여서는 아니 된다"고 규정라고 있고, 경찰관 직무집행법 제1조 제1항은 "이 법에 규정된 경찰관의 직권은 그 직무수행에 필요한 최소한도에서 행사되어야 하며 남용되어서는 아니 된다"고 규정하여 경찰권 발동의 한계를 설정하고 있다.

2. 범죄수사의 수단

(1) 형사소송법은 범죄의 수사와 관련하여 여러 가지 수단을 마련해 놓고 있는데 수사목적의 달성과 인권보장의 조화를 위하여 임의수사를 원칙으로 하고 예외적으로 강제수사를 허용하고 있다.

(2) 출석요구나 피의자의 신문 등은 임의수사에 해당하며 상대방의 동의나 임의적 협조를 전제로 수행되는 수사활동이다. 한편, 체포·구속·압수·수색 등의 영장(집행)은 요건이나 기한 등이 엄격히 법정되어 있는 강제수사 수단에 해당하며, 이러한 강제수사가 법규정에 위반할 경우 위법한 경찰권발동에 해당하게 된다. 이 경우 경찰관은 형법이나 경찰관 직무집행법상의 직권남용에 해당하여 형사처벌을 받을 수 있으며, 국가배상법상 손해배상책임이나 민사상 손해배상책임을 부담할 수 있다.

(3) 수사권의 발동과 관련하여 경찰관은 임의수사와 강제수사를 불문하고 피의자 또는 다른 사람의 인권을 존중하여야 한다.

3. 비권력적 수단

(1) 오늘날 경찰이 수행하여야 하는 다양한 임무는 권력적 수단만으로는 이행하기 어렵다. 이러한 다양한 임무의 수행을 위하여 비권력적 수단의 필요성이 증대되고 있다. 비권력적 수단이란 경찰활동 중 개인의 자유와 권리에 개입하지 않으면서 개별적·구체적인 수권조항 없이 경찰의 임무에 관한 일반적 수권조항 또는 임무규정만으로도 수행할 수 있는 경찰작용을 의미한다.

(2) 비권력적 수단에는 광의의 위험방지활동과 도보·차량순찰, 일상적인 교통의 관리, 정보의 제공, 지리안내, 권고 등의 서비스 지향적 활동 등이 있다.

(3) 정보경찰활동에 해당하는 치안정보의 수집이나 작성·배포활동 및 보안경찰(실무상), 외사경찰활동은 국민에 대한 서비스 제공과는 무관하지만 이러한 활동에도 일정한 제한이 따른다.

(4) 금전의 급부, 서비스의 제공, 의료보호나 시설의 설치 등도 비권력적인 급부행정에 해당한다.

제5절 경찰권

광의의 경찰권은 광의의 경찰권은 협의의 경찰권, 수사권, 비권력적 활동 권한을 포함하는 개념이다. 협의의 경찰권이란 일반통치권에 근거하여 일반 국민에게 명령·강제하는 권력적 작용으로 주로 대륙법계의 실질적 의미의 경찰개념에 따른 개념으로 정의될 수 있다. 반면에 수사권은 국가형벌권의 행사를 위하여 형사소송법에 근거하여 경찰에게 부여된 권한을 말한다. 영미법계 국가에서는 경찰의 수사권을 고유한 권한으로 인정하므로, 경찰의 임무로서 범죄의 수사를 중요한 법집행의 한 방편으로 인정하고 있다. 그러나 대륙법계 국가에서는 삼권 분립의 원칙에 따라 경찰의 임무에 범죄수사가 포함되지 않는다.

Tip

대륙법계 국가의 경우 행정경찰과 사법경찰의 개념을 구분해서 사용하고 있으며, 경찰학에서 말하는 경찰은 행정경찰을 의미한다. 그러므로 대륙법계 국가의 경찰이라는 개념은 정확하게는 대륙법계 국가의 '행정경찰'을 의미하고, 사법경찰의 임무에 해당하는 범죄수사는 대륙법계 국가의 경찰의 임무에는 포함되지 않는다.

01 협의의 경찰권

1. 개념

(1) 협의의 경찰권이란 공공의 안녕과 질서에 대한 위험을 방지하기 위하여 일반통치권에 근거하여 국민에게 명령·강제하는 권한을 말한다. 다시 말해 협의의 경찰권은 국가와 국민 사이의 일반통치관계를 그 기초로 한다.

(2) 국회의장의 국회경호권이나 법원의 법정경찰권과 같이 일반통치권을 전제로 하지 않고 부분사회의 내부 질서유지를 목적으로 하는 명령·강제의 경우는 협의의 경찰권발동(협의의 경찰권발동은 협의의 행정경찰작용과는 다른 개념)에 해당하지 않는다. 또한, 국회의장의 국회경호권한이나 법원의 법정경찰권과 같이 부분사회의 내부질서를 목적으로 하는 경우 원칙적으로 국회경호권이나 법정경찰권이 협의의 경찰권보다 우선하여 발동된다.

2. 협의의 경찰권발동의 대상과 특징

(1) 협의의 경찰권발동의 상대방으로서 경찰하명 또는 경찰강제의 대상은 법률에 특별한 규정이 없는 한 일반통치권에 복종하는 모든 자이다. 따라서 자연인·법인, 내국인·외국인(외국인의 경우 외국의 국가원수나 외교관 등의 신분을 가진 자에 대한 일정한 예외가 존재함)을 불문하고 협의의 경찰권에 복종하여야 한다.

(2) 법인의 경우에는 법인을 구성하는 자연인에게 경찰의무를 부과할 수 있을 뿐만 아니라 법인에 대해서도 경찰책임을 인정하여 위험방지에 대한 책임을 부과할 수 있다.

(3) 협의의 경찰권에 근거할 경우 일반처분이 가능하고 경찰책임자 이외의 경찰비책임자에 대해서도 경찰권의 발동(경찰긴급권)이 가능하다는 특징이 있다.

3. 협의의 경찰권발동의 제한

(1) 협의의 경찰권발동과 관련하여 외교사절 등과 같이 국제법상 특례가 인정되는 일정한 경우에는 협의의 경찰권발동의 예외가 인정된다.

(2) 다른 행정기관이나 행정주체가 경찰상의 의무를 위반하는 경우 협의의 경찰권을 발동할 수 있는지 여부가 문제된다. 이에 대하여 행정기관이 통치권을 행사하지 아니하고 일반사인과 마찬가지로 사법(私法)적 활동을 하는 경우에는 경찰권의 발동이 허용된다는 것이 통설적 견해이다.

Add

> 군부대가 작전수행 중 군용차량이나 전차·군인 등이 신호를 위반하여 교차로를 통행하더라도 이를 도로교통법 위반으로 단속할 수는 없다. 그러나 작전수행과 무관한 상황에서 군인(공무원)이 개인적 업무처리를 하던 중 신호를 위반하거나 무단횡단을 할 경우 당사자를 도로교통법 위반으로 단속하는 것은 가능하다.

02 수사권

(1) **수사권의 개념**

수사권이라 함은 국가 형벌권을 행사하기 위하여 형사소송법에 따라 경찰에게 부여된 권한으로 형사사건에 관하여 범죄사실을 조사하고 범인 및 증거를 발견·수집·보전하기 위한 경찰의 권한을 말한다.

(2) **수사권의 대상과 특징**

① 수사권은 자연인(내·외국인 불문)에게 발동될 수 있음은 물론이고, 예외적으로 법인에게 발동(압수·수색 등)되는 경우도 있다. 그러나 수사권은 피의자나 참고인 등 형사소송법에 규정된 자에게 제한적으로 발동할 수 있다.

② 수사권의 발동과 관련하여 외국의 원수, SOFA 적용대상자, 대통령이나 국회의원 등에 대해서 일정한 제한이 있다.

제6절 경찰의 관할

01 사물관할

1. 사물관할의 의의

(1) **사물관할의 개념**

사물관할이란 경찰이 처리할 수 있고 또한 처리하여야 하는 사무내용의 범위를 말하며, 「국가경찰과 자치경찰의 조직 및 운영에 관한 법률」과 「경찰관 직무집행법」에 규정되어 있다. 사물관할은 광의의 경찰권이 발동될 수 있는 범위를 설정하는 기능을 수행한다. 경찰은 경찰의 사물관할 이외의 분야에 대해서는 개입할 수 없다.

Add

정부조직법상 각 정부조직의 사물관할

인사혁신처 (제22조의3)	공무원의 인사·윤리·복무 및 연금에 관한 사무를 관장하기 위하여 국무총리 소속으로 인사혁신처를 둔다(제1항).
기획재정부 (제27조)	기획재정부장관은 중·장기 국가발전전략수립, 경제·재정정책의 수립·총괄·조정, 예산·기금의 편성·집행·성과관리, 화폐·외환·국고·정부회계·내국세제·관세·국제금융, 공공기관관리, 경제협력·국유재산·민간투자 및 국가채무에 관한 사무를 관장한다(제1항).
외교부 (제30조)	외교부장관은 외교, 경제외교 및 국제경제협력외교, 국제관계 업무에 관한 조정, 조약 기타 국제협정, 재외국민의 보호·지원, 국제정세의 조사·분석에 관한 사무를 관장한다(제1항).
통일부 (제31조)	통일부장관은 통일 및 남북대화·교류·협력에 관한 정책의 수립, 통일교육, 그 밖에 통일에 관한 사무를 관장한다.
법무부 (제32조)	① 법무부장관은 검찰·행형·인권옹호·출입국관리 그 밖에 법무에 관한 사무를 관장한다(제1항). ② 검사에 관한 사무를 관장하기 위하여 법무부장관 소속으로 검찰청을 둔다(제2항).
국방부 (제33조)	국방부장관은 국방에 관련된 군정 및 군령과 그 밖에 군사에 관한 사무를 관장한다(제1항).
행정안전부 (제34조)	① 행정안전부장관은 국무회의의 서무, 법령 및 조약의 공포, 정부조직과 정원, 상훈, 정부혁신, 행정능률, 전자정부, 정부청사의 관리, 지방자치제도, 지방자치단체의 사무지원·재정·세제, 낙후지역 등 지원, 지방자치단체간 분쟁조정, 선거·국민투표의 지원, 안전 및 재난에 관한 정책의 수립·총괄·조정, 비상대비, 민방위 및 방재에 관한 사무를 관장한다(제1항). ② 국가의 행정사무로서 다른 중앙행정기관의 소관에 속하지 아니하는 사무는 행정안전부장관이 이를 처리한다(제2항). ③ 치안에 관한 사무를 관장하기 위하여 행정안전부장관 소속으로 경찰청을 둔다(제5항). ④ 소방에 관한 사무를 관장하기 위하여 행정안전부장관 소속으로 소방청을 둔다(제7항).

(2) 사물관할의 법적 근거 및 범위

① 경찰의 사물관할에 대한 법적 근거는 여러 개별법에 규정이 있으며, 그중에서도 가장 대표적인 규정은 국가경찰과 자치경찰의 조직 및 운영에 관한 법률 제3조이다. 국가경찰과 자치경찰의 조직 및 운영에 관한 법률 제3조는 경찰의 사물관할에 대하여 규정하고 있으며, 동법에 규정된 경찰의 임무는 범죄의 수사, 소극적인 위험방지뿐만 아니라 국민에 대한 서비스 제공도 포함하고 있으나, 궁극적인 경찰의 임무는 공공의 안녕과 질서유지에 귀결된다고 할 수 있다.

② 국가경찰과 자치경찰의 조직 및 운영에 관한 법률에 경찰의 임무(직무)로서 열거되어 있지 아니하더라도, 공공의 안녕과 질서유지를 위한 활동은 다른 법령(각론상의 여러 법령)의 규정에 의하여 경찰이 그 범위 내에서 직무를 수행할 수 있으므로 국가경찰과 자치경찰의 조직 및 운영에 관한 법률 외에도 경찰행정기관의 사물관할을 규정하고 있는 수개의 개별 법령들이 존재한다.

풍속영업의 규제에 관한 법률
제9조 【출입】 ① 경찰서장은 특별히 필요한 경우 경찰공무원에게 풍속영업소에 출입하여 풍속영업자와 대통령령으로 정하는 종사자가 제3조의 준수사항을 지키고 있는지를 검사하게 할 수 있다.

총포·도검·화약류 등의 안전관리에 관한 법률
제44조 【출입·검사 등】 ① 허가관청은 재해 예방 또는 공공의 안전유지를 위하여 필요하다고 인정되면 관계 공무원으로 하여금 총포·도검·화약류·분사기·전자충격기·석궁의 제조소·판매소 또는 임대소, 화약류저장소, 화약류의 사용장소,

그 밖에 필요한 장소에 출입하여 장부 · 서류나 그 밖에 필요한 물건을 검사하게 하거나 관계자에 대하여 질문을 하도록 할 수 있다.

사행행위 등 규제 및 처벌 특례법

제18조 【출입 · 검사】 ① 경찰청장이나 시 · 도경찰청장은 특별히 필요한 경우 영업자 및 사행기구제조 · 판매업자(이하 '영업자 등'이라 한다)에 대하여 필요한 보고를 하게 하거나, 관계 공무원으로 하여금 영업소에 출입하여 영업자 등이 지켜야 할 사항의 준수상태, 영업시설, 사행기구, 관계 서류나 장부 등을 검사하게 할 수 있다. 이 경우 인터넷 등 정보통신망을 이용한 사행행위영업에 관하여도 검사할 수 있다.

2. 사물관할로서의 범죄수사

(1) 우리나라 경찰의 범죄수사에 관한 임무는 영미법계 경찰개념의 영향을 받아 경찰의 사물관할로 인정된 것이다.

(2) 범죄의 수사와 관련하여 형사소송법 및 사법경찰관리의 직무를 수행할 자와 그 직무범위에 관한 법률 등에 의거하여 국가정보원 직원, 군사법경찰관리, 교도소장, 근로감독관, 산림보호종사원, 선장 등도 관할 구역 내에서 법령에 정해진 범죄에 대하여 사법경찰관리로서의 직무를 수행할 수 있다.

형사소송법

제245조의10 【특별사법경찰관리】 ① 삼림, 해사, 전매, 세무, 군수사기관, 그 밖에 특별한 사항에 관하여 사법경찰관리의 직무를 행할 특별사법경찰관리와 그 직무의 범위는 법률로 정한다.

② 특별사법경찰관은 모든 수사에 관하여 검사의 지휘를 받는다.

③ 특별사법경찰관은 범죄의 혐의가 있다고 인식하는 때에는 범인, 범죄사실과 증거에 관하여 수사를 개시 · 진행하여야 한다.

02 인적 관할

1. 원칙

인적 관할이란 광의의 경찰권이 어떤 사람에게 발동되는가의 문제이다. 경찰권은 원칙적으로 모든 사람에게 발동되나 국내법상 대통령과 국회의원 등에 대해서 경찰권발동의 일정한 제한을 받으며, 국제법상 외교사절과 SOFA 적용대상자 등에 대해서 일정한 제한이 있다.

2. 예외

(1) 대통령

대통령은 내란 또는 외환의 죄를 범한 경우를 제외하고는 재직 중 형사상의 소추를 받지 아니한다(대한민국 헌법 제84조). 이 외에도 여러 개별 법령에 의하여 대통령에 대한 경찰권의 발동은 일정한 제한을 받는 경우가 있다.

(2) 국회의원

① 국회의원은 현행범인인 경우를 제외하고는 회기 중 국회의 동의없이 체포 또는 구금되지 아니한다. 국회의원이 회기 전에 체포 또는 구금된 때에는 현행범인이 아닌 한 국회의 요구가 있으면 회기 중 석방된다(대한민국 헌법 제44조).

② 국회의원은 국회에서 직무상 행한 발언과 표결에 관하여 국회 외에서 책임을 지지 아니한다(대한민국 헌법 제45조).

(3) 기타

외국의 원수와 외교사절, 그 가족 및 내국인이 아닌 종사자에 대해서는 대한민국 형법이 적용되지 아니한다.

03 지역관할

1. 지역관할의 의의

광의의 경찰권이 발동될 수 있는 지역적 범위를 지역관할이라고 하며, 대한민국의 영역 내에서는 대한민국의 법을 적용하는 것이 원칙이다.

2. 지역관할의 예외

(1) 해양경찰청과의 관할 구분

해양경찰청은 해양에서의 경찰 및 오염방제에 관한 사무를 관장한다.

정부조직법
제43조【해양수산부】 ② 해양에서의 경찰 및 오염방제에 관한 사무를 관장하기 위하여 해양수산부장관 소속으로 해양경찰청을 둔다.
③ 해양경찰청에 청장 1명과 차장 1명을 두되, 청장 및 차장은 경찰공무원으로 보한다.

(2) 국회

국회의장에게는 국회경호권한(경찰경비활동의 대상인 요인경호를 의미하는 것이 아니라 국회 내의 질서유지를 위한 의장의 권한을 의미)이 있어 국회 안에서 국회의 질서유지를 위한 일정한 권한을 행사한다.

국회법
제143조【의장의 경호권】 의장은 회기 중 국회의 질서를 유지하기 위하여 국회 안에서 경호권을 행사한다.
제144조【경위와 경찰관】 ① 국회의 경호를 위하여 국회에 경위를 둔다.
② 의장은 국회의 경호를 위하여 필요할 때에는 국회운영위원회의 동의를 받아 일정한 기간을 정하여 정부에 경찰공무원의 파견을 요구할 수 있다.
③ 경호업무는 의장의 지휘를 받아 수행하되, 경위는 회의장 건물 안에서, 경찰공무원은 회의장 건물 밖에서 경호한다.
제150조【현행범인의 체포】 경위나 경찰공무원은 국회 안에 현행범인이 있을 때에는 체포한 후 의장의 지시를 받아야 한다. 다만, 회의장 안에서는 의장의 명령 없이 의원을 체포할 수 없다.

(3) 법원

법정 내에서는 재판장이 법정경찰권을 행사하도록 되어 있으므로, 재판장의 경찰관 파견요청이 있는 경우에 법정 내외의 질서유지에 관하여는 재판장의 지휘를 받아야 한다.

법원조직법
제58조【법정의 질서유지】 ① 법정의 질서유지는 재판장이 담당한다.
제60조【경찰공무원의 파견요구】 ① 재판장은 법정에서의 질서유지를 위하여 필요하다고 인정할 때에는 개정 전후에 상관없이(개정 전에 한하여×) 관할 경찰서장에게 경찰공무원의 파견을 요구할 수 있다.
② 제1항의 요구에 따라 파견된 경찰공무원은 법정 내외의 질서유지에 관하여 재판장의 지휘를 받는다.

(4) 치외법권 지역

외교공관과 외교관의 개인주택은 국제법상 치외법권 지역이므로 외교사절의 요청이나 동의가 없는 한 경찰은 직무수행을 위하여 치외법권 지역에 들어갈 수 없는 것이 원칙이다. 그러나 경찰상의 상태책임과 관련하여 화재나 전염병의 발생 등과 같이 공공의 안녕과 질서를 유지하기 위하여 긴급을 요하는 경우에는 외교사절의 동의 없이 외교공관에 들어갈 수 있으며, 이와 관련한 명문의 근거 규정은 존재하지 않고 국제 관습(법)으로 인정된 것이다.

(5) 미군 영내

① SOFA(Status Of Forces Agreement ; 한미행정협정)는 미군 당국이 부대 영내・외에서 경찰권을 행사할 수 있다고 규정*하고 있다. 또한, 미군 영내에서도 미군 당국이 동의한 경우와 중대한 죄를 범하고 도주하는 현행범인을 추적하는 때에는 대한민국 경찰도 주한미군 시설 및 구역 내에서 범인의 체포가 가능하다.

* 미군 당국은 자기의 시설 및 구역 내・외에서 범죄를 행한 모든 자를 체포할 수 있다.

② 대한민국 경찰이 체포하려는 자로서 SOFA 적용대상이 아닌 자가 이러한 시설 및 구역 내에 있을 때에는 대한민국 경찰이 요청하는 경우에 미군 당국은 그 자를 체포하여 즉시 인도하여야 한다.

제7절 경찰활동의 기본이념

현행 국가경찰과 자치경찰의 조직 및 운영에 관한 법률 제1조는 "이 법은 경찰의 민주적인 관리・운영과 효율적인 임무수행을 위하여 경찰의 기본조직 및 직무 범위와 그 밖에 필요한 사항을 규정함을 목적으로 한다."고 규정하여 민주성과 효율성이 경찰의 이념임을 명시적으로 규정하고 있다.

01 민주주의

국민의 자유와 권리를 보호하고 공공의 안녕과 질서를 유지하는 경찰의 임무수행은 국민을 위하여 행하는 것이며, 경찰권은 국민에게서 부여받은 것이다.

(1) 민주주의의 개념

① 헌법 제1조는 "대한민국의 주권은 국민에게 있고, 모든 권력은 국민으로부터 나온다."라고 명시하며, 이에 기초하여 경찰이 경찰권을 행사하는 것은 국민으로부터의 위임에 근거함을 의미한다. 그러므로 경찰공무원은 국민 전체에 대한 봉사자이며, 국민에게 책임을 지는 존재에 해당한다.

> **대한민국 헌법**
> **제1조** ① 대한민국은 민주공화국이다.
> ② 대한민국의 주권은 국민에게 있고, 모든 권력은 국민으로부터 나온다.

② 민주주의 이념은 국가조직과 국민과의 관계에서만이 아니라 조직 내부의 관계에 있어 조직구성원 상호간의 관계에서도 중요하다고 할 수 있다.

(2) 경찰의 민주성 확보를 위한 장치

① 경찰조직이나 경찰권발동에 대한 민주성을 확보하기 위해 우선 주권자인 국민이 경찰에 대한 민주적 통제를 가할 수 있는 참여 장치(국가경찰위원회, 행정절차법 등)가 존재해야 하고 국민 개개인에게는 이러한 절차에 참여할 수 있는 기회가 제공되어야 한다.

② 경찰활동이 공개되어야 할 필요가 있으며 조직 내부적으로도 권한의 적절한 분배(중앙조직과 지방조직, 상·하 행정조직 상호간의 권한분배)가 이루어져야 하며, 경찰관 개인의 민주주의 의식이 확립되어야 할 것이다.

③ 자치경찰제도를 도입하여 중앙정부의 경찰권을 자치단체에 위임하고, 국가경찰위원회 및 시·도자치경찰위원회 제도, 행정정보공개제도 등을 통해 경찰에 대한 민주적 통제와 참여 장치를 마련해야 한다.

02 법치주의

(1) 법치주의의 개념

① 법치주의란 국민의 자유와 권리를 제한하고 의무를 과하는 모든 활동은 법률로써만 가능하다는 원칙을 말한다. 다시 말해 국민의 기본권을 철저히 보장하기 위하여 법치행정의 원리를 바탕으로 경찰권을 발동할 때에는 법규정에 근거가 있어야 하며, 법률이 정하고 있는 요건에 따라 그 범위와 한계를 준수하는 것을 그 내용으로 한다.

② 경찰작용은 그 침해적 성격으로 인하여 법치주의의 엄격한 적용을 받지만, 명령·강제의 요소가 없는 순전한 임의적(비권력적 작용이나 국민에 대한 서비스 제공) 활동은 개별적 수권규정이 없이도 가능하다. 단, 이 경우에도 조직법적 근거는 있어야 하므로 직무범위 내에서 행하여져야 한다.

③ 경찰권의 발동은 사전에 상대방에게 의무를 부과함이 없이 행사되는 경찰상 즉시강제와 같은 경우가 많기 때문에 법치주의 원리가 강하게 요구된다. 국민의 권리·의무에 제한을 가하는 것은 국가안전보장, 질서유지, 공공복리를 위하여 필요한 경우에 한하여 법률(법령 ×)로써만 가능하고, 그 경우에도 자유와 권리의 본질적인 내용을 침해할 수 없다.

> **대한민국 헌법**
> **제37조** ① 국민의 자유와 권리는 헌법에 열거되지 아니한 이유로 경시되지 아니한다.
> ② 국민의 모든 자유와 권리는 국가안전보장·질서유지 또는 공공복리를 위하여 필요한 경우에 한하여 법률로써 제한할 수 있으며, 제한하는 경우에도 자유와 권리의 본질적인 내용을 침해할 수 없다.

(2) 법치주의의 구체적 내용

① **권력적 작용**: 명령·강제와 같은 권력적 작용의 경우 국민의 기본권을 침해할 여지가 있기 때문에 법치주의의 원리가 강하게 요구된다. 다시 말해 경찰처분이나 경찰상 강제집행·즉시강제 등은 법치주의의 원리가 엄격하게 적용되므로 개별적·구체적 수권조항을 필요로 한다.

② **비권력적 작용(임의적 활동 및 서비스 제공)**: 국민의 자유와 권리를 제한하지 아니하고 국민에게 의무를 과하지 아니하는 순전한 임의적 활동은 경찰의 직무범위 내에서라면, 법률의 개별적 수권규정이 없더라도 경찰임무에 관한 일반적 수권조항(임무규정·조직규범)만으로도 행할 수 있다.

✎ 운전면허의 취소처분은 침해적 행정행위이므로 법률의 개별적·구체적 수권이 있어야 하나, 도로교통정보의 제공 등은 임의적 활동으로 국민의 자유와 권리에 제한을 가하거나 의무를 가하지 않기 때문에 법률의 개별적 수권규정이 없어도 가능하다.

03 인권존중주의

경찰은 직무를 수행할 때 헌법과 법률에 따라 국민의 자유와 권리 및 모든 개인이 가지는 불가침의 기본적 인권을 보호한다. 경찰의 이념 중 인권존중주의는 헌법상 기본권 조항 등을 통하여 당연히 유추되는 개념이 아니라 헌법과 국가경찰과 자치경찰의 조직 및 운영에 관한 법률이 명문으로 규정하고 있는 사항에 해당한다.

(1) 법적 근거

대한민국 헌법
제10조 모든 국민은 인간으로서의 존엄과 가치를 가지며, 행복을 추구할 권리를 가진다. 국가는 개인이 가지는 불가침의 기본적 인권을 확인하고 이를 보장할 의무를 진다.
제37조 ② 국민의 모든 자유와 권리는 국가안전보장·질서유지 또는 공공복리를 위하여 필요한 경우에 한하여 법률로써 제한할 수 있으며, 제한하는 경우에도 자유와 권리의 본질적인 내용을 침해할 수 없다.

국가경찰과 자치경찰의 조직 및 운영에 관한 법률
제5조【권한남용의 금지】 경찰은 그 직무를 수행할 때 헌법과 법률에 따라 국민의 자유와 권리 및 모든 개인이 가지는 불가침의 기본적 인권을 보호하고, 국민 전체에 대한 봉사자로서 공정·중립을 지켜야 하며, 부여된 권한을 남용하여서는 아니 된다.

(2) 수사과정에서의 인권존중

① 경찰은 법률의 규정에 의하여 그 권한을 행사함에 있어 직무수행에 필요한 최소한도의 범위 내에서 행사되어야 하며 이를 남용하여서는 아니 된다(권한남용의 금지). 또한, 경찰상의 목적을 달성하기 위해 여러 수단 중에서 하나를 선택할 수 있는 경우에는 그 사태를 해결하는데 인권 제한의 정도가 가장 낮은 수단을 선택하여야 한다.

② 형사소송법이 임의수사를 원칙으로 하고, 강제처분 법정주의를 택하고 있는 것도 인권존중주의에 기초한 것이다. 결국 피의자 등을 대면하는 과정에서 수사경찰에게 요구되는 가장 중요한 경찰 이념은 인권존중주의라고 할 수 있다.

04 정치적 중립

공무원은 국민 전체의 봉사자이며 국민에 대하여 책임을 진다. 경찰공무원을 비롯한 공무원의 신분과 정치적 중립성은 제도적으로 보장된다.

(1) 정치적 중립의 개념

경찰은 국민 전체에 대한 봉사자로서 정치적 중립을 준수하여야 한다. 경찰은 특정 정당이나 정치단체를 위해 경찰권을 발동해서는 아니 되며, 오로지 주권자인 국민과 국가의 이익을 위하여 활동하여야 한다.

(2) 구체적 내용

헌법 제7조 제2항은 "공무원의 신분과 정치적 중립성은 법률이 정하는 바에 의하여 보장된다."라고 규정하고 있고, 국가공무원법 제65조는 공무원의 정치운동의 금지를 규정하고 있다. 또한, 국가경찰과 자치경찰의 조직 및 운영에 관한 법률 제5조도 "경찰은 그 직무를 수행할 때 헌법과 법률에 따라 국민의 자유와 권리 및 모든 개인이 가지는 불가침의 기본적 인권을 보호하고, 국민 전체에 대한 봉사자로서 공정·중립을 지켜야 하며, 부여된 권한을 남용하여서는 아니 된다."라고 규정하여 경찰공무원의 정치적 중립을 강조하고 있다.

05 능률성 · 효과성 · 경영주의

능률성 · 효과성 · 경영주의의 경우 경찰이 예산을 집행하는 과정에 있어 최소의 비용으로 최대의 효과를 낼 수 있어야 하며, 경영의 차원에서 경찰조직을 관리하고 운용해 나가야 한다는 원칙이다. 결국 우리 경찰이 치안서비스의 제공자로서 조직구조가 효율적인지, 인력과 예산이 적절하게 배분되고 있는지를 진단하고 이를 실천해야 할 필요가 있다.

제8절 경찰행정의 특수성

구분	내용
위험성	경찰은 각종 위험의 제거를 주요 기능으로 하고, 그 수단으로 경찰권을 발동하고 실력행사를 한다. 이를 위해 경찰은 무기와 장구를 휴대하게 된다.
돌발성	일반행정기관은 알려진 대상은 예측하면서 업무를 수행하지만, 경찰행정기관은 예측하지 못한 경찰위반상태가 돌발적으로 발생했을 때 그 위험이 누구에 의해 야기된 것인지 알지 못하는 상황에서 업무를 수행하게 된다. 이러한 돌발적인 사건을 해결하기 위해 고도의 민첩성을 갖추고 다른 부서 혹은 직원들과 유기적인 공조체제를 갖추어야 한다.
기동성	경찰업무는 대부분 긴급하게 해결하지 않으면 피해를 회복하기 곤란하고, 권리구제의 기회를 상실하게 되는 경우가 많다. 기동성은 범인의 체포와 증거물의 확보에 있어서도 중요한 요소가 된다.
권력성	경찰은 공공의 안녕과 질서를 유지하기 위해 국민에게 명령 · 강제를 하므로 시민행동의 자유를 제한하게 된다. 윌슨은 권력성이 경찰에 대한 반감을 초래하는 원인으로 보았다.
조직성	경찰위반상태가 발생한 경우 그 해결이 시급하고 국민들에게 직접적인 이해관계가 있기 때문에 경찰조직이 기동성이나 협동성을 충분히 발휘하기 위해 여러 가지 치밀한 장치가 필요하다. 이를 위해 경찰조직은 안정적이고 능률적이어야 하며, 군대식으로 조직하는 것이 바람직하다. 대표적으로 계급과 제복이 조직성에 부응하기 위한 장치에 해당한다.
정치성	경찰조직의 정치적 중립을 확보하기 위한 제도적 장치가 필요하다. 경찰조직은 특정한 정당 또는 정권에 의해 좌우되어서는 안 되며 국민 전체에 대한 봉사자로서의 역할을 해야 한다.
고립성	경찰관은 시민들의 경찰에 대한 존경심 결여, 법집행에 대한 협력의 결여 및 경찰업무에 대한 이해 부족 등에 의해 소외감을 느끼게 된다.
보수성	경찰행정은 공공의 안녕과 질서를 유지하는 것을 임무로 하기 때문에 본질적으로 현상유지적 성격을 가진다.

MEMO

CHAPTER 03

한국경찰사

제1절 서설

우리나라의 경찰제도와 관련하여 시대적 구분에 대한 통일적인 견해는 아직 존재하지 않는다. 최근 학계에서 우리나라의 역사와 법학을 연구하는 학자들 사이에 학문적 교류가 있기는 하지만 그 연구가 초기적인 단계라 한국경찰사의 시대 구분을 위한 기준을 제시할 만한 수준에 이르기까지는 더 많은 연구가 필요한 실정이다.

그러나 한국경찰사를 연구하는 데 있어 의미가 있는 큰 사건을 기준으로 시대를 구분해보면 1894년 갑오개혁(甲午改革)을 기준으로 갑오개혁 이전의 경찰제도와 이후의 경찰제도로 구분하여 우리나라 경찰제도의 변화를 살펴볼 수 있다.

제2절 갑오개혁 이전의 경찰제도

갑오개혁 이전의 경찰제도는 전근대적인 경찰제도로서 당시의 경찰제도는 부족국가의 지배세력이 체제의 유지를 위해 다른 국가기능(군사, 재판, 재정 등)과 분화되지 않고 통합적으로 그 작용이 이루어졌다는 특징이 있다.

01 고대사회의 경찰제도

(1) 고조선

고조선의 경찰제도는 팔조금법(八條禁法)을 통해 유추해볼 수 있다. 팔조금법의 내용 중 반고의 '한서지리지'를 통해 전해지는 3개의 조항으로 살인죄(**相殺以當時償殺**), 상해죄(**相傷以穀償**), 절도죄(**相盜者男沒入爲其家奴 女子爲婢 欲自贖者五十萬**) 등이 존재했음을 알 수 있다.

(2) 한사군(漢四郡)

한사군의 경우 중국의 영향으로 경찰제도에 대한 일정 수준의 정비가 이루어졌다. 당시 경찰제도는 군(郡)・현(縣)・경(卿)・정(亭)・리(里)의 행정구역을 기준으로 경찰기능을 담당하는 관리들을 따로 두었다.

군	문관으로 태수(太守), 무관으로 도위(都尉)를 따로 두어 경찰기능을 담당하게 하였다.
현	위(尉)와 좌사(佐史)가 도적을 검거하는 활동을 하였다.
경	삼로(三老)는 교화, 유요(遊徼)는 순찰과 도적을 방비하는 업무를 수행하였다.
정	정장(亭長)을 통해 도적의 검거와 같은 경찰업무를 수행하였다.
리	이괴(里魁)가 풍속 등을 담당하였다.

(3) 부족국가

부여	① 살인자는 사형에 처하고 그 가족은 노비로 삼았다. ② 일책십이법(一責十二法)을 통해 절도죄를 범한 자에게 물건값의 12배를 배상하게 하였다. ③ 영고라는 제천행사를 열 때 죄수를 석방하기도 하였다. ④ 마가・우가・저가・구가 등의 관료들이 국방과 경찰업무를 수행하였다.
고구려	① 중범죄자에 대해서는 제가회의를 통해 사형여부를 결정했고 그 가족을 노비로 삼았다. ② 일책십이법(一責十二法)을 통해 절도죄를 범한 자에게 물건값의 12배를 배상하게 하였다. ③ 엄격한 형벌로 사회를 통제하였다.
동예	① 살인자는 사형에 처하였다. ② 책화(責禍)제도를 통해 각 마을의 경계를 엄격하게 지켰다.
삼한	제사장인 천군이 다스리는 소도(蘇塗)는 군장의 통치력이 미치지 못하는 일종의 치외법권지역으로, 범죄자가 소도로 도주하더라도 체포할 수 없었다.

CHAPTER 03

02 삼국시대

강력한 중앙집권체제를 확립하게 된 시기로 나라마다 차이가 있으나 일반적으로 반역죄나 왕권을 침해하는 범죄를 엄격하게 다스렸다는 특징이 있다.

고구려	① 지방을 5부로 나누어 욕살(褥薩)이라는 관리를 따로 두어 경찰권을 행사하도록 하였다. ② 범죄자는 제가회의를 통해 즉결처분하였다. ③ 경찰제도와 군사제도가 분리되지 못했다.
백제	① 수도를 5부로 나누어 달솔(達率)이라는 관료가 통치하도록 했고, 지방은 5방으로 편제하고 방령(方領)이 치안을 유지했을 것으로 추정된다. ② 관인수재죄(官人受財罪)를 통해 삼국(三國) 중 최초로 공무원의 범죄를 다스렸다.
신라	① 지방에는 주(州)를 설치하고 군주(軍主)가 군사업무와 경찰업무를 담당하였다. ② 화랑제도를 통해 수도와 지방의 치안을 담당하게 하였다.

03 통일신라

(1) 지방행정제도

지방을 9주와 5소경으로 나누어 편제하고 지방 관리인 총관과 사신을 두었다. 그리고 이방부는 좌이방부와 우이방부로 구분하여 범죄의 수사와 집행을 담당하였다.

(2) 범죄와 형벌

모반죄(謀叛罪), 모대역죄(謀大逆罪), 지역사불고언죄(知逆事不告言罪) 등의 왕권을 보호하기 위한 범죄를 규정하였으며, 불휼국사죄(不恤國事罪), 배공영사죄(背公營私罪) 등의 범죄를 통해 관리들의 직무와 관련된 행위를 처벌하였다. 이 시기에는 왕권의 보호와 지배체제의 확립을 위해 형의 종류가 세분화되고 형벌의 집행방법도 잔인했다는 특징이 있다.

04 고려시대

고려시대의 경찰제도는 경찰임무가 다른 행정업무와 분리되지 못하고 통합적으로 이루어졌다. 그중에서 행정경찰업무는 병부(兵部)에서 관장하였고, 사법경찰업무는 형부(刑部)에서 관장하도록 함으로써 군사경찰제도의 성격이 강한 시기였다.

(1) 중앙경찰기관

병부(兵部)	당시의 경찰업무는 군사업무의 일부로 간주되었다. 국가의 치안유지에 관한 임무는 병부에서 담당하였다.
형부(刑部)	형부는 법률·송사 등을 담당하였으며, 사법경찰작용도 담당하였다.
2군 6위	① 중앙군으로 2군 6위를 두어 수도경비와 함께 치안유지를 위한 일반경찰업무를 담당하게 하였다. ② 금오위가 수도의 경찰업무를 수행했으며 수도의 순찰 및 포도금란(捕盜禁亂) 및 비위예방의 업무를 수행하였다.

(2) 지방경찰기관

현위(縣尉)를 수장으로 하는 위아(尉衙)라는 기관을 두어 해당 지방의 비행 및 범죄의 방지나 그 처리, 질서유지임무를 담당하였다.

(3) 특수경찰기관

순마소(巡馬所)	순마소(순군만호부)는 수도의 순찰 및 경비를 담당했으며, 동시에 왕궁경비임무도 수행하였다. 방도금란(防盜禁亂)의 임무 외에 왕권보호 등과 같은 정치적인 임무도 수행하였다.
어사대(御史臺)	관료에 대한 비리감찰이 주된 업무이었고, 풍속교정의 임무도 수행하였다.

05 조선시대

조선시대의 경찰제도는 경찰권이 일원화되지 못하고 각 행정기관[직수아문(直囚衙門)]이 소관사무와 관련하여 필요한 범위 내에서 직권으로 경찰권을 발동하였다.

(1) 중앙경찰기관

병조(兵曹)	당시 병조는 군사행정뿐만 아니라 경찰사무도 함께 담당하였다.
형조(刑曹)	① 법률, 형사처벌, 소송 등의 업무를 관장하였다. ② 고율사(考律司)는 법률의 해석을 담당하고, 장금사(掌禁司)는 감옥에 관한 사무를 관장함으로써 형조는 사법경찰사무를 관장했음을 짐작할 수 있다.
의금부(義禁府)	① 왕명을 받들고 추국(推鞫)을 담당하던 기관으로 왕족범죄 및 전·현직 관리들의 범죄, 국사범 등을 담당하였다. ② 사헌부에서 탄핵한 사건, 강상(綱常)에 관한 범죄 등 특별범죄를 관할하던 기관이었다.
사헌부(司憲府)	풍속경찰을 주관하고 민정을 파악하여 정사(政事)에 반영하는 등 행정경찰업무를 담당하였다.
한성부(漢城府)	수도의 일반행정뿐만 아니라 경찰행정도 담당했으며, 투구(鬪毆), 검시(檢屍) 등의 사무를 수행하였다.

(2) 지방경찰기관

지방행정을 담당하던 관찰사, 부사, 목사, 군수, 현령, 현감 등이 해당 행정구역의 행정업무와 사법사무를 관장했다. 동시에 지방행정기관장들은 행정경찰과 사법경찰업무도 담당했다.

(3) 포도청

① 포도청은 우리나라 최초의 전문적 · 독립적인 경찰기관으로 도적의 횡포를 막기 위해 만들어졌다.

② 포도청은 성종 2년 포도장제에서 기원하며 중종 치세기에 이르러 포도청으로 개칭되었다.

③ 당시의 포도청은 좌포도청과 우포도청으로 나뉘어 좌포도청은 한양의 동 · 남 · 중부와 경기좌도, 우포도청은 한양의 서 · 북부와 경기우도를 관할하였다.

④ 관비인 '다모(茶母)'가 여성범죄나 양반가의 수색 등을 담당하였다.

(4) 암행어사

초기의 암행어사는 정보경찰활동을 주로 수행했으며, 이후에는 지방관리에 대한 감찰이나 민생을 암암리에 조사하여 국왕에게 보고하는 등 감독 · 감찰기관으로서의 업무도 동시에 수행하였다.

CHAPTER 03

제3절 갑오개혁 이후의 경찰제도

이 시기의 경찰제도는 조직법 · 작용법이 마련되고 경찰이라는 명칭을 사용하기 시작했으며, 제복을 착용하는 등 근대적 경찰제도의 기틀을 마련했다는 점에 그 특색이 있다.

Add ⊕

유길준의 서유견문록과 경찰제도

1. 위생 점검, 산림 보호, 상행위 질서 확립 등 민생 치안에 중점을 두어야 한다고 주장하였다(위생 제외 ×).
2. 서유견문록 '제10편 순찰의 규제'를 통해 경찰제도개혁을 주장하였다.
3. 경찰제도를 행정경찰과 사법경찰로 구분할 것을 주장하였다.
4. 김옥균, 박영효 등이 일본의 경찰제도로부터 영향을 받은 반면, 유길준은 영국의 경찰제도로부터 영향을 받았다.

01 경무청

(1) 의의

1894년 갑오개혁의 일환으로 좌우포도청을 폐지하고 내무아문 소속으로 경무사를 수장으로 하는 경무청을 창설하였다(처음에는 법무아문 소속으로 설치하였으나 곧바로 내무아문 소속으로 변경함). 우리나라 최초의 경찰조직법인 경무청관제직장과 경찰작용법인 행정경찰장정을 제정함으로서 근대적 경찰제도의 기틀을 마련했다는 점에 그 의의가 있다.

(2) 업무의 범위

당시의 경무청은 행정경찰, 고등경찰, 시장, 지방경찰, 도서출판, 위생경찰업무뿐만 아니라 감옥업무도 동시에 관장하였다.

(3) 특징

경무관을 장으로 하는 경찰지서를 창설하여 한성부 내의 경찰사무를 담당하도록 하였으며, 영업 · 소방 · 전염병 등 광범위한 직무를 담당하였다. 이 시기에는 경찰업무와 일반행정업무가 분화되지 못했다.

Add

1. 조직법인 경무청관제직장은 일본의 경시청관제, 작용법인 행정경찰장정은 일본의 행정경찰규칙과 위경죄즉결례를 모방하였다.
2. 한성부의 5부 내에 경찰지서를 설치하고 서장을 경무관으로 보하였다.
3. 1894년 일본각의의 결정에 따라 김홍집내각은 '각아문관제'에서 처음으로 경찰이라는 용어를 사용하였다.

02 내부(內部)

각아문관제를 폐지하고 내부관제의 제정으로 내무아문이 내부로 개칭되어 경무청은 내부 소속으로 변경되었다.

03 경부(警部)

1897년 광무개혁의 일환으로 1900년 6월 12일 경부관제를 선포하고, 동시에 경찰업무를 내부에서 독립시켜 경부를 창설하였다. 이를 계기로 경부대신이 전국의 경찰업무를 관장하게 되었으나 1902년 2월에 경부가 폐지되고 다시 내부 소속의 경무청으로 복귀하게 되었다.

이 시기의 경무청은 전국의 경찰사무를 관장했다는 점에서 1894년 갑오개혁 당시에 창설되었던 경무청과 차이가 있다.

04 통감부

1905년 을사조약의 체결로 1906년 2월에 통감부가 설치되었다. 이 시기에 경찰이 담당하던 감옥에 관한 사무를 법부(法部)로 이관하였다.

제4절 일제강점기의 경찰제도

01 헌병경찰시대

우리나라를 합병한 일본은 통감부를 폐지하고 1910년 10월 1일 총독부를 설치하였다. 조선총독은 행정수반으로서 우리나라에서의 모든 정무(政務)를 관장하였으며, 군대에 대한 지휘권과 사법권도 가지고 있었다. 헌병경찰제도는 1919년 3월 1일의 독립만세운동을 계기로 보통경찰제도로 전환될 때까지 유지되었다.

(1) 치안입법

일본은 헌병경찰제도를 위하여 보안법, 집회단속에 관한 법률, 출판법, 신문지법 등을 제정하였다. 또한, 조선주차헌병조령(朝鮮駐箚憲兵條令, 칙령 343호)에 의하여 헌병이 일반치안을 담당할 수 있는 법적 근거를 마련하였다.

(2) 특징

조선총독부에 경무총감부를 두어 경찰업무를 관장하도록 하였으며, 헌병경찰은 첩보의 수집, 의병토벌 등의 업무뿐만 아니라 민사소송의 조정, 집달리업무, 국경세관업무 등 광범위한 영역에 걸쳐 경찰권을 행사함으로써 막강한 권한을 가지고 있었다.

02 보통경찰시대

1919년 3・1운동을 계기로 문화통치를 통한 정책의 전환을 꾀하게 된다. 이때 헌병경찰제도를 보통경찰제도로 전환하게 되면서 경무총감부를 경무국으로 격하 조정하였다. 그러나 경찰제도의 변화와는 관계없이 경찰의 직무와 권한에는 변화가 없었다. 경찰은 치안유지업무 이외에 각종 조장행정에의 원조, 민사쟁송조정업무, 집달리사무 등을 담당했다.

(1) 치안입법

이 시기에 일본은 정치범처벌법(1919)을 제정하여 단속체제를 강화하였으며, 1925년 일본에서 제정된 치안유지법을 우리나라에 적용하는 등 탄압의 정도를 강화하였다.

(2) 특징

1937년 중・일전쟁 이후에는 경찰의 업무가 경제경찰, 외사경찰 영역에까지 확대되었고, 1941년 예비검속법을 통하여 독립운동에 대한 탄압을 한층 더 강화하게 되었다.

03 임시정부경찰

(1) 상해시기(1919~1932)

경무국	① 1919.4.25. '대한민국 임시정부 장정'의 공포로 임시정부 경찰조직인 경무국의 직제와 분장사무가 처음으로 규정됨 ② 1919년 11월 대한민국임시관제를 제정하여 내무부에 경무국을 두고 초대 경무국장으로 김구를 임명함 ③ '대한민국 임시정부 장정'에는 경무국의 소관사무로 행정경찰에 관한 사항, 고등경찰에 관한 사항, 도서출판 및 저작권에 관한 사항, 위행에 관한 사항 등이 규정됨 ④ 임시정부 경찰의 운영을 위한 정식 예산이 편성되었고, 규정에 근거하여 소정의 월급이 지급됨
연통제 (경무사)	① 상해 임시정부는 지역적 한계를 극복하고 국내와 연계하여 연락 · 정보수집 · 선전활동 및 정부 재정 확보 등을 위해 연통제를 실시하여 도(道)에 경무사를 둠 ② 국내 각 도 단위의 지방행정기관으로 독판부 설치, 독판부 산하 경찰기구로 경무사를 둠 ③ 부 · 군 단위의 지방행정기관으로 부서 · 군청을 두었고 산하 경찰기구로 경무과를 설치함
의경대	① 임시정부는 '임시 거류민단제'를 통해 교민들의 자치제도를 공인하고, 교민단체는 '의경대조례'를 통해 자치경찰조직인 의경대를 조직함 ② 1923.12.27. 김구 선생을 중심으로 대한교민단 산하에 별도의 경찰조직인 의경대를 창설, 1932년에는 김구 선생이 직접 의경대장을 맡음 ③ 의경대는 일제의 밀정을 색출하고 친일파를 처단하는 역할을 수행하였으며 교민사회의 질서유지, 호구조사, 민단세 징수, 풍기단속 등의 업무를 수행함

(2) 중경시기(1940~1945)

경무과	① 1940.9. 임시정부가 중국 중경에 자리잡으면서, 1943년 '대한민국 잠행관제'를 제정하고 이에 근거하여 내무부 경무과를 설치함 ② 경무과는 내무부 산하조직으로 일반 경찰사무, 인구조사, 징병 및 징발, 국내 정보 및 적 정보 수집 등의 업무를 수행함
경위대	① 1941년 내무부 직속으로 경찰 조직인 경위대를 설치, 그 규칙으로 경위대 규정을 따로 둠 ② 통상적으로 경위대장은 경무과장이 겸임함 ③ 경위대의 주요 임무는 임시정부 청사 경비, 임시정부 요인 보호였으며, 군사조직이 아닌 경찰조직에 해당함 ④ 광복 후 임시정부 요인들이 귀국시 경호업무를 수행함

제5절 미군정기의 경찰제도

1945년 해방 이후 1948년 8월 15일 대한민국 정부가 수립될 때까지 우리나라는 미군정청의 통치를 받았다. 이 시기의 경찰제도는 조선총독부의 경무국 제도를 그대로 유지하여 경무국이 미군정청의 일국으로 유지되었다.

01 제도적 특징

미군정의 초기에는 미군정청의 '태평양미육군총사령부 포고 제1호'를 통해 군정의 실시와 구 관리의 현직유지를 선포하였다(경찰의 인적 구성원을 대거 쇄신하였다 ×). 이후 1946년에는 기존의 경무국을 경무부로 승격시키게 된다. 이 시기에 우리나라에는 영미법적 요소가 많이 도입되어 민주적인 제도의 기틀을 마련하게 되었다.

(1) 비경찰화

미군정시기에는 위생업무를 위생국으로 이관하고, 소방업무 · 검열 · 출판업무 등도 모두 이관하게 된다. 또한, 1945년에 정치범처벌법, 치안유지법 및 예비검속법 등이 폐지되었고, 1948년에 보안법이 순차적으로 폐지되었다. 경제경찰업무도 폐지하였다.

(2) 독자적 수사권 행사

1945년 '법무국 검사에 관한 훈령 제3호'가 발령되어 '수사는 경찰, 기소는 검사' 체제가 도입되어 경찰이 독자적인 수사권을 행사하였다. 그러나 1948년 검찰청법의 제정으로 경찰은 검사로부터 수사지휘를 받게 되었다.

(3) 경무부

1946년 경무국을 경무부로 승격시키고, 기존 경무국의 과(課)를 국(局)으로 승격시켰다.

02 영미법적 요소의 도입

(1) 1945년 10월 21일 국립경찰의 탄생 시 이념적 지표가 된 경찰정신은 영미법계의 영향으로 '봉사'와 '질서'를 경찰의 행동강령으로 삼았다.

(2) 이 시기에는 과학수사가 도입되어 경무부 수사국 산하에 법의(학)실험소를 설치하였으며, 1946년에 여자경찰제도를 신설하고, 1947년에는 6인의 위원으로 구성된 중앙경찰위원회 제도가 도입되었다. 또한, 정보업무를 강화하기 위해 정보과(사찰과)를 신설하였다.

제6절 대한민국 정부수립 이후의 경찰제도

1948년 8월 15일 대한민국 정부가 수립되고 경찰조직은 내무부 소속의 치안국으로 격하조정되었다. 이 시기의 경찰제도는 독립국가로서 우리나라 역사상 최초로 자주적인 입장에서 경찰조직을 운영하게 되었다. 또한, 경찰작용의 기본법으로 1953년에 경찰관 직무집행법이 제정되었으며 이를 계기로 경찰은 공공의 안녕과 질서유지뿐만 아니라 국민의 생명・신체 및 재산의 보호를 그 임무로 하게 되었다.

01 내무부 치안국

정부조직법의 제정으로 미군정청의 경무부가 내무부 치안국으로 격하되었다. 이 시기에는 해양경찰대(1953년), 국립과학수사연구소(1955년), 전투경찰대(1968년)가 설치되었으며, 경찰공무원법(1969년)의 제정 등이 이루어졌다.

Add

6・25 전쟁 중 주요 전투

춘천 내평전투	1950.6.25. 양구경찰서 내평지서장 노종해 경감은 10여명의 인력으로 춘천으로 진격하는 1만여명의 북한군을 1시간 이상 지연시킨 후 전사
함안전투	① 전남・북 및 경남 3개도 경찰관 6,800여명과 미군 25사단 일부는 1950.8.18.~9.15.까지 북한군 4개 사단을 격퇴하고 방어선을 사수함 ② 당시 경남경찰국장은 독립운동가 출신 최천 경무관으로 경남경찰 3,400여명을 지휘함
장진호전투	① 1950.11.~12. 함경남도 장진 일대에서 UN군과 중공군이 벌인 전투로, 미해병 1사단에 배속되어 있던 한국경찰 '화랑부대' 1개 소대가 큰 전공을 올림 ② '화랑부대'는 미군으로부터 별동의 훈련을 받고 부대단위로 편제된 경찰관 부대를 통칭

02 내무부 치안본부

1974년에 기존의 국(局)편제에서 내무부 치안본부로 개편되었다. 이 시기에는 소방업무가 내무부 민방위본부로 이관(1975년)되었으며, 경찰대학설치법의 제정(1979년)으로 경찰대학이 설립(1981년)되었다.

03 지방경찰조직

지방경찰조직의 경우 시・도지사의 보조기관으로 시・도경찰국이 경찰임무를 수행하고 있었다. 그러나 경찰서장의 경우 경찰행정관청의 지위를 가지고 있었다.

04 경찰법 제정 이후

1991년 경찰법의 제정으로 내무부 치안본부가 경찰청으로 승격되면서 경찰청장이 행정관청으로서의 지위를 가지게 되었다. 또한, 경찰위원회제도를 도입하여 경찰조직에 대한 민주적 통제장치를 마련하였으며, 치안행정협의회를 설치하여 지방의 치안행정과 일반행정의 업무조정이 가능하게 되었다. 지방경찰조직의 경우 시・도지사의 보조기관이었던 시・도경찰국장도 지방경찰청장으로 승격되면서 경찰행정관청의 지위를 가지게 되었다.

05 국가경찰과 자치경찰의 조직 및 운영에 관한 법률 제정 이후

2021년 국가경찰과 자치경찰의 조직 및 운영에 관한 법률의 제정으로 경찰사무를 국가경찰사무와 자치경찰사무로 나누고, 각 사무별 지휘・감독권자를 분산하며, 시・도자치경찰위원회가 자치경찰사무를 지휘・감독하도록 하는 등 자치경찰제 도입의 법적 근거를 마련하였다. 또한 수사업무의 공정성을 확보하기 위해 경찰청에 국가수사본부를 설치하였다.

제7절 한국경찰사 관련 주요 인물

01 일제강점기

인물	내용
나석주	① 임시정부 경무국 경호원 및 의경대원으로 활동 ② 1926년 12월 식산은행과 동양척식회사에 폭탄 투척
김석	의경대원으로 활동하면서 윤봉길 의사를 배후에서 지원
김용원	① 1921년 김구 선생의 뒤를 이어 제2대 경무국장 역임 ② 1924년 귀국 후 군자금 모금활동 등을 하였으며 병보석과 체포를 반복하다 1934년 순국
김철	① 의경대 심판을 역임 ② 1932.11.30. 프랑스 조계에 잠입하였다가 일제경찰에 체포

02 6・25 전쟁

인물	내용
안종삼	① 구례경찰서 안종삼 서장은 여순사건 이후 구례군에 국민훈련원 구례분원을 설치하고 보도연맹원들에게 복권의 기회를 부여 ② 1950.7.24. 예비검속된 보도연맹원들에 대한 총살명령이 하달되자 480여명의 예비검속자들에게 "내가 죽더라도 방면하겠으니 국가를 위해 충성해달라."는 연설 후 전원을 방면하여 구명
김해수	① 1948년 간부후보생 3기로 입직 ② 1950.7.8. 영월화력발전소 탈환작전 도중 47명의 결사대와 함께 73명의 적을 사살하고 전사
라희봉	① 1949년 순경으로 입직 ② 1951년 순창 쌍치지서장으로 재직 중 다수의 공비를 토벌 ③ 1952.11. 700여 명의 공비와 전투 중 24세의 나이로 전사
권영도	① 경찰 입직 이전 경남경찰 산하 서하특공대에 입대 후 산청군 일대에서 공비 소탕작전의 선봉으로 나서 공비 23명을 사살 ② 1951년 순경으로 특채되었으며, 1952.7. 무장공비 소탕 중 26세의 나이로 전사

03 그 외의 주요 인물

안맥결 총경	① 도산 안창호 선생의 조카딸로, 1919.10. 평양 숭의여학교 재학 중 만세시위에 참여하다 체포되어 20일간 구금 ② 1936년 임시정부 군자금 조달 혐의로 5개월간 구금되었으며, 1937년 일제가 조작한 수양동우회 사건으로 수배된 후 서대문형무소에 수감되었다가 가석방 ③ 1946.5. 미군정시기 제1기 여자경찰간부로 임용되었으며, 1952년부터 2년간 서울여자경찰서장을 역임하며 풍속・소년・여성보호 업무를 담당 ④ 1957년 국립경찰전문학교 교수로 발령 後, 1961년 5・16 군사정변이 일어나자 사직
문형순 경감	① 민주경찰・인권경찰의 표상 ② 신흥무관학교를 졸업한 독립군 출신으로 광복 이후 경찰간부(경위)로 입직 ③ 제주 4・3 사건 이후 1948년 12월 제주 대정읍 하모리에서 검거된 좌익총책의 명단에 연루된 100여 명의 주민들이 처형위기에 처하자 당시 모슬포서장 문형순은 조남수 목사의 선처 청원을 받아들여 이들에게 자수하도록 하고, 1949년 자신의 결정으로 전원을 훈방 ④ 1950.8.30. 성산포경찰서장 재직시 계엄군의 예비검속자 총살 명령에 '부당함으로 불이행한다'고 거부하고 278명을 방면
차일혁 경무관	① 호국경찰・인권(인본)경찰・문화경찰의 표상 ② 남부군 사령관 이현상 사살 ③ '충주직업소년학원'을 설립하여 불우아동들에게 배움의 기회를 제공 ④ 드라마 주인공의 실제 모델
최규식 경무관・정종수 경사	① 호국경찰의 표상 ② 1968.1.21. 무장공비 침투사건 당시 청와대 사수
안병하 치안감	① 민주경찰・인권경찰의 표상 ② 육군사관학교 출신으로 1962년 입직 ③ 전남경찰국장으로 재직중이던 1980.5.18. 광주 민주화운동 당시 '분산되는 자는 너무 추적하지 말 것, 부상자가 발생하지 않도록 할 것, 연행과정에서 학생의 피해가 없도록 유의할 것' 등을 지시하여 비례의 원칙에 입각한 경찰권발동 및 시위대 인권보호 강조
이준규 총경	① 민주경찰・인권경찰의 표상 ② 1948년 경찰 입직 ③ 1980.5.18. 당시 목포경찰서장으로 재임 중 안병하 국장의 방침에 따라 경찰 총기 대부분을 군부대 등으로 사전에 이동시키고, 자체방호를 위해 가지고 있던 소량의 총기도 격발이 불가능하도록 방아쇠 뭉치를 모두 제거하여 경찰관들과 함께 고하도로 이동시켜 시민들과의 유혈충돌을 원천봉쇄하여 사건 당시 사상자가 거의 발생하지 않도록 함 ④ 신군부에 의해 구속되어 직위해제 이후 파면
최중락 총경	① 수사경찰의 표상 ② 1950년 순경으로 입직 ③ 63・68・69년 치안국 포도왕으로 선정, 재직 중 1,300여명의 범인을 검거 ④ 드라마의 실제 모델

MEMO

CHAPTER 04 경찰법학

제1절 경찰법학 일반

01 경찰법학의 구성

1. 경찰법학의 의의

(1) 국가조직은 법률에 근거하여 설치되는 것이 원칙이고, 법률에 의해 설치된 국가조직은 법률에 근거하여 그 권한을 발동하여야 한다. 그러므로 경찰조직 역시 법률에 근거하여 설치되어야 하며, 경찰권의 발동 또한 법치주의의 원칙에 따라 법률에 근거하여 경찰권을 발동하여야 한다.

(2) 경찰법학은 경찰조직의 설치근거와 그 구성원들의 임용 및 권리·의무·책임, 경찰조직의 경찰권발동과 이로 인해 피해를 입은 국민의 구제절차를 규정하고 있는 여러 법률에 대한 내용으로 구성되어 있다.

2. 경찰행정법의 구성

현행 헌법은 행정 각부의 설치·조직과 직무범위는 국민의 대표기관인 국회가 법률의 형식으로 결정하도록 규정하고 있으며(헌법 제96조), 그 결과 경찰행정에 관한 법률은 상당한 수준으로 정비되어 있다.

> **대한민국 헌법**
> **제96조** 행정각부의 설치·조직과 직무범위는 법률로 정한다.

이러한 경찰행정법의 경우 통일된 단일 법전은 없으나 전반적으로 통일된 법체계를 구성하고 있다는 특징이 있다.

(1) **일반 경찰행정법**

① **경찰조직법**: 경찰행정 조직이나 기구에 관해 규정한 법을 말한다. 국가경찰과 자치경찰의 조직 및 운영에 관한 법률이나 경찰청과 그 소속기관 직제, 지역경찰의 조직 및 운영에 관한 규칙 등이 경찰조직에 대한 규정을 두고 있으며 이러한 법령들을 경찰조직법이라고 한다. 이러한 경찰조직법 중에서 가장 기본이 되는 것이 '국가경찰과 자치경찰의 조직 및 운영에 관한 법률'이다.

② **경찰공무원법**: 경찰조직의 구성원을 임용하고 그 구성원들이 가지는 권리·의무·책임 등에 대하여 규정한 법을 말한다. 국가공무원법, 경찰공무원법과 그 시행에 관련된 여러 규정들이 있으며, 경찰공무원에게는 국가공무원법보다 경찰공무원법을 우선해서 적용한다.

③ **경찰작용법**

㉠ 경찰조직이 실시해야 할 경찰활동의 내용을 정한 법으로 실질적으로는 경찰조직의 구성원들이 위험상황의 발생시 어떤 대상에게 어떤 방식으로 경찰권을 발동할 수 있는지와 그 발동의 한계에 대하여 규정한 법을 말한다.

㉡ 경찰작용법 영역도 단일 법전은 존재하지 않으며, 즉시강제의 일반법인 경찰관 직무집행법을 비롯하여 경찰활동을 위한 각론상의 여러 개별법들이 경찰작용법에 해당한다. 그러므로 경찰은 국가경찰과 자치경찰의 조직 및 운영에 관한 법률이나 경찰공무원법에 직접적인 규정이 없는 활동에 대해서도 각 개별법에 근거한 경찰권의 발동이 가능하다.

④ **경찰구제법**: 경찰조직이 경찰권을 발동하는 과정에서 경찰활동에 의해 침해를 받은 국민의 구제절차를 정한 법을 말한다. 국가배상법이나 행정심판법·행정소송법 등이 있으며, 이러한 경찰구제법은 위법한 경찰활동의 효력 자체를 다투거나 또는 위법한 경찰활동으로 인한 손해를 회복하는 데 그 목적이 있다.

Add

경찰관 직무집행법은 적법한 경찰활동으로 손실을 입은 국민에 대한 보상절차에 관한 규정을 두어 구제법으로서의 역할도 하고 있다.

(2) 특별 경찰행정법

특별 경찰행정법이란 특별한 경찰작용을 위한 조직의 설치 근거나 그 작용에 대하여 규정한 법으로 식품위생법, 건축법, 폐기물관리법, 공중위생관리법 등 특별한 경찰활동을 위한 개별법을 그 예로 들 수 있다. 이러한 특별 경찰행정법은 협의의 행정경찰의 조직이나 그 권한 발동의 근거가 된다.

CHAPTER 04

02 법치주의와 경찰행정

1. 법치주의의 개념

(1) 법치주의(법치행정의 원칙)는 경찰행정이 국민의 권리 또는 의무에 관계되는 작용을 행할 경우에는 반드시 국민의 대표기관인 국회에서 제정한 법률에 따라야 한다는 원칙으로 '법률에 의한 행정의 원리'라고도 하며 이는 법치국가의 필수요건이다.

(2) 법치주의(법치행정의 원리)란 인권을 보장함에 있어서 모든 국가작용은 국민의 대표기관이 국회가 제정한 법률에 근거해야 한다는 것을 의미한다. 이러한 법치주의는 법률의 법규창조력, 법률우위, 법률유보로 구성된다.

(3) 실질적 법치주의하에서는 형식적 법치주의와는 달리 위헌법률심사제도가 채택되어 합헌적 법률의 우위만이 인정된다. 다시 말해 실질적 법치주의에서의 법이란 형식적·절차적 정당성뿐만 아니라 그 내용도 헌법에 부합하여야 한다.

2. 법치주의의 내용

(1) 법률의 법규창조력

법률의 법규창조력이란 국민의 권리·의무에 관한 법규는 원칙적으로 국민의 대표기관인 국회가 법률로만 규정할 수 있다는 원칙을 말한다.

대한민국 헌법
제37조 ② 국민의 모든 자유와 권리는 국가안전보장·질서유지 또는 공공복리를 위하여 필요한 경우에 한하여 법률로써 제한할 수 있으며, 제한하는 경우에도 자유와 권리의 본질적인 내용을 침해할 수 없다.

행정기본법
제8조 【법치행정의 원칙】 행정작용은 법률에 위반되어서는 아니 되며, 국민의 권리를 제한하거나 의무를 부과하는 경우와 그 밖에 국민생활에 중요한 영향을 미치는 경우에는 법률에 근거하여야 한다.

질서위반행위규제법
제6조 【질서위반행위 법정주의】 법률에 따르지 아니하고는 어떤 행위도 질서위반행위로 과태료를 부과하지 아니한다.

Add ⊕

법규범의 일반적 체계
헌법 – 법률 – 명령(행정입법) – 조례 – 규칙

(2) 법률우위의 원칙

① 국가작용을 입법 · 행정 · 사법으로 구분할 때 법률의 형식으로 표현된 국가의사는 다른 모든 국가작용(행정 · 사법)보다 우위에 있다는 것을 말한다. 그러므로 행정권의 발동이 법률에 저촉되거나 위반되어서는 아니 된다.
② 법률우위의 원칙은 모든 행정작용에 적용되며 법치주의의 소극적 측면에 해당한다.

(3) 법률유보의 원칙

법률유보의 원칙이란 행정권의 발동에 있어서 반드시 개별적인 법률의 수권(법적 근거)을 필요로 한다는 원칙이다. 이는 모든 행정작용에 적용되는 원칙이 아니며(학설의 다툼이 있음) 법치주의의 적극적 측면을 의미한다.

법률우위의 원칙(발동의 한계)	법률유보의 원칙(발동의 근거)
소극적 의미의 법률적합성을 의미한다.	적극적 의미의 법률적합성을 의미한다.
모든 행정작용에 적용된다.	일부 행정작용에만 적용된다(견해 대립).
법률이 있는 경우에 문제가 된다.	법률이 없는 경우에 문제가 된다.
법률은 형식적 의미의 법률뿐만 아니라 법규명령이나 불문법도 포함하는 개념이다.	법률은 형식적 의미의 법률이나 법규명령 등 성문법만을 의미하는 개념으로 불문법은 포함되지 않는다.

Add ⊕

침해행정유보설
침해행정유보설은 개인의 자유를 침해하거나 의무를 부과하는 행정은 반드시 법률의 근거가 있어야 한다는 입장이다.

판례 **물포 발포행위 등 위헌확인**
집회나 시위 해산을 위한 살수차 사용은 집회의 자유 및 신체의 자유에 대한 중대한 제한을 초래하므로 살수차 사용요건이나 기준은 법률에 근거를 두어야 하고, 살수차와 같은 위해성 경찰장비는 본래의 사용방법에 따라 지정된 용도로 사용되어야 하며 다른 용도나 방법으로 사용하기 위해서는 반드시 법령에 근거가 있어야 한다. 혼합살수방법은 법령에 열거되지 않은 새로운 위해성 경찰장비에 해당하고 이 사건 지침에 혼합살수의 근거 규정을 둘 수 있도록 위임하고 있는 법령이 없으므로, 이 사건 지침은 법률유보원칙에 위배되고 이 사건 지침만을 근거로 한 이 사건 혼합살수행위 역시 법률유보원칙에 위배된다. 따라서 이 사건 혼합살수행위는 청구인들의 신체의 자유와 집회의 자유를 침해한다[전원재판부 2015헌마476, 2018. 5. 31., 인용].

Add ⊕

일반적 · 추상적 법적 근거와 개별적 · 구체적 법적 근거

대상	일반적	특정인을 대상으로 하지 않고 일반 국민을 대상으로 규정 **성매매 알선 등 행위의 처벌에 관한 법률** **제4조 【금지행위】** 누구든지 다음 각 호의 어느 하나에 해당하는 행위를 하여서는 아니 된다. 1. 성매매 2. 성매매알선 등 행위 3. 성매매 목적의 인신매매 4. 성을 파는 행위를 하게 할 목적으로 다른 사람을 고용 · 모집하거나 성매매가 행하여진다는 사실을 알고 직업을 소개 · 알선하는 행위 5. 제1호, 제2호 및 제4호의 행위 및 그 행위가 행하여지는 업소에 대한 광고행위
	개별적	일반 국민을 대상으로 하지 않고 특정인을 대상으로 규정 **성매매알선 등 행위의 처벌에 관한 법률** **제7조 【신고의무 등】** ① 성매매방지 및 피해자보호 등에 관한 법률 제5조 제1항에 따른 지원시설 및 같은 법 제10조에 따른 성매매피해상담소의 장이나 종사자가 업무와 관련하여 성매매 피해사실을 알게 되었을 때에는 지체 없이 수사기관에 신고하여야 한다.
내용	추상적	구체적인 행위유형을 규정하는 것이 아니라 일반적인 행위방식을 규정 **청소년 보호법** **제5조 【국가와 지방자치단체의 책무】** ④ 국가와 지방자치단체는 청소년을 보호하기 위하여 청소년유해환경을 규제할 때 그 의무를 충실히 수행하여야 한다.
	구체적	대상자가 준수해야 할 구체적인 행위유형을 규정 **풍속영업의 규제에 관한 법률** **제3조 【준수 사항】** 풍속영업을 하는 자(허가나 인가를 받지 아니하거나 등록이나 신고를 하지 아니하고 풍속영업을 하는 자를 포함한다. 이하 '풍속영업자'라 한다) 및 대통령령으로 정하는 종사자는 풍속영업을 하는 장소(이하 '풍속영업소'라 한다)에서 다음 각 호의 행위를 하여서는 아니 된다. 1. 성매매알선 등 행위의 처벌에 관한 법률 제2조 제1항 제2호에 따른 성매매알선 등 행위 2. 음란행위를 하게 하거나 이를 알선 또는 제공하는 행위 3. 음란한 문서 · 도화(圖畫) · 영화 · 음반 · 비디오물, 그 밖의 음란한 물건에 대한 다음 각 목의 행위 가. 반포(頒布) · 판매 · 대여하거나 이를 하게 하는 행위 나. 관람 · 열람하게 하는 행위 다. 반포 · 판매 · 대여 · 관람 · 열람의 목적으로 진열하거나 보관하는 행위 4. 도박이나 그 밖의 사행(射倖)행위를 하게 하는 행위

판례

1. **한국방송공사법 제35조 등 위헌소원**
오늘날 법률유보원칙은 단순히 행정작용이 법률에 근거를 두기만 하면 충분한 것이 아니라, 국가공동체와 그 구성원에게 기본적이고도 중요한 의미를 갖는 영역, 특히 국민의 기본권실현과 관련된 영역에 있어서는 국민의 대표자인 입법자가 그 본질적 사항에 대해서 스스로 결정하여야 한다는 요구까지 내포하고 있다(의회유보원칙). 그런데 텔레비전방송수신료는 대다수 국민의 재산권 보장의 측면이나 한국방송공사에게 보장된 방송자유의 측면에서 국민의 기본권실현에 관련된 영역에 속하고, 수신료금액의 결정은 납부의무자의 범위 등과 함께 수신료에 관한 본질적인 중요한 사항이므로 국회가 스스로 행하여야 하는 사항에 속하는 것임에도 불구하고 한국방송공사법 제36조 제1항에서 국회의 결정이나 관여를 배제한 채 한국방송공사로 하여금 수신료금액을 결정해서 문화관광부장관의 승인을 얻도록 한 것은 법률유보원칙에 위반된다(헌재 1999.5.27, 98헌바70).

2. **방송법 제64조 등 위헌소원(제67조 제2항)**
수신료 징수업무를 한국방송공사가 직접 수행할 것인지 제3자에게 위탁할 것인지, 위탁한다면 누구에게 위탁하도록 할 것인지, 위탁받은 자가 자신의 고유업무와 결합하여 징수업무를 할 수 있는지는 징수업무처리의 효율성 등을 감안하여 결정할 수 있는 사항으로서 국민의 기본권제한에 관한 본질적인 사항이 아니라 할 것이다. 따라서 방송법 제64조 및 제67조 제2항은 법률유보의 원칙에 위반되지 아니한다(헌재 2008.2.28, 2006헌바70).

3. **재판권쟁의에 대한 재정신청**
병의 복무기간은 국방의무의 본질적 내용에 관한 것이어서 이는 반드시 법률로 정하여야 할 입법사항에 속한다고 풀이할 것인바 육군본부 방위병소집복무해제규정(육군규정 104-1) 제23조가 질병휴가, 청원휴가, 각종사고(군무이탈, 구속, 영창, 징역, 유계결근), 1일 24시간 이상 지각, 조퇴한 날, 전속 및 보직변경에 따른 출발일자부터 일보변경 전일까지의 기간 등을 복무에서 제외한다고 규정하여 병역법 제25조 제3항이 규정하지 아니한 구속 등의 사유를 복무기간에 산입하지 않도록 규정한 것은 병역법에 위반하여 무효라고 할 것이다(대판 1985.2.28, 85초13).

4. **도시 및 주거환경정비법 제8조 제3항 등 위헌소원**
토지등소유자가 도시환경정비사업을 시행하는 경우 사업시행인가 신청시 필요한 토지등소유자의 동의는 개발사업의 주체 및 정비구역 내 토지등소유자를 상대로 수용권을 행사하고 각종 행정처분을 발할 수 있는 행정주체로서의 지위를 가지는 사업시행자를 지정하는 문제로서 그 동의요건을 정하는 것은 국민의 권리와 의무의 형성에 관한 기본적이고 본질적인 사항이므로 국회가 스스로 행하여야 하는 사항에 속하는 것임에도 불구하고 사업시행인가 신청에 필요한 동의정족수를 토지등소유자가 자치적으로 정하여 운영하는 규약에 정하도록 한 것은 법률유보원칙에 위반된다(헌재 2011.8.30, 2009헌바128).

5. **군인사법 제47조의2 위헌확인 등**
법률유보원칙은 '법률에 의한' 규율만을 뜻하는 것이 아니라 '법률에 근거한' 규율을 요청하는 것이므로, 기본권 제한의 형식이 반드시 법률의 형식일 필요는 없고, 법률에 근거를 두면서 헌법 제75조가 요구하는 위임의 구체성과 명확성을 구비한다면 위임입법에 의하여도 기본권을 제한할 수 있는 것이다(헌재 2010.10.28, 2008헌마638).

3. 법과 경찰활동의 관계

(1) 조직규범(합법성의 원칙)

① 모든 경찰기관의 활동은 조직규범으로서 법률에 정해진 권한의 범위 내에서 행해져야 하며, 경찰관이 조직법상 직무범위 내의 행위를 하면 그 행위는 직무행위로서 효과가 국가에 귀속된다.

② 경찰관이 직무범위 외의 행위를 하게 될 경우 그 행위는 직무행위로 볼 수 없고 그 효과도 국가에 귀속되지 않는다. 직무범위를 벗어난 행위의 법률상 효과는 행위자 개인에게 귀속된다.

(2) 제약규범(법률우위의 원칙)

① 의의: 경찰행정관청은 국민에게 법의 취지에 저촉되는 명령을 하여서는 아니 되며, 경찰조직 내부에서도 법의 취지에 반하는 직무명령을 발해서는 아니 된다는 원칙이다.

② 제약규범의 적용범위: 제약규범(법률우위의 원칙)은 행정의 모든 영역에서 적용되며 특별권력관계에서도 법치행정의 원리(제약규범)가 적용된다.

(3) 근거규범(법률유보의 원칙)

① 의의: 법률에 일정한 행위를 일정한 요건하에 수행하도록 수권하는 근거규정, 즉 '근거규범'이 없으면 경찰기관은 자기의 판단에 따라 독창적으로 경찰권을 발동할 수 없다는 원칙을 말한다.

② 근거규범의 적용범위: 비권력적 수단이나 순수한 서비스 활동에 대해서 구체적인 근거규범을 요구할 수는 없고, 경찰기관이 권력적 수단으로 활동하는 경우에만 법률의 수권이 필요하다(권력유보설)는 것이 통설적 견해이다. 그러므로 근거규범(법률유보의 원칙)은 행정의 일부 영역에서만 적용된다(견해의 대립이 있음).

03 경찰법원(法源; 법의 존재형식)

1. 경찰행정의 법원*

(1) 법원의 개념

경찰행정의 법원이란 경찰조직과 작용에 관한 법이 어떻게 성립하고 어떠한 형식으로 존재하는가에 대한 내용으로 법의 존재형식을 말한다. 이러한 법원은 일정한 형식을 갖춘 성문법원과 일정한 형식을 갖추지 못한 불문법원으로 구분할 수 있다.

(2) 원칙

국민에게 예측 가능성을 보장하고 경찰권의 발동에 있어 민주적 정당성을 부여하기 위한 법치주의 원칙에 따라 성문법원이 원칙이고, 불문법원은 예외적・보충적으로 적용된다.

* 경찰행정의 법원은 다른 법 분야처럼 통일된 단일법전으로 되어 있지 않다. 경찰조직에 관한 법률로 국가경찰과 자치경찰의 조직 및 운영에 관한 법률이 있고, 경찰작용에 관한 법률로 경찰관 직무집행법이 있지만, 상당수의 경찰작용은 다른 개별법률(각론)이 규정하고 있으며 이는 각론의 영역에서 다룬다.

2. 성문법원

(1) 헌법

① 헌법은 국민이 누리는 기본권과 국가의 기본적인 통치구조를 정한 법으로서 헌법전의 규정 중 행정의 조직이나 작용의 기본원칙을 정한 부분은 그 한도 내에서 경찰행정의 법원이 된다.

② 구체적으로 헌법 제37조 제2항에서 "국민의 모든 자유와 권리는 국가안전보장・질서유지 또는 공공복리를 위하여 필요한 경우에 한하여 법률로써 제한할 수 있으며, 제한하는 경우에도 자유와 권리의 본질적인 내용을 침해할 수 없다."라고 규정하고 있고, 동법 제96조에는 "행정 각부의 설치・조직과 직무범위는 법률로 정한다."라고 규정하고 있다. 이러한 헌법규정이 경찰행정에 대한 법원이 될 수 있다.

(2) 법률

① **법률의 개념**: 법률이란 국회가 제정하는 법형식을 의미하며 법률은 경찰행정상의 법률관계에 있어 가장 중심적인 법원이다. 원칙적으로 경찰행정상의 조직이나 작용에 관한 기본적 사항은 법치주의의 원칙에 따라 모두 법률에 의하여 정해져야 한다.

② **경찰권발동의 원칙**: 경찰권의 발동은 원칙적으로 법률에 근거하여야 하므로, 별도의 수권(근거규정)이 없는 경우 경찰행정관청은 국민에 대하여 명령・강제하는 것이 불가능하다.

③ **현행 법규범의 체계**: 우리나라의 경우 입법권은 국회에 속하므로(헌법 제40조), 국민의 권리와 의무에 관계되는 국가의 일체의 법규는 법률에 의해 규정되어야 하며 이를 법률의 법규창조력이라고 한다. 우리의 법체계는 일반적인 경찰조직과 관련하여 국가경찰과 자치경찰의 조직 및 운영에 관한 법률, 전투경찰대 설치법 등을 두고 있으며 그 작용과 관련하여 경찰관 직무집행법, 각론상의 여러 개별법을 두고 있다. 또한, 특별 경찰행정법으로 건축법, 식품위생법, 폐기물관리법 등 다수의 개별법을 두고 있다.

(3) 헌법에 의하여 체결・공포된 조약과 일반적으로 승인된 국제법규

① 헌법에 의하여 체결・공포된 조약과 일반적으로 승인된 국제법규는 국내법과 동일한 효력을 가지므로(헌법 제6조), 별도의 국내법 제정절차 없이도 직접 경찰권발동을 위한 법원이 된다(한미행정협정, 외교특권에 관한 비엔나 협약 등).

> **대한민국 헌법**
> **제6조** ① 헌법에 의하여 체결・공포된 조약과 일반적으로 승인된 국제법규는 국내법과 같은 효력을 가진다.

② '일반적으로 승인된 국제법규'는 성문의 국제법규, 국제사회에서 일반적으로 승인된 국제조약뿐만 아니라 국제관습법도 포함하는 개념이다.

③ 국제법의 효력과 관련하여 국회의 동의를 요하는 정식조약의 경우에는 법률과 동일한 효력이 있고, 국회의 동의를 요하지 않는 약식조약의 경우에는 행정입법과 동일한 효력이 있다고 보는 것이 다수설과 판례의 입장이다.

판례

1 **대한민국과 아메리카합중국간의 상호방위조약 제4조에 의한 시설과 구역 및 대한민국에서의 합중국군대의 지위에 관한 협정 제2조 제1의 (나)항 위헌제청**
이 사건 조약은 그 명칭이 '협정'으로 되어 있어 국회의 관여 없이 체결되는 행정협정처럼 보이기도 하나 우리나라의 입장에서 볼 때에는 외국군대의 지위에 관한 것이고, 국가에게 재정적 부담을 지우는 내용과 입법사항을 포함하고 있으므로 국회의 동의를 요하는 조약으로 취급되어야 한다(헌재 1999.4. 29, 97헌가14).

2 **전라북도 학교급식조례 재의결무효확인**
'1994년 관세 및 무역에 관한 일반협정'(General Agreement on Tariffs and Trade 1994, 이하 'GATT'라 한다)은 1994.12.16. 국회의 동의를 얻어 같은 달 23. 대통령의 비준을 거쳐 같은 달 30. 공포되고 1995.1.1. 시행된 조약인 '세계무역기구(WTO) 설립을 위한 마라케쉬협정'(Agreement Establishing the WTO)(조약 1265호)의 부속 협정(다자간 무역협정)이고, '정부조달에 관한 협정'(Agreement on Government Procurement, 이하 'AGP'라 한다)은 1994.12.16. 국회의 동의를 얻어 1997.1.3. 공포시행된 조약(조약 1363호, 복수국가간 무역협정)으로서 각 헌법 제6조 제1항에 의하여 국내법령과 동일한 효력을 가지므로 지방자치단체가 제정한 조례가 GATT나 AGP에 위반되는 경우에는 그 효력이 없다.
특정 지방자치단체의 초・중・고등학교에서 실시하는 학교급식을 위해 위 지방자치단체에서 생산되는 우수 농수축산물과 이를 재료로 사용하는 가공식품(이하 '우수농산물'이라고 한다)을 우선적으로 사용하도록 하고 그러한 우수농산물을 사용하는 자를 선별하여 식재료나 식재료 구입비의 일부를 지원하며 지원을 받은 학교는 지원금을 반드시 우수농산물을 구입하는 데 사용하도록 하는 것을 내용으로 하는 위 지방자치단체의 조례안이 내국민대우원칙을 규정한 '1994년 관세 및 무역에 관한 일반협정'(General Agreement on Tariffs and Trade 1994)에 위반되어 그 효력이 없다(대판 2005.9.9, 2004추10).

3 반덤핑관세부과처분취소

우리나라가 1994.12.16. 국회의 비준동의를 얻어 1995.1.1. 발효된 '1994년 국제무역기구 설립을 위한 마라케쉬협정'(Marrakesh Agreement Establishing the World Trade Organization, WTO 협정)의 일부인 '1994년 관세 및 무역에 관한 일반협정(General Agreement on Tariffs and Trade, GATT 1994) 제6조의 이행에 관한 협정' 중 그 판시 덤핑규제 관련 규정을 근거로 이 사건 규칙의 적법 여부를 다투는 주장도 포함되어 있으나, 위 협정은 국가와 국가 사이의 권리·의무관계를 설정하는 국제협정으로, 그 내용 및 성질에 비추어 이와 관련한 법적 분쟁은 위 WTO 분쟁해결기구에서 해결하는 것이 원칙이고, 사인(私人)에 대하여는 위 협정의 직접 효력이 미치지 아니한다고 보아야 할 것이므로, 위 협정에 따른 회원국 정부의 반덤핑부과처분이 WTO 협정위반이라는 이유만으로 사인이 직접 국내 법원에 회원국 정부를 상대로 그 처분의 취소를 구하는 소를 제기하거나 위 협정위반을 처분의 독립된 취소사유로 주장할 수는 없다(대판 2009.1.30, 2008두17936).

4 특정범죄 가중처벌 등에 관한 법률 부칙 제2항 등 위헌소원

마라케쉬협정도 적법하게 체결되어 공포된 조약이므로 국내법과 같은 효력을 갖는 것이어서 그로 인하여 새로운 범죄를 구성하거나 범죄자에 대한 처벌이 가중된다고 하더라도 이것은 국내법에 의하여 형사처벌을 가중한 것과 같은 효력을 갖게 되는 것이다. 따라서 마라케쉬협정에 의하여 관세법위반자의 처벌이 가중된다고 하더라도 이를 들어 법률에 의하지 아니한 형사처벌이라거나 행위시의 법률에 의하지 아니한 형사처벌이라고 할 수 없다(헌재 1998.11.26, 97헌바65).

5 북한주민접촉신청불허처분취소

남북 사이의 화해와 불가침 및 교류협력에 관한 합의서는 남북관계가 '나라와 나라 사이의 관계가 아닌 통일을 지향하는 과정에서 잠정적으로 형성되는 특수관계'임을 전제로, 조국의 평화적 통일을 이룩해야 할 공동의 정치적 책무를 지는 남북한 당국이 특수관계인 남북관계에 관하여 채택한 합의문서로서, 남북한 당국이 각기 정치적인 책임을 지고 상호간에 그 성의 있는 이행을 약속한 것이기는 하나 법적 구속력이 있는 것은 아니어서 이를 국가간의 조약 또는 이에 준하는 것으로 볼 수 없고, 따라서 국내법과 동일한 효력이 인정되는 것도 아니다(대판 1999.7.23, 98두14525).

6 피청구인 대통령이 피청구인 외교통상부장관에게 위임하여 2006.1.19.경 워싱턴에서 미합중국 국무장관과 발표한 '동맹 동반자 관계를 위한 전략대화 출범에 관한 공동성명(이하 '이 사건 공동성명' 이라 한다)이 조약에 해당하는지 여부(소극)

이 사건 공동성명은 한국과 미합중국이 상대방의 입장을 존중한다는 내용만 담고 있을 뿐, 구체적인 법적 권리·의무를 창설하는 내용을 전혀 포함하고 있지 아니하므로, 조약에 해당된다고 볼 수 없으므로 그 내용이 헌법 제60조 제1항의 조약에 해당되는지 여부를 따질 필요도 없이 이 사건 공동성명에 대하여 국회가 동의권을 가진다거나 국회의원인 청구인이 심의 표결권을 가진다고 볼 수 없다(헌재 2008.3.27, 2006헌라4).

7 대한민국과 일본국간의 어업에 관한 협정이 '공권력의 행사'에 해당하는지 여부

이 사건 협정은 우리나라 정부가 일본 정부와의 사이에서 어업에 관해 체결·공포한 조약(조약 제1477호)으로서 헌법 제6조 제1항에 의하여 국내법과 같은 효력을 가지므로, 그 체결행위는 고권적 행위로서 '공권력의 행사'에 해당한다(헌재 2001.3.21, 99헌마139).

(4) 명령

전문적이고 기술적인 입법사항이 증가하고 행정이 전문화되면서 행정입법의 필요성이 증가하고 있으며 또한 국회의 부담경감이나 행정가의 전문적인 지식 및 경험의 활용차원에서도 행정입법이 필요하다고 할 수 있다.

① 의의: 국회가 제정하는 법규범 형식을 법률이라고 부르는 데 반하여, 행정부가 제정하는 법규범 형식을 총칭하여 명령이라고 한다. 명령이란 행정권이 정립하는 일반적·추상적 규범으로서 법규성을 지닌 것, 즉 국민과 행정관청을 구속하고 재판규범이 되는 행정입법을 말하며 이러한 명령은 경찰행정법의 법원으로 한 부분을 담당한다. 그러나 원칙적으로 입법권은 국회의 고유권한에 해당하므로 법률의 규정에 기초하지 않은 독자적인 행정입법 작용은 허용되지 않는다.

② 명령의 구분

제정권자에 따른 구분	대통령령 · 총리령 · 부령		
법규성의 유무에 따른 구분	**법규명령**	**위임명령**	새로운 입법사항 규정 ○
		집행명령	새로운 입법사항 규정 ×
	행정규칙(행정명령 · 훈령)	협의의 훈령, 지시, 예규, 일일명령 등	

㉠ 제정권자(법형식)에 따른 구분

ⓐ 대통령령은 대통령이 법률에서 구체적으로 범위를 정하여 위임받은 사항이나 법률을 시행하기 위하여 필요한 사항에 관하여 발하는 명령이다.

ⓑ 총리령 · 부령은 국무총리나 행정 각부의 장이 법률이나 대통령령의 위임을 받거나 또는 직권으로 발하는 명령으로 총리령과 부령의 효력은 동등하다는 것이 다수설의 입장이다.

Add ⊕

법률 · 명령의 기본적 체계

법률	대통령령	부령
국가경찰과 자치경찰의 조직 및 운영에 관한 법률	경찰청과 그 소속기관 직제	경찰청과 그 소속기관 직제 시행규칙
경찰공무원법	• 경찰공무원 임용령 • 경찰공무원 승진임용 규정 • 경찰공무원 징계령	경찰공무원 승진임용 규정 시행규칙
경찰관 직무집행법	• 경찰관 직무집행법 시행령 • 위해성 경찰장비의 사용기준 등에 관한 규정	
경범죄 처벌법	경범죄 처벌법 시행령	경범죄 처벌법 시행규칙

㉡ 법규성의 유무에 따른 구분

ⓐ 명령은 법규성의 유무에 따라 법규명령과 행정규칙으로 구분할 수 있다. 다시 말해 명령이 일반국민에게도 적용되는지의 여부, 국민의 자유와 권리를 제한하고 새로운 의무를 부과할 수 있는지의 여부, 재판규범으로 사용될 수 있는지의 여부에 따른 구분이다. 법규성을 가지는 명령을 법규명령이라고 하며, 법규성을 가지지 않는(일반국민에게 적용되지 않고 특별권력관계 내부에서만 적용되는) 명령을 행정규칙이라고 한다.

ⓑ 법규명령은 다시 위임명령과 집행명령으로 구분할 수 있다. 위임명령은 법률 또는 상위명령에 의해 개별적 · 구체적으로 위임된 사항에 관하여 발하는 명령으로 국민의 권리 · 의무에 관한 새로운 입법사항을 규정할 수 있다.

ⓒ 집행명령의 경우 법률 또는 상위명령의 규정의 범위 안에서 그 집행에 관한 세부적 사항을 정하는 명령으로 상위법령의 집행시 필요한 절차나 형식을 정하는 데 그쳐야 하며, 국민의 권리 · 의무에 관한 새로운 입법사항을 정할 수는 없다.

Add ⊕

1. 입법권이 국회에 속해 있는 헌법규정하에서 행정기관이 법률의 규정에 근거하지 않고 독자적으로 입법작용을 영위할 수는 없으므로 법규명령의 제정에는 헌법, 법률 또는 상위명령의 근거가 필요하다.

2. 위임의 범위
   ① 포괄적·일반적 위임금지: 법치행정의 원리에 따라 법률이 개별적·구체적으로 범위를 정하여 입법권을 행정부에 위임할 수 있으며, 포괄적·일반적 위임은 허용되지 않는다.
   ② 국회의 전속적 사항: 헌법에서 국회의 전속적 입법사항으로 규정한 내용은 원칙적으로 행정부에 위임할 수 없다.
   ③ 재위임: 법규명령간의 재위임에 있어서는 법률로써 명시적 규정이 없다 하더라도 하위명령에 위임할 수 있으나 수임권한을 전부 다시 위임하는 것은 실질적으로 수권법의 내용을 바꾸는 것으로서 허용되지 않는다.
   ④ 형벌의 위임: 헌법상 죄형법정주의의 원칙에 따라 형벌의 위임은 원칙적으로 인정되지 않는다. 그러나 처벌대상이 되는 행위의 규정을 구성요건부분과 처벌부분으로 구분하여 구성요건에 대해서는 법률이 처벌대상인 행위규정에서 구체적인 기준을 정한다. 다만, 그 범위 내에서 세부적인 사항을 위임하는 것은 가능하다. 처벌규정의 경우에는 형벌의 종류·상한과 폭을 정하여 위임하는 것이 허용된다고 보는 것이 통설과 판례의 입장이다.

판례 **구 주택건설촉진법 제52조 제1항 제2호 등 위헌소원**

죄형법정주의(罪刑法定主義)와 위임입법(委任立法)의 한계의 요청상 처벌법규(處罰法規)를 위임하기 위하여는 첫째, 특히 긴급한 필요가 있거나 미리 법률로써 자세히 정할 수 없는 부득이한 사정이 있는 경우에 한정되어야 하며, 둘째, 이러한 경우일지라도 법률에서 범죄(犯罪)의 구성요건(構成要件)은 처벌대상 행위가 어떠한 것일 것이라고 이를 예측할 수 있을 정도로 구체적으로 정하여야 하며, 셋째, 형벌(刑罰)의 종류(種類) 및 그 상한(上限)과 폭(幅)을 명백히 규정하여야 한다(헌재 1995.10.26, 93헌바62).

(5) 자치법규(조례와 규칙)

① 의의: 조례란 지방자치단체가 법령의 범위 안에서 지방자치권에 근거하여 제정하는 법규범을 말한다. 또한, 규칙은 지방자치단체의 장이 법령 또는 조례가 위임한 범위 내에서 그 권한에 속하는 사무에 관하여 제정하는 법규범을 말한다.

② 범위: 조례로써 주민의 권리제한 또는 의무부과에 관한 사항이나 벌칙을 정할 때에는 법률의 위임이 있어야 한다. 또한, 조례로써 조례 위반행위에 대하여 과태료를 부과할 수는 있지만, 징역 또는 금고나 벌금·구류·과료 등과 같은 형벌을 부과할 수는 없다.

지방자치법

제28조 【조례】 ① 지방자치단체는 법령의 범위에서 그 사무에 관하여 조례를 제정할 수 있다. 다만, 주민의 권리 제한 또는 의무 부과에 관한 사항이나 벌칙을 정할 때에는 법률의 위임이 있어야 한다.
② 법령에서 조례로 정하도록 위임한 사항은 그 법령의 하위 법령에서 그 위임의 내용과 범위를 제한하거나 직접 규정할 수 없다.

제29조 【규칙】 지방자치단체의 장은 법령 또는 조례의 범위에서 그 권한에 속하는 사무에 관하여 규칙을 제정할 수 있다.

제34조 【조례 위반에 대한 과태료】 ① 지방자치단체는 조례를 위반한 행위에 대하여 조례로써 1천만원 이하의 과태료를 정할 수 있다.

질서위반행위규제법

제2조 【정의】 이 법에서 사용하는 용어의 뜻은 다음과 같다.
1. '질서위반행위'란 법률(지방자치단체의 조례를 포함한다. 이하 같다)상의 의무를 위반하여 과태료를 부과하는 행위를 말한다. 다만, 다음 각 목의 어느 하나에 해당하는 행위를 제외한다.
   가. 대통령령으로 정하는 사법(私法)상·소송법상 의무를 위반하여 과태료를 부과하는 행위
   나. 대통령령으로 정하는 법률에 따른 징계사유에 해당하여 과태료를 부과하는 행위

3. 불문법원

불문법은 성문법의 공백을 보완하거나 또는 성문법의 불확정적인 개념을 보충·해석하기 위하여 행정관계에 있어서 법원이 될 수 있다. 관습법, 판례법, 조리 등이 주요한 불문법원에 해당한다.

(1) (행정)관습법

① 관습법이란 사람과 사람 사이에 다년에 걸쳐 행해진 관행이 법적 확신을 얻게 되어 법적 규율로서 여겨지는 것을 말한다. 행정법 관계에 있어서는 성문법원의 원칙이 비교적 강하게 요구되므로 민사의 법률관계(민중적 관습법)와 달리 관습법이 성립할 여지가 적다.

Add

관습법의 성립에 대해 소수설은 관행의 존재 및 법적 확신뿐만 아니라 국가의 승인이 필요하다고 본다. 그러나 법률의 근본적 개념에 기초할 경우 국가의 승인은 법률의 성립에 있어 필요한 요소라고 볼 수 없다. 관습법이 성립하기 위해서는 객관적 요건으로 일정한 사실이 행정의 관행으로 장기적이고 동일한 정도로 반복되고 있어야 하며, 주관적 요건으로 장기적 관행에 대한 당사자들의 법적 확신이 존재해야 한다. 다수설과 판례에 의하면 국가의 승인은 필요 없다고 본다.

② 행정선례법과 같이 경찰행정관청의 행위가 수년간에 걸쳐 관행이 존재하고 그것이 국민에게 법적 확신을 얻는 경우에는 경찰권의 발동도 행정선례법에 구속된다.

③ 행정관습법은 관행은 있지만 법적 확신을 얻지 못한 사실인 관습과 구별되는 개념이다.

판례

1. 분묘이장

관습법이란 사회의 거듭된 관행으로 생성한 사회생활규범이 사회의 법적 확신과 인식에 의하여 법적 규범으로 승인·강행되기에 이르른 것을 말하고, 사실인 관습은 사회의 관행에 의하여 발생한 사회생활규범인 점에서 관습법과 같으나 사회의 법적 확신이나 인식에 의하여 법적 규범으로서 승인된 정도에 이르지 않은 것을 말하는 바, 관습법은 바로 법원으로서 법령과 같은 효력을 갖는 관습으로서 법령에 저촉되지 않는 한 법칙으로서의 효력이 있는 것이며, 이에 반하여 사실인 관습은 법령으로서의 효력이 없는 단순한 관행으로서 법률행위의 당사자의 의사를 보충함에 그치는 것이다. 법령과 같은 효력을 갖는 관습법은 당사자의 주장 입증을 기다림이 없이 법원이 직권으로 이를 확정하여야 하고 사실인 관습은 그 존재를 당사자가 주장 입증하여야 하나, 관습은 그 존부 자체도 명확하지 않을 뿐만 아니라 그 관습이 사회의 법적 확신이나 법적 인식에 의하여 법적 규범으로까지 승인되었는지의 여부를 가리기는 더욱 어려운 일이므로, 법원이 이를 알 수 없는 경우 결국은 당사자가 이를 주장입증할 필요가 있다(대판 1983.6.14, 80다3231).

2. 면허세 부과처분 취소

국세기본법 제18조 제2항의 규정은 납세자의 권리보호와 과세관청에 대한 납세자의 신뢰보호에 그 목적이 있는 것이므로 이 사건 보세운송면허세의 부과근거이던 지방세법 시행령이 1973.10.1. 제정되어 1977.9.20.에 폐지될 때까지 4년 동안 그 면허세를 부과할 수 있는 정을 알면서도 피고가 수출확대라는 공익상 필요에서 한 건도 이를 부과한 일이 없었다면 납세자인 원고는 그것을 믿을 수밖에 없고 그로써 비과세의 관행이 이루어졌다고 보아도 무방하다[대판 1980.6.10, 80누6(전합)].

3. 부가가치세 부과처분 취소

구 국세기본법(1984.8.7. 법 제3746호로 개정 전) 제18조 제2항 소정의 비과세의 관행이 성립되었다고 하려면 장기간에 걸쳐 그 사항에 대하여 과세하지 아니하였다는 객관적 사실이 존재할 뿐 아니라 과세관청 자신이 그 사항에 대하여 과세할 수 있음을 알면서도 어떤 특별한 사정에 의하여 과세하지 않는다는 의사가 있고 이와 같은 의사가 명시적 또는 묵시적으로 표시되어야 할 것이므로 과세할 수 있는 어느 사항에 대하여 비록 장기간에 걸쳐 과세하지 아니한 상태가 계속되었다 하더라도 그것이 착오로 인한 것이라면 그와 같은 비과세는 일반적으로 납세자에게 받아들여진 국세행정의 관행으로 되었다 할 수 없다(대판 1985.3.12, 84누398).

④ 제정법우위·성문법주의에 따라 관습법은 성문법규를 보완함에 그친다는 보충적 효력설이 통설과 판례의 입장이다.

판례

1. 분묘이장

가족의례준칙 제13조의 규정과 배치되는 관습법의 효력을 인정하는 것은 관습법의 제정법에 대한 열후적, 보충적 성격에 비추어 민법 제1조의 취지에 어긋나는 것이다(대판 1983.6.14, 80다3231).

2. 위헌법률심판제청

헌법 제111조 제1항 제1호 및 헌법재판소법 제41조 제1항에서 규정하는 위헌심사의 대상이 되는 법률은 국회의 의결을 거친 이른바 형식적 의미의 법률을 의미하고(헌재 1995.12.28, 95헌바3 등 참조), 또한 민사에 관한 관습법은 법원에 의하여 발견되고 성문의 법률에 반하지 아니하는 경우에 한하여 보충적인 법원(法源)이 되는 것에 불과하여(민법 제1조) 관습법이 헌법에 위반되는 경우 법원이 그 관습법의 효력을 부인할 수 있으므로[대판 2003.7.24, 2001다48781(전합) 참조], 결국 관습법은 헌법재판소의 위헌법률심판의 대상이 아니라 할 것이다(대결 2009.5.28, 2007카기134).

3. 관습법이 헌법소원심판의 대상에 해당하는지 여부(적극)

헌법 제111조 제1항 제1호, 제5호 및 헌법재판소법 제41조 제1항, 제68조 제2항은 위헌심판의 대상을 '법률'이라고 규정하고 있는데, 여기서 '법률'이라고 함은 국회의 의결을 거친 형식적 의미의 법률뿐만 아니라 법률과 같은 효력을 갖는 조약 등도 포함되므로, 법률과 같은 효력을 가지는 이 사건 관습법도 헌법소원심판의 대상이 되고, 단지 형식적 의미의 법률이 아니라는 이유로 그 예외가 될 수는 없다[헌재 2020.10.29, 2017헌바208(합헌)].

4. 신행정수도의 건설을 위한 특별조치법 위헌확인

우리나라의 수도가 서울이라는 점에 대한 관습헌법을 폐지하기 위해서는 헌법이 정한 절차에 따른 헌법개정이 이루어져야 한다. 이 경우 성문의 조항과 다른 것은 성문의 수도조항이 존재한다면 이를 삭제하는 내용의 개정이 필요하겠지만 관습헌법은 이에 반하는 내용의 새로운 수도설정조항을 헌법에 넣는 것만으로 그 폐지가 이루어지는 점에 있다. 다만, 헌법규범으로 정립된 관습이라고 하더라도 세월의 흐름과 헌법적 상황의 변화에 따라 이에 대한 침범이 발생하고 나아가 그 위반이 일반화되어 그 법적 효력에 대한 국민적 합의가 상실되기에 이른 경우에는 관습헌법은 자연히 사멸하게 된다. 이와 같은 사멸을 인정하기 위하여서는 국민에 대한 종합적 의사의 확인으로서 국민투표 등 모두가 신뢰할 수 있는 방법이 고려될 여지도 있을 것이다. 그러나 이 사건의 경우에 이러한 사멸의 사정은 확인되지 않는다. 따라서 우리나라의 수도가 서울인 것은 우리 헌법상 관습헌법으로 정립된 사항이며 여기에는 아무런 사정의 변화도 없다고 할 것이므로 이를 폐지하기 위해서는 반드시 헌법개정의 절차에 의하여야 한다(헌재 2004.10.21, 2004헌마554).

5. 징계처분취소

종전의 행정선례가 잘못된 것이라는 상급관청의 해석이나 시정조치가 있었다면 모르되 그렇지 않는한 공무원이 적극적으로 상급기관의 유권해석이나 지휘를 받음이 없이 종전의 행정선례에 따라 업무처리를 하였다고 하여 이를 지방공무원법 제69조 제1항 제2호에 규정된 직무상의 의무에 위반하거나 직무를 태만히 한 경우에 해당된다고 할 수는 없다(대판 1986.8.19, 86누359).

(2) 판례법

① 판례법의 개념

㉠ 법원의 판결은 당사자 사이의 개별적 분쟁을 해결하기 위한 것이지 일반적으로 통용되는 법을 정립하는 작용이 아니다. 그런데 이러한 법원의 판결은 당사자 사이의 구체적 사건에 관한 판단에 해당하면서 동시에 어떤 사실에 대한 법률적 견해가 포함되므로 법원의 판결은 추상적인 이론 또는 법칙이 내재되어 있을 수밖에 없다. 결국 동종 사건에 대한 법원의 동일한 판단이 누적됨에 따라 점차 일반적인 법리로 발전하여 추상적인 규범이 형성된다.

ⓛ 판례로부터 도출된 추상적 규범이 법으로서의 구속력을 갖는 경우에 이를 판례법이라 한다. 판례를 법원으로 인정할지의 여부는 각국의 법제에 따라 달리지고, 불문법이 중심이 되어 법체계를 형성해온 영미법계 국가에서는 판례법이 법체계의 근간을 이루는 가장 중요한 법원이 되고 있다.

ⓒ 소송의 제기기간과 같이 실정법에 명문화되어 있는 사항에 대해서는 판례법이 성립할 수 없다.

② 대법원 판례와 헌법재판소 판례

㉠ 일반적으로 대륙법계 국가는 성문법주의를 채택하고 있으므로 판례의 법원성을 부정하는 반면 영미법계 국가에서는 판례의 법원성을 긍정한다. 우리나라도 대륙법계 국가에 속하므로 원칙적으로 판례의 법원성은 부정되며 법률상 상급법원의 판결은 해당 사건에 한하여 하급심만을 구속한다.

법원조직법
제8조【상급심 재판의 기속력】 상급법원 재판에서의 판단은 해당 사건에 관하여 하급심을 기속한다.

ⓛ 법적 규정은 없지만 대법원 판결의 경우 대법원 판결이 가지는 사실상의 구속력, 판례변경의 곤란성 등에 기초하여 법원성이 어느 정도 인정된다는 것이 다수설의 견해이다.

판례 **소유권이전등기**

대법원의 판례가 법률해석의 일반적인 기준을 제시한 경우에 유사한 사건을 재판하는 하급심법원의 법관은 판례의 견해를 존중하여 재판하여야 하는 것이나, 판례가 사안이 서로 다른 사건을 재판하는 하급심법원을 직접 기속하는 효력이 있는 것은 아니다(대판 1996.10.25, 96다31307).

ⓒ 헌법재판소의 위헌결정은 법원이나 기타 국가기관 및 지방자치단체를 기속하므로 법원성이 인정된다. 그러나 한정위헌결정이나 합헌결정 등은 법원성이 인정되지 않는다.

헌법재판소법
제47조【위헌결정의 효력】 ① 법률의 위헌결정은 법원과 그 밖의 국가기관 및 지방자치단체를 기속(羈束)한다.
② 위헌으로 결정된 법률 또는 법률의 조항은 그 결정이 있는 날부터 효력을 상실한다.
③ 제2항에도 불구하고 형벌에 관한 법률 또는 법률의 조항은 소급하여 그 효력을 상실한다. 다만, 해당 법률 또는 법률의 조항에 대하여 종전에 합헌으로 결정한 사건이 있는 경우에는 그 결정이 있는 날의 다음 날로 소급하여 효력을 상실한다.

판례

변형결정의 효력

1. **법률 조항 자체는 그대로 둔 채 법률 조항에 관한 특정한 내용의 해석·적용만을 위헌으로 선언하는 이른바 한정위헌결정에 헌법재판소법 제47조가 규정하는 위헌결정의 효력을 부여할 수 있는지 여부(소극) 및 한정위헌결정이 재심사유가 될 수 있는지 여부(소극)**
헌법재판소가 법률 조항 자체는 그대로 둔 채 그 법률 조항에 관한 특정한 내용의 해석·적용만을 위헌으로 선언하는 이른바 한정위헌결정에 관하여는 헌법재판소법 제47조가 규정하는 위헌결정의 효력을 부여할 수 없으며, 그 결과 한정위헌결정은 법원을 기속할 수 없고 재심사유가 될 수 없다(대판 2013.3.28, 2012재두299).
2. **헌법재판소가 법률의 위헌 여부를 판단하기 위하여 한 법률해석에 법원이 구속되는지 여부(소극)**
구체적 분쟁사건의 재판에 즈음하여 법률 또는 법률조항의 의미·내용과 적용 범위가 어떠한 것인지를 정하는 권한, 곧 법령의 해석·적용 권한은 사법권의 본질적 내용을 이루는 것이고, 법률이 헌법규범과 조화되도록 해석하는 것은 법령의 해석·적용상 대원칙이다. 따라서 합헌적 법률해석을 포함하는 법령의 해석·적용 권한은 대법원을 최고법원으로 하는 법원에 전속하는 것이며, 헌법재판소가 법률의 위헌 여부를 판단하기 위하여 불가피하게 법원의 최종적인 법률해석에 앞서 법령을 해석하거나 그 적용 범위를 판단하더라도 헌법재판소의 법률해석에 대법원이나 각급 법원이 구속되는 것은 아니다(대판 2009.2.12, 2004두10289).

3. 한정위헌결정의 효력

헌법재판소의 법률에 대한 위헌결정에는 단순위헌결정은 물론, 한정합헌, 한정위헌결정과 헌법불합치결정도 포함되고 이들은 모두 당연히 기속력을 가진다.

즉, 헌법재판소는 법률의 위헌 여부가 심판의 대상이 되었을 경우, 재판의 전제가 된 사건과의 관계에서 법률의 문언, 의미, 목적 등을 살펴 한편으로 보면 합헌으로, 다른 한편으로 보면 위헌으로 판단될 수 있는 등 다의적인 해석가능성이 있을 때 일반적인 해석작용이 용인되는 범위 내에서 종국적으로 어느 쪽이 가장 헌법에 합치되는가를 가려, 한정축소적 해석을 통하여 합헌적인 일정한 범위 내의 의미내용을 확정하여 이것이 그 법률의 본래적인 의미이며 그 의미 범위 내에 있어서는 합헌이라고 결정할 수도 있고, 또 하나의 방법으로는 위와 같은 합헌적인 한정축소해석의 타당영역 밖에 있는 경우에까지 법률의 적용범위를 넓히는 것은 위헌이라는 취지로 법률의 문언 자체는 그대로 둔 채 위헌의 범위를 정하여 한정위헌의 결정을 선고할 수도 있다.

위 두 가지 방법은 서로 표리관계에 있는 것이어서 실제적으로는 차이가 있는 것이 아니다. 합헌적인 한정축소해석은 위헌적인 해석 가능성과 그에 따른 법적용을 소극적으로 배제한 것이고, 적용범위의 축소에 의한 한정적 위헌선언은 위헌적인 법적용 영역과 그에 상응하는 해석 가능성을 적극적으로 배제한다는 뜻에서 차이가 있을 뿐, 본질적으로는 다 같은 부분위헌결정이다.

헌법재판소의 또 다른 변형결정의 하나인 헌법불합치결정의 경우에도 개정입법시까지 심판의 대상인 법률조항은 법률문언의 변화 없이 계속 존속하나, 헌법재판소에 의한 위헌성 확인의 효력은 그 기속력을 가지는 것이다(헌재 1997.12.24, 96헌마172).

(3) 조리(법의 일반원칙)

① 조리란 법령상 명시되어 있지는 않으나, 일반적으로 정의에 합치되는 보편적 원리로서 인정되고 있는 여러 원칙을 말한다. 조리는 법령의 해석상 의문이 있는 경우에 그 해석의 기본원리로서 작용하고, '최후의 보충적 법원'으로서 중요한 의미를 가진다.

② 조리는 불문법원으로서 사인간의 법률관계뿐만 아니라, 행정상의 법률관계도 구속한다. 그러므로 경찰행정관청의 행위가 형식상 적법하다고 하더라도, 이러한 법의 일반원칙(조리)에 위반할 경우에는 위법한 행위가 될 수 있다.

③ 조리는 평등의 원칙, 비례의 원칙, 금반언의 원칙, 신의성실의 원칙, 신뢰보호의 원칙 등으로 구성되어 있으며, 오늘날 법의 일반원칙은 성문화되어 가는 추세에 있다(경찰관 직무집행법상의 비례의 원칙, 행정절차법상의 신의성실 및 신뢰보호의 원칙, 행정기본법상 여러 원칙 등).

4. 행정법의 효력

(1) 효력발생 시기

법령 등 공포에 관한 법률

제11조 【공포 및 공고의 절차】 ① 헌법개정 · 법률 · 조약 · 대통령령 · 총리령 및 부령의 공포와 헌법개정안 · 예산 및 예산 외 국고부담계약의 공고는 관보(官報)에 게재함으로써 한다.

② 국회법 제98조 제3항 전단에 따라 하는 국회의장의 법률 공포는 서울특별시에서 발행되는 둘 이상의 일간신문에 게재함으로써 한다.

③ 제1항에 따른 관보는 종이로 발행되는 관보(이하 '종이관보'라 한다)와 전자적인 형태로 발행되는 관보(이하 '전자관보'라 한다)로 운영한다.
④ 관보의 내용 해석 및 적용 시기 등에 대하여 종이관보와 전자관보는 동일한 효력을 가진다.
제12조 【공포일 · 공고일】 제11조의 법령 등의 공포일 또는 공고일은 해당 법령 등을 게재한 관보 또는 신문이 발행된 날로 한다.
제13조 【시행일】 대통령령, 총리령 및 부령은 특별한 규정이 없으면 공포한 날부터 20일이 경과함으로써 효력을 발생한다.
제13조의2 【법령의 시행유예기간】 국민의 권리 제한 또는 의무 부과와 직접 관련되는 법률, 대통령령, 총리령 및 부령은 긴급히 시행하여야 할 특별한 사유가 있는 경우를 제외하고는 공포일부터 적어도 30일이 경과한 날부터 시행되도록 하여야 한다.

행정기본법
제7조 【법령등 시행일의 기간 계산】 법령등(훈령 · 예규 · 고시 · 지침 등을 포함한다. 이하 이 조에서 같다)의 시행일을 정하거나 계산할 때에는 다음 각 호의 기준에 따른다.
1. 법령등을 공포한 날부터 시행하는 경우에는 공포한 날을 시행일로 한다.
2. 법령등을 공포한 날부터 일정 기간이 경과한 날부터 시행하는 경우 법령등을 공포한 날을 첫날에 산입하지 아니한다.
3. 법령등을 공포한 날부터 일정 기간이 경과한 날부터 시행하는 경우 그 기간의 말일이 토요일 또는 공휴일인 때에는 그 말일로 기간이 만료한다.

(2) 소급효 금지의 원칙

① 의의 : 법령의 소급적용 금지는 새로운 법령이 공포 · 시행되기 이전에 이미 종결된 사실에 대해서는 적용되어서는 안 된다는 원칙이다. 헌법 제13조 제2항은 "모든 국민은 소급입법에 의하여 참정권의 제한을 받거나 재산권을 박탈당하지 아니한다."고 규정하고 있고, 행정기본법 제14조 제1항은 "새로운 법령등은 법령등에 특별한 규정이 있는 경우를 제외하고는 그 법령등의 효력 발생 전에 완성되거나 종결된 사실관계 또는 법률관계에 대해서는 적용되지 아니한다"고 규정하여 소급입법 금지를 명문으로 규정하고 있다.

② 진정소급입법 : 이미 종결된 법률관계나 사실관계에 대해서 새로운 법령을 적용하는 것을 의미하며, 이는 원칙적으로 금지된다. 다만, 예외적으로 허용되는 경우도 있다.

판례

1. **건설업면허취소처분취소**
법령이 변경된 경우 명문의 다른 규정이나 특별한 사정이 없는 한 그 변경 전에 발생한 사항에 대하여는 변경 후의 신 법령이 아니라 변경 전의 구 법령이 적용되므로, 건설업자인 원고가 1973.12.31. 소외인에게 면허수첩을 대여한 것이 그 당시 시행된 건설업법 제38조 제1항 제8호 소정의 건설업면허 취소사유에 해당된다면 그 후 동법 시행령 제3조 제1항이 개정되어 건설업면허 취소사유에 해당하지 아니하게 되었다 하더라도 건설부장관은 동 면허수첩 대여행위 당시 시행된 건설업법 제38조 제1항 제8호를 적용하여 원고의 건설업면허를 취소하여야 할 것이다(대판 1982.12.28, 82누1).
2. **경과규정 등의 특별규정 없이 법령이 변경된 경우, 그 변경 전에 발생한 사항에 대하여 적용할 법령(= 구 법령)**
법령이 변경된 경우 신 법령이 피적용자에게 유리하여 이를 적용하도록 하는 경과규정을 두는 등의 특별한 규정이 없는 한 헌법 제13조 등의 규정에 비추어 볼 때 그 변경 전에 발생한 사항에 대하여는 변경 후의 신 법령이 아니라 변경 전의 구 법령이 적용되어야 한다(대판 2002.12.10, 2001두3228).
3. **개정된 신법이 피적용자에게 유리한 경우 입법자에게 시혜적인 소급입법을 할 의무가 있는지 여부(소극)**
개정된 신법이 피적용자에게 유리한 경우에 이른바 시혜적인 소급입법을 하여야 한다는 입법자의 의무가 헌법상의 원칙들로부터 도출되지는 아니한다. 따라서 이러한 시혜적 소급입법을 할 것인지의 여부는 입법재량의 문제로서 그 판단은 일차적으로 입법기관에 맡겨져 있는 것이므로 이와 같은 시혜적 조치를 할 것인가를 결정함에 있어서는 국민의 권리를 제한하거나 새로운 의무를 부과하는 경우와는 달리 입법자에게 보다 광범위한 입법형성의 자유가 인정된다(헌재 1998.11.26, 97헌바65).

4. 행정처분의 근거가 되는 개정 법령이 그 시행 전에 완성 또는 종결되지 않은 기존의 사실 또는 법률관계를 적용대상으로 하면서 국민의 재산권과 관련하여 종전보다 불리한 법률효과를 규정하고 있는 경우, 개정 법령의 적용이 소급입법에 의한 재산권 침해인지 여부(원칙적 소극) 및 법령불소급원칙의 적용범위

행정처분은 근거 법령이 개정된 경우에도 경과규정에서 달리 정함이 없는 한 처분 당시 시행되는 법령과 그에 정한 기준에 의하는 것이 원칙이다. 개정 법령이 기존의 사실 또는 법률관계를 적용대상으로 하면서 국민의 재산권과 관련하여 종전보다 불리한 법률효과를 규정하고 있는 경우에도 그러한 사실 또는 법률관계가 개정 법령이 시행되기 이전에 이미 완성 또는 종결된 것이 아니라면 개정 법령을 적용하는 것이 헌법상 금지되는 소급입법에 의한 재산권 침해라고 할 수는 없다. 다만, 개정 전 법령의 존속에 대한 국민의 신뢰가 개정 법령의 적용에 관한 공익상의 요구보다 더 보호가치가 있다고 인정되는 경우에 그러한 국민의 신뢰를 보호하기 위하여 적용이 제한될 수 있는 여지가 있을 따름이다(대판 2014.4.24, 2013두26552).

5. 친일재산은 취득 · 증여 등 원인행위시에 국가의 소유로 한다고 정한 구 '친일반민족행위자 재산의 국가귀속에 관한 특별법' 제3조 제1항 본문이 헌법 제13조 제2항에서 정한 소급입법금지 원칙, 헌법 제37조 제2항에서 정한 과잉금지 원칙, 헌법 제23조에서 정한 재산권보장 원칙에 반하여 위헌인지 여부(소극)

구 '친일반민족행위자 재산의 국가귀속에 관한 특별법'(2011.5.19. 법률 제10646호로 개정되기 전의 것) 제3조 제1항 본문(이하 '귀속조항'이라 한다)은 진정소급입법에 해당하지만 진정소급입법이라 하더라도 예외적으로 국민이 소급입법을 예상할 수 있었거나 신뢰보호의 요청에 우선하는 심히 중대한 공익상의 사유가 소급입법을 정당화하는 경우 등에는 허용될 수 있다 할 것인데, 친일재산의 소급적 박탈은 일반적으로 소급입법을 예상할 수 있었던 예외적인 사안이고, 진정소급입법을 통해 침해되는 법적 신뢰는 심각하다고 볼 수 없는 데 반해 이를 통해 달성되는 공익적 중대성은 압도적이라고 할 수 있으므로 진정소급입법이 허용되는 경우에 해당한다. 따라서 귀속조항이 진정소급입법이라는 이유만으로 헌법 제13조 제2항에 위배된다고 할 수 없다(대판 2012.2.23, 2010두17557).

6. 친일재산을 그 취득 · 증여 등 원인행위시에 국가의 소유로 하도록 규정한 친일재산귀속법 제3조 제1항 본문(2005.12.29. 법률 제7769호로 제정된 것, 이하 '이 사건 귀속조항'이라 한다)이 진정소급입법으로서 헌법 제13조 제2항에 반하는지 여부(소극)

이 사건 귀속조항은 진정소급입법에 해당 하지만, 진정소급입법이라 할지라도 예외적으로 국민이 소급입법을 예상할 수 있었던 경우와 같이 소급입법이 정당화되는 경우에는 허용될 수 있다. 친일재산의 취득 경위에 내포된 민족배반적 성격, 대한민국임시정부의 법통 계승을 선언한 헌법 전문 등에 비추어 친일반민족행위자측으로서는 친일재산의 소급적 박탈을 충분히 예상할 수 있었고, 친일재산 환수 문제는 그 시대적 배경에 비추어 역사적으로 매우 이례적인 공동체적 과업이므로 이러한 소급입법의 합헌성을 인정한다고 하더라도 이를 계기로 진정소급입법이 빈번하게 발생할 것이라는 우려는 충분히 불식될 수 있다. 따라서 이 사건 귀속조항은 진정 소급입법에 해당하나 헌법 제13조 제2항에 반하지 않는다(헌재 2011.3.31, 2008헌바141).

③ 부진정소급입법 : 과거에 시작되어 현재 진행 중인 법률관계나 사실관계에 대해 새로운 법령을 적용하는 것을 말한다. 부진정 소급입법은 원칙적으로 허용되지만 예외적으로 제한되는 경우가 있다.

판례

1. 과세표준 기간인 과세연도 진행 중에 제정된 납세의무를 가중하는 세법의 소급효

과세단위가 시간적으로 정해지는 조세에 있어 과세표준기간인 과세연도 진행 중에 세율인상 등 납세의무를 가중하는 세법의 제정이 있는 경우에는 이미 충족되지 아니한 과세요건을 대상으로 하는 강학상 이른바 부진정 소급효의 경우이므로 그 과세연도 개시시에 소급적용이 허용된다(대판 1983.4.26, 81누423).

2. 조세나 부담금에 관한 법령의 불소급의 원칙의 적용범위

조세나 부담금에 관한 법령의 불소급의 원칙은 그 법령의 효력발생 전에 완성된 요건사실에 대하여는 특별한 사정이 없는 한 당해 법령을 적용할 수 없다는 의미일 뿐 계속된 사실이나 그 이후에 발생한 요건사실에 대한 법령적용까지를 제한하는 것은 아니다(대판 2007.7.26, 2005두2612).

3. **소급입법의 종류와 허용범위**
새로운 입법으로 이미 종료된 사실관계에 작용케 하는 진정소급입법은 헌법적으로 허용되지 않는 것이 원칙이며 특단의 사정이 있는 경우에만 예외적으로 허용될 수 있는 반면, 현재 진행 중인 사실관계에 작용케 하는 부진정소급입법은 원칙적으로 허용되지만 소급효를 요구하는 공익상의 사유와 신뢰보호의 요청 사이의 교량과정에서 신뢰보호의 관점이 입법자의 형성권에 제한을 가하게 된다(헌재 1998.11.26, 97헌바58).

4. **행정처분의 근거법령이 개정 시행된 경우, 개정된 법령 및 기준에 따른 처분의 적부(한정 적극)**
행정처분은 그 근거법령이 개정된 경우에도 경과 규정에서 달리 정함이 없는 한 처분 당시 시행되는 개정법령과 그에서 정한 기준에 의하는 것이 원칙이고, 그 개정법령이 기존의 사실 또는 법률관계를 적용대상으로 하면서 종전보다 불리한 법률효과를 규정하고 있는 경우에도 그러한 사실 또는 법률관계가 개정법률이 시행되기 이전에 이미 종결된 것이 아니라면 이를 헌법상 금지되는 소급입법이라고 할 수는 없으며, 그러한 개정법률의 적용과 관련하여서는 개정 전 법령의 존속에 대한 국민의 신뢰가 개정법령의 적용에 관한 공익상의 요구보다 더 보호가치가 있다고 인정되는 경우에 그러한 국민의 신뢰보호를 보호하기 위하여 그 적용이 제한될 수 있는 여지가 있을 따름이다(대판 2001.10.12, 2001두274).

④ **효력의 소멸**: 일반적으로 법령은 해당 법령 또는 그와 동위 및 상위의 법령에 의한 명시적 개폐가 있을 경우 그 효력을 상실하게 된다. 또한, 그와 저촉되는 동위 또는 상위법령의 제정으로 그 효력을 상실하는 경우도 있다.

판례

1. **상위법령이 개정된 경우 종전 집행명령의 효력 유무(적극)**
상위법령의 시행에 필요한 세부적 사항을 정하기 위하여 행정관청이 일반적 직권에 의하여 제정하는 이른바 집행명령은 근거법령인 상위법령이 폐지되면 특별한 규정이 없는 이상 실효되는 것이나, 상위법령이 개정됨에 그친 경우에는 개정법령과 성질상 모순, 저촉되지 아니하고 개정된 상위법령의 시행에 필요한 사항을 규정하고 있는 이상 그 집행명령은 상위법령의 개정에도 불구하고 당연히 실효되지 아니하고 개정법령의 시행을 위한 집행명령이 제정, 발효될 때까지는 여전히 그 효력을 유지한다(대판 1989.9.12, 88누6962).

2. **법령을 일부 개정하면서 개정법령에 경과규정을 두지 않은 경우, 기존 법령 부칙의 경과규정이 실효되는지 여부(원칙적 소극)**
법령의 전부 개정은 기존 법령을 폐지하고 새로운 법령을 제정하는 것과 마찬가지여서 특별한 사정이 없는 한 새로운 법령이 효력을 발생한 이후의 행위에 대하여는 기존 법령의 본칙은 물론 부칙의 경과규정도 모두 실효되어 더는 적용할 수 없지만, 법령이 일부 개정된 경우에는 기존 법령 부칙의 경과규정을 개정 또는 삭제하거나 이를 대체하는 별도의 규정을 두는 등의 특별한 조치가 없는 한 개정 법령에 다시 경과규정을 두지 않았다고 하여 기존 법령 부칙의 경과규정이 당연히 실효되는 것은 아니다(대판 2014.4.30, 2011두18229).

제2절 경찰조직법

01 경찰조직법 일반

1. 경찰조직법의 기초개념

(1) 경찰조직법의 개념

경찰조직법은 경찰조직에 그 존립의 근거를 부여하고, 경찰이 설치할 기관의 명칭·권한, 경찰행정관청 상호간의 관계 및 경찰행정관청의 임면·신분·직무 등에 대하여 규정하는 법을 말한다.

(2) 경찰조직의 근거법(국가경찰과 자치경찰의 조직 및 운영에 관한 법률)

우리나라의 국가행정조직의 기본법은 정부조직법이고, 그중에서 경찰행정조직에 관한 기본법은 국가경찰과 자치경찰의 조직 및 운영에 관한 법률이다.

2. 경찰조직법상의 원칙

(1) 민주성

헌법은 민주주의를 그 기본적 원리의 하나로 하고 있으므로 경찰조직은 민주적 이념에 충실하여야 한다. 경찰은 국민을 위하여 국민에 의해 그 권한을 부여받아 조직되었기 때문에 그 권한행사는 국민의 대표자가 결정하는 바에 따라 어디까지나 국민 본위로 행해져야 한다. 또한, 현행 국가경찰과 자치경찰의 조직 및 운영에 관한 법률도 경찰은 민주적으로 관리·운영되어야 한다고 규정하고 있다.

국가경찰과 자치경찰의 조직 및 운영에 관한 법률
제1조【목적】 이 법은 경찰의 민주적인 관리·운영과 효율적인 임무수행을 위하여 경찰의 기본조직 및 직무범위와 그 밖에 필요한 사항을 규정함을 목적으로 한다.

(2) 정치적 중립성

① 공무원은 국민 전체에 대한 봉사자이며 국민에 대하여 책임을 진다. 이를 위해 헌법 제7조 제1항은 "공무원은 국민 전체에 대한 봉사자이며, 국민에 대하여 책임을 진다.", 제2항은 "공무원의 신분과 정치적 중립성은 법률이 정하는 바에 의하여 보장된다."라고 규정하고 있다.

② 국가공무원법 제65조는 공무원의 정치운동을 금지하고 있으며, 국가경찰과 자치경찰의 조직 및 운영에 관한 법률은 경찰의 공정·중립과 국가경찰위원회 위원의 자격을 제한하여 정치적 중립을 보장하고자 한다. 또한, 경찰공무원법 제23조도 경찰공무원의 정치 관여 금지에 대한 규정을 두고 있다.

국가공무원법
제65조【정치 운동의 금지】 ① 공무원은 정당이나 그 밖의 정치단체의 결성에 관여하거나 이에 가입할 수 없다.
② 공무원은 선거에서 특정정당 또는 특정인을 지지 또는 반대하기 위한 다음의 행위를 하여서는 아니 된다.
1. 투표를 하거나 하지 아니하도록 권유 운동을 하는 것
2. 서명 운동을 기도(企圖)·주재(主宰)하거나 권유하는 것
3. 문서나 도서를 공공시설 등에 게시하거나 게시하게 하는 것
4. 기부금을 모집 또는 모집하게 하거나, 공공자금을 이용 또는 이용하게 하는 것
5. 타인에게 정당이나 그 밖의 정치단체에 가입하게 하거나 가입하지 아니하도록 권유 운동을 하는 것

CHAPTER 04

국가경찰과 자치경찰의 조직 및 운영에 관한 법률
제5조【권한남용의 금지】 경찰은 그 직무를 수행할 때 헌법과 법률에 따라 국민의 자유와 권리 및 모든 개인이 가지는 불가침의 기본적 인권을 보호하고, 국민 전체에 대한 봉사자로서 공정·중립을 지켜야 하며, 부여된 권한을 남용하여서는 아니 된다.
제8조【국가경찰위원회 위원의 임명 및 결격사유 등】 ② 행정안전부장관은 위원 임명을 제청할 때 경찰의 정치적 중립이 보장되도록 하여야 한다.
⑥ 위원에 대해서는 국가공무원법 제60조(비밀엄수의 의무) 및 제65조(정치운동의 금지)를 준용한다.

경찰공무원법
제23조【정치 관여 금지】 ① 경찰공무원은 정당이나 정치단체에 가입하거나 정치활동에 관여하는 행위를 하여서는 아니 된다.
② 제1항에서 정치활동에 관여하는 행위란 다음 각 호의 어느 하나에 해당하는 행위를 말한다.
1. 정당이나 정치단체의 결성 또는 가입을 지원하거나 방해하는 행위
2. 그 직위를 이용하여 특정 정당이나 특정 정치인에 대하여 지지 또는 반대 의견을 유포하거나, 그러한 여론을 조성할 목적으로 특정 정당이나 특정 정치인에 대하여 찬양하거나 비방하는 내용의 의견 또는 사실을 유포하는 행위
3. 특정 정당이나 특정 정치인을 위하여 기부금 모집을 지원하거나 방해하는 행위 또는 국가·지방자치단체 및 공공기관의 운영에 관한 법률에 따른 공공기관의 자금을 이용하거나 이용하게 하는 행위
4. 특정 정당이나 특정인의 선거운동을 하거나 선거 관련 대책회의에 관여하는 행위
5. 정보통신망 이용촉진 및 정보보호 등에 관한 법률에 따른 정보통신망을 이용한 제1호부터 제4호까지의 규정에 해당하는 행위
6. 소속 직원이나 다른 공무원에 대하여 제1호부터 제5호까지의 행위를 하도록 요구하거나 그 행위와 관련한 보상 또는 보복으로서 이익 또는 불이익을 주거나 이를 약속 또는 고지(告知)하는 행위

(3) 효율성

국가조직은 국민의 세금으로 유지되고 있으므로 조직을 합리적으로 구성하여, 국가조직 기능의 중복 등으로 인한 불필요한 예산의 지출이 없도록 해야 한다. 이를 위해 국가경찰과 자치경찰의 조직 및 운영에 관한 법률은 경찰조직을 계층제적 행정조직으로 구성하고 있으며, 효율적인 임무수행을 위하여 경찰직무 응원법 등을 제정하였다.

국가경찰과 자치경찰의 조직 및 운영에 관한 법률
제1조【목적】 이 법은 경찰의 민주적인 관리·운영과 효율적인 임무수행을 위하여 경찰의 기본조직 및 직무범위와 그 밖에 필요한 사항을 규정함을 목적으로 한다.

(4) 중앙집권과 분권의 조화

① 우리나라의 경찰조직은 경찰사무를 중앙정부(경찰청장)의 직접적인 통제를 받는 국가경찰사무와 시·도자치경찰위원회의 통제를 받는 자치경찰사무로 구분하고 있다. 조직의 관리 형태면이나 구조 및 사무수행과 관련하여 중앙정부와 각 지방이 일정한 책임을 분담하고 있다.

② 일반적으로 민주성의 확보를 위하여 분권성이 강조되고 있으나 집권적 경찰조직이 민주주의와 반드시 대립되는 것은 아니다.

국가경찰과 자치경찰의 조직 및 운영에 관한 법률
제2조【국가와 지방자치단체의 책무】 국가와 지방자치단체는 국민의 생명·신체 및 재산을 보호하고 공공의 안녕과 질서유지에 필요한 시책을 수립·시행하여야 한다.

3. 경찰행정의 주체

(1) 경찰행정주체의 의의

경찰행정주체라 함은 경찰행정을 행할 권리와 의무를 가지며, 자기의 이름과 책임하에 경찰행정을 실시하는 단체(법인)를 말한다. 이러한 경찰행정주체에는 국가와 지방자치단체가 있으며, 그 밖에 영조물 법인이나 공공조합 등이 경찰행정의 주체가 될 수 있다.

(2) 현행법상 경찰행정의 주체

① 현행 국가경찰과 자치경찰의 조직 및 운영에 관한 법률은 국가경찰제도와 자치경찰제도를 함께 채택하고 있으므로 국가와 지방자치단체가 경찰행정을 행할 권리와 의무를 가지며, 국가와 지방자치단체의 이름과 책임하에 경찰행정을 실시한다.

② 제주특별자치도의 경우 제주특별자치도 설치 및 국제자유도시 조성을 위한 특별법에 근거하여 별도의 자치경찰조직을 운영하고 있다.

제주특별자치도 설치 및 국제자유도시 조성을 위한 특별법
제88조【자치경찰기구의 설치】 ① 제90조에 따른 자치경찰사무를 처리하기 위하여 국가경찰과 자치경찰의 조직 및 운영에 관한 법률 제18조에 따라 설치되는 제주특별자치도자치경찰위원회(이하 '자치경찰위원회'라 한다) 소속으로 자치경찰단을 둔다.
제89조【자치경찰단장의 임명】 ① 자치경찰단장은 도지사가 임명하며, 자치경찰위원회의 지휘·감독을 받는다.

4. 경찰행정기관

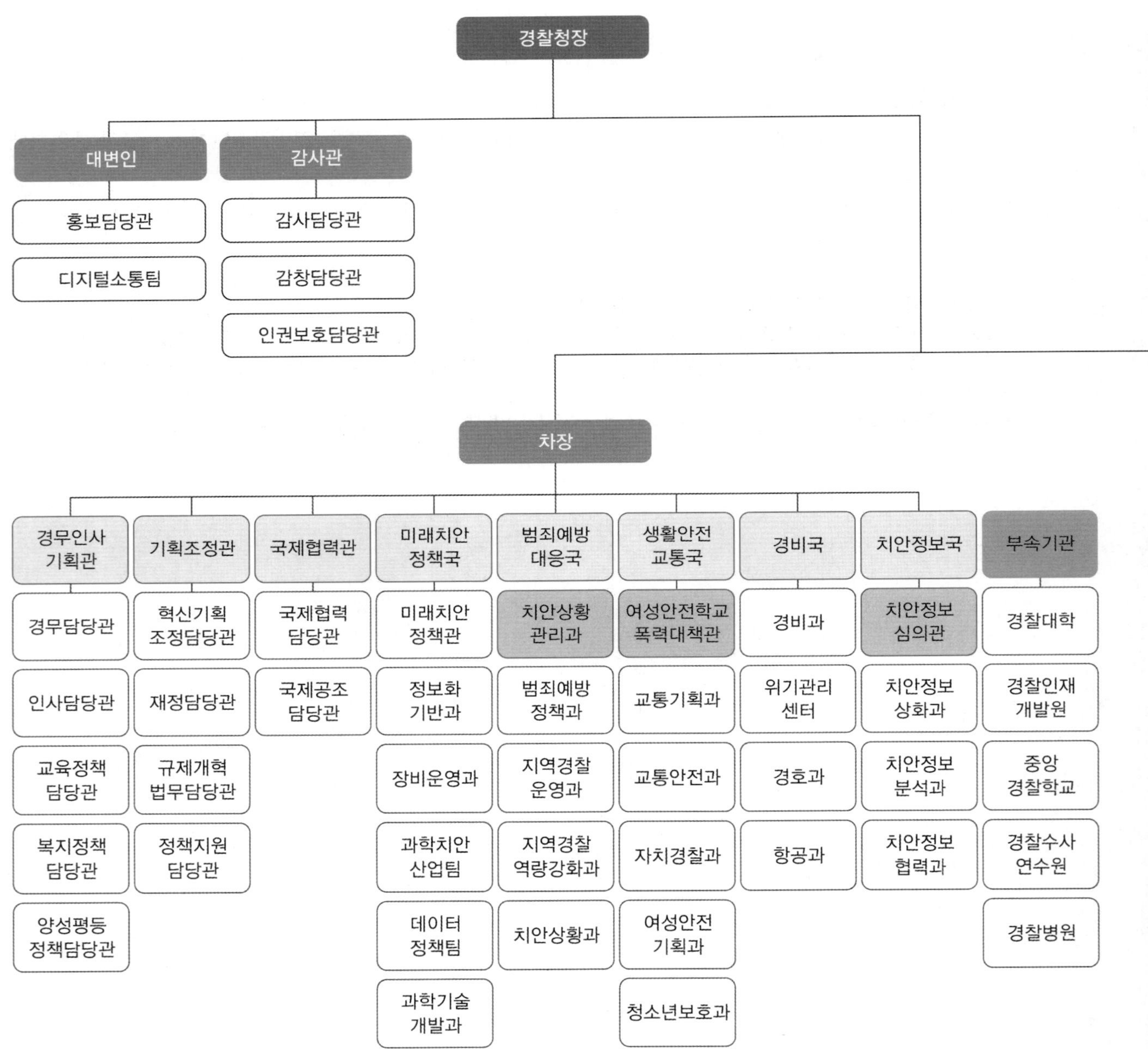
경찰청장
대변인
감사관
홍보담당관
디지털소통팀
감사담당관
감찰담당관
인권보호담당관
차장
경무인사 기획관
기획조정관
국제협력관
미래치안 정책국
범죄예방 대응국
생활안전 교통국
경비국
치안정보국
부속기관
경무담당관
인사담당관
교육정책 담당관
복지정책 담당관
양성평등 정책담당관
혁신기획 조정담당관
재정담당관
규제개혁 법무담당관
정책지원 담당관
국제협력 담당관
국제공조 담당관
미래치안 정책관
정보화 기반과
장비운영과
과학치안 산업팀
데이터 정책팀
과학기술 개발과
치안상황 관리과
범죄예방 정책과
지역경찰 운영과
지역경찰 역량강화과
치안상황과
여성안전학교 폭력대책관
교통기획과
교통안전과
자치경찰과
여성안전 기획과
청소년보호과
경비과
위기관리 센터
경호과
항공과
치안정보 심의관
치안정보 상화과
치안정보 분석과
치안정보 협력과
경찰대학
경찰인재 개발원
중앙 경찰학교
경찰수사 연수원
경찰병원

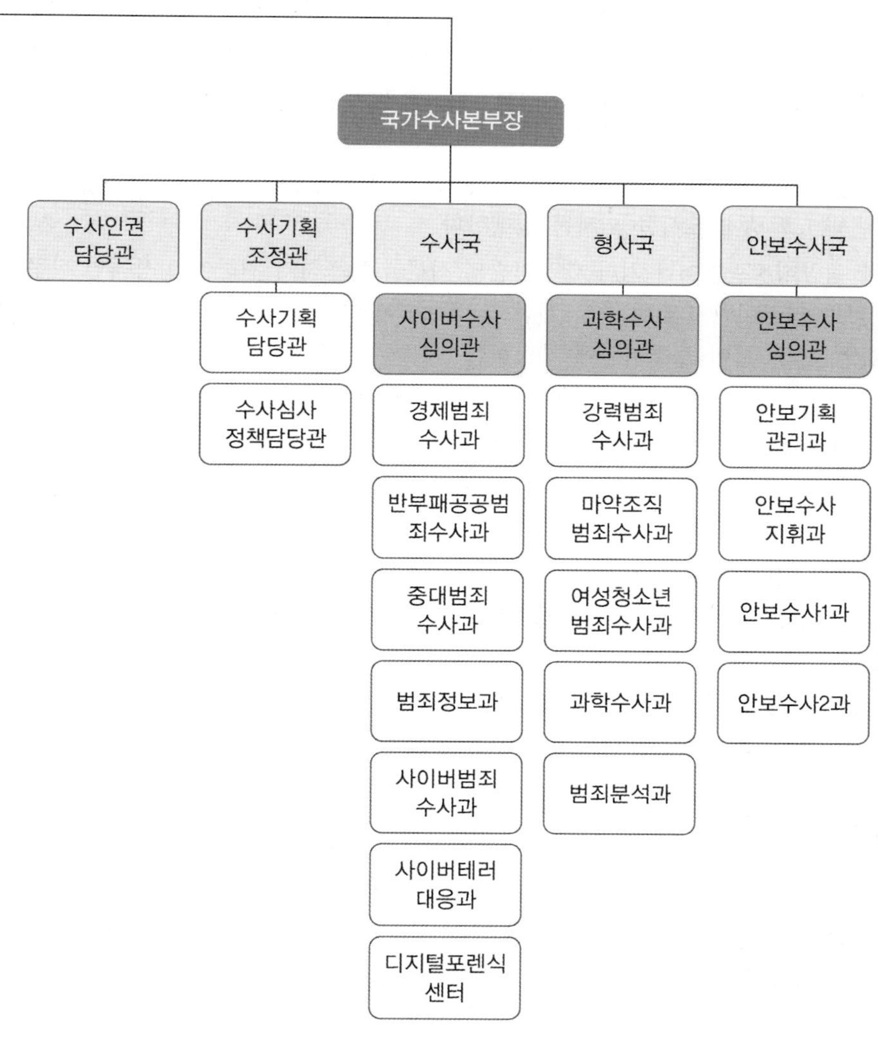
국가수사본부장
수사인권 담당관
수사기획 조정관
수사국
형사국
안보수사국
수사기획 담당관
수사심사 정책담당관
사이버수사 심의관
경제범죄 수사과
반부패공공범죄수사과
중대범죄 수사과
범죄정보과
사이버범죄 수사과
사이버테러 대응과
디지털포렌식 센터
과학수사 심의관
강력범죄 수사과
마약조직 범죄수사과
여성청소년 범죄수사과
과학수사과
범죄분석과
안보수사 심의관
안보기획 관리과
안보수사 지휘과
안보수사1과
안보수사2과

(1) 경찰행정기관의 개념

① 의의: 경찰행정주체를 위하여 현실적으로 그 직무를 수행하는 하부조직을 경찰행정기관이라고 한다.

② **경찰행정기관 행위의 효과귀속**: 경찰행정기관에게는 법률에 의하여 일정한 범위의 권한과 책임이 주어지며, 경찰행정기관이 그 권한의 범위 내에서 행하는 행위의 효과는 법률상 경찰행정주체인 국가와 지방자치단체에 귀속된다.

(2) 경찰행정기관의 종류

① **경찰행정관청**: 경찰행정관청이란 경찰행정주체의 법률상 의사를 결정하여 외부에 표시하는 권한을 가지는 경찰행정기관을 말한다. 경찰조직의 경우 경찰청장, 시·도경찰청장, 경찰서장이 계층적 구조를 이루는 가운데, 상급의 경찰행정관청이 하급의 경찰행정관청을 지휘·감독하는 상명하복의 구조를 가지고 있다.

② **경찰의결기관(경찰참여기관)**: 경찰의결기관이란 경찰행정관청의 의사를 구속하는 의결을 행하는 경찰행정기관을 말한다. 그러므로 경찰행정관청이 경찰의결기관의 의결을 거치지 아니하고 행위한 경우에는 무권한의 행위가 되며 무효에 해당한다. 이러한 경찰의결기관에는 국가경찰위원회, 징계위원회 등이 있다.

③ **경찰집행기관**

㉠ 경찰집행기관은 경찰행정목적을 실현하기 위하여 필요한 실력(경찰강제)을 행사하는 경찰행정기관을 말한다. 다시 말해 경찰행정상의 의무를 국민이 이행하지 아니하는 경우에 의무 불이행자에 대한 강제권을 발동하거나, 위법한 상황을 배제하기 위하여 긴급의 필요가 있는 경우에 즉시강제를 행하는 경찰행정기관이 경찰집행기관이다.

㉡ 경찰집행기관에는 순경에서 치안총감에 이르는 모든 경찰공무원이 해당하며 이들이 경찰집행기관으로서 경찰행정관청이 외부에 표시한 의사를 집행한다.

④ **경찰보조기관**: 경찰행정관청이나 기타 행정기관의 직무를 보조하기 위하여 일상적인 직무를 수행하는 경찰행정기관을 경찰보조기관이라고 하며 주로 계선조직(Line)이 여기에 해당한다. 경찰조직의 경우 차장·국장·부장·과장·계장·반장 등이 보조기관에 해당한다.

⑤ **경찰보좌기관**: 경찰보좌기관은 경찰행정관청이 그 기능을 원활하게 수행할 수 있도록 그 기관장이나 보조기관을 보좌함으로써 행정기관의 목적달성에 기여하는 경찰행정기관을 말한다. 주로 참모조직(Staff)이 여기에 해당한다. 경찰조직의 경우 기획조정관, 감사관, 경무인사기획관, 국제협력관 등이 보좌기관에 해당한다.

⑥ **경찰자문기관**

㉠ 경찰자문기관은 경찰행정관청으로부터 자문을 요청받아 그 의견을 제시하는 경찰행정기관(각종의 심의회)을 말한다. 경찰자문기관은 경찰의결기관과는 달리 법적으로 행정관청을 구속하는 의결을 할 수 있는 권한이 없다.

㉡ 경찰자문기관에는 경찰공무원인사위원회, 인권위원회 등을 들 수 있다.

⑦ **기타**: 이 밖에도 소속 기관(부속기관과 특별지방행정기관) 등의 경찰행정기관이 있다.

5. 경찰행정관청의 권한

(1) 의의

경찰행정관청의 권한이란 경찰행정관청이 법률상 유효하게 국가의 경찰행정권을 발동할 수 있는 범위를 말한다. 경찰행정관청은 국가의 사무를 분할·담당하고 있으며, 그 범위 내에서 경찰행정에 관한 국가의사를 결정·표시할 수 있는 직무범위가 곧 경찰행정관청의 권한에 해당한다.

경찰청장	**국가경찰과 자치경찰의 조직 및 운영에 관한 법률 제14조 【경찰청장】** ③ 경찰청장은 국가경찰사무를 총괄하고 경찰청 업무를 관장하며 소속 공무원 및 각급 경찰기관의 장을 지휘·감독한다. **총포·도검·화약류 등의 안전관리에 관한 법률 제4조 【제조업의 허가】** ① 총포·화약류의 제조업(총포의 개조·수리업과 화약류의 변형·가공업을 포함한다)을 하려는 자는 제조소마다 행정안전부령으로 정하는 바에 따라 경찰청장의 허가를 받아야 한다. 제조소의 위치·구조·시설 또는 설비를 변경하거나 제조하는 총포·화약류의 종류 또는 제조방법을 변경하려는 경우에도 또한 같다.
시·도 경찰청장	**국가경찰과 자치경찰의 조직 및 운영에 관한 법률 제28조 【시·도경찰청장】** ③ 시·도경찰청장은 국가경찰사무에 대해서는 경찰청장의 지휘·감독을, 자치경찰사무에 대해서는 시·도자치경찰위원회의 지휘·감독을 받아 관할구역의 소관 사무를 관장하고 소속 공무원 및 소속 경찰기관의 장을 지휘·감독한다. 다만, 수사에 관한 사무에 대해서는 국가수사본부장의 지휘·감독을 받아 관할구역의 소관 사무를 관장하고 소속 공무원 및 소속 경찰기관의 장을 지휘·감독한다. **사행행위 등 규제 및 처벌 특례법 제4조 【허가 등】** ① 사행행위영업을 하려는 자는 제3조에 따른 시설 등을 갖추어 행정안전부령으로 정하는 바에 따라 시·도경찰청장의 허가를 받아야 한다. 다만, 그 영업의 대상 범위가 둘 이상의 특별시·광역시·도 또는 특별자치도에 걸치는 경우에는 경찰청장의 허가를 받아야 한다.
경찰서장	**국가경찰과 자치경찰의 조직 및 운영에 관한 법률 제30조 【경찰서장】** ② 경찰서장은 시·도경찰청장의 지휘·감독을 받아 관할구역의 소관 사무를 관장하고 소속 공무원을 지휘·감독한다. **경범죄 처벌법 제7조 【통고처분】** ① 경찰서장, 해양경찰서장, 제주특별자치도지사 또는 철도특별사법경찰대장은 범칙자로 인정되는 사람에 대하여 그 이유를 명백히 나타낸 서면으로 범칙금을 부과하고 이를 납부할 것을 통고할 수 있다.

⑵ 권한의 확정

경찰행정관청의 권한의 범위는 일반적으로 경찰행정관청을 설치하는 근거법규, 즉 헌법·법률 또는 그에 근거한 명령에 의하여 결정된다. 이렇게 정해진 경찰행정관청의 직무범위는 경찰행정관청의 권한의 사항적 한계를 이루고 경찰행정관청은 스스로 직무범위를 변경할 수 없다(이후 권한의 대리와 위임에서 상세히 설명).

⑶ 권한의 한계

경찰행정관청의 권한행사가 직무범위나 발동의 한계를 넘어선 경우 그 행위의 효과는 국가에 귀속되지 않으므로 무효에 해당한다. 이렇게 권한의 한계를 벗어난 행위는 행위자 개인에게 그 효과가 귀속되는 것이 원칙이다.

⑷ 권한행사의 효과

① 일반적 효과(적극적 효과)

㉠ 경찰행정관청이 그 소관 사무에 관하여 권한을 행사한 경우에 그 행위는 행정주체(국가나 지방자치단체)의 행위로서 효력이 발생한다. 다시 말해 경찰행정관청이 적법하게 권한을 행사한 경우 그 행위의 법률상 효과는 행정주체인 국가나 지방자치단체에 귀속된다.

㉡ 경찰행정관청의 행위가 법률행위인 경우뿐만 아니라 사실행위에 해당하더라도 그것에 결부된 법적 효과는 국가에 귀속되는 것이 원칙이다.

② 위법한 권한행사의 효과(소극적 효과): 경찰행정관청이 권한의 한계를 넘어서서 권한을 행사한 때에 그 권한행사는 위법에 해당하며 권한 외의 행위로서 공법상의 효과가 부정된다(당연무효). 그러므로 그 효과 또한 행정주체인 국가나 지방자치단체에 귀속되지 않는다.

02 국가경찰과 자치경찰의 조직 및 운영에 관한 법률

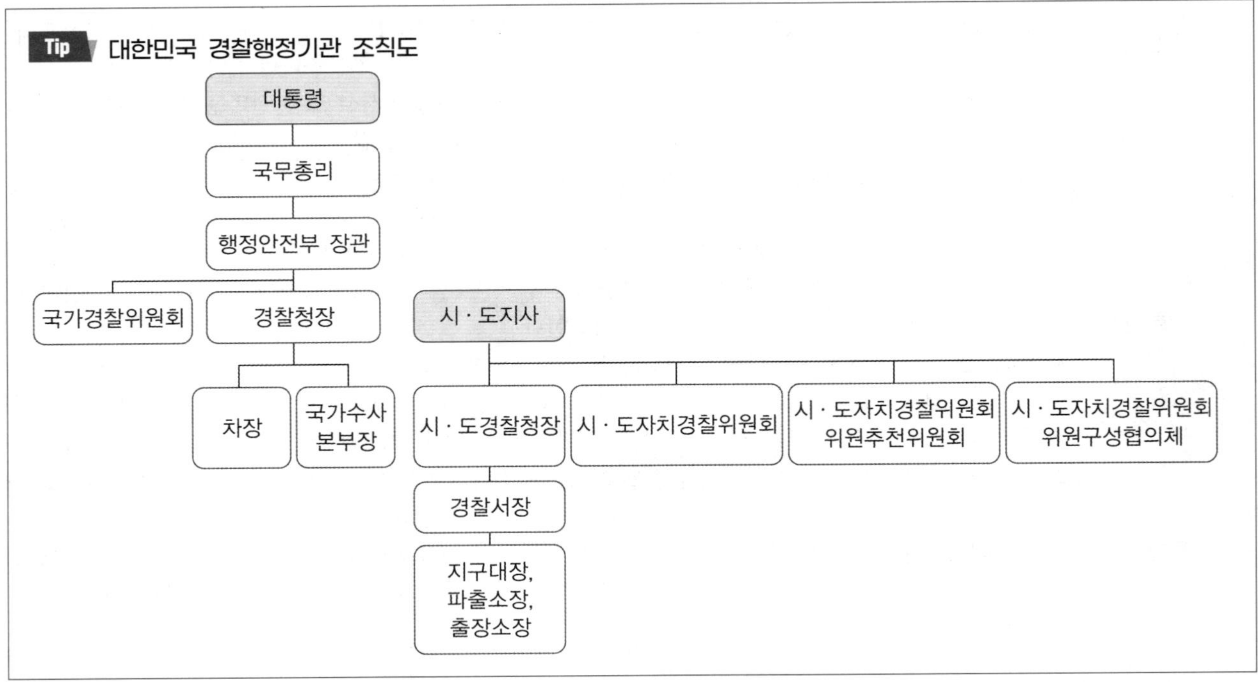

1. 서설

(1) 목적(제1조)

이 법은 경찰의 민주적인 관리 · 운영과 효율적인 임무수행을 위하여 경찰의 기본조직 및 직무 범위와 그 밖에 필요한 사항을 규정함을 목적으로 한다.

(2) 국가와 지방자치단체의 책무(제2조)

국가와 지방자치단체는 국민의 생명 · 신체 및 재산을 보호하고 공공의 안녕과 질서유지에 필요한 시책을 수립 · 시행하여야 한다.

(3) 경찰의 임무(제3조)

국가경찰과 자치경찰의 조직 및 운영에 관한 법률
제3조 【경찰의 임무】 경찰의 임무는 다음 각 호와 같다.
1. 국민의 생명 · 신체 및 재산의 보호
2. 범죄의 예방 · 진압 및 수사
3. 범죄피해자 보호
4. 경비 · 요인경호 및 대간첩 · 대테러 작전 수행
5. 공공안녕에 대한 위험의 예방과 대응을 위한 정보의 수집 · 작성 및 배포
6. 교통의 단속과 위해의 방지
7. 외국 정부기관 및 국제기구와의 국제협력
8. 그 밖에 공공의 안녕과 질서유지

(4) 경찰의 사무(제4조)

① 경찰의 사무는 다음과 같이 구분한다.

㉠ 국가경찰사무: 위 (3)에서 정한 경찰의 임무를 수행하기 위한 사무. 다만, ㉡의 자치경찰사무는 제외한다.

㉡ 자치경찰사무: 위 (3)에서 정한 경찰의 임무범위에서 관할 지역의 생활안전·교통·경비·수사 등에 관한 다음의 사무

ⓐ **지역 내 주민의 생활안전활동에 관한 사무**
- ㉮ 생활안전을 위한 순찰 및 시설의 운영
- ㉯ 주민참여 방범활동의 지원 및 지도
- ㉰ 안전사고 및 재해·재난시 긴급구조지원
- ㉱ 아동·청소년·노인·여성·장애인 등 사회적 보호가 필요한 사람에 대한 보호 업무 및 가정폭력·학교폭력·성폭력 등의 예방
- ㉲ 주민의 일상생활과 관련된 사회질서의 유지 및 그 위반행위의 지도·단속. 다만, 지방자치단체 등 다른 행정청의 사무는 제외한다.
- ㉳ 그 밖에 지역주민의 생활안전에 관한 사무

ⓑ **지역 내 교통 활동에 관한 사무**
- ㉮ 교통법규 위반에 대한 지도·단속
- ㉯ 교통안전시설 및 무인 교통단속용 장비의 심의·설치·관리
- ㉰ 교통안전에 대한 교육 및 홍보
- ㉱ 주민참여 지역 교통활동의 지원 및 지도
- ㉲ 통행 허가, 어린이 통학버스의 신고, 긴급자동차의 지정 신청 등 각종 허가 및 신고에 관한 사무
- ㉳ 그 밖에 지역 내의 교통안전 및 소통에 관한 사무

ⓒ 지역 내 다중운집 행사 관련 혼잡 교통 및 안전 관리

ⓓ **다음의 어느 하나에 해당하는 수사사무**
- ㉮ 학교폭력 등 소년(19세 미만인 사람을 말한다)범죄
- ㉯ 가정폭력, 아동학대 범죄
- ㉰ 교통사고 및 교통 관련 범죄
- ㉱ 형법 제245조에 따른 공연음란 및 성폭력범죄의 처벌 등에 관한 특례법 제12조에 따른 성적 목적을 위한 다중이용장소 침입행위에 관한 범죄
- ㉲ 경범죄 및 기초질서 관련 범죄
- ㉳ 가출인 및 실종아동 등의 보호 및 지원에 관한 법률 제2조 제2호에 따른 실종아동 등 관련 수색 및 범죄

② 위 ①, ㉡의 ⓐ부터 ⓒ까지의 자치경찰사무에 관한 구체적인 사항 및 범위 등은 대통령령으로 정하는 기준에 따라 시·도조례로 정한다.

③ 위 ①, ㉡의 ⓓ의 자치경찰사무에 관한 구체적인 사항 및 범위 등은 대통령령으로 정한다.

(5) 권한남용의 금지(제5조)

경찰은 그 직무를 수행할 때 헌법과 법률에 따라 국민의 자유와 권리 및 모든 개인이 가지는 불가침의 기본적 인권을 보호하고, 국민 전체에 대한 봉사자로서 공정·중립을 지켜야 하며, 부여된 권한을 남용하여서는 아니 된다.

(6) 직무수행(제6조)

① 경찰공무원은 상관의 지휘·감독을 받아 직무를 수행하고, 그 직무수행에 관하여 서로 협력하여야 한다.

② 경찰공무원은 구체적 사건수사와 관련된 지휘·감독의 적법성 또는 정당성에 대하여 이견이 있을 때에는 이의를 제기할 수 있다.

③ 경찰공무원의 직무수행에 필요한 사항은 따로 법률로 정한다.

2. 국가경찰위원회

(1) 국가경찰위원회의 설치(제7조)

① 국가경찰행정에 관하여 일정한 사항을 심의·의결하기 위하여 행정안전부에 국가경찰위원회를 둔다.

② 국가경찰위원회는 위원장 1명을 포함한 7명의 위원으로 구성하되, 위원장 및 5명의 위원은 비상임(非常任)으로 하고, 1명의 위원은 상임(常任)으로 한다.

③ 위원 중 상임위원은 정무직으로 한다.

> **국가경찰위원회 규정**
> **제2조 【위원장】** ① 위원장은 위원회를 대표하며, 위원회의 사무를 총괄한다.
> ② 위원장은 비상임위원 중에서 호선한다.
> ③ 위원장이 사고가 있을 때에는 상임위원, 위원 중 연장자순으로 위원장의 직무를 대리한다.
> **제3조 【위원의 예우등】** ① 위원 중 상임이 아닌 위원에게는 예산의 범위 안에서 수당과 여비를 지급할 수 있다.
> ② 상임위원은 정무직으로 한다.

(2) 국가경찰위원회 위원의 임명 및 결격사유 등(제8조)

① 위원은 행정안전부장관의 제청으로 국무총리를 거쳐 대통령이 임명한다.

② 행정안전부장관은 위원 임명을 제청할 때 경찰의 정치적 중립이 보장되도록 하여야 한다.

③ 위원 중 2명은 법관의 자격이 있는 사람이어야 한다.

④ 위원은 특정 성(性)이 10분의 6을 초과하지 아니하도록 노력하여야 한다.

⑤ 다음의 어느 하나에 해당하는 사람은 위원이 될 수 없으며, 위원이 다음의 어느 하나에 해당하는 경우에는 당연퇴직한다.

> ㉠ 정당의 당원이거나 당적을 이탈한 날부터 3년이 지나지 아니한 사람
> ㉡ 선거에 의하여 취임하는 공직에 있거나 그 공직에서 퇴직한 날부터 3년이 지나지 아니한 사람
> ㉢ 경찰, 검찰, 국가정보원 직원 또는 군인의 직에 있거나 그 직에서 퇴직한 날부터 3년이 지나지 아니한 사람
> ㉣ 국가공무원법 제33조 각 호의 어느 하나에 해당하는 사람. 다만, 국가공무원법 제33조 제2호 및 제5호에 해당하는 경우에는 같은 법 제69조 제1호 단서에 따른다.

⑥ 위원에 대하여는 국가공무원법 제60조(비밀엄수의무) 및 제65조(정치운동의 금지)를 준용한다.

(3) 국가경찰위원회 위원의 임기 및 신분보장(제9조)

① 위원의 임기는 3년으로 하며, 연임(連任)할 수 없다. 이 경우 보궐위원의 임기는 전임자 임기의 남은 기간으로 한다.

② 위원은 중대한 신체상 또는 정신상의 장애로 직무를 수행할 수 없게 된 경우를 제외하고는 그 의사에 반하여 면직되지 아니한다.

> **국가경찰위원회 규정**
> **제4조 【위원의 면직】** ① 법 제9조 제2항에 따라 위원이 중대한 심신상의 장애로 직무를 수행할 수 없게 되어 면직하는 경우에는 위원회의 의결이 있어야 한다.
> ② 제1항의 의결요구는 위원장 또는 행정안전부장관이 한다.

(4) 국가경찰위원회의 심의 · 의결 사항 등(제10조)

① 다음의 사항은 국가경찰위원회의 심의 · 의결을 거쳐야 한다.

> ㉠ 국가경찰사무에 관한 인사, 예산, 장비, 통신 등에 관한 주요정책 및 경찰 업무 발전에 관한 사항
> ㉡ 국가경찰사무에 관한 인권보호와 관련되는 경찰의 운영 · 개선에 관한 사항
> ㉢ 국가경찰사무 담당 공무원의 부패 방지와 청렴도 향상에 관한 주요 정책사항
> ㉣ 국가경찰사무 외에 다른 국가기관으로부터의 업무협조 요청에 관한 사항
> ㉤ 제주특별자치도의 자치경찰에 대한 경찰의 지원 · 협조 및 협약체결의 조정 등에 관한 주요 정책사항
> ㉥ 제18조에 따른 시 · 도자치경찰위원회 위원 추천, 자치경찰사무에 대한 주요 법령 · 정책 등에 관한 사항, 제25조 제4항에 따른 시 · 도자치경찰위원회 의결에 대한 재의 요구에 관한 사항
> ㉦ 제2조에 따른 시책 수립에 관한 사항
> ㉧ 제32조에 따른 비상사태 등 전국적 치안유지를 위한 경찰청장의 지휘 · 명령에 관한 사항
> ㉨ 그 밖에 행정안전부장관 및 경찰청장이 중요하다고 인정하여 국가경찰위원회의 회의에 부친 사항

② 행정안전부장관은 심의 · 의결된 내용이 적정하지 아니하다고 판단할 때에는 재의(再議)를 요구할 수 있다.

> **국가경찰위원회 규정**
> **제6조【재의요구】** ① 법 제10조 제2항에 따라 행정안전부장관이 재의를 요구하는 경우에는 의결한 날부터 10일 이내에 재의요구서를 위원회에 제출하여야 한다.
> ② 위원장은 재의요구가 있는 경우에는 그 요구를 받은 날부터 7일 이내에 회의를 소집하여 다시 의결하여야 한다.

Add

> 국가경찰위원회 규정
> **제5조【심의 · 의결사항의 구체적 범위】** ① 법 제10조 제1항 제1호의 범위는 다음과 같다.
> 1. 경찰청 소관 법령과 행정규칙의 제정 · 개정 및 폐지에 관한 사항
> 2. 경찰공무원의 채용 · 승진 등 인사운영 기준에 관한 사항
> 3. 경찰공무원에 대한 교육 및 복지 증진에 관한 사항
> 4. 경찰복제 및 경찰장비에 관한 사항
> 5. 경찰정보통신 개발 및 운영에 관한 사항
> 6. 경찰조직 및 예산 편성 등에 관한 사항
> 7. 경찰 중 · 장기 발전계획에 관한 사항
> 8. 그 밖에 위원회가 경찰 주요정책 및 경찰 업무 발전에 필요하다고 인정하는 사항
>
> ② 법 제10조 제1항 제2호의 범위는 다음 각 호와 같다.
> 1. 국민의 권리 · 의무와 직접 관계되는 경찰행정 및 수사절차
> 2. 경찰행정과 관련되는 과태료 · 범칙금 기타 벌칙에 관한 사항
> 3. 경찰행정과 관련되는 국민의 부담에 관한 사항

(5) 국가경찰위원회의 운영 등(제11조)

① 국가경찰위원회의 사무는 경찰청에서 수행한다.

② 국가경찰위원회의 회의는 재적위원 과반수의 출석과 출석위원 과반수의 찬성으로 의결한다.

③ 이 법에 규정된 것 외에 국가경찰위원회의 운영 및 심의 · 의결 사항의 구체적 범위, 재의 요구 등에 필요한 사항은 대통령령으로 정한다.

국가경찰위원회 규정

제7조 【회의】 ① 위원회의 회의는 정기회의와 임시회의로 구분한다.

② 정기회의는 특별한 사유가 있는 경우를 제외하고는 매월 2회 위원장이 소집한다.

③ 위원장은 필요한 경우 임시회의를 소집할 수 있으며, 위원 3인 이상과 행정안전부장관 또는 경찰청장은 위원장에게 임시회의의 소집을 요구할 수 있다.

④ 제3항의 규정에 의한 임시회의소집 요구가 있는 경우에는 위원장은 특별한 사유가 없는 한 회의를 소집하여야 한다.

> **국가경찰위원회 운영세칙**
>
> **제5조 【회의의 개최 등】** ② 위원장은 회의를 개최하거나 개최 요구를 받은 때에는 회의소집 3일전까지 위원과 행정안전부장관 및 경찰청장에게 회의소집 일시, 소집 사유 등을 통지하여야 한다. 다만, 긴급한 사정이 있는 경우에는 사후 통지할 수 있다.

제8조 【간사】 ① 위원회에 간사 1명을 두되, 간사는 경찰청 소속 과장급 경찰공무원 중에서 경찰청장이 지명한다.

1. 의안의 작성
2. 회의진행에 필요한 준비
3. 회의록 작성과 보관
4. 기타 위원회의 사무

제9조 【의견청취 등】 ① 위원장은 위원회의 심의를 위하여 필요한 경우에는 관계공무원 또는 관계전문가의 출석·발언이나 자료의 제출을 요구할 수 있다.

② 위원장은 위원회의 심의를 위하여 필요한 경우에는 관계 경찰공무원에게 필요한 사항의 보고를 요구할 수 있으며, 그 관계 경찰공무원은 성실히 이에 응하여야 한다.

③ 위원회에 출석한 관계공무원 또는 관계전문가에 대하여는 예산의 범위 안에서 수당과 여비를 지급할 수 있다. 다만, 공무원이 그 소관업무와 직접적으로 관련되어 출석하는 경우에는 그러하지 아니한다.

3. 경찰청

(1) 경찰의 조직(제12조)

치안에 관한 사무를 관장하게 하기 위하여 행정안전부장관 소속으로 경찰청을 둔다.

(2) 경찰청장(제14조)

① 경찰청에 경찰청장을 두며, 경찰청장은 치안총감(治安總監)으로 보한다.

② 경찰청장은 국가경찰위원회의 동의를 받아 행정안전부장관의 제청으로 국무총리를 거쳐 대통령이 임명한다. 이 경우 국회의 인사청문을 거쳐야 한다.

③ 경찰청장은 국가경찰사무를 총괄하고 경찰청 업무를 관장하며 소속 공무원 및 각급 경찰기관의 장을 지휘·감독한다.

④ 경찰청장의 임기는 2년으로 하고, 중임(重任)할 수 없다.

⑤ 경찰청장이 직무를 집행하면서 헌법이나 법률을 위배하였을 때에는 국회는 탄핵 소추를 의결할 수 있다.

⑥ 경찰청장은 경찰의 수사에 관한 사무의 경우에는 개별 사건의 수사에 대하여 구체적으로 지휘·감독할 수 없다. 다만, 국민의 생명·신체·재산 또는 공공의 안전 등에 중대한 위험을 초래하는 긴급하고 중요한 사건의 수사에 있어서 경찰의 자원을 대규모로 동원하는 등 통합적으로 현장 대응할 필요가 있다고 판단할 만한 상당한 이유가 있는 때에는 국가수사본부장을 통하여 개별 사건의 수사에 대하여 구체적으로 지휘·감독할 수 있다.

⑦ 경찰청장은 위 ⑥의 단서에 따라 개별 사건의 수사에 대한 구체적 지휘·감독을 개시한 때에는 이를 국가경찰위원회에 보고하여야 한다.

⑧ 경찰청장은 위 ⑥의 단서의 사유가 해소된 경우에는 개별 사건의 수사에 대한 구체적 지휘·감독을 중단하여야 한다.

⑨ 경찰청장은 국가수사본부장이 위 ⑥의 단서의 사유가 해소되었다고 판단하여 개별 사건의 수사에 대한 구체적 지휘·감독의 중단을 건의하는 경우 특별한 이유가 없으면 이를 승인하여야 한다.

⑩ 위 ⑥의 단서에서 규정하는 긴급하고 중요한 사건의 범위 등 필요한 사항은 대통령령으로 정한다.

국가경찰과 자치경찰의 조직 및 운영에 관한 법률 제14조 제10항에 따른 긴급하고 중요한 사건의 범위 등에 관한 규정
제2조 【긴급하고 중요한 사건의 범위 등】 ① 국가경찰과 자치경찰의 조직 및 운영에 관한 법률(이하 '법'이라 한다) 제14조 제6항 단서에 따른 긴급하고 중요한 사건은 다음 각 호의 어느 하나에 해당하는 사건 및 이와 직접적인 관련이 있는 사건으로 한다.

1. 전시·사변 또는 이에 준하는 국가 비상사태가 발생하거나 발생이 임박하여 전국적인 치안유지가 필요한 사건
2. 재난, 테러 등이 발생하여 공공의 안전에 대한 급박한 위해(危害)나 범죄로 인한 피해의 급속한 확산을 방지하기 위해 신속한 조치가 필요한 사건
3. 국가중요시설의 파괴·기능마비, 대규모 집단의 폭행·협박·손괴·방화 등에 대하여 경찰의 자원을 대규모로 동원할 필요가 있는 사건
4. 전국 또는 일부 지역에서 연쇄적·동시다발적으로 발생하거나 광역화된 범죄에 대하여 경찰력의 집중적인 배치, 경찰 각 기능의 종합적 대응 또는 국가기관·지방자치단체·공공기관과의 공조가 필요한 사건

② 경찰청장은 법 제14조 제6항 단서에 따라 개별 사건의 수사에 대해 구체적 지휘·감독을 하려는 경우에는 그 필요성 등을 신중하게 판단해야 한다.
제3조 【수사지휘의 방식】 ① 경찰청장은 법 제14조 제6항 단서에 따라 국가수사본부장에게 개별 사건의 수사에 대한 구체적 지휘를 하는 경우에는 서면으로 지휘해야 한다.
② 경찰청장은 제1항에도 불구하고 서면 지휘가 불가능하거나 현저히 곤란한 경우에는 구두나 전화 등 서면 외의 방식으로 지휘할 수 있다. 이 경우 사후에 신속하게 서면으로 지휘내용을 송부해야 한다.

⑶ 경찰청 차장(제15조)

① 경찰청에 차장을 두며, 차장은 치안정감(治安正監)으로 보한다.

② 차장은 경찰청장을 보좌하며, 경찰청장이 부득이한 사유로 직무를 수행할 수 없을 때에는 그 직무를 대행한다.

⑷ 국가수사본부장(제16조)

① 경찰청에 국가수사본부를 두며, 국가수사본부장은 치안정감(治安正監)으로 보한다.

② 국가수사본부장은 형사소송법에 따른 경찰의 수사에 관하여 각 시·도경찰청장과 경찰서장 및 수사부서 소속 공무원을 지휘·감독한다.

③ 국가수사본부장의 임기는 2년으로 하며, 중임(重任)할 수 없다.

④ 국가수사본부장은 임기가 끝나면 당연히 퇴직한다.

⑤ 국가수사본부장이 직무를 집행하면서 헌법이나 법률을 위배하였을 때에는 국회는 탄핵 소추를 의결할 수 있다.

⑥ 국가수사본부장을 경찰청 외부를 대상으로 모집하여 임용할 필요가 있는 때에는 다음의 자격을 갖춘 사람 중에서 임용한다.

> ㉠ 10년 이상 수사업무에 종사한 사람 중에서 국가공무원법 제2조의2에 따른 고위공무원단에 속하는 공무원, 3급 이상 공무원 또는 총경 이상 경찰공무원으로 재직한 경력이 있는 사람
> ㉡ 판사·검사 또는 변호사의 직에 10년 이상 있었던 사람
> ㉢ 변호사 자격이 있는 사람으로서 국가기관, 지방자치단체, 공공기관의 운영에 관한 법률 제4조에 따른 공공기관(이하 '국가기관 등'이라 한다)에서 법률에 관한 사무에 10년 이상 종사한 경력이 있는 사람
> ㉣ 대학이나 공인된 연구기관에서 법률학·경찰학 분야에서 조교수 이상의 직이나 이에 상당하는 직에 10년 이상 있었던 사람
> ㉤ ㉠부터 ㉣까지의 경력 기간의 합산이 15년 이상인 사람

⑦ 국가수사본부장을 경찰청 외부를 대상으로 모집하여 임용하는 경우 다음의 어느 하나에 해당하는 사람은 국가수사본부장이 될 수 없다.

> ㉠ 경찰공무원법 제8조 제2항 각 호의 결격사유에 해당하는 사람
> ㉡ 정당의 당원이거나 당적을 이탈한 날부터 3년이 지나지 아니한 사람
> ㉢ 선거에 의하여 취임하는 공직에 있거나 그 공직에서 퇴직한 날부터 3년이 지나지 아니한 사람
> ㉣ 위 ⑥의 ㉠에 해당하는 공무원 또는 위 ⑥의 ㉡의 판사·검사의 직에서 퇴직한 날로부터 1년이 지나지 아니한 사람
> ㉤ 위 ⑥의 ㉢에 해당하는 사람으로서 국가기관 등에서 퇴직한 날로부터 1년이 지나지 아니한 사람

(5) 하부조직(제17조)

① 경찰청의 하부조직은 본부·국·부 또는 과로 한다.

② 경찰청장·차장·국가수사본부장·국장 또는 부장 밑에 정책의 기획이나 계획의 입안 및 연구·조사를 통하여 그를 직접 보좌하는 담당관을 둘 수 있다.

③ 경찰청의 하부조직의 명칭 및 분장 사무와 공무원의 정원은 정부조직법 제2조 제4항 및 제5항을 준용하여 대통령령 또는 행정안전부령으로 정한다.

4. 시·도자치경찰위원회

(1) 시·도자치경찰위원회의 설치(제18조)

① 자치경찰사무를 관장하게 하기 위하여 특별시장·광역시장·특별자치시장·도지사·특별자치도지사(이하 '시·도지사'라 한다) 소속으로 시·도자치경찰위원회를 둔다. 다만, 제13조 후단에 따라 시·도에 2개의 시·도경찰청을 두는 경우 시·도지사 소속으로 2개의 시·도자치경찰위원회를 둘 수 있다.

② 시·도자치경찰위원회는 합의제 행정기관으로서 그 권한에 속하는 업무를 독립적으로 수행한다.

③ ①의 단서에 따라 2개의 시·도자치경찰위원회를 두는 경우 해당 시·도자치경찰위원회의 명칭, 관할구역, 사무분장, 그 밖에 필요한 사항은 대통령령으로 정한다.

(2) 시·도자치경찰위원회의 구성(제19조)

① 시·도자치경찰위원회는 위원장 1명을 포함한 7명의 위원으로 구성하되, 위원장과 1명의 위원은 상임으로 하고, 5명의 위원은 비상임으로 한다.

② 위원은 특정 성(性)이 10분의 6을 초과하지 아니하도록 노력하여야 한다.

③ 위원 중 1명은 인권문제에 관하여 전문적인 지식과 경험이 있는 사람이 임명될 수 있도록 노력하여야 한다.

(3) 시·도자치경찰위원회 위원의 임명 및 결격사유(제20조)

① 시·도자치경찰위원회 위원은 다음의 사람을 시·도지사가 임명한다.

> ㉠ 시·도의회가 추천하는 2명
> ㉡ 국가경찰위원회가 추천하는 1명
> ㉢ 해당 시·도 교육감이 추천하는 1명
> ㉣ 시·도자치경찰위원회 위원추천위원회가 추천하는 2명
> ㉤ 시·도지사가 지명하는 1명

> **자치경찰사무와 시·도자치경찰위원회의 조직 및 운영 등에 관한 규정**
> **제4조의2【시·도자치경찰위원회 위원의 임명방법 및 절차 등】** ① 특별시장·광역시장·특별자치시장·도지사·특별자치도지사(이하 '시·도지사'라 한다)는 법 제18조 제1항에 따른 시·도자치경찰위원회(이하 '시·도자치경찰위원회'라 한다)의 위원을 임명하기 위하여 법 제20조 제1항 제1호부터 제4호까지의 규정에 따른 위원 추천권자(이하 이 조에서 '추천권자'라 한다)에게 위원으로 임명할 사람의 추천을 요청해야 한다.
> ② 시·도지사는 시·도자치경찰위원회 위원의 임기가 만료되는 경우에는 그 임기 만료 30일 전까지 추천권자에게 위원으로 임명할 사람의 추천을 요청해야 한다.
> ③ 시·도지사는 시·도자치경찰위원회 위원 중 결원이 생겼을 때에는 지체 없이 결원된 위원을 추천한 추천권자에게 위원으로 임명할 사람의 추천을 요청해야 한다.
> ④ 시·도자치경찰위원회 위원장 및 상임위원의 신분과 직급은 지방자치단체의 행정기구와 정원 기준 등에 관한 규정에 따르며, 위원의 임명절차 등에 관한 구체적인 사항은 시·도의 조례로 정한다.
> **제4조의3【시·도자치경찰위원회 위원구성협의체】** ① 법 제19조 제2항 및 제3항에 따른 사항을 포함한 시·도자치경찰위원회의 위원 구성에 관한 사항 등을 미리 협의하기 위하여 시·도에 시·도자치경찰위원회 위원구성협의체를 둘 수 있다.
> ② 제1항에 따른 시·도자치경찰위원회 위원구성협의체의 구체적인 구성·운영에 관한 사항은 시·도 조례로 정한다.

② 시·도자치경찰위원회 위원은 다음의 어느 하나에 해당하는 자격을 갖추어야 한다.

> ㉠ 판사·검사·변호사 또는 경찰의 직에 5년 이상 있었던 사람
> ㉡ 변호사 자격이 있는 사람으로서 국가기관 등에서 법률에 관한 사무에 5년 이상 종사한 경력이 있는 사람
> ㉢ 대학이나 공인된 연구기관에서 법률학·행정학 또는 경찰학 분야의 조교수 이상의 직이나 이에 상당하는 직에 5년 이상 있었던 사람
> ㉣ 그 밖에 관할 지역주민 중에서 지방자치행정 또는 경찰행정 등의 분야에 경험이 풍부하고 학식과 덕망을 갖춘 사람

③ 시·도자치경찰위원회 위원장은 위원 중에서 시·도지사가 임명하고, 상임위원은 시·도자치경찰위원회의 의결을 거쳐 위원 중에서 위원장의 제청으로 시·도지사가 임명한다. 이 경우 위원장과 상임위원은 지방자치단체의 공무원으로 한다.

④ 위원은 정치적 중립을 지켜야 하며, 권한을 남용하여서는 아니 된다.

⑤ 공무원이 아닌 위원에 대하여는 지방공무원법 제52조(비밀엄수의 의무), 제57조(정치운동의 금지)를 준용한다.

⑥ 공무원이 아닌 위원은 그 소관사무와 관련하여 형법이나 그 밖의 법률에 따른 벌칙을 적용할 때에는 공무원으로 본다.

⑦ 다음의 어느 하나에 해당하는 사람은 위원이 될 수 없다. 위원이 다음의 어느 하나에 해당한 경우에는 당연퇴직한다.

> ㉠ 정당의 당원이거나 당적을 이탈한 날부터 3년이 지나지 아니한 사람
> ㉡ 선거에 의하여 취임하는 공직에 있거나 그 공직에서 퇴직한 날부터 3년이 지나지 아니한 사람
> ㉢ 경찰, 검찰, 국가정보원 직원 또는 군인의 직에 있거나 그 직에서 퇴직한 날부터 3년이 지나지 아니한 사람
> ㉣ 국가 및 지방자치단체의 공무원(국립 또는 공립대학의 조교수 이상의 직에 있는 사람은 제외한다)이거나 공무원이었던 사람으로서 퇴직한 날부터 3년이 지나지 아니한 사람. 다만, 제20조 제3항 후단에 따라 위원장과 상임위원이 지방자치단체의 공무원이 된 경우에는 당연퇴직하지 아니한다.
> ㉤ 지방공무원법 제31조 각 호의 어느 하나에 해당하는 사람. 다만, 지방공무원법 제31조 제2호 및 제5호에 해당하는 경우에는 같은 법 제61조 제1호 단서에 따른다.

⑧ 그 밖에 위원의 임명방법 등에 관하여 필요한 사항은 대통령령으로 정하는 기준에 따라 시·도조례로 정한다.

(4) 시·도자치경찰위원회 위원장의 직무(제22조)

① 시·도자치경찰위원회 위원장은 시·도자치경찰위원회를 대표하고 회의를 주재하며 시·도자치경찰위원회의 의결을 거쳐 업무를 수행한다.

② 시·도자치경찰위원회 위원장이 부득이한 사유로 직무를 수행할 수 없을 때에는 상임위원, 시·도자치경찰위원회 위원 중 연장자순으로 그 직무를 대행한다.

(5) 시·도자치경찰위원회 위원의 임기 및 신분보장(제23조)

① 시·도자치경찰위원회 위원장과 위원의 임기는 3년으로 하며, 연임(連任)할 수 없다.

② 보궐위원의 임기는 전임자 임기의 남은 기간으로 하되, 전임자의 남은 임기가 1년 미만인 경우 그 보궐위원은 한 차례만 연임할 수 있다.

③ 위원은 중대한 신체상 또는 정신상의 장애로 직무를 수행할 수 없게 된 경우를 제외하고는 그 의사에 반하여 면직되지 아니한다.

(6) 시·도자치경찰위원회의 소관 사무(제24조)

① 시·도자치경찰위원회의 소관 사무는 다음으로 한다.

> ⓐ 자치경찰사무에 관한 목표의 수립 및 평가
> ⓑ 자치경찰사무에 관한 인사, 예산, 장비, 통신 등에 관한 주요정책 및 그 운영지원
> ⓒ 자치경찰사무 담당 공무원의 임용, 평가 및 인사위원회 운영
> ⓓ 자치경찰사무 담당 공무원의 부패 방지와 청렴도 향상에 관한 주요 정책 및 인권침해 또는 권한남용 소지가 있는 규칙, 제도, 정책, 관행 등의 개선
> ⓔ 제2조에 따른 시책 수립
> ⓕ 제28조 제2항에 따른 시·도경찰청장의 임용과 관련한 경찰청장과의 협의, 제30조 제4항에 따른 평가 및 결과 통보
> ⓖ 자치경찰사무 감사 및 감사의뢰
> ⓗ 자치경찰사무 담당 공무원의 주요 비위사건에 대한 감찰요구
> ⓘ 자치경찰사무 담당 공무원에 대한 징계요구
> ⓙ 자치경찰사무 담당 공무원의 고충심사 및 사기진작
> ⓚ 자치경찰사무와 관련된 중요사건·사고 및 현안의 점검
> ⓛ 자치경찰사무에 관한 규칙의 제정·개정 또는 폐지
> ⓜ 지방행정과 치안행정의 업무조정과 그 밖에 필요한 협의·조정
> ⓝ 제32조에 따른 비상사태 등 전국적 치안유지를 위한 경찰청장의 지휘·명령에 관한 사무

> ⓞ 국가경찰사무 · 자치경찰사무의 협력 · 조정과 관련하여 경찰청장과 협의
> ⓟ 국가경찰위원회에 대한 심의 · 조정 요청
> ⓠ 그 밖에 시 · 도지사, 시 · 도경찰청장이 중요하다고 인정하여 시 · 도자치경찰위원회의 회의에 부친 사항에 대한 심의 · 의결

② 시 · 도자치경찰위원회의 업무와 관련하여 시 · 도지사는 정치적 목적이나 개인적 이익을 위해 관여하여서는 아니 된다.

(7) 시 · 도자치경찰위원회의 심의 · 의결사항 등(제25조)

① 시 · 도자치경찰위원회는 위 (6)의 사무에 대하여 심의 · 의결한다.

② 시 · 도자치경찰위원회의 회의는 재적위원 과반수의 출석과 출석위원 과반수의 찬성으로 의결한다.

③ 시 · 도지사는 ①에 관한 시 · 도자치경찰위원회의 의결이 적정하지 아니하다고 판단할 때에는 재의를 요구할 수 있다.

④ 위원회의 의결이 법령에 위반되거나 공익을 현저히 해친다고 판단되면 행정안전부장관은 미리 경찰청장의 의견을 들어 국가경찰위원회를 거쳐 시 · 도지사에게 재의를 요구하게 할 수 있고, 경찰청장은 국가경찰위원회와 행정안전부장관을 거쳐 시 · 도지사에게 재의를 요구하게 할 수 있다.

⑤ 시 · 도자치경찰위원회의 위원장은 재의요구를 받은 날부터 7일 이내에 회의를 소집하여 재의결하여야 한다. 이 경우 재적위원 과반수의 출석과 출석위원 3분의 2 이상의 찬성으로 전과 같은 의결을 하면 그 의결사항은 확정된다.

(8) 시 · 도자치경찰위원회의 운영 등(제26조)

① 시 · 도자치경찰위원회의 회의는 정기적으로 개최하여야 한다. 다만, 위원장이 필요하다고 인정하는 경우, 위원 2명 이상이 요구하는 경우 및 시 · 도지사가 필요하다고 인정하는 경우에는 임시회의를 개최할 수 있다.

> **자치경찰사무와 시 · 도자치경찰위원회의 조직 및 운영 등에 관한 규정**
> **제13조【시 · 도자치경찰위원회의 회의】** ① 시 · 도자치경찰위원회 위원장은 법 제26조 제1항에 따라 정기회의와 임시회의를 소집 · 개최한다. 이 경우 정기회의는 특별한 사유가 있는 경우를 제외하고는 월 1회 이상 소집 · 개최한다.
> ② 시 · 도자치경찰위원회 위원장은 회의를 소집하려면 회의 개최 3일 전까지 회의의 일시 · 장소 및 안건 등을 위원에게 알려야 한다. 다만, 긴급한 사정이나 그 밖의 부득이한 사유가 있는 경우에는 그렇지 않다.
> ③ 시 · 도자치경찰위원회는 회의록을 작성하고, 회의의 내용 및 결과와 출석한 위원의 성명을 적어야 한다.
> ④ 제3항의 회의록에는 위원장과 출석한 위원이 서명 · 날인해야 한다.
> ⑤ 시 · 도자치경찰위원회는 회의의 효율적 운영을 위하여 필요한 경우 서면으로 심의 · 의결하거나 원격영상회의 방식으로 할 수 있다. 이 경우 서면으로 심의 · 의결할 수 있는 대상과 원격영상회의의 운영 등에 관한 사항은 해당 시 · 도의 조례로 정한다.
> ⑥ 제5항에 따라 시 · 도자치경찰위원회의 회의를 원격영상회의 방식으로 하는 경우 해당 회의에 참석한 위원은 동일한 회의장에 출석한 것으로 본다.

② 시 · 도자치경찰위원회는 회의 안건과 관련된 이해관계인이 있는 경우 그 의견을 듣거나 회의에 참석하게 할 수 있다.

③ 시 · 도자치경찰위원회의 위원 중 공무원이 아닌 위원에게는 예산의 범위에서 직무활동에 필요한 비용 등을 지급할 수 있다.

④ 그 밖에 시・도자치경찰위원회의 운영 등에 필요한 사항은 대통령령으로 정하는 기준에 따라 시・도조례로 정한다.

> **자치경찰사무와 시·도자치경찰위원회의 조직 및 운영 등에 관한 규정**
> **제14조【의견 청취 등】** ① 시·도자치경찰위원회 위원장은 시·도자치경찰위원회의 심의를 위하여 필요한 경우에는 관계 공무원 또는 관계 전문가의 출석·발언이나 자료의 제출을 요구할 수 있다.
> ② 시·도자치경찰위원회에 출석한 관계 공무원 또는 관계 전문가에 대하여는 예산의 범위에서 수당과 여비를 지급할 수 있다. 다만, 공무원이 소관 업무와 직접적으로 관련되어 출석하는 경우에는 지급하지 않는다.
> **제15조【실무협의회】** ① 시·도자치경찰위원회는 자치경찰사무의 원활한 수행, 국가경찰사무·자치경찰사무의 협력·조정 및 그 밖에 필요한 사항을 협의하기 위하여 경찰청 등 관계 기관과 실무협의회를 구성·운영할 수 있다.
> ② 제1항에서 규정한 사항 외에 실무협의회 운영 등에 필요한 사항은 시·도의 조례로 정한다.
> **제16조【위원의 수당 등】** ① 시·도자치경찰위원회에 출석한 공무원이 아닌 위원에게는 법 제26조 제3항에 따라 예산의 범위에서 상임위원에 준하여 수당과 여비, 그 밖에 필요한 경비를 지급할 수 있다.
> ② 제1항에 따른 수당 등의 지급기준은 시·도의 조례로 정한다.
> **제17조【운영규정】** 이 영에서 정한 사항 외에 시·도자치경찰위원회의 운영 등에 필요한 사항은 시·도의 조례로 정한다.

(9) 사무기구(제27조)

① 시・도자치경찰위원회의 사무를 처리하기 위하여 시・도자치경찰위원회에 필요한 사무기구를 둔다.

② 사무기구에는 지방자치단체에 두는 국가공무원의 정원에 관한 법률에도 불구하고 대통령령으로 정하는 바에 따라 경찰공무원을 두어야 한다.

③ 제주특별자치도에는 제주특별자치도 설치 및 국제자유도시 조성을 위한 특별법 제44조 제3항에도 불구하고 같은 법 제6조 제1항 단서에 따라 이 법 제27조 제2항을 우선하여 적용한다.

④ 사무기구의 조직・정원・운영 등에 관하여 필요한 사항은 경찰청장의 의견을 들어 대통령령으로 정하는 기준에 따라 시・도조례로 정한다.

> **자치경찰사무와 시·도자치경찰위원회의 조직 및 운영 등에 관한 규정**
> **제18조【사무기구】** ① 법 제27조 제1항에 따른 시·도자치경찰위원회 사무기구의 조직에 관한 사항은 지방자치단체의 행정기구와 정원기준 등에 관한 규정에 따른다.
> ② 사무기구의 장은 시·도자치경찰위원회 위원장의 명을 받아 소관 사무를 처리하고 소속 직원을 지휘·감독한다.
> ③ 법 제27조 제2항에 따라 사무기구에 두는 경찰공무원의 시·도별 정원과 계급별 정원은 시·도자치경찰위원회에 두는 경찰공무원의 정원에 관한 규정에 따르며, 사무기구에 두는 경찰공무원은 경찰청 소속 공무원으로 충원해야 한다.

(10) 시・도자치경찰위원장 협의회(자치경찰사무와 시・도자치경찰위원회의 조직 및 운영 등에 관한 규정 제20조)

① 시・도자치경찰위원회는 상호 간의 교류와 협력을 증진하고, 공동의 문제를 협의하기 위하여 각 시・도자치경찰위원회 위원장을 구성원으로 하여 시・도자치경찰위원장 협의회(이하 “위원장협의회”라 한다)를 설립할 수 있다.

② 위원장협의회의 조직・운영과 그 밖에 필요한 사항은 위원장협의회에서 정한다.

5. 시 · 도자치경찰위원회 위원추천위원회(제21조)

(1) 설치

① 시 · 도자치경찰위원회 위원 추천을 위하여 시 · 도지사 소속으로 시 · 도자치경찰위원회 위원추천위원회를 둔다.

② 시 · 도지사는 시 · 도자치경찰위원회 위원추천위원회에 각계각층의 관할 지역주민의 의견이 수렴될 수 있도록 위원을 구성하여야 한다.

③ 시 · 도자치경찰위원회 위원추천위원회 위원의 수, 자격, 구성, 위원회 운영 등에 관하여 필요한 사항은 대통령령으로 정한다.

(2) 구성(자치경찰사무와 시 · 도자치경찰위원회의 조직 및 운영 등에 관한 규정 제5조)

① 법 제21조 제1항에 따른 시 · 도자치경찰위원회 위원추천위원회(이하 '추천위원회'라 한다)는 시 · 도자치경찰위원회 위원을 추천할 때마다 위원장 1명을 포함하여 5명의 위원으로 구성한다.

② 추천위원회 위원(이하 '추천위원'이라 한다)은 시 · 도지사가 다음에 해당하는 사람을 임명하거나 위촉하며, 추천위원회 위원장은 추천위원 중에서 호선(互選)한다.

> ㉠ 지방자치법 시행령 제103조 제1항에 따라 각 시 · 도별로 두는 시 · 군 · 자치구의회의 의장 전부가 참가하는 지역협의체가 추천하는 1명
> ㉡ 지방자치법 시행령 제103조 제1항에 따라 각 시 · 도별로 두는 시장 · 군수 · 자치구의 구청장 전부가 참가하는 지역협의체가 추천하는 1명
> ㉢ 재직 중인 경찰공무원이 아닌 사람 중에서 경찰청장이 추천하는 1명
> ㉣ 시 · 도경찰청의 소재지를 관할하는 지방법원장이 추천하는 1명
> ㉤ 시 · 도 본청 소속 기획 담당 실장[경기도북부자치경찰위원회의 경우에는 행정(2)부지사 밑에 두는 기획 담당 실장을 말한다]

③ 위 ②의 ㉠ 및 ㉡에도 불구하고 세종특별자치시와 제주특별자치도의 추천위원은 해당 시 · 도 의회 및 해당 시 · 도 교육감이 각각 1명씩 추천한다.

(3) 추천위원의 제척 및 회피(자치경찰사무와 시 · 도자치경찰위원회의 조직 및 운영 등에 관한 규정 제6조)

① 추천위원은 자기 또는 자기의 친족이 심사대상자가 되거나 그 밖에 해당 안건의 심사 · 의결에 공정을 기할 수 없는 현저한 사유가 있는 경우에는 그 심사 · 의결에 관여할 수 없다.

② 추천위원회는 추천위원에게 제1항의 사유가 있다고 인정하는 경우에는 의결로 해당 추천위원의 제척(除斥) 결정을 해야 한다.

③ 추천위원은 제1항의 사유가 있는 경우 추천위원회 위원장의 허가를 받아 추천위원회 심사 참여를 회피할 수 있다.

(4) 추천위원회 위원장(자치경찰사무와 시 · 도자치경찰위원회의 조직 및 운영 등에 관한 규정 제7조)

① 추천위원회 위원장은 추천위원회를 대표하고, 추천위원회의 업무를 총괄한다.

② 추천위원회 위원장이 부득이한 사유로 직무를 수행할 수 없을 때에는 시 · 도지사가 지명하는 추천위원이 그 직무를 대행한다.

(5) 추천위원회의 회의(자치경찰사무와 시 · 도자치경찰위원회의 조직 및 운영 등에 관한 규정 제8조)

① 추천위원회 위원장은 시 · 도지사 또는 추천위원 3분의 1 이상이 요청하거나 추천위원회 위원장이 필요하다고 인정하는 경우 추천위원회의 회의를 소집하고 그 의장이 된다.

② 추천위원회는 재적위원 과반수의 찬성으로 의결한다.

③ 추천위원회 위원장은 회의를 소집하려면 회의 개최 3일 전까지 회의의 일시 · 장소 및 안건 등을 각 추천위원에게 알려야 한다. 다만, 긴급한 사정이나 그 밖의 부득이한 사유가 있는 경우에는 그렇지 않다.

④ 추천위원회의 회의는 공개하지 않는다.

(6) 추천위원회의 추천(자치경찰사무와 시 · 도자치경찰위원회의 조직 및 운영 등에 관한 규정 제9조)

① 추천위원회는 법 제20조 제1항 제4호에 따른 시 · 도자치경찰위원회 위원 추천을 위한 심사를 한다.

② 추천위원은 시 · 도자치경찰위원회 위원으로 적합하다고 판단되는 사람을 추천위원회에 심사대상자로 제시한다.

③ 각 추천위원이 제시하는 심사대상자의 수는 추천위원회에서 의결로 정한다.

④ 추천위원회는 심사대상자에게 자격요건 충족 여부 및 결격사유 유무 등의 심사에 필요한 자료의 제출을 요구할 수 있다.

⑤ 추천위원회는 심사를 거쳐 법 제20조 제2항에 따른 자격을 갖추고 같은 조 제7항 각 호에 따른 결격사유가 없는 심사대상자 중 가장 적합하다고 인정하는 사람을 시 · 도지사에게 서면으로 추천해야 한다.

⑥ 추천위원회는 ⑤에 따라 위원을 추천할 때에는 특정 성(性)에 치우치지 않게 추천할 수 있도록 노력해야 한다.

⑦ 추천위원회는 위원을 추천하였을 때에는 그 결과를 즉시 시 · 도자치경찰위원회에 통보해야 한다.

⑧ 추천위원회는 ⑤에 따른 추천과 ⑦에 따른 통보를 완료한 때에 해산된 것으로 본다.

Add

자치경찰사무와 시 · 도자치경찰위원회의 조직 및 운영 등에 관한 규정

제10조【비밀엄수의 의무 등】 ① 추천위원 또는 추천위원이었던 사람은 직무상 알게 된 비밀을 누설하거나 심사와 관련된 개인 의견을 외부에 공표해서는 안 된다.

② 추천위원회는 제9조 제8항에 따라 해산되는 경우에는 지체 없이 심사대상자의 개인정보 등 신상자료를 폐기해야 한다.

제11조【추천위원의 수당 등】 시 · 도지사는 추천위원회에 참석한 위원에게 예산의 범위에서 수당과 여비를 지급할 수 있다.

제12조【추천위원회 운영 세칙】 이 영에서 규정한 사항 외에 추천위원회의 운영 등에 필요한 사항은 추천위원회의 의결로 정한다.

6. 시 · 도경찰청 및 경찰서 등

(1) 경찰사무의 지역적 분장기관(제13조)

경찰의 사무를 지역적으로 분담하여 수행하게 하기 위하여 특별시 · 광역시 · 특별자치시 · 도 · 특별자치도(이하 '시 · 도'라 한다)에 시 · 도경찰청을 두고, 시 · 도경찰청장 소속으로 경찰서를 둔다. 이 경우 인구, 행정구역, 면적, 지리적 특성, 교통 및 그 밖의 조건을 고려하여 시 · 도에 2개의 시 · 도경찰청을 둘 수 있다.

(2) 시 · 도경찰청장(제28조)

① 시 · 도경찰청에 시 · 도경찰청장을 두며, 시 · 도경찰청장은 치안정감(治安正監) · 치안감(治安監) 또는 경무관(警務官)으로 보한다.

② 경찰공무원법 제7조에도 불구하고 시・도경찰청장은 경찰청장이 시・도자치경찰위원회와 협의하여 추천한 사람 중에서 행정안전부장관의 제청으로 국무총리를 거쳐 대통령이 임용한다.

③ 시・도경찰청장은 국가경찰사무에 대해서는 경찰청장의 지휘・감독을, 자치경찰사무에 대해서는 시・도자치경찰위원회의 지휘・감독을 받아 관할 구역의 소관 사무를 관장하고 소속 공무원 및 소속 경찰기관의 장을 지휘・감독한다. 다만, 수사에 관한 사무에 대해서는 국가수사본부장의 지휘・감독을 받아 관할 구역의 소관 사무를 관장하고 소속 공무원 및 소속 경찰기관의 장을 지휘・감독한다.

④ 시・도자치경찰위원회는 자치경찰사무에 대해 심의・의결을 통하여 시・도경찰청장을 지휘・감독한다. 다만, 시・도자치경찰위원회가 심의・의결할 시간적 여유가 없거나 심의・의결이 곤란한 경우 대통령령으로 정하는 바에 따라 시・도자치경찰위원회의 지휘・감독권을 시・도경찰청장에게 위임한 것으로 본다.

(3) 시・도경찰청 차장(제29조)

① 시・도경찰청에 차장을 둘 수 있다.

② 차장은 시・도경찰청장을 보좌하여 소관 사무를 처리하고 시・도경찰청장이 부득이한 사유로 직무를 수행할 수 없을 때에는 그 직무를 대행한다.

(4) 경찰서장(제30조)

① 경찰서에 경찰서장을 두며, 경찰서장은 경무관(警務官), 총경(總警) 또는 경정(警正)으로 보한다.

② 경찰서장은 시・도경찰청장의 지휘・감독을 받아 관할 구역의 소관 사무를 관장하고 소속 공무원을 지휘・감독한다.

③ 경찰서장 소속으로 지구대 또는 파출소를 두고, 그 설치기준은 치안수요・교통・지리 등 관할 구역의 특성을 고려하여 행정안전부령으로 정한다. 다만, 필요한 경우에는 출장소를 둘 수 있다.

④ 시・도자치경찰위원회는 정기적으로 경찰서장의 자치경찰사무 수행에 관한 평가결과를 경찰청장에게 통보하여야 하며 경찰청장은 이를 반영하여야 한다.

(5) 직제(제31조)

시・도경찰청 및 경찰서의 명칭, 위치, 관할 구역, 하부조직, 공무원의 정원, 그 밖에 필요한 사항은 정부조직법 제2조 제4항 및 제5항을 준용하여 대통령령 또는 행정안전부령으로 정한다.

7. 비상사태 등 전국적 치안유지를 위한 경찰청장의 지휘・명령

(1) 비상사태 등 전국적 치안유지를 위한 경찰청장의 지휘・명령(제32조)

① 경찰청장은 다음의 경우에는 자치경찰사무를 수행하는 경찰공무원(제주특별자치도의 자치경찰공무원을 포함한다)을 직접 지휘・명령할 수 있다.

> ㉠ 전시・사변, 천재지변, 그 밖에 이에 준하는 국가 비상사태, 대규모의 테러 또는 소요사태가 발생하였거나 발생할 우려가 있어 전국적인 치안유지를 위하여 긴급한 조치가 필요하다고 인정할 만한 충분한 사유가 있는 경우
> ㉡ 국민안전에 중대한 영향을 미치는 사안에 대하여 다수의 시・도에 동일하게 적용되는 치안정책을 시행할 필요가 있다고 인정할 만한 충분한 사유가 있는 경우
> ㉢ 자치경찰사무와 관련하여 해당 시・도의 경찰력으로는 국민의 생명・신체・재산의 보호 및 공공의 안녕과 질서유지가 어려워 경찰청장의 지원・조정이 필요하다고 인정할 만한 충분한 사유가 있는 경우

② 경찰청장은 ①에 따른 조치가 필요한 경우에는 시·도자치경찰위원회에 자치경찰사무를 담당하는 경찰공무원을 직접 지휘·명령하려는 사유 및 내용 등을 구체적으로 제시하여 통보하여야 한다.

③ ②의 통보를 받은 시·도자치경찰위원회는 정당한 사유가 없으면 즉시 자치경찰사무를 담당하는 경찰공무원에게 경찰청장의 지휘·명령을 받을 것을 명하여야 하며, ①에 규정된 사유에 해당하지 아니한다고 인정하면 시·도자치경찰위원회의 의결을 거쳐 경찰청장에게 그 지휘·명령의 중단을 요청할 수 있다.

④ 경찰청장이 ①에 따라 지휘·명령을 하는 경우에는 국가경찰위원회에 즉시 보고하여야 한다. 다만, ①의 ㉢의 경우에는 미리 국가경찰위원회의 의결을 거쳐야 하며 긴급한 경우에는 우선 조치 후 지체 없이 국가경찰위원회의 의결을 거쳐야 한다.

⑤ 보고를 받은 국가경찰위원회는 ①에 규정된 사유에 해당하지 아니한다고 인정하면 그 지휘·명령을 중단할 것을 의결하여 경찰청장에게 통보할 수 있다.

⑥ 경찰청장은 ①에 따라 지휘·명령할 수 있는 사유가 해소된 때에는 경찰공무원에 대한 지휘·명령을 즉시 중단하여야 한다.

⑦ 시·도자치경찰위원회는 ①의 ㉢에 해당하는 경우 의결로 지원·조정의 범위·기간 등을 정하여 경찰청장에게 지원·조정을 요청할 수 있다.

⑧ 경찰청장은 제주특별자치도경찰청의 관할 구역 내에서 ①의 지휘·명령권을 제주특별자치도경찰청장에게 위임할 수 있다.

8. 치안분야의 과학기술진흥

(1) 치안에 필요한 연구개발의 지원 등(제33조)

① 경찰청장은 치안에 필요한 연구·실험·조사·기술개발(이하 '연구개발사업'이라 한다) 및 전문인력 양성 등 치안분야의 과학기술진흥을 위한 시책을 마련하여 추진하여야 한다.

② 경찰청장은 연구개발사업을 효율적으로 추진하기 위하여 다음에 해당하는 기관 또는 단체 등과 협약을 맺어 연구개발사업을 실시하게 할 수 있다.

> ㉠ 국공립 연구기관
> ㉡ 특정연구기관 육성법 제2조에 따른 특정연구기관
> ㉢ 과학기술분야 정부출연연구기관 등의 설립·운영 및 육성에 관한 법률에 따라 설립된 과학기술분야 정부출연연구기관
> ㉣ 고등교육법에 따른 대학·산업대학·전문대학 및 기술대학
> ㉤ 민법이나 다른 법률에 따라 설립된 법인으로서 치안분야 연구기관 또는 법인 부설 연구소
> ㉥ 기초연구진흥 및 기술개발지원에 관한 법률 제14조의2 제1항에 따라 인정받은 기업부설연구소 또는 기업의 연구개발전담부서
> ㉦ 그 밖에 대통령령으로 정하는 치안분야 관련 연구·조사·기술개발 등을 수행하는 기관 또는 단체

③ 경찰청장은 ②의 기관 또는 단체 등에 대하여 연구개발사업을 실시하는 데 필요한 경비의 전부 또는 일부를 출연하거나 보조할 수 있다.

④ ②에 따른 연구개발사업의 실시와 ③에 따른 출연금의 지급·사용 및 관리 등에 필요한 사항은 대통령령으로 정한다.

(2) 자치경찰사무에 대한 재정적 지원(제34조)

국가는 지방자치단체가 이관받은 사무를 원활히 수행할 수 있도록 인력, 장비 등에 소요되는 비용에 대하여 재정적 지원을 하여야 한다.

(3) 예산(제35조)

① 자치경찰사무의 수행에 필요한 예산은 시·도자치경찰위원회의 심의·의결을 거쳐 시·도지사가 수립한다. 이 경우 시·도자치경찰위원회는 경찰청장의 의견을 들어야 한다.

② 시·도지사는 자치경찰사무 담당 공무원에게 조례에서 정하는 예산의 범위 내에서 재정적 지원 등을 할 수 있다.

③ 시·도의회는 관련 예산의 효율적인 관리를 위하여 의결로써 자치경찰사무에 대해 시·도자치경찰위원장의 출석 및 자료 제출을 요구할 수 있다.

03 경찰행정관청의 권한행사

1. 권한행사의 원칙

경찰행정관청의 권한은 법령에 의하여 부여된 것으로 법령에 의하여 권한을 수여(법률의 수권)받은 경찰행정관청에서 자기의 명의와 책임 아래 스스로 행사하는 것이 원칙이다. 그러나 예외적으로 법률상 권한 있는 경찰행정관청이 아닌 다른 경찰행정기관이 권한을 행사하는 경우가 있는데 권한의 대리와 위임이 대표적인 예이다.

2. 권한의 대리

(1) 의의

권한의 대리란 경찰행정관청 권한의 전부 또는 일부를 대리기관(보조기관이나 하급 경찰행정관청)이 피대리관청을 위한 것임을 표시하고 자기(대리기관)의 명의로 권한을 행사하여, 그 행위가 피대리관청의 행위로서 법률상 효과가 발생하는 것을 말한다. 권한의 대리에는 임의대리와 법정대리가 있으며 대리는 일반적으로 임의대리를 의미한다.

(2) 대리의 특징

본질적으로 인격대리(민법상의 대리)가 아니고 '직무대리' 또는 '권한대리'에 해당하고, 피대리관청의 권한이 대리관청에 이전되는 것이 아니다. 또한, 현명주의*가 적용되고 대리행위의 효과가 피대리관청에 귀속된다는 데 그 특징이 있다.

* 현명주의: 대리기관이 대리행위를 함에 있어서 그 행위가 본인(피대리관청)을 위한 것임을 표시해야 하는 것을 말한다.

(3) 임의대리(수권대리)

① 의의: 임의대리란 피대리관청의 수권에 의하여 대리관계가 발생하는 경우로 수권대리라고도 한다. 임의대리의 경우 경찰행정관청은 대리권의 수여에 대한 개별적인 법령의 근거가 없더라도 그 구성원의 사고 유무를 불문하고 대리권을 수여할 수 있다.

② 법적 근거: 대리권 수여에 대한 법적 근거가 필요한가 여부에 관하여 필요설과 불요설이 대립하나 불요설이 통설이다.

③ **성질**: 공법상의 대리에 있어 대리권을 수여하는 수권행위는 피대리관청의 일방적 행위로서 대리자의 동의를 요하지 아니하며, 대리권의 수여에 의해 권한의 이전이 발생하는 것도 아니므로 수권의 뜻을 일반 국민에게 공시할 필요도 없다.

④ **대리권의 범위**: 피대리관청 권한의 일부에 대해서만 수권이 가능하며(일부대리가 원칙), 권한의 전부에 대한 대리는 허용되지 않는다.

⑤ **대리기관**: 피대리관청의 보조기관 또는 하급관청이 대리자가 되는 것이 일반적이다.

⑥ **대리행위의 방식 및 효과**

방식	대리기관이 피대리관청을 위한 것임을 표시하고(현명주의) 대리기관 자기의 명의로 권한을 행사한다.
효과	대리권의 범위 내에서 대리기관이 행한 행위는 피대리관청의 행위로서 법률상 효과가 발생한다.

⑦ **대리행위에 관한 책임**: 임의대리의 경우 대리기관은 대리권의 행사에 있어 피대리관청의 지휘・감독을 받으며, 그의 대리행위에 관해서는 내부적으로 대리기관 자신에게 책임이 귀속된다. 다만, 피대리관청은 대리자의 선임・감독상의 책임을 면할 수 없으므로 외부적으로는 피대리관청이 책임을 부담한다.

⑧ **복대리의 허용 여부**: 임의대리는 원칙적으로 복대리가 허용되지 않는다.

⑨ **대리권의 소멸**: 수권행위의 철회・실효 및 신분의 상실 등에 의해 대리관계가 종료된다.

(4) 법정대리

① **의의**: 피대리관청의 수권이 아닌 일정한 법정사실이 발생하였을 때 직접 법령의 규정에 의하여 성립하는 대리를 법정대리라고 한다.

② **법적 근거**: 법정대리는 헌법 제71조, 정부조직법 제12조 제2항 및 직무대리규정(대리의 일반법령) 제3조 등 법적 근거가 있는 경우에 가능하다. 즉, 법정대리의 경우 법적 근거를 요한다.

③ **법정대리의 종류**

㉠ **협의의 법정대리**: 법령에 대리자가 명시되어 있기 때문에 법정사실이 발생한 경우 다른 보조적 행위를 기다릴 것 없이 법률상 당연히 대리권이 발생하는 경우를 말하며 대통령의 궐위 등에 따르는 대리(헌법 제71조), 국무총리가 사고가 있을 때 대통령의 지명이 없는 경우 법률상의 규정에 의한 국무위원의 대리(정부조직법 제22조), 장관 유고시에 차관의 대리(정부조직법 제7조 제2항), 경찰청장의 유고시 차장이 그 직무를 대행하는 경우(국가경찰과 자치경찰의 조직 및 운영에 관한 법률 제15조 제2항) 등이 여기에 해당한다.

정부조직법

제7조【행정기관의 장의 직무권한】 ② 차관(제29조 제2항, 제34조 제3항 및 제37조 제2항에 따라 과학기술정보통신부・행정안전부 및 산업통상자원부에 두는 본부장을 포함한다) 또는 차장(국무조정실 차장을 포함한다)은 그 기관의 장을 보좌하여 소관사무를 처리하고 소속공무원을 지휘・감독하며, 그 기관의 장이 사고로 직무를 수행할 수 없으면 그 직무를 대행한다. 다만, 차관 또는 차장이 2명 이상인 기관의 장이 사고로 직무를 수행할 수 없으면 대통령령으로 정하는 순서에 따라 그 직무를 대행한다.

제22조【국무총리의 직무대행】 국무총리가 사고로 직무를 수행할 수 없는 경우에는 기획재정부장관이 겸임하는 부총리, 교육부장관이 겸임하는 부총리의 순으로 직무를 대행하고, 국무총리와 부총리가 모두 사고로 직무를 수행할 수 없는 경우에는 대통령의 지명이 있으면 그 지명을 받은 국무위원이, 지명이 없는 경우에는 제26조 제1항에 규정된 순서에 따른 국무위원이 그 직무를 대행한다.

국가경찰과 자치경찰의 조직 및 운영에 관한 법률

제15조【경찰청 차장】 ② 차장은 경찰청장을 보좌하며, 경찰청장이 부득이한 사유로 직무를 수행할 수 없을 때에는 그 직무를 대행한다.

㉡ 지정대리: 법정사실이 발생한 경우 일정한 경우 일정한 자에 의한 대리자 지정으로 대리관계가 성립하는 것을 말한다. 통상적으로 지정대리의 지정은 '대리명령서'에 의하는 것이 보통이며, 국무총리와 부총리가 모두 사고로 인하여 직무를 수행할 수 없을 때에 대통령이 지명하는 국무위원이 직무를 대행하는 경우가 지정대리에 해당한다.

④ 법정대리의 범위: 대리권은 피대리관청의 권한의 전부에 적용되는 것이 원칙이다.

⑤ 대리행위의 방식 및 효과

방식	대리기관이 피대리관청을 위한 것임을 표시하고 대리기관 자기의 명의로 행한다.
효과	대리기관이 대리권에 속하는 사항에 관하여 한 행위는 피대리관청의 행위로서 법률상 효과가 발생한다.

⑥ 대리행위에 관한 책임: 피대리관청은 원칙적으로 대리기관을 지휘·감독할 수 없으며, 대리권의 행사에 대한 책임은 전적으로 '대리기관'이 부담한다.

⑦ 복대리의 허용 여부: 임의대리는 복대리를 허용하지 않으나, 법정대리는 복대리가 허용된다. 법정대리의 복대리는 성질상 임의대리에 해당한다.

⑧ 대리권의 소멸: 법정대리가 발생한 일정한 사유의 소멸에 의해 대리관계가 종료된다.

Add ⊕

복대리는 대리기관의 대리가 아닌 피대리관청의 대리에 해당한다.

3. 권한의 위임

(1) 의의

① 위임청이 자기에게 주어진 권한의 일부를 하급행정기관이나 자기의 보조기관 등 다른 기관에 위임해서 행사하게 하는 것으로 위임은 법령에 정해진 권한의 일부를 다른 기관에 이전시키는 것이므로 위임에는 법령상의 근거가 있어야 한다.

경찰공무원법

제7조【임용권자】 ① 총경 이상 경찰공무원은 경찰청장 또는 해양경찰청장의 추천을 받아 행정안전부장관 또는 해양수산부장관의 제청으로 국무총리를 거쳐 대통령이 임용한다. 다만, 총경의 전보, 휴직, 직위해제, 강등, 정직 및 복직은 경찰청장 또는 해양경찰청장이 한다.

② 경정 이하의 경찰공무원은 경찰청장 또는 해양경찰청장이 임용한다. 다만, 경정으로의 신규채용, 승진임용 및 면직은 경찰청장 또는 해양경찰청장의 제청으로 국무총리를 거쳐 대통령이 한다.

③ 경찰청장은 대통령령으로 정하는 바에 따라 경찰공무원의 임용에 관한 권한의 일부를 특별시장·광역시장·도지사·특별자치시장 또는 특별자치도시자(이하 "시·도지사"라 한다), 국가수사본부장, 소속 기관의 장, 시·도경찰청장에게 위임할 수 있다. 이 경우 시·도지사는 위임받은 권한의 일부를 대통령령으로 정하는 바에 따라 「국가경찰과 자치경찰의 조직 및 운영에 관한 법률」 제18조에 따른 시·도자치경찰위원회(이하 "시·도자치경찰위원회"라 한다), 시·도경찰청장에게 다시 위임할 수 있다.

② 권한이 위임되면 위임청은 그 권한을 상실하며, 수임청이 자기의 이름과 책임으로 그 권한을 행사한다.

(2) 재위임

권한의 위임이 있으면 그 권한이 이전되어 수임청의 것이 되므로, 수임청은 위임받은 권한의 일부를 다시 보조기관이나 하급행정관청에 재위임할 수 있다. 이 경우 재위임도 위임에 해당하므로 법령상의 근거를 필요로 한다.

(3) 위임의 한계(위임사항)

위임사항은 위임경찰행정관청의 권한 중 일반적 · 포괄적 권한의 일부나 법령에 규정된 사항에 한하며 권한의 전부 또는 중요 부분에 대한 위임은 허용되지 않는다.

(4) 위임의 효과

① **권한의 귀속변경**: 권한이 위임된 경우 위임사항은 수임기관의 권한으로 이전되며, 수임기관은 자기의 명의와 책임으로 그 권한을 행사하게 되고, 그 결과 행정소송의 피고도 수임기관이 된다.

> **경찰공무원법**
> **제34조【행정소송의 피고】** 징계처분, 휴직처분, 면직처분, 그 밖에 의사에 반하는 불리한 처분에 대한 행정소송은 경찰청장을 피고로 한다. 다만, 제7조 제3항 및 제4항에 따라 임용권을 위임한 경우에는 그 위임을 받은 자를 피고로 한다.

② **위임사항에 대한 지휘 · 감독**: 권한의 위임 여부에 관계없이 조직법적 근거규정에 의해 상급경찰행정관청은 하급경찰행정관청의 권한행사를 지휘 · 감독할 수 있다.

③ **비용부담**: 위임사무 처리에 소요되는 인력 · 예산 등은 위임기관이 부담하는 것이 원칙이다.

(5) 위임의 종료

① **종료의 사유**: 위임청이 위임 해제의 의사표시를 하거나 실효(종기의 도래 또는 해제조건의 성취) 또는 근거법령의 소멸 등의 사유로 위임이 종료된다.

② **위임종료의 효과**: 위임의 종료와 함께 위임사항에 관한 수임기관의 권한은 소멸하고, 그 사항은 다시 위임청의 권한에 귀속된다.

구분	권한의 대리		권한의 위임
	임의대리	법정대리	
권한의 이전	×		○
법령의 근거	×	○	○
범위	일부	전부	일부
현명주의	○	○	×
감독	○	×	○

Add ⊕

행정권한의 위임 및 위탁에 관한 규정

제2조【정의】 이 영에서 사용하는 용어의 뜻은 다음과 같다.

1. "위임"이란 법률에 규정된 행정기관의 장의 권한 중 일부를 그 보조기관 또는 하급행정기관의 장이나 지방자치단체의 장에게 맡겨 그의 권한과 책임 아래 행사하도록 하는 것을 말한다.
2. "위탁"이란 법률에 규정된 행정기관의 장의 권한 중 일부를 다른 행정기관의 장에게 맡겨 그의 권한과 책임 아래 행사하도록 하는 것을 말한다.

제3조【위임 및 위탁의 기준 등】 ② 행정기관의 장은 행정권한을 위임 및 위탁할 때에는 위임 및 위탁하기 전에 수임기관의 수임능력 여부를 점검하고, 필요한 인력 및 예산을 이관하여야 한다.

제6조【지휘 · 감독】 위임 및 위탁기관은 수임 및 수탁기관의 수임 및 수탁사무 처리에 대하여 지휘 · 감독하고, 그 처리가 위법하거나 부당하다고 인정될 때에는 이를 취소하거나 정지시킬 수 있다.

제7조【사전승인 등의 제한】 수임 및 수탁사무의 처리에 관하여 위임 및 위탁기관은 수임 및 수탁기관에 대하여 사전승인을 받거나 협의를 할 것을 요구할 수 없다.

제8조 【책임의 소재 및 명의 표시】 ① 수임 및 수탁사무의 처리에 관한 책임은 수임 및 수탁기관에 있으며, 위임 및 위탁기관의 장은 그에 대한 감독책임을 진다.
② 수임 및 수탁사무에 관한 권한을 행사할 때에는 수임 및 수탁기관의 명의로 하여야 한다.
제9조 【권한의 위임 및 위탁에 따른 감사】 위임 및 위탁기관은 위임 및 위탁사무 처리의 적정성을 확보하기 위하여 필요한 경우에는 수임 및 수탁기관의 수임 및 수탁사무 처리 상황을 수시로 감사할 수 있다.

4. 기타 권한행사 방식

(1) 내부위임

① 개념: 경찰행정관청이 그의 특정사항에 관한 권한을 실질적으로 하급행정관청에게 위임하면서 대외적으로는 위임자의 명의로 권한을 행사하게 하는 것을 말한다(예 서울경찰청장이 일정한 권한을 동작경찰서장에게 내부적으로 위임하는 경우). 이때 법령상의 근거는 필요하지 않다.

② 차이점: 내부위임은 경찰행정관청의 내부적인 사무처리상의 편익을 도모하기 위한 것으로 권한의 귀속 자체에 대한 변경은 없으며, 수임자는 위임자의 명의로 권한을 행사한다는 점에서 위임과 구별된다.

(2) 위임전결(대결)

① 개념: 결재 내지 권한의 일부를 보조기관에게 실질적으로 위임하되, 대외적인 권한의 행사는 경찰행정관청의 명의로 하게 하는 것이다. 그 실질에 있어 앞에서 설명한 내부위임과 차이가 없으며, 단지 내부위임이 상·하급 경찰행정관청간에 행해짐이 보통인 데 반하여 위임전결은 경찰행정관청과 보조기관간에 행해지는 것이 차이점이다.

② 차이점: 위임전결은 결재를 보조기관에 위임할 뿐 권한의 귀속 자체의 변경은 없으며, 대외적인 권한의 행사는 경찰행정관청의 명의로 한다는 점에서 위임과 구별된다.

CHAPTER 04

04 지휘 · 감독권

1. 지휘 · 감독권의 개념

상급경찰행정기관이 하급경찰행정기관의 권한행사를 지휘하여 적법성과 합목적성을 확보하고 국가의사의 통일적인 실현을 위하여 행하는 통제작용이 지휘 · 감독에 해당한다. 이러한 지휘 · 감독권은 상급경찰행정기관이 하급경찰행정기관에 대하여 일반적으로 가지는 권한이므로 지휘 · 감독권에 대한 개별적인 법령의 근거는 필요하지 않으며, 조직법적 근거에 의하여 당연히 상급경찰행정기관에게 인정되는 권한이다.

국가경찰과 자치경찰의 조직 및 운영에 관한 법률
제14조 【경찰청장】 ③ 경찰청장은 국가경찰사무를 총괄하고 경찰청 업무를 관장하며 소속 공무원 및 각급 경찰기관의 장을 지휘 · 감독한다.

2. 지휘 · 감독권의 구분

구분	내용	비고
감시권	하급경찰행정관청의 권한행사의 상황을 파악하기 위하여 사무를 감독하고 보고를 받는 등의 권한을 의미한다. 감시권은 별도의 법적 근거를 필요로 하지 않으며 예방적 감독수단에 해당하지만 교정적 감독수단으로 작용할 때도 있다.	사전적 · 예방적 감독수단
훈령권	상급경찰행정관청이 하급경찰행정관청의 권한행사를 지휘하기 위하여 발하는 명령을 훈령이라고 하며 이러한 훈령을 발할 수 있는 권한이 훈령권이다.	
주관쟁의 결정권	소속 하급경찰행정관청간에 권한에 관하여 다툼이 있는 경우에 쌍방 경찰행정관청에 공통되는 상급경찰행정관청이 그에 관해 권한의 귀속 여부를 결정하는 권한이다.	
인가권 (승인권)	하급경찰행정관청이 명령을 발하거나 처분을 하기 이전에 미리 그것을 상급경찰행정관청에 제출하여 그의 동의를 얻어야 하는 경우 그 동의권을 말한다.	
취소 · 정지권	상급경찰행정관청이 직권으로 또는 행정심판의 청구에 의하여 하급경찰행정관청의 위법 · 부당한 행위를 취소 또는 정지하는 권한을 말한다.	사후적 · 교정적 감독수단

취소 · 정지권의 성격과 관련하여 상급경찰행정관청은 특별한 규정이 없는 한 처분청에 대해 취소 · 정지를 명할 수 있을 뿐 직접 취소 · 정지권을 행사할 수는 없다는 견해가 통설이다. 그러므로 행정행위의 직권취소권자는 원칙적으로 처분청이며, 예외적인 경우(개별적 · 구체적 법적 근거가 있는 경우)에 감독청이 취소 · 정지할 수 있다.

Add

상급 경찰행정관청의 지휘 · 감독권에는 하급 경찰행정관청의 권한의 대(집)행권이 포함되지 않는다. 이는 권한행사의 원칙상 수권받은 관청이 직접 권한을 행사해야 하기 때문이다. 다만, 예외적으로(개별적 · 구체적 법적 근거가 있는 경우) 상급관청에 의한 권한의 대(집)행이 가능하다.

05 훈령과 직무명령

1. 훈령

(1) 훈령의 의의

① 상급경찰행정관청이 소관의 하급경찰행정관청에 대하여 법률해석이나 재량판단의 구체적 지침을 제시하는 등 행정권 발동의 통일을 기하기 위해 발해지는 일반적 · 추상적 명령을 훈령이라고 한다.

② 훈령은 국민에 대한 대외적(양면적 · 쌍면적) 구속력이 없고 대내적(일면적 · 편면적) 구속력만 가지므로 법령의 구체적인 근거 없이도 발령할 수 있다.

③ 상급경찰행정관청은 훈령으로 하급경찰행정관청의 권한행사에 대한 명령 · 감독은 가능하나, 상급경찰행정관청이 하급경찰행정관청의 권한을 대집행하는 것은 원칙적으로 허용되지 않으며 개별적 · 구체적 법적 근거가 있는 경우에 한하여 가능하다.

(2) 훈령의 법원성

훈령은 국민에 대한 대외적 구속력이 없으므로 법원으로 볼 수 없다고 하는 것이 통설적 견해에 해당한다.*

* 이와 달리 행정의 자기 구속의 법리에 의해 훈령 위반행위의 위법성을 인정하는 견해도 있다.

① **전통적 견해**: 훈령은 법규성이 없고, 대내적 구속력만 가지므로 경찰조직 내부의 규범에 지나지 아니하고 국민과는 직접관계가 없다. 다시 말해 훈령의 대외적 효력은 인정되지 않는다. 그러므로 위법한 훈령이 발해지고 그에 따라 사실상 국민에게 불이익한 효과를 미치더라도, 국민은 훈령 그 자체에 대하여 직접 소송을 제기하여 다툴 수 없다는 것이 이 종래의 입장이다.

② **훈령의 외부화 현상**: 행정절차법 제4조가 "행정관청은 법령 등의 해석 또는 행정관청의 관행이 일반적으로 국민들에게 받아들여졌을 때에는 공익 또는 제3자의 정당한 이익을 현저히 해칠 우려가 있는 경우를 제외하고는 새로운 해석 또는 관행에 따라 소급하여 불리하게 처리하여서는 아니 된다."라고 규정하고 있고, 훈령이 평등의 원칙에 위배된다면 그 한도 내에서는 조리(평등의 원칙)에 반하는 위법에 해당한다고 본다.

> **행정절차법**
> **제4조 【신의성실 및 신뢰보호】** ① 행정청은 직무를 수행할 때 신의(信義)에 따라 성실히 하여야 한다.
> ② 행정청은 법령 등의 해석 또는 행정청의 관행이 일반적으로 국민들에게 받아들여졌을 때에는 공익 또는 제3자의 정당한 이익을 현저히 해칠 우려가 있는 경우를 제외하고는 새로운 해석 또는 관행에 따라 소급하여 불리하게 처리하여서는 아니 된다.

결국 특별권력관계의 내부규율이 목적인 훈령이 일반 국민과의 법률관계에 영향을 미치게 되는데 이를 훈령의 외부화 현상이라고 하며, 이러한 훈령의 외부화 현상에 의해 훈령이 법원성을 가지게 된다.

(3) 훈령에 위반하는 행위의 효력

원칙적으로 훈령은 법규성이 없기 때문에 훈령에 위반하는 행정행위는 훈령에 반하는 행정행위를 한 공무원의 징계사유에는 해당하더라도, 훈령에 위반하는 행위 자체의 효력은 적법·유효하다.

(4) 훈령의 종류

협의의 훈령	상급 경찰행정관청이 하급 경찰행정관청의 권한행사를 상당히 장기간에 걸쳐 일반적으로 지휘하기 위하여 발하는 명령이다.
지시	상급 경찰행정관청이 하급 경찰행정관청에 대하여 개별적·구체적으로 발하는 명령이다.
예규	반복적 경찰사무의 기준을 제시하기 위하여 발하는 명령이다.
일일명령	당직·출장·휴가 등의 일일업무에 관하여 발하는 명령이다.

(5) 훈령의 요건과 하급관청의 심사권

형식적 요건	요건	① 훈령권을 가지는 상급경찰행정관청에 의하여 발해질 것 ② 하급경찰행정관청의 권한에 속하는 사항일 것 ③ 하급경찰행정관청의 권한행사의 독립성이 보장되어 있는 사항에 관한 것이 아닐 것
	심사 여부	① 하급경찰행정관청이 심사권을 갖는다. ② 형식적 요건이 구비되어 있지 않은 경우에는 복종을 거부할 수 있다. ③ 형식적 요건이 구비되지 않았음에도 복종하는 경우에는 하급경찰행정관청이 책임을 진다.

실질적 요건	요건	① 훈령의 내용이 적법·타당하며 실현가능하고 명백할 것 ② 내용이 합목적적이고 공익에 적합하여야 할 것
	심사 여부	① 원칙적으로 하급경찰행정관청은 심사권이 없다. ② 훈령의 내용이 중대·명백한 하자가 있어 당연무효이거나, 훈령의 내용이 범죄를 구성하는 경우에는 복종을 거부하여야 한다. ③ 실질적 요건을 구비하지 못한 훈령에 복종하게 되면 훈령을 발한 상급경찰행정관청과 복종한 하급경찰행정관청 모두 그 책임을 부담한다.

(6) 훈령의 경합

하급행정기관은 서로 모순되는 둘 이상의 상급관청의 훈령이 경합하는 때에는 주관 상급관청의 훈령에 따라야 하고, 주관 상급관청이 서로 상하관계에 있는 때에는 직근 상급관청의 훈령에 따라야 하며, 주관 상급관청이 불명확한 때에는 주관쟁의의 방법으로 해결한다.

(7) 기타

훈령은 본래 특별한 형식이 없으며 구두·문서의 형식뿐만 아니라 관보게재도 가능하다. 훈령은 상대방에게 도달함으로써 그 효력이 발생하지만 관보로 공고하는 경우에는 그 공고가 있은 후 5일이 경과한 날로부터 효력이 발생한다.

Add ⊕

행정 효율과 협업 촉진에 관한 규정
제6조【문서의 성립 및 효력 발생】 ③ 제2항에도 불구하고 공고문서는 그 문서에서 효력발생 시기를 구체적으로 밝히고 있지 않으면 그 고시 또는 공고 등이 있은 날부터 5일이 경과한 때에 효력이 발생한다.

2. 직무명령

(1) 의의

직무명령은 상급공무원이 직무에 관하여 하급공무원에게 발하는 명령을 말한다. 이러한 직무명령은 직무집행에 직접 관계되는 것뿐만 아니라 복장·용모 등 직무에 간접적으로 관련되는 사생활에 대한 부분에도 발해질 수 있다. 그러나 직무와 관련없는 공무원의 사생활에까지 직무명령의 효력이 미치지는 않는다.

(2) 직무명령의 형식과 효력

직무명령은 특별한 규정이 없는 한 구두나 서면의 어느 형식에 의하여도 무방하다. 또한, 직무명령은 일반국민에 대하여 구속력을 가지는 것이 아니라는 점에서 법규명령과 구별된다. 따라서 훈령과 마찬가지로 하급공무원이 직무명령에 위반되는 행위를 하더라도 위법한 행위는 아니며 징계사유가 될 뿐이다.

(3) 훈령과의 구별

직무명령은 상급공무원이 하급공무원에 대하여 발하는 명령이라는 점에서 지휘·감독권이 있는 상급경찰행정관청이 하급경찰행정관청에 대하여 발하는 훈령과 구별된다. 또한, 훈령은 상급기관과 하급기관의 관계에서 발하는 명령이므로 기관 자체의 폐지가 없는 이상 계속 유효하나, 직무명령은 공무원 관계에서 하급(수명)공무원만을 구속하는 명령이므로 당사자(상급 또는 하급공무원)의 변동에 의해 당연히 그 효력이 상실된다.

(4) 직무명령의 요건과 하급자의 심사권

형식적 요건	요건	① 권한 있는 상급공무원이 발한 것, 즉 소속 상급공무원(직무상 상급공무원)의 명령이어야 할 것 ② 하급공무원의 직무상 독립의 범위에 속하는 사항이 아니어야 할 것 ③ 하급공무원의 직무상 범위 내에 속하는 사항이어야 할 것 ④ 법정의 형식과 절차가 있는 경우 이를 구비하여야 할 것
	심사 여부	형식적 요건은 외관상 명백한 것이 보통이므로 하급공무원은 이를 심사할 수 있고, 그 요건이 결여되었다고 인정하면 복종을 거부할 수 있다는 것이 통설이다.
실질적 요건	요건	① 그 내용이 법령에 저촉되지 않아야 하며 공익에 적합한 것이어야 할 것 ② 실현가능하고 명확한 것이어야 할 것
	심사 여부	형식적인 요건을 갖춘 직무명령에 대하여는 실질적 요건의 구비 여부를 심사할 수 없으며, 이에 복종해야 한다. 그러나 직무명령이 범죄를 구성하거나 중대·명백한 하자가 있어 당연무효인 경우에는 복종을 거부할 수 있다. 실질적 요건을 갖추지 못한 직무명령에 복종한 경우 직무명령을 발한 상급공무원뿐만 아니라 복종한 하급공무원도 책임을 부담한다.

3. 훈령과 직무명령의 비교

구분	훈령	직무명령
발령자·수명자	상급경찰행정관청의 하급경찰행정관청에 대한 명령이다.	상급공무원의 하급공무원에 대한 명령이다.
구속의 대상	경찰행정관청의 의사를 구속한다.	경찰공무원의 의사를 구속한다.
효력	경찰행정기관의 구성원이 변경·교체되어도 여전히 유효하다.	경찰공무원의 변경·교체에 의해 당연히 효력을 상실하게 된다.
규율범위	하급경찰행정관청의 직무권한 행사에 대하여 가능하다.	직무사항 외에 객관적으로 직무수행에 필요하다고 인정되는 경찰공무원의 일상생활에 대해서도 관여할 수 있다.
비고	훈령은 동시에 직무명령으로서의 성질을 가지지만, 직무명령은 훈령으로서의 성질을 가지는 것은 아니다.	

06 대등한 경찰행정관청 상호간의 권한행사

1. 권한의 존중

(1) 권한의 불가침

대등한 경찰행정관청 상호간에는 서로의 권한을 존중해야 한다. 자기의 권한이 다른 경찰행정관청에 의해 침해되어서도 아니 되지만 다른 경찰행정관청의 권한을 침해해서도 아니 된다.

(2) 주관쟁의 결정

대등한 경찰행정관청 상호간 권한행사에 있어 충돌이 발생하는 경우 일단 상호협의에 의하여 권한행사의 주체를 결정한다. 협의가 되지 않는 경우에는 주관쟁의 결정의 방법에 따라 권한행사의 주체를 결정한다.

2. 권한의 협력관계

(1) 협의

특정업무가 둘 이상의 대등한 경찰행정관청의 권한에 관련되는 경우에는 상호협의에 의하여 결정·처리한다.

(2) 사무위탁(촉탁)

대등한 경찰행정관청 사이에 한 관청의 직무상 필요한 사무가 다른 경찰행정관청의 관할에 속한 경우 타 관청에 사무처리를 위탁(촉탁)할 수 있다.

(3) 행정응원(지원)

경찰행정관청은 법령등의 이유로 독자적인 직무 수행이 어려운 경우, 인원·장비의 부족 등 사실상의 이유로 독자적인 직무 수행이 어려운 경우, 다른 행정청에 소속되어 있는 전문기관의 협조가 필요한 경우, 다른 행정청이 관리하고 있는 문서(전자문서를 포함한다)·통계 등 행정자료가 직무 수행을 위하여 필요한 경우 및 다른 행정청의 응원을 받아 처리하는 것이 보다 능률적이고 경제적인 경우에는 다른 행정청에 행정응원(行政應援)을 요청할 수 있다(행정절차법 제8조).

제3절 경찰공무원법

01 경찰공무원 법제의 기본구조

1. 서설

(1) 국가공무원법과 경찰공무원법의 관계

① 국가공무원에 해당하는 경찰공무원의 경우 경찰공무원의 책임 및 임무의 중요성과 신분 및 근무조건의 특수성 때문에 경찰공무원의 임용, 교육훈련, 복무, 신분보장 등에 관하여 국가공무원법과는 별도로 경찰공무원법을 따로 두어 국가공무원에 관한 특례를 인정하고 있다.

② 국가공무원법과 경찰공무원법의 관계는 일반법과 특별법의 관계에 있다고 볼 수 있으며, 실제로 경찰공무원법은 많은 경우에 국가공무원법을 준용하고 있다.

> **경찰공무원법**
> **제1조 【목적】** 이 법은 경찰공무원의 책임 및 직무의 중요성과 신분 및 근무조건의 특수성에 비추어 그 임용, 교육훈련, 복무(服務), 신분보장 등에 관하여 국가공무원법에 대한 특례를 규정함을 목적으로 한다.

(2) 경찰공무원 근무관계의 성질

① 전통적인 견해에 의하면 국가(국왕)와 공무원(관료)의 근무관계는 신분관계에 기초한 특별권력관계로 보는 것이 일반적이었다. 그러나 현재는 공무원을 국민 전체에 대한 봉사자인 동시에 국가를 구성하는 국민으로 인정하여 인권보장의 대상이 된다고 본다.

② 현재 국가와 공무원의 근무관계는 그 법적 성질을 관계 법령에 의하여 지배되는 특별권력관계로 보는 것이 일반적이다.

2. 경찰공무원의 개념

(1) 경찰공무원이란 순경에서부터 치안총감에 이르는 계급을 가진 공무원을 말하므로 조직상 경찰기관에 근무하는 일반직 등의 공무원은 경찰공무원의 개념에서 제외된다.

(2) 의무전투경찰순경도 경찰공무원의 개념에서 제외된다. 그러나 의무전투경찰순경도 형법상의 공무집행방해죄의 구성요건인 공무원에 해당하며 국가배상법상 손해배상의 구성요건인 공무원 개념에도 포함된다.

Add ⊕

계급 구분(경찰공무원법 제3조)

경찰공무원의 계급은 다음과 같이 구분한다.

- 치안총감(治安總監)
- 치안정감(治安正監)
- 치안감(治安監)
- 경무관(警務官)
- 총경(總警)
- 경정(警正)
- 경감(警監)
- 경위(警衛)
- 경사(警査)
- 경장(警長)
- 순경(巡警)

3. 경찰공무원의 법적 성질

(1) 국가공무원법상 경찰공무원의 구분

국가공무원법상의 공무원의 구분에 의하면 경찰공무원은 경력직에 속하면서 특정직으로 구분된다.

국가공무원법상의 공무원(국가공무원법 제2조)

<table>
<tr><td rowspan="2">경력직 공무원</td><td rowspan="2">실적과 자격에 따라 임용되고 그 신분이 보장되며 평생 동안(근무기간을 정하여 임용하는 공무원의 경우에는 그 기간 동안을 말한다) 공무원으로 근무할 것이 예정되는 공무원</td><td>일반직 공무원</td><td>기술·연구 또는 행정 일반에 대한 업무를 담당하는 공무원</td></tr>
<tr><td>특정직 공무원</td><td>법관, 검사, 외무공무원, 경찰공무원, 소방공무원, 교육공무원, 군인, 군무원, 헌법재판소 헌법연구관, 국가정보원의 직원, 경호공무원과 특수분야의 업무를 담당하는 공무원으로서 다른 법률에서 특정직공무원으로 지정하는 공무원</td></tr>
<tr><td rowspan="2">특수 경력직 공무원</td><td rowspan="2">경력직공무원 외의 공무원</td><td>정무직 공무원</td><td>① 선거로 취임하거나 임명할 때 국회의 동의가 필요한 공무원
② 고도의 정책결정업무를 담당하거나 이러한 업무를 보조하는 공무원으로서 법률이나 대통령령(대통령비서실 및 국가안보실의 조직에 관한 대통령령만 해당한다)에서 정무직으로 지정하는 공무원</td></tr>
<tr><td>별정직 공무원</td><td>비서관·비서 등 보좌업무 등을 수행하거나 특정한 업무수행을 위하여 법령에서 별정직으로 지정하는 공무원</td></tr>
</table>

우리나라는 국가경찰과 자치경찰의 조직 및 운영에 관한 법률에서 자치경찰사무와 국가경찰사무를 구분하고 있지만, 자치경찰사무를 담당하는 경찰관의 신분은 기존 그대로 국가공무원이다. 단, 제주특별자치도 자치경찰단 소속의 자치경찰공무원은 지방공무원이다.

(2) 계급제에 따른 구분

계급제란 개인의 특성, 즉 학력 · 경력 · 자격을 기준으로 하여 유사한 개인적 특성을 가진 공무원을 여러 범주와 집단으로 구분하여 계층을 구분하는 것을 말한다. 이러한 계급제는 조직운영의 효율성을 높이기 위한 제도로 수직적 분류방법에 해당한다.

4. 경과(법 제4조)

경과(警科)는 개개 경찰관의 특성, 자격, 능력과 경력을 활용하기 위해 수평적으로 분류한 것이다.

경찰공무원법

제4조 【경과 구분】 ① 경찰공무원은 그 직무의 종류에 따라 경과(警科)에 의하여 구분할 수 있다.

② 경과의 구분에 필요한 사항은 대통령령으로 정한다.

경찰공무원 임용령

제3조 【경과】 ① 총경 이하 경찰공무원에게 부여하는 경과는 다음 각 호와 같다. 다만, 제2호와 제3호의 경과는 경정 이하 경찰공무원에게만 부여한다.

1. 일반경과
2. 수사경과
3. 안보수사경과
4. 특수경과
   가. 삭제 〈2016.12.30.〉
   나. 삭제 〈2016.12.30.〉
   다. 항공경과
   라. 정보통신경과

② 임용권자(제4조 제1항부터 제6항까지의 규정에 따라 임용권의 위임을 받은 자를 포함한다. 이하 같다) 또는 임용제청권자[경찰공무원법(이하 '법'이라 한다) 제7조 제1항에 따른 추천이 필요한 경우에는 경찰청장을 포함한다. 이하 같다]는 경찰공무원을 신규채용할 때에 경과를 부여해야 한다.

③ 삭제 〈2016.12.30.〉

④ 경찰청장은 전시 · 사변 또는 이에 준하는 비상사태가 발생한 경우에는 경과의 일부를 폐지 또는 병합하거나 신설할 수 있다.

⑤ 경과별 직무의 종류 및 전과 등에 관하여 필요한 사항은 행정안전부령으로 정한다.

경찰공무원 임용령 시행규칙

제19조 【경과별 직무의 종류】 경찰공무원의 경과별 직무의 종류는 다음과 같다.

1. 일반경과는 기획 · 감사 · 경무 · 생활안전 · 교통 · 경비 · 작전 · 정보 · 외사나 그 밖에 수사경과 · 안보수사경과 및 특수경과에 속하지 않는 직무
2. 수사경과는 범죄수사에 관한 직무
3. 안보수사경과는 안보경찰에 관한 직무
4. 특수경과 중 항공경과는 경찰항공기의 운영 · 관리에 관한 직무, 정보통신경과는 경찰정보통신의 운영 · 관리에 관한 직무

02 경찰공무원관계의 발생

1. 경찰공무원관계의 성립

(1) 의의 및 법적 성질

① 의의: 경찰공무원법상 임용은 신규채용 · 승진 · 전보 · 파견 · 휴직 · 직위해제 · 정직 · 강등 · 복직 · 면직 · 해임 및 파면을 의미한다. 그러나 징계의 종류에서 중 감봉과 견책은 임용의 개념에 포함되지 않는다.

> **경찰공무원법**
> **제2조 【정의】** 이 법에서 사용하는 용어의 정의는 다음과 같다.
> 1. '임용'이란 신규채용 · 승진 · 전보 · 파견 · 휴직 · 직위해제 · 정직 · 강등 · 복직 · 면직 · 해임 및 파면을 말한다.
> 2. '전보'란 경찰공무원의 동일 직위 및 자격 내에서의 근무기관이나 부서를 달리하는 임용을 말한다.
> 3. '복직'이란 휴직 · 직위해제 또는 정직(강등에 따른 정직을 포함한다) 중에 있는 경찰공무원을 직위에 복귀시키는 것을 말한다.

② 임용의 법적 성질: 임용의 법적 성질에 대해서는 견해의 대립이 있으나 어떠한 견해를 취하든 그 구분에 있어 실익이 없다.

단독행정행위설	동의의 결여를 취소사유로 봄	상대방의 동의 결여를 무효사유 또는 취소사유로 보는 데 양 자의 차이가 있음
쌍방적 행정행위설(다수설)	동의의 결여를 무효사유로 봄	
공법상 계약설	상대방의 신청(청약)에 대하여 임용권자(행정관청)가 승낙	

(2) 임용의 성립요건

경찰공무원은 신체 및 사상이 건전하고 품행이 방정(方正)한 사람 중에서 임용한다.

① 임용결격사유(경찰공무원법 제8조): 다음의 어느 하나에 해당하는 사람은 경찰공무원으로 임용될 수 없다.

> ㉠ 대한민국 국적을 가지지 아니한 사람
> ㉡ 국적법 제11조의2 제1항에 따른 복수국적자
> ㉢ 피성년후견인 또는 피한정후견인
> ㉣ 파산선고를 받고 복권되지 아니한 사람
> ㉤ 자격정지 이상의 형(刑)을 선고받은 사람
> ㉥ 자격정지 이상의 형의 선고유예를 선고받고 그 유예기간 중에 있는 사람
> ㉦ 공무원으로 재직기간 중 직무와 관련하여 형법 제355조(횡령, 배임) 및 제356조(업무상의 횡령과 배임)에 규정된 죄를 범한 사람으로서 300만원 이상의 벌금형을 선고받고 그 형이 확정된 후 2년이 지나지 아니한 사람
> ㉧ 성폭력범죄의 처벌 등에 관한 특례법 제2조에 규정된 죄를 범한 사람으로서 100만원 이상의 벌금형을 선고받고 그 형이 확정된 후 3년이 지나지 아니한 사람
> ㉨ 미성년자에 대한 다음의 어느 하나에 해당하는 죄를 저질러 형 또는 치료감호가 확정된 사람(집행유예를 선고받은 후 그 집행유예기간이 경과한 사람을 포함한다)
>   ⓐ 성폭력범죄의 처벌 등에 관한 특례법 제2조에 따른 성폭력범죄
>   ⓑ 아동 · 청소년의 성보호에 관한 법률 제2조 제2호에 따른 아동 · 청소년대상 성범죄
> ㉩ 징계에 의하여 파면 또는 해임처분을 받은 사람

> **Add**
> 형법 제38조에도 불구하고 경찰공무원법 제8조 제2항 제7호 또는 제8호에 규정된 죄와 다른 죄의 경합범(競合犯)에 대하여 벌금형을 선고하는 경우에는 이를 분리 선고하여야 한다(경찰공무원법 제9조).

핵심정리

국가공무원법 제33조(결격사유) 다음 각 호의 어느 하나에 해당하는 자는 공무원으로 임용될 수 없다.

1. 피성년후견인
2. 파산선고를 받고 복권되지 아니한 자
3. 금고 이상의 실형을 선고받고 그 집행이 끝나거나(집행이 끝난 것으로 보는 경우를 포함한다) 집행이 면제된 날부터 5년이 지나지 아니한 자
4. 금고 이상의 형의 집행유예를 선고받고 그 유예기간이 끝난 날부터 2년이 지나지 아니한 자
5. 금고 이상의 형의 선고유예를 받은 경우에 그 선고유예 기간 중에 있는 자
6. 법원의 판결 또는 다른 법률에 따라 자격이 상실되거나 정지된 자

6의2. 공무원으로 재직기간 중 직무와 관련하여 「형법」 제355조 및 제356조에 규정된 죄를 범한 자로서 300만원 이상의 벌금형을 선고받고 그 형이 확정된 후 2년이 지나지 아니한 자

6의3. 다음 각 목의 어느 하나에 해당하는 죄를 범한 사람으로서 100만원 이상의 벌금형을 선고받고 그 형이 확정된 후 3년이 지나지 아니한 사람
　가. 「성폭력범죄의 처벌 등에 관한 특례법」 제2조에 따른 성폭력범죄
　나. 「정보통신망 이용촉진 및 정보보호 등에 관한 법률」 제74조제1항제2호 및 제3호에 규정된 죄
　다. 「스토킹범죄의 처벌 등에 관한 법률」 제2조제2호에 따른 스토킹범죄

6의4. 미성년자에 대한 다음 각 목의 어느 하나에 해당하는 죄를 저질러 파면·해임되거나 형 또는 치료감호를 선고받아 그 형 또는 치료감호가 확정된 사람(집행유예를 선고받은 후 그 집행유예기간이 경과한 사람을 포함한다)
　가. 「성폭력범죄의 처벌 등에 관한 특례법」 제2조에 따른 성폭력범죄
　나. 「아동·청소년의 성보호에 관한 법률」 제2조제2호에 따른 아동·청소년대상 성범죄

7. 징계로 파면처분을 받은 때부터 5년이 지나지 아니한 자
8. 징계로 해임처분을 받은 때부터 3년이 지나지 아니한 자

✍ 징계에 의하여 파면 또는 해임의 처분을 받은 자는 경찰공무원법상 경찰공무원 임용의 결격사유에 해당하지만, 국가공무원 임용의 결격사유에는 해당하지 않는다.

② 적극요건(경찰공무원법 10조): 능력주의(성적주의)가 적용되므로 경정 및 순경의 신규채용은 공개경쟁시험으로 한다. 그러나 제한경쟁시험에 의한 특별채용도 가능하다.

경찰공무원법
제10조 【신규채용】 ① 경정 및 순경의 신규채용은 공개경쟁시험으로 한다.

Add

경찰공무원인사위원회

1. 설치(경찰공무원법 제5조)

경찰공무원의 인사(人事)에 관한 중요 사항에 대하여 경찰청장 또는 해양경찰청장의 자문에 응하게 하기 위하여 경찰청과 해양경찰청에 경찰공무원인사위원회(이하 '인사위원회'라 한다)를 둔다.

2. 심의사항(경찰공무원법 제6조)

인사위원회는 다음의 사항을 심의한다.
① 경찰공무원의 인사행정에 관한 방침과 기준 및 기본계획
② 경찰공무원의 인사에 관한 법령의 제정·개정 또는 폐지에 관한 사항
③ 그 밖에 경찰청장 또는 해양경찰청장이 인사위원회의 회의에 부치는 사항

3. 위원회의 구성(경찰공무원 임용령 제9조)

① 법 제5조에 따른 경찰공무원인사위원회(이하 '인사위원회'라 한다)는 위원장을 포함하여 5명 이상 7명 이하의 위원으로 구성한다.

② 인사위원회의 위원장은 경찰청 인사담당국장이 되고, 위원은 경찰청 소속 총경 이상 경찰공무원 중에서 경찰청장이 각각 임명한다.

4. 위원장의 직무(경찰공무원 임용령 제10조)

① 위원장은 인사위원회를 대표하며, 인사위원회의 사무를 총괄한다.

② 위원장이 부득이한 사유로 직무를 수행할 수 없을 때에는 위원 중에서 최상위계급 또는 선임의 경찰공무원이 그 직무를 대행한다.

5. 회의(경찰공무원 임용령 제11조)

① 위원장은 인사위원회의 회의를 소집하고 그 의장이 된다.

② 회의는 재적위원 과반수의 찬성으로 의결한다.

6. 간사(경찰공무원 임용령 제12조)

① 인사위원회에 2명 이하의 간사를 둔다.

② 간사는 경찰청 소속 경찰공무원 중에서 위원장이 지명한다.

③ 간사는 위원장의 명을 받아 인사위원회의 사무를 처리한다.

2. 임용의 형식 및 효력발생시기

(1) 임용의 형식

임용은 임용장 또는 임용통지서를 교부함으로써 행해지는 것이 일반적이다. 그러나 임용장의 교부는 임용행위를 형식적으로 표시하는 선언적·공증적 효력을 가지는 데 그치며 임용의 유효요건에는 해당하지 아니한다. 그러므로 임용장을 교부받지 못했다고 하더라도 임용의 효력에는 영향을 미치지 아니한다.

(2) 효력발생시기

임용의 효력은 임용장 또는 임용통지서에 적힌 날짜에 발생한다. 그러므로 임용장 또는 임용통지서의 교부시점은 임용의 효력발생과 아무런 관련이 없다.

경찰공무원 임용령

제5조【임용시기】 ① 경찰공무원은 임용장이나 임용통지서에 적힌 날짜에 임용된 것으로 보며, 임용일자를 소급해서는 아니 된다.

② 사망으로 인한 면직은 사망한 다음 날에 면직된 것으로 본다.

③ 임용일자는 그 임용장이 피임용자에게 송달되는 기간 및 사무인계에 필요한 기간을 참작하여 정하여야 한다.

제6조【임용시기의 특례】 제5조 제1항에도 불구하고 다음 각 호의 어느 하나에 해당하는 경우에는 다음 각 호의 구분에 따른 일자에 임용된 것으로 본다.

1. 법 제19조 제1항 제2호에 따라 전사하거나 순직한 사람을 다음 각 목의 어느 하나에 해당하는 날을 임용일자로 하여 특별승진임용하는 경우
   가. 재직 중 사망한 경우: 사망일의 전날
   나. 퇴직 후 사망한 경우: 퇴직일의 전날
2. 삭제 〈2023. 6. 7.〉
3. 국가공무원법 제70조 제1항 제4호에 따라 직권으로 면직시키는 경우: 휴직기간의 만료일 또는 휴직사유의 소멸일
4. 법 제10조제2항제2호에 따른 경위공개경쟁채용시험합격자, 「경찰대학 설치법」에 따른 경찰대학의 학생 또는 시보임용예정자가 제21조제1항에 따른 경찰공무원의 직무수행과 관련된 실무수습 중 사망한 경우: 사망일의 전날

3. 채용후보자

채용후보자 명부 등 (경찰공무원법 제12조)	① 경찰청장 또는 해양경찰청장(제7조 제3항 및 제4항에 따라 임용권을 위임받은 자를 포함한다)은 신규채용시험에 합격한 사람(경찰대학을 졸업한 사람과 경위공개경쟁채용시험합격자를 포함한다)을 대통령령으로 정하는 바에 따라 성적 순위에 따라 채용후보자 명부에 등재(登載)하여야 한다. ② 경찰공무원의 신규채용은 제1항에 따른 채용후보자 명부의 등재 순위에 따른다. 다만, 채용후보자가 경찰교육기관에서 신임교육을 받은 경우에는 그 교육성적 순위에 따른다. ③ 제1항에 따른 채용후보자 명부의 유효기간은 2년의 범위에서 대통령령으로 정한다. 다만, 경찰청장 또는 해양경찰청장은 필요에 따라 1년의 범위에서 그 기간을 연장할 수 있다. ④ 다음 각 호의 어느 하나에 해당하는 기간은 제3항에 따른 기간에 넣어 계산하지 아니한다. 1. 신규채용시험에 합격한 사람이 채용후보자 명부에 등재된 이후 그 유효기간 내에 「병역법」에 따른 병역 복무를 위하여 군에 입대한 경우(대학생 군사훈련 과정 이수자를 포함한다)의 의무복무 기간 2. 그 밖에 대통령령으로 정하는 사유로 임용되지 못한 기간 ⑤ 경찰청장 또는 해양경찰청장은 채용후보자 명부의 유효기간을 연장하기로 결정한 경우에는 그 사실을 공고하여야 한다. ⑥ 제1항에 따른 채용후보자 명부의 작성 및 운영에 필요한 사항은 대통령령으로 정한다. ⑦ 임용권자는 경찰공무원의 결원을 보충할 때 채용후보자 명부 또는 승진후보자 명부에 등재된 후보자 수가 결원 수보다 적고, 인사행정 운영상 특히 필요하다고 인정할 때에는 그 결원된 계급에 관하여 다른 임용권자가 작성한 자치경찰공무원의 신규임용후보자 명부 또는 승진후보자 명부를 해당 기관의 채용후보자 명부 또는 승진후보자 명부로 보아 해당 자치경찰공무원을 임용할 수 있다. 이 경우 임용권자는 그 자치경찰공무원의 임용권자와 협의하여야 한다.
채용후보자의 등록 (경찰공무원 임용령 제17조)	① 다음 각 호의 어느 하나에 해당하는 시험(이하 "신규채용시험"이라 한다)에 합격한 사람은 행정안전부령으로 정하는 바에 따라 임용권자 또는 임용제청권자에게 채용후보자 등록을 해야 한다. 1. 법 제10조제1항에 따른 경정 및 순경 공개경쟁채용시험 2. 법 제10조제2항제2호에 따른 경위공개경쟁채용시험 3. 경력경쟁채용시험등 ② 제1항에 따른 채용후보자 등록을 하지 아니한 사람은 경찰공무원으로 임용될 의사가 없는 것으로 본다.
채용후보자 명부의 작성 (경찰공무원 임용령 제18조)	① 법 제12조 제1항에 따른 채용후보자 명부는 임용예정계급별로 작성하되, 채용후보자의 서류를 심사하여 임용 적격자만을 등재한다. ② 임용권자 또는 임용제청권자는 제1항에 따른 채용후보자 명부에의 등재 여부를 본인에게 알려야 한다. ③ 채용후보자 명부의 유효기간은 2년으로 하되, 경찰청장은 필요에 따라 1년의 범위에서 그 기간을 연장할 수 있다. ④ 법 제12조제4항제2호에서 "대통령령으로 정하는 사유로 임용되지 못한 기간"이란 「병역법」에 따른 병역의무 이행을 위하여 징집 또는 소집되어 복무 중인 사람이 신규채용시험에 합격하여 채용후보자 명부에 등재된 경우 그 등재일부터 의무복무 만료일까지의 기간을 말한다.
임용 또는 임용제청의 유예 (경찰공무원 임용령 제18조의2)	① 임용권자 또는 임용제청권자는 채용후보자 명부에 등재된 채용후보자가 다음의 어느 하나에 해당하는 경우에는 채용후보자 명부의 유효기간의 범위에서 기간을 정하여 임용 또는 임용제청을 유예할 수 있다. 다만, 유예기간 중이라도 그 사유가 소멸한 경우에는 임용 또는 임용제청을 할 수 있다. ㉠ 병역법에 따른 병역복무를 위하여 징집 또는 소집되는 경우 ㉡ 학업을 계속하는 경우

임용 또는 임용제청의 유예 (경찰공무원 임용령 제18조의2)	ⓒ 6개월 이상의 장기요양이 필요한 질병이 있는 경우 ⓔ 임신하거나 출산한 경우 ⓜ 그 밖에 임용 또는 임용제청의 유예가 부득이하다고 인정되는 경우 ② 위 ①에 따른 임용 또는 임용제청의 유예를 원하는 사람은 해당 사유를 증명할 수 있는 자료를 첨부하여 임용권자 또는 임용제청권자가 정하는 기간 내에 신청해야 한다. 이 경우 원하는 유예기간을 분명하게 적어야 한다.
채용후보자의 자격상실 (경찰공무원 임용령 제19조)	채용후보자가 다음의 어느 하나에 해당하는 경우에는 채용후보자로서의 자격을 상실한다. ① 채용후보자가 임용 또는 임용제청에 응하지 아니한 경우 ② 채용후보자로서 받아야 할 교육훈련에 응하지 아니한 경우 ③ 채용후보자로서 받은 교육훈련성적이 수료점수에 미달되는 경우 ④ 채용후보자로서 교육훈련을 받는 중에 퇴학처분을 받은 경우. 다만, 질병 등 교육훈련을 계속할 수 없는 불가피한 사정으로 퇴학처분을 받은 경우는 제외한다.

4. 시보임용(경찰공무원법 제13조)

(1) 시보임용의 대상과 기간

경정 이하의 경찰공무원을 신규채용할 때에는 1년간 시보(試補)로 임용하고, 그 기간이 만료된 다음 날에 정규 경찰공무원으로 임용한다. 시보임용기간에는 휴직기간, 직위해제기간 및 징계에 의한 정직처분 또는 감봉처분을 받은 기간을 산입하지 아니한다.

(2) 시보임용의 면제대상자

다음의 어느 하나에 해당하는 경우에는 시보임용을 거치지 아니한다.

① 경찰대학을 졸업한 사람 또는 경위공개경쟁채용시험합격자로서 정하여진 교육을 마친 사람을 경위로 임용하는 경우

② 경찰공무원으로서 대통령령으로 정하는 상위계급으로의 승진에 필요한 자격 요건을 갖추고 임용예정 계급에 상응하는 공개경쟁채용시험에 합격한 사람을 해당 계급의 경찰공무원으로 임용하는 경우

③ 퇴직한 경찰공무원으로서 퇴직시에 재직하였던 계급의 채용시험에 합격한 사람을 재임용하는 경우

④ 자치경찰공무원을 그 계급에 상응하는 경찰공무원으로 임용하는 경우

(3) 시보경찰공무원의 면직(경찰공무원 임용령 제20조)

경찰공무원법
제13조 【시보임용】 ③ 시보임용기간 중에 있는 경찰공무원이 근무성적 또는 교육훈련성적이 불량할 때에는 국가공무원법 제68조(의사에 반한 신분조치) 및 이 법 제28조에도 불구하고 면직시키거나 면직을 제청할 수 있다.

① 임용권자 또는 임용제청권자는 시보임용경찰공무원이 다음의 어느 하나에 해당하여 정규 경찰공무원으로 임용하는 것이 부적당하다고 인정되는 경우에는 정규임용심사위원회의 심사를 거쳐 해당 시보임용경찰공무원을 면직시키거나 면직을 제청할 수 있다.

㉠ 징계사유에 해당하는 경우

㉡ 경찰공무원 임용령 제21조 제1항에 따른 교육훈련성적이 만점의 60% 미만이거나 생활기록이 극히 불량한 경우

㉢ 경찰공무원 승진임용 규정 제7조 제2항에 따른 제2평정 요소의 평정점이 만점의 50% 미만인 경우

② 시보임용 중에 있는 경찰공무원은 그 신분이 보장되지 않는다.

(4) 시보경찰공무원의 정규임용심사(경찰공무원 임용령 시행규칙 제10조)

① 시보임용경찰공무원을 정규 경찰공무원으로 임용하는 경우 다음의 사항을 고려하여 임용 적합 여부를 심사하여야 한다.

> ㉠ 시보임용 기간 중 근무실적 및 직무수행 태도
> ㉡ 영 제20조 제2항 각 호 해당 여부
> ㉢ 영 제47조 제1항 각 호 또는 같은 조 제2항 각 호 해당 여부
> ㉣ 소속 상사의 소견

② 경찰기관의 장은 시보임용경찰공무원에 관한 자료를 시보임용 기간 만료 10일 전까지 임용권자 또는 임용제청권자에게 제출하여야 한다.

③ 시보임용경찰공무원의 면직 또는 면직제청에 따른 동의의 절차는 해당 징계위원회의 파면 의결에 관한 절차를 준용한다.

(5) 시보임용경찰공무원 등에 대한 교육훈련(경찰공무원 임용령 제21조)

① 임용권자 또는 임용제청권자는 시보임용경찰공무원 또는 시보임용예정자에게 일정기간 교육훈련(실무수습을 포함한다)을 시킬 수 있다. 이 경우 시보임용예정자에게 교육훈련을 받는 기간 동안 예산의 범위에서 임용예정 계급의 1호봉에 해당하는 봉급의 80%에 해당하는 금액 등을 지급할 수 있다.

② 임용권자 또는 임용제청권자는 시보임용예정자가 교육훈련성적이 만점의 60% 미만이거나 생활기록이 극히 불량할 때에는 시보임용을 하지 아니할 수 있다.

Add ⊕

정규임용심사위원회(경찰공무원 임용령 시행규칙 제9조)

1. 설치목적

시보임용 경찰공무원을 정규 경찰공무원으로 임용함에 있어서 그 적부를 심사하게 하기 위하여 임용권자 또는 임용제청권자 소속하에 정규임용심사위원회를 설치한다.

2. 정규임용심사위원회의 구성

경찰공무원 임용령(이하 '영'이라 한다) 제20조 제3항에 따른 정규임용심사위원회(이하 '위원회'라 한다)는 위원장 1명을 포함한 위원 5명 이상 7명 이하로 구성한다.

3. 위원장

위원장은 위원 중 가장 계급이 높은 경찰공무원이 된다. 다만, 가장 계급이 높은 경찰공무원이 둘 이상인 경우 그 중 해당 계급에 승진임용된 날이 가장 빠른 경찰공무원이 된다.

4. 위원

위원은 소속 경감 이상 경찰공무원 중에서 위원회가 설치된 기관의 장이 임명하되, 심사대상자보다 상위계급자로 한다.

5. 의결

위원회는 재적위원 3분의 2 이상 출석과 출석위원 과반수 찬성으로 의결한다.

5. 임용권자

경찰공무원법

제7조【임용권자】 ① 총경 이상 경찰공무원은 경찰청장 또는 해양경찰청장의 추천을 받아 행정안전부장관 또는 해양수산부장관의 제청으로 국무총리를 거쳐 대통령이 임용한다. 다만, 총경의 전보, 휴직, 직위해제, 강등, 정직 및 복직은 경찰청장 또는 해양경찰청장이 한다.

② 경정 이하의 경찰공무원은 경찰청장 또는 해양경찰청장이 임용한다. 다만, 경정으로의 신규채용, 승진임용 및 면직은 경찰청장 또는 해양경찰청장의 제청으로 국무총리를 거쳐 대통령이 한다.

③ 경찰청장은 대통령령으로 정하는 바에 따라 경찰공무원의 임용에 관한 권한의 일부를 특별시장 · 광역시장 · 도지사 · 특별자치시장 또는 특별자치도지사(이하 '시 · 도지사'라 한다), 국가수사본부장, 소속 기관의 장, 시 · 도경찰청장에게 위임할 수 있다. 이 경우 시 · 도지사는 위임받은 권한의 일부를 대통령령으로 정하는 바에 따라 국가경찰과 자치경찰의 조직 및 운영에 관한 법률 제18조에 따른 시 · 도자치경찰위원회(이하 '시 · 도자치경찰위원회'라 한다), 시 · 도경찰청장에게 다시 위임할 수 있다.

④ 해양경찰청장은 대통령령으로 정하는 바에 따라 경찰공무원의 임용에 관한 권한의 일부를 소속 기관의 장, 지방해양경찰관서의 장에게 위임할 수 있다.

⑤ 경찰청장, 해양경찰청장 또는 제3항 및 제4항에 따라 임용권을 위임받은 자는 행정안전부령 또는 해양수산부령으로 정하는 바에 따라 소속 경찰공무원의 인사기록을 작성 · 보관하여야 한다.

경찰공무원 임용령

제4조【임용권의 위임 등】 ① 경찰청장은 법 제7조 제3항 전단에 따라 특별시장 · 광역시장 · 특별자치시장 · 도지사 또는 특별자치도지사(이하 '시 · 도지사'라 한다)에게 해당 특별시 · 광역시 · 특별자치시 · 도 또는 특별자치도(이하 '시 · 도'라 한다)의 자치경찰사무를 담당하는 경찰공무원[국가경찰과 자치경찰의 조직 및 운영에 관한 법률 제18조 제1항에 따른 시 · 도자치경찰위원회(이하 '시 · 도자치경찰위원회'라 한다), 시 · 도경찰청 및 경찰서(지구대 및 파출소는 제외한다)에서 근무하는 경찰공무원을 말한다] 중 경정의 전보 · 파견 · 휴직 · 직위해제 및 복직에 관한 권한과 경감 이하의 임용권(신규채용 및 면직에 관한 권한은 제외한다)을 위임한다.

② 경찰청장은 법 제7조 제3항 전단에 따라 국가수사본부장에게 국가수사본부 안에서의 경정 이하에 대한 전보권을 위임한다.

③ 경찰청장은 법 제7조 제3항 전단에 따라 경찰대학 · 경찰인재개발원 · 중앙경찰학교 · 경찰수사연수원 · 경찰병원 및 시 · 도경찰청(이하 '소속기관 등'이라 한다)의 장에게 그 소속 경찰공무원 중 경정의 전보 · 파견 · 휴직 · 직위해제 및 복직에 관한 권한과 경감 이하의 임용권을 위임한다.

④ 제1항에 따라 임용권을 위임받은 시 · 도지사는 법 제7조 제3항 후단에 따라 경감 또는 경위로의 승진임용에 관한 권한을 제외한 임용권을 시 · 도자치경찰위원회에 다시 위임한다.

⑤ 제4항에 따라 임용권을 위임받은 시 · 도자치경찰위원회는 시 · 도지사와 시 · 도경찰청장의 의견을 들어 그 권한의 일부를 시 · 도경찰청장에게 다시 위임할 수 있다.

⑥ 제3항 및 제5항에 따라 임용권을 위임받은 시 · 도경찰청장은 소속 경감 이하 경찰공무원에 대한 해당 경찰서 안에서의 전보권을 경찰서장에게 다시 위임할 수 있다.

⑦ 경찰청장은 수사부서에서 총경을 보직하는 경우에는 국가수사본부장의 추천을 받아야 한다.

⑧ 시 · 도자치경찰위원회는 임용권을 행사하는 경우에는 시 · 도경찰청장의 추천을 받아야 한다.

⑨ 시 · 도경찰청장 및 경찰서장은 지구대장 및 파출소장을 보직하는 경우에는 시 · 도자치경찰위원회의 의견을 사전에 들어야 한다.

⑩ 소속기관 등의 장은 경감 또는 경위를 신규채용하거나 경위 또는 경사를 승진시키려면 미리 경찰청장의 승인을 받아야 한다.

⑪ 제1항부터 제6항까지의 규정에도 불구하고 경찰청장은 경찰공무원의 정원 조정, 승진임용, 인사교류 또는 파견을 위하여 필요한 경우에는 임용권을 행사할 수 있다.

6. 부정행위자에 대한 제재(경찰공무원법 제11조)

(1) 경찰청장 또는 해양경찰청장은 경찰공무원의 신규채용시험(경위공개경쟁채용시험을 포함한다. 이하 같다), 승진시험 또는 그 밖의 시험에서 다른 사람에게 대신하여 응시하게 하는 행위 등 대통령령으로 정하는 부정행위를 한 사람에 대하여 대통령령으로 정하는 바에 따라 해당 시험의 정지·무효 또는 합격 취소 처분을 할 수 있다.

(2) (1)에 따른 처분을 받은 사람에 대해서는 처분이 있은 날부터 5년의 범위에서 대통령령으로 정하는 기간 동안 신규채용시험, 승진시험 또는 그 밖의 시험의 응시자격을 정지한다.

(3) 경찰청장 또는 해양경찰청장은 (1)에 따른 처분(시험의 정지는 제외한다)을 할 때에는 미리 그 처분 내용과 사유를 당사자에게 통지하여 소명할 기회를 주어야 한다.

경찰공무원 임용령

제46조【부정행위자에 대한 조치】 ① 경찰공무원의 신규채용시험에서 다음 각 호의 어느 하나에 해당하는 행위를 한 사람에 대해서는 해당 시험을 정지 또는 무효로 하거나 합격을 취소하고, 그 처분이 있은 날부터 5년간 이 영에 따른 시험에 응시할 수 없게 한다.

1. 다른 수험생의 답안지를 보거나 본인의 답안지를 보여주는 행위
2. 대리 시험을 의뢰하거나 대리로 시험에 응시하는 행위
3. 통신기기, 그 밖의 신호 등을 이용하여 해당 시험 내용에 관하여 다른 사람과 의사소통하는 행위
4. 부정한 자료를 가지고 있거나 이용하는 행위
5. 병역, 가점 등 시험에 관한 증명서류에 거짓 사실을 적거나 그 서류를 위조·변조하여 시험결과에 부당한 영향을 주는 행위
6. 체력검사나 실기시험에 영향을 미칠 목적으로 인사혁신처장이 정하여 고시하는 금지약물을 복용하거나 금지방법을 사용하는 행위
7. 그 밖에 부정한 수단으로 본인 또는 다른 사람의 시험결과에 영향을 미치는 행위

② 경찰공무원의 신규채용시험에서 다음 각 호의 어느 하나에 해당하는 행위를 한 사람에 대해서는 그 시험을 정지하거나 무효로 한다.

1. 시험 시작 전에 시험문제를 열람하는 행위
2. 시험 시작 전 또는 종료 후에 답안을 작성하는 행위
3. 허용되지 아니한 통신기기 또는 전자계산기를 가지고 있는 행위
4. 그 밖에 시험의 공정한 관리에 영향을 미치는 행위로서 시험실시기관의 장이 시험의 정지 또는 무효 처리기준으로 정하여 공고한 행위

③ 다른 법령에 따른 국가공무원 또는 지방공무원 임용시험에서 부정행위를 하여 해당 시험에의 응시자격이 정지된 사람은 응시자격정지기간 중 이 영에 따른 시험에 응시할 수 없다.

④ 시험실시권자는 부정행위를 한 응시자의 명단을 관보에 게재하여야 한다.

⑤ 부정행위를 한 응시자가 공무원일 경우에는 시험실시권자는 관할 징계위원회에 징계의결을 요구하거나 그 공무원이 소속된 기관의 장에게 이를 요구하여야 한다.

⑥ 시험실시기관의 장은 인사혁신처장이 정하는 바에 따라 제1항 제6호에 해당하는지 여부를 조사할 수 있다.

경찰공무원 승진임용 규정

제35조【부정행위자에 대한 조치】 ① 시험에서 다음 각 호의 어느 하나에 해당하는 행위를 한 경찰공무원에 대해서는 그 시험을 정지 또는 무효로 하거나 합격을 취소하고, 그 처분이 있은 날부터 5년간 이 영에 따른 시험에 응시할 수 없게 한다.

1. 다른 수험생의 답안지를 보거나 본인의 답안지를 보여주는 행위
2. 대리 시험을 의뢰하거나 대리로 시험에 응시하는 행위
3. 통신기기, 그 밖의 신호 등을 이용하여 해당 시험 내용에 관하여 다른 사람과 의사소통하는 행위
4. 부정한 자료를 가지고 있거나 이용하는 행위
5. 실기시험에 영향을 미칠 목적으로 공무원임용시험령 제51조 제1항 제6호에 따라 인사혁신처장이 정하여 고시하는 금지약물을 복용하거나 금지방법을 사용하는 행위
6. 그 밖에 부정한 수단으로 본인 또는 다른 사람의 시험결과에 영향을 미치는 행위

② 시험에서 다음 각 호의 어느 하나에 해당하는 행위를 한 경찰공무원에 대해서는 그 시험을 정지하거나 무효로 한다.
1. 시험 시작 전에 시험문제를 열람하는 행위
2. 시험 시작 전 또는 종료 후에 답안을 작성하는 행위
3. 허용되지 아니한 통신기기 또는 전자계산기를 가지고 있는 행위
4. 그 밖에 시험의 공정한 관리에 영향을 미치는 행위로서 시험실시기관의 장이 시험의 정지 또는 무효 처리기준으로 정하여 공고한 행위

판례 **합격결정취소 및 응시자격제한처분**

경찰공무원임용령 제46조 제1항의 수권형식과 내용에 비추어 이는 행정청 내부의 사무처리기준을 규정한 재량준칙이 아니라 일반 국민이나 법원을 구속하는 법규명령에 해당하고 따라서 위 규정에 의한 처분은 재량행위가 아닌 기속행위라 할 것이다 [대법원 2008. 5. 29., 선고, 2007두18321, 판결].

7. 채용비위 관련자의 합격 등 취소(경찰공무원법 제11조의2)

(1) 경찰청장 또는 해양경찰청장은 누구든지 경찰공무원의 채용과 관련하여 대통령령으로 정하는 비위를 저질러 유죄판결이 확정된 경우에는 그 비위 행위로 인하여 채용시험에 합격하거나 임용된 사람에 대하여 대통령령으로 정하는 바에 따라 합격 또는 임용을 취소할 수 있다.

(2) 경찰청장 또는 해양경찰청장은 (1)에 따른 취소 처분을 하기 전에 미리 그 내용과 사유를 당사자에게 통지하고 소명할 기회를 주어야 한다.

(3) (1)에 따른 취소 처분은 합격 또는 임용 당시로 소급하여 효력이 발생한다.

경찰공무원임용령 제46조의2 【채용 비위 관련자의 합격 등 취소】 ① 법 제11조의2제1항에서 "대통령령으로 정하는 비위"란 법령을 위반하여 채용시험에 개입하거나 채용시험에 부당한 영향을 주는 행위 등 채용시험의 공정성을 해치는 행위를 말한다.
② 경찰청장은 법 제11조의2제1항에 따라 합격 또는 임용을 취소하려는 경우에는 제46조의3제1항에 따른 채용비위심의위원회의 심의를 거쳐야 한다.
③ 경찰청장은 법 제11조의2제2항에 따라 제46조의3제1항에 따른 채용비위심의위원회의 회의를 개최하기 10일 전까지 다음 각 호의 사항을 당사자에게 통지해야 한다.
1. 합격 또는 임용 취소의 내용과 사유
2. 소명 기한
3. 소명 방법
4. 소명하지 않는 경우의 처리 방법
5. 그 밖에 소명에 필요한 사항
④ 경찰청장은 제3항에 따른 통지를 받은 당사자가 같은 항 제2호의 기한까지 정당한 사유 없이 소명하지 않는 경우에는 추가로 소명기회를 주지 않을 수 있다.
제46조의3 【채용비위심의위원회의 설치 등】 ① 법 제11조의2제1항에 따른 합격 또는 임용 취소 여부를 심의하기 위하여 경찰청장 소속으로 채용비위심의위원회(이하 이 조에서 "심의위원회"라 한다)를 둔다.
② 심의위원회는 위원장 1명을 포함하여 5명 이상 8명 이내의 위원으로 성별을 고려하여 구성한다.
③ 심의위원회의 위원장은 경찰청장이 지명하는 소속 공무원으로 한다.
④ 심의위원회의 위원은 다음 각 호의 사람으로 한다.
1. 합격 또는 임용 취소 당사자의 임용계급 또는 임용예정계급보다 상위계급의 경찰공무원(상위계급에 상당하는 공무원 및 고위공무원단에 속하는 공무원을 포함한다) 중에서 경찰청장이 지명하는 사람
2. 인사·법률·노동 분야의 학식과 경험이 풍부한 사람 중에서 경찰청장이 위촉하는 사람

⑤ 심의위원회의 회의는 재적위원 과반수의 찬성으로 의결한다.
⑥ 심의위원회는 심의를 위하여 필요한 경우에는 관계인의 출석, 의견의 제시 또는 증거물의 제출을 요구할 수 있다.
⑦ 제1항부터 제6항까지에서 규정한 사항 외에 심의위원회의 구성 및 운영에 필요한 사항은 경찰청장이 정한다.

03 경찰공무원관계의 변경

1. 의의

경찰공무원관계의 변경이란 경찰공무원으로서의 신분을 유지하면서 경찰공무원관계의 내용의 일부 또는 전부가 일시적 또는 영구적으로 변동되는 것을 말한다. 경찰공무원관계의 변경은 경찰공무원에 대한 임용권자의 일방적 행정행위에 해당한다.

2. 승진

경찰공무원법
제15조【승진】 ① 경찰공무원은 바로 아래 하위계급에 있는 경찰공무원 중에서 근무성적평정, 경력평정, 그 밖의 능력을 실증(實證)하여 승진임용한다.
② 경무관 이하 계급으로의 승진은 승진심사에 의하여 한다. 다만, 경정 이하 계급으로의 승진은 대통령령으로 정하는 비율에 따라 승진시험과 승진심사를 병행할 수 있다.
③ 총경 이하의 경찰공무원에 대해서 대통령령으로 정하는 바에 따라 계급별로 승진대상자 명부를 작성하여야 한다.
④ 경찰공무원의 승진에 필요한 계급별 최저근무연수, 승진 제한에 관한 사항, 그 밖에 승진에 관하여 필요한 사항은 대통령령으로 정한다.

(1) 의의

승진이란 하위직급에서 직무의 책임도와 고난도가 높은 상위직급으로 또는 하위계급에서 상위계급으로 임용되는 것을 말한다.

(2) 종류

승진의 종류에는 심사승진, 시험승진, 특별승진, 근속승진이 있다.

① **심사승진**: 경무관 이하의 계급 중에서 승진대상자 명부(승진시험합격자 제외)의 선순위자순으로 승진심사를 하여 행한다.

② **시험승진**: 경정 이하의 계급 중에서 시험일 현재 승진소요최저근무연수에 달한 자 중에서 성적순에 따라 선발한다.

③ **특별승진(경찰공무원법 제19조)**: 경찰공무원으로서 다음의 어느 하나에 해당되는 사람에 대하여는 1계급 특별승진시킬 수 있다. 다만, 경위 이하의 경찰공무원으로서 모든 경찰공무원의 귀감이 되는 공을 세우고 전사하거나 순직한 사람에 대하여는 2계급 특별승진시킬 수 있다.

㉠ 아래 ⓐ부터 ⓓ까지의 규정 중 어느 하나에 해당되는 사람

> ⓐ **국가공무원법 제40조의4 제1항 제1호에 해당하는 경우**: 공무원 임용령 제35조의2 제1항 제1호에 따른 포상을 받은 사람(경정 이하 계급으로의 승진)
> ⓑ **국가공무원법 제40조의4 제1항 제2호에 해당하는 경우**: 행정 능률을 향상시키고 예산을 절감하는 등 직무수행능력이 탁월하여 경찰행정 발전에 기여한 공이 매우 크다고 소속 기관 등의 장이 인정하는 사람(경감 이하 계급으로의 승진)
> ⓒ **국가공무원법 제40조의4 제1항 제3호에 해당하는 경우**: 공무원 제안 규정에 따른 창안(創案)등급 동상 이상을 받은 사람으로서 경찰행정 발전에 기여한 실적이 뚜렷한 사람(경감 이하 계급으로의 승진)
> ⓓ **국가공무원법 제40조의4 제1항 제4호에 해당하는 경우**: 20년 이상 근속하고 정년 1년 전까지의 기간 중 자진하여 퇴직하는 사람으로서 재직 중 특별한 공적이 있다고 인정되는 사람(치안정감 이하 계급으로의 승진)

㉡ 전사하거나 순직한 사람(치안정감 이하 계급으로의 승진): 전투, 대(對)간첩작전, 그 밖에 이에 준하는 업무수행 중 현저한 공을 세우고 사망하였거나 부상을 입어 사망한 사람 또는 직무수행 중 다른 사람의 모범이 되는 공을 세우고 사망하였거나 부상을 입어 사망한 사람으로 한다.

> **경찰공무원법 제15조의2【전사·순직한 승진후보자의 승진】** 제18조제1항에 따른 승진후보자 명부에 등재된 사람이 승진임용 전에 전사하거나 순직한 경우에는 그 사망일 전날을 승진일로 하여 승진 예정 계급으로 승진한 것으로 본다.

㉢ 직무수행 중 현저한 공적을 세운 사람*

ⓐ 헌신적인 노력으로 간첩 또는 무장공비를 사살하거나 검거한 사람(경감 이하 계급으로의 승진)
ⓑ 국가안전을 해치는 중한 범죄의 주모자를 검거한 사람(경감 이하 계급으로의 승진)
ⓒ 전시·사변 또는 이에 준하는 비상사태에서 위험을 무릅쓰고 헌신·분투하여 사태 진압에 특별한 공을 세운 사람(경감 이하 계급으로의 승진)
ⓓ 살인·강도·조직폭력 등 중한 범죄의 범인 검거에 헌신·분투하여 그 공이 특별히 현저한 사람(경감 이하 계급으로의 승진)
ⓔ 천재지변이나 그 밖의 재난발생시 위험을 무릅쓰고 인명을 구조하거나 재산을 보호한 공이 특별히 현저한 사람(경감 이하 계급으로의 승진)
ⓕ 총리령 또는 행정안전부령으로 정하는 특별경비부서에서 헌신적으로 직무를 수행한 공이 있고, 상위직의 직무수행능력이 있다고 인정되는 사람(경위 이하 계급으로의 승진)

* 이 경우 ⓐ, ⓑ 또는 ⓓ에 해당하는 특별승진대상자에는 첩보 제공 등 공조수사를 하여 사건 해결에 결정적인 기여를 한 사람을 포함한다.

㉣ 특별승진의 실시(경찰공무원 승진임용 규정 제39조): 경찰공무원의 특별승진은 경찰청장이 특히 필요하다고 인정하는 경우에 수시로 실시할 수 있다.

④ 근속승진(경찰공무원법 제16조): 순경에서 4년, 경장에서 5년, 경사에서 6년 6개월, 경위에서 8년 동안 근무시 상위계급으로 승진시키는 것을 말한다.

> **경찰공무원법**
> **제16조【근속승진】** ① 경찰청장 또는 해양경찰청장은 제15조 제2항에도 불구하고 해당 계급에서 다음 각 호의 기간 동안 재직한 사람을 경장, 경사, 경위, 경감으로 각각 근속승진임용할 수 있다. 다만, 인사교류 경력이 있거나 주요 업무의 추진 실적이 우수한 공무원 등 경찰행정 발전에 기여한 공이 크다고 인정되는 경우에는 대통령령으로 정하는 바에 따라 그 기간을 단축할 수 있다.
> 1. 순경을 경장으로 근속승진임용하려는 경우: 해당 계급에서 4년 이상 근속자
> 2. 경장을 경사로 근속승진임용하려는 경우: 해당 계급에서 5년 이상 근속자

3. 경사를 경위로 근속승진임용하려는 경우: 해당 계급에서 6년 6개월 이상 근속자
4. 경위를 경감으로 근속승진임용하려는 경우: 해당 계급에서 8년 이상 근속자

(3) 승진임용 예정 인원결정(경찰공무원 승진임용 규정 제4조)

① **원칙**: 경찰청장은 승진임용 예정 인원을 정할 당시의 실제 결원과 해당 연도 예상 결원을 고려하여 승진임용 예정 인원을 계급별로 정한다. 다만, 경찰청장이 필요하다고 인정하는 경우에는 경과별 또는 직무의 특수성 등을 고려하여 경찰청장이 따로 정하는 분야(이하 '특수분야'라 한다)별로 정할 수 있다.

② **경무관·총경으로의 승진임용 예정 인원결정**: 승진임용 예정 인원 중 경무관으로의 승진임용 예정 인원은 경무관 정원의 25%, 총경으로의 승진임용 예정 인원은 총경 정원의 20%를 초과할 수 없다. 다만, 승진임용 예정 인원이 승진임용 예정 인원을 정할 당시의 실제 결원과 해당 연도 예상 결원을 합한 것보다 적을 경우에는 그 승진임용 예정 인원에 부족한 인원을 더하여 승진임용 예정 인원을 정할 수 있다.

③ **경정 이하 계급으로의 승진임용 예정 인원결정**: 경정 이하 계급으로의 승진임용 예정 인원을 정하는 경우에는 다음 각 호의 구분에 따른 범위에서 특별승진임용 예정 인원을 따로 정할 수 있다. 다만, 제37조 제1항 제1호·제4호 및 같은 조 제3항 제1호·제6호에 해당하는 특별승진의 경우에는 다음 각 호에서 정하는 비율을 초과하여 정할 수 있다.

㉠ **경정으로의 특별승진임용 예정 인원**: 경정으로의 승진임용 예정 인원의 3퍼센트 이내

㉡ **경감 이하 계급으로의 특별승진임용 예정 인원**: 해당 계급으로의 승진임용 예정 인원의 30퍼센트 이내

④ **심사승진과 시험승진을 병행하는 경우**: 경정 이하 경사 이상 계급으로의 승진은 승진심사에 의한 승진(이하 "심사승진"이라 한다)과 승진시험에 의한 승진(이하 "시험승진"이라 한다)을 병행할 수 있다. 이 경우 승진임용 예정 인원은 다음 각 호의 방법에 따라 정한다.

㉠ 계급별로 전체 승진임용 예정 인원에서 위 ③에 따른 특별승진임용 예정 인원을 뺀 인원의 70퍼센트를 심사승진임용 예정 인원으로, 30퍼센트를 시험승진임용 예정 인원으로 한다. 다만, 제1항 단서에 따라 특수분야의 승진임용 예정 인원을 정하는 경우에는 본문에 따른 심사승진임용 예정 인원의 비율과 시험승진임용 예정 인원의 비율을 다르게 정할 수 있다.

경찰공무원 승진임용 규정 부칙 제2조【승진임용 예정 인원 결정 등에 관한 특례】 ① 이 영 시행일부터 2025년 6월 30일까지 경정 이하 경장 이상 계급으로의 승진임용 예정 인원을 정하는 경우에는 제4조제4항의 개정규정에도 불구하고 다음 각 호의 구분에 따라 해당 호에서 정하는 바에 따른다.
1. 2024년 6월 30일까지: 계급별로 전체 승진임용 예정 인원에서 특별승진임용 예정 인원을 뺀 인원의 50퍼센트를 심사승진임용 예정 인원으로, 50퍼센트를 시험승진임용 예정 인원으로 한다.
2. 2025년 6월 30일까지: 계급별로 전체 승진임용 예정 인원에서 특별승진임용 예정 인원을 뺀 인원의 60퍼센트를 심사승진임용 예정 인원으로, 40퍼센트를 시험승진임용 예정 인원으로 한다.

㉡ ㉠에도 불구하고 승진심사를 하기 전에 승진시험을 실시한 경우에 그 최종합격자 수가 시험승진임용 예정 인원보다 적을 때에는 심사승진임용 예정 인원에 그 부족한 인원을 더하여 심사승진임용 예정 인원을 산정한다.

경찰공무원 승진임용 규정
제25조【승진후보자의 승진임용 등】 ① 경찰공무원의 승진임용 시 심사승진후보자와 시험승진후보자가 있을 경우에 승진임용 인원의 70퍼센트를 심사승진후보자로, 30퍼센트를 시험승진후보자로 한다.
② 심사승진임용은 제24조에 따른 심사승진후보자 명부에 기록된 순서에 따라 결원이 있을 때마다 수시로 한다.

경찰공무원 승진임용 규정 부칙 제2조【승진임용 예정 인원 결정 등에 관한 특례】 ② 이 영 시행일부터 2025년 12월 31일까지 경정 이하 경장 이상 계급으로의 승진임용을 하려는 경우에는 제25조제1항의 개정규정에도 불구하고 다음 각 호의 구분에 따라 해당 호에서 정하는 바에 따른다.
1. 2024년 12월 31일까지 : 승진임용 인원의 50퍼센트를 심사승진후보자로, 50퍼센트를 시험승진후보자로 한다.
2. 2025년 12월 31일까지 : 승진임용 인원의 60퍼센트를 심사승진후보자로, 40퍼센트를 시험승진후보자로 한다.

(4) 승진소요 최저근무연수(경찰공무원 승진임용 규정 제5조)

총경은 3년, 경정·경감은 2년, 경위·경사·경장 및 순경은 1년 동안 해당 계급에서 근무하여야 승진할 수 있다.

경찰공무원 승진임용 규정
제5조【승진소요 최저근무연수】 ② 휴직기간, 직위해제기간, 징계처분기간 및 제6조 제1항 제2호에 따른 승진임용 제한기간은 제1항(승진요소 최저근무연수)의 기간에 포함하지 않는다. 다만, 다음 각 호의 기간은 제1항의 기간에 포함한다.
1. 국가공무원법 제71조에 따른 휴직기간 중 다음 각 목의 기간
   가. 공무원재해보상법에 따른 공무상 질병 또는 부상으로 인하여 국가공무원법 제71조 제1항 제1호에 따라 휴직한 경우에 그 휴직기간
   나. 국가공무원법 제71조 제1항 제3호·제5호 또는 같은 조 제2항 제1호에 따라 휴직한 경우에 그 휴직기간
   다. 국가공무원법 제71조 제2항 제2호에 따라 휴직한 경우에 그 휴직기간의 50%에 해당하는 기간
   라. 국가공무원법 제71조 제2항 제4호에 따라 휴직한 경우에 그 휴직기간. 다만, 자녀 1명에 대하여 총 휴직기간이 1년을 넘는 경우에는 최초의 1년으로 하되, 다음의 어느 하나에 해당하는 경우에는 그 휴직기간 전부로 한다.
      1) 첫째 자녀에 대하여 부모가 모두 휴직을 하는 경우로서 각 휴직기간이 공무원 임용령 제31조 제2항 제1호 다목 1)에 따라 인사혁신처장이 정하는 기간 이상인 경우
      2) 둘째 자녀 이후에 대하여 휴직을 하는 경우
2. 다음 각 목의 어느 하나에 해당하는 경우에 그 직위해제기간
   가. 국가공무원법 제73조의3 제1항 제3호에 따라 직위해제처분을 받은 사람에 대한 징계의결 요구에 대하여 관할 징계위원회가 징계하지 아니하기로 의결한 경우와 해당 직위해제처분의 사유가 된 징계처분이 소청심사위원회의 결정 또는 법원의 판결에 따라 무효 또는 취소로 확정된 경우
   나. 국가공무원법 제73조의3 제1항 제4호에 따라 직위해제처분을 받은 사람의 처분사유가 된 형사사건이 법원의 판결에 따라 무죄로 확정된 경우
   다. 국가공무원법 제73조의3 제1항 제6호에 따라 직위해제처분을 받은 사람의 처분사유가 된 비위행위(이하 '비위행위'라 한다)가 1) 및 2)에 모두 해당하는 경우
      1) 비위행위에 대한 징계절차와 관련하여 다음의 어느 하나에 해당하는 경우
         가) 경찰기관의 장이 경찰공무원 징계령 제9조에 따른 징계의결 요구를 하지 않기로 한 경우
         나) 해당 경찰공무원에 대한 징계의결 요구에 대하여 관할 징계위원회가 징계하지 않기로 의결한 경우
         다) 징계처분이 소청심사위원회의 결정이나 법원의 판결에 따라 무효 또는 취소로 확정된 경우
      2) 비위행위에 대한 조사 또는 수사 결과가 다음의 어느 하나에 해당하는 경우
         가) 형사사건에 해당하지 않는 경우
         나) 사법경찰관이 불송치를 하거나 검사가 불기소를 한 경우. 다만, 형사소송법 제247조에 따라 공소를 제기하지 않는 경우와 불송치 또는 불기소를 했으나 해당 사건이 다시 수사 및 기소되어 법원의 판결에 따라 유죄가 확정된 경우는 제외한다.
         다) 형사사건으로 기소되거나 약식명령이 청구된 사람이 법원의 판결에 따라 무죄로 확정된 경우

③ 경찰대학을 졸업하고 경위로 임용된 사람이 의무경찰대 설치 및 운영에 관한 법률 제2조의3 제2항에 따라 의무경찰대의 대원으로 복무한 기간은 제1항의 기간에 포함하지 아니한다.
④ 법 제10조 제3항 제4호에 따라 경찰공무원으로 채용된 사람이 채용 전에 5급 이상 공무원(이에 상응하는 특정직공무원을 포함한다)으로 5년 이상 근무한 경우에는 그 기간의 20%에 해당하는 기간을 채용 당시의 계급에서 근무한 것으로 보아 제1항의 기간에 포함한다.

(5) 승진임용의 제한사유(경찰공무원 승진임용 규정 제6조)

① 다음의 어느 하나에 해당하는 경찰공무원은 승진임용될 수 없다.

㉠ 징계의결 요구, 징계처분, 직위해제, 휴직(공무원재해보상법에 따른 공무상 질병 또는 부상으로 인하여 국가공무원법 제71조 제1항 제1호에 따라 휴직한 사람을 제37조 제1항 제4호 또는 같은 조 제2항에 따라 특별승진임용하는 경우는 제외한다) 또는 시보임용기간 중에 있는 사람

㉡ 징계처분의 집행이 끝난 날부터 다음의 구분에 따른 기간(국가공무원법 제78조의2 제1항 각 호의 어느 하나에 해당하는 사유로 인한 징계처분과 소극행정, 음주운전(음주측정에 응하지 않은 경우를 포함한다), 성폭력, 성희롱 및 성매매에 따른 징계처분의 경우에는 각각 6개월을 더한 기간)이 지나지 아니한 사람

ⓐ 강등 · 정직: 18개월

ⓑ 감봉: 12개월

ⓒ 견책: 6개월

㉢ 징계에 관하여 경찰공무원과 다른 법령을 적용받는 공무원으로 재직하다가 경찰공무원으로 임용된 사람으로서 종전의 신분에서 징계처분을 받고 그 징계처분의 집행이 끝난 날부터 다음의 구분에 따른 기간이 지나지 아니한 사람

ⓐ 강등: 18개월

ⓑ 근신 · 영창 또는 그 밖에 이와 유사한 징계처분: 6개월

㉣ 법 제30조 제3항에 따라 계급정년이 연장된 사람

② 승진임용 제한기간 중에 있는 사람이 다시 징계처분을 받은 경우 승진임용 제한기간은 전(前) 처분에 대한 승진임용 제한기간이 끝난 날부터 계산하고, 징계처분으로 승진임용 제한기간 중에 있는 사람이 휴직하거나 직위해제처분을 받는 경우 징계처분에 따른 남은 승진임용 제한기간은 복직일부터 계산한다.

(6) 승진임용 제한기간의 단축(경찰공무원 승진임용 규정 제6조)

경찰공무원이 징계처분을 받은 후 해당 계급에서 다음의 포상을 받은 경우에는 승진임용 제한기간의 2분의 1을 단축할 수 있다.

① 훈장

② 포장

③ 모범공무원 포상

④ 대통령표창 또는 국무총리표창

⑤ 제안이 채택 · 시행되어 받은 포상

(7) 승진후보자 명부(경찰공무원법 제18조)

① 경찰청장 또는 해양경찰청장(제7조 제3항 및 제4항에 따라 임용권을 위임받은 자를 포함한다)은 제15조 제2항에 따른 승진시험에 합격한 사람과 제17조 제2항에 따라 승진후보자로 선발된 사람을 대통령령으로 정하는 바에 따라 승진후보자 명부에 등재하여야 한다. 경무관 이하 계급으로의 승진은 승진후보자 명부의 등재 순위에 따른다.

② 승진후보자 명부의 유효기간과 작성 및 운영에 관하여는 채용후보자 명부에 관한 규정을 준용한다.

(8) 승진심사위원회의 구성

구분	중앙승진심사위원회	보통승진심사위원회
설치	경찰청	경찰청 및 각 하부 경찰기관
심사대상	총경, 경무관	경정 이하
구성	위원장을 포함하여 5~7인으로 구성되며, 위원은 회의소집일 전에 승진심사대상자보다 상위의 계급인 경찰공무원 중에서 경찰청장이 임명하며, 위원장은 위원 중 최상위계급 또는 선임 경찰공무원이 된다.	위원장을 포함하여 5~7인으로 구성되며, 위원은 소속 기관의 경위 이상으로 한다.

중앙승진심사위원회의 회의는 경찰청장이 소집하며, 보통승진심사위원회의 회의는 당해 경찰기관의 장이 경찰청장의 승인을 얻어 소집한다. 재적위원 과반수의 찬성으로 의결하며 승진심사위원회의 회의는 비공개로 한다.

Add

대우공무원 제도

경찰공무원 승진임용 규정

제43조【대우공무원의 선발 등】 ① 임용권자나 임용제청권자는 소속 경찰공무원 중 해당 계급에서 제5조에 따른 승진소요 최저근무연수 이상 근무하고 승진임용 제한사유가 없는 근무실적 우수자를 바로 위 계급의 대우공무원(이하 '대우공무원'이라 한다)으로 선발할 수 있다.

② 대우공무원 선발에 필요한 사항은 행정안전부령으로 정한다.

③ 대우공무원에게는 공무원수당 등에 관한 규정에서 정하는 바에 따라 수당을 지급할 수 있다.

경찰공무원 승진임용 규정 시행규칙

제35조【대우공무원 선발을 위한 근무기간】 ① 영 제43조 제1항에 따라 대우공무원으로 선발되기 위해서는 영 제5조 제1항에 따른 승진소요 최저근무연수가 지난 총경 이하 경찰공무원으로서 해당 계급에서 다음 각 호의 구분에 따른 기간 동안 근무하여야 한다. 다만, 국정과제를 담당하여 높은 성과를 내거나 적극적인 업무수행으로 경찰공무원의 업무행태 개선에 기여하는 등 직무수행능력이 탁월하고 경찰행정 발전에 공헌을 했다고 경찰청장 또는 소속 기관 등의 장이 인정하는 경우에는 그 기간을 1년 단축할 수 있다.

1. 총경·경정: 7년 이상
2. 경감 이하: 5년 이상

② 제1항에 따른 근무기간의 산정은 영 제5조 제2항, 제4항부터 제8항까지 및 이 규칙 제3조 제2항에 따른다. 이 경우 제3조 제2항에 따라 근무기간을 산정할 때에는 재임용된 계급 이상에 해당하는 퇴직 전의 재직기간은 현재 계급의 재직기간과 합하여 근무기간에 산입하되, 제36조 제1항에 따른 대우공무원 발령 기준일(매월 1일을 말한다) 전 10년 이내의 재직기간만 산입한다.

제36조【대우공무원의 선발 절차 및 시기】 ① 임용권자 또는 임용제청권자는 매월 말 5일 전까지 대우공무원 발령일을 기준으로 대우공무원 선발요건을 충족하는 대상자를 결정하여야 하고, 그 다음 달 1일에 일괄하여 대우공무원으로 발령하여야 한다.

② 제1항에 따른 대우공무원의 발령사항은 인사기록카드에 적어야 한다.

제37조【대우공무원수당의 지급】 ① 대우공무원으로 선발된 경찰공무원에게는 공무원수당 등에 관한 규정에 따라 대우공무원수당을 지급한다.

② 대우공무원이 징계 또는 직위해제 처분을 받거나 휴직하여도 대우공무원수당은 계속 지급한다. 다만, 공무원수당 등에 관한 규정에서 정하는 바에 따라 대우공무원수당을 줄여 지급한다.

③ 대우공무원의 선발 또는 수당 지급에 중대한 착오가 발생한 경우 임용권자 또는 임용제청권자는 이를 정정하여 대우공무원 발령을 하고 대우공무원수당을 소급하여 지급할 수 있다.

제38조【대우공무원의 자격 상실】 대우공무원이 다음 각 호의 어느 하나에 해당하는 경우 그 해당일에 대우공무원의 자격은 별도 조치 없이 당연히 상실된다.

1. 상위계급으로 승진임용되는 경우: 승진임용일
2. 강등되는 경우: 강등일

3. 전보

(1) 의의(경찰공무원 임용령 제26조)

전보란 같은 직급 내에서의 보직 변경 또는 고위공무원단 직위간의 보직 변경을 말한다. 임용권자 또는 임용제청권자는 장기근무 또는 잦은 전보로 인한 업무 능률 저하를 방지하기 위하여 특별한 사정이 없으면 정기적으로 전보를 실시하여야 한다.

(2) 전보의 제한(경찰공무원 임용령 제27조)

임용권자 또는 임용제청권자는 소속 경찰공무원이 해당 직위에 임용된 날부터 1년 이내(감사업무를 담당하는 경찰공무원의 경우에는 2년 이내)에 다른 직위에 전보할 수 없다.

(3) 전보제한의 예외사유(경찰공무원 임용령 제27조)

① 다음의 어느 하나에 해당하는 경우에는 전보의 제한규정을 적용하지 아니한다.

ⓐ 직제상 최저단위인 보조기관 또는 보좌기관 내에서 전보하는 경우

ⓑ 경찰청과 소속 기관 등 또는 소속 기관 등 상호간의 교류를 위하여 전보하는 경우

ⓒ 기구의 개편, 직제 또는 정원의 변경으로 해당 경찰공무원을 전보하는 경우

ⓓ 승진임용된 경찰공무원을 전보하는 경우

ⓔ 전문직위로 경찰공무원을 전보하는 경우

ⓕ 징계처분을 받은 경우

ⓖ 형사사건에 관련되어 수사기관에서 조사를 받고 있는 경우

ⓗ 경찰공무원으로서의 품위를 크게 손상하는 비위(非違)로 인한 감사 또는 조사가 진행 중이어서 해당 직위를 유지하는 것이 부적절하다고 판단되는 경찰공무원을 전보하는 경우

ⓘ 경찰기동대 등 경비부서에서 정기적으로 교체하는 경우

ⓙ 교육훈련기관의 교수요원으로 보직하는 경우

ⓚ 시보임용 중인 경우

ⓛ 신규채용된 경찰공무원을 해당 계급의 보직관리기준에 따라 전보하는 경우 및 이와 관련한 전보의 경우

ⓜ 감사담당 경찰공무원 가운데 부적격자로 인정되는 경우

ⓝ 경정 이하의 경찰공무원을 배우자 또는 직계존속이 거주하는 시 · 군 · 자치구 지역의 경찰기관으로 전보하는 경우

ⓞ 임신 중인 경찰공무원 또는 출산 후 1년이 지나지 않은 경찰공무원의 모성보호, 육아 등을 위하여 필요한 경우

② 경찰공무원법 제22조 제2항에 따른 교육훈련기관의 교수요원으로 임용된 사람은 그 임용일부터 1년 이상 3년 이하의 범위에서 경찰청장이 정하는 기간 안에는 다른 직위에 전보할 수 없다. 다만, 기구의 개편, 직제 · 정원의 변경이나 교육과정의 개편 또는 폐지가 있거나 교수요원으로서 부적당하다고 인정될 때에는 그렇지 않다.

③ 경찰공무원법 제10조 제3항 제5호에 따라 채용된 경찰공무원은 그 채용일부터 5년의 범위에서 경찰청장이 정하는 기간(휴직기간, 직위해제기간 및 정직기간은 포함하지 않는다) 안에는 채용조건에 해당하는 기관 또는 부서 외의 기관 또는 부서로 전보할 수 없다.

④ 다음의 어느 하나에 해당하는 임용은 위 (2)에 따른 전보제한기간을 계산할 때에는 새로운 임용으로 보지 아니한다.

㉠ 직제상의 최저단위인 보조기관 또는 보좌기관 내에서의 전보
㉡ 승진 또는 강등 임용
㉢ 시보임용 중인 경찰공무원을 정규 경찰공무원으로 임용하는 경우
㉣ 기구의 개편, 직제 또는 정원의 변경에 따라 담당직무의 변경 없이 소속·직위만을 변경하여 재발령하는 경우의 그 임용. 다만, 담당직무의 변경이 없는 경우에 한한다.

4. 파견(국가공무원법 제32조의4)

(1) 의의

파견이란 업무수행 또는 그와 관련된 행정지원이나 연수, 기타 능력개발 등을 위하여 공무원을 다른 기관으로 일정한 기간 이동시켜 근무하게 하는 것을 말한다.

(2) 파견사유 및 기간(공무원임용령 제41조)

각 행정기관의 장은 다음의 어느 하나에 해당하는 경우에는 소속공무원을 파견할 수 있다.

파견사유	기간	비고
① 국가기관 외의 기관·단체에서 국가적 사업을 수행하기 위하여 특히 필요한 경우 ② 다른 기관의 업무 폭주로 인한 행정지원의 경우 ③ 사무의 소관이 명백하지 아니하거나 관련 기관간의 긴밀한 협조가 필요한 특수업무를 공동수행하기 위하여 필요한 경우	2년 이내	필요한 경우에는 총 파견기간이 5년을 초과하지 않는 범위에서 파견기간을 연장할 수 있다.
④ 공무원 인재개발법에 따른 소속 공무원의 교육훈련을 위하여 필요한 경우	교육훈련을 위하여 필요한 기간	
⑤ 공무원 인재개발법에 따른 공무원교육훈련기관의 교수요원으로 선발되거나 그 밖에 교육훈련 관련 업무수행을 위하여 필요한 경우	1년 이내	필요한 경우에는 총 파견기간이 2년을 초과하지 않는 범위에서 파견기간을 연장할 수 있다.
⑥ 국제기구, 외국의 정부 또는 연구기관에서 업무수행 및 능력개발을 위하여 필요한 경우	업무수행 및 능력개발을 위하여 필요한 기간	
⑦ 국내의 연구기관, 민간기관 및 단체에서의 관련 업무수행·능력개발이나 국가정책수립과 관련된 자료수집 등을 위하여 필요한 경우	2년 이내	필요한 경우에는 총 파견기간이 5년을 초과하지 않는 범위에서 파견기간을 연장할 수 있다.

5. 휴직(국가공무원법 제71조)

(1) 의의

휴직은 경찰공무원의 신분을 보유하면서 일정기간 직무를 담당하지 않는 것으로 직권휴직과 의원휴직이 있다.

(2) 직권휴직

공무원이 다음의 어느 하나에 해당하면 임용권자는 본인의 의사에도 불구하고 휴직을 명하여야 한다.

직권휴직사유	내용
① **신체 · 정신상의 장애로 장기 요양이 필요할 때**	1년 이내로 하되, 부득이한 경우 1년의 범위에서 연장할 수 있다. 다만, 일정한 공무상 질병 또는 부상으로 인한 휴직기간은 3년 이내로 하되, 의학적 소견 등을 고려하여 대통령령등으로 정하는 바에 따라 2년의 범위에서 연장할 수 있다.
② **병역법에 따른 병역 복무를 마치기 위하여 징집 또는 소집된 때**	그 복무기간이 끝날 때까지로 한다.
③ **천재지변이나 전시 · 사변, 그 밖의 사유로 생사(生死) 또는 소재(所在)가 불명확하게 된 때**	3개월 이내로 한다[경찰공무원의 휴직기간은 법원의 실종선고를 받는 날까지로 한다(경찰공무원법 제23조)].
④ **그 밖에 법률의 규정에 따른 의무를 수행하기 위하여 직무를 이탈하게 된 때**	그 복무기간이 끝날 때까지로 한다.
⑤ **공무원의 노동조합 설립 및 운영 등에 관한 법률 제7조에 따라 노동조합 전임자로 종사하게 된 때**	그 전임기간으로 한다.

(3) 의원휴직

임용권자는 공무원이 다음의 어느 하나에 해당하는 사유로 휴직을 원하면 휴직을 명할 수 있다. 다만, ④의 경우에는 대통령령으로 정하는 특별한 사정이 없으면 휴직을 명하여야 하며, 본 사유로 인한 휴직을 이유로 인사에 불리한 처우를 하여서는 아니 된다.

의원휴직사유	내용
① **국제기구, 외국기관, 국내외의 대학 · 연구기관, 다른 국가기관 또는 대통령령으로 정하는 민간기업, 그 밖의 기관에 임시로 채용될 때**	그 채용기간으로 한다. 다만, 민간기업이나 그 밖의 기관에 채용되면 3년 이내로 한다.
② **국외 유학을 하게 된 때**	3년 이내로 하되, 부득이한 경우에는 2년의 범위에서 연장할 수 있다.
③ **중앙인사관장기관의 장이 지정하는 연구기관이나 교육기관 등에서 연수하게 된 때**	2년 이내로 한다.
④ **만 8세 이하 또는 초등학교 2학년 이하의 자녀를 양육하기 위하여 필요하거나 여성공무원이 임신 또는 출산하게 된 때**	자녀 1명에 대하여 3년 이내로 한다.
⑤ **조부모, 부모(배우자의 부모를 포함한다), 배우자, 자녀 또는 손자녀를 부양하거나 돌보기 위하여 필요한 경우. 다만, 조부모나 손자녀의 돌봄을 위하여 휴직할 수 있는 경우는 본인 외에 돌볼 사람이 없는 등 대통령령등으로 정하는 요건을 갖춘 경우로 한정한다.**	1년 이내로 하되, 재직기간 중 총 3년을 넘을 수 없다.

⑥ **외국에서 근무 · 유학 또는 연수하게 되는 배우자를 동반하게 된 때**	3년 이내로 하되, 부득이한 경우에는 2년의 범위에서 연장할 수 있다.
⑦ **대통령령 등으로 정하는 기간 동안 재직한 공무원이 자기개발을 위하여 대통령령 등으로 정하는 학습 · 연구 등을 하게 된 때**	1년 이내로 한다.

(4) 휴직의 효력(국가공무원법 제73조)

① 휴직 중인 공무원은 신분은 보유하나 직무에 종사하지 못한다.

② 휴직기간 중 그 사유가 없어지면 30일 이내에 임용권자 또는 임용제청권자에게 신고하여야 하며, 임용권자는 지체 없이 복직을 명하여야 한다.

③ 휴직기간이 끝난 공무원이 30일 이내에 복귀 신고를 하면 당연히 복직된다.

(5) 휴직기간 중의 봉급 감액(공무원보수규정 제28조)

① 국가공무원법 제71조 제1항 제1호(신체 · 정신상의 장애로 장기요양이 필요할 때)에 따라 휴직한 공무원에게는 다음의 구분에 따라 봉급(외무공무원의 경우에는 휴직 직전의 봉급을 말한다)의 일부를 지급한다. 다만, 공무상 질병 또는 부상으로 휴직한 경우에는 그 기간 중 봉급 전액을 지급한다.
㉠ 휴직기간이 1년 이하인 경우: 봉급의 70%
㉡ 휴직기간이 1년 초과 2년 이하인 경우: 봉급의 50%

② 외국유학 또는 1년 이상의 국외연수를 위하여 휴직한 공무원에게는 그 기간 중 봉급의 50%를 지급할 수 있다. 이 경우 교육공무원을 제외한 공무원에 대한 지급기간은 2년을 초과할 수 없다.

③ 국가공무원법 제47조 제3항에 따라 각급 행정기관의 장은 소속 공무원이 휴직 목적과 달리 휴직을 사용한 경우에는 위 ① 및 ②에 따라 받은 봉급에 해당하는 금액을 징수하여야 한다.

④ 위 ① 및 ②에 규정되지 않은 휴직의 경우에는 봉급을 지급하지 아니한다.

6. 직위해제(국가공무원법 제73조의3)

(1) 의의

① 직위해제란 직위를 계속 유지시킬 수 없는 사유가 발생한 경우에 임용권자가 직위를 부여하지 아니하는 것을 말하며, 직위해제는 휴직과 달리 본인의 무능력 등으로 인한 제재적 성격을 가지는 보직의 해제에 해당한다.

② 직위해제는 경찰공무원관계의 소멸이 아닌 변경에 해당(경찰공무원의 신분을 유지)하므로 직위해제 후 징계도 가능하다.

(2) 직위해제의 사유

국가공무원법
제73조의3 【직위해제】 ① 임용권자는 다음 각 호의 어느 하나에 해당하는 자에게는 직위를 부여하지 아니할 수 있다.
1. 삭제 〈1973.2.5〉
2. 직무수행 능력이 부족하거나 근무성적이 극히 나쁜 자
3. 파면 · 해임 · 강등 또는 정직에 해당하는 징계의결이 요구 중인 자
4. 형사사건으로 기소된 자(약식명령이 청구된 자는 제외한다)
5. 고위공무원단에 속하는 일반직공무원으로서 제70조의2 제1항 제2호부터 제5호까지의 사유로 적격심사를 요구받은 자

6. 금품비위, 성범죄 등 대통령령으로 정하는 비위행위로 인하여 감사원 및 검찰·경찰 등 수사기관에서 조사나 수사 중인 자로서 비위의 정도가 중대하고 이로 인하여 정상적인 업무수행을 기대하기 현저히 어려운 자

① 위 제73조의3 제1항에 따라 직위를 부여하지 아니한 경우에 그 사유가 소멸되면 임용권자는 지체 없이 직위를 부여하여야 한다.

② 임용권자는 위 제73조의3 제1항 제2호에 따라 직위해제된 자에게 3개월의 범위에서 대기를 명한다.

③ 임용권자 또는 임용제청권자는 대기명령을 받은 자에게 능력 회복이나 근무성적의 향상을 위한 교육훈련 또는 특별한 연구과제의 부여 등 필요한 조치를 하여야 한다.

④ 공무원에 대하여 위 제73조의3 제1항 제2호의 직위해제사유와 같은 항 제3호·제4호 또는 제6호의 직위해제사유가 경합(競合)할 때에는 같은 항 제3호·제4호 또는 제6호의 직위해제처분을 하여야 한다.

(3) 직위해제기간 중의 봉급 감액(공무원보수규정 제29조)

직위해제된 사람에게는 다음의 구분에 따라 봉급(외무공무원의 경우에는 직위해제 직전의 봉급을 말한다)의 일부를 지급한다.

① 국가공무원법 제73조의3 제1항 제2호, 교육공무원법 제44조의2 제1항 제1호 또는 군무원인사법 제29조 제1항 제1호에 따라 직위해제된 사람: 봉급의 80%

② 국가공무원법 제73조의3 제1항 제5호에 따라 직위해제된 사람: 봉급의 70%. 다만, 직위해제일부터 3개월이 지나도 직위를 부여받지 못한 경우에는 그 3개월이 지난 후의 기간 중에는 봉급의 40%를 지급한다.

③ 국가공무원법 제73조의3 제1항 제3호·제4호 또는 제6호, 교육공무원법 제44조의2 제1항 제2호부터 제4호까지 또는 군무원인사법 제29조 제1항 제2호부터 제4호까지의 규정에 따라 직위해제된 사람: 봉급의 50%. 다만, 직위해제일부터 3개월이 지나도 직위를 부여받지 못한 경우에는 그 3개월이 지난 후의 기간 중에는 봉급의 30%를 지급한다.

(4) 직위해제의 효력

직위해제가 된 때에는 직무에 종사하지 못하며 출근의무도 없다. 직위해제사유가 소멸된 때에는 임용권자는 지체 없이 직위를 부여하여야 하며, 능력 또는 근무성적의 향상을 기대하기 어렵다고 인정된 때에는 징계위원회의 동의를 얻어 직권면직이 가능하다. 그러므로 직위가 해제된 자의 경우 복직이 보장되는 것은 아니다.

7. 정직(국가공무원법 제80조 제3항)

정직은 1개월 이상 3개월 이하의 기간으로 하고, 정직처분을 받은 자는 그 기간 중 공무원의 신분은 보유하나 직무에 종사하지 못하며 보수는 전액을 감한다.

8. 강등(국가공무원법 제80조 제1항)

강등은 1계급 아래로 직급을 내리고(고위공무원단에 속하는 공무원은 3급으로 임용하고, 연구관 및 지도관은 연구사 및 지도사로 한다) 공무원신분은 보유하나 3개월간 직무에 종사하지 못하며 그 기간 중 보수는 전액을 감한다. 다만, 동법 제4조 제2항에 따라 계급을 구분하지 아니하는 공무원과 임기제공무원에 대해서는 강등을 적용하지 아니한다.

9. 복직

복직이란 휴직・직위해제 또는 정직(강등에 따른 정직을 포함한다) 중에 있는 경찰공무원을 직위에 복귀시키는 것을 말한다.

04 경찰공무원관계의 소멸

1. 의의

(1) 경찰공무원관계의 소멸이란 경찰공무원으로서의 신분을 상실하는 것을 말한다. 공무원신분의 소멸은 법정주의의 원칙에 따라 법이 정하거나 허용하는 일정한 요건과 형식에 따라서만 허용된다.

(2) 신분관계의 소멸에 대하여 행정소송으로 다툴 수 있는지 여부에 대해서는 징계처분에 의한 신분 소멸의 경우는 물론이고 직권면직 등에 의한 경찰공무원 관계의 소멸의 경우에도 행정소송을 통하여 구제받을 수 있다. 그러나 당연퇴직의 경우 처분성이 부정되므로 행정쟁송의 대상에서 제외된다.

2. 퇴직

퇴직이란 일정한 법정사유의 발생에 따라 별도의 행위(임용권자의 의사표시・처분)를 기다릴 것 없이 당연히 경찰공무원의 신분을 상실하는 것을 말한다. 퇴직발령은 임용권자의 처분에 의한 것이 아니라 일정한 사유의 발생을 원인으로 하여 퇴직된 사실을 알리는 관념의 통지에 불과하므로 퇴직을 행정쟁송으로 다툴 수는 없다.

(1) 당연퇴직(경찰공무원법 제27조)

경찰공무원이 임용자격 및 결격사유(경찰공무원법 제8조 제2항 각 호)의 어느 하나에 해당하게 된 경우에는 당연히 퇴직한다. 다만, 같은 항 제4호는 파산선고를 받은 사람으로서 채무자 회생 및 파산에 관한 법률에 따라 신청기한 내에 면책신청을 하지 아니하였거나 면책불허가 결정 또는 면책취소가 확정된 경우만 해당하고, 같은 항 제6호는 형법 제129조부터 제132조까지(수뢰・사전수뢰, 제삼자뇌물제공, 수뢰후부정처사・사후수뢰, 알선수뢰), 성폭력범죄의 처벌 등에 관한 특례법 제2조, 아동・청소년의 성보호에 관한 법률 제2조 제2호 및 직무와 관련하여 형법 제355조(횡령, 배임) 또는 제356조(업무상의 횡령과 배임)에 규정된 죄를 범한 사람으로서 자격정지 이상의 형의 선고유예를 받은 경우만 해당한다.

(2) 사망(경찰공무원 임용령 제5조)

사망으로 인한 면직은 사망한 다음 날에 면직된 것으로 본다.

(3) 정년(경찰공무원법 제30조)

경찰공무원의 정년은 연령정년과 계급정년으로 구분할 수 있다.

① **연령정년**: 경찰공무원의 연령정년은 60세로 한다.

② **계급정년**: 치안감은 4년, 경무관은 6년, 총경 11년, 경정은 14년을 계급정년으로 한다.

㉠ 징계로 인하여 강등(경감으로 강등된 경우를 포함한다)된 경찰공무원의 계급정년

ⓐ 강등된 계급의 계급정년은 강등되기 전 계급 중 가장 높은 계급의 계급정년으로 한다.

ⓑ 계급정년을 산정할 때에는 강등되기 전 계급의 근무연수와 강등 이후의 근무연수를 합산한다.

㉡ 계급정년의 연장

ⓐ 수사, 정보, 외사, 안보, 자치경찰사무 등 특수 부문에 근무하는 경찰공무원으로서 대통령령으로 정하는 바에 따라 지정을 받은 사람은 총경 및 경정의 경우에는 4년의 범위에서 대통령령으로 정하는 바에 따라 계급정년을 연장할 수 있다.

ⓑ 경찰청장 또는 해양경찰청장은 전시 · 사변이나 그 밖에 이에 준하는 비상사태에서는 2년의 범위에서 위 ②에 따른 계급정년을 연장할 수 있다. 이 경우 경무관 이상의 경찰공무원에 대해서는 행정안전부장관 또는 해양수산부장관과 국무총리를 거쳐 대통령의 승인을 받아야 하고, 총경 · 경정의 경찰공무원에 대해서는 국무총리를 거쳐 대통령의 승인을 받아야 한다.

③ 퇴직일: 경찰공무원은 그 정년이 된 날이 1월에서 6월 사이에 있으면 6월 30일에 당연퇴직하고, 7월에서 12월 사이에 있으면 12월 31일에 당연퇴직한다.

Add

계급정년을 산정할 때 자치경찰공무원으로 근무한 경력이 있는 경찰공무원의 경우에는 그 계급에 상응하는 자치경찰공무원으로 근무한 연수(年數)를 산입한다.

3. 면직

(1) 의원면직

① 의의: 의원면직이란 경찰공무원의 사의표시에 의하여 경찰공무원관계를 소멸시키는 것을 말한다. 즉, 경찰공무원의 의사표시를 전제로 하여 임용권자가 그 처분으로 경찰공무원관계를 소멸시키는 것이다.

② 효력발생시기: 의원면직의 경우 면직의 효과는 사직의 의사표시가 있은 때가 아니라 서면에 의한 사직서를 임용권자가 승인(수리)한 때부터 발생한다. 그러므로 임명권자의 승인 전까지는 공무원 관계가 유지되므로 사직서를 제출하더라도 수리 전에 무단결근을 한 경우에는 징계 및 형사처벌사유에 해당하게 된다.

판례

1. **본인의 의사에 기초하지 않은 사직원의 제출(의원면직처분취소)**
   사직서의 제출이 감사기관이나 상급관청 등의 강박에 의한 경우에는 그 정도가 의사결정의 자유를 박탈할 정도에 이른 것이라면 그 의사표시가 무효로 될 것이고, 그렇지 않고 의사결정의 자유를 제한하는 정도에 그친 경우라면 그 성질에 반하지 아니하는 한 의사표시에 관한 민법 제110조의 규정을 준용하여 그 효력을 따져보아야 할 것이나, 감사담당 직원이 당해 공무원에 대한 비리를 조사하는 과정에서 사직하지 아니하면 징계파면이 될 것이고 또한 그렇게 되면 퇴직금 지급상의 불이익을 당하게 될 것이라는 등의 강경한 태도를 취하였다고 할지라도 그 취지가 단지 비리에 따른 객관적 상황을 고지하면서 사직을 권고 · 종용한 것에 지나지 않고 위 공무원이 그 비리로 인하여 징계파면이 될 경우 퇴직금 지급상의 불이익을 당하게 될 것 등 여러 사정을 고려하여 사직서를 제출한 경우라면 그 의사결정이 의원면직처분의 효력에 영향을 미칠 하자가 있었다고는 볼 수 없다(대판 1997.12.12, 97누13962).
2. **이른바 1980년의 공직자숙정계획의 일환으로 일괄사표의 제출과 선별수리의 형식으로 공무원에 대한 의원면직처분이 이루어진 경우 그 효력 유무**
   이른바 1980년의 공직자숙정계획의 일환으로 일괄사표의 제출과 선별수리의 형식으로 공무원에 대한 의원면직처분이 이루어진 경우, 사직원 제출행위가 강압에 의하여 의사결정의 자유를 박탈당한 상태에서 이루어진 것이라고 할 수 없고 민법상 비진의 의사표시의 무효에 관한 규정은 사인의 공법행위에 적용되지 않는다는 등의 이유로 그 의원면직처분을 당연무효라고 할 수 없다(대판 2000.11.14, 99두5481).

> **3. 공무원의 사직 의사표시의 철회 또는 취소가 허용되는 시한(= 의원면직처분시)**
> 공무원이 한 사직 의사표시의 철회나 취소는 그에 터잡은 의원면직처분이 있을 때까지 할 수 있는 것이고, **일단 면직처분이 있고 난 이후에는 철회나 취소할 여지가 없다**(대판 2001.8.24, 99두9971).

(2) 직권면직

① 의의: 직권면직이란 법정의 사유가 발생한 경우 본인의 의사 여부에 관계없이 임용권자가 직권으로 경찰공무원의 신분을 소멸시키는 것을 말한다. 본인의 면직의사에 기초하지 않는다는 점에서 의원면직과 차이가 있다.

② 직권면직의 사유(경찰공무원법 제28조)

객관적 사유 (징계위원회의 동의를 요하지 않는 직권면직의 사유)	ⓐ 직제와 정원의 개폐 또는 예산의 감소 등에 의하여 폐직 또는 과원이 되었을 때 ⓑ 휴직기간이 끝나거나 휴직사유가 소멸된 후에도 직무에 복귀하지 아니하거나 직무를 감당할 수 없을 때(사안의 경우 직권면직일은 휴직기간의 만료일이나 휴직사유의 소멸일로 한다) ⓒ 당해 경과에서 직무를 수행하는 데 필요한 자격증의 효력이 없어지거나 면허가 취소되어 담당직무를 수행할 수 없게 된 때
주관적 사유 (징계위원회의 동의를 요하는 직권면직의 사유)	ⓐ 직위해제로 인하여 대기명령을 받은 자가 그 기간 중 능력의 향상 또는 근무성적의 향상을 기대하기 어렵다고 인정한 때 ⓑ **경찰공무원으로서 부적합할 정도로 직무수행능력 또는 성실성이 현저히 결여된 자로서 다음의 경우** ㉮ 지능저하 또는 판단력의 부족으로 경찰업무를 감당할 수 없는 경우 ㉯ 책임감의 결여로 직무수행에 성의가 없고 위험한 직무에 당하여 고의로 직무수행을 기피 또는 포기한 경우 ⓒ **직무수행에 있어서 위험을 일으킬 우려가 있을 정도의 성격 또는 도덕적 결함이 있는 자로서 다음의 경우** ㉮ 인격장애, 알코올·약물중독 그 밖의 정신장애로 인하여 경찰업무를 감당할 수 없는 경우 ㉯ 사행행위 또는 재산의 낭비로 인한 채무과다, 기타 불순한 이성관계 등 도덕적 결함이 현저하여 타인의 비난을 받는 경우

③ 직권면직의 효력

㉠ 직권면직은 경찰공무원 본인의 의사와는 관계없이 임용권자의 일방적인 의사에 기초한 처분에 의하여 경찰공무원신분을 박탈하는 것이며, 경찰공무원에 대하여 면직처분을 행할 때에는 그 처분권자 또는 처분제청권자는 처분의 사유를 기재한 설명서를 교부하여야 한다.

㉡ 처분사유설명서의 교부는 직권면직처분의 효력발생 이전에 직권면직처분을 받은 사람이 소청심사위원회에 소청을 청구할 수 있는 기회를 부여하므로 사전적 구제절차로서의 의의를 갖는다.

(3) 징계면직(강제면직)

① 징계면직은 공무원이 공무원법상의 징계사유에 해당하여 파면이나 해임의 징계처분을 받게 된 경우 당해 공무원의 신분이 박탈되는 것을 말한다.

② 파면의 경우에는 향후 경찰공무원으로 임용이 불가능하고 5년 동안은 일반공무원에 임용될 수 없으며, 해임의 경우 향후 경찰공무원으로 임용될 수 없다는 점에서는 파면과 동일하나 일반공무원의 임용이 3년간 제한된다는 점에서 파면과 차이가 있다.

05 경찰공무원의 권리

경찰공무원의 권리 유형

신분상 권리	일반적 권리	직무집행권, 신분보유권, 직위보유권, 쟁송청구권
	특수한 권리	무기휴대권, 무기사용권, 장구사용권, 제복착용권
재산상 권리	보수청구권, 연금청구권, 실비변상청구권, 보급품수령권, 보상청구권	

1. 신분상 권리

(1) 일반적 권리

① 신분보유권

㉠ 경찰공무원은 법령에 의한 사유가 있는 경우에 소정의 절차에 의하지 아니하고는 그 신분을 박탈(면직)당하지 아니할 권리를 말한다. 다만, 경찰공무원법상 치안총감·치안정감 및 시보임용기간 중의 경찰공무원에게는 신분보유권이 인정되지 않는다.

㉡ 국가공무원법·국가경찰과 자치경찰의 조직 및 운영에 관한 법률·경찰공무원법을 모두 고려할 경우 치안총감은 경찰청장으로 임명되고 2년의 임기가 보장(직위보유권)되며, 치안정감 중 국가수사본부장으로 임명된 경찰공무원은 2년의 임기가 보장(직위보유권)되므로 사실상·간접적 신분보장의 대상에 해당한다.

> **경찰공무원법**
> **제36조【국가공무원법과의 관계】** ① 경찰공무원에 대하여는 국가공무원법 제73조의4, 제76조 제2항부터 제5항까지의 규정을 적용하지 아니하며, 치안총감과 치안정감에 대하여는 국가공무원법 제68조 본문을 적용하지 아니한다.
> **제13조【시보임용】** ③ 시보임용기간 중에 있는 경찰공무원이 근무성적 또는 교육훈련성적이 불량할 때에는 국가공무원법 제68조 및 이 법 제28조에도 불구하고 면직시키거나 면직을 제청할 수 있다.
>
> **국가경찰과 자치경찰의 조직 및 운영에 관한 법률**
> **제14조【경찰청장】** ④ 경찰청장의 임기는 2년으로 하고, 중임(重任)할 수 없다.
> **제16조【국가수사본부장】** ③ 국가수사본부장의 임기는 2년으로 하며, 중임할 수 없다.
>
> **국가공무원법**
> **제68조【의사에 반한 신분 조치】** 공무원은 형의 선고, 징계처분 또는 이 법에서 정하는 사유에 따르지 아니하고는 본인의 의사에 반하여 휴직·강임 또는 면직을 당하지 아니한다. 다만, 1급 공무원과 제23조에 따라 배정된 직무등급이 가장 높은 등급의 직위에 임용된 고위공무원단에 속하는 공무원은 그러하지 아니하다.

② 직위보유권: 공무원에게 부여된 일정한 직위를 보유하는 권리로서 법정의 사유(직위해제사유)에 의하지 아니하고는 직위를 해제당하지 않을 권리를 말한다.

③ 직무집행권: 경찰공무원이 자기가 담당하는 직무를 수행하고 또한 그 직무집행을 방해당하지 아니할 권리를 말한다.

④ 쟁송청구권(소청권, 행정소송권): 경찰공무원은 그 신분 등이 위법·부당하게 침해된 경우 침해된 권리의 구제를 위해 소청과 행정소송을 제기할 수 있다. 이를 쟁송청구권이라고 하며 경찰공무원의 임용과 관련된 행정소송에 있어서는 경찰청장을 피고로 하며, 임용권이 위임된 경우 임용권을 위임받은 자를 피고로 한다.

경찰공무원법
제34조【행정소송의 피고】 징계처분, 휴직처분, 면직처분, 그 밖에 의사에 반하는 불리한 처분에 대한 행정소송은 경찰청장 또는 해양경찰청장을 피고로 한다. 다만, 제7조 제3항 및 제4항에 따라 임용권을 위임한 경우에는 그 위임을 받은 자를 피고로 한다.

(2) 경찰공무원의 특수한 권리

① 제복착용권: 경찰공무원은 제복을 착용할 수 있는데 이는 의무이자 동시에 권리에 해당한다.

경찰공무원법
제26조【복제 및 무기휴대】 ① 경찰공무원은 제복을 착용하여야 한다.
③ 경찰공무원의 복제(服制)에 관한 사항은 행정안전부령 또는 해양수산부령으로 정한다.

② 무기휴대 및 사용권: 경찰공무원은 직무수행을 위하여 필요한 경우에는 무기를 휴대할 수 있고, 일정한 경우 무기를 사용할 수 있다.

경찰공무원법
제26조【복제 및 무기휴대】 ② 경찰공무원은 직무수행을 위하여 필요하면 무기를 휴대할 수 있다.
경찰관 직무집행법
제10조의4【무기의 사용】 ① 경찰관은 범인의 체포, 범인의 도주방지, 자신이나 다른 사람의 생명·신체의 방어 및 보호, 공무집행에 대한 항거의 제지를 위하여 필요하다고 인정되는 상당한 이유가 있을 때에는 그 사태를 합리적으로 판단하여 필요한 한도에서 무기를 사용할 수 있다.
지역경찰의 조직 및 운영에 관한 규칙
제20조【복장 및 휴대장비】 ② 지역경찰은 근무 중 근무수행에 필요한 경찰봉, 수갑 등 경찰장구, 무기 및 무전기 등을 휴대하여야 한다.

③ 장구사용권: 경찰관은 직무수행 중 일정한 경우에 수갑·포승·경찰봉·방패 등의 경찰장구를 사용할 수 있다.

경찰관 직무집행법
제10조의2【경찰장구의 사용】 ① 경찰관은 다음 각 호의 직무를 수행하기 위하여 필요하다고 인정되는 상당한 이유가 있을 때에는 그 사태를 합리적으로 판단하여 필요한 한도에서 경찰장구를 사용할 수 있다.
1. 현행범이나 사형·무기 또는 장기 3년 이상의 징역이나 금고에 해당하는 죄를 범한 범인의 체포 또는 도주방지
2. 자신이나 다른 사람의 생명·신체의 방어 및 보호
3. 공무집행에 대한 항거(抗拒)제지

2. 재산상 권리

(1) 보수청구권

① 의의: 경찰공무원이 근로의 대가로서 국가에 대하여 보수를 청구할 권리를 말하며, 보수는 봉급과 수당으로 구성된다. 일반적인 노사관계의 경우 보수는 기본적으로 당사자 사이의 계약으로 정해지지만, 공무원의 경우에는 근로법정주의의 원칙에 따라 법령(공무원보수규정; 대통령령)에 보수에 대한 내용이 규정되어 있다.*

* 경찰공무원의 보수에 관하여 개별 규정은 존재하지 않으며 일반적 규정인 공무원보수규정(대통령령)에 의한다.

② 성질: 보수청구권은 공무원관계에서 발생하는 공법상의 권리이므로 보수와 관련된 분쟁은 행정소송법상의 당사자소송에 의하는 것이 원칙이다.

③ **소멸시효 및 압류**

㉠ 보수청구권의 소멸시효와 관련하여 대법원 판례는 보수청구권을 사법상의 권리로 보아 3년으로 판시하고 있으나, 다수설은 공법상의 권리로서 그 특수성을 인정하여야 할 필요가 있으므로 민법이 아닌 국가재정법을 적용하여야 한다고 본다. 국가재정법을 적용할 경우 5년의 소멸시효가 적용된다.

㉡ 공무원의 보수에 대한 압류는 2분의 1까지로 제한된다.

④ **양도 및 포기**: 공무원은 보수청구권을 임의로 양도하거나 포기할 수 없다. 그러나 퇴직 후에는 보수청구권의 양도가 가능하다.

(2) 연금청구권(공무원연금법 제88조)

① **의의**: 공무원의 퇴직 또는 사망과 공무(公務)로 인한 부상 · 질병 · 장애에 대하여 적절한 급여를 지급함으로써 공무원 및 그 유족의 생활안정과 복리향상에 이바지함을 목적으로 지급되는 금전을 말한다.

② **시효**

㉠ 이 법에 따른 급여를 받을 권리는 급여의 사유가 발생한 날부터 5년간 행사하지 아니하면 시효로 인하여 소멸한다.

㉡ 잘못 납부한 기여금을 반환받을 권리는 퇴직급여 또는 퇴직유족급여의 지급 결정일부터 5년간 행사하지 아니하면 시효로 인하여 소멸한다.

㉢ 이 법에 따른 기여금, 환수금 및 그 밖의 징수금 등을 징수하거나 환수할 공단의 권리는 징수 및 환수사유가 발생한 날부터 5년간 행사하지 아니하면 시효로 인하여 소멸한다.

(3) 실비변상 및 실비대여권

① **의의**: 공무원이 여비 등 공무의 집행에 있어 특별한 비용을 요할 때에 실비변상을 받을 수 있는 권리를 말한다. 이외에도 소속 기관장의 허가를 받아 본래의 업무수행에 지장이 없는 범위 안에서 담당직무 외의 특수한 연구과제를 위탁받아 이를 처리하는 경우에도 그 보상을 지급받을 수 있다.

② **보급품수령권**: 공무원은 제복 기타 물품의 급여 및 대여를 받을 수 있다.

(4) 보상청구권

① **의의**: 공무원이 질병, 퇴직, 사망 또는 재해를 입었을 때에 본인 또는 그 유족에게 법률이 정하는 바에 따라 적절한 급여를 지급하며, 본인이나 유족이 그 급여를 청구할 수 있는 권리를 보상청구권이라고 한다.

② **적용법규**: 경찰공무원이 전투, 기타 직무수행 또는 교육훈련 중 사망한 경우(공무상 질병으로 사망한 경우 포함) 및 상이(공무상 질병 포함)를 입고 퇴직한 경우에는 경찰공무원과 그 유가족은 국가유공자예우에 관한 법률이 정하는 바에 의하여 예우를 받는다.

06 경찰공무원의 의무

경찰공무원의 의무유형

구분	근거법령	내용
일반의무	국가공무원법	① 선서(취임 전 선서)의무 ② 성실의무
직무상 의무	국가공무원법	① 법령준수의무 ② 복종의무 ③ 친절 · 공정의무 ④ 종교중립의무 ⑤ 직무전념의무(직장이탈금지 · 영리업무 및 겸직금지)
	경찰공무원법	① 거짓보고 · 직무유기금지의무 ② 지휘권남용 등의 금지의무 ③ 제복착용의무
	경찰공무원 복무규정	① 지정장소 외에서 직무수행금지의무 ② 근무시간 중 음주금지의무 ③ 민사분쟁에 부당개입금지의무
신분상 의무	국가공무원법	① 비밀엄수의무(퇴직 후에도 적용) ② 청렴의무 ③ 영예 등의 제한 ④ 품위유지의무(직무 내외 불문) ⑤ 정치운동금지의무 ⑥ 집단행위금지의무
	경찰공무원법	정치관여금지의무
	공직자윤리법	① 이해충돌 방지의무 ② 재산의 등록과 공개의무 ③ 선물신고의무 ④ 퇴직공직자의 취업제한
	부패방지 및 국민권익위원회의 설치와 운영에 관한 법률	① 부패행위 신고의무 ② 비위면직자 등의 취업제한

1. 일반의무

(1) 선서의무

국가공무원법
제55조 【선서】 공무원은 취임할 때에 소속 기관장 앞에서 대통령령 등으로 정하는 바에 따라 선서(宣誓)하여야 한다. 다만, 불가피한 사유가 있으면 취임 후에 선서하게 할 수 있다.

선서는 공무원의 직무행위에 대한 법률상 효과발생의 요건이 아니므로 선서를 하지 않고 행한 행위라 할지라도 법적 효과발생에는 영향이 없다.

(2) 성실의무

국가공무원법
제56조【성실의무】 모든 공무원은 법령을 준수하며 성실히 직무를 수행하여야 한다.

성실의무는 공무원의 의무 중 가장 기본적인 의무로서 다른 의무의 원천이 되고, 윤리적 성격이 강하지만 법에 규정된 법적 의무에 해당한다.

2. 직무상 의무

(1) 국가공무원법상 의무

① 법령준수의무: 경찰공무원이 성실히 법령을 준수하여야 하는 의무를 의미하며 직무수행에 있어서 가장 기본적인 의무에 해당한다.

국가공무원법
제56조【성실의무】 모든 공무원은 법령을 준수하며 성실히 직무를 수행하여야 한다.

② 복종의무

국가공무원법
제57조【복종의 의무】 공무원은 직무를 수행할 때 소속 상관의 직무상 명령에 복종하여야 한다.

㉠ 여기서 말하는 소속 상관이란 신분상의 상관을 의미하는 것이 아니라 직무상의 상관을 의미한다.
㉡ 복종의무는 직무상의 상관이 발한 직무명령이라고 하더라도 무조건적인 복종을 의미하는 것은 아니다. 직무명령의 형식적 요건과 실질적 요건을 갖춘 직무명령에 한해 복종해야 할 의무가 있다.

Add ⊕

직무명령이 명백히 범죄 등의 불법을 구성하는 경우에는 그 직무명령은 무효가 되어 복종의 의무가 없으며 위법한 명령에 복종하는 경우는 절대 정당화될 수 없다. 그러나 법령해석상의 단순한 견해 차이에 불과하거나 직무명령이 부당하다고 인정되는 데 불과한 경우에는 적법추정을 받으므로 이에 복종해야 할 의무가 있다.

③ 친절·공정의무(국가공무원법 제59조): 공무원은 국민 전체의 봉사자로서 친절하고 공정하게 직무를 수행하여야 한다.

④ 종교중립의무(국가공무원법 제59조의2): 공무원은 종교에 따른 차별 없이 직무를 수행하여야 한다. 공무원은 소속 상관이 종교중립의무에 위배되는 직무상 명령을 한 경우에는 이에 따르지 아니할 수 있다.

⑤ 직무전념의무

구분	내용
직장이탈금지의무 (국가공무원법 제58조)	㉠ 공무원은 소속 상관의 허가 또는 정당한 사유가 없으면 직장을 이탈하지 못한다. ㉡ 수사기관이 공무원을 구속하려면 그 소속 기관의 장에게 미리 통보하여야 한다. 다만, 현행범은 그러하지 아니하다.
영리업무 및 겸직금지의무 (국가공무원법 제64조)	공무원은 공무 외에 영리를 목적으로 하는 업무에 종사하지 못하며 소속 기관장의 허가 없이 다른 직무를 겸할 수 없다.

국가공무원 복무규정
제25조 【영리업무의 금지】 공무원은 다음 각 호의 어느 하나에 해당하는 업무에 종사함으로써 공무원의 직무 능률을 떨어뜨리거나, 공무에 대하여 부당한 영향을 끼치거나, 국가의 이익과 상반되는 이익을 취득하거나, 정부에 불명예스러운 영향을 끼칠 우려가 있는 경우에는 그 업무에 종사할 수 없다.
1. 공무원이 상업, 공업, 금융업 또는 그 밖의 영리적인 업무를 스스로 경영하여 영리를 추구함이 뚜렷한 업무
2. 공무원이 상업, 공업, 금융업 또는 그 밖에 영리를 목적으로 하는 사기업체(私企業體)의 이사·감사업무를 집행하는 무한책임사원·지배인·발기인 또는 그 밖의 임원이 되는 것
3. 공무원 본인의 직무와 관련 있는 타인의 기업에 대한 투자
4. 그 밖에 계속적으로 재산상 이득을 목적으로 하는 업무

제26조 【겸직허가】 ① 공무원이 제25조의 영리업무에 해당하지 아니하는 다른 직무를 겸하려는 경우에는 소속 기관의 장의 사전 허가를 받아야 한다.
② 제1항의 허가는 담당 직무수행에 지장이 없는 경우에만 한다.
③ 제1항에서 '소속 기관의 장'이란 고위공무원단에 속하는 공무원 이상의 공무원에 대해서는 임용제청권자, 3급 이하 공무원 및 우정직공무원에 대해서는 임용권자를 말한다.

(2) 경찰공무원법상의 의무

구분	내용
거짓보고·직무유기금지의무 (제24조)	① 경찰공무원은 직무에 관하여 거짓으로 보고나 통보를 하여서는 아니 된다. ② 경찰공무원은 직무를 게을리하거나 유기(遺棄)해서는 아니 된다.
지휘권남용 등의 금지의무 (제25조)	전시·사변, 그 밖에 이에 준하는 비상사태이거나 작전수행 중인 경우 또는 많은 인명 손상이나 국가재산 손실의 우려가 있는 위급한 사태가 발생한 경우, 경찰공무원을 지휘·감독하는 사람은 정당한 사유 없이 그 직무수행을 거부 또는 유기하거나 경찰공무원을 지정된 근무지에서 진출·퇴각 또는 이탈하게 하여서는 아니 된다.
제복착용의무 (제26조)	① 경찰공무원은 제복을 착용하여야 한다. ② 경찰공무원의 복제(服制)에 관한 사항은 행정안전부령 또는 해양수산부령으로 정한다. ③ 제복착용의 의무는 경찰공무원의 권리이자 의무에 해당한다.

Add

경찰공무원법상 벌칙 규정
경찰공무원법 제37조 【벌칙】 ① 경찰공무원으로서 전시·사변, 그 밖에 이에 준하는 비상사태이거나 작전 수행 중인 경우에 제24조 제2항 또는 제25조, 「국가공무원법」 제58조 제1항을 위반한 사람은 3년 이상의 징역이나 금고에 처하며, 제24조제1항, 「국가공무원법」 제57조를 위반한 사람은 7년 이하의 징역이나 금고에 처한다.
② 제1항의 경우 외에 집단 살상의 위급 사태가 발생한 경우에 제24조 또는 제25조, 「국가공무원법」 제57조 및 제58조 제1항을 위반한 사람은 7년 이하의 징역이나 금고에 처한다.

(3) 경찰공무원 복무규정

① 목적(제1조): 경찰공무원 복무규정(이하 '영'이라 한다)은 경찰공무원의 복무에 관한 사항을 규정함을 목적으로 한다.

구분	내용
정의 (제2조)	이 영에서 '경찰기관'이란 경찰공무원 징계령 제3조 제2항에 따른 경찰기관을 말한다.
기본강령 (제3조)	경찰공무원은 다음의 기본강령에 따라 복무하여야 한다. ㉠ 경찰사명: 경찰공무원은 국가와 민족을 위하여 충성과 봉사를 다하며, 국민의 생명·신체 및 재산을 보호하고, 공공의 안녕과 질서를 유지함을 그 사명으로 한다.

기본강령 (제3조)	㉡ 경찰정신: 경찰공무원은 국민의 수임자로서 일상의 직무수행에 있어서 국민의 자유와 권리를 존중하는 호국·봉사·정의의 정신을 그 바탕으로 삼는다. ㉢ 규율: 경찰공무원은 법령을 준수하고 직무상의 명령에 복종하며, 상사에 대한 존경과 부하에 대한 존중으로써 규율을 지켜야 한다. ㉣ 단결: 경찰공무원은 주어진 사명을 다하기 위하여 긍지를 가지고 한마음 한뜻으로 굳게 뭉쳐 임무수행에 모든 역량을 기울여야 한다. ㉤ 책임: 경찰공무원은 창의와 노력으로써 소임을 완수하여야 하며, 직무수행의 결과에 대하여 책임을 진다. ㉥ 성실·청렴: 경찰공무원은 성실하고 청렴한 생활태도로써 국민의 모범이 되어야 한다.

② 복무자세

예절 (제4조)	㉠ 경찰공무원은 고운말을 사용하도록 노력하여야 하며, 국민에게 겸손하고 친절하여야 한다. ㉡ 경찰공무원은 상·하급자 및 동료간에 서로 예절을 지켜야 한다.
용모·복장 (제5조)	경찰공무원은 용모와 복장을 단정히 하여 품위를 유지하여야 한다.
환경정돈 (제6조)	경찰공무원은 사무실과 그 주변환경을 항상 깨끗하게 정리·정돈하여 명랑한 분위기를 유지하여야 한다.
일상행동 (제7조)	경찰공무원은 공·사생활을 막론하고 국민의 모범이 되어야 하며, 다음과 같이 행동하여야 한다. ㉠ 상·하급자 및 동료를 비난·악평하거나 서로 다투는 행위를 하여서는 아니 되며, 항상 협동심과 상부상조의 동료애를 발휘하여야 한다. ㉡ 경솔하거나 난폭한 행동을 하여서는 아니 되며, 항상 명랑·활달하여야 한다. ㉢ 건전하지 못한 오락행위를 하여서는 아니 된다.

③ 복무 등

지정장소 외에서의 직무수행금지 (제8조)	경찰공무원은 상사의 허가를 받거나 그 명령에 의한 경우를 제외하고는 직무와 관계없는 장소에서 직무수행을 하여서는 아니 된다.
근무시간 중 음주금지 (제9조)	경찰공무원은 근무시간 중 음주를 하여서는 아니 된다. 다만, 특별한 사정이 있는 경우에는 예외로 하되, 이 경우 주기가 있는 상태에서 직무를 수행하여서는 아니 된다.
민사분쟁에의 부당개입금지 (제10조)	경찰공무원은 직위 또는 직권을 이용하여 부당하게 타인의 민사분쟁에 개입하여서는 아니 된다.
상관에 대한 신고 (제11조)	경찰공무원은 신규채용·승진·전보·파견·출장·연가·교육훈련기관에의 입교 기타 신분관계 또는 근무관계 또는 근무관계의 변동이 있는 때에는 소속 상관에게 신고를 하여야 한다.
보고 및 통보 (제12조)	경찰공무원은 치안상 필요한 상황의 보고 및 통보를 신속·정확·간결하게 하여야 한다.
여행의 제한 (제13조)	경찰공무원은 휴무일 또는 근무시간 외에 2시간 이내에 직무에 복귀하기 어려운 지역으로 여행을 하고자 할 때에는 소속 경찰기관의 장에게 신고를 하여야 한다. 다만, 치안상 특별한 사정이 있어 경찰청장 또는 경찰기관의 장이 지정하는 기간 중에는 소속 경찰기관의 장의 허가를 받아야 한다.

비상소집 (제14조)	㉠ 경찰기관의 장은 비상사태에 대처하기 위하여 필요하다고 인정할 때에는 소속 경찰공무원을 긴급히 소집(이하 '비상소집'이라 한다)하거나 일정한 장소에 대기하게 할 수 있다. ㉡ ㉠의 규정에 의한 비상소집의 요건·종류·절차 등에 관하여 필요한 사항은 경찰청장 또는 해양경찰청장이 정한다.
특수근무자의 근무수칙 등 (제15조)	㉠ 경찰청장 또는 해양경찰청장은 대간첩작전을 주임무로 하는 경찰공무원, 해양경찰청의 해상근무 경찰공무원, 경찰기동대의 대원 기타 특수근무경찰공무원에 대한 근무수칙·내무생활 기타 복무에 관하여 필요한 사항을 따로 정하여 실시할 수 있다. ㉡ 경찰청장 또는 해양경찰청장은 필요하다고 인정할 때에는 ㉠의 규정에 의한 복무에 필요한 사항의 일부를 당해 경찰기관의 장이 정하여 실시하게 할 수 있다.

④ 사기진작 및 휴가 등

포상휴가 (제18조)	경찰기관의 장은 근무성적이 탁월하거나 다른 경찰공무원의 모범이 될 공적이 있는 경찰공무원에 대하여 1회 10일 이내의 포상휴가를 허가할 수 있다. 이 경우의 포상휴가기간은 연가일수에 산입하지 아니한다.
연일근무자 등의 휴무 (제19조)	경찰기관의 장은 특별한 사정이 없는 한 다음과 같이 휴무를 허가하여야 한다. ㉠ 연일근무자 및 공휴일근무자에 대하여는 그 다음 날 1일의 휴무 ㉡ 당직 또는 철야근무자에 대하여는 다음 날 오후 2시를 기준으로 하여 오전 또는 오후의 휴무

CHAPTER 04

3. 신분상 의무

(1) 국가공무원법상의 의무

① **비밀엄수의무(국가공무원법 제60조)**: 공무원은 재직 중은 물론 퇴직 후에도 직무상 알게 된 비밀을 엄수(嚴守)하여야 한다.

㉠ 직무상 비밀은 자신이 처리하는 직무에 관한 비밀뿐만 아니라, 직무와 관련하여 알게 된 모든 비밀을 포함한다. 그리고 직무상 비밀의 범위는 법령 또는 처분에 의하여 결정된다.

㉡ **의무 위반시 효과**: 재직 중 비밀엄수의무를 위반한 경우 징계책임과 형사책임을 동시에 부담하게 된다. 그러나 퇴직 후에 비밀엄수의무를 위반한 경우에는 징계의 대상이 될 수 없으므로 형사책임만 부담한다.

> **형법**
> **제127조【공무상 비밀의 누설】** 공무원 또는 공무원이었던 자가 법령에 의한 직무상 비밀을 누설한 때에는 2년 이하의 징역이나 금고 또는 5년 이하의 자격정지에 처한다.

② **청렴의무(국가공무원법 제61조)**: 공무원은 직무와 관련하여 직접적이든 간접적이든 사례·증여 또는 향응을 주거나 받을 수 없다. 또한, 공무원은 직무상의 관계가 있든 없든 그 소속 상관에게 증여하거나 소속 공무원으로부터 증여를 받아서는 아니 된다.

③ **외국 정부의 영예 등을 받을 경우(국가공무원법 제62조)**: 공무원이 외국 정부로부터 영예나 증여를 받는 경우에는 대통령의 허가를 받아야 한다.

④ **품위유지의무(국가공무원법 제63조)**: 공무원은 직무의 내외를 불문하고 그 품위가 손상되는 행위를 하여서는 아니 된다.

⑤ 정치운동금지의무(국가공무원법 제65조)

㉠ 공무원은 정당이나 그 밖의 정치단체의 결성에 관여하거나 이에 가입할 수 없다.

㉡ 공무원은 선거에서 특정 정당 또는 특정인을 지지 또는 반대하기 위한 다음의 행위를 하여서는 아니 된다.

ⓐ 투표를 하거나 하지 아니하도록 권유운동을 하는 것

ⓑ 서명운동을 기도·주재하거나 권유하는 것

ⓒ 문서나 도서를 공공시설 등에 게시하거나 게시하게 하는 것

ⓓ 기부금을 모집 또는 모집하게 하거나 공공자금을 이용 또는 이용하게 하는 것

ⓔ 타인에게 정당이나 그 밖의 정치단체에 가입하게 하거나 가입하지 아니하도록 권유운동을 하는 것

㉢ 공무원은 다른 공무원에게 정치운동금지의무에 위배되는 행위를 하도록 요구하거나 정치적 행위의 보상 또는 보복으로써 이익 또는 불이익을 약속하여서는 아니 된다.

㉣ 공무원의 정치적 중립성은 헌법 제7조에서도 이를 규정하고 있으며, 국가공무원법 제65조도 공무원의 정치운동을 금지하고 있다. 그러므로 공무원은 정당 기타 정치단체의 결성에 관여하거나 가입할 수 없다.

대한민국 헌법
제7조 ② 공무원의 신분과 정치적 중립성은 법률이 정하는 바에 의하여 보장된다.

⑥ 집단행위금지의무(국가공무원법 제66조)

㉠ 공무원은 노동운동이나 그 밖에 공무 외의 일을 위한 집단행위를 하여서는 아니 된다.

㉡ 사실상 노무에 종사하는 공무원은 예외로 한다. 사실상 노무에 종사하는 공무원의 범위는 대통령령 등으로 정한다.

㉢ 노동조합에 가입된 자가 조합 업무에 전임하려면 소속 장관의 허가를 받아야 한다. 소속 장관은 허가시 필요한 조건을 붙일 수 있다.

Add ⊕

공무원의 노동조합 설립 및 운영 등에 관한 법률
제11조 【쟁의행위의 금지】 노동조합과 그 조합원은 파업, 태업 또는 그 밖에 업무의 정상적인 운영을 방해하는 어떠한 행위도 하여서는 아니 된다.

(2) 경찰공무원법상의 의무

① 정치관여금지의무(경찰공무원법 제23조)

㉠ 경찰공무원은 정당이나 정치단체에 가입하거나 정치활동에 관여하는 행위를 하여서는 아니 된다.

㉡ ㉠에서 정치활동에 관여하는 행위란 다음의 어느 하나에 해당하는 행위를 말한다.

ⓐ 정당이나 정치단체의 결성 또는 가입을 지원하거나 방해하는 행위

ⓑ 그 직위를 이용하여 특정 정당이나 특정 정치인에 대하여 지지 또는 반대 의견을 유포하거나, 그러한 여론을 조성할 목적으로 특정 정당이나 특정 정치인에 대하여 찬양하거나 비방하는 내용의 의견 또는 사실을 유포하는 행위

ⓒ 특정 정당이나 특정 정치인을 위하여 기부금 모집을 지원하거나 방해하는 행위 또는 국가·지방자치단체 및 공공기관의 운영에 관한 법률에 따른 공공기관의 자금을 이용하거나 이용하게 하는 행위

ⓓ 특정 정당이나 특정인의 선거운동을 하거나 선거 관련 대책회의에 관여하는 행위

ⓔ 정보통신망 이용촉진 및 정보보호 등에 관한 법률에 따른 정보통신망을 이용한 ⓐ부터 ⓓ까지의 규정에 해당하는 행위

ⓕ 소속 직원이나 다른 공무원에 대하여 ⓐ부터 ⓔ까지의 행위를 하도록 요구하거나 그 행위와 관련한 보상 또는 보복으로서 이익 또는 불이익을 주거나 이를 약속 또는 고지(告知)하는 행위

Add ⊕

국가공무원법상 정치운동금지와 경찰공무원법상 정치관여금지의 벌칙규정

국가공무원법상 정치운동금지	경찰공무원법상 정치관여금지
국가공무원법 제84조 【정치운동죄】 ① 제65조를 위반한 자는 3년 이하의 징역과 3년 이하의 자격정지에 처한다. ② 제1항에 규정된 죄에 대한 공소시효의 기간은 형사소송법 제249조 제1항에도 불구하고 10년으로 한다.	**경찰공무원법 제37조 【벌칙】** ③ 경찰공무원으로서 제23조를 위반하여 정당이나 정치단체에 가입하거나 정치활동에 관여하는 행위를 한 사람은 5년 이하의 징역과 5년 이하의 자격정지에 처하고, 그 죄에 대한 공소시효의 기간은 형사소송법 제249조 제1항에도 불구하고 10년으로 한다.

(3) 공직자윤리법상의 의무

이해충돌 방지의무 (제2조의2)	① 국가 또는 지방자치단체는 공직자가 수행하는 직무가 공직자의 재산상 이해와 관련되어 공정한 직무수행이 어려운 상황이 일어나지 아니하도록 노력하여야 한다. ② 공직자는 자신이 수행하는 직무가 자신의 재산상 이해와 관련되어 공정한 직무수행이 어려운 상황이 일어나지 아니하도록 직무수행의 적정성을 확보하여 공익을 우선으로 성실하게 직무를 수행하여야 한다. ③ 공직자는 공직을 이용하여 사적 이익을 추구하거나 개인이나 기관·단체에 부정한 특혜를 주어서는 아니 되며, 재직 중 취득한 정보를 부당하게 사적으로 이용하거나 타인으로 하여금 부당하게 사용하게 하여서는 아니 된다. ④ 퇴직공직자는 재직 중인 공직자의 공정한 직무수행을 해치는 상황이 일어나지 아니하도록 노력하여야 한다.
재산의 등록과 공개 (제2장)	**제3조 【등록의무자】** ① 다음 각 호의 어느 하나에 해당하는 공직자(이하 '등록의무자'라 한다)는 이 법에서 정하는 바에 따라 재산을 등록하여야 한다. 9. 총경(자치총경을 포함한다) 이상의 경찰공무원과 소방정 이상의 소방공무원 13. 그 밖에 국회규칙, 대법원규칙, 헌법재판소규칙, 중앙선거관리위원회규칙 및 대통령령으로 정하는 특정 분야의 공무원과 공직유관단체의 직원 **공직자윤리법 시행령** **제3조 【등록의무자】** ⑤ 법 제3조 제1항 제13호에서 '대통령령으로 정하는 특정 분야의 공무원과 공직유관단체의 직원'이란 다음 각 호의 사람을 말한다. 6. 경찰공무원 중 경정, 경감, 경위, 경사와 자치경찰공무원 중 자치경정, 자치경감, 자치경위, 자치경사 **제10조 【등록재산의 공개】** ① 공직자윤리위원회는 관할 등록의무자 중 다음 각 호의 어느 하나에 해당하는 공직자 본인과 배우자 및 본인의 직계존속·직계비속의 재산에 관한 등록사항과 제6조에 따른 변동사항 신고내용을 등록기간 또는 신고기간 만료 후 1개월 이내에 관보 또는 공보에 게재하여 공개하여야 한다. 8. 치안감 이상의 경찰공무원 및 특별시·광역시·특별자치시·도·특별자치도의 시·도경찰청장

선물신고 (제3장)	**제15조【외국 정부 등으로부터 받은 선물의 신고】** ① 공무원(지방의회의원을 포함한다) 또는 공직유관단체의 임직원은 외국으로부터 선물(대가 없이 제공되는 물품 및 그 밖에 이에 준하는 것을 말하되, 현금은 제외한다)을 받거나 그 직무와 관련하여 외국인(외국단체를 포함한다)에게 선물을 받으면 지체 없이 소속 기관·단체의 장에게 신고하고 그 선물을 인도하여야 한다. 이들의 가족이 외국으로부터 선물을 받거나 그 공무원이나 공직유관단체 임직원의 직무와 관련하여 외국인에게 선물을 받은 경우에도 또한 같다. **제16조【선물의 귀속 등】** ① 신고된 선물은 신고 즉시 국가 또는 지방자치단체에 귀속된다. **공직자윤리법 시행령 제28조【선물의 가액】** ① 신고하여야 할 선물은 그 선물 수령 당시 증정한 국가 또는 외국인이 속한 국가의 시가로 미국화폐 100달러 이상이거나 국내 시가로 10만원 이상인 선물로 한다.
퇴직공직자의 취업제한 (제4장)	**제17조【퇴직공직자의 취업제한】** ① 공직자와 부당한 영향력 행사 가능성 및 공정한 직무수행을 저해할 가능성 등을 고려하여 국회규칙, 대법원규칙, 헌법재판소규칙, 중앙선거관리위원회규칙 또는 대통령령으로 정하는 공무원과 공직유관단체의 직원(이하 '취업심사대상자'라 한다)은 퇴직일부터 3년간 일정한 기관(이하 '취업심사대상기관'이라 한다)에 취업할 수 없다. 다만, 관할 공직자윤리위원회로부터 취업심사대상자가 퇴직 전 5년 동안 소속하였던 부서 또는 기관의 업무와 취업심사대상기관간에 밀접한 관련성이 없다는 확인을 받거나 취업승인을 받은 때에는 취업할 수 있다.

(4) 부패방지 및 국민권익위원회의 설치와 운영에 관한 법률상의 의무

부패행위 신고의무	**제55조【부패행위의 신고】** 누구든지 부패행위를 알게 된 때에는 이를 위원회에 신고할 수 있다. **제56조【공직자의 부패행위 신고의무】** 공직자는 그 직무를 행함에 있어 다른 공직자가 부패행위를 한 사실을 알게 되었거나 부패행위를 강요 또는 제의받은 경우에는 지체 없이 이를 수사기관·감사원 또는 위원회에 신고하여야 한다.
비위면직자 등의 취업제한	**제82조【비위면직자 등의 취업제한】** ① 비위면직자 등은 다음 각 호의 어느 하나에 해당하는 사람을 말한다. 1. 공직자가 재직 중 직무와 관련된 부패행위로 당연퇴직, 파면 또는 해임된 자 2. 공직자였던 사람으로서 재직 중 직무와 관련된 부패행위로 벌금 300만원 이상의 형의 선고를 받은 사람(해당 형의 집행유예 선고를 받고 그 유예기간이 경과된 사람을 포함한다) ② 제1항에 따른 비위면직자 등(이하 '비위면직자 등'이라 한다)은 5년 동안 취업제한기관에 취업할 수 없다.

07 경찰공무원의 책임

경찰공무원의 의무를 위반한 경우 부담하게 되는 책임에는 민사책임, 형사책임, 변상책임, 징계책임 등이 있으며 이러한 책임은 각각 그 성립의 근거가 다르며 목적이 다르기 때문에 하나의 행위라고 하더라도 다수의 책임을 부담할 수 있다.

1. 민사상의 손해배상책임

공무원이 직무상 불법행위로 국민에게 재산상의 손해를 가한 경우 피해자는 국가 또는 공무원 개인에게 선택적으로 배상책임을 청구할 수 있는가에 대하여는 대위책임설, 자기책임설, 중간설 등으로 의견이 대립되고 있다. 이와 관련하여 판례는 경찰공무원에게 고의 또는 중대한 과실이 있는 경우에는 피해자가 당해 경찰공무원을 상대로 직접 민사상의 손해배상을 청구할 수 있다고 판시하고 있다.

2. 변상책임

(1) 국가배상법

① **고의·과실의 경우**: 경찰공무원이 그 직무를 집행하면서 고의 또는 과실로 법령을 위반하여 타인에게 손해를 입힌 경우에 국가가 손해를 배상하도록 규정하고 있다.

② **변상책임**: 경찰공무원의 직무수행에서 발생한 손해가 경찰공무원의 고의·중과실에 의한 경우에는 국가가 가해공무원에게 구상권을 행사할 수 있으며, 이때 가해공무원이 국가에 대하여 부담하는 책임이 변상책임이다.

③ **선택적 청구권의 인정**: 공무원의 고의 또는 중과실로 개인에게 손해를 입힌 경우 개인은 국가 또는 가해공무원에게 손해배상을 선택적으로 청구할 수 있다.

(2) 회계 관계직원 등의 책임에 관한 법률에 의한 변상책임

① 고의·중과실의 경우

㉠ 회계 관계직원이 고의 또는 중대한 과실로 법령 기타 관계규정 및 예산에 정하여진 바에 위반하여 국가 또는 단체 등의 재산에 대하여 손해를 끼친 때에는 변상의 책임이 발생한다.

㉡ 현금 또는 물품을 출납·보관하는 자가 그 보관에 속하는 현금 또는 물품을 망실·훼손하는 경우에 선량한 관리자의 주의를 태만히 하면 변상책임이 발생한다.

② **변상책임의 유무 및 변상액의 판정**: 변상책임의 유무 및 변상액은 감사원이 판정하며 감독기관의 장은 회계 관계직원 등이 책임이 있다고 인정되면 감사원의 판정 전에도 관계직원에게 변상을 명할 수 있다.

3. 형사상 책임

(1) 경찰공무원의 일정한 행위가 경찰공무원이 의무 위반에 그치지 아니하고 형사법상의 범죄를 구성한 경우 당해 범죄에 대하여 부담하는 책임을 형사상의 책임이라고 한다.

(2) 경찰공무원은 국가공무원법 및 경찰공무원법상의 의무를 위반한 경우 형벌과는 별도로 국가공무원법이나 경찰공무원법상의 행정형벌도 아울러 부담하게 된다. 이러한 형사책임의 경우 공무원의 행위가 의무 위반에 그치지 않고 국민의 일반법익을 침해한 경우에는 징계벌과 함께 부과될 수 있다.

08 징계책임

1. 서설

(1) 징계의 의의

① 징계란 공무원의 위법행위에 대하여 공무원관계의 목적을 달성하기 위하여 국가나 지방자치단체가 사용자의 위치에서 과하는 행정상의 제재를 말하므로 내부적 제재수단에 해당한다.

② 징계는 경찰관의 신분과 권한에 불이익을 주는 것으로 그 요건이 법에 규정되어 있으므로 징계에도 법치주의 원칙이 적용된다고 할 수 있다.

(2) 형벌과의 관계

형벌과 징계는 그 권력적 기초·대상·목적 등을 달리하므로 동일한 행위에 대해 형벌과 징계를 병과할 수 있고, 형벌과 징계를 병과하더라도 일사부재리의 원칙에 저촉되지 않는다.

구분	징계벌	형벌
권력적 기초	특별권력관계(공무원관계 내부)	일반통치권
목적	공무원관계 내부의 질서유지	일반사회의 질서유지
내용	공무원의 신분상 이익의 전부 또는 일부를 박탈	신분상 이익 외에 재산적 이익, 생명·자유의 박탈
대상	공무원법상의 의무 위반	반사회적 법익침해 행위
구성요건	고의·과실 불문	고의·과실 요함
시간적 한계	퇴직 후 처벌 불가능	퇴직 후 처벌 가능
상호관계	① 병과 가능: 일사부재리의 원칙이 적용되지 않는다. ② 병행진행 가능: 형사소추선행의 원칙이 적용되지 않는다.	

2. 징계사유(국가공무원법 제78조)

(1) 공무원이 다음의 어느 하나에 해당하면 징계의결을 요구하여야 하고 그 징계의결의 결과에 따라 징계처분을 하여야 한다.

① 이 법 및 이 법에 따른 명령을 위반한 경우

② 직무상의 의무(다른 법령에서 공무원의 신분으로 인하여 부과된 의무를 포함한다)를 위반하거나 직무를 태만히 한 때

③ 직무의 내외를 불문하고 그 체면 또는 위신을 손상하는 행위를 한 때

징계·직위해제·직권면직사유의 비교

구분	내용
징계사유 (제78조)	① 국가공무원법 및 국가공무원법에 따른 명령을 위반한 경우 ② 직무상의 의무(다른 법령에서 공무원의 신분으로 인하여 부과된 의무를 포함한다)를 위반하거나 직무를 태만히 한 때 ③ 직무의 내외를 불문하고 그 체면 또는 위신을 손상하는 행위를 한 때
직위해제 사유 (제73조의3 제1항)	① 직무수행능력이 부족하거나 근무성적이 극히 나쁜 자 ② 파면·해임·강등 또는 정직에 해당하는 징계의결이 요구 중인 자 ③ 형사사건으로 기소된 자(약식명령이 청구된 자는 제외한다) ④ 고위공무원단에 속하는 일반직공무원으로서 국가공무원법 제70조의2 제1항 제2호부터 제5호까지의 사유로 적격심사를 요구받은 자 ⑤ 금품비위, 성범죄 등 대통령령으로 정하는 비위행위로 인하여 감사원 및 검찰·경찰 등 수사기관에서 조사나 수사 중인 자로서 비위의 정도가 중대하고 이로 인하여 정상적인 업무수행을 기대하기 현저히 어려운 자
직권면직 사유 (경찰 공무원법 제28조)	① 직제와 정원의 개폐 또는 예산의 감소 등에 따라 폐직(廢職) 또는 과원(過員)이 되었을 때 ② 휴직기간이 끝나거나 휴직사유가 소멸된 후에도 직무에 복귀하지 아니하거나 직무를 감당할 수 없을 때 ③ 해당 경과에서 직무를 수행하는 데 필요한 자격증의 효력이 상실되거나 면허가 취소되어 담당 직무를 수행할 수 없게 되었을 때 ④ 국가공무원법 제73조의3 제3항에 따라 대기명령을 받은 자가 그 기간에 능력 또는 근무성적의 향상을 기대하기 어렵다고 인정된 때

⑤ 경찰공무원으로는 부적합할 정도로 직무수행능력이나 성실성이 현저하게 결여된 사람으로서 대통령령으로 정하는 사유에 해당된다고 인정될 때
⑥ 직무를 수행하는 데에 위험을 일으킬 우려가 있을 정도의 성격적 또는 도덕적 결함이 있는 사람으로서 대통령령으로 정하는 사유에 해당된다고 인정될 때

국가공무원법
제78조 【징계사유】 ② 공무원(특수경력직공무원 및 지방공무원을 포함한다)이었던 사람이 다시 공무원으로 임용된 경우에 재임용 전에 적용된 법령에 따른 징계 사유는 그 사유가 발생한 날부터 이 법에 따른 징계 사유가 발생한 것으로 본다.
제80조 【징계의 효력】 ⑦ 공무원(특수경력직공무원 및 지방공무원을 포함한다)이었던 사람이 다시 공무원이 된 경우에는 재임용 전에 적용된 법령에 따라 받은 징계처분은 그 처분일부터 이 법에 따른 징계처분을 받은 것으로 본다. 다만, 제79조에서 정한 징계의 종류 외의 징계처분의 효력에 관하여는 대통령령 등으로 정한다.

(2) 징계부가금(국가공무원법 제78조의2)

① 공무원의 징계의결을 요구하는 경우 그 징계사유가 다음의 어느 하나에 해당하는 경우에는 해당 징계 외에 다음의 행위로 취득하거나 제공한 금전 또는 재산상 이득(금전이 아닌 재산상 이득의 경우에는 금전으로 환산한 금액을 말한다)의 5배 내의 징계부가금부과 의결을 징계위원회에 요구하여야 한다.
㉠ 금전, 물품, 부동산, 향응 또는 그 밖에 대통령령으로 정하는 재산상 이익을 취득하거나 제공한 경우
㉡ 다음에 해당하는 것을 횡령(橫領), 배임(背任), 절도, 사기 또는 유용(流用)한 경우
ⓐ 국가재정법에 따른 예산 및 기금
ⓑ 지방재정법에 따른 예산 및 지방자치단체 기금관리기본법에 따른 기금
ⓒ 국고금 관리법 제2조 제1호에 따른 국고금
ⓓ 보조금 관리에 관한 법률 제2조 제1호에 따른 보조금
ⓔ 국유재산법 제2조 제1호에 따른 국유재산 및 물품관리법 제2조 제1항에 따른 물품
ⓕ 공유재산 및 물품 관리법 제2조 제1호 및 제2호에 따른 공유재산 및 물품
ⓖ 그 밖에 ⓐ부터 ⓕ까지에 준하는 것으로서 대통령령으로 정하는 것

② 징계위원회는 징계부가금부과 의결을 하기 전에 징계부가금 부과대상자가 위 ①의 어느 하나에 해당하는 사유로 다른 법률에 따라 형사처벌을 받거나 변상책임 등을 이행한 경우(몰수나 추징을 당한 경우를 포함한다) 또는 다른 법령에 따른 환수나 가산징수 절차에 따라 환수금이나 가산징수금을 납부한 경우에는 대통령령으로 정하는 바에 따라 조정된 범위에서 징계부가금부과를 의결하여야 한다.

③ 징계위원회는 징계부가금부과 의결을 한 후에 징계부가금 부과대상자가 형사처벌을 받거나 변상책임 등을 이행한 경우(몰수나 추징을 당한 경우를 포함한다) 또는 환수금이나 가산징수금을 납부한 경우에는 대통령령으로 정하는 바에 따라 이미 의결된 징계부가금의 감면 등의 조치를 하여야 한다.

④ 위 ①에 따라 징계부가금 부과처분을 받은 사람이 납부기간 내에 그 부가금을 납부하지 아니한 때에는 처분권자(대통령이 처분권자인 경우에는 처분 제청권자)는 국세강제징수의 예에 따라 징수할 수 있다. 이 경우 체납액의 징수가 사실상 곤란하다고 판단되는 경우에는 징수 대상자의 주소지를 관할하는 세무서장에게 징수를 위탁한다.

⑤ 처분권자(대통령이 처분권자인 경우에는 처분 제청권자)는 관할 세무서장에게 징계부가금 징수를 의뢰한 후 체납일부터 5년이 지난 후에도 징수가 불가능하다고 인정될 때에는 관할 징계위원회에 징계부가금 감면의결을 요청할 수 있다.

(3) 징계와 관련하여 공무원으로서의 의무 위반에 있어 고의 또는 과실을 요하는 것은 아니다.

(4) 행위자뿐만 아니라 감독자도 감독의무를 태만히 한 경우 징계책임을 부담하게 된다.

(5) 재직 중의 행위에 대하여 징계를 부과하는 것을 원칙으로 하지만, 임용 전의 행위일지라도 그로 인하여 공무원의 체면 또는 위신이 손상된 경우에는 징계사유에 해당할 수 있다.

3. 퇴직을 희망하는 공무원의 징계사유 확인 및 퇴직제한 등(국가공무원법 제78조의4)

(1) 임용권자 또는 임용제청권자는 공무원이 퇴직을 희망하는 경우에는 징계사유가 있는지 및 (2)의 어느 하나에 해당하는지 여부를 감사원과 검찰・경찰 등 조사 및 수사기관(이하 '조사 및 수사기관'이라 한다)의 장에게 확인하여야 한다.

(2) 확인 결과 퇴직을 희망하는 공무원이 파면, 해임, 강등 또는 정직에 해당하는 징계사유가 있거나 다음의 어느 하나에 해당하는 경우(① ・ ③ 및 ④의 경우에는 해당 공무원이 파면・해임・강등 또는 정직의 징계에 해당한다고 판단되는 경우에 한정한다) 소속 장관 등은 지체 없이 징계의결 등을 요구하여야 하고, 퇴직을 허용하여서는 아니 된다.

① 비위(非違)와 관련하여 형사사건으로 기소된 때
② 징계위원회에 파면・해임・강등 또는 정직에 해당하는 징계의결이 요구 중인 때
③ 조사 및 수사기관에서 비위와 관련하여 조사 또는 수사 중인 때
④ 각급 행정기관의 감사부서 등에서 비위와 관련하여 내부 감사 또는 조사 중인 때

(3) 위 (2)에 따라 징계의결 등을 요구한 경우 임용권자는 해당 공무원에게 직위를 부여하지 아니할 수 있다.

(4) 관할 징계위원회는 위 (2)에 따라 징계의결 등이 요구된 경우 다른 징계사건에 우선하여 징계의결 등을 하여야 한다.

4. 징계 및 징계부가금 부과사유의 시효(국가공무원법 제83조의2)

징계의결 등의 요구는 징계 등 사유가 발생한 날부터 다음의 구분에 따른 기간이 지나면 하지 못한다.

① **징계 등 사유가 다음의 어느 하나에 해당하는 경우**: 10년
  ㉠ 성매매알선 등 행위의 처벌에 관한 법률 제4조에 따른 금지행위
  ㉡ 성폭력범죄의 처벌 등에 관한 특례법 제2조에 따른 성폭력범죄
  ㉢ 아동・청소년의 성보호에 관한 법률 제2조 제2호에 따른 아동・청소년대상 성범죄
  ㉣ 양성평등기본법 제3조 제2호에 따른 성희롱
② **징계 등 사유가** 제78조의2 **제1항 각 호의 어느 하나에 해당하는 경우**: 5년
③ **그 밖의 징계 등 사유에 해당하는 경우**: 3년

5. 징계의 종류(국가공무원법 제79조)

징계는 파면・해임・강등・정직(停職)・감봉・견책(譴責)으로 구분한다.

경찰공무원 징계령
제2조 【정의】 이 영에서 사용하는 용어의 뜻은 다음과 같다.
1. '중징계'란 파면, 해임, 강등 및 정직을 말한다.
2. '경징계'란 감봉 및 견책을 말한다.

경찰공무원 징계령 세부시행규칙 제3조 【용어의 정의】 이 규칙에서 사용하는 용어의 정의는 다음과 같다.
5. "경고"란 「경고・주의 및 장려제도 운영 규칙」 제3조제1호에 따른 처분을 말한다.
6. "주의"란 「경고・주의 및 장려제도 운영 규칙」 제3조제2호에 따른 처분을 말한다.

6. 징계의 효력(국가공무원법 제80조)

국가 공무원법상의 징계	배제 징계	파면	① 경찰공무원의 신분이 박탈되고 다시 경찰공무원으로 임용될 수 없다. ② 파면된 자는 재직기간이 5년 이상인 경우에 퇴직급여의 2분의 1을, 재직기간이 5년 미만인 경우에는 퇴직급여의 4분의 1을 감액한다. ③ 재직기간에 관계없이 퇴직수당의 2분의 1을 감액한다. ④ 파면을 당한 자는 5년간 공무원에 임용될 수 없다.
		해임	① 경찰공무원의 신분이 박탈되고 다시 경찰공무원으로 임용될 수 없다. ② 원칙적으로 퇴직금은 전혀 제한을 받지 않고 전액을 지급한다. ③ 단, 금품 및 향응의 수수, 공금의 횡령・유용으로 해임된 때에는 재직기간이 5년 이상인 경우 퇴직급여는 그 금액의 4분의 1을, 재직기간이 5년 미만인 자의 퇴직급여는 그 금액의 8분의 1을 감액하여 지급한다. ④ 금품 및 향응의 수수, 공금의 횡령・유용으로 해임된 때에는 재직기간에 관계없이 퇴직수당은 4분의 1을 감액한다. ⑤ 해임된 자는 3년간 공무원에 임용될 수 없다.
	교정 징계	강등	① 강등은 1계급 아래로 직급을 내리고(고위공무원단에 속하는 공무원은 3급으로 임용하고, 연구관 및 지도관은 연구사 및 지도사로 한다) 공무원신분은 보유하나 3개월간 직무에 종사하지 못하며, 그 기간 중 보수는 전액을 감한다. 다만, 제4조 제2항에 따라 계급을 구분하지 아니하는 공무원과 임기제공무원에 대해서는 강등을 적용하지 아니한다. ② 강등처분을 받은 경우 강등기간 이후 18개월 동안 승진 및 호봉승급이 제한된다. ③ 강등기간만큼 승진소요 최저근무연수 및 경력평정기간에서 제외된다. ④ 계급정년의 산정 ㉠ 강등된 계급의 계급정년은 강등되기 전 계급 중 가장 높은 계급의 계급정년으로 한다. ㉡ 계급정년을 산정할 때에는 강등되기 전 계급의 근무연수와 강등 이후의 근무연수를 합산한다.
		정직	① 정직은 1개월 이상 3개월 이하의 기간으로 하고, 정직처분을 받은 자는 그 기간 중 공무원 신분은 보유하나 직무에 종사하지 못하며 보수는 전액을 감한다. ② 정직기간 이후 18개월 동안은 승진과 호봉승급이 제한된다. ③ 정직기간 만큼 승진소요 최저근무연수 및 경력평정기간에서 제외한다.
		감봉	① 감봉은 1개월 이상 3개월 이하의 기간 동안 보수의 3분의 1을 감한다. ② 감봉기간 이후 12개월 동안은 승진과 호봉승급이 제한된다. ③ 감봉기간만큼 승진소요 최저근무연수에서 제외되나 경력평정기간에는 산입한다.

국가 공무원법상의 징계	교정 징계	견책	① 견책(譴責)은 전과(前過)에 대하여 훈계하고 회개하게 한다. ② 6개월 동안 승진 및 호봉승급이 제한된다. ③ 견책기간만큼 승진소요 최저근무연수에서 제외되나 경력평정기간에는 산입한다.
의무경찰대 설치 및 운영에 관한 법률상의 징계 (제5조)	의무경찰에 대한 징계는 강등, 정직, 영창, 휴가제한 및 근신(謹愼)으로 하고, 그 구체적인 내용은 다음과 같다.		
		강등	징계 당시 계급에서 1계급 낮추는 것
		정직	1개월 이상 3개월 이하의 기간 동안 의무경찰의 신분은 유지하나 직무에 종사하지 못하게 하면서 일정한 장소에서 비행(非行)을 반성하게 하는 것
		영창	① 15일 이내의 기간 동안 의무경찰대, 함정(艦艇) 내 또는 그 밖의 구금장소(拘禁場所)에 구금하는 것 ② 영창은 휴가제한이나 근신으로 그 징계처분을 하는 목적을 달성하기 어렵고, 복무규율을 유지하기 위하여 신체구금이 필요한 경우에만 처분하여야 한다.
		휴가 제한	5일 이내의 범위에서 휴가일수를 제한하는 것. 다만, 복무기간 중 총 제한일수는 15일을 초과하지 못한다.
		근신	15일 이내의 기간 동안 평상근무에 복무하는 대신 훈련이나 교육을 받으면서 비행을 반성하게 하는 것

Add ⊕

경찰공무원 승진임용 규정

제24조【심사승진후보자 명부의 작성】 ③ 임용권자나 임용제청권자는 심사승진후보자 명부에 기록된 사람이 승진임용되기 전에 정직 이상의 징계처분을 받은 경우에는 심사승진후보자 명부에서 그 사람을 제외하여야 한다.

제36조【시험승진후보자 명부의 작성 등】 ③ 임용권자나 임용제청권자는 시험승진후보자 명부에 기록된 사람이 승진임용되기 전에 정직 이상의 징계처분을 받은 경우에는 시험승진후보자 명부에서 그 사람을 제외하여야 한다.

제42조【특별승진후보자 명부의 작성 등】 ④ 임용권자나 임용제청권자는 특별승진후보자 명부에 기록된 사람이 승진임용되기 전에 정직 이상의 징계처분을 받은 경우에는 특별승진후보자 명부에서 그 사람을 제외하여야 한다.

판례

1. **경찰공무원시험승진후보자명부에 등재된 자가 승진임용되기 전에 감봉 이상의 징계처분을 받은 경우, 임용권자가 당해인을 시험승진후보자명부에서 삭제한 행위가 행정처분이 되는지 여부(소극)**
시험승진후보자명부에 등재된 자가 승진임용되기 전에 감봉 이상의 징계처분을 받은 경우에는 임용권자 또는 임용제청권자가 위 징계처분을 받은 자를 시험승진후보자명부에서 삭제하도록 되어 있는바, 이처럼 시험승진후보자명부에 등재되어 있던 자가 그 명부에서 삭제됨으로써 승진임용의 대상에서 제외되었다 하더라도, 그와 같은 시험승진후보자명부에서의 삭제행위는 결국 그 명부에 등재된 자에 대한 승진 여부를 결정하기 위한 행정청 내부의 준비과정에 불과하고, 그 자체가 어떠한 권리나 의무를 설정하거나 법률상 이익에 직접적인 변동을 초래하는 별도의 행정처분이 된다고 할 수 없다[대법원 1997. 11. 14., 선고, 97누7325, 판결].

2. **교육공무원법상 승진후보자 명부에 의한 승진심사 방식으로 행해지는 승진임용에서 승진후보자 명부에 포함되어 있던 후보자를 승진임용인사발령에서 제외하는 행위가 항고소송의 대상인 처분에 해당하는지 여부(적극)**
교육공무원의 임용권자는 결원된 직위의 3배수의 범위 안에 들어간 후보자들을 대상으로 순위가 높은 사람부터 차례로 승진임용 여부를 심사하여야 하고, 이에 따라 승진후보자 명부에 포함된 후보자는 임용권자로부터 정당한 심사를 받게 될 것에 관한 절차적 기대를 하게 된다. 그런데 임용권자 등이 자의적인 이유로 승진후보자 명부에 포함된 후보자를 승진임용에서 제외하는 처분을 한 경우에, 이러한 승진임용 제외처분을 항고소송의 대상이 되는 처분으로 보지 않는다면, 달리 이에 대하여는 불복하여 침해된 권리를 구제받을 방법이 없다. 따라서 교육공무원법상 승진후보자 명부에 의한 승진심사 방식으로 행해지는 승진임용에서 승진후보자 명부에 포함되어 있던 후보자를 승진임용 인사발령에서 제외하는 행위는 불이익처분으로서 항고소송의 대상인 처분에 해당한다고 보아야 한다[대법원 2018. 3. 29., 선고, 2017두34162, 판결].

징계의 효력에 대한 관련 규정

공무원연금법

제65조【형벌 등에 따른 급여의 제한】 ① 공무원이거나 공무원이었던 사람이 다음 각 호의 어느 하나에 해당하는 경우에는 대통령령으로 정하는 바에 따라 퇴직급여 및 퇴직수당의 일부를 줄여 지급한다. 이 경우 퇴직급여액은 이미 낸 기여금의 총액에 민법 제379조에 따른 이자를 가산한 금액 이하로 줄일 수 없다.

1. 재직 중의 사유(직무와 관련이 없는 과실로 인한 경우 및 소속 상관의 정당한 직무상의 명령에 따르다가 과실로 인한 경우는 제외한다. 이하 제3항에서 같다)로 금고 이상의 형이 확정된 경우
2. 탄핵 또는 징계에 의하여 파면된 경우
3. 금품 및 향응수수, 공금의 횡령·유용으로 징계에 의하여 해임된 경우

공무원연금법 시행령

제61조【형벌 등에 따른 퇴직급여 및 퇴직수당의 감액】 ① 공무원 또는 공무원이었던 사람이 법 제65조 제1항 각 호의 어느 하나에 해당하게 되었을 때에는 다음 각 호의 구분에 따라 퇴직급여 및 퇴직수당을 감액한 후 지급한다. 이 경우 퇴직연금 또는 조기퇴직연금은 그 감액사유에 해당하게 된 날이 속하는 달까지는 감액하지 아니한다.

1. 법 제65조 제1항 제1호 및 제2호에 해당하는 사람
   가. 재직기간이 5년 미만인 사람의 퇴직급여 : 그 금액의 4분의 1
   나. 재직기간이 5년 이상인 사람의 퇴직급여 : 그 금액의 2분의 1
   다. 퇴직수당 : 그 금액의 2분의 1
2. 법 제65조 제1항 제3호에 해당하는 사람
   가. 재직기간이 5년 미만인 사람의 퇴직급여 : 그 금액의 8분의 1
   나. 재직기간이 5년 이상인 사람의 퇴직급여 : 그 금액의 4분의 1
   다. 퇴직수당 : 그 금액의 4분의 1

경찰공무원 승진임용 규정

제6조【승진임용의 제한】 ① 다음 각 호의 어느 하나에 해당하는 경찰공무원은 승진임용될 수 없다.

1. 징계의결 요구, 징계처분, 직위해제, 휴직(공무원 재해보상법에 따른 공무상 질병 또는 부상으로 인하여 국가공무원법 제71조 제1항 제1호에 따라 휴직한 사람을 제37조 제1항 제4호 또는 같은 조 제2항에 따라 특별승진임용하는 경우는 제외한다) 또는 시보임용기간 중에 있는 사람
2. 징계처분의 집행이 끝난 날부터 다음 각 목의 구분에 따른 기간[국가공무원법 제78조의2 제1항 각 호의 어느 하나에 해당하는 사유로 인한 징계처분과 소극행정, 음주운전(음주측정에 응하지 않은 경우를 포함한다), 성폭력, 성희롱 및 성매매에 따른 징계처분의 경우에는 각각 6개월을 더한 기간]이 지나지 않은 사람
   가. 강등·정직 : 18개월
   나. 감봉 : 12개월
   다. 견책 : 6개월
3. 징계에 관하여 경찰공무원과 다른 법령을 적용받는 공무원으로 재직하다가 경찰공무원으로 임용된 사람으로서, 종전의 신분에서 징계처분을 받고 그 징계처분의 집행이 끝난 날부터 다음 각 목의 구분에 따른 기간이 지나지 아니한 사람
   가. 강등 : 18개월
   나. 근신·영창 또는 그 밖에 이와 유사한 징계처분 : 6개월

공무원보수규정

제14조【승급의 제한】 ① 다음 각 호의 어느 하나에 해당하는 사람은 해당 기간 동안 승급시킬 수 없다.

1. 징계처분, 직위해제 또는 휴직(공무상 질병 또는 부상으로 인한 휴직은 제외한다) 중인 사람
2. 징계처분의 집행이 끝난 날(강등의 경우에는 직무에 종사하지 못하는 3개월이 끝난 날을 말한다. 이하 같다)부터 다음 각 목의 기간[국가공무원법 제78조의2 제1항 각 호의 어느 하나의 사유로 인한 징계처분과 소극행정, 음주운전(음주측정에 응하지

않은 경우를 포함한다), 성폭력, 성희롱 및 성매매로 인한 징계처분의 경우에는 각각 6개월을 가산한 기간]이 지나지 않은 사람

가. 강등 · 정직: 18개월(강등의 경우는 별표 13의 봉급표를 적용받는 공무원에게는 적용하지 아니한다)

나. 감봉: 12개월

다. 영창, 근신 또는 견책: 6개월

7. 징계위원회의 종류 및 설치

경찰공무원법

제32조【징계위원회】 ① 경무관 이상의 경찰공무원에 대한 징계의결은 국가공무원법에 따라 국무총리 소속으로 설치된 징계위원회에서 한다.

국가공무원법

제81조【징계위원회의 설치】 ① 공무원의 징계처분등을 의결하게 하기 위하여 대통령령등으로 정하는 기관에 징계위원회를 둔다.

② 징계위원회의 종류 · 구성 · 권한 · 심의절차 및 징계 대상자의 진술권에 필요한 사항은 대통령령등으로 정한다.

공무원징계령

제4조【중앙징계위원회의 구성 등】 ① 중앙징계위원회는 위원장 1명을 포함하여 17명 이상 33명 이하의 공무원위원과 민간위원으로 구성한다. 이 경우 민간위원의 수는 위원장을 제외한 위원 수의 2분의 1 이상이어야 한다.

② 총경 이하의 경찰공무원에 대한 징계의결을 하기 위하여 대통령령으로 정하는 경찰기관 및 해양경찰관서에 경찰공무원 징계위원회를 둔다.

③ 경찰공무원 징계위원회의 구성 · 관할 · 운영, 징계의결의 요구 절차, 그 밖에 필요한 사항은 대통령령으로 정한다.

경찰공무원 징계령

제3조【징계위원회의 종류 및 설치】 ① 경찰공무원 징계위원회는 경찰공무원 중앙징계위원회(이하 '중앙징계위원회'라 한다)와 경찰공무원 보통징계위원회(이하 '보통징계위원회'라 한다)로 구분한다.

② 중앙징계위원회는 경찰청 및 해양경찰청에 두고, 보통징계위원회는 경찰청, 해양경찰청, 시 · 도경찰청, 지방해양경찰청, 경찰대학, 경찰인재개발원, 중앙경찰학교, 경찰수사연수원, 해양경찰교육원, 경찰병원, 경찰서, 경찰기동대, 의무경찰대, 해양경찰서, 해양경찰정비창, 경비함정 및 경찰청장 또는 해양경찰청장이 지정하는 경감 이상의 경찰공무원을 장으로 하는 기관(이하 '경찰기관'이라 한다)에 둔다.

제4조【징계위원회의 관할】 ① 중앙징계위원회는 총경 및 경정에 대한 징계 또는 국가공무원법 제78조의2에 따른 징계부가금 부과(이하 '징계 등'이라 한다) 사건을 심의 · 의결한다.

② 보통징계위원회는 해당 징계위원회가 설치된 경찰기관 소속 경감 이하 경찰공무원에 대한 징계 등 사건을 심의 · 의결한다. 다만, 다음 각 호의 기관에 설치된 보통징계위원회는 각 호의 구분에 따른 경찰공무원에 대한 징계 등 사건을 심의 · 의결한다.

1. 경정 이상의 경찰공무원을 장으로 하는 경찰서, 경찰기동대 · 해양경찰서 등 총경 이상의 경찰공무원을 장으로 하는 경찰기관 및 정비창: 소속 경위 이하의 경찰공무원
2. 의무경찰대 및 경비함정 등 경찰청장 또는 해양경찰청장이 지정하는 경감 이상의 경찰공무원을 장으로 하는 경찰기관: 소속 경사 이하의 경찰공무원

③ 경찰청 및 해양경찰청에 설치된 보통징계위원회는 제2항에도 불구하고 경찰청장 또는 해양경찰청장이 징계 등 의결을 요구하는 경찰공무원에 대한 징계 등 사건을 심의 · 의결한다.

④ 제2항 단서 또는 제6조 제2항 단서에 따라 해당 보통징계위원회의 징계 관할에서 제외되는 경찰공무원의 징계 등 사건은 바로 위 상급경찰기관에 설치된 보통징계위원회에서 심의 · 의결한다.

(1) 징계위원회의 종류(경찰공무원 징계령 제3조)

경찰공무원 징계위원회는 경찰공무원 중앙징계위원회(이하 '중앙징계위원회'라 한다)와 경찰공무원 보통징계위원회(이하 '보통징계위원회'라 한다)로 구분한다.

(2) 징계위원회의 관할(경찰공무원 징계령 제5조)

① 상위계급과 하위계급의 경찰공무원이 관련된 징계 등 사건은 상위계급의 경찰공무원을 관할하는 징계위원회에서 심의·의결하고, 상급경찰기관과 하급 경찰기관에 소속된 경찰공무원이 관련된 징계 등 사건은 상급경찰기관에 설치된 징계위원회에서 심의·의결한다. 다만, 상위계급의 경찰공무원이 감독상 과실책임만으로 관련된 경우에는 원칙규정에 따른 관할 징계위원회에서 각각 심의·의결할 수 있다.

② 소속이 다른 2명 이상의 경찰공무원이 관련된 징계 등 사건으로서 관할 징계위원회가 서로 다른 경우에는 모두를 관할하는 바로 위 상급경찰기관에 설치된 징계위원회에서 심의·의결한다.

(3) 징계위원회의 구성(경찰공무원 징계령 제6조)

① 각 징계위원회는 위원장 1명을 포함하여 11명 이상 51명 이하의 공무원위원과 민간위원으로 구성한다.

② 위원장과 위원

㉠ 징계위원회의 위원장은 위원 중 최상위 계급 또는 이에 상응하는 직급에 있거나 최상위 계급 또는 이에 상응하는 직급에 먼저 승진임용된 공무원이 된다.

㉡ 징계위원회가 설치된 경찰기관의 장은 징계 등 심의대상자보다 상위계급인 경위 이상의 소속 경찰공무원 또는 상위직급에 있는 6급 이상의 소속 공무원 중에서 징계위원회의 공무원위원을 임명한다.

㉢ 보통징계위원회의 경우 징계 등 심의대상자보다 상위계급인 경위 이상의 소속 경찰공무원 또는 상위직급에 있는 6급 이상의 소속 공무원의 수가 민간위원을 제외한 위원 수에 미달되는 등의 사유로 보통징계위원회를 구성하는 것이 곤란한 경우에는 징계 등 심의대상자보다 상위계급인 경사 이하의 소속 경찰공무원 또는 상위직급에 있는 7급 이하의 소속 공무원 중에서 임명할 수 있으며, 이 경우에는 3개월 이하의 감봉 또는 견책에 해당하는 징계 등 사건만을 심의·의결한다.

③ 민간위원

㉠ 징계위원회가 설치된 경찰기관의 장은 (3)의 ①에 따른 위원 수의 2분의 1 이상을 다음의 구분에 따라 다음의 사람 중에서 민간위원으로 위촉한다. 이 경우 특정 성별의 위원이 민간위원 수의 10분의 6을 초과하지 않도록 해야 한다.

ⓐ 중앙징계위원회

㉮ 법관·검사 또는 변호사로 10년 이상 근무한 사람

㉯ 고등교육법 제2조에 따른 학교 또는 이에 준하는 교육기관(이하 '대학'이라 한다)에서 경찰 관련 학문을 담당하는 정교수 이상으로 재직 중인 사람

㉰ 총경 또는 4급 이상의 공무원으로 근무하고 퇴직한 사람[퇴직 전 5년부터 퇴직할 때까지 근무했던 적이 있는 경찰기관(해당 경찰기관이 소속된 중앙행정기관 및 그 중앙행정기관의 다른 소속기관에서 근무했던 경우를 포함한다)의 경우에는 퇴직일부터 3년이 경과한 사람을 말한다]

㉱ 민간부문에서 인사·감사 업무를 담당하는 임원급 또는 이에 상응하는 직위에 근무한 경력이 있는 사람

ⓑ 보통징계위원회

㉮ 법관·검사 또는 변호사로 5년 이상 근무한 사람

㉯ 대학에서 경찰 관련 학문을 담당하는 부교수 이상으로 재직 중인 사람

㉰ 공무원으로 20년 이상 근속하고 퇴직한 사람[퇴직 전 5년부터 퇴직할 때까지 근무했던 적이 있는 경찰기관(해당 경찰기관이 소속된 중앙행정기관 및 그 중앙행정기관의 다른 소속기관에서 근무했던 경우를 포함한다)의 경우에는 퇴직일부터 3년이 경과한 사람을 말한다]

㉱ 민간부문에서 인사·감사 업무를 담당하는 임원급 또는 이에 상응하는 직위에 근무한 경력이 있는 사람

㉡ 민간위원의 임기는 2년으로 하며, 한 차례만 연임할 수 있다.

④ 징계위원회의 회의(경찰공무원 징계령 제7조)

㉠ 징계위원회의 회의는 위원장과 징계위원회가 설치된 경찰기관의 장이 회의마다 지정하는 4명 이상 6명 이하의 위원으로 성별을 고려하여 구성하되, 민간위원의 수는 위원장을 포함한 위원 수의 2분의 1 이상이어야 한다.

㉡ 징계사유가 다음의 어느 하나에 해당하는 징계 사건이 속한 징계위원회의 회의를 구성하는 경우에는 피해자와 같은 성별의 위원이 위원장을 제외한 위원 수의 3분의 1 이상 포함되어야 한다.

ⓐ 성폭력범죄의 처벌 등에 관한 특례법에 따른 성폭력범죄
ⓑ 양성평등기본법에 따른 성희롱

㉢ 징계위원회의 위원장은 위원회의 사무를 총괄하며 위원회를 대표한다.

㉣ 징계위원회의 회의는 위원장이 소집한다.

㉤ 위원장은 표결권을 가진다.

㉥ 위원장이 부득이한 사유로 직무를 수행할 수 없거나 위원장이 필요하다고 인정하는 경우에는 출석한 위원 중 최상위 계급 또는 이에 상응하는 직급에 있거나 최상위 계급 또는 이에 상응하는 직급에 먼저 승진임용된 공무원이 위원장이 된다.

8. 징계에 있어서 판단여지와 재량인정 여부

(1) 판단여지

공무원의 행위가 징계사유에 해당하는가에 대해서 소속 기관장에게 판단여지가 인정된다.

(2) 결정재량과 선택재량

징계의결요구에 있어서 선택재량은 인정되나 결정재량은 인정되지 않는다. 또한, 징계권자가 징계권의 행사로서 한 징계처분이 사회통념상 현저하게 타당성을 잃은 경우 징계권자에게 맡겨진 재량권을 남용한 것으로 위법에 해당한다.

경찰공무원 징계령
제9조【징계 등 의결의 요구】 ④ 경찰기관의 장이 제1항과 제2항에 따라 징계 등 의결요구 또는 그 신청을 할 때에는 중징계 또는 경징계로 구분하여 요구하거나 신청하여야 한다. 다만, 감사원법 제32조 제1항 및 제10항에 따라 감사원장이 국가공무원법 제79조에 따른 징계의 종류를 구체적으로 지정하여 징계요구를 한 경우에는 그러하지 아니하다.

> **판례** **소속 공무원의 구체적인 행위가 징계사유에 해당하는 것이 명백한 경우에 소속 지방자치단체장이 관할 인사위원회에 징계를 요구할 의무를 지는지 여부(적극)**
> 징계권자이자 임용권자인 지방자치단체장은 소속 공무원의 구체적인 행위가 과연 지방공무원법 제69조 제1항에 규정된 징계사유에 해당하는지 여부에 관하여 판단할 재량은 있지만, 징계사유에 해당하는 것이 명백한 경우에는 관할 인사위원회에 징계를 요구할 의무가 있다[대법원 2007. 7. 12., 선고, 2006도1390, 판결].

9. 징계의 절차

(1) 징계 등 의결의 요구(경찰공무원 징계령 제9조)

① 경찰기관의 장은 소속 경찰공무원이 다음의 어느 하나에 해당할 때에는 지체 없이 관할 징계위원회를 구성하여 징계 등 의결을 요구하여야 한다. 이 경우 경찰공무원 징계의결 또는 징계부가금부과의결 요구서와 확인서(이하 '징계의결서 등'이라 한다)를 관할 징계위원회에 제출하여야 한다. 징계 등 의결 요구 또는 그 신청은 징계사유에 대한 충분한 조사를 한 후에 하여야 한다.

> ㉠ 이 법 및 이 법에 따른 명령을 위반한 경우
> ㉡ 직무상의 의무(다른 법령에서 공무원의 신분으로 인하여 부과된 의무를 포함한다)를 위반하거나 직무를 태만히 한 때
> ㉢ 직무의 내외를 불문하고 그 체면 또는 위신을 손상하는 행위를 한 때
> ㉣ 경찰공무원에 대한 징계 등 사건이 상급경찰기관에 설치된 징계위원회의 관할에 속한 경우에는 그 상급경찰기관의 장에게 징계의결서 등을 첨부하여 징계 등 의결의 요구를 신청하였을 때

② 경찰기관의 장은 그 소속 경찰공무원에 대한 징계 등 사건이 상급경찰기관에 설치된 징계위원회의 관할에 속한 경우에는 그 상급경찰기관의 장에게 징계의결서 등을 첨부하여 징계 등 의결의 요구를 신청하여야 한다.

③ 경찰기관의 장이 징계 등 의결요구 또는 그 신청을 할 때에는 중징계 또는 경징계로 구분하여 요구하거나 신청하여야 한다. 다만, 감사원법 제32조 제1항 및 제10항에 따라 감사원장이 국가공무원법 제79조에 따른 징계의 종류를 구체적으로 지정하여 징계요구를 한 경우에는 그러하지 아니하다.

> **감사원법**
> **제32조【징계요구 등】** ① 감사원은 국가공무원법과 그 밖의 법령에 규정된 징계 사유에 해당하거나 정당한 사유 없이 이 법에 따른 감사를 거부하거나 자료의 제출을 게을리한 공무원에 대하여 그 소속 장관 또는 임용권자에게 징계를 요구할 수 있다.
> ⑩ 제1항 또는 제8항에 따라 징계요구 또는 문책요구를 할 때에는 그 종류를 지정할 수 있다. 문책의 종류는 징계의 종류에 준한다.
> **국가공무원법**
> **제79조【징계의 종류】** 징계는 파면 · 해임 · 강등 · 정직(停職) · 감봉 · 견책(譴責)으로 구분한다.

④ 경찰기관의 장은 징계 등 의결을 요구할 때에는 경찰공무원 징계의결 또는 징계부가금부과의결요구서 사본을 징계 등 심의대상자에게 보내야 한다. 다만, 징계 등 심의대상자가 그 수령을 거부하는 경우에는 그러하지 아니하다.

(2) 징계 등 사건의 통지(경찰공무원 징계령 제10조)

① 경찰기관의 장은 그 소속이 아닌 경찰공무원에게 징계사유가 있다고 인정될 때에는 해당 경찰기관의 장에게 그 사실을 증명할 만한 충분한 사유를 명확히 밝혀 통지하여야 한다.

② 징계사유를 통지받은 경찰기관의 장은 타당한 이유가 없으면 통지를 받은 날부터 30일 이내에 관할 징계위원회에 징계 등 의결을 요구하거나 그 상급경찰기관의 장에게 징계 등 의결의 요구를 신청하여야 한다.

③ 징계사유를 통지받은 경찰기관의 장은 해당 사건의 처리 결과를 징계사유를 통지한 경찰기관의 장에게 회답하여야 한다.

(3) 징계 등 의결기한(경찰공무원 징계령 제11조)

① 징계 등 의결요구를 받은 징계위원회는 그 요구서를 받은 날부터 30일 이내에 징계 등에 관한 의결을 하여야 한다. 다만, 부득이한 사유가 있을 때에는 해당 징계 등 의결을 요구한 경찰기관의 장의 승인을 받아 30일 이내의 범위에서 그 기한을 연기할 수 있다.

② 징계 등 의결이 요구된 사건에 대한 징계 등 절차의 진행이 국가공무원법 제83조에 따라 중지되었을 때에는 그 중지된 기간은 징계 등 의결기한에서 제외한다.

(4) 징계 등 심의대상자의 출석(경찰공무원 징계령 제12조)

① **출석의 통지**: 징계위원회가 징계 등 심의대상자의 출석을 요구할 때에는 출석통지서로 하되, 징계위원회 개최일 5일 전까지 그 징계 등 심의대상자에게 도달되도록 해야 한다.

② **서면심사**: 징계위원회는 징계 등 심의대상자가 그 징계위원회에 출석하여 진술하기를 원하지 아니할 때에는 진술권 포기서를 제출하게 하여 이를 기록에 첨부하고 서면심사로 징계 등 의결을 할 수 있다.

③ **절차의 계속을 위한 조치**

㉠ 징계위원회는 출석통지를 하였음에도 불구하고 징계 등 심의대상자가 정당한 사유 없이 출석하지 아니하였을 때에는 그 사실을 기록에 분명히 적고 서면심사로 징계 등 의결을 할 수 있다. 다만, 징계 등 심의대상자의 소재가 분명하지 아니할 때에는 출석통지를 관보에 게재하고, 그 게재일부터 10일이 지나면 출석통지가 송달된 것으로 보며, 징계 등 의결을 할 때에는 관보게재의 사유와 그 사실을 기록에 분명히 적어야 한다.

㉡ 징계위원회는 징계 등 심의대상자가 징계 등 사건 또는 형사사건의 사실 조사를 기피할 목적으로 도피하였거나 출석통지서의 수령을 거부하여 징계 등 심의대상자나 그 가족에게 직접 출석통지서를 전달하는 것이 곤란하다고 인정될 때에는 징계 등 심의대상자가 소속된 기관의 장에게 출석통지서를 보내 이를 전달하게 하고, 전달이 불가능하거나 수령을 거부할 때에는 그 사실을 증명하는 서류를 첨부하여 보고하게 한 후 기록에 분명히 적고 서면심사로 징계 등 의결을 할 수 있다.

④ **서면진술**: 징계위원회는 징계 등 심의대상자가 국외 체류 또는 국외 여행 중이거나 그 밖의 부득이한 사유로 징계 등 의결요구서를 받은 날부터 상당한 기간 내에 출석할 수 없다고 인정될 때에는 적당한 기간을 정하여 서면으로 진술하게 하여 징계 등 의결을 할 수 있다. 이 경우 그 기간 내에 서면으로 진술하지 아니할 때에는 그 진술 없이 징계 등 의결을 할 수 있다.

(5) 심문과 진술권(경찰공무원 징계령 제13조)

① 징계위원회는 징계위원회에 출석한 징계 등 심의대상자에게 징계사유에 해당하는 사실에 관한 심문을 하고 심사를 위하여 필요하다고 인정될 때에는 관계인을 출석하게 하여 심문할 수 있다.

② 징계위원회는 징계 등 심의대상자에게 진술할 수 있는 기회를 충분히 주어야 하며, 징계 등 심의대상자는 별지 제2호의2 서식의 의견서 또는 말로 자기에게 이익이 되는 사실을 진술하거나 증거를 제출할 수 있다.

③ 징계 등 심의대상자는 증인의 심문을 신청할 수 있다. 이 경우 징계위원회는 의결로써 그 채택 여부를 결정하여야 한다.

④ 징계 등 의결을 요구한 자 또는 징계 등 의결의 요구를 신청한 자는 징계위원회에 출석하여 의견을 진술하거나 서면으로 의견을 진술할 수 있다. 다만, 중징계나 중징계 관련 징계부가금 요구사건의 경우에는 특별한 사유가 없는 한 징계위원회에 출석하여 의견을 진술해야 한다.

⑤ 징계위원회는 필요하다고 인정할 때에는 사실 조사를 하거나 특별한 학식·경험이 있는 사람에게 검증 또는 감정을 의뢰할 수 있다.

> **경찰공무원 징계령 세부시행규칙 제12조【징계등 심의 대상자의 진술거부권】** ① 징계등 심의 대상자는 진술하지 아니하거나 개개의 질문에 대하여 진술을 거부할 수 있다.
> ② 징계위원회의 위원장은 징계등 심의 대상자에게 제1항과 같이 진술을 거부할 수 있음을 고지하여야 한다.

CHAPTER 04

10. 징계 등 의결

(1) 징계위원회의 의결(경찰공무원 징계령 제14조)

① 징계위원회의 의결은 위원장을 포함한 위원 과반수의 출석과 출석위원 과반수의 찬성으로 의결하되, 의견이 나뉘어 출석위원 과반수의 찬성을 얻지 못한 경우에는 출석위원 과반수가 될 때까지 징계 등 심의대상자에게 가장 불리한 의견을 제시한 위원의 수를 그 다음으로 불리한 의견을 제시한 위원의 수에 차례로 더하여 그 의견을 합의된 의견으로 본다.

② 징계위원회의 의결은 징계 등 의결서로 하며, 의결서에는 다음 각 사항을 구체적으로 적어야 한다.
㉠ 징계 등의 원인이 된 사실
㉡ 증거에 대한 판단
㉢ 관계 법령
㉣ 징계 등 면제사유 해당 여부
㉤ 징계부가금 조정(감면) 사유

③ 징계위원회는 ①에도 불구하고 다음의 사항에 대해서는 서면으로 의결할 수 있다.
㉠ 제5조 제4항에 따른 징계등 사건의 관할 이송에 관한 사항
㉡ 제11조 제1항에 따른 징계등 의결의 기한 연기에 관한 사항

④ 위 ③에 따른 서면 의결의 절차·방법 등에 관한 사항은 경찰청장이 정한다.

⑤ 징계위원회의 의결 내용은 공개하지 아니한다.

(2) 원격영상회의 방식의 활용(경찰공무원 징계령 제14조의2)

① 징계위원회는 위원과 징계 등 심의 대상자, 징계등 의결을 요구하거나 요구를 신청한 자, 증인, 관계인 등 이 영에 따라 회의에 출석하는 사람(이하 '출석자'라 한다)이 동영상과 음성이 동시에 송수신되는 장치가 갖추어진 서로 다른 장소에 출석하여 진행하는 원격영상회의 방식으로 심의·의결할 수 있다. 이 경우 징계위원회의 위원 및 출석자가 같은 회의장에 출석한 것으로 본다.

② 징계위원회는 ①에 따라 원격영상회의 방식으로 심의·의결하는 경우 위원 및 출석자의 신상정보, 회의 내용·결과 등이 유출되지 않도록 보안에 필요한 조치를 해야 한다.

③ ① 및 ②에서 규정한 사항 외에 원격영상회의의 운영에 필요한 사항은 경찰청장이 정한다.

(3) 제척·기피 및 회피(경찰공무원 징계령 제15조)

① 징계위원회의 위원장 또는 위원이 다음의 어느 하나에 해당하는 경우에는 그 징계 등 사건의 심의·의결에 관여하지 못한다.

㉠ 징계 등 심의대상자의 친족 또는 직근 상급자(징계 사유가 발생한 기간 동안 직근 상급자였던 사람을 포함한다)인 경우

㉡ 그 징계 사유와 관계가 있는 경우

㉢ 국가공무원법 제78조의3 제1항 제3호의 사유로 다시 징계 등 사건의 심의·의결을 할 때 해당 징계 등 사건의 조사나 심의·의결에 관여한 경우

② 징계 등 심의대상자는 징계위원회의 위원장 또는 위원이 다음의 어느 하나에 해당하는 경우에는 징계위원회에 그 사실을 서면으로 밝히고 해당 위원장 또는 위원의 기피를 신청할 수 있다.

㉠ 위 ①의 어느 하나에 해당하는 경우

㉡ 불공정한 의결을 할 우려가 있다고 의심할 만한 타당한 사유가 있는 경우

③ 징계위원회는 ②에 따른 기피 신청을 받은 때에는 해당 징계 등 사건을 심의하기 전에 의결로써 해당 위원장 또는 위원의 기피 여부를 결정해야 한다. 이 경우 기피 신청을 받은 위원장 또는 위원은 그 의결에 참여하지 못한다.

④ 징계위원회의 위원장 또는 위원은 위 ①의 어느 하나에 해당하면 스스로 해당 징계 등 사건의 심의·의결을 회피해야 하며, 위 ②의 ㉡에 해당하면 회피할 수 있다.

⑤ 위원의 보충임명

㉠ 징계위원회는 위원의 제척, 기피 또는 회피로 인하여 징계위원회를 구성하지 못하게 되었을 때에는 해당 경찰기관의 장에게 위원의 보충임명을 요청하여야 하며 해당 경찰기관의 장은 지체 없이 위원을 보충임명하여야 한다.

㉡ 위원의 보충임명이 곤란할 때에는 그 징계 등 의결의 요구를 철회하고, 그 상급경찰기관의 장에게 징계 등 의결의 요구를 신청하여야 한다.

(4) 징계 등의 정도(경찰공무원 징계령 제16조)

징계위원회는 징계 등 사건을 의결할 때에는 징계 등 심의 대상자의 비위행위 당시 계급 및 직위, 비위행위가 공직 내외에 미치는 영향, 평소 행실, 공적(功績), 뉘우치는 정도나 그 밖의 정상과 징계 등 의결을 요구한 자의 의견을 고려해야 한다.

경찰공무원 징계령 세부시행규칙

제4조【행위자의 징계양정기준】 ② 징계요구권자 또는 징계위원회는 다음 각 호의 어느 하나에 해당하는 사유가 있을 때에는 징계책임을 감경하여 징계의결요구 또는 징계의결하거나 징계책임을 묻지 아니할 수 있다.

1. 과실로 인하여 발생한 의무 위반행위가 다른 법령에 의해 처벌사유가 되지 않고 비난가능성이 없는 때
2. 국가 또는 공공의 이익을 증진하기 위해 성실하고 능동적으로 업무를 처리하는 과정에서 부분적인 절차상 하자 또는 비효율, 손실 등의 잘못이 발생한 때
3. 업무 매뉴얼에 규정된 직무상의 절차를 충실히 이행한 때
4. 의무 위반행위의 발생을 방지하기 위해 최선을 다하였으나 부득이한 사유로 결과가 발생하였을 때
5. 발생한 의무 위반행위에 대하여 자진신고하거나 사후조치에 최선을 다하여 원상회복에 크게 기여한 때
6. 간첩 또는 사회이목을 집중시킨 중요사건의 범인을 검거한 공로가 있을 때
7. 제8조 제3항에 따른 감경 제외대상이 아닌 의무 위반행위 중 직무와 관련이 없는 사고로 인한 의무 위반행위로서 사회통념에 비추어 공무원의 품위를 손상하지 아니한 때

제5조【행위자와 감독자에 대한 문책기준】 ② 징계요구권자 또는 징계위원회는 감독자에게 다음 각 호의 어느 하나에 해당하는 사유가 있을 때에는 징계책임을 감경하여 징계의결요구 또는 징계의결하거나 징계책임을 묻지 아니할 수 있다.

1. 부하직원의 의무 위반행위를 사전에 발견하여 적법 타당하게 조치한 때
2. 부하직원의 의무 위반행위가 감독자 또는 행위자의 비번일, 휴가기간, 교육기간 등에 발생하거나, 소관업무와 직접 관련 없는 등 감독자의 실질적 감독범위를 벗어났다고 인정된 때
3. 부임기간이 1개월 미만으로 부하직원에 대한 실질적인 감독이 곤란하다고 인정된 때
4. 교정이 불가능하다고 판단된 부하직원의 사유를 명시하여 인사상 조치(전출 등)를 상신하는 등 성실히 관리한 이후에 같은 부하직원이 의무 위반행위를 야기하였을 때
5. 기타 부하직원에 대하여 평소 철저한 교양감독 등 감독자로서의 임무를 성실히 수행하였다고 인정된 때

제7조【징계의 가중】 ① 징계의결요구권자 또는 징계위원회는 서로 관련이 없는 2개 이상의 의무위반행위가 경합될 때에는 그 중 책임이 중한 의무위반행위에 해당하는 징계보다 1단계 위의 징계의결 요구 또는 징계의결을 할 수 있다.
② 하나의 행위가 동시에 여러 종류의 의무위반행위에 해당될 때에도 제1항과 같다.
③ 징계위원회는 징계처분을 받은 사람에 대하여 「경찰공무원 승진임용 규정」 제6조에 따른 승진임용 제한기간 중에 발생한 비위로 다시 징계의결이 요구된 경우에는 그 비위에 해당하는 징계보다 2단계 위의 징계로 의결할 수 있고, 승진임용 제한기간이 끝난 후부터 1년 이내에 발생한 비위로 징계의결이 요구된 경우에는 1단계 위의 징계로 의결할 수 있다.

제8조【징계의 감경】 ① 징계위원회는 징계의결이 요구된 자가 다음 각 호의 어느 하나에 해당하는 공적이 있는 경우 별표 9에 따라 징계를 감경할 수 있다.

1. 「상훈법」에 따라 훈장 또는 포장을 받은 공적
2. 「정부표창규정」에 따라 국무총리 이상의 표창을 받은 공적 다만, 경감이하의 경찰공무원등은 경찰청장 또는 중앙행정기관 차관급 이상 표창을 받은 공적
3. 「모범공무원규정」에 따라 모범공무원으로 선발된 공적

② 경찰공무원등이 징계처분 또는 징계위원회의 권고에 의한 경고를 받은 사실이 있는 경우에는 그 징계처분 또는 경고처분 전의 공적은 제1항에 따른 감경대상 공적에서 제외한다
③ 제1항에도 불구하고 의무위반행위의 내용이 다음 각 호의 어느 하나에 해당하는 경우에는 징계를 감경할 수 없다.

1. 「국가공무원법」 제78조의2제1항 각 호의 어느 하나에 해당하는 비위

1의2. 「국가공무원법」 제78조의2제1항 각 호의 어느 하나에 해당하는 비위에 대한 신고 의무를 이행하지 않은 경우

2. 「양성평등기본법」제3조제2호에 따른 성희롱
3. 「성매매알선 등 행위의 처벌에 관한 법률」 제2조제1호의 성매매, 같은 조 제2호의 성매매 알선, 같은 조 제3호의 성매매 목적 인신매매
4. 「성폭력범죄의 처벌 등에 관한 특례법」 제2조에 따른 성폭력범죄
5. 「도로교통법」 제44조제1항에 따른 음주운전 또는 같은 조 제2항에 따른 음주측정에 대한 불응
6. 「공직자윤리법」 제22조에 따른 재산등록 및 주식의 매각·신탁 관련 의무위반행위
7. 「적극행정 운영규정」 제2조제2호에 따른 소극행정(이하 이 조에서 "소극행정"이라 한다)

7의2. 부작위 또는 직무태만

8. 「경찰청 공무원 행동강령」 제13조의3에 따른 부당한 행위

9. 제2호부터 제4호까지의 성 관련 비위 또는 「경찰청 공무원 행동강령」 제13조의3에 따른 부당한 행위를 은폐하거나 필요한 조치를 하지 않은 경우
10. 「형법」 제124조의 불법체포 · 감금 및 제125조의 폭행 · 가혹행위
11. 특정인의 공무원 채용에 대한 특혜를 요청하거나, 그 요청 등에 따라 부정한 방법으로 채용관리를 한 경우
12. 「부정청탁 및 금품등 수수의 금지에 관한 법률」 제5조에 따른 부정청탁
13. 「부정청탁 및 금품등 수수의 금지에 관한 법률」 제6조의 부정청탁에 따른 직무수행
14. 직무상 비밀이나 미공개 정보를 이용한 부당행위
15. 우월적 지위 등을 이용하여 다른 공무원 등에게 신체적 · 정신적 고통을 주는 등의 부당행위

판례 **경찰공무원에 대한 징계위원회 심의과정에서 징계대상자가 속한 기관이나 단체에 수여된 국무총리 단체표창이 징계대상자에 대한 징계양정의 임의적 감경사유에 해당하는지 여부(소극)**

경찰공무원에 대한 징계위원회의 심의과정에 감경사유에 해당하는 공적 사항이 제시되지 아니한 경우에는 그 징계양정이 결과적으로 적정한지와 상관없이 이는 관계 법령이 정한 징계절차를 지키지 않은 것으로서 위법하다. 다만 징계양정에서 임의적 감경사유가 되는 국무총리 이상의 표창은 징계대상자가 받은 것이어야 함은 관련 법령의 문언상 명백하고, 징계대상자가 위와 같은 표창을 받은 공적을 징계양정의 임의적 감경사유로 삼은 것은 징계의결이 요구된 사람이 국가 또는 사회에 공헌한 행적을 징계양정에 참작하려는 데 그 취지가 있으므로 징계대상자가 아니라 그가 속한 기관이나 단체에 수여된 국무총리 단체표창은 징계대상자에 대한 징계양정의 임의적 감경사유에 해당하지 않는다[대법원 2012. 10. 11., 선고, 2012두13245, 판결].

11. 징계권자(경찰공무원법 제33조)

경찰공무원의 징계는 징계위원회의 의결을 거쳐 징계위원회가 설치된 소속 기관의 장이 하되, 국가공무원법에 따라 국무총리 소속으로 설치된 징계위원회에서 의결한 징계는 경찰청장 또는 해양경찰청장이 한다. 다만, 파면 · 해임 · 강등 및 정직은 징계위원회의 의결을 거쳐 해당 경찰공무원의 임용권자가 하되, 경무관 이상의 강등 및 정직과 경정 이상의 파면 및 해임은 경찰청장 또는 해양경찰청장의 제청으로 행정안전부장관 또는 해양수산부장관과 국무총리를 거쳐 대통령이 하고, 총경 및 경정의 강등 및 정직은 경찰청장 또는 해양경찰청장이 한다.

12. 징계의 처분과 집행

(1) 징계 등 의결의 통지(경찰공무원 징계령 제17조)

징계위원회는 징계 등 의결을 하였을 때에는 지체 없이 징계 등 의결을 요구한 자에게 의결서 정본(正本)을 보내어 통지하여야 한다.

(2) 경징계 등의 집행(경찰공무원 징계령 제18조)

징계 등 의결을 요구한 자는 경징계의 징계 등 의결을 통지받았을 때에는 통지받은 날부터 15일 이내에 징계 등을 집행하여야 한다. 징계 등 의결을 집행할 때에는 의결서 사본에 징계 등 처분사유설명서를 첨부하여 징계 등 처분 대상자에게 보내야 한다.

⑶ 중징계 등의 처분 제청과 집행(경찰공무원 징계령 제19조)

① 징계 등 의결을 요구한 자는 중징계의 징계 등 의결을 통지받았을 때에는 지체 없이 징계 등 처분 대상자의 임용권자에게 의결서 정본을 보내어 해당 징계 등 처분을 제청하여야 한다. 다만, 경무관 이상의 강등 및 정직, 경정 이상의 파면 및 해임 처분의 제청, 총경 및 경정의 강등 및 정직의 집행은 경찰청장 또는 해양경찰청장이 한다.

② 중징계 처분의 제청을 받은 임용권자는 15일 이내에 의결서 사본과 징계 등 처분사유설명서를 첨부하여 징계 등 처분대상자에게 보내야 한다.

⑷ 보고 및 통지(경찰공무원 징계령 제20조)

징계 등 의결을 요구한 경찰기관의 장은 경징계의 징계 등 의결을 집행하였을 때에는 지체 없이 그 결과에 의결서의 사본을 첨부하여 해당 임용권자에게 보고하고, 징계 등 처분을 받은 사람의 소속 경찰기관의 장에게 통지하여야 한다.

13. 재징계의결 등의 요구(국가공무원법 제78조의3)

⑴ 처분권자(대통령이 처분권자인 경우에는 처분 제청권자)는 다음에 해당하는 사유로 소청심사위원회 또는 법원에서 징계처분 등의 무효 또는 취소(취소명령 포함)의 결정이나 판결을 받은 경우에는 다시 징계의결 또는 징계부가금 부과 의결(이하 '징계의결 등'이라 한다)을 요구하여야 한다.

① 법령의 적용, 증거 및 사실 조사에 명백한 흠이 있는 경우

② 징계위원회의 구성 또는 징계의결 등, 그 밖에 절차상의 흠이 있는 경우

③ 징계양정 및 징계부가금이 과다(過多)한 경우

⑵ 위 ③의 사유로 무효 또는 취소(취소명령 포함)의 결정이나 판결을 받은 감봉·견책처분에 대하여는 징계의결을 요구하지 아니할 수 있다.

⑶ 처분권자는 재징계의결 등을 요구하는 경우에는 소청심사위원회의 결정 또는 법원의 판결이 확정된 날부터 3개월 이내에 관할 징계위원회에 징계의결 등을 요구하여야 하며, 관할 징계위원회에서는 다른 징계사건에 우선하여 징계의결 등을 하여야 한다.

14. 감사원의 조사와의 관계 등(국가공무원법 제83조)

국가공무원법

제83조 【감사원의 조사와의 관계 등】 ① 감사원에서 조사 중인 사건에 대하여는 제3항에 따른 조사개시 통보를 받은 날부터 징계의결의 요구나 그 밖의 징계절차를 진행하지 못한다.

② 검찰·경찰, 그 밖의 수사기관에서 수사 중인 사건에 대하여는 제3항에 따른 수사개시 통보를 받은 날부터 징계의결의 요구나 그 밖의 징계절차를 진행하지 아니할 수 있다.

③ 감사원과 검찰·경찰, 그 밖의 수사기관은 조사나 수사를 시작한 때와 이를 마친 때에는 10일 내에 소속 기관의 장에게 그 사실을 통보하여야 한다.

15. 불복절차

(1) 징계 등 의결요구자

국가공무원법
제82조【징계 등 절차】 ② 징계의결 등을 요구한 기관의 장은 징계위원회의 의결이 가볍다고 인정하면 그 처분을 하기 전에 다음 각 호의 구분에 따라 심사나 재심사를 청구할 수 있다. 이 경우 소속 공무원을 대리인으로 지정할 수 있다.
1. 국무총리 소속으로 설치된 징계위원회의 의결: 해당 징계위원회에 재심사를 청구
2. 중앙행정기관에 설치된 징계위원회(중앙행정기관의 소속기관에 설치된 징계위원회는 제외한다)의 의결: 국무총리 소속으로 설치된 징계위원회에 심사를 청구
3. 제1호 및 제2호 외의 징계위원회의 의결: 직근 상급기관에 설치된 징계위원회에 심사를 청구

(2) 징계 등 의결대상자

국가공무원법
제75조【처분사유설명서의 교부】 ① 공무원에 대하여 징계처분 등을 할 때나 강임·휴직·직위해제 또는 면직처분을 할 때에는 그 처분권자 또는 처분제청권자는 처분사유를 적은 설명서를 교부(交付)하여야 한다. 다만, 본인의 원(願)에 따른 강임·휴직 또는 면직처분은 그러하지 아니하다.
제76조【심사청구와 후임자 보충 발령】 ① 제75조에 따른 처분사유설명서를 받은 공무원이 그 처분에 불복할 때에는 그 설명서를 받은 날부터, 공무원이 제75조에서 정한 처분 외에 본인의 의사에 반한 불리한 처분을 받았을 때에는 그 처분이 있은 것을 안 날부터 각각 30일 이내에 소청심사위원회에 이에 대한 심사를 청구할 수 있다. 이 경우 변호사를 대리인으로 선임할 수 있다.

16. 비밀누설 금지(경찰공무원 징계령 제21조)

징계위원회의 회의에 참석한 사람은 직무상 알게 된 비밀을 누설해서는 아니 된다.

17. 회의 참석자의 준수사항(경찰공무원 징계령 제22조)

(1) 징계위원회의 회의에 참석하는 사람은 다음의 물품을 소지할 수 없다.

① 녹음기, 카메라, 휴대전화 등 녹음·녹화·촬영이 가능한 기기
② 흉기 등 위험한 물건
③ 그 밖에 징계 등 사건의 심의와 관계없는 물건

(2) 징계위원회의 회의에 참석하는 사람은 다음의 행위를 해서는 안 된다.

① 녹음, 녹화, 촬영 또는 중계방송
② 회의의 질서를 해치는 행위
③ 다른 사람의 생명·신체·재산 등에 위해를 가하는 행위

09 불이익처분에 대한 구제

1. 소청

소청이란 공무원의 징계처분, 그 밖에 그 의사에 반하는 불리한 처분이나 부작위에 대한 구제절차로서 국가공무원법에서 규정하고 있는 특별행정심판절차이다.

(1) 소청심사위원회의 설치(국가공무원법 제9조)

① 행정기관 소속 공무원의 징계처분, 그 밖에 그 의사에 반하는 불리한 처분이나 부작위에 대한 소청을 심사·결정하게 하기 위하여 인사혁신처에 소청심사위원회를 둔다.

② 국회, 법원, 헌법재판소 및 선거관리위원회 소속 공무원의 소청에 관한 사항을 심사·결정하게 하기 위하여 국회사무처, 법원행정처, 헌법재판소사무처 및 중앙선거관리위원회사무처에 각각 해당 소청심사위원회를 둔다.

(2) 소청심사위원회의 구성(국가공무원법 제9조)

① 인사혁신처에 설치된 소청심사위원회는 위원장 1명을 포함한 5명 이상 7명 이하의 상임위원과 상임위원 수의 2분의 1 이상인 비상임위원으로 구성하되, 위원장은 정무직으로 보한다.

② 국회사무처, 법원행정처, 헌법재판소사무처 및 중앙선거관리위원회사무처에 설치된 소청심사위원회는 위원장 1명을 포함한 위원 5명 이상 7명 이하의 비상임위원으로 구성한다.

③ 소청심사위원회의 조직에 관하여 필요한 사항은 대통령령 등으로 정한다.

Add ⊕

인사혁신처와 그 소속기관 직제
제23조 【소청심사위원회의 구성】 ① 소청심사위원회는 위원장 1명을 포함한 상임위원 5명과 7명의 비상임위원으로 구성한다.
② 소청심사위원회 위원장은 정무직으로 하고, 상임위원은 고위공무원단에 속하는 임기제공무원으로 보한다.
③ 소청심사위원회 비상임위원의 임기는 2년으로 한다.

(3) 소청심사위원회 위원의 자격과 임명(국가공무원법 제10조)

① 위원의 자격 및 임명절차

㉠ 소청심사위원회의 위원(위원장을 포함)은 다음의 어느 하나에 해당하고 인사행정에 관한 식견이 풍부한 자 중에서 국회사무총장, 법원행정처장, 헌법재판소사무처장, 중앙선거관리위원회사무총장 또는 인사혁신처장의 제청으로 국회의장, 대법원장, 헌법재판소장, 중앙선거관리위원회위원장 또는 대통령이 임명한다.

ⓐ 법관·검사 또는 변호사의 직에 5년 이상 근무한 자

ⓑ 대학에서 행정학·정치학 또는 법률학을 담당한 부교수 이상의 직에 5년 이상 근무한 자

ⓒ 3급 이상 공무원 또는 고위공무원단에 속하는 공무원으로 3년 이상 근무한 자

㉡ 인사혁신처장이 위원을 임명제청하는 때에는 국무총리를 거쳐야 하고, 인사혁신처에 설치된 소청심사위원회의 위원 중 비상임위원은 위 ⓐ 및 ⓑ의 어느 하나에 해당하는 자 중에서 임명하여야 한다.

② 위원의 임기: 소청심사위원회의 상임위원의 임기는 3년으로 하며, 한 번만 연임할 수 있다. 소청심사위원회의 상임위원은 다른 직무를 겸할 수 없다. 소청심사위원회의 공무원이 아닌 위원은 형법이나 그 밖의 법률에 따른 벌칙을 적용할 때 공무원으로 본다.

CHAPTER 04

③ 위원의 결격사유(국가공무원법 제10조의2)

㉠ 다음의 어느 하나에 해당하는 자는 소청심사위원회의 위원이 될 수 없다.

ⓐ 국가공무원법상의 결격사유에 해당하는 자

ⓑ 정당법에 따른 정당의 당원

ⓒ 공직선거법에 따라 실시하는 선거에 후보자로 등록한 자

㉡ 소청심사위원회 위원이 결격사유의 어느 하나에 해당하게 된 때에는 당연히 퇴직한다.

④ 위원의 신분 보장(국가공무원법 제11조): 소청심사위원회의 위원은 금고 이상의 형벌이나 장기의 심신 쇠약으로 직무를 수행할 수 없게 된 경우 외에는 본인의 의사에 반하여 면직되지 아니한다.

(4) 위원의 제척 · 기피 · 회피(국가공무원법 제14조)

① 위원의 제척: 소청심사위원회의 위원은 그 위원회에 계류(繫留)된 소청 사건의 증인이 될 수 없으며, 다음의 사항에 관한 소청 사건의 심사 · 결정에서 제척된다.

㉠ 위원 본인과 관계있는 사항

㉡ 위원 본인과 친족 관계에 있거나 친족 관계에 있었던 자와 관계있는 사항

② 위원의 기피: 소청 사건의 당사자는 다음의 어느 하나에 해당하는 때에는 그 이유를 구체적으로 밝혀 그 위원에 대한 기피를 신청할 수 있고, 소청심사위원회는 해당 위원의 기피 여부를 결정하여야 한다. 이 경우 기피신청을 받은 위원은 그 기피 여부에 대한 결정에 참여할 수 없다.

㉠ 소청심사위원회의 위원에게 제척사유가 있는 경우

㉡ 심사 · 결정의 공정을 기대하기 어려운 사정이 있는 경우

③ 위원의 회피: 소청심사위원회 위원은 위원의 기피사유에 해당하는 때에는 스스로 그 사건의 심사 · 결정에서 회피할 수 있다.

(5) 임시위원의 임명(국가공무원법 제14조의2)

소청심사위원회 위원의 제척 · 기피 또는 회피 등으로 심사 · 결정에 참여할 수 있는 위원 수가 3명 미만이 된 경우에는 3명이 될 때까지 국회사무총장, 법원행정처장, 헌법재판소사무처장, 중앙선거관리위원회사무총장 또는 인사혁신처장은 임시위원을 임명하여 해당 사건의 심사 · 결정에 참여하도록 하여야 한다.

(6) 소청심사의 청구

국가공무원법

제75조【처분사유설명서의 교부】 ① 공무원에 대하여 징계처분 등을 할 때나 강임 · 휴직 · 직위해제 또는 면직처분을 할 때에는 그 처분권자 또는 처분제청권자는 처분사유를 적은 설명서를 교부(交付)하여야 한다. 다만, 본인의 원(願)에 따른 강임 · 휴직 또는 면직처분은 그러하지 아니하다.

② 처분권자는 피해자가 요청하는 경우 성폭력범죄의 처벌 등에 관한 특례법 제2조에 따른 성폭력범죄 및 양성평등기본법 제3조 제2호에 따른 성희롱에 해당하는 사유로 처분사유설명서를 교부할 때에는 그 징계처분결과를 피해자에게 함께 통보하여야 한다.

제76조【심사청구와 후임자 보충 발령】 ① 제75조에 따른 처분사유설명서를 받은 공무원이 그 처분에 불복할 때에는 그 설명서를 받은 날부터, 공무원이 제75조에서 정한 처분 외에 본인의 의사에 반한 불리한 처분을 받았을 때에는 그 처분이 있은 것을 안 날부터 각각 30일 이내에 소청심사위원회에 이에 대한 심사를 청구할 수 있다. 이 경우 변호사를 대리인으로 선임할 수 있다.

(7) 소청심사위원회의 심사(국가공무원법 제12조)

① 소청심사위원회는 소청을 접수하면 지체 없이 심사하여야 한다. 소청심사위원회는 심사를 할 때 필요하면 검증(檢證)·감정(鑑定) 그 밖의 사실조사를 하거나 증인을 소환하여 질문하거나 관계 서류를 제출하도록 명할 수 있다.

② 소청심사위원회가 소청 사건을 심사하기 위하여 징계요구 기관이나 관계 기관의 소속 공무원을 증인으로 소환하면 해당 기관의 장은 이에 따라야 한다.

③ 소청심사위원회는 필요하다고 인정하면 소속 직원에게 사실조사를 하게 하거나 특별한 학식·경험이 있는 자에게 검증이나 감정을 의뢰할 수 있다.

④ 소청심사위원회가 증인을 소환하여 질문할 때에는 대통령령 등으로 정하는 바에 따라 일당과 여비를 지급하여야 한다.

(8) 소청인의 진술권(국가공무원법 제13조)

소청심사위원회가 소청 사건을 심사할 때에는 대통령령 등으로 정하는 바에 따라 소청인 또는 대리인에게 진술 기회를 주어야 한다. 진술 기회를 주지 아니한 결정은 무효로 한다.

(9) 소청심사위원회의 결정(국가공무원법 제14조)

국가공무원법

제76조 【심사청구와 후임자 보충 발령】 ⑤ 소청심사위원회는 제3항에 따른 임시결정을 한 경우 외에는 소청심사청구를 접수한 날부터 60일 이내에 이에 대한 결정을 하여야 한다. 다만, 불가피하다고 인정되면 소청심사위원회의 의결로 30일을 연장할 수 있다.

제14조 【소청심사위원회의 결정】 ① 소청 사건의 결정은 재적 위원 3분의 2 이상의 출석과 출석 위원 과반수의 합의에 따르되, 의견이 나뉘어 출석 위원 과반수의 합의에 이르지 못하였을 때에는 과반수에 이를 때까지 소청인에게 가장 불리한 의견에 차례로 유리한 의견을 더하여 그중 가장 유리한 의견을 합의된 의견으로 본다.

② 제1항에도 불구하고 파면·해임·강등 또는 정직에 해당하는 징계처분을 취소 또는 변경하려는 경우와 효력 유무 또는 존재 여부에 대한 확인을 하려는 경우에는 재적 위원 3분의 2 이상의 출석과 출석 위원 3분의 2 이상의 합의가 있어야 한다. 이 경우 구체적인 결정의 내용은 출석 위원 과반수의 합의에 따르되, 의견이 나뉘어 출석 위원 과반수의 합의에 이르지 못하였을 때에는 과반수에 이를 때까지 소청인에게 가장 불리한 의견에 차례로 유리한 의견을 더하여 그중 가장 유리한 의견을 합의된 의견으로 본다.

① 결정의 구분

구분	내용
각하	심사청구가 이 법이나 다른 법률에 적합하지 아니한 경우
기각	심사청구가 이유 없다고 인정되는 경우
처분을 취소 또는 변경하거나 처분 행정관청에 취소 또는 변경할 것을 명함	처분의 취소 또는 변경을 구하는 심사청구가 이유 있다고 인정되는 경우
처분의 효력 유무 또는 존재 여부를 확인	처분의 효력 유무 또는 존재 여부에 대한 확인을 구하는 심사청구가 이유 있다고 인정되는 경우
청구에 따른 처분을 하거나 이를 할 것을 명함	위법 또는 부당한 거부처분이나 부작위에 대하여 의무 이행을 구하는 심사청구가 이유 있다고 인정되는 경우

② **결정의 효력**: 소청심사위원회의 결정은 처분 행정청을 기속(羈束)한다.

③ **집행부정지의 원칙**: 소청심사위원회의 취소명령 또는 변경명령 결정은 그에 따른 징계나 그 밖의 처분이 있을 때까지는 종전에 행한 징계처분 또는 제78조의2에 따른 징계부가금(이하 '징계부가금'이라 한다)부과처분에 영향을 미치지 아니한다.

④ **불이익변경금지의 원칙**: 소청심사위원회가 징계처분 또는 징계부가금부과처분(이하 '징계처분 등'이라 한다)을 받은 자의 청구에 따라 소청을 심사할 경우에는 원징계처분보다 무거운 징계 또는 원징계부가금 부과처분보다 무거운 징계부가금을 부과하는 결정을 하지 못한다.

⑤ **결정의 형식**: 소청심사위원회의 결정은 그 이유를 구체적으로 밝힌 결정서로 하여야 한다.

⑥ **기타**: 소청의 제기·심리 및 결정, 그 밖에 소청 절차에 필요한 사항은 대통령령 등으로 정한다.

⑽ 행정소송과의 관계(국가공무원법 제16조)

① 공무원에 대하여 징계처분 등을 할 때나 강임·휴직·직위해제 또는 면직처분, 그 밖에 본인의 의사에 반한 불리한 처분이나 부작위(不作爲)에 관한 행정소송은 소청심사위원회의 심사·결정을 거치지 아니하면 제기할 수 없다.

② 행정소송을 제기할 때에는 대통령의 처분 또는 부작위의 경우에는 소속 장관(대통령령으로 정하는 기관의 장을 포함한다)을, 중앙선거관리위원회 위원장의 처분 또는 부작위의 경우에는 중앙선거관리위원회 사무총장을 각각 피고로 한다.

⑾ 재심청구

감사원이 파면을 요구한 사안에 대하여 파면의결이 되지 아니한 경우 감사원은 1개월 이내에 재심을 요구할 수 있다.

감사원법

제32조 【징계요구 등】 ① 감사원은 국가공무원법과 그 밖의 법령에 규정된 징계사유에 해당하거나 정당한 사유 없이 이 법에 따른 감사를 거부하거나 자료의 제출을 게을리한 공무원에 대하여 그 소속 장관 또는 임용권자에게 징계를 요구할 수 있다.
② 제1항에 따른 징계요구 중 파면요구를 받은 소속 장관 또는 임용권자는 그 요구를 받은 날부터 10일 이내에 해당 징계위원회 또는 인사위원회 등(이하 '징계위원회 등'이라 한다)에 그 의결을 요구하여야 하며, 중앙징계위원회의 의결 결과에 관하여는 인사혁신처장이, 그 밖의 징계위원회 등의 의결 결과에 관하여는 해당 징계위원회 등이 설치된 기관의 장이 그 의결이 있은 날부터 15일 이내에 감사원에 통보하여야 한다.
③ 감사원은 제1항에 따라 파면요구를 한 사항이 파면의결이 되지 아니한 경우에는 제2항의 통보를 받은 날부터 1개월 이내에 해당 징계위원회 등이 설치된 기관의 바로 위 상급기관에 설치된 징계위원회 등(바로 위 상급기관에 설치된 징계위원회 등이 없는 경우에는 해당 징계위원회 등)에 직접 그 심의 또는 재심의를 요구할 수 있다.
④ 제3항의 심의 또는 재심의요구를 받은 해당 징계위원회 등은 그 요구를 받은 날부터 1개월 이내에 심의 또는 재심의 의결을 하고 그 결과를 지체 없이 해당 징계위원회 등의 위원장이 감사원에 통보하여야 한다.
⑤ 감사원으로부터 제1항에 따른 파면요구를 받아 집행한 파면에 대한 소청(訴請) 제기로 소청심사위원회 등에서 심사 결정을 한 경우에는 해당 소청심사위원회의 위원장 등은 그 결정 결과를 그 결정이 있은 날부터 15일 이내에 감사원에 통보하여야 한다.
⑥ 감사원은 제5항의 통보를 받은 날부터 1개월 이내에 그 소청심사위원회 등이 설치된 기관의 장을 거쳐 소청심사위원회 등에 그 재심을 요구할 수 있다.
⑩ 제1항 또는 제8항에 따라 징계요구 또는 문책요구를 할 때에는 그 종류를 지정할 수 있다. 문책의 종류는 징계의 종류에 준한다.

2. 행정소송

공무원이 징계 등 처분으로 인해 권리를 침해당할 경우 이를 행정소송으로 다툴 수 있음은 물론이다. 그러나 이 경우 소청절차를 거치지 아니하면 행정소송을 제기할 수 없다.

3. 고충심사(경찰공무원법 제31조)

경찰공무원은 인사상담이나 고충의 심사를 청구할 수 있는데, 이를 위하여 경찰청, 시·도경찰청 등에 경찰공무원 고충심사위원회를 둔다. 이는 공무원의 근로3권의 제약에 대한 보완을 위한 제도로 옴부즈만(Ombudsman)* 의 성격을 가진다.

* 옴부즈만: 행정관료들의 불법행위 또는 부당한 행정처분으로 피해를 입은 시민이 그 구제를 호소할 경우, 일정한 권한의 범위 내에서 조사하여 시정을 촉구함으로써 시민의 기본권을 보호하는 구실을 하는 민원조사관을 말한다.

(1) 고충심사의 대상

고충심사는 원칙적으로 직무와 관련한 모든 문제를 대상으로 하므로 근로조건이나 인사관리, 신상문제 등에 대하여 고충심사의 청구가 가능하다.

(2) 고충심사위원회의 구성

경찰공무원법

제31조 【고충심사위원회】 ① 경찰공무원의 인사상담 및 고충을 심사하기 위하여 경찰청, 해양경찰청, 시·도자치경찰위원회, 시·도경찰청, 대통령령으로 정하는 경찰기관 및 지방해양경찰관서에 경찰공무원 고충심사위원회를 둔다.
② 경찰공무원 고충심사위원회의 심사를 거친 재심청구와 경정 이상의 경찰공무원의 인사상담 및 고충심사는 국가공무원법에 따라 설치된 중앙고충심사위원회에서 한다.

공무원고충처리규정

제3조의2 【경찰공무원 고충심사위원회】 ① 경찰공무원법 제31조 제1항에서 '대통령령이 정하는 경찰기관'이라 함은 경찰대학·경찰인재개발원·중앙경찰학교·경찰수사연수원·경찰서·경찰기동대·경비함정 기타 경감 이상의 경찰공무원을 장으로 하는 기관 중 행정안전부장관 또는 해양수산부장관이 지정하는 경찰기관을 말한다.
② 경찰공무원 고충심사위원회는 위원장 1명을 포함하여 7명 이상 15명 이하의 공무원위원과 민간위원으로 구성한다. 이 경우 민간위원의 수는 위원장을 제외한 위원 수의 2분의 1 이상이어야 한다.
③ 경찰공무원고충심사위원회의 위원장은 설치기관 소속 공무원 중에서 인사 또는 감사 업무를 담당하는 과장 또는 이에 상당하는 직위를 가진 사람이 된다.
④ 경찰공무원고충심사위원회의 공무원위원은 청구인보다 상위 계급 또는 이에 상당하는 소속 공무원 중에서 설치기관의 장이 임명한다.
⑤ 경찰공무원고충심사위원회의 민간위원은 다음 각 호의 사람 중에서 설치기관의 장이 위촉한다.
1. 경찰공무원으로 20년 이상 근무하고 퇴직한 사람
2. 대학에서 법학·행정학·심리학·정신건강의학 또는 경찰학을 담당하는 사람으로서 조교수 이상으로 재직 중인 사람
3. 변호사 또는 공인노무사로 5년 이상 근무한 사람
4. 「의료법」에 따른 의료인
⑥ 경찰공무원고충심사위원회 민간위원의 임기는 2년으로 하며, 한 번만 연임할 수 있다.
⑦ 경찰공무원고충심사위원회의 회의는 위원장과 위원장이 회의마다 지정하는 5명 이상 7명 이내의 위원으로 성별을 고려하여 구성한다. 이 경우 민간위원이 3분의 1 이상 포함되어야 한다.

(3) 절차

① **청구기간**: 고충심사의 경우 그 처리 결과에 법적 구속력이 없으므로 특별한 제한이 없다.

② **심사**: 고충심사위원회는 청구서를 접수한 때에는 30일 이내에 고충심사에 대한 결정을 해야 한다. 다만, 부득이하다고 인정되는 경우에는 고충심사위원회의 의결로 30일의 범위에서 그 기한을 연기할 수 있다. 고충심사위원회는 고충심사청구에 대하여 결정이 나면 결정서를 작성하여 지체 없이 이를 설치기관의 장에게 송부하여야 한다.

③ **심사결과의 처리**: 고충심사위원회의 처리 결과에는 강제성(기속력)이 없다. 그러므로 고충심사의 결정에 불복하여 행정소송을 제기할 수 없다.

제4절 경찰작용법

01 의의

(1) 경찰작용법은 경찰행정의 내용을 규율하는 법규로서 경찰행정상 법률관계의 발생, 변경, 소멸에 관련된 모든 법규를 말한다.

(2) 경찰작용은 국민의 자유와 권리에 제한을 가하는 작용에 해당하므로 경찰작용의 근거, 요건, 한계 등에 관하여 가능한 한 개별적·구체적으로 규정하여야 할 필요가 있다.

(3) 경찰작용은 긴급한 위험방지를 임무로 할 뿐만 아니라, 위험상황이 다양한 형태로 나타나기 때문에 입법기관이 미리 모든 경찰권의 발동사태를 상정해서 그 요건을 법률에 규정하는 것이 현실적으로나 입법기술상 매우 어렵다.

02 경찰작용의 근거

1. 원칙

(1) 현행법상 경찰작용에 관한 법으로는 즉시강제의 기본법이라고 할 수 있는 경찰관 직무집행법 외에 다수의 개별법(각론)이 존재한다. 그러나 경찰관 직무집행법은 경찰작용에 관한 일반법임에도 불구하고 조직법적 규정인 임무규정을 포함하고 있어 법적 명확성이 미흡하다는 견해가 있다.

(2) 경찰관 직무집행법 외의 각 개별법도 개별목적의 입법에 의하여 존재하므로 경찰작용법 전체가 통일성을 가지지 못한다는 한계가 있다.

2. 일반적 수권조항에 대한 논의

(1) 개념

법률에 의한 개별적 수권 없이 경찰권의 발동을 포괄적으로 수권하는 규정을 일반적 수권조항(개괄적·포괄적 수권조항)이라고 한다. 이러한 일반적 수권조항은 입법자가 예상할 수 없는 긴급상황이 발생하는 경우와 미리 규정된 개별적인 수권규정에 근거한 경찰권의 발동으로도 경찰 위반의 상태가 해결되지 못하는 경우에 대비하기 위해 그 필요성이 인정된다.

Add ⊕

경찰관 직무집행법과 국가경찰과 자치경찰의 조직 및 운영에 관한 법률의 비교

경찰관 직무집행법	국가경찰과 자치경찰의 조직 및 운영에 관한 법률
제2조【직무의 범위】 경찰관은 다음 각 호의 직무를 수행한다. 1. 국민의 생명·신체 및 재산의 보호 2. 범죄의 예방·진압 및 수사 2의2. 범죄피해자 보호 3. 경비, 주요 인사(人士) 경호 및 대간첩·대테러 작전수행 4. 공공안녕에 대한 위험의 예방과 대응을 위한 정보의 수집·작성 및 배포 5. 교통 단속과 교통 위해(危害)의 방지 6. 외국 정부기관 및 국제기구와의 국제협력 7. 그 밖에 공공의 안녕과 질서유지	**제3조【국가경찰의 임무】** 경찰의 임무는 다음 각 호와 같다. 1. 국민의 생명·신체 및 재산의 보호 2. 범죄의 예방·진압 및 수사 3. 범죄피해자 보호 4. 경비·요인경호 및 대간첩·대테러 작전 수행 5. 공공안녕에 대한 위험의 예방과 대응을 위한 정보의 수집·작성 및 배포 6. 교통의 단속과 위해의 방지 7. 외국 정부기관 및 국제기구와의 국제협력 8. 그 밖에 공공의 안녕과 질서유지

(2) 일반적 수권조항에 대한 견해

① 긍정설

㉠ 경찰권의 성질상 입법기관이 미리 경찰권의 발동사태를 상정해서 모든 요건을 법률에 규정하는 것은 불가능하기 때문에 일반적 수권조항이 필요하다고 본다. 일반적 수권조항을 긍정하는 견해에 의하면 일반적 수권조항에 근거하여 경찰권을 발동하더라도 일반조항은 개별적 규정이 없는 때에 한하여 보충적으로 적용되므로 경찰권의 발동으로 인한 국민의 기본권 침해를 최소화할 수 있다고 본다.

㉡ 일반적 수권조항에 존재하는 불확정개념은 학설·판례 등을 통하여 특정할 수 있으며, 이에 근거한 경찰권의 발동도 조리를 통해 발동의 한계를 설정(사법심사 가능)할 수 있다고 주장한다.

② 부정설

㉠ 국민의 기본권 침해의 최소화를 위하여 경찰권의 발동에는 반드시 개별적·구체적인 법적 근거가 있어야 하며, 이 경우의 법률은 당연히 경찰작용의 근거로서의 개별적인 경찰작용법이어야 하고, 포괄적·일반적 수권법은 허용되지 아니한다고 본다.

㉡ 경찰관 직무집행법 제2조 제7호를 작용에 관한 일반적 수권조항이 아닌 조직법적 규정(사물관할, 임무규정)이라고 보는 것이 다수설이다.

Add +

경찰관 직무집행법 제2조 제7호의 법적 성질

일반적 수권조항의 인정 여부에 대한 견해의 대립이 있는 상황에서 일반적 수권조항의 존재를 부정하는 학자들은 경찰관 직무집행법 제2조 제7호(그 밖에 공공의 안녕과 질서유지)를 경찰작용의 일반적 수권조항이 아니라 조직법상의 사물관할(임무규정)로 파악한다. 이러한 견해(부정설)에 의하면 우리나라는 경찰작용의 일반법이라고 할 수 있는 경찰관 직무집행법에 조직법적인 임무규정이 포함되어 있다고 볼 수 있다.

03 경찰권발동의 한계

1. 법률상의 한계

경찰권의 발동은 반드시 엄격한 법적 근거를 요하며, 이러한 엄격한 근거에 기초하여 발동된 경찰권도 그 한계를 규정한 법의 테두리 내에서만 발동되어야 한다. 오늘날의 경찰활동 중에는 개인의 권리 또는 자유에 대한 침해 없이 경찰의 임무에 관한 일반조항의 범위 내에서 가능한 임의적 활동이 증가하고 있다.

2. 조리상의 한계

(1) 경찰소극목적의 원칙

경찰권은 공공의 안녕과 질서유지라는 소극목적을 위해서만 발동될 수 있는 것이므로 적극적인 공공복리의 증진을 위해서는 경찰권의 발동이 허용되지 않는다는 원칙이다. 이러한 경찰소극목적의 원칙은 실질적 의미의 경찰개념을 기초로 하여 도출된 것이라고 할 수 있다.

(2) 경찰공공의 원칙(사생활 자유의 원칙)

① 의의

㉠ 경찰작용은 국민의 자유와 권리를 제한하고 의무를 부과하는 등 전형적인 침해적 행정작용이므로 경찰권 발동에는 한계가 있다. 특히 경찰은 공공의 안녕과 질서유지에 관련이 없는 개인의 사생활 관계에 대해서 경찰권을 발동하여서는 아니 된다.

㉡ 개인행동의 영향이 단지 그 사람의 일신에 그치고 공공의 안녕·질서유지에 관계가 없는 것에 대해서는 경찰권을 발동하여 함부로 이에 관여하는 것은 허용되지 않는다. 따라서 민사상 법률관계의 형성·유지는 사법권의 작용영역으로서 원칙적으로 경찰권의 행사대상이 아니다. 하지만 민사상 법률관계라 할지라도 예외적으로 경찰의 개입이 허용되는 경우가 있다.

② 사생활 불가침의 원칙

의의	경찰은 원칙적으로 사회공공의 생활관계를 그 대상으로 하는 것이기 때문에, 사회공공의 생활과 직접 관계되지 아니하는 사생활은 경찰의 대상에서 제외된다는 원칙이다.
사생활의 범위	사생활의 범위는 보통 그 생활관계가 특정인 등의 생활범위에 한정되는 생활행동을 말한다.
예외	미성년자의 음주·흡연, 음주로 인하여 자기 또는 타인의 생명·신체·재산에 위해를 미칠 우려가 있는 자, 전염병의 전염 등 공공의 안녕질서에 직접적인 관계가 있는 경우 예외적으로 경찰권발동의 대상이 될 수 있다.

③ **사주소 불가침의 원칙**: 경찰은 공공의 안녕과 질서유지를 목적으로 하는 작용이므로 공공의 안녕과 질서유지에 직접적인 관련이 없는 가택의 내부나, 특별한 관리권에 의하여 내부의 질서가 유지되는 생활범위 내에서는 경찰권을 행사할 수 없다는 원칙이다.

④ **민사 관계 불간섭의 원칙**: 단순한 민사상의 관계에 대해서는 사적 자치가 인정되므로 경찰권이 발동될 수 없다는 원칙이다. 그러나 민사상의 관계라고 하더라도 그 내용이 사회공공의 안녕과 질서에 영향을 미치는 경우에는 경찰권발동의 대상이 된다(예 청소년 보호법상 청소년에 대한 유해약물의 판매금지 등).

⑤ **사경제자유의 원칙**

㉠ 현행제도가 사유재산과 계약자유의 원칙을 인정하고 있으므로 사유재산의 거래도 개인의 자유의 영역에 해당한다. 그러므로 경찰은 원칙적으로 개인의 사유재산 거래에 관여할 수 없다.

㉡ 암표의 매매나 총포·도검류의 매매 등과 같이 사경제작용이라고 하더라도 공공의 안녕과 질서유지에 관련이 있는 경우에는 경찰권의 발동이 허용된다.

Add ⊕

경찰권의 발동이 가능한 개인의 사생활

에이즈(AIDS) 환자나 법정전염병 감염자의 강제 격리 및 치료, 신체의 과다노출, 고성방가, 과도한 피아노 소음, 암표매매, 총포·도검류의 매매 등을 들 수 있다.

(3) 경찰책임의 원칙

① 의의: 경찰책임의 원칙이라 함은 경찰권은 원칙적으로 경찰 위반의 행위 또는 상태의 발생, 발생위험에 대하여 직접 책임을 질 자(경찰책임자)에 대해서만 발동할 수 있고, 그 밖의 제3자(경찰비책임자)에 대하여는 발동할 수 없다는 원칙이다.

② 특성

㉠ 경찰책임은 공공의 안녕과 질서에 대한 객관적인 위험상황의 존재만으로 인정된다. 다시 말해 공공의 안녕과 질서에 대한 위험이라는 객관적·외형적 상태로 판단할 뿐 그 위해의 발생에 대한 고의·과실과 같은 주관적 요건의 유무, 구체적 가벌성, 행위자의 국적, 행위자의 행위능력·불법행위능력·형사책임능력, 정당한 권원의 유무, 위법성에 대한 인식, 위험에 대한 인식 등을 요하지 않는다.

㉡ 경찰책임자를 결정하는 생활범위는 객관적인 사실상의 질서에 의하는 것이므로, 어떠한 지배범위 또는 지배권이 정당한 권한에 의하지 아니하는 경우에도 사회상의 위해가 그의 사실상의 지배권 내에서 발생된 이상 그 지배자에게 경찰책임이 인정된다.

③ 행위책임

㉠ 자기의 행위 또는 자기의 보호 감독하에 있는 자(제3자)의 행위 또는 부작위에 의하여 공공의 안녕과 질서에 대한 위해가 발생한 경우 발생하는 경찰책임을 행위책임이라고 한다.

㉡ 자기의 행위로 인하여 사회적 장해의 발생 또는 위험을 야기한 경우에는 행위자가 경찰책임의 대상에 해당하며, 타인을 보호·감독할 지위에 있는 자는 피지배자의 행위로 인하여 발생한 경찰 위반에 대하여 경찰책임을 부담한다. 이 경우 타인을 보호·감독할 지위에 있는 자가 부담하는 책임은 대위책임이 아니고 자기의 지배범위 내에서 경찰 위반의 상태가 발생한 것에 대한 책임, 즉 자기책임에 해당한다.

㉢ 행위책임의 경우 위해발생에 대한 경찰책임자의 고의·과실은 묻지 않고 행위책임의 존재 여부를 결정함에 있어서는 민법상의 행위능력도 문제되지 않는다. 발작으로 인해 도로교통을 위협하는 간질병자나, 만취상태에서 차도에 누워 있는 자도 행위책임자(자기책임)에 해당한다.

④ 상태책임

㉠ 물건 또는 동물의 소유자, 점유자 기타 이를 사실상 관리하고 있는 자는 그 범위 안에서 그 물건 또는 동물로 말미암아 경찰 위반(질서 위반)의 상태가 발생한 경우의 경찰책임을 부담한다. 이를 상태책임이라고 한다. 상태책임의 경우에도 경찰책임자의 고의·과실은 불문한다.

㉡ 상태책임의 귀속에 있어서는 소유권의 유무와는 상관없이 구체적 지배가능성을 판단기준으로 한다(예 절취당한 물건이 경찰상의 위해를 야기하고 있는 경우에 물건의 소유자에게 상태책임을 귀속시킬 수는 없음).

⑤ 행위책임과 상태책임의 경합

㉠ 행위책임과 상태책임이 경합하는 경우에는, 일반적으로 행위책임이 우선한다. 타인의 토지에 매설한 위험물이 폭발한 경우 토지소유주에게 책임(상태책임)을 귀속시키는 것이 아니라 이를 매설한 자에게 책임(행위책임)이 귀속된다.

㉡ 행위책임과 상태책임을 동시에 부담하는 자가 있을 경우에는 다른 경찰책임자에 우선하여 경찰책임이 인정되며, 다수의 행위자 중에서는 시간상 최후의 자 또는 가장 중대한 원인을 제공한 자가 경찰책임자가 된다.

⑥ 복합적 책임

㉠ 다수인의 행위 또는 다수인이 지배하는 물건의 상태로 인하여 하나의 질서 위반상태가 발생한 경우, 위험을 제거하기 위해 다수인이나 물건의 일부 또는 전체에 대하여 경찰권발동이 가능하다.

㉡ 다수인의 행위 또는 다수인이 지배하는 물건의 상태로 인하여 하나의 질서 위반상태가 발생한 경우에는 위해를 가장 신속하고도 효과적으로 제거할 수 있는 위치에 있는 자에게 경찰권이 발동되어야 한다.

㉢ 다수의 경찰책임자 중 어느 한 사람이 위험방지를 위한 중요한 책임을 지고 있어 그에게 경찰권을 발동하는 것만이 재량행사에 하자가 없는 것으로 인정되는 경우에 경찰권발동의 대상인 경찰책임자의 비용상환청구권이 부정된다. 그러나 다수의 경찰책임자 중에서 누구에게 경찰권을 발동할 것인지의 여부가 경찰행정관청의 의사에 의존하는 경우에는 경찰권발동의 대상이 된 경찰책임자에게 비용상환청구권이 인정될 수 있다.

⑦ 경찰책임에 대한 예외(경찰긴급권): 경찰책임은 위험발생에 대하여 직접적으로 원인을 제공한 자에 부과되는 것이 원칙이나, 예외적으로 긴급한 필요가 있는 경우 또는 본래의 경찰책임자에 대한 경찰권발동으로는 경찰상 장해를 제거할 수 없는 경우에 그 이외의 제3자에게도 경찰권을 발동할 수 있다.

법적 근거	경찰긴급권에 대한 일반법은 존재하지 않으며 개별법에 예외적으로 규정되어 있다.
요건	㉠ 위험이 급박할 것 ㉡ 제1차적 경찰책임자에 대한 경찰권발동으로는 목적을 달성할 수 없을 것 ㉢ 다른 방법을 통한 위험방지가 불가능할 것 ㉣ 제3자의 생명이나 건강을 해치지 않을 것 ㉤ 제3자의 본래의 급박한 업무를 방해하는 것이 아닐 것 ㉥ 위험방지를 위해 필요한 최소한도의 것일 것 ㉦ 일시적·임시적 방편일 것 ㉧ 경찰권발동의 대상이 된 제3자가 입은 손실에 대한 보상이 행해질 것

(4) 경찰비례의 원칙

① 의의: 경찰권발동의 조건과 정도(수단)는 공공의 안녕과 질서의 유지에 필요한 범위 내에서 사회통념상 적당하다고 인정되는 비례가 유지되어야 한다는 원칙이다. 이러한 비례의 원칙은 다시 적합성의 원칙, 필요성의 원칙, 상당성의 원칙으로 구성된다. 경찰비례의 원칙은 초기에는 경찰행정영역에서 주로 적용되었으나 오늘날에는 모든 행정영역에 적용되고 있다. 경찰비례의 원칙은 헌법 제37조 제2항, 「행정기본법」 제10조, 「경찰관 직무집행법」 제1조 제2항에서 근거를 찾을 수 있다.

② 경찰권발동의 조건: 경찰권의 발동은 사회공공의 질서유지를 위하여 묵과할 수 없는 장해가 발생한 경우에 이루어져야 한다. 이와 관련하여 진압경찰의 경우 공공의 안녕과 질서에 대한 '묵과할 수 없는 위해가 발생한 경우'에만 발동할 수 있으며, 예방경찰의 경우 공공의 안녕과 질서에 대한 '묵과할 수 없는 위해가 발생할 직접적인 위험 또는 상당한 확실성이 있을 때'에 발동할 수 있다.

③ 경찰권발동의 정도(수단): 경찰권의 발동은 그 목적을 달성하기 위하여 필요한 최소한의 범위 내에 국한되어야 한다.

적합성	경찰기관이 취하는 조치는 그 목적 달성에 적합하여야 한다.
필요성 (최소침해의 원칙)	㉠ 경찰권의 발동은 그 목적달성을 위해 필요한 한도 이상으로 발동되어서는 안 된다. 다시 말해 경찰권은 경찰상의 목적 달성을 위한 필요최소한도로 발동되어야 한다. ㉡ 목적을 달성할 수 있는 수단이 여러 가지가 있는 경우에 적합한 여러 가지 수단 중에서 가장 적게 침해를 가져오는 수단을 선택해야 한다는 원칙이다.
상당성 (협의의 비례의 원칙)	㉠ 경찰권의 발동으로 인해 침해되는 법익과 보호되는 법익을 비교했을 때, 그 조치로 인해 보호되는 법익보다 침해되는 법익이 더 큰 경우 경찰권을 발동하여서는 안 된다. ㉡ "대포로 참새를 쏘아서는 안 된다."라는 표현은 상당성의 원칙을 의미하는 것이다.

④ 법적 성질

㉠ 경찰비례의 원칙은 경찰권발동의 한계 중 조리상 한계의 한 내용을 이루고 있지만 헌법 제37조 제2항, 행정기본법 제10조, 경찰관 직무집행법 제1조 제2항 및 각 개별법에 명문으로 규정된 실정법상의 원칙이기도 하다.

대한민국 헌법

제37조 ② 국민의 모든 자유와 권리는 국가안전보장 · 질서유지 또는 공공복리를 위하여 필요한 경우에 한하여 법률로써 제한할 수 있으며, 제한하는 경우에도 자유와 권리의 본질적인 내용을 침해할 수 없다.

행정기본법

제10조 【비례의 원칙】 행정작용은 다음의 원칙에 따라야 한다.

1. 행정목적을 달성하는 데 유효하고 적절할 것
2. 행정목적을 달성하는 데 필요한 최소한도에 그칠 것
3. 행정작용으로 인한 국민의 이익 침해가 그 행정작용이 의도하는 공익보다 크지 아니할 것

경찰관 직무집행법

제1조 【목적】 ② 이 법에 규정된 경찰관의 직권은 그 직무수행에 필요한 최소한도에서 행사되어야 하며 남용되어서는 아니 된다.

㉡ 경찰비례의 원칙은 일반조항에 근거하여 경찰권을 발동하는 경우에는 물론 개별적 수권조항에 근거하여 경찰권을 발동하는 경우에도 적용된다(비례의 원칙은 모든 행정영역에 적용된다).

⑤ 비례의 원칙 위반의 효과

㉠ 경찰권발동의 조건과 정도를 벗어난 경찰권행사는 이미 공권력행사로서의 정당성을 상실하고 그 자체가 위법에 해당한다. 위법한 경찰권발동에 대하여서는 국민은 복종할 의무가 없으며 조금 더 적극적으로는 정당방위가 가능하다.

㉡ 이로 인해 손해를 입은 국민은 손해배상 또는 원상회복을 청구할 수 있으며 징계를 청원한다든지 위법한 처분에 대한 행정쟁송 또는 직권에 의한 취소가 가능하다.

판례

1. **택지개발예정지구 지정처분취소 등**
   비례의 원칙(과잉금지의 원칙)이란 어떤 행정목적을 달성하기 위한 수단은 그 목적달성에 유효 · 적절하고 또한 가능한 한 최소침해를 가져오는 것이어야 하며 아울러 그 수단의 도입으로 인한 침해가 의도하는 공익을 능가하여서는 아니 된다는 헌법상의 원칙을 말한다(대판 1997.9.26, 96누10096).
2. **과징금부과처분취소**
   국민의 자유와 권리를 제한함에 있어서는 규제하려는 쪽에서 국민의 기본권을 보다 덜 제한하는 다른 방법이 있는지를 모색하여야 할 것이지, 제한당하는 국민의 쪽에서 볼 때 그 기본권을 실현할 다른 수단이 있다고 하여 그와 같은 사유만으로 기본권의 제한이 정당화되는 것은 아니다(대판 1994.3.8, 92누1728).
3. **석유판매업 영업정지처분취소**
   주유소 영업의 양도인이 등유가 섞인 유사휘발유를 판매한 바를 모르고 이를 양수한 석유판매영업자에게 전 운영자인 양도인의 위법사유를 들어 사업정지기간 중 최장기인 6월의 사업정지에 처한 영업정지처분이 석유사업법에 의하여 실현시키고자 하는 공익목적의 실현보다는 양수인이 입게 될 손실이 훨씬 커서 재량권을 일탈한 것으로서 위법하다(대판 1992.2.25, 91누13106).
4. **개인택시운송사업 면허취소처분취소**
   개인택시운송사업자인 원고가 2차례에 걸쳐 대리운전으로 운행정지처분을 받았고 다시 대리운전을 하게 한 사실이 적발되었다고 하더라도, 원고의 개인택시운송사업은 가족의 유일한 생계수단으로서 원고가 그의 신병 때문에 부득이 대리운전을 하게 하였고, 두번째 운행정지처분의 대상인 대리운전 이후에는 대리운전을 하게 한 사실이 없는데 그 이전의 대리운전을 대상으로 하여 원고의 개인택시운송사업면허를 취소한 것이라면, 이 사건 면허취소처분은 공익상의 필요보다 그 취소로 인하여 원고가 입게 될 불이익이 너무 커서 재량권의 한계를 일탈하였다고 한 원심의 판단은 정당하다(대판 1990.11.23, 90누5146).
5. **재소자용수의착용처분 위헌확인**
   구치소 등 수용시설 안에서는 재소자용 의류를 입더라도 일반인의 눈에 띄지 않고, 수사 또는 재판에서 변해(辯解) · 방어권을 행사하는데 지장을 주는 것도 아닌 반면에, 미결수용자에게 사복을 입도록 하면 의복의 수선이나 세탁 및 계절에 따라 의복을 바꾸는 과정에서 증거인멸 또는 도주를 기도하거나 흉기, 담배, 약품 등 소지금지품이 반입될 염려 등이 있으므로 미결수용자에게 시설 안에서 재소자용 의류를 입게 하는 것은 구금 목적의 달성, 시설의 규율과 안전유지를 위한 필요최소한의 제한으로서 정당성 · 합리성을 갖춘 재량의 범위 내의 조치이다.
   수사 및 재판단계에서 유죄가 확정되지 아니한 미결수용자에게 재소자용 의류를 입게 하는 것은 미결수용자로 하여금 모욕감이나 수치심을 느끼게 하고, 심리적인 위축으로 방어권을 제대로 행사할 수 없게 하여 실체적 진실의 발견을 저해할 우려가 있으므로, 도주 방지 등 어떠한 이유를 내세우더라도 그 제한은 정당화될 수 없어 헌법 제37조 제2항의 기본권 제한에서의 비례원칙에 위반되는 것으로서, 무죄추정의 원칙에 반하고 인간으로서의 존엄과 가치에서 유래하는 인격권과 행복추구권, 공정한 재판을 받을 권리를 침해하는 것이다(헌재 1999.5.27, 97헌마137).

6. 손해배상(기)

경찰관은 범인의 체포 또는 도주의 방지, 타인 또는 경찰관의 생명 · 신체에 대한 방호, 공무집행에 대한 항거의 억제를 위하여 필요한 때에는 최소한의 범위 안에서 가스총을 사용할 수 있으나, 가스총은 통상의 용법대로 사용하는 경우 사람의 생명 또는 신체에 위해를 가할 수 있는 이른바 위해성 장비로서 그 탄환은 고무마개로 막혀 있어 사람에게 근접하여 발사하는 경우에는 고무마개가 가스와 함께 발사되어 인체에 위해를 가할 가능성이 있으므로, 이를 사용하는 경찰관으로서는 인체에 대한 위해를 방지하기 위하여 상대방과 근접한 거리에서 상대방의 얼굴을 향하여 이를 발사하지 않는 등 가스총 사용시 요구되는 최소한의 안전수칙을 준수함으로써 장비 사용으로 인한 사고 발생을 미리 막아야 할 주의의무가 있다(대판 2003.3.14, 2002다57218).

7. 과징금부과처분취소

청소년유해매체물로 결정 · 고시된 만화인 사실을 모르고 있던 도서대여업자가 그 고시일로부터 8일 후에 청소년에게 그 만화를 대여한 것을 사유로 그 도서대여업자에게 금 700만원의 과징금이 부과된 경우, 그 도서대여업자에게 청소년유해매체물인 만화를 청소년에게 대여하여서는 아니 된다는 금지의무의 해태를 탓하기는 가혹하다는 이유로 그 과징금부과처분은 재량권을 일탈 · 남용한 것으로서 위법하다(대판 2001.7.27, 99두9490).

8. 해임처분취소

공정한 업무처리에 대한 사의로 두고 간 돈 30만원이 든 봉투를 소지함으로써 피동적으로 금품을 수수하였다가 돌려준 20여년 근속의 경찰공무원에 대한 해임처분이 사회통념상 현저하게 타당성을 잃어 재량권의 남용에 해당한다(대판 1991.7.23, 90누8954).

9. 자동차운전면허취소처분취소

운전면허의 취소 여부가 행정청의 재량행위라 하여도 오늘날 자동차가 대중적인 교통수단이고 그에 따라 대량으로 자동차운전면허가 발급되고 있는 상황이나 음주운전으로 인한 교통사고의 증가 및 그 결과의 참혹성 등에 비추어 볼 때, 음주운전으로 인한 교통사고를 방지할 공익상의 필요는 매우 크다 아니할 수 없으므로, 음주운전 내지 그 제재를 위한 음주측정 요구의 거부 등을 이유로 한 자동차운전면허의 취소에 있어서는 일반의 수익적 행정행위의 취소와는 달리 그 취소로 인하여 입게 될 당사자의 개인적인 불이익보다는 이를 방지하여야 하는 일반예방적인 측면이 더욱 강조되어야 할 것이고, 특히 당해 운전자가 영업용 택시를 운전하는 등 자동차 운전을 업으로 삼고 있는 자인 경우에는 더욱 그러하다(대판 1995.9.26, 95누6069).

10. 해임처분취소

경찰공무원이 그 단속의 대상이 되는 신호위반자에게 먼저 적극적으로 돈을 요구하고 다른 사람이 볼 수 없도록 돈을 접어 건네주도록 전달방법을 구체적으로 알려주었으며 동승자에게 신고시 범칙금 처분을 받게 된다는 등 비위신고를 막기 위한 말까지 하고 금품을 수수한 경우, 비록 그 받은 돈이 1만원에 불과하더라도 위 금품수수행위를 징계사유로 하여 당해 경찰공무원을 해임처분한 것은 징계재량권의 일탈 · 남용이 아니다(대판 2006.12.21, 2006두16274).

11. 도로교통법 위반(음주운전) · 도로교통법 위반(무면허운전)

도로교통법 제148조의2 제1항 제1호는 도로교통법 제44조 제1항을 2회 이상 위반한 사람으로서 다시 같은 조 제1항을 위반하여 술에 취한 상태에서 자동차 등을 운전한 사람에 대해 1년 이상 3년 이하의 징역이나 500만원 이상 1,000만원 이하의 벌금에 처하도록 규정하고 있는데, 도로교통법 제148조의2 제1항 제1호에서 정하고 있는 '도로교통법 제44조 제1항을 2회 이상 위반한' 것에 개정된 도로교통법이 시행된 2011.12.9. 이전에 구 도로교통법(2011.6.8. 법률 제10790호로 개정되기 전의 것) 제44조 제1항을 위반한 음주운전 전과까지 포함되는 것으로 해석하는 것이 형벌불소급의 원칙이나 일사부재리의 원칙 또는 비례의 원칙에 위배된다고 할 수 없다.

형의 실효 등에 관한 법률 제7조 제1항 각 호에 따라 형이 실효되었거나 사면법 제5조 제1항 제1호에 따라 형 선고의 효력이 상실된 구 도로교통법(2011.6.8. 법률 제10790호로 개정되기 전의 것) 제44조 제1항 위반 음주운전 전과도 도로교통법 제148조의2 제1항 제1호의 '도로교통법 제44조 제1항을 2회 이상 위반한' 것에 해당된다고 보아야 한다(대판 2012.11.29, 2012도10269).

(5) 경찰평등의 원칙

경찰평등의 원칙이라 함은 경찰권을 행사함에 있어서 모든 국민에 대하여 성별·종교·인종·사회적 신분 등을 이유로 하는 불합리한 조건에 의한 차별대우를 할 수 없다는 원칙이다. 평등의 원칙은 헌법과 행정기본법 등이 명문으로 규정하고 있는 원칙이며, 재량권 행사에 있어서 그 중요성이 인정된다.

대한민국헌법

제11조 ① 모든 국민은 법 앞에 평등하다. 누구든지 성별·종교 또는 사회적 신분에 의하여 정치적·경제적·사회적·문화적 생활의 모든 영역에 있어서 차별을 받지 아니한다.

② 사회적 특수계급의 제도는 인정되지 아니하며, 어떠한 형태로도 이를 창설할 수 없다.

③ 훈장등의 영전은 이를 받은 자에게만 효력이 있고, 어떠한 특권도 이에 따르지 아니한다.

행정기본법

제9조 【평등의 원칙】 행정청은 합리적 이유 없이 국민을 차별하여서는 아니 된다.

판례

1. **행정처분취소, 파면처분취소**

   원고가 당직 근무 대기중 약 25분간 같은 근무조원 3명과 함께 시민 과장실에서 심심풀이로 돈을 걸지 않고 점수따기 화투놀이를 한 사실을 확정한 다음 이것이 국가공무원법 제78조 1, 3호 규정의 징계사유에 해당한다 할지라도 당직 근무시간이 아닌 그 대기중에 불과 약 25분간 심심풀이로 한 것이고 또 돈을 걸지 아니하고 점수따기를 한데 불과하며 원고와 함께 화투놀이를 한 3명(지방공무원)은 부산시 소청심사위원회에서 견책에 처하기로 의결된 사실이 인정되는 점 등 제반 사정을 고려하면 피고가 원고에 대한 징계처분으로 파면을 택한 것은 당직근무 대기자의 실정이나 공평의 원칙상 그 재량의 범위를 벗어난 위법한 것이라고 하였는바, 이를 기록에 대조하여 검토하여 보면 정당하고 징계종류의 선택에 관한 법리를 오해한 위법 있다는 논지는 맞지 아니하여 이유 없다(대판 1972.12.26, 72누194).

2. **제대군인지원에 관한 법률 제8조 제1항 등 위헌확인(제대군인지원에 관한 법률 제8조 제3항, 제대군인지원에 관한 법률 시행령 제9조)**

   가산점제도는 수많은 여성들의 공직진출에의 희망에 걸림돌이 되고 있으며, 공무원채용시험의 경쟁률이 매우 치열하고 합격선도 평균 80점을 훨씬 상회하고 있으며 그 결과 불과 영점 몇 점 차이로 당락이 좌우되고 있는 현실에서 각 과목별 득점에 각 과목별 만점의 5퍼센트 또는 3퍼센트를 가산함으로써 합격 여부에 결정적 영향을 미쳐 가산점을 받지 못하는 사람들을 6급 이하의 공무원 채용에 있어서 실질적으로 거의 배제하는 것과 마찬가지의 결과를 초래하고 있고, 제대군인에 대한 이러한 혜택을 몇 번이고 아무런 제한없이 부여함으로써 한 사람의 제대군인을 위하여 몇 사람의 비(非) 제대군인의 기회가 박탈당할 수 있게 하는 등 차별취급을 통하여 달성하려는 입법목적의 비중에 비하여 차별로 인한 불평등의 효과가 극심하므로 가산점제도는 차별취급의 비례성을 상실하고 있다. 그렇다면 가산점제도는 제대군인에 비하여, 여성 및 제대군인이 아닌 남성을 부당한 방법으로 지나치게 차별하는 것으로서 헌법 제11조에 위배되며, 이로 인하여 청구인들의 평등권이 침해된다(헌재 1999.12.23, 98헌마363).

3. **국유재산법 제5조 제2항에 관한 위헌심판**

   국유잡종재산은 사경제적 거래의 대상으로서 사적 자치의 원칙이 지배되고 있으므로 시효제도의 적용에 있어서도 동일하게 보아야 하고, 국유잡종재산에 대한 시효취득을 부인하는 동규정은 합리적 근거없이 국가만을 우대하는 불평등한 규정으로서 헌법상의 평등의 원칙과 사유재산권 보장의 이념 및 과잉금지의 원칙에 반한다(헌재 1991.5.13, 89헌가97).

4. **집회 및 시위에 관한 법률 제2조 제1호 등 위헌소원**

   청구인은, '집회'와 '시위'는 공공의 안녕질서에 미치는 영향에 있어서 차이가 있는데, 그 위험성이 적은 '집회'를 '시위'와 함께 규율하고 미신고 집회의 주최자를 미신고 시위 주최자와 동등하게 처벌하는 것은 평등원칙에 위반된다고 주장한다. 일반적으로는 시위가 옥외집회보다 공공의 안녕질서에 미치는 영향이 크다고 할 수 있을 것이나, 반드시 그런 것만은 아니고 개별적·구체적 사안에 따라서는 그 반대의 경우도 얼마든지 있을 수 있다(헌재 1994.4.28, 91헌바14 ; 판례집 6-1, 281, 296-297 참조). 즉, 옥외집회 장소의 위치, 넓이 또는 형태, 참가인원의 수, 그 집회의 목적, 성격 및 방법 등에 따라서는 옥외집회가 시위와 마찬가지로 공공의 안녕질서에 해를 끼칠 우려가 있을 수 있고, 특히 수많은 군중이 한꺼번에 모인 대규모 집회의 경우는 질서유지의 어려움으로 인하여 그러한 우려가 더욱 커진다고 할 것이다. 또한, 위 법률조항이 집회와 시위를 함께 신고대상으로 규정한 것은 양자 모두에 있어서 기본권의 효과적인 행사와 공익 간의 조화를 도모할 필요성이 있기 때문일 뿐, 집회와 시위가 공공의 안녕질서에 미치는 영향이 동일하여 이를 동등하게 취급하기 위한 것이라고 보기는 어렵다(헌재 2009.5.28, 2007헌바22).

(6) 자기구속의 법리

① 의의

㉠ 행정의 자기구속의 법리는 평등의 원칙에서 파생된 원리이다. 이는 국가기관이 재량권을 행사함에 있어 일정한 관행이 형성된 경우 행정청은 동일한 사안에 대하여 이전의 처분내용과 동일한 처분을 해야 한다는 원칙이다.

㉡ 행정의 자기구속의 법리가 신뢰보호의 원칙에서 도출된다고 보는 견해도 있으나, 행정의 자기구속의 원리를 적용함에 있어서 상대방의 신뢰는 무관하므로 평등의 원칙에서 그 근거를 찾는 견해가 통설이다.

㉢ 그러나 판례는 평등의 원칙과 신뢰보호의 원칙 모두에서 행정의 자기구속의 법리를 도출하고 있다.

② 적용요건

재량행위	재량행위 영역에 대해서만 인정되며 행정작용 중 기속행위 영역에는 행정의 자기구속의 법리가 적용될 여지가 없다.
선례의 존재	행정의 자기구속의 법리는 평등의 원칙에 기반하고 있으므로 1회 이상의 선례가 존재해야 한다고 보는 선례필요설이 다수설의 입장이다.
선례의 적법성	위법한 선례에 대해서는 행정의 자기구속의 법리가 인정될 여지가 없다.
사안의 동종성	자기구속의 법리는 동일한 행정청, 동등 사안에 대해서만 인정된다.

판례

1. 신규건조저장시설 사업자인정신청 반려처분취소

상급행정기관이 하급행정기관에 대하여 업무처리지침이나 법령의 해석적용에 관한 기준을 정하여 발하는 이른바 '행정규칙이나 내부지침'은 일반적으로 행정조직 내부에서만 효력을 가질 뿐 대외적인 구속력을 갖는 것은 아니므로 행정처분이 그에 위반하였다고 하여 그러한 사정만으로 곧바로 위법하게 되는 것은 아니다. 다만, 재량권 행사의 준칙인 행정규칙이 그 정한 바에 따라 되풀이 시행되어 행정관행이 이루어지게 되면 평등의 원칙이나 신뢰보호의 원칙에 따라 행정기관은 그 상대방에 대한 관계에서 그 규칙에 따라야 할 자기구속을 받게 되므로, 이러한 경우에는 특별한 사정이 없는 한 그를 위반하는 처분은 평등의 원칙이나 신뢰보호의 원칙에 위배되어 재량권을 일탈·남용한 위법한 처분이 된다(대판 2009.12.24, 2009두7967).

2. 조합설립추진위원회 승인처분취소

행정청이 조합설립추진위원회의 설립승인 심사에서 위법한 행정처분을 한 선례가 있다고 하여 그러한 기준을 따라야 할 의무가 없는 점 등에 비추어, 평등의 원칙이나 신뢰보호의 원칙 또는 자기구속의 원칙 등에 위배되고 재량권을 일탈·남용하여 자의적으로 조합설립추진위원회 승인처분을 한 것으로 볼 수 없다.
일반적으로 행정상의 법률관계 있어서 행정청의 행위에 대하여 신뢰보호의 원칙이 적용되기 위하여는 행정청이 개인에 대하여 신뢰의 대상이 되는 공적인 견해표명을 하였다는 점이 전제되어야 한다(대판 1998.5.8, 98두4061 등 참조). 그리고 평등의 원칙은 본질적으로 같은 것을 자의적으로 다르게 취급함을 금지하는 것이고, 위법한 행정처분이 수차례에 걸쳐 반복적으로 행하여졌다 하더라도 그러한 처분이 위법한 것인 때에는 행정청에 대하여 자기구속력을 갖게 된다고 할 수 없다(대판 2009.6.25, 2008두13132).

(7) 신뢰보호의 원칙

① 의의: 신뢰보호의 원칙이란 행정기관의 어떤 언동에 대한 정당성 또는 존속성에 대하여 상대방의 보호가치가 있는 신뢰를 보호해야 한다는 것을 말한다. 행정절차법 제4조 제2항은 "행정청은 법령 등의 해석 또는 행정청의 관행이 일반적으로 국민들에게 받아들여졌을 때에는 공익 또는 제3자의 정당한 이익을 현저히 해칠 우려가 있는 경우를 제외하고는 새로운 해석 또는 관행에 따라 소급하여 불리하게 처리하여서는 아니 된다."고 규정하여 신뢰보호의 원칙을 명문으로 인정하고 있으며, 이론적 근거와 관련하여 법치국가의 원리로부터 도출되는 법적 안정성설이 다수설과 판례의 입장이다.

행정기본법
제12조【신뢰보호의 원칙】 ① 행정청은 공익 또는 제3자의 이익을 현저히 해칠 우려가 있는 경우를 제외하고는 행정에 대한 국민의 정당하고 합리적인 신뢰를 보호하여야 한다.
② 행정청은 권한 행사의 기회가 있음에도 불구하고 장기간 권한을 행사하지 아니하여 국민이 그 권한이 행사되지 아니할 것으로 믿을 만한 정당한 사유가 있는 경우에는 그 권한을 행사해서는 아니 된다. 다만, 공익 또는 제3자의 이익을 현저히 해칠 우려가 있는 경우는 예외로 한다.

행정절차법
제4조【신의성실 및 신뢰보호】 ① 행정청은 직무를 수행할 때 신의(信義)에 따라 성실히 하여야 한다.
② 행정청은 법령 등의 해석 또는 행정청의 관행이 일반적으로 국민들에게 받아들여졌을 때에는 공익 또는 제3자의 정당한 이익을 현저히 해칠 우려가 있는 경우를 제외하고는 새로운 해석 또는 관행에 따라 소급하여 불리하게 처리하여서는 아니 된다.

② 적용요건

선행조치	㉠ 신뢰보호의 원칙이 적용되기 위해서는 신뢰보호의 대상이 되는 행정기관의 선행조치가 존재해야 한다. ㉡ 선행조치에는 법령·행정규칙·처분 등 모든 행정작용이 포함된다. ㉢ 선행조치에는 명시적·적극적인 언동뿐만 아니라 묵시적·소극적 언동도 포함된다. ㉣ 행정지도와 같은 법적 구속력이 없는 행위도 선행조치에 해당한다. ㉤ 선행조치는 적법한 행위뿐만 아니라 위법한 행위도 포함된다. 그러나 무효인 행위는 선행조치에 포함되지 않는다.
보호가치가 있는 신뢰	㉠ 상대방이 행정기관의 선행조치를 사실상 신뢰해야 하고, 그 신뢰가 보호받을 가치가 있어야 한다. ㉡ 상대방이 사기·강박 등 부정한 방법에 근거해 수익적 행정행위가 이루어 졌거나 상대방이 행정행위의 위법성을 알았던 경우 또는 중대한 과실로 행정행위의 위법성을 알지 못한 경우에는 신뢰를 보호받을 수 없다.
신뢰에 기초한 상대방의 행위	상대방은 행정기관의 선행조치를 신뢰하고 이러한 신뢰에 기초하여 일정한 처리행위(자본의 투자, 건축의 개시 등)를 하여야 한다.
인과관계	행정기관의 선행조치에 대한 신뢰와 상대방의 행위 사이에 인과관계가 존재해야 한다.
선행조치에 반하는 후행조치	행정기관이 선행조치에 반하는 행정작용을 함으로써, 선행조치의 존속에 대한 신뢰를 바탕으로 어떤 행위를 한 상대방의 이익이 침해되어야 한다.

③ 신뢰보호의 한계

㉠ 신뢰보호의 원칙과 법률적합성의 원칙의 충돌: 신뢰보호의 원칙과 법률적합성의 원칙이 충돌한 경우 법률적합성의 원칙이 우선한다고 보는 견해(법률적합성 우위설)도 있으나 법률적합성의 원칙과 신뢰보호의 원칙은 모두 헌법상 같은 위치에 있고 동일한 가치를 가지므로 법률적합성에 근거해 보호할 수 있는 공익(公益)과 신뢰보호를 통해 보호할 수 있는 사익(私益)을 비교형량해야 한다는 동위설(이익형량설)이 통설·판례의 입장이다.

㉡ 공적 견해표명 이후 그 전제가 된 사실상·법률상 상태가 변경된 경우: 행정청이 상대방에게 장차 어떤 처분을 하겠다고 확약 또는 공적인 의사표명을 하였다고 하더라도, 그 자체에서 상대방으로 하여금 언제까지 처분의 발령을 신청을 하도록 유효기간을 두었는데도 그 기간 내에 상대방의 신청이 없었다거나 확약 또는 공적인 의사표명이 있은 후에 사실적·법률적 상태가 변경되었다면, 그와 같은 확약 또는 공적인 의사표명은 행정청의 별다른 의사표시를 기다리지 않고 실효된다(대판 1996.8.20, 95누10877).

판례

1. **잠수기 어업허가신청 반려처분취소**
   일반적으로 행정상의 법률관계에 있어서 행정청의 행위에 대하여 신뢰보호의 원칙이 적용되기 위해서는 첫째, 행정청이 개인에 대하여 신뢰의 대상이 되는 공적인 견해표명을 하여야 하고, 둘째, 행정청의 견해표명이 정당하다고 신뢰한 데에 대하여 그 개인에게 귀책사유가 없어야 하며, 셋째, 그 개인이 그 견해표명을 신뢰하고 이에 상응하는 어떠한 행위를 하였어야 하고, 넷째, 행정청이 위 견해표명에 반하는 처분을 함으로써 그 견해표명을 신뢰한 개인의 이익이 침해되는 결과가 초래되어야 하며, 마지막으로 위 견해표명에 따른 행정처분을 할 경우 이로 인하여 공익 또는 제3자의 정당한 이익을 현저히 해할 우려가 있는 경우가 아니어야 한다(대판 2006.2.24, 2004두13592).
2. **비과세관행의 성립요건**
   일반적으로 조세법률관계에서 과세관청의 행위에 대하여 신의성실의 원칙이 적용되기 위하여는 과세관청이 납세자에게 신뢰의 대상이 되는 공적인 견해표명을 하여야 하고 또한 국세기본법 제18조 제3항에서 말하는 비과세관행이 성립하려면 상당한 기간에 걸쳐 과세를 하지 아니한 객관적 사실이 존재할 뿐만 아니라 과세관청 자신이 그 사항에 관하여 과세할 수 있음을 알면서도 어떤 특별한 사정 때문에 과세하지 않는다는 의사가 있어야 하며 위와 같은 공식적인 견해나 의사는 명시적 또는 묵시적으로 표시되어야 하지만 묵시적 표시가 있다고 하기 위하여는 단순한 과세누락(부작위)과는 달리 과세관청이 상당기간의 불과세 상태에 대하여 과세하지 않겠다는 의사표시를 한 것으로 볼 수 있는 사정이 있어야 한다(대판 1995.2.3, 94누11750).
3. **행정행위에 대하여 신뢰보호의 원칙이 적용되기 위한 요건**
   행정청의 공적 견해표명이 있었는지의 여부를 판단하는 데 있어 반드시 행정조직상의 형식적인 권한분장에 구애될 것은 아니고 담당자의 조직상의 지위와 임무, 당해 언동을 하게 된 구체적인 경위 및 그에 대한 상대방의 신뢰가능성에 비추어 실질에 의하여 판단하여야 한다(대판 1997.9.12, 96누18380).
4. **토지형질변경행위 불허가처분취소**
   종교법인이 도시계획구역 내 생산녹지로 답인 토지에 대하여 종교회관 건립을 이용목적으로 하는 토지거래계약의 허가를 받으면서 담당공무원이 관련 법규상 허용된다 하여 이를 신뢰하고 건축준비를 하였으나 그 후 당해 지방자치단체장이 다른 사유를 들어 토지형질변경허가신청을 불허가한 것이 신뢰보호원칙에 반한다(대판 1997.9.12, 96누18380).
5. **비과세관행의 성립요건 및 그에 대한 입증책임**
   비과세관행이 성립되었다고 하려면 장기간에 걸쳐 어떤 사항에 대하여 과세하지 아니하였다는 객관적인 사실이 존재할 뿐만 아니라, 과세관청 자신이 그 사항에 대하여 과세할 수 있음을 알면서 어떤 특별한 사정에 의하여 과세하지 않는다는 의사가 있고 이와 같은 의사가 대외적으로 명시적 또는 묵시적으로 표시될 것임을 요한다고 해석되며, 이는 납세자가 주장·입증하여야 한다(대판 1995.4.21, 94누6574).

6. 폐기물처리업허가신청에 대한 불허가처분취소

폐기물처리업에 대하여 사전에 관할 관청으로부터 적정통보를 받고 막대한 비용을 들여 허가요건을 갖춘 다음 허가신청을 하였음에도 다수 청소업자의 난립으로 안정적이고 효율적인 청소업무의 수행에 지장이 있다는 이유로 한 불허가처분이 신뢰보호의 원칙 및 비례의 원칙에 반하는 것으로서 재량권을 남용한 위법한 처분이다(대판 1998.5.8, 98두4061).

7. 임용행위취소처분취소

임용 당시 공무원임용결격사유가 있었다면 비록 국가의 과실에 의하여 임용결격자임을 밝혀내지 못하였다 하더라도 그 임용행위는 당연무효로 보아야 한다. 국가가 공무원임용결격사유가 있는 자에 대하여 결격사유가 있는 것을 알지 못하고 공무원으로 임용하였다가 사후에 결격사유가 있는 자임을 발견하고 공무원 임용행위를 취소하는 것은 당사자에게 원래의 임용행위가 당초부터 당연무효이었음을 통지하여 확인시켜 주는 행위에 지나지 아니하는 것이므로, 그러한 의미에서 당초의 임용처분을 취소함에 있어서는 신의칙 내지 신뢰의 원칙을 적용할 수 없고 또 그러한 의미의 취소권은 시효로 소멸하는 것도 아니다(대판 1987.4.14, 86누459).

8. 헌법재판소의 위헌결정에 관련된 개인의 행위에 대하여 신뢰보호의 원칙이 적용되는지 여부

헌법재판소의 위헌결정은 행정청이 개인에 대하여 신뢰의 대상이 되는 공적인 견해를 표명한 것이라고 할 수 없으므로 그 결정에 관련한 개인의 행위에 대하여는 신뢰보호의 원칙이 적용되지 아니한다(대판 2003.6.27, 2002두6965).

9. 병역의무부과처분취소

병무청 담당부서의 담당공무원에게 공적 견해의 표명을 구하는 정식의 서면질의 등을 하지 아니한 채 총무과 민원팀장에 불과한 공무원이 민원봉사차원에서 상담에 응하여 안내한 것(추상적 질의에 대한 행정기관의 일반론적인 견해표명)을 신뢰한 경우, 신뢰보호 원칙이 적용되지 아니한다(대판 2003.12.26, 2003두1875).

10. 문화관광부장관의 지방자치단체장에 대한 회신내용의 공적 견해표명 해당 여부

관광숙박시설지원 등에 관한 특별법의 유효기간까지 관광호텔업 사업계획 승인신청을 한 경우에는 그 유효기간이 경과한 이후에도 특별법을 적용할 수 있다는 내용의 문화관광부 장관의 지방자치단체장에 대한 회신내용을 담당 공무원이 알려주었다는 사정만으로 위 지방자치단체장의 공적인 견해표명이 있었다고 보기 어렵다(대판 2006.4.28, 2005두9644).

11. 국토이용계획 변경승인 거부처분취소

폐기물관리법령에 의한 폐기물처리업 사업계획에 대한 적정통보와 국토이용관리법령에 의한 국토이용계획변경은 각기 그 제도적 취지와 결정단계에서 고려해야 할 사항들이 다르다는 이유로, 폐기물처리업 사업계획에 대하여 적정통보를 한 것만으로 그 사업부지 토지에 대한 국토이용계획변경신청을 승인하여 주겠다는 취지의 공적인 견해표명을 한 것으로 볼 수 없다(대판 2005.4.28, 2004두8828).

12. 토지형질변경허가신청반려처분취소

일반적으로 폐기물처리업 사업계획에 대한 적정통보에 당해 토지에 대한 형질변경허가신청을 허가하는 취지의 공적 견해표명이 있는 것으로는 볼 수 없다고 할 것이고, 더구나 토지의 지목변경 등을 조건으로 그 토지상의 폐기물처리업 사업계획에 대한 적정통보를 한 경우에는 위 조건부적정통보에 토지에 대한 형질변경허가의 공적 견해표명이 포함되어 있었다고 볼 수 없다(대판 1998.9.25, 98두6494).

13. '행정청의 견해표명이 정당하다고 신뢰한 데에 대하여 그 개인에게 귀책사유가 없어야 한다'는 것의 의미와 그 판단기준

일반적으로 행정상의 법률관계에 있어서 행정청의 행위에 대하여 신뢰보호의 원칙이 적용되기 위하여는 첫째, 행정청이 개인에 대하여 신뢰의 대상이 되는 공적인 견해표명을 하여야 하고, 둘째, 행정청의 견해표명이 정당하다고 신뢰한 데에 대하여 그 개인에게 귀책사유가 없어야 하며, 셋째, 그 개인이 그 견해표명을 신뢰하고 이에 상응하는 어떠한 행위를 하였어야 하고, 넷째, 행정청이 그 견해표명에 반하는 처분을 함으로써 그 견해표명을 신뢰한 개인의 이익이 침해되는 결과가 초래되어야 하며, 마지막으로 위 견해표명에 따른 행정처분을 할 경우 이로 인하여 공익 또는 제3자의 정당한 이익을 현저히 해할 우려가 있는 경우가 아니어야 하는바, 둘째 요건에서 말하는 귀책사유라 함은 행정청의 견해표명의 하자가 상대방 등 관계자의 사실은폐나 기타 사위의 방법에 의한 신청행위 등 부정행위에 기인한 것이거나 그러한 부정행위가 없다고 하더라도 하자가 있음을 알았거나 중대한 과실로 알지 못한 경우 등을 의미한다고 해석함이 상당하고, 귀책사유의 유무는 상대방과 그로부터 신청행위를 위임받은 수임인 등 관계자 모두를 기준으로 판단하여야 한다(대판 2002.11.8, 2001두1512).

14. 행정청이 행정처분을 한 후 자의로 그 행정처분을 취소할 수 있는지 여부

운전면허 취소사유에 해당하는 음주운전을 적발한 경찰관의 소속 경찰서장이 사무착오로 위반자에게 운전면허정지처분을 한 상태에서 위반자의 주소지 관할 지방경찰청장이 위반자에게 운전면허취소처분을 한 것은 선행처분에 대한 당사자의 신뢰 및 법적 안정성을 저해하는 것으로서 허용될 수 없다(대판 2000.2.25, 99두10520).

15. 3년 전의 위반행위를 이유로 한 운전면허취소처분의 당부

택시운전사가 1983.4.5 운전면허정지기간 중의 운전행위를 하다가 적발되어 형사처벌을 받았으나 행정청으로부터 아무런 행정조치가 없어 안심하고 계속 운전업무에 종사하고 있던 중 행정청이 위 위반행위가 있은 이후에 장기간에 걸쳐 아무런 행정조치를 취하지 않은채 방치하고 있다가 3년여가 지난 1986.7.7에 와서 이를 이유로 행정제재를 하면서 가장 무거운 운전면허를 취소하는 행정처분을 하였다면 이는 행정청이 그간 별다른 행정조치가 없을 것이라고 믿은 신뢰의 이익과 그 법적안정성을 빼앗는 것이 되어 매우 가혹할 뿐만 아니라 비록 그 위반행위가 운전면허취소사유에 해당한다 할지라도 그와 같은 공익상의 목적만으로는 위 운전사가 입게 될 불이익에 견줄바 못된다 할 것이다(대판 1987. 9.8, 87누373).

16. 행정처분에 당사자의 사실은폐나 기타 사위의 방법에 의한 신청행위에 기인하는 하자가 있음을 이유로 처분청이 이를 취소하는 경우, 당사자의 신뢰이익을 고려하여야 하는지 여부(소극)

행정처분에 하자가 있음을 이유로 처분청이 이를 취소하는 경우에도 그 처분이 국민에게 권리나 이익을 부여하는 처분인 때에는 그 처분을 취소하여야 할 공익상의 필요와 그 취소로 인하여 당사자가 입게 될 불이익을 비교교량한 후 공익상의 필요가 당사자가 입을 불이익을 정당화할 만큼 강한 경우에 한하여 취소할 수 있는 것이지만, 그 처분의 하자가 당사자의 사실은폐나 기타 사위의 방법에 의한 신청행위에 기인한 것이라면 당사자는 그 처분에 의한 이익이 위법하게 취득되었음을 알아 그 취소가능성도 예상하고 있었다고 할 것이므로 그 자신이 위 처분에 관한 신뢰이익을 원용할 수 없음은 물론 행정청이 이를 고려하지 아니하였다고 하여도 재량권의 남용이 되지 않는다(대판 2002.2.5, 2001두5286).

17. 국회에서 법률안을 심의하거나 의결한 사정만으로 신뢰이익을 인정할 수 있는지 여부(소극)

헌법 제53조에 따라서 국회가 의결한 법률안을 대통령이 공포하는 등의 절차를 거쳐서 법률이 확정되면 그 규정 내용에 따라서 국민의 권리 · 의무에 관한 새로운 법규가 형성될 수 있지만, 이와 같이 법률이 확정되기 전에는 기존 법규를 수정 · 변경하는 법적 효과가 발생할 수 없고, 다원적 의견이나 각가지 이익을 반영시킨 토론과정을 거쳐 다수결의 원리에 따라 통일적인 국가의사를 형성하는 국회에서 일정한 법률안을 심의하거나 의결한 적이 있다고 하더라도, 그것이 법률로 확정되지 아니한 이상 국가가 이해관계자들에게 위 법률안에 관련된 사항을 약속하였다고 볼 수 없으며, 이러한 사정만으로 어떠한 신뢰를 부여하였다고 볼 수도 없다(대판 2008.5.29, 2004다33469).

18. 개발부담금부과처분취소

개발이익환수에 관한 법률에 정한 개발사업을 시행하기 전에, 행정청이 민원예비심사에 대하여 관련부서 의견으로 '저촉사항 없음'이라고 기재하였다고 하더라도, 이후의 개발부담금부과처분에 관하여 신뢰보호의 원칙을 적용하기 위한 요건인, 신뢰의 대상이 되는 공적인 견해표명을 한 것이라고는 보기 어렵다(대판 2006.6.9, 2004두46).

19. 행정처분취소

당초 정구장 시설을 설치한다는 도시계획결정을 하였다가 정구장 대신 청소년 수련시설을 설치한다는 도시계획 변경결정 및 지적승인을 한 경우, 당초의 도시계획결정만으로는 도시계획사업의 시행자 지정을 받게 된다는 공적인 견해를 표명하였다고 할 수 없다는 이유로 그 후의 도시계획 변경결정 및 지적승인이 도시계획사업의 시행자로 지정받을 것을 예상하고 정구장 설계 비용 등을 지출한 자의 신뢰이익을 침해한 것으로 볼 수 없다(대판 2000.11.10, 2000두727).

(8) 부당결부금지의 원칙

① 의의: 부당결부금지의 원칙이란 행정기관이 행정작용을 행함에 있어 이와 실질적으로 관련이 없는 상대방의 반대급부와 결부시켜서는 안 된다는 것을 말한다. 우리나라의 행정절차법에는 이와 관련된 명문의 규정이 존재하지 않는다. 그러나 행정기본법 제13조는 부당결부금지의 원칙에 대한 명시적인 근거 규정을 두고 있다.

> **행정기본법**
> **제13조 【부당결부금지의 원칙】** 행정청은 행정작용을 할 때 상대방에게 해당 행정작용과 실질적인 관련이 없는 의무를 부과해서는 아니 된다.

② 적용 요건: 부당결부금지의 원칙이 적용되기 위해서는 행정기관의 공권력 행사가 있어야 한다. 사법상 계약 등의 경우에는 원칙적으로 부당결부금지의 원칙이 문제되지 않는다. 그리고 행정청의 권한행사가 상대방의 반대급부와 결부되어 있어야 하며, 공권력 행사와 반대급부 사이에 실체적인 관련성이 존재하지 않아야 한다.

판례

1. **부관이 부당결부금지의 원칙에 위반하여 위법하지만 그 하자가 중대하고 명백하여 당연무효라고 볼 수는 없다고 한 사례**
   수익적 행정행위에 있어서는 법령에 특별한 근거규정이 없다고 하더라도 그 부관으로서 부담을 붙일 수 있으나, 그러한 부담은 비례의 원칙, 부당결부금지의 원칙에 위반되지 않아야만 적법하다.
   지방자치단체장이 사업자에게 주택사업계획승인을 하면서 그 주택사업과는 아무런 관련이 없는 토지를 기부채납하도록 하는 부관을 주택사업계획승인에 붙인 경우, 그 부관은 부당결부금지의 원칙에 위반되어 위법하지만, 지방자치단체장이 승인한 사업자의 주택사업계획은 상당히 큰 규모의 사업임에 반하여, 사업자가 기부채납한 토지 가액은 그 100분의 1 상당의 금액에 불과한 데다가, 사업자가 그 동안 그 부관에 대하여 아무런 이의를 제기하지 아니하다가 지방자치단체장이 업무착오로 기부채납한 토지에 대하여 보상협조요청서를 보내자 그때서야 비로소 부관의 하자를 들고 나온 사정에 비추어 볼 때 부관의 하자가 중대하고 명백하여 당연무효라고는 볼 수 없다(대판 1997.3.11, 96다49650).
2. **사용검사신청반려처분취소**
   65세대의 공동주택을 건설하려는 사업주체(지역주택조합)에게 주택건설촉진법 제33조에 의한 주택건설사업계획의 승인처분을 함에 있어 그 주택단지의 진입도로 부지의 소유권을 확보하여 진입도로 등 간선시설을 설치하고 그 부지 소유권 등을 기부채납하며 그 주택건설사업 시행에 따라 폐쇄되는 인근 주민들의 기존 통행로를 대체하는 통행로를 설치하고 그 부지 일부를 기부채납하도록 조건을 붙인 경우, 주택건설촉진법과 같은 법 시행령 및 주택건설기준 등에 관한 규정 등 관련 법령의 관계 규정에 의하면 그와 같은 조건을 붙였다 하여도 다른 특별한 사정이 없는 한 필요한 범위를 넘어 과중한 부담을 지우는 것으로서 형평의 원칙 등에 위배되는 위법한 부관이라 할 수 없다(대판 1997.3.14, 96누16698).

04 행정기본법

1. 서설

(1) 목적 및 정의 등

① 목적(제1조): 이 법은 행정의 원칙과 기본사항을 규정하여 행정의 민주성과 적법성을 확보하고 적정성과 효율성을 향상시킴으로써 국민의 권익 보호에 이바지함을 목적으로 한다.

② 정의(제2조): 이 법에서 사용하는 용어의 뜻은 다음과 같다.

법령 등	다음의 것을 말한다. ㉠ **법령**: 다음의 어느 하나에 해당하는 것 ⓐ 법률 및 대통령령·총리령·부령 ⓑ 국회규칙·대법원규칙·헌법재판소규칙·중앙선거관리위원회규칙 및 감사원규칙 ⓒ ⓐ 또는 ⓑ의 위임을 받아 중앙행정기관(정부조직법 및 그 밖의 법률에 따라 설치된 중앙행정기관을 말한다)의 장이 정한 훈령·예규 및 고시 등 행정규칙 ㉡ **자치법규**: 지방자치단체의 조례 및 규칙
행정청	다음의 자를 말한다. ㉠ 행정에 관한 의사를 결정하여 표시하는 국가 또는 지방자치단체의 기관 ㉡ 그 밖에 법령 등에 따라 행정에 관한 의사를 결정하여 표시하는 권한을 가지고 있거나 그 권한을 위임 또는 위탁받은 공공단체 또는 그 기관이나 사인(私人)
당사자	처분의 상대방을 말한다.
처분	행정청이 구체적 사실에 관하여 행하는 법 집행으로서 공권력의 행사 또는 그 거부와 그 밖에 이에 준하는 행정작용을 말한다.
제재처분	법령 등에 따른 의무를 위반하거나 이행하지 아니하였음을 이유로 당사자에게 의무를 부과하거나 권익을 제한하는 처분을 말한다. 다만, 제30조 제1항 각 호에 따른 행정상 강제는 제외한다.

③ 국가와 지방자치단체의 책무(제3조)

㉠ 국가와 지방자치단체는 국민의 삶의 질을 향상시키기 위하여 적법절차에 따라 공정하고 합리적인 행정을 수행할 책무를 진다.

㉡ 국가와 지방자치단체는 행정의 능률과 실효성을 높이기 위하여 지속적으로 법령 등과 제도를 정비·개선할 책무를 진다.

④ 행정의 적극적 추진(제4조)

㉠ 행정은 공공의 이익을 위하여 적극적으로 추진되어야 한다.

㉡ 국가와 지방자치단체는 소속 공무원이 공공의 이익을 위하여 적극적으로 직무를 수행할 수 있도록 제반 여건을 조성하고, 이와 관련된 시책 및 조치를 추진하여야 한다.

㉢ ㉠ 및 ㉡에 따른 행정의 적극적 추진 및 적극행정 활성화를 위한 시책의 구체적인 사항 등은 대통령령으로 정한다.

⑤ 다른 법률과의 관계(제5조)

㉠ 행정에 관하여 다른 법률에 특별한 규정이 있는 경우를 제외하고는 이 법에서 정하는 바에 따른다.

㉡ 행정에 관한 다른 법률을 제정하거나 개정하는 경우에는 이 법의 목적과 원칙, 기준 및 취지에 부합되도록 노력하여야 한다.

⑵ 기간의 계산

① 행정에 관한 기간의 계산(제6조)

㉠ 행정에 관한 기간의 계산에 관하여는 이 법 또는 다른 법령 등에 특별한 규정이 있는 경우를 제외하고는 민법을 준용한다.

> **민법**
> **제156조【기간의 기산점】** 기간을 시, 분, 초로 정한 때에는 즉시로부터 기산한다.
> **제157조【기간의 기산점】** 기간을 일, 주, 월 또는 연으로 정한 때에는 기간의 초일은 산입하지 아니한다. 그러나 그 기간이 오전 영시로부터 시작하는 때에는 그러하지 아니하다.
> **제158조【나이의 계산과 표시】** 나이는 출생일을 산입하여 만(滿) 나이로 계산하고, 연수(年數)로 표시한다. 다만, 1세에 이르지 아니한 경우에는 월수(月數)로 표시할 수 있다.
> **제159조【기간의 만료점】** 기간을 일, 주, 월 또는 연으로 정한 때에는 기간말일의 종료로 기간이 만료한다.

㉡ 법령 등 또는 처분에서 국민의 권익을 제한하거나 의무를 부과하는 경우 권익이 제한되거나 의무가 지속되는 기간의 계산은 다음의 기준에 따른다. 다만, 다음의 기준에 따르는 것이 국민에게 불리한 경우에는 그러하지 아니하다.

> ⓐ 기간을 일, 주, 월 또는 연으로 정한 경우에는 기간의 첫날을 산입한다.
> ⓑ 기간의 말일이 토요일 또는 공휴일인 경우에도 기간은 그 날로 만료한다.

② 법령 등 시행일의 기간 계산(제7조): 법령 등(훈령・예규・고시・지침 등을 포함한다)의 시행일을 정하거나 계산할 때에는 다음의 기준에 따른다.

> ㉠ 법령 등을 공포한 날부터 시행하는 경우에는 공포한 날을 시행일로 한다.
> ㉡ 법령 등을 공포한 날부터 일정 기간이 경과한 날부터 시행하는 경우 법령 등을 공포한 날을 첫날에 산입하지 아니한다.
> ㉢ 법령 등을 공포한 날부터 일정 기간이 경과한 날부터 시행하는 경우 그 기간의 말일이 토요일 또는 공휴일인 때에는 그 말일로 기간이 만료한다.

③ 행정에 관한 나이의 계산 및 표시(제7조의2): 행정에 관한 나이는 다른 법령등에 특별한 규정이 있는 경우를 제외하고는 출생일을 산입하여 만(滿) 나이로 계산하고, 연수(年數)로 표시한다. 다만, 1세에 이르지 아니한 경우에는 월수(月數)로 표시할 수 있다.

2. 행정의 법 원칙

⑴ 법치행정의 원칙(제8조)

행정작용은 법률에 위반되어서는 아니 되며, 국민의 권리를 제한하거나 의무를 부과하는 경우와 그 밖에 국민생활에 중요한 영향을 미치는 경우에는 법률에 근거하여야 한다.

⑵ 평등의 원칙(제9조)

행정청은 합리적 이유 없이 국민을 차별하여서는 아니 된다.

(3) 비례의 원칙(제10조)

행정작용은 다음의 원칙에 따라야 한다.

① 행정목적을 달성하는 데 유효하고 적절할 것
② 행정목적을 달성하는 데 필요한 최소한도에 그칠 것
③ 행정작용으로 인한 국민의 이익 침해가 그 행정작용이 의도하는 공익보다 크지 아니할 것

(4) 성실의무 및 권한남용금지의 원칙(제11조)

① 행정청은 법령 등에 따른 의무를 성실히 수행하여야 한다.

② 행정청은 행정권한을 남용하거나 그 권한의 범위를 넘어서는 아니 된다.

(5) 신뢰보호의 원칙(제12조)

① 행정청은 공익 또는 제3자의 이익을 현저히 해칠 우려가 있는 경우를 제외하고는 행정에 대한 국민의 정당하고 합리적인 신뢰를 보호하여야 한다.

② 행정청은 권한 행사의 기회가 있음에도 불구하고 장기간 권한을 행사하지 아니하여 국민이 그 권한이 행사되지 아니할 것으로 믿을 만한 정당한 사유가 있는 경우에는 그 권한을 행사해서는 아니 된다. 다만, 공익 또는 제3자의 이익을 현저히 해칠 우려가 있는 경우는 예외로 한다.

(6) 부당결부금지의 원칙(제13조)

행정청은 행정작용을 할 때 상대방에게 해당 행정작용과 실질적인 관련이 없는 의무를 부과해서는 아니 된다.

3. 행정작용

(1) 처분

① 법 적용의 기준(제14조)

㉠ 새로운 법령 등은 법령 등에 특별한 규정이 있는 경우를 제외하고는 그 법령 등의 효력 발생 전에 완성되거나 종결된 사실관계 또는 법률관계에 대해서는 적용되지 아니한다.

㉡ 당사자의 신청에 따른 처분은 법령 등에 특별한 규정이 있거나 처분 당시의 법령 등을 적용하기 곤란한 특별한 사정이 있는 경우를 제외하고는 처분 당시의 법령 등에 따른다.

㉢ 법령 등을 위반한 행위의 성립과 이에 대한 제재처분은 법령 등에 특별한 규정이 있는 경우를 제외하고는 법령 등을 위반한 행위 당시의 법령 등에 따른다. 다만, 법령 등을 위반한 행위 후 법령 등의 변경에 의하여 그 행위가 법령 등을 위반한 행위에 해당하지 아니하거나 제재처분 기준이 가벼워진 경우로서 해당 법령 등에 특별한 규정이 없는 경우에는 변경된 법령 등을 적용한다.

② 처분의 효력(제15조): 처분은 권한이 있는 기관이 취소 또는 철회하거나 기간의 경과 등으로 소멸되기 전까지는 유효한 것으로 통용된다. 다만, 무효인 처분은 처음부터 그 효력이 발생하지 아니한다.

③ 결격사유(제16조)

㉠ 자격이나 신분 등을 취득 또는 부여할 수 없거나 인가, 허가, 지정, 승인, 영업등록, 신고 수리 등(이하 '인허가'라 한다)을 필요로 하는 영업 또는 사업 등을 할 수 없는 사유(이하 '결격사유'라 한다)는 법률로 정한다.

㉡ 결격사유를 규정할 때에는 다음의 기준에 따른다.

> ⓐ 규정의 필요성이 분명할 것
> ⓑ 필요한 항목만 최소한으로 규정할 것
> ⓒ 대상이 되는 자격, 신분, 영업 또는 사업 등과 실질적인 관련이 있을 것
> ⓓ 유사한 다른 제도와 균형을 이룰 것

④ 부관(제17조)

㉠ 행정청은 처분에 재량이 있는 경우에는 부관(조건, 기한, 부담, 철회권의 유보 등을 말한다)을 붙일 수 있다.

㉡ 행정청은 처분에 재량이 없는 경우에는 법률에 근거가 있는 경우에 부관을 붙일 수 있다.

㉢ 행정청은 부관을 붙일 수 있는 처분이 다음의 어느 하나에 해당하는 경우에는 그 처분을 한 후에도 부관을 새로 붙이거나 종전의 부관을 변경할 수 있다.

> ⓐ 법률에 근거가 있는 경우
> ⓑ 당사자의 동의가 있는 경우
> ⓒ 사정이 변경되어 부관을 새로 붙이거나 종전의 부관을 변경하지 아니하면 해당 처분의 목적을 달성할 수 없다고 인정되는 경우

㉣ 부관은 다음의 요건에 적합하여야 한다.

> ⓐ 해당 처분의 목적에 위배되지 아니할 것
> ⓑ 해당 처분과 실질적인 관련이 있을 것
> ⓒ 해당 처분의 목적을 달성하기 위하여 필요한 최소한의 범위일 것

⑤ 위법 또는 부당한 처분의 취소(제18조)

㉠ 행정청은 위법 또는 부당한 처분의 전부나 일부를 소급하여 취소할 수 있다. 다만, 당사자의 신뢰를 보호할 가치가 있는 등 정당한 사유가 있는 경우에는 장래를 향하여 취소할 수 있다.

㉡ 행정청은 ㉠에 따라 당사자에게 권리나 이익을 부여하는 처분을 취소하려는 경우에는 취소로 인하여 당사자가 입게 될 불이익을 취소로 달성되는 공익과 비교·형량(衡量)하여야 한다. 다만, 다음의 어느 하나에 해당하는 경우에는 그러하지 아니하다.

> ⓐ 거짓이나 그 밖의 부정한 방법으로 처분을 받은 경우
> ⓑ 당사자가 처분의 위법성을 알고 있었거나 중대한 과실로 알지 못한 경우

⑥ 적법한 처분의 철회(제19조)

㉠ 행정청은 적법한 처분이 다음의 어느 하나에 해당하는 경우에는 그 처분의 전부 또는 일부를 장래를 향하여 철회할 수 있다.

> ⓐ 법률에서 정한 철회 사유에 해당하게 된 경우
> ⓑ 법령 등의 변경이나 사정변경으로 처분을 더 이상 존속시킬 필요가 없게 된 경우
> ⓒ 중대한 공익을 위하여 필요한 경우

㉡ 행정청은 ㉠에 따라 처분을 철회하려는 경우에는 철회로 인하여 당사자가 입게 될 불이익을 철회로 달성되는 공익과 비교·형량하여야 한다.

⑦ 자동적 처분(제20조) : 행정청은 법률로 정하는 바에 따라 완전히 자동화된 시스템(인공지능 기술을 적용한 시스템을 포함한다)으로 처분을 할 수 있다. 다만, 처분에 재량이 있는 경우는 그러하지 아니하다.

⑧ 재량행사의 기준(제21조) : 행정청은 재량이 있는 처분을 할 때에는 관련 이익을 정당하게 형량하여야 하며, 그 재량권의 범위를 넘어서는 아니 된다.

⑨ 제재처분의 기준(제22조)

㉠ 제재처분의 근거가 되는 법률에는 제재처분의 주체, 사유, 유형 및 상한을 명확하게 규정하여야 한다. 이 경우 제재처분의 유형 및 상한을 정할 때에는 해당 위반행위의 특수성 및 유사한 위반행위와의 형평성 등을 종합적으로 고려하여야 한다.

㉡ 행정청은 재량이 있는 제재처분을 할 때에는 다음의 사항을 고려하여야 한다.

ⓐ 위반행위의 동기, 목적 및 방법
ⓑ 위반행위의 결과
ⓒ 위반행위의 횟수
ⓓ 그 밖에 ⓐ부터 ⓒ까지에 준하는 사항으로서 대통령령으로 정하는 사항

⑩ 제재처분의 제척기간(제23조)

㉠ 행정청은 법령 등의 위반행위가 종료된 날부터 5년이 지나면 해당 위반행위에 대하여 제재처분(인허가의 정지 · 취소 · 철회, 등록 말소, 영업소 폐쇄와 정지를 갈음하는 과징금 부과를 말한다)을 할 수 없다.

㉡ 다음의 어느 하나에 해당하는 경우에는 ㉠을 적용하지 아니한다.

ⓐ 거짓이나 그 밖의 부정한 방법으로 인허가를 받거나 신고를 한 경우
ⓑ 당사자가 인허가나 신고의 위법성을 알고 있었거나 중대한 과실로 알지 못한 경우
ⓒ 정당한 사유 없이 행정청의 조사 · 출입 · 검사를 기피 · 방해 · 거부하여 제척기간이 지난 경우
ⓓ 제재처분을 하지 아니하면 국민의 안전 · 생명 또는 환경을 심각하게 해치거나 해칠 우려가 있는 경우

㉢ 행정청은 ㉠에도 불구하고 행정심판의 재결이나 법원의 판결에 따라 제재처분이 취소 · 철회된 경우에는 재결이나 판결이 확정된 날부터 1년(합의제행정기관은 2년)이 지나기 전까지는 그 취지에 따른 새로운 제재처분을 할 수 있다.

㉣ 다른 법률에서 ㉠ 및 ㉢의 기간보다 짧거나 긴 기간을 규정하고 있으면 그 법률에서 정하는 바에 따른다.

(2) 인허가의제

① 인허가의제의 기준(제24조)

㉠ 이 절에서 '인허가의제'란 하나의 인허가(이하 '주된 인허가'라 한다)를 받으면 법률로 정하는 바에 따라 그와 관련된 여러 인허가(이하 '관련 인허가'라 한다)를 받은 것으로 보는 것을 말한다.

㉡ 인허가의제를 받으려면 주된 인허가를 신청할 때 관련 인허가에 필요한 서류를 함께 제출하여야 한다. 다만, 불가피한 사유로 함께 제출할 수 없는 경우에는 주된 인허가 행정청이 별도로 정하는 기한까지 제출할 수 있다.

㉢ 주된 인허가 행정청은 주된 인허가를 하기 전에 관련 인허가에 관하여 미리 관련 인허가 행정청과 협의하여야 한다.

㉣ 관련 인허가 행정청은 ㉢에 따른 협의를 요청받으면 그 요청을 받은 날부터 20일 이내(㉤ 단서에 따른 절차에 걸리는 기간은 제외한다)에 의견을 제출하여야 한다. 이 경우 전단에서 정한 기간(민원 처리 관련 법령에 따라 의견을 제출하여야 하는 기간을 연장한 경우에는 그 연장한 기간을 말한다) 내에 협의 여부에 관하여 의견을 제출하지 아니하면 협의가 된 것으로 본다.

㉤ ㉢에 따라 협의를 요청받은 관련 인허가 행정청은 해당 법령을 위반하여 협의에 응해서는 아니 된다. 다만, 관련 인허가에 필요한 심의, 의견 청취 등 절차에 관하여는 법률에 인허가의제 시에도 해당 절차를 거친다는 명시적인 규정이 있는 경우에만 이를 거친다.

② 인허가의제의 효과(제25조)

㉠ 위 ①의 ㉢ · ㉣에 따라 협의가 된 사항에 대해서는 주된 인허가를 받았을 때 관련 인허가를 받은 것으로 본다.

㉡ 인허가의제의 효과는 주된 인허가의 해당 법률에 규정된 관련 인허가에 한정된다.

③ 인허가의제의 사후관리 등(제26조)

㉠ 인허가의제의 경우 관련 인허가 행정청은 관련 인허가를 직접 한 것으로 보아 관계 법령에 따른 관리 · 감독 등 필요한 조치를 하여야 한다.

㉡ 주된 인허가가 있은 후 이를 변경하는 경우에는 위 ① · ② 및 ③의 ㉠을 준용한다.

㉢ 이 절에서 규정한 사항 외에 인허가의제의 방법, 그 밖에 필요한 세부 사항은 대통령령으로 정한다.

(3) 공법상 계약의 체결(제27조)

① 행정청은 법령 등을 위반하지 아니하는 범위에서 행정목적을 달성하기 위하여 필요한 경우에는 공법상 법률관계에 관한 계약(이하 '공법상 계약'이라 한다)을 체결할 수 있다. 이 경우 계약의 목적 및 내용을 명확하게 적은 계약서를 작성하여야 한다.

② 행정청은 공법상 계약의 상대방을 선정하고 계약 내용을 정할 때 공법상 계약의 공공성과 제3자의 이해관계를 고려하여야 한다.

판례

1. 서울특별시립무용단원의 해촉에 대하여 공법상 당사자소송으로 무효확인을 청구할 수 있는지 여부

지방자치법 제9조 제2항 제5호 (라)목 및 (마)목 등의 규정에 의하면, 서울특별시립무용단원의 공연 등 활동은 지방문화 및 예술을 진흥시키고자 하는 서울특별시의 공공적 업무수행의 일환으로 이루어진다고 해석될 뿐 아니라, 단원으로 위촉되기 위하여는 일정한 능력요건과 자격요건을 요하고, 계속적인 재위촉이 사실상 보장되며, 공무원연금법에 따른 연금을 지급받고, 단원의 복무규율이 정해져 있으며, 정년제가 인정되고, 일정한 해촉사유가 있는 경우에만 해촉되는 등 서울특별시립무용단원이 가지는 지위가 공무원과 유사한 것이라면, 서울특별시립무용단 단원의 위촉은 공법상의 계약이라고 할 것이고, 따라서 그 단원의 해촉에 대하여는 공법상의 당사자소송으로 그 무효확인을 청구할 수 있다(대판 1995.12.22, 95누4636).

2. 공중보건의사 채용계약의 법적 성질과 채용계약 해지에 관한 쟁송방법

전문직공무원인 공중보건의사의 채용계약의 해지가 관할 도지사의 일방적인 의사표시에 의하여 그 신분을 박탈하는 불이익처분이라고 하여 곧바로 그 의사표시가 관할 도지사가 행정청으로서 공권력을 행사하여 행하는 행정처분이라고 단정할 수는 없고, 공무원 및 공중보건의사에 관한 현행 실정법이 공중보건의사의 근무관계에 관하여 구체적으로 어떻게 규정하고 있는가에 따라 그 의사표시가 항고소송의 대상이 되는 처분 등에 해당하는 것인지의 여부를 개별적으로 판단하여야 할 것인바, 농어촌 등 보건의료를 위한 특별조치법 제2조, 제3조, 제5조, 제9조, 제26조와 같은 법 시행령 제3조, 제17조, 전문직공무원규정 제5조 제1항, 제7조 및 국가공무원법 제2조 제3항 제3호, 제4항 등 관계 법령의 규정내용에 미루어 보면 현행 실정법이 전문직공무원인 공중보건의사의 채용계약 해지의 의사표시는 일반공무원에 대한 징계처분과는 달라서 항고소송의 대상이 되는 처분 등의 성격을 가진 것으로 인정되지 아니하고, 일정한 사유가 있을 때에 관할 도지사가 채용계약 관계의 한쪽 당사자로서 대등한 지위에서 행하는 의사표시로 취급하고 있는 것으로 이해되므로, 공중보건의사 채용계약 해지의 의사표시에 대하여는 대등한 당사자간의 소송형식인 공법상의 당사자소송으로 그 의사표시의 무효확인을 청구할 수 있는 것이지, 이를 항고소송의 대상이 되는 행정처분이라는 전제하에서 그 취소를 구하는 항고소송을 제기할 수는 없다(대판 1996.5.31, 95누10617).

3. 예산회계법 또는 지방재정법에 따라 지방자치단체가 당사자가 되어 체결하는 계약이 행정소송의 대상이 될 수 있는지 여부(소극)

예산회계법 또는 지방재정법에 따라 지방자치단체가 당사자가 되어 체결하는 계약은 사법상의 계약일 뿐, 공권력을 행사하는 것이거나 공권력 작용과 일체성을 가진 것은 아니라고 할 것이므로 이에 관한 분쟁은 행정소송의 대상이 될 수 없다(대판 1996.12.20, 96누14708).

4. 공국립의료원 부설 주차장에 관한 위탁관리용역운영계약의 실질은 행정재산에 대한 국유재산법 제24조 제1항의 사용·수익 허가임을 이유로, 민사소송으로 제기된 위 계약에 따른 가산금지급채무의 부존재확인청구에 관하여 본안 판단을 한 원심판결을 파기하고, 소를 각하한 사례

원고는 피고 산하의 국립의료원 부설주차장에 관한 이 사건 위탁관리용역운영계약에 대하여 관리청이 순전히 사경제주체로서 행한 사법상 계약임을 전제로, 가산금에 관한 별도의 약정이 없는 이상 원고에게 가산금을 지급할 의무가 없다고 주장하여 그 부존재의 확인을 구한다는 것이다. 그러나 기록에 의하면, 위 운영계약의 실질은 행정재산인 위 부설주차장에 대한 국유재산법 제24조 제1항에 의한 사용·수익 허가로서 이루어진 것임을 알 수 있으므로, 이는 위 국립의료원이 원고의 신청에 의하여 공권력을 가진 우월적 지위에서 행한 행정처분으로서 특정인에게 행정재산을 사용할 수 있는 권리를 설정하여 주는 강학상 특허에 해당한다 할 것이고 순전히 사경제주체로서 원고와 대등한 위치에서 행한 사법상의 계약으로 보기 어렵다고 할 것이다.

따라서 원고가 그 주장과 같이 이 사건 가산금 지급채무의 부존재를 주장하여 구제를 받으려면, 적절한 행정쟁송절차를 통하여 권리관계를 다투어야 할 것이지, 이 사건과 같이 피고에 대하여 민사소송으로 위 지급의무의 부존재확인을 구할 수는 없는 것이다. 그렇다면 원고의 이 사건 소는 쟁송방법을 잘못 선택한 것으로서 부적법한 것이라고 아니할 수 없다(대판 2006.3.9, 2004다31074).

5. 공공용지의 취득 및 손실보상에 관한 특례법에 의한 협의취득 또는 보상합의에 관한 당사자간의 약정의 효력(= 유효)

공공용지의 취득 및 손실보상에 관한 특례법에 의한 협의취득 또는 보상합의는 공공기관이 사경제주체로서 행하는 사법상 매매 내지 사법상 계약의 실질을 가지는 것으로서, 당사자간의 합의로 같은 법 소정의 손실보상의 요건을 완화하는 약정을 할 수 있다(대판 1997.4.22, 95다48056).

6. 계약직공무원에 대한 채용계약해지의 의사표시의 유효 여부를 판단함에 있어서 이를 일반직 공무원에 대한 징계처분과 같이 보아야 하는지 여부(소극)

계약직공무원에 관한 현행 법령의 규정에 비추어 볼 때, 계약직공무원 채용계약해지의 의사표시는 일반공무원에 대한 징계처분과는 달라서 항고소송의 대상이 되는 처분 등의 성격을 가진 것으로 인정되지 아니하고, 일정한 사유가 있을 때에 국가 또는 지방자치단체가 채용계약 관계의 한쪽 당사자로서 대등한 지위에서 행하는 의사표시로 취급되는 것으로 이해되므로, 이를 징계해고 등에서와 같이 그 징계사유에 한하여 효력 유무를 판단하여야 하거나, 행정처분과 같이 행정절차법에 의하여 근거와 이유를 제시하여야 하는 것은 아니다(대판 2002.11.26, 2002두5948).

7. 시립합창단원에 대한 재위촉 거부가 항고소송의 대상인 처분에 해당하는지 여부(소극)

광주광역시문화예술회관장의 단원 위촉은 광주광역시문화예술회관장이 행정청으로서 공권력을 행사하여 행하는 행정처분이 아니라 공법상의 근무관계의 설정을 목적으로 하여 광주광역시와 단원이 되고자 하는 자 사이에 대등한 지위에서 의사가 합치되어 성립하는 공법상 근로계약에 해당한다고 보아야 할 것이므로, 광주광역시립합창단원으로서 위촉기간이 만료되는 자들의 재위촉 신청에 대하여 광주광역시문화예술회관장이 실기와 근무성적에 대한 평정을 실시하여 재위촉을 하지 아니한 것을 항고소송의 대상이 되는 불합격처분이라고 할 수는 없다(대판 2001.12.11, 2001두7794).

(4) 과징금

① 과징금의 기준(제28조)

㉠ 행정청은 법령 등에 따른 의무를 위반한 자에 대하여 법률로 정하는 바에 따라 그 위반행위에 대한 제재로서 과징금을 부과할 수 있다.

㉡ 과징금의 근거가 되는 법률에는 과징금에 관한 다음의 사항을 명확하게 규정하여야 한다.

ⓐ 부과·징수 주체
ⓑ 부과 사유
ⓒ 상한액
ⓓ 가산금을 징수하려는 경우 그 사항
ⓔ 과징금 또는 가산금 체납시 강제징수를 하려는 경우 그 사항

② 과징금의 납부기한 연기 및 분할 납부(제29조) : 과징금은 한꺼번에 납부하는 것을 원칙으로 한다. 다만, 행정청은 과징금을 부과받은 자가 다음의 어느 하나에 해당하는 사유로 과징금 전액을 한꺼번에 내기 어렵다고 인정될 때에는 그 납부기한을 연기하거나 분할 납부하게 할 수 있으며, 이 경우 필요하다고 인정하면 담보를 제공하게 할 수 있다.

ⓐ 재해 등으로 재산에 현저한 손실을 입은 경우
ⓑ 사업 여건의 악화로 사업이 중대한 위기에 처한 경우
ⓒ 과징금을 한꺼번에 내면 자금 사정에 현저한 어려움이 예상되는 경우
ⓓ 그 밖에 ⓐ부터 ⓒ까지에 준하는 경우로서 대통령령으로 정하는 사유가 있는 경우

행정기본법 시행령
제7조 【과징금의 납부기한 연기 및 분할 납부】 ① 과징금 납부 의무자는 법 제29조 각 호 외의 부분 단서에 따라 과징금 납부기한을 연기하거나 과징금을 분할 납부하려는 경우에는 납부기한 10일 전까지 과징금 납부기한의 연기나 과징금의 분할 납부를 신청하는 문서에 같은 조 각 호의 사유를 증명하는 서류를 첨부하여 행정청에 신청해야 한다.
② 법 제29조 제4호에서 '대통령령으로 정하는 사유'란 같은 조 제1호부터 제3호까지에 준하는 것으로서 과징금 납부기한의 연기나 과징금의 분할 납부가 필요하다고 행정청이 인정하는 사유를 말한다.
③ 행정청은 법 제29조 각 호 외의 부분 단서에 따라 과징금 납부기한이 연기되거나 과징금의 분할 납부가 허용된 과징금 납부 의무자가 다음의 어느 하나에 해당하는 경우에는 그 즉시 과징금을 한꺼번에 징수할 수 있다.
1. 분할 납부하기로 한 과징금을 그 납부기한까지 내지 않은 경우
2. 담보 제공 요구에 따르지 않거나 제공된 담보의 가치를 훼손하는 행위를 한 경우
3. 강제집행, 경매의 개시, 파산선고, 법인의 해산, 국세 또는 지방세 강제징수 등의 사유로 과징금의 전부 또는 나머지를 징수할 수 없다고 인정되는 경우
4. 법 제29조 각 호의 사유가 해소되어 과징금을 한꺼번에 납부할 수 있다고 인정되는 경우
5. 그 밖에 제1호부터 제4호까지에 준하는 사유가 있는 경우

(5) 행정상 강제

① 행정상 강제(제30조)

㉠ 행정청은 행정목적을 달성하기 위하여 필요한 경우에는 법률로 정하는 바에 따라 필요한 최소한의 범위에서 다음의 어느 하나에 해당하는 조치를 할 수 있다.

ⓐ **행정대집행**: 의무자가 행정상 의무(법령 등에서 직접 부과하거나 행정청이 법령 등에 따라 부과한 의무를 말한다)로서 타인이 대신하여 행할 수 있는 의무를 이행하지 아니하는 경우 법률로 정하는 다른 수단으로는 그 이행을 확보하기 곤란하고 그 불이행을 방치하면 공익을 크게 해칠 것으로 인정될 때에 행정청이 의무자가 하여야 할 행위를 스스로 하거나 제3자에게 하게 하고 그 비용을 의무자로부터 징수하는 것
ⓑ **이행강제금의 부과**: 의무자가 행정상 의무를 이행하지 아니하는 경우 행정청이 적절한 이행기간을 부여하고, 그 기한까지 행정상 의무를 이행하지 아니하면 금전급부의무를 부과하는 것
ⓒ **직접강제**: 의무자가 행정상 의무를 이행하지 아니하는 경우 행정청이 의무자의 신체나 재산에 실력을 행사하여 그 행정상 의무의 이행이 있었던 것과 같은 상태를 실현하는 것
ⓓ **강제징수**: 의무자가 행정상 의무 중 금전급부의무를 이행하지 아니하는 경우 행정청이 의무자의 재산에 실력을 행사하여 그 행정상 의무가 실현된 것과 같은 상태를 실현하는 것
ⓔ **즉시강제**: 현재의 급박한 행정상의 장해를 제거하기 위한 경우로서 다음의 어느 하나에 해당하는 경우에 행정청이 곧바로 국민의 신체 또는 재산에 실력을 행사하여 행정목적을 달성하는 것
㉮ 행정청이 미리 행정상 의무 이행을 명할 시간적 여유가 없는 경우
㉯ 그 성질상 행정상 의무의 이행을 명하는 것만으로는 행정목적 달성이 곤란한 경우

㉡ 행정상 강제 조치에 관하여 이 법에서 정한 사항 외에 필요한 사항은 따로 법률로 정한다.

㉢ 형사(刑事), 행형(行刑) 및 보안처분 관계 법령에 따라 행하는 사항이나 외국인의 출입국·난민인정·귀화·국적회복에 관한 사항에 관하여는 이 절을 적용하지 아니한다.

② 이행강제금의 부과(제31조)

㉠ 이행강제금 부과의 근거가 되는 법률에는 이행강제금에 관한 다음의 사항을 명확하게 규정하여야 한다. 다만, ⓓ 또는 ⓔ를 규정할 경우 입법목적이나 입법취지를 훼손할 우려가 크다고 인정되는 경우로서 대통령령으로 정하는 경우는 제외한다.

ⓐ 부과·징수 주체
ⓑ 부과 요건
ⓒ 부과 금액
ⓓ 부과 금액 산정기준
ⓔ 연간 부과 횟수나 횟수의 상한

㉡ 행정청은 다음의 사항을 고려하여 이행강제금의 부과 금액을 가중하거나 감경할 수 있다.

ⓐ 의무 불이행의 동기, 목적 및 결과
ⓑ 의무 불이행의 정도 및 상습성
ⓒ 그 밖에 행정목적을 달성하는 데 필요하다고 인정되는 사유

㉢ 행정청은 이행강제금을 부과하기 전에 미리 의무자에게 적절한 이행기간을 정하여 그 기한까지 행정상 의무를 이행하지 아니하면 이행강제금을 부과한다는 뜻을 문서로 계고(戒告)하여야 한다.

㉣ 행정청은 의무자가 ㉢에 따른 계고에서 정한 기한까지 행정상 의무를 이행하지 아니한 경우 이행강제금의 부과 금액 · 사유 · 시기를 문서로 명확하게 적어 의무자에게 통지하여야 한다.

㉤ 행정청은 의무자가 행정상 의무를 이행할 때까지 이행강제금을 반복하여 부과할 수 있다. 다만, 의무자가 의무를 이행하면 새로운 이행강제금의 부과를 즉시 중지하되, 이미 부과한 이행강제금은 징수하여야 한다.

㉥ 행정청은 이행강제금을 부과받은 자가 납부기한까지 이행강제금을 내지 아니하면 국세강제징수의 예 또는 지방행정제재 · 부과금의 징수 등에 관한 법률에 따라 징수한다.

③ 직접강제(제32조)

㉠ 직접강제는 행정대집행이나 이행강제금 부과의 방법으로는 행정상 의무이행을 확보할 수 없거나 그 실현이 불가능한 경우에 실시하여야 한다.

㉡ 직접강제를 실시하기 위하여 현장에 파견되는 집행책임자는 그가 집행책임자임을 표시하는 증표를 보여 주어야 한다.

㉢ 직접강제의 계고 및 통지에 관하여는 위 ②의 ㉢ 및 ㉣을 준용한다.

④ 즉시강제(제33조)

㉠ 즉시강제는 다른 수단으로는 행정목적을 달성할 수 없는 경우에만 허용되며, 이 경우에도 최소한으로만 실시하여야 한다.

㉡ 즉시강제를 실시하기 위하여 현장에 파견되는 집행책임자는 그가 집행책임자임을 표시하는 증표를 보여 주어야 하며, 즉시강제의 이유와 내용을 고지하여야 한다.

㉢ 집행책임자는 즉시강제를 하려는 재산의 소유자 또는 점유자를 알 수 없거나 현장에서 그 소재를 즉시 확인하기 어려운 경우에는 즉시강제를 실시한 후 집행책임자의 이름 및 그 이유와 내용을 고지할 수 있다. 다만, 다음에 해당하는 경우에는 게시판이나 인터넷 홈페이지에 게시하는 등 적절한 방법에 의한 공고로써 고지를 갈음할 수 있다.

1. 즉시강제를 실시한 후에도 재산의 소유자 또는 점유자를 알 수 없는 경우
2. 재산의 소유자 또는 점유자가 국외에 거주하거나 행방을 알 수 없는 경우
3. 그 밖에 대통령령으로 정하는 불가피한 사유로 고지할 수 없는 경우

(6) 그 밖의 행정작용

① 수리 여부에 따른 신고의 효력(제34조): 법령 등으로 정하는 바에 따라 행정청에 일정한 사항을 통지하여야 하는 신고로서 법률에 신고의 수리가 필요하다고 명시되어 있는 경우(행정기관의 내부 업무 처리 절차로서 수리를 규정한 경우는 제외한다)에는 행정청이 수리하여야 효력이 발생한다.

② 수수료 및 사용료(제35조)

㉠ 행정청은 특정인을 위한 행정서비스를 제공받는 자에게 법령으로 정하는 바에 따라 수수료를 받을 수 있다.

㉡ 행정청은 공공시설 및 재산 등의 이용 또는 사용에 대하여 사전에 공개된 금액이나 기준에 따라 사용료를 받을 수 있다.

㉢ ㉠ 및 ㉡에도 불구하고 지방자치단체의 경우에는 지방자치법에 따른다.

(7) 처분에 대한 이의신청 및 재심사

① 처분에 대한 이의신청(제36조)

㉠ 행정청의 처분(행정심판법 제3조에 따라 같은 법에 따른 행정심판의 대상이 되는 처분을 말한다)에 이의가 있는 당사자는 처분을 받은 날부터 30일 이내에 해당 행정청에 이의신청을 할 수 있다.

㉡ 행정청은 ㉠에 따른 이의신청을 받으면 그 신청을 받은 날부터 14일 이내에 그 이의신청에 대한 결과를 신청인에게 통지하여야 한다. 다만, 부득이한 사유로 14일 이내에 통지할 수 없는 경우에는 그 기간을 만료일 다음 날부터 기산하여 10일의 범위에서 한 차례 연장할 수 있으며, 연장 사유를 신청인에게 통지하여야 한다.

㉢ ㉠에 따라 이의신청을 한 경우에도 그 이의신청과 관계없이 행정심판법에 따른 행정심판 또는 행정소송법에 따른 행정소송을 제기할 수 있다.

㉣ 이의신청에 대한 결과를 통지받은 후 행정심판 또는 행정소송을 제기하려는 자는 그 결과를 통지받은 날(㉡에 따른 통지기간 내에 결과를 통지받지 못한 경우에는 같은 항에 따른 통지기간이 만료되는 날의 다음 날을 말한다)부터 90일 이내에 행정심판 또는 행정소송을 제기할 수 있다.

㉤ 다른 법률에서 이의신청과 이에 준하는 절차에 대하여 정하고 있는 경우에도 그 법률에서 규정하지 아니한 사항에 관하여는 이 조에서 정하는 바에 따른다.

㉥ ㉠부터 ㉤까지에서 규정한 사항 외에 이의신청의 방법 및 절차 등에 관한 사항은 대통령령으로 정한다.

㉦ 다음의 어느 하나에 해당하는 사항에 관하여는 이 조를 적용하지 아니한다.

ⓐ 공무원 인사 관계 법령에 따른 징계 등 처분에 관한 사항
ⓑ 국가인권위원회법 제30조에 따른 진정에 대한 국가인권위원회의 결정
ⓒ 노동위원회법 제2조의2에 따라 노동위원회의 의결을 거쳐 행하는 사항
ⓓ 형사, 행형 및 보안처분 관계 법령에 따라 행하는 사항
ⓔ 외국인의 출입국·난민인정·귀화·국적회복에 관한 사항
ⓕ 과태료 부과 및 징수에 관한 사항

② 처분의 재심사(제37조)

㉠ 당사자는 처분(제재처분 및 행정상 강제는 제외한다)이 행정심판, 행정소송 및 그 밖의 쟁송을 통하여 다툴 수 없게 된 경우(법원의 확정판결이 있는 경우는 제외한다)라도 다음의 어느 하나에 해당하는 경우에는 해당 처분을 한 행정청에 처분을 취소·철회하거나 변경하여 줄 것을 신청할 수 있다.

ⓐ 처분의 근거가 된 사실관계 또는 법률관계가 추후에 당사자에게 유리하게 바뀐 경우
ⓑ 당사자에게 유리한 결정을 가져다주었을 새로운 증거가 있는 경우
ⓒ 민사소송법 제451조에 따른 재심사유에 준하는 사유가 발생한 경우 등 대통령령으로 정하는 경우

㉡ ㉠에 따른 신청은 해당 처분의 절차, 행정심판, 행정소송 및 그 밖의 쟁송에서 당사자가 중대한 과실 없이 ㉠의 ⓐ~ⓒ의 사유를 주장하지 못한 경우에만 할 수 있다.

㉢ ㉠에 따른 신청은 당사자가 ㉠의 ⓐ~ⓒ의 사유를 안 날부터 60일 이내에 하여야 한다. 다만, 처분이 있은 날부터 5년이 지나면 신청할 수 없다.

㉣ ㉠에 따른 신청을 받은 행정청은 특별한 사정이 없으면 신청을 받은 날부터 90일(합의제행정기관은 180일) 이내에 처분의 재심사 결과(재심사 여부와 처분의 유지 · 취소 · 철회 · 변경 등에 대한 결정을 포함한다)를 신청인에게 통지하여야 한다. 다만, 부득이한 사유로 90일(합의제행정기관은 180일) 이내에 통지할 수 없는 경우에는 그 기간을 만료일 다음 날부터 기산하여 90일(합의제행정기관은 180일)의 범위에서 한 차례 연장할 수 있으며, 연장 사유를 신청인에게 통지하여야 한다.

㉤ ㉣에 따른 처분의 재심사 결과 중 처분을 유지하는 결과에 대해서는 행정심판, 행정소송 및 그 밖의 쟁송수단을 통하여 불복할 수 없다.

㉥ 행정청의 제18조에 따른 취소와 제19조에 따른 철회는 처분의 재심사에 의하여 영향을 받지 아니한다.

㉦ ㉠부터 ㉥까지에서 규정한 사항 외에 처분의 재심사의 방법 및 절차 등에 관한 사항은 대통령령으로 정한다.

㉧ 다음의 어느 하나에 해당하는 사항에 관하여는 이 조를 적용하지 아니한다.

> ⓐ 공무원 인사 관계 법령에 따른 징계 등 처분에 관한 사항
> ⓑ 노동위원회법 제2조의2에 따라 노동위원회의 의결을 거쳐 행하는 사항
> ⓒ 형사, 행형 및 보안처분 관계 법령에 따라 행하는 사항
> ⓓ 외국인의 출입국 · 난민인정 · 귀화 · 국적회복에 관한 사항
> ⓔ 과태료 부과 및 징수에 관한 사항
> ⓕ 개별 법률에서 그 적용을 배제하고 있는 경우

4. 행정의 입법활동 등

(1) 행정의 입법활동(제38조)

① 국가나 지방자치단체가 법령 등을 제정 · 개정 · 폐지하고자 하거나 그와 관련된 활동(법률안의 국회 제출과 조례안의 지방의회 제출을 포함하며, 이하 '행정의 입법활동'이라 한다)을 할 때에는 헌법과 상위 법령을 위반해서는 아니 되며, 헌법과 법령 등에서 정한 절차를 준수하여야 한다.

② 행정의 입법활동은 다음의 기준에 따라야 한다.

> ㉠ 일반 국민 및 이해관계자로부터 의견을 수렴하고 관계 기관과 충분한 협의를 거쳐 책임 있게 추진되어야 한다.
> ㉡ 법령 등의 내용과 규정은 다른 법령 등과 조화를 이루어야 하고, 법령 등 상호간에 중복되거나 상충되지 아니하여야 한다.
> ㉢ 법령 등은 일반 국민이 그 내용을 쉽고 명확하게 이해할 수 있도록 알기 쉽게 만들어져야 한다.

③ 정부는 매년 해당 연도에 추진할 법령안 입법계획(이하 '정부입법계획'이라 한다)을 수립하여야 한다.

④ 행정의 입법활동의 절차 및 정부입법계획의 수립에 관하여 필요한 사항은 정부의 법제업무에 관한 사항을 규율하는 대통령령으로 정한다.

(2) 행정법제의 개선(제39조)

① 정부는 권한 있는 기관에 의하여 위헌으로 결정되어 법령이 헌법에 위반되거나 법률에 위반되는 것이 명백한 경우 등 대통령령으로 정하는 경우에는 해당 법령을 개선하여야 한다.

② 정부는 행정 분야의 법제도 개선 및 일관된 법 적용 기준 마련 등을 위하여 필요한 경우 대통령령으로 정하는 바에 따라 관계 기관 협의 및 관계 전문가 의견 수렴을 거쳐 개선조치를 할 수 있으며, 이를 위하여 현행 법령에 관한 분석을 실시할 수 있다.

(3) 법령해석(제40조)

① 누구든지 법령 등의 내용에 의문이 있으면 법령을 소관하는 중앙행정기관의 장(이하 '법령소관기관'이라 한다)과 자치법규를 소관하는 지방자치단체의 장에게 법령해석을 요청할 수 있다.

② 법령소관기관과 자치법규를 소관하는 지방자치단체의 장은 각각 소관 법령 등을 헌법과 해당 법령등의 취지에 부합되게 해석·집행할 책임을 진다.

③ 법령소관기관이나 법령소관기관의 해석에 이의가 있는 자는 대통령령으로 정하는 바에 따라 법령해석업무를 전문으로 하는 기관에 법령해석을 요청할 수 있다.

④ 법령해석의 절차에 관하여 필요한 사항은 대통령령으로 정한다.

05 경찰개입청구권

1. 개념

(1) 경찰개입청구권은 무하자 재량행사청구권의 법리를 기초로 하여 독일에서 학설·판례를 통해 발전된 개념으로 행정관청의 위법한 부작위 등으로 인하여 권익을 침해당한 자가 당해 행정관청에게 제3자에 대한 경찰권의 발동을 청구할 수 있는 권리를 말한다.

(2) 경찰개입청구권은 행정관청에 대하여 적극적으로 행정행위 기타 행정작용을 할 것을 요구하는 적극적 공권에 해당하므로 행정관청에 대하여 특정한 행위를 요구할 수 있는 실체적 권리라는 점에서 형식적 공권인 무하자 재량행사청구권과는 구별된다.

2. 경찰재량의 0(또는 1)으로의 수축이론

(1) 의의

경찰권 행사의 편의주의 원칙상 경찰행정관청이 현존하는 위험에 대하여 개입하지 않더라도 반드시 위법한 것은 아니다. 그러나 학설과 판례는 예외적인 상황에서는 재량권이 0(또는 1)으로 수축하게 되고, 이 경우 오직 하나의 결정(조치)만이 의무에 합당한 재량권행사로 인정된다고 보고 있는데, 이것을 재량권의 0으로의 수축이론이라고 한다.

(2) 경찰권 행사의 편의주의 원칙

경찰권의 발동에 있어 경찰재량은 완전한 자유재량이 아니고 의무에 합당한 재량이어야 하며 경찰재량은 경찰상의 위험을 방치하기 위한 수단이 아니고, 합목적적이고도 가능한 최상의 위험방지임무의 수행을 위한 수단이어야 한다.

(3) 효과

재량권이 0(또는 1)으로 수축되는 경우 형식상 재량행위라고 하더라도 기속행위로 전환되고, 부작위에 대하여는 의무이행심판 및 부작위위법확인소송, 그리고 그로 인하여 손해가 발생한 경우에는 손해배상청구소송을 통해 침해된 권리의 구제가 가능하다.

(4) 경찰개입청구권을 최초로 인정한 판례 – 띠톱판결*

사례해설

Q. 주거지역에 위치한 석탄제조업체에서 석탄가공을 위해 사용하는 띠톱으로 인해 배출되는 먼지와 소음 등으로 피해를 받고 있던 인근주민들이 행정관청에게 건축경찰상의 금지처분을 해줄 것을 청구하자, 행정관청은 이 업소의 영업행위는 건축관계법규에 위반되지 않는 것이라고 하여 원고의 청구를 기각하였고, 이에 인근주민들이 기각처분에 대한 취소소송을 제기하였다.

A. 이에 베를린 고등법원은 원고에게는 건축법규에 기한 특정처분을 청구할 수 있는 권리가 없다고 보아 원고의 청구를 기각하였다. 그러나 연방재판소는 경찰작용법상의 일반수권조항의 해석에 있어 첫째, 인근주민의 무하자 재량행사청구권을 인정하고, 둘째, 재량권의 0으로의 수축이론에 의거하여 원고의 청구를 인용하였다. 이 판례가 가지는 의미로 첫째, 경찰행정법규의 제정목적은 공익의 보호뿐만 아니라 국민 개개인의 사익도 보호하려는데 있으며, 둘째, 경찰개입 여부는 원칙적으로 재량이지만 일정한 상황에서는 재량권이 영으로 수축되고 이 때 개인은 경찰당국에 대해 일정한 조치를 취할 것을 청구할 수 있는 권리를 가진다는 것으로 요약할 수 있다.

* 이 외에도 경찰개입청구권과 관련하여 지뢰판결, 김신조 무장공비 침투사건, 별장점탈사건 등의 판례가 있다.

경찰개입청구권

개념	경찰의 부작위로 인하여 권익을 침해당한 자가 당해 경찰행정관청 등에 대하여 경찰권의 발동을 청구할 수 있는 권리를 말한다.	
개입의무의 존재 여부	기속행위	기속행위에 대해서 경찰행정관청은 특정한 처분을 하여야 할 법적 의무를 지고 있으므로 개입의무가 당연히 인정된다.
	재량행위	재량행위에는 원칙상 경찰개입청구권이 인정되지 않지만 재량권이 0(또는 1)으로 수축하는 경우에는 경찰권을 발동해야 할 의무가 발생한다.
사익의 보호 여부	① 경찰행정관청의 개입의무가 존재한다고 하더라도 경찰권의 행사로 인하여 국민이 받는 이익이 반사적 이익인 경우에는 경찰개입청구권이 인정되지 않는다. ② 오늘날에 반사적 이익의 보호법익화(반사적 이익의 공권화 추세)에 따라 경찰개입청구권의 성립요건이 완화되고 있어 경찰개입청구권이 인정될 여지가 확대되고 있다.	
인정근거	독일에서는 연방행정재판소의 띠톱판결에 의하여 경찰개입청구권이 인정되었으며, 우리나라에서는 김신조 사건 등에서 이러한 원칙이 확립되었다.	

3. 무하자 재량행사청구권

(1) 의의

행정관청의 재량이 인정되는 경우에 재량행위의 상대방 기타 이해관계인이 행정관청에 대하여 재량권을 하자 없이 행사하여 줄 것을 청구할 수 있는 주관적 권리를 무하자 재량행사청구권이라고 한다. 이는 상대방이 행정청에 대하여 하자 없는 적법한 재량처분을 구하는 공권이다. 재량행위의 상대방이 특정의 공권이 침해되었음을 주장하지 못하는 경우에도 무하자재량행사청구권의 침해를 이유로 원고적격을 인정받을 수 있다. 판례는 재량행위의 상대방에게 무하자재량행사청구권이 있음을 인정한 바가 있다.

(2) 법적 성질

① 무하자 재량행사청구권은 재량권의 일탈・남용으로 인한 위법한 처분의 배제를 구할 수 있는 권리인 동시에 행정관청에 대하여 하자 없는 재량처분을 구할 수 있는 권리라는 의미에서 적극적 공권으로서의 성질도 가지고 있다.

② 무하자 재량행사청구권은 재량행위의 영역에서 공권의 성립을 설명하기 위한 이론에 해당한다.

Add

검사임용거부처분취소

【판시사항】

[1] 검사 지원자 중 한정된 수의 임용대상자에 대한 임용결정만을 하는 경우 임용대상에서 제외된 자에 대하여 임용거부의 소극적 의사표시를 한 것으로 볼 것인지 여부(적극)

[2] 다수의 검사 임용신청자 중 일부만을 검사로 임용하는 결정을 함에 있어 그 임용 여부의 응답을 해 줄 의무가 있는지 여부(적극)

[3] 검사임용거부처분의 항고소송대상 여부

【판결요지】

[1] 검사 지원자 중 한정된 수의 임용대상자에 대한 임용 결정은 한편으로는 그 임용대상에서 제외한 자에 대한 임용거부결정이라는 양면성을 지니는 것이므로 임용대상자에 대한 임용의 의사표시는 동시에 임용대상에서 제외한 자에 대한 임용거부의 의사표시를 포함한 것으로 볼 수 있고, 이러한 임용 거부의 의사 표시는 본인에게 직접 고지되지 않았다고 하여도 본인이 이를 알았거나 알 수 있었을 때에 그 효력이 발생한 것으로 보아야 한다.

[2] 검사의 임용 여부는 임용권자의 자유재량에 속하는 사항이나, 임용권자가 동일한 검사신규임용의 기회에 원고를 비롯한 다수의 검사 지원자들로부터 임용 신청을 받아 전형을 거쳐 자체에서 정한 임용기준에 따라 이들 일부만을 선정하여 검사로 임용하는 경우에 있어서 법령상 검사임용 신청 및 그 처리의 제도에 관한 명문 규정이 없다고 하여도 조리상 임용권자는 임용신청자들에게 전형의 결과인 임용 여부의 응답을 해줄 의무가 있다고 할 것이며, 응답할 것인지 여부조차도 임용권자의 편의재량사항이라고는 할 수 없다.

[3] 검사의 임용에 있어서 임용권자가 임용 여부에 관하여 어떠한 내용의 응답을 할 것인지는 임용권자의 자유재량에 속하므로 일단 임용거부라는 응답을 한 이상 설사 그 응답내용이 부당하다고 하여도 사법심사의 대상으로 삼을 수 없는 것이 원칙이나, 적어도 재량권의 한계 일탈이나 남용이 없는 위법하지 않은 응답을 할 의무가 임용권자에게 있고 이에 대응하여 임용신청자로서도 재량권의 한계 일탈이나 남용이 없는 적법한 응답을 요구할 권리가 있다고 할 것이며, 이러한 응답신청권에 기하여 재량권 남용의 위법한 거부처분에 대하여는 항고소송으로서 그 취소를 구할 수 있다고 보아야 하므로 임용신청자가 임용거부처분이 재량권을 남용한 위법한 처분이라고 주장하면서 그 취소를 구하는 경우에는 법원은 재량권남용 여부를 심리하여 본안에 관한 판단으로서 청구의 인용 여부를 가려야 한다(대판 1991. 2.12, 90누5825).

Add

1. 기속행위

행정에 있어서 법규가 어떤 행위를 규정하여 행정관청은 단순히 이를 집행하게 하는 것을 기속행위라고 한다.

2. 재량행위

행정에 있어서 법규가 불명확한 개념을 사용하여 행정관청의 판단여지를 남겨놓은 상태를 재량행위라고 한다. 이러한 재량행위는 기속재량행위와 자유재량행위로 구분할 수 있다. 기속재량행위는 법의 해석판단에 관하여 행정관청에게 재량이 주어진 행위를 말하며, 자유재량행위는 무엇이 공익에 적합한가를 판단할 수 있는 판단재량이 행정관청에게 주어진 행위를 말한다.

3. 구별의 실익

기속행위와 기속재량행위를 위반한 행위의 경우 위법의 문제가 되어 행정소송 등 사법심사의 대상이 된다. 그러나 자유재량행위를 위반한 경우에 징계의 대상은 될 수 있지만 위법의 문제가 아니라 부당의 문제에 해당하므로 사법심사의 대상이 되지는 않는다. 또한, 법규가 행정관청의 행위에 대하여 재량을 부여한 경우에는 그 범위 안에서 부관을 붙일 수 있으나, 기속행위는 특별한 규정이 없는 한 부관을 붙일 수 없다.

4. 공권(公權)과 반사적 이익

(1) 의의

공권이란 공법관계에서 직접 자기를 위하여 일정한 법적 이익을 주장할 수 있는 법적인 힘을 말한다. 이는 다시 국가 등의 행정주체가 상대방에 대해서 가지는 지배권인 국가적 공권과 상대방이 국가에 대하여 주장할 수 있는 개인적 공권으로 구분할 수 있다.

이러한 공권이 침해달할 경우 소의 이익이 인정되므로 공권을 침해받은 자는 원고적격이 인정되어 소송 등을 통해 침해된 이익을 구제받을 수 있다.

판례

1. **행정소송에 관한 부제소특약의 효력(무효)**
   지방자치단체장이 도매시장법인의 대표이사에 대하여 위 지방자치단체장이 개설한 농수산물도매시장의 도매시장법인으로 다시 지정함에 있어서 그 지정조건으로 "지정기간 중이라도 개설자가 농수산물 유통정책의 방침에 따라 도매시장법인 이전 및 지정취소 또는 폐쇄 지시에도 일체 소송이나 손실보상을 청구할 수 없다."라는 부관을 붙였으나, 그중 부제소특약에 관한 부분은 당사자가 임의로 처분할 수 없는 공법상의 권리관계를 대상으로 하여 사인의 국가에 대한 공권인 소권을 당사자의 합의로 포기하는 것으로서 허용될 수 없다(대판 1998.8.21, 98두8919).
2. **제3자에게 상수원보호구역변경처분의 취소를 구할 법률상 이익이 없다고 한 사례**
   상수원보호구역 설정의 근거가 되는 수도법 제5조 제1항 및 동 시행령 제7조 제1항이 보호하고자 하는 것은 상수원의 확보와 수질보전일 뿐이고, 그 상수원에서 급수를 받고 있는 지역주민들이 가지는 상수원의 오염을 막아 양질의 급수를 받을 이익은 직접적이고 구체적으로는 보호하고 있지 않음이 명백하여 위 지역주민들이 가지는 이익은 상수원의 확보와 수질보호라는 공공의 이익이 달성됨에 따라 반사적으로 얻게 되는 이익에 불과하므로 지역주민들에 불과한 원고들에게는 위 상수원보호구역변경처분의 취소를 구할 법률상의 이익이 없다(대판 1995.9.26, 94누14544).
3. **도시계획구역 내 토지 소유자의 도시계획입안 신청에 대한 도시계획 입안권자의 거부행위가 항고소송의 대상이 되는 행정처분에 해당하는지 여부(적극)**
   도시계획구역 내 토지 등을 소유하고 있는 주민으로서는 입안권자에게 도시계획입안을 요구할 수 있는 법규상 또는 조리상의 신청권이 있다고 할 것이고, 이러한 신청에 대한 거부행위는 항고소송의 대상이 되는 행정처분에 해당한다(대판 2004.4.28, 2003두1806).

(2) 반사적 이익론

① 의의

㉠ 법이 공익의 보호를 위하여 일정한 규제를 하고 또 법에 의하여 행정권이 발동되는 것에 기초하여 반사적 효과로서 특정 또는 불특정의 사인에게 생기는 일정한 이익을 반사적 이익이라고 한다.

㉡ 경찰행정관청의 규제권의 행사는 공익을 위한 것이므로, 규제권의 행사로 인하여 개인이 어떠한 이익을 향유하더라도 그것은 반사적 이익에 불과하고 법률상의 권리로 볼 수 없다는 것이 전통적인 입장이다.

㉢ 전통적 견해에 의하면 경찰행정관청이 권한행사를 게을리하여 그 결과 이해관계자의 반사적 이익을 침해하더라도 행정소송에 있어 원고적격이 인정되지 않고, 국가배상법에 의한 보호도 받을 수 없게 된다.

판례 **제3자가 행정처분의 취소를 구할 원고적격이 있는 경우**

행정처분의 직접 상대방이 아닌 제3자라도 당해 행정처분의 취소를 구할 법률상의 이익이 있는 경우에는 원고적격이 인정되는데, 여기서 말하는 법률상의 이익은 당해 처분의 근거 법률에 의하여 보호되는 직접적이고 구체적인 이익이 있는 경우를 말하고, 다만 공익보호의 결과로 국민 일반이 공통적으로 가지는 추상적, 평균적, 일반적인 이익과 같이 간접적이나 사실적, 경제적 이해관계를 가지는데 불과한 경우는 여기에 포함되지 않는다(대판 1995.9.26, 94누14544).

② 반사적 이익과 공권과의 구별

㉠ 법률상 이익에 해당하는 공권이 침해된 경우에는 행정심판이나 행정소송을 통해 침해받은 권리를 구제받을 수 있지만 반사적 이익이 침해된 경우에는 행정심판이나 행정소송으로 다툴 수 없다. 또한, 침해가 공익을 위해 적법한 것이라고 하더라도 그것이 공권에 대한 침해인 경우에는 손실보상청구의 대상이 되나 반사적 이익의 침해는 손실보상청구의 대상이 되지 않는다.

㉡ 법체계의 구성상 법규가 경찰행정관청의 권한행사를 임의적인 재량행위로 규정하고, 그러한 경찰권의 발동이 오로지 불특정다수의 공익을 위한 것이라면 그 법규정 또는 법집행으로 사인이 어떤 이익을 얻더라도 그것은 반사적 이익에 불과하다.

③ 반사적 이익의 보호법익화

㉠ 종래에는 반사적 이익으로 보았던 것도 관계 법규가 공익과 동시에 개인적 이익도 보호하는 것으로 해석함으로써 당해 이익에 법적으로 보호되는 이익 또는 공권으로서의 성격이 인정되는 경우가 점차 증가하고 있다.

㉡ 국가배상의 경우에도 규제권의 불행사(공무원의 부작위)를 직무의무에 위반한 위법으로 구성하여 배상의 범위를 확대하고 있는 추세이다.

㉢ 반사적 이익이 침해된 경우 원칙적으로 소송을 통한 구제는 허용되지 않는다. 그러나 현재는 반사적 이익에 해당하던 부분을 개인적 공권으로 보아 권리구제를 확대하고 있다. 이로 인해 행정처분의 직접 상대방이 아닌 제3자도 어떠한 행정처분으로 인해 법익이 침해된 경우 원고적격이 인정되는 경우가 있다.

판례

Ⅰ. 인인(隣人)소송 관련 판례

1. 주거지역 내의 제한면적을 초과한 연탄공장건축허가 처분으로 불이익을 받고 있는 제3거주자는 당해 행정처분의 취소를 소구할 법률상 자격이 있는지 여부

주거지역 안에서는 도시계획법 제19조 제1항과 개정 전 건축법 제32조 제1항에 의하여 공익상 부득이하다고 인정될 경우를 제외하고는 거주의 안녕과 건전한 생활환경의 보호를 해치는 모든 건축이 금지되고 있을뿐 아니라 주거지역 내에 거주하는 사람이 받는 위와 같은 보호이익은 법률에 의하여 보호되는 이익이라고 할 것이므로 주거지역 내에 위 법조 소정 제한면적을 초과한 연탄공장 건축허가처분으로 불이익을 받고 있는 제3거주자는 비록 당해 행정처분의 상대자가 아니라 하더라도 그 행정처분으로 말미암아 위와 같은 법률에 의하여 보호되는 이익을 침해받고 있다면 당해 행정처분의 취소를 소구하여 그 당부의 판단을 받을 법률상의 자격이 있다(대판 1975.5.13, 73누96).

2. 일반국민 또는 주민이 문화재를 향유할 이익이 구체적이고 법률적인 이익인지 여부(소극)

문화재는 문화재의 지정이나 그 보호구역으로 지정이 있음으로써 유적의 보존 관리 등이 법적으로 확보되어 지역주민이나 국민일반 또는 학술연구자가 이를 활용하고 그로 인한 이익을 얻는 것이지만, 그 지정은 문화재를 보존하여 이를 활용함으로써 국민의 문화적 향상을 도모함과 아울러 인류문화의 발전에 기여한다고 하는 목적을 위하여 행해지는 것이지, 그 이익이 일반 국민이나 인근주민의 문화재를 향유할 구체적이고도 법률적인 이익이라고 할 수는 없다(대판 1992.9.22, 91누13212).

3. 환경영향평가대상지역 밖의 주민 등의 환경상 이익 또는 전원(電源)개발사업구역 밖의 주민 등의 재산상 이익이 직접적·구체적 이익인지 여부(소극) 및 위 주민들에게 그 침해를 이유로 전원(電源)개발사업실시계획 승인처분의 취소를 구할 원고적격이 있는지 여부(소극)

환경영향평가대상지역 밖의 주민·일반 국민·산악인·사진가·학자·환경보호단체 등의 환경상 이익이나 전원(電源)개발사업구역 밖의 주민 등의 재산상 이익에 대하여는 위 근거 법률에 이를 그들의 개별적·직접적·구체적 이익으로 보호하려는 내용 및 취지를 가지는 규정을 두고 있지 아니하므로, 이들에게는 위와 같은 이익 침해를 이유로 전원(電源)개발사업실시계획 승인처분의 취소를 구할 원고적격이 없다(대판 1998.9.22, 97누19571).

4. 환경영향평가 대상지역 안의 주민에게 공유수면매립면허처분과 농지개량사업 시행인가처분의 무효확인을 구할 원고적격이 인정되는지 여부(적극) 및 환경영향평가 대상지역 밖의 주민에게 그 원고적격이 인정되기 위한 요건

공유수면매립면허처분과 농지개량사업 시행인가처분의 근거 법규 또는 관련 법규가 되는 구 공유수면매립법(1997.4. 10. 법률 제5337호로 개정되기 전의 것), 구 농촌근대화촉진법(1994.12.22. 법률 제4823호로 개정되기 전의 것), 구 환경보전법(1990.8.1. 법률 제4257호로 폐지), 구 환경보전법 시행령(1991.2.2. 대통령령 제13303호로 폐지), 구 환경정책기본법(1993.6.11. 법률 제4567호로 개정되기 전의 것), 구 환경정책기본법 시행령(1992.8.22. 대통령령 제13715호로 개정되기 전의 것)의 각 관련 규정의 취지는, 공유수면매립과 농지개량사업시행으로 인하여 직접적이고 중대한 환경피해를 입으리라고 예상되는 환경영향평가 대상지역 안의 주민들이 전과 비교하여 수인한도를 넘는 환경침해를 받지 아니하고 쾌적한 환경에서 생활할 수 있는 개별적 이익까지도 이를 보호하려는 데에 있다고 할 것이므로, 위 주민들이 공유수면매립면허처분 등과 관련하여 갖고 있는 위와 같은 환경상의 이익은 주민 개개인에 대하여 개별적으로 보호되는 직접적·구체적 이익으로서 그들에 대하여는 특단의 사정이 없는 한 환경상의 이익에 대한 침해 또는 침해우려가 있는 것으로 사실상 추정되어 공유수면매립면허처분 등의 무효확인을 구할 원고적격이 인정된다. 한편, 환경영향평가 대상지역 밖의 주민이라 할지라도 공유수면매립면허처분 등으로 인하여 그 처분 전과 비교하여 수인한도를 넘는 환경피해를 받거나 받을 우려가 있는 경우에는, 공유수면매립면허처분 등으로 인하여 환경상 이익에 대한 침해 또는 침해우려가 있다는 것을 입증함으로써 그 처분 등의 무효확인을 구할 원고적격을 인정받을 수 있다[대판 2006.3.16, 2006두330(전합)].

5. 환경영향평가 대상지역 밖에 거주하는 주민에게 헌법상의 환경권 또는 환경정책기본법에 근거하여 공유수면매립면허처분과 농지개량사업 시행인가처분의 무효확인을 구할 원고적격이 없다고 한 사례

헌법 제35조 제1항에서 정하고 있는 환경권에 관한 규정만으로는 그 권리의 주체·대상·내용·행사방법 등이 구체적으로 정립되어 있다고 볼 수 없고, 환경정책기본법 제6조도 그 규정 내용 등에 비추어 국민에게 구체적인 권리를 부여한 것으로 볼 수 없다는 이유로, 환경영향평가 대상지역 밖에 거주하는 주민에게 헌법상의 환경권 또는 환경정책기본법에 근거하여 공유수면매립면허처분과 농지개량사업 시행인가처분의 무효확인을 구할 원고적격이 없다[대판 2006.3. 16, 2006두330(전합)].

6. 행정처분의 근거 법규 등에 의하여 환경상 이익에 대한 침해 또는 침해 우려가 있는 것으로 사실상 추정되어 원고적격이 인정되는 사람의 범위

환경상 이익에 대한 침해 또는 침해 우려가 있는 것으로 사실상 추정되어 원고적격이 인정되는 사람에는 환경상 침해를 받으리라고 예상되는 영향권 내의 주민들을 비롯하여 그 영향권 내에서 농작물을 경작하는 등 현실적으로 환경상 이익을 향유하는 사람도 포함된다. 그러나 단지 그 영향권 내의 건물·토지를 소유하거나 환경상 이익을 일시적으로 향유하는 데 그치는 사람은 포함되지 않는다(대판 2009.9.24, 2009두2825).

7. 납골당 설치장소에서 500m 내에 20호 이상의 인가가 밀집한 지역에 거주하는 주민들의 경우, 납골당이 누구에 의하여 설치되는지와 관계없이 납골당 설치에 대하여 환경 이익 침해 또는 침해 우려가 있는 것으로 사실상 추정되어 원고적격이 인정되는지 여부(적극)

구 장사 등에 관한 법률(2007.5.25. 법률 제8489호로 전부 개정되기 전의 것) 제14조 제3항, 구 장사 등에 관한 법률 시행령(2008.5.26. 대통령령 제20791호로 전부 개정되기 전의 것) 제13조 제1항 [별표 3]에서 납골묘, 납골탑, 가족 또는 종중·문중 납골당 등 사설납골시설의 설치장소에 제한을 둔 것은, 이러한 사설납골시설을 인가가 밀집한 지역 인근에 설치하지 못하게 함으로써 주민들의 쾌적한 주거, 경관, 보건위생 등 생활환경상의 개별적 이익을 직접적·구체적으로 보호하려는 데 취지가 있으므로, 이러한 납골시설 설치장소에서 500m 내에 20호 이상의 인가가 밀집한 지역에 거주하는 주민들은 납골당 설치에 대하여 환경상 이익 침해를 받거나 받을 우려가 있는 것으로 사실상 추정된다. 다만, 사설납골시설 중 종교단체 및 재단법인이 설치하는 납골당에 대하여는 그와 같은 설치 장소를 제한하는 규정을 명시적으로 두고 있지 않지만, 종교단체나 재단법인이 설치한 납골당이라 하여 납골당으로서 성질이 가족 또는 종중, 문중 납골당과 다르다고 할 수 없고, 인근 주민들이 납골당에 대하여 가지는 쾌적한 주거, 경관, 보건위생 등 생활환경상의 이익에 차이가 난다고 볼 수 없다. 따라서 납골당 설치장소에서 500m 내에 20호 이상의 인가가 밀집한 지역에 거주하는 주민들에게는 납골당이 누구에 의하여 설치되는지를 따질 필요 없이 납골당 설치에 대하여 환경 이익 침해 또는 침해 우려가 있는 것으로 사실상 추정되어 원고적격이 인정된다고 보는 것이 타당하다(대판 2011.9.8, 2009두6766).

Ⅱ. **경업자(競業者) 소송 관련 판례**

1. **시장이 공중목욕장의 적정분포를 규정한 공중목욕장 시행세칙 제4조에 반하여 허가한 공중목욕장 영업허가처분과 기존 공중목욕업자의 권리침해**

   원고에 대한 공중목욕장업 경영 허가는 경찰금지의 해제로 인한 영업자유의 회복이라고 볼 것이므로 이 영업의 자유는 법률이 직접 공중목욕장업 피 허가자의 이익을 보호함을 목적으로 한 경우에 해당되는 것이 아니고 법률이 공중위생이라는 공공의 복리를 보호하는 결과로서 영업의 자유가 제한되므로 인하여 간접적으로 관계자인 영업자유의 제한이 해제된 피 허가자에게 이익을 부여하게 되는 경우에 해당되는 것이고 거리의 제한과 같은 위의 시행세칙이나 도지사의 지시가 모두 무효인 이상 원고가 이 사건 허가처분에 의하여 목욕장업에 의한 이익이 사실상 감소된다하여도 이 불이익은 본건 허가처분의 단순한 사실상의 반사적 결과에 불과하고 이로 말미암아 원고의 권리를 침해하는 것이라고는 할 수 없음으로 원고는 피고의 피고 보조참가인에 대한 이 사건 목욕장업허가처분에 대하여 그 취소를 소구할 수 있는 법률상 이익이 없다(대판 1963.8.31, 63누101).

2. **행정처분의 상대방이 아닌 제3자에게 그 처분의 취소를 구할 법률상의 이익이 있다고 한 사례**

   甲이 적법한 약종상허가를 받아 허가지역 내에서 약종상영업을 경영하고 있음에도 불구하고 행정관청이 구 약사법 시행규칙(1969.8.13. 보건사회부령 제344호)을 위배하여 같은 약종상인 乙에게 乙의 영업허가지역이 아닌 甲의 영업허가지역 내로 영업소를 이전하도록 허가하였다면 甲으로서는 이로 인하여 기존업자로서의 법률상 이익을 침해받았음이 분명하므로 甲에게는 행정관청의 영업소이전허가처분의 취소를 구할 법률상 이익이 있다(대판 1988.6.14, 87누873).

3. **동일한 사업구역 내의 동종의 사업용 화물자동차면허대수를 늘리는 보충인가처분에 대하여 기존업자에게 그 취소를 구할 법률상 이익이 있는지 여부(적극)**

   자동차운수사업법 제6조 제1항 제1호에서 당해 사업계획이 당해 노선 또는 사업구역의 수송수요와 수송력공급에 적합할 것을 면허의 기준으로 정한 것은 자동차운수사업에 관한 질서를 확립하고 자동차운수사업의 종합적인 발달을 도모하여 공공의 복리를 증진함과 동시에 업자간의 경쟁으로 인한 경영의 불합리를 미리 방지하자는 데 그 목적이 있다 할 것이므로 개별화물자동차운송사업면허를 받아 이를 영위하고 있는 기존의 업자로서는 동일한 사업구역 내의 동종의 사업용 화물자동차면허대수를 늘리는 보충인가처분에 대하여 그 취소를 구할 법률상 이익이 있다(대판 1992.7.10, 91누9107).

Ⅲ. **경원자(競願者) 소송 관련 판례**

제3자에게 경원자(競願者)에 대한 수익적 행정처분의 취소를 구할 당사자 적격이 있는 경우

인·허가 등의 수익적 행정처분을 신청한 수인이 서로 경쟁관계에 있어서 일방에 대한 허가 등의 처분이 타방에 대한 불허가 등으로 귀결될 수밖에 없는 때 허가 등의 처분을 받지 못한 자는 비록 경원자에 대하여 이루어진 허가 등 처분의 상대방이 아니라 하더라도 당해 처분의 취소를 구할 원고 적격이 있다. 다만, 명백한 법적 장애로 인하여 원고 자신의 신청이 인용될 가능성이 처음부터 배제되어 있는 경우에는 당해 처분의 취소를 구할 정당한 이익이 없다(대판 2009.12.10, 2009두8359).

06 특별권력관계

특별권력관계는 특별한 공법상 원인에 기하여 성립하고 공법상 행정목적의 필요한 한도 내에서 그 특별권력주체에게는 포괄적 지배권이 인정되고, 그 상대방인 특별한 신분이 있는 자는 그에 복종하는 관례를 말한다.

판례

1. **서울특별시 지하철공사 사장의 소속 직원에 대한 징계처분이 행정소송의 대상인지 여부(소극)**

   서울특별시지하철공사의 임원과 직원의 근무관계의 성질은 지방공기업법의 모든 규정을 살펴보아도 공법상의 특별권력관계라고는 볼 수 없고 사법관계에 속할 뿐만 아니라, 위 지하철공사의 사장이 그 이사회의 결의를 거쳐 제정된 인사규정에 의거하여 소속직원에 대한 징계처분을 한 경우 위 사장은 행정소송법 제13조 제1항 본문과 제2조 제2항 소정의 행정청에 해당되지 않으므로 공권력발동주체로서 위 징계처분을 행한 것으로 볼 수 없고, 따라서 이에 대한 불복절차는 민사소송에 의할 것이지 행정소송에 의할 수는 없다(대판 1989.9.12, 89누2103).

2. 공립교육기관의 장에 의하여 공립유치원의 임용기간을 정한 전임강사로 임용되어 지방자치단체로부터 보수를 지급받으면서 공무원복무규정을 적용받고 사실상 유치원 교사의 업무를 담당하여 온 유치원 교사의 자격이 있는 자

교육부장관(당시 문교부장관)의 권한을 재위임 받은 공립교육기관의 장에 의하여 공립유치원의 임용기간을 정한 전임강사로 임용되어 지방자치단체로부터 보수를 지급받으면서 공무원복무규정을 적용받고 사실상 유치원 교사의 업무를 담당하여 온 유치원 교사의 자격이 있는 자는 교육공무원에 준하여 신분보장을 받는 정원 외의 임시직 공무원으로 봄이 상당하므로 그에 대한 해임처분의 시정 및 수령지체된 보수의 지급을 구하는 소송은 행정소송의 대상이지 민사소송의 대상이 아니다(대판 1991.5.10, 90다10766).

3. 국립 교육대학 학생에 대한 퇴학처분이 행정처분인지 여부(적극)

행정소송의 대상이 되는 행정처분이란 행정청이 행하는 구체적 사실에 관한 법집행으로서의 공권력의 행사 또는 그 거부와 그 밖에 이에 준하는 행정작용을 말하는 것인바, 국립 교육대학 학생에 대한 퇴학처분은, 국가가 설립·경영하는 교육기관인 동 대학의 교무를 통할하고 학생을 지도하는 지위에 있는 학장이 교육목적실현과 학교의 내부질서유지를 위해 학칙 위반자인 재학생에 대한 구체적 법집행으로서 국가공권력의 하나인 징계권을 발동하여 학생으로서의 신분을 일방적으로 박탈하는 국가의 교육행정에 관한 의사를 외부에 표시한 것이므로, 행정처분임이 명백하다(대판 1991.11.22, 91누2144).

4. 농지개량조합 직원의 근무관계의 성질

농지개량조합과 그 직원과의 관계는 사법상의 근로계약관계가 아닌 공법상의 특별권력관계이고, 그 조합의 직원에 대한 징계처분의 취소를 구하는 소송은 행정소송사항에 속한다(대판 1995.6.9, 94누10870).

5. 전화가입계약의 해지가 항고소송의 대상이 되는 행정처분인지 여부(소극)

전화가입계약은 전화가입희망자의 가입청약과 이에 대한 전화관서의 승락에 의하여 성립하는 영조물 이용의 계약관계로서 비록 그것이 공중통신역무의 제공이라는 이용관계의 특수성 때문에 그 이용조건 및 방법, 이용의 제한, 이용관계의 종료원인 등에 관하여 여러가지 법적 규제가 있기는 하나 그 성질은 사법상의 계약관계에 불과하다고 할 것이므로, 피고(서울용산전화국장)가 전기통신법 시행령 제59조에 의하여 전화가입계약을 해지하였다 하여도 이는 사법상의 계약의 해지와 성질상 다른 바가 없다 할 것이고 이를 항고소송의 대상이 되는 행정처분으로 볼 수 없다(대판 1982.12.28, 82누441).

6. 수도요금부과처분취소

수도요금이 과다하게 부과되었음을 이유로 하는 부과처분취소소송에 있어서 처분청으로서는 수도계량기와 옥내배수관에 아무런 결함이 없음을 입증하면 일응 그 부과처분의 적법성을 증명한 것이라고 볼 것이다(대판 1982.4.27, 81누298).

7. 국유잡종재산 대부행위의 법적 성질(= 사법상 계약) 및 그 대부료 납부고지의 법적 성질(= 사법상 이행청구)

국유재산법 제31조, 제32조 제3항, 산림법 제75조 제1항의 규정 등에 의하여 국유잡종재산에 관한 관리처분의 권한을 위임받은 기관이 국유잡종재산을 대부하는 행위는 국가가 사경제 주체로서 상대방과 대등한 위치에서 행하는 사법상의 계약이고, 행정청이 공권력의 주체로서 상대방의 의사 여하에 불구하고 일방적으로 행하는 행정처분이라고 볼 수 없으며, 국유잡종재산에 관한 대부료의 납부고지 역시 사법상의 이행청구에 해당하고, 이를 행정처분이라고 할 수 없다(대판 2000.2.11, 99다61675).

8. 구 도시재개발법에 의한 재개발조합에 대하여 조합원 자격 확인을 구하는 소송의 성질 및 조합의 분양거부처분 등에 대한 수분양권확인 소송의 가부

구 도시재개발법(1995.12.29. 법률 제5116호로 전문 개정되기 전의 것)에 의한 재개발조합은 조합원에 대한 법률관계에서 적어도 특수한 존립목적을 부여받은 특수한 행정주체로서 국가의 감독하에 그 존립 목적인 특정한 공공사무를 행하고 있다고 볼 수 있는 범위 내에서는 공법상의 권리의무 관계에 서 있다. 따라서 조합을 상대로 한 쟁송에 있어서 강제가입제를 특색으로 한 조합원의 자격 인정 여부에 관하여 다툼이 있는 경우에는 그 단계에서는 아직 조합의 어떠한 처분 등이 개입될 여지는 없으므로 공법상의 당사자소송에 의하여 그 조합원 자격의 확인을 구할 수 있다[대판 1996.2.15, 94다31235(전합)].

9. 부당이득금

환매권 행사로 인한 매수의 성질은 사법상 매매와 같은 것으로서 환매 대상이 되는 것은 당초 국가가 수용한 목적물 내지 권리와 동일하다고 보아야 한다(대판 2012.4.26, 2010다6611).

10. 존재와 범위가 확정되어 있는 과오납부세액이나 환급세액을 부당이득의 반환을 구하는 민사소송으로 청구할 수 있는지 여부(적극)

국세환급금에 관한 국세기본법 제51조 제1항, 부가가치세 환급에 관한 부가가치세법 제24조, 같은 법 시행령 제72조의 각 규정은 정부가 이미 부당이득으로서 그 존재와 범위가 확정되어 있는 과오납부액이나 환급세액이 있는 때에는 납세자의 환급 신청을 기다릴 것 없이 이를 즉시 반환하는 것이 정의와 공평에 합당하다는 법리를 선언하고 있는 것이므로, 이미 그 존재와 범위가 확정되어 있는 과오납부액이나 환급세액은 납세자가 부당이득의 반환을 구하는 민사소송으로 그 환급을 청구할 수 있다(대판 1996.4.12, 94다34005).

11. 국가나 지방자치단체에 근무하는 청원경찰에 대한 징계처분에 대한 불복방법

국가나 지방자치단체에 근무하는 청원경찰은 국가공무원법이나 지방공무원법상의 공무원은 아니지만, 다른 청원경찰과는 달리 그 임용권자가 행정기관의 장이고, 국가나 지방자치단체로부터 보수를 받으며, 산업재해보상보험법이나 근로기준법이 아닌 공무원연금법에 따른 재해보상과 퇴직급여를 지급받고, 직무상의 불법행위에 대하여도 민법이 아닌 국가배상법이 적용되는 등의 특질이 있으며 그외 임용자격, 직무, 복무의무 내용 등을 종합하여 볼때, 그 근무관계를 사법상의 고용계약 관계로 보기는 어려우므로 그에 대한징계처분의 시정을 구하는 소는 행정소송의 대상이지 민사소송의 대상이 아니다(대판 1993.7.13, 92다47564).

12. 한국조폐공사의 임원과 직원의 근무관계가 공법관계인지 여부

한국조폐공사 직원의 근무관계는 사법관계에 속하고 그 직원의 파면행위도 사법상의 행위라고 보아야 한다(대판 1978.4.25, 78다414).

13. 종합유선방송위원회 소속 직원의 근로관계의 성질

구 종합유선방송법(2000.1.12. 법률 제6139호로 전문 개정된 방송법 부칙 제2조 제2호에 따라 폐지)상의 종합유선방송위원회는 그 설치의 법적 근거, 법에 의하여 부여된 직무, 위원의 임명절차 등을 종합하여 볼 때 국가기관이고, 그 사무국 직원들의 근로관계는 사법(私法)상의 계약관계이므로, 사무국 직원들은 국가를 상대로 민사소송으로 그 계약에 따른 임금과 퇴직금의 지급을 청구할 수 있다(대판 2001.12.24, 2001다54038).

14. 구 공공용지의 취득 및 손실보상에 관한 특례법에 의하여 공공사업의 시행자가 토지를 협의취득하는 경우, 일방 당사자의 채무불이행에 대하여 민법상의 손해배상책임 또는 하자담보책임을 물을 수 있는지 여부(적극)

구 공공용지의 취득 및 손실보상에 관한 특례법(2002.2.4. 법률 제6656호 공익사업을 위한 토지 등의 취득 및 보상에 관한 법률 부칙 제2조로 폐지)에 의하여 공공사업의 시행자가 토지를 협의취득하는 행위는 사경제주체로서 행하는 사법상의 법률행위이므로 그 일방 당사자의 채무불이행에 대하여 민법에 따른 손해배상 또는 하자담보책임을 물을 수 있다(대판 2004.7.22, 2002다51586).

15. 구 남녀차별금지 및 구제에 관한 법률상 국가인권위원회의 성희롱결정 및 시정조치권고가 행정소송의 대상이 되는 행정처분에 해당하는지 여부(적극)

구 남녀차별금지 및 구제에 관한 법률(2003.5.29. 법률 제6915호로 개정되기 전의 것) 제28조에 의하면, 국가인권위원회의 성희롱결정과 이에 따른 시정조치의 권고는 불가분의 일체로 행하여지는 것인데 국가인권위원회의 이러한 결정과 시정조치의 권고는 성희롱 행위자로 결정된 자의 인격권에 영향을 미침과 동시에 공공기관의 장 또는 사용자에게 일정한 법률상의 의무를 부담시키는 것이므로 국가인권위원회의 성희롱결정 및 시정조치권고는 행정소송의 대상이 되는 행정처분에 해당한다고 보지 않을 수 없다(대판 2005.7.8, 2005두487).

16. 구 공무원연금법상 퇴직급여결정이 행정처분인지 여부(적극)

구 공무원연금법(1995.12.29. 법률 제5117호로 개정되기 전의 것) 제26조 제1항, 제80조 제1항, 공무원연금법 시행령 제19조의2의 각 규정을 종합하면, 같은 법 소정의 급여는 급여를 받을 권리를 가진 자가 당해 공무원이 소속하였던 기관장의 확인을 얻어 신청하는 바에 따라 공무원연금관리공단이 그 지급결정을 함으로써 그 구체적인 권리가 발생하는 것이므로, 공무원연금관리공단의 급여에 관한 결정은 국민의 권리에 직접 영향을 미치는 것이어서 행정처분에 해당하고, 공무원연금관리공단의 급여결정에 불복하는 자는 공무원연금급여재심위원회의 심사결정을 거쳐 공무원연금관리공단의 급여결정을 대상으로 행정소송을 제기하여야 한다(대판 1996.12.6, 96누6417).

17. 입찰보증금 국고귀속 조치에 관한 분쟁이 행정소송의 대상인지 여부(소극)
예산회계법에 따라 체결되는 계약은 사법상의 계약이라고 할 것이고 동법 제70조의5의 입찰보증금은 낙찰자의 계약체결 의무이행의 확보를 목적으로 하여 그 불이행시에 이를 국고에 귀속시켜 국가의 손해를 전보하는 사법상의 손해배상 예정으로서의 성질을 갖는 것이라고 할 것이므로 입찰보증금의 국고귀속조치는 국가가 사법상의 재산권의 주체로서 행위하는 것이지 공권력을 행사하는 것이거나 공권력작용과 일체성을 가진 것이 아니라 할 것이므로 이에 관한 분쟁은 행정소송이 아닌 민사소송의 대상이 될 수밖에 없다고 할 것이다(대판 1983.12.27, 81누366).

18. 행정재산에 대한 사용 · 수익허가취소가 항고소송의 대상인 행정처분인지 여부(적극)
국 · 공유재산의 관리청이 행정재산의 사용 · 수익을 허가한 다음 그 사용 · 수익하는 자에 대하여 하는 사용 · 수익허가취소는 순전히 사경제주체로서 행하는 사법상의 행위라 할 수 없고, 이는 관리청이 공권력을 가진 우월적 지위에서 행한 것으로서 항고소송의 대상이 되는 행정처분이다(대판 1997.4.11, 96누17325).

19. 도시 및 주거환경정비법상의 주택재건축정비사업조합을 상대로 관리처분계획안 또는 사업시행계획안에 대한 조합 총회결의의 효력 등을 다투는 소송의 법적 성질(= 행정소송법상 당사자소송)
도시 및 주거환경정비법에 따른 주택재건축정비사업조합은 관할 행정청의 감독 아래 위 법상의 주택재건축사업을 시행하는 공법인(위 법 제18조)으로서, 그 목적 범위 내에서 법령이 정하는 바에 따라 일정한 행정작용을 행하는 행정주체의 지위를 갖는다. 따라서 행정주체인 재건축조합을 상대로 관리처분계획안에 대한 조합 총회결의의 효력 등을 다투는 소송은 행정처분에 이르는 절차적 요건의 존부나 효력 유무에 관한 소송으로서 그 소송결과에 따라 행정처분의 위법 여부에 직접 영향을 미치는 공법상 법률관계에 관한 것이므로, 이는 행정소송법상의 당사자소송에 해당하고, 재건축조합을 상대로 사업시행계획안에 대한 조합 총회결의의 효력 등을 다투는 소송 또한 행정소송법상의 당사자소송에 해당한다(대판 2009.10.15, 2008다93001).

20. 지방소방공무원의 보수에 관한 법률관계가 공법상 법률관계인지 여부(적극) 및 지방소방공무원이 소속 지방자치단체를 상대로 초과근무수당의 지급을 구하는 소송을 제기하는 경우, 행정소송법상 당사자소송의 절차에 따라야 하는지 여부(적극)
지방자치단체와 그 소속 경력직 공무원인 지방소방공무원 사이의 관계, 즉 지방소방공무원의 근무관계는 사법상의 근로계약관계가 아닌 공법상의 근무관계에 해당하고, 그 근무관계의 주요한 내용 중 하나인 지방소방공무원의 보수에 관한 법률관계는 공법상의 법률관계라고 보아야 한다. 나아가 지방공무원법 제44조 제4항, 제45조 제1항이 지방공무원의 보수에 관하여 이른바 근무조건 법정주의를 채택하고 있고, 지방공무원 수당 등에 관한 규정 제15조 내지 제17조가 초과근무수당의 지급 대상, 시간당 지급 액수, 근무시간의 한도, 근무시간의 산정 방식에 관하여 구체적이고 직접적인 규정을 두고 있는 등 관계 법령의 내용, 형식 및 체제 등을 종합하여 보면, 지방소방공무원의 초과근무수당 지급청구권은 법령의 규정에 의하여 직접 그 존부나 범위가 정하여지고 법령에 규정된 수당의 지급요건에 해당하는 경우에는 곧바로 발생한다고 할 것이므로, 지방소방공무원이 자신이 소속된 지방자치단체를 상대로 초과근무수당의 지급을 구하는 청구에 관한 소송은 행정소송법 제3조 제2호에 규정된 당사자소송의 절차에 따라야 한다(대판 2013.3.28, 2012다102629).

21. 한국조폐공사의 임원과 직원의 근무관계가 공법관계인지 여부
한국조폐공사 직원의 근무관계는 사법관계에 속하고 그 직원의 파면행위도 사법상의 행위라고 보아야 한다(대판 1978.4.25, 78다414).

22. 철도사고로 인한 손해배상사건에 적용할 법규(= 민법)
국가 또는 지방자치단체라 할지라도 공권력의 행사가 아니고 단순한 사경제의 주체로 활동하였을 경우에는 그 손해배상책임에 국가배상법이 적용될 수 없고 민법상의 사용자책임 등이 인정되는 것이고 국가의 철도운행사업은 국가가 공권력의 행사로서 하는 것이 아니고 사경제적 작용이라 할 것이므로, 이로 인한 사고에 공무원이 관여하였다고 하더라도 국가배상법을 적용할 것이 아니고 일반 민법의 규정에 따라야 한다(대판 1997.7.22, 95다6991).

07 사인의 공법행위로서의 신고

1. 의의

사인의 공법행위로서 신고란 사인이 공법상의 효과발생을 목적으로 행정주체에 대하여 일정한 사실을 알리는 행위를 말한다.

2. 종류

(1) 자체완성적 공법행위로서의 신고

법령 등에서 행정청에 대하여 일정한 사항을 통지하고 도달함으로써 법적효과가 발생하는 신고를 말하며, 수리를 요하지 아니하는 신고라고도 한다.

(2) 행정요건적 공법행위로서의 신고

법령 등에서 행정청에 대하여 일정한 사항을 통지하고 행정청이 이를 수리함으로써 법적 효과가 발생하는 신고를 말하며, 수리를 요하는 신고라고도 한다. 실정법에서는 등록이라는 용어를 사용하기도 한다.

3. 신고의 요건

수리를 요하지 않는 신고는 행정절차법, 수리를 요하는 신고는 행정기본법에서 규정하고 있다.

(1) 자체완성적 신고

행정절차법
제40조 【신고】 ① 법령 등에서 행정청에 일정한 사항을 통지함으로써 의무가 끝나는 신고를 규정하고 있는 경우 신고를 관장하는 행정청은 신고에 필요한 구비서류, 접수기관, 그 밖에 법령 등에 따른 신고에 필요한 사항을 게시(인터넷 등을 통한 게시를 포함한다)하거나 이에 대한 편람을 갖추어 두고 누구나 열람할 수 있도록 하여야 한다.
② 제1항에 따른 신고가 다음의 요건을 갖춘 경우에는 신고서가 접수기관에 도달된 때에 신고 의무가 이행된 것으로 본다.
1. 신고서의 기재사항에 흠이 없을 것
2. 필요한 구비서류가 첨부되어 있을 것
3. 그 밖에 법령 등에 규정된 형식상의 요건에 적합할 것
③ 행정청은 제2항 각 호의 요건을 갖추지 못한 신고서가 제출된 경우에는 지체 없이 상당한 기간을 정하여 신고인에게 보완을 요구하여야 한다.
④ 행정청은 신고인이 제3항에 따른 기간 내에 보완을 하지 아니하였을 때에는 그 이유를 구체적으로 밝혀 해당 신고서를 되돌려 보내야 한다.

(2) 행위요건적 신고

행위요건적 신고의 경우 형식적 요건에 대한 심사는 하지만 필요한 경우 실질적 요건을 신고요건으로 하는 경우도 있다.

행정기본법
제34조 【수리 여부에 따른 신고의 효력】 법령 등으로 정하는 바에 따라 행정청에 일정한 사항을 통지하여야 하는 신고로서 법률에 신고의 수리가 필요하다고 명시되어 있는 경우(행정기관의 내부 업무 처리 절차로서 수리를 규정한 경우는 제외한다)에는 행정청이 수리하여야 효력이 발생한다.

4. 신고의 수리

법령이 정한 요건을 갖춘 적법한 신고가 있으면 행정청은 의무적으로 수리하여야 하고, 법령에 없는 사유를 이유로 수리를 거부할 수 없다. 그리고 부적법한 신고를 수리한다면 하자있는 행정행위에 해당하게 된다.

5. 신고필증의 교부

자체완성적 신고에 있어 신고필증의 교부는 신고의 효과를 발생시키는 것이 아니라 신고사실을 확인해주는 의미만을 가진다. 그러나 행위요건적 신고의 경우 신고필증의 교부는 사인의 신고를 수리하였음을 증명하는 서면에 해당한다.

판례

1. **의원의 개설신고를 받은 행정관청이 그 수리를 거부할 수 있는지 여부(소극) 및 의료법 시행규칙 제22조 제3항 소정의 신고필증 교부의 효력**
   의료법 제30조 제3항에 의하면 의원, 치과의원, 한의원 또는 조산소의 개설은 단순한 신고사항으로만 규정하고 있고 또 그 신고의 수리여부를 심사, 결정할 수 있게 하는 별다른 규정도 두고 있지 아니하므로 의원의 개설신고를 받은 행정관청으로서는 별다른 심사, 결정없이 그 신고를 당연히 수리하여야 한다.
   의료법 시행규칙 제22조 제3항에 의하면 의원개설 신고서를 수리한 행정관청이 소정의 신고필증을 교부하도록 되어 있다 하여도 이는 신고사실의 확인행위로서 신고필증을 교부하도록 규정한 것에 불과하고 그와 같은 신고필증의 교부가 없다 하여 개설신고의 효력을 부정할 수 없다 할 것이다(대판 1985.4.23, 84도2953).
2. **의료법이 의료기관의 종류에 따라 허가제와 신고제를 구분하여 규정하고 있는 취지 및 정신과의원을 개설하려는 자가 법령에 규정되어 있는 요건을 갖추어 개설신고를 한 경우, 행정청이 법령에서 정한 요건 이외의 사유를 들어 의원급 의료기관 개설신고의 수리를 거부할 수 있는지 여부(소극)**
   정신과의원을 개설하려는 자가 법령에 규정되어 있는 요건을 갖추어 개설신고를 한 때에, 행정청은 원칙적으로 이를 수리하여 신고필증을 교부하여야 하고, 법령에서 정한 요건 이외의 사유를 들어 의원급 의료기관 개설신고의 수리를 거부할 수는 없다. 원심판결 이유 중 원고의 개설신고가 '수리를 요하지 않는 신고'라는 취지로 판시한 부분은 적절하지 않으나, 피고가 법령에서 정하지 않은 사유를 들어 위 개설신고 수리를 거부할 수 없다고 보아 이 사건 반려처분이 위법하다고 판단한 원심의 결론은 정당하다. 거기에 상고이유 주장과 같이 정신과의원 개설신고의 수리 요건 등에 관한 법리를 오해한 잘못이 없다(대판 2018.10.25, 2018두44302).
3. **체육시설의 설치·이용에 관한 법률에 따른 당구장업의 신고요건을 갖춘 자는 학교보건법 제5조 소정의 학교환경위생정화구역 내에서 같은 법 제6조에 의한 별도 요건을 충족하지 아니하고도 적법한 신고를 할 수 있는지 여부(소극)**
   학교보건법과 체육시설의 설치·이용에 관한 법률은 그 입법목적, 규정사항, 적용범위 등을 서로 달리 하고 있어서 당구장의 설치에 관하여 체육시설의 설치·이용에 관한 법률이 학교보건법에 우선하여 배타적으로 적용되는 관계에 있다고는 해석되지 아니하므로 체육시설의 설치·이용에 관한 법률에 따른 당구장업의 신고요건을 갖춘 자라 할지라도 학교보건법 제5조 소정의 학교환경 위생정화구역 내에서는 같은 법 제6조에 의한 별도 요건을 충족하지 아니하는 한 적법한 신고를 할 수 없다고 보아야 한다(대판 1991.7.12, 90누8350).
4. **식품위생법 제25조 제3항에 의한 영업양도에 따른 지위승계신고를 수리하는 행위의 성질**
   식품위생법 제25조 제3항에 의한 영업양도에 따른 지위승계신고를 수리하는 허가관청의 행위는 단순히 양도·양수인 사이에 이미 발생한 사법상의 사업양도의 법률효과에 의하여 양수인이 그 영업을 승계하였다는 사실의 신고를 접수하는 행위에 그치는 것이 아니라, 영업허가자의 변경이라는 법률효과를 발생시키는 행위라고 할 것이다(대판 1995.2.24, 94누9146).
5. **체육시설의 설치·이용에 관한 법률상의 신고체육시설업에 있어서 신고의 법적 성질과 무신고 영업의 판단 기준**
   체육시설의 설치·이용에 관한 법률 제10조, 제11조, 제22조, 같은 법 시행규칙 제8조 및 제25조의 각 규정에 의하면, 체육시설업은 등록체육시설업과 신고체육시설업으로 나누어지고, 당구장업과 같은 신고체육시설업을 하고자 하는 자는 체육시설업의 종류별로 같은 법 시행규칙이 정하는 해당 시설을 갖추어 소정의 양식에 따라 신고서를 제출하는 방식으로 시 · 도지사에 신고하도록 규정하고 있으므로, 소정의 시설을 갖추지 못한 체육시설업의 신고는 부적법한 것으로 그 수리가 거부될 수밖에 없고 그러한 상태에서 신고체육시설업의 영업행위를 계속하는 것은 무신고 영업행위에 해당할 것이지만, 이에 반하여 적법한 요건을 갖춘 신고의 경우에는 행정청의 수리처분 등 별단의 조처를 기다릴 필요 없이 그 접수시에 신고로서의 효력이 발생하는 것이므로 그 수리가 거부되었다고 하여 무신고 영업이 되는 것은 아니다(대판 1998.4.24, 97도3121).

6. **체육시설의 회원을 모집하고자 하는 자의 회원모집계획서 제출 및 이에 대한 시 · 도지사 등의 검토결과 통보의 법적 성격**
구 체육시설의 설치 · 이용에 관한 법률(2005.3.31. 법률 제7428호로 개정되기 전의 것) 제19조 제1항, 구 체육시설의 설치 · 이용에 관한 법률 시행령(2006.9.22. 대통령령 제19686호로 개정되기 전의 것) 제18조 제2항 제1호 (가)목, 제18조의2 제1항 등의 규정에 의하면, 위 법 제19조의 규정에 의하여 체육시설의 회원을 모집하고자 하는 자는 시 · 도지사 등으로부터 회원모집계획서에 대한 검토결과 통보를 받은 후에 회원을 모집할 수 있다고 보아야 하고, 따라서 체육시설의 회원을 모집하고자 하는 자의 시 · 도지사 등에 대한 회원모집계획서 제출은 수리를 요하는 신고에서의 신고에 해당하며, 시 · 도지사 등의 검토결과 통보는 수리행위로서 행정처분에 해당한다(대판 2009.2.26, 2006두16243).

7. **시장 · 군수 또는 구청장의 주민등록전입신고 수리 여부에 관한 심사의 범위와 대상**
주민들의 거주지 이동에 따른 주민등록전입신고에 대하여 행정청이 이를 심사하여 그 수리를 거부할 수는 있다고 하더라도, 그러한 행위는 자칫 헌법상 보장된 국민의 거주 · 이전의 자유를 침해하는 결과를 가져올 수도 있으므로, 시장 · 군수 또는 구청장의 주민등록전입신고 수리 여부에 대한 심사는 주민등록법의 입법 목적의 범위 내에서 제한적으로 이루어져야 한다. 한편, 주민등록법의 입법 목적에 관한 제1조 및 주민등록 대상자에 관한 제6조의 규정을 고려해 보면, 전입신고를 받은 시장 · 군수 또는 구청장의 심사 대상은 전입신고자가 30일 이상 생활의 근거로 거주할 목적으로 거주지를 옮기는지 여부만으로 제한된다고 보아야 한다. 따라서 전입신고자가 거주의 목적 이외에 다른 이해관계에 관한 의도를 가지고 있는지 여부, 무허가 건축물의 관리, 전입신고를 수리함으로써 당해 지방자치단체에 미치는 영향 등과 같은 사유는 주민등록법이 아닌 다른 법률에 의하여 규율되어야 하고, 주민등록전입신고의 수리 여부를 심사하는 단계에서는 고려 대상이 될 수 없다[대판 2009.6.18, 2008두10997(전합)].

8. **주민등록 신고의 효력 발생시기(= 신고 수리시)**
주민등록은 단순히 주민의 거주관계를 파악하고 인구의 동태를 명확히 하는 것 외에도 주민등록에 따라 공법관계상의 여러 가지 법률상 효과가 나타나게 되는 것으로서, 주민등록의 신고는 행정청에 도달하기만 하면 신고로서의 효력이 발생하는 것이 아니라 행정청이 수리한 경우에 비로소 신고의 효력이 발생한다. 따라서 주민등록 신고서를 행정청에 제출하였다가 행정청이 이를 수리하기 전에 신고서의 내용을 수정하여 위와 같이 수정된 전입신고서가 수리되었다면 수정된 사항에 따라서 주민등록 신고가 이루어진 것으로 보는 것이 타당하다(대판 2009.1.30, 2006다17850).

9. **납골당설치 신고가 '수리를 요하는 신고'인지 여부(적극) 및 수리행위에 신고필증 교부 등 행위가 필요한지 여부(소극)**
구 장사 등에 관한 법률(2007.5.25. 법률 제8489호로 전부 개정되기 전의 것, 이하 '구 장사법'이라 한다) 제14조 제1항, 구 장사 등에 관한 법률 시행규칙(2008.5.26. 보건복지가족부령 제15호로 전부 개정되기 전의 것) 제7조 제1항 [별지 제7호 서식] 을 종합하면, 납골당설치 신고는 이른바 '수리를 요하는 신고'라 할 것이므로, 납골당설치 신고가 구 장사법 관련 규정의 모든 요건에 맞는 신고라 하더라도 신고인은 곧바로 납골당을 설치할 수는 없고, 이에 대한 행정청의 수리처분이 있어야만 신고한 대로 납골당을 설치할 수 있다. 한편 수리란 신고를 유효한 것으로 판단하고 법령에 의하여 처리할 의사로 이를 수령하는 수동적 행위이므로 수리행위에 신고필증 교부 등 행위가 꼭 필요한 것은 아니다(대판 2011.9.8, 2009두6766).

10. **건축법 제14조 제2항에 의한 인 · 허가의제 효과를 수반하는 건축신고가, 행정청이 그 실체적 요건에 관한 심사를 한 후 수리하여야 하는 이른바 '수리를 요하는 신고'인지 여부(적극)**
건축법에서 인 · 허가의제 제도를 둔 취지는, 인 · 허가의제사항과 관련하여 건축허가 또는 건축신고의 관할 행정청으로 그 창구를 단일화하고 절차를 간소화하며 비용과 시간을 절감함으로써 국민의 권익을 보호하려는 것이지, 인 · 허가의제사항 관련 법률에 따른 각각의 인 · 허가 요건에 관한 일체의 심사를 배제하려는 것으로 보기는 어렵다. 왜냐하면, 건축법과 인 · 허가의제사항 관련 법률은 각기 고유한 목적이 있고, 건축신고와 인 · 허가의제사항도 각각 별개의 제도적 취지가 있으며 그 요건 또한 달리하기 때문이다.

나아가 인·허가의제사항 관련 법률에 규정된 요건 중 상당수는 공익에 관한 것으로서 행정청의 전문적이고 종합적인 심사가 요구되는데, 만약 건축신고만으로 인·허가의제사항에 관한 일체의 요건 심사가 배제된다고 한다면, 중대한 공익상의 침해나 이해관계인의 피해를 야기하고 관련 법률에서 인·허가 제도를 통하여 사인의 행위를 사전에 감독하고자 하는 규율체계 전반을 무너뜨릴 우려가 있다. 또한, 무엇보다도 건축신고를 하려는 자는 인·허가의제사항 관련 법령에서 제출하도록 의무화하고 있는 신청서와 구비서류를 제출하여야 하는데, 이는 건축신고를 수리하는 행정청으로 하여금 인·허가의제사항 관련 법률에 규정된 요건에 관하여도 심사를 하도록 하기 위한 것으로 볼 수밖에 없다. 따라서 인·허가의제 효과를 수반하는 건축신고는 일반적인 건축신고와는 달리, 특별한 사정이 없는 한 행정청이 그 실체적 요건에 관한 심사를 한 후 수리하여야 하는 이른바 '수리를 요하는 신고'로 보는 것이 옳다.

건축법 제14조 제2항, 제11조 제5항 제3호에 의하여 국토의 계획 및 이용에 관한 법률 제56조에 따른 개발행위허가를 받은 것으로 의제되는데, 국토의 계획 및 이용에 관한 법률 제58조 제1항 제4호에서는 개발행위허가의 기준으로 주변 지역의 토지이용실태 또는 토지이용계획, 건축물의 높이, 토지의 경사도, 수목의 상태, 물의 배수, 하천·호소·습지의 배수 등 주변 환경이나 경관과 조화를 이룰 것을 규정하고 있으므로, 국토의 계획 및 이용에 관한 법률상의 개발행위허가로 의제되는 건축신고가 위와 같은 기준을 갖추지 못한 경우 행정청으로서는 이를 이유로 그 수리를 거부할 수 있다고 보아야 한다[대판 2011.1.20, 2010두14954(전합)].

11. 건축주명의변경신고에 대한 수리거부행위가 취소소송의 대상이 되는 처분인지 여부(적극)

건축주명의변경신고수리거부행위는 행정청이 허가대상건축물 양수인의 건축주명의변경신고라는 구체적인 사실에 관한 법집행으로서 그 신고를 수리하여야 할 법령상의 의무를 지고 있음에도 불구하고 그 신고의 수리를 거부함으로써, 양수인이 건축공사를 계속하기 위하여 또는 건축공사를 완료한 후 자신의 명의로 소유권보존등기를 하기 위하여 가지는 구체적인 법적 이익을 침해하는 결과가 되었다고 할 것이므로, 비록 건축허가가 대물적 허가로서 그 허가의 효과가 허가대상건축물에 대한 권리변동에 수반하여 이전된다고 하더라도, 양수인의 권리의무에 직접 영향을 미치는 것으로서 취소소송의 대상이 되는 처분이라고 하지 않을 수 없다(대판 1992.3.31, 91누4911).

12. 행정청이 구 관광진흥법 또는 구 체육시설의 설치·이용에 관한 법률의 규정에 의하여 유원시설업자 또는 체육시설업자 지위승계신고를 수리하는 처분을 하는 경우, 종전 유원시설업자 또는 체육시설업자에 대하여 행정절차법 제21조 제1항 등에서 정한 처분의 사전통지 등 절차를 거쳐야 하는지 여부(적극)

행정절차법 제21조 제1항, 제22조 제3항 및 제2조 제4호의 각 규정에 의하면, 행정청이 당사자에게 의무를 과하거나 권익을 제한하는 처분을 할 때에는 당사자 등에게 처분의 사전통지를 하고 의견제출의 기회를 주어야 하며, 여기서 당사자란 행정청의 처분에 대하여 직접 그 상대가 되는 자를 의미한다. 한편 구 관광진흥법(2010.3.31. 법률 제10219호로 개정되기 전의 것, 이하 같다) 제8조 제2항, 제4항, 구 체육시설의 설치·이용에 관한 법률(2010.3.31. 법률 제10219호로 개정되기 전의 것, 이하 '구 체육시설법'이라 한다) 제27조 제2항, 제20조의 각 규정에 의하면, 공매 등의 절차에 따라 문화체육관광부령으로 정하는 주요한 유원시설업 시설의 전부 또는 체육시설업의 시설 기준에 따른 필수시설을 인수함으로써 유원시설업자 또는 체육시설업자의 지위를 승계한 자가 관계 행정청에 이를 신고하여 행정청이 수리하는 경우에는 종전 유원시설업자에 대한 허가는 효력을 잃고, 종전 체육시설업자는 적법한 신고를 마친 체육시설업자의 지위를 부인당할 불안정한 상태에 놓이게 된다. 따라서 행정청이 구 관광진흥법 또는 구 체육시설법의 규정에 의하여 유원시설업자 또는 체육시설업자 지위승계신고를 수리하는 처분은 종전 유원시설업자 또는 체육시설업자의 권익을 제한하는 처분이고, 종전 유원시설업자 또는 체육시설업자는 그 처분에 대하여 직접 그 상대가 되는 자에 해당한다고 보는 것이 타당하므로, 행정청이 그 신고를 수리하는 처분을 할 때에는 행정절차법 규정에서 정한 당사자에 해당하는 종전 유원시설업자 또는 체육시설업자에 대하여 위 규정에서 정한 행정절차를 실시하고 처분을 하여야 한다(대판 2012.12.13, 2011두29144).

13. 사업의 양도행위가 무효라고 주장하는 양도자가 양도·양수행위의 무효를 구함이 없이 사업양도·양수에 따른 허가관청의 지위승계 신고수리처분의 무효확인을 구할 법률상 이익이 있는지 여부(적극)

사업양도·양수에 따른 허가관청의 지위승계신고의 수리는 적법한 사업의 양도·양수가 있었음을 전제로 하는 것이므로 그 수리대상인 사업양도·양수가 존재하지 아니하거나 무효인 때에는 수리를 하였다 하더라도 그 수리는 유효한 대상이 없는 것으로서 당연히 무효라 할 것이고, 사업의 양도행위가 무효라고 주장하는 양도자는 민사쟁송으로 양도·양수행위의 무효를 구함이 없이 막바로 허가관청을 상대로 하여 행정소송으로 위 신고수리처분의 무효확인을 구할 법률상 이익이 있다(대판 2005.12.23, 2005두3554).

14. 담당공무원이 법령에 규정되지 아니한 다른 사유를 들어 그 신고를 반려한 경우, 신고의 효력발생 시기(= 신고서 제출시)
행정관청에 대한 신고는 일정한 법률사실 또는 법률관계에 관하여 관계 행정관청에 일방적인 통고를 하는 것을 뜻하는 것으로 법령에 별도의 규정이 있거나 다른 특별한 사정이 없는 한 행정관청에 대한 통고로써 그치는 것이고, 그에 대한 행정관청의 반사적 결정을 기다릴 필요가 없는 것인바, 관할 관청에 신고업의 신고서가 제출되었다면 담당공무원이 법령에 규정되지 아니한 다른 사유를 들어 그 신고를 수리하지 아니하고 반려하였다고 하더라도, 그 신고서가 제출된 때에 신고가 있었다고 볼 것이다(대판 1999.12.24, 98다57419 · 57426).

15. 행정관청이 노동조합으로 설립신고를 한 단체가 노동조합 및 노동관계조정법 제2조 제4호 각 목에 해당하는지 여부를 실질적으로 심사할 수 있는지 여부(적극) 및 실질적 심사의 기준
노동조합 및 노동관계조정법(이하 '노동조합법'이라 한다)이 행정관청으로 하여금 설립신고를 한 단체에 대하여 같은 법 제2조 제4호 각 목에 해당하는지를 심사하도록 한 취지가 노동조합으로서의 실질적 요건을 갖추지 못한 노동조합의 난립을 방지함으로써 근로자의 자주적이고 민주적인 단결권 행사를 보장하려는 데 있는 점을 고려하면, 행정관청은 해당 단체가 노동조합법 제2조 제4호 각 목에 해당하는지 여부를 실질적으로 심사할 수 있다(대판 2014.4.10, 2011두6998).

16. 수산업법 제44조 소정의 어업신고의 법적 성질(= 수리를 요하는 신고)
수산업법 제44조 소정의 어업의 신고는 행정청의 수리에 의하여 비로소 그 효과가 발생하는 이른바 '수리를 요하는 신고'라고 할 것이고, 따라서 설사 관할관청이 어업신고를 수리하면서 공유수면매립구역을 조업구역에서 제외한 것이 위법하다고 하더라도, 그 제외된 구역에 관하여 관할관청의 적법한 수리가 없었던 것이 분명한 이상 그 구역에 관하여는 같은 법 제44조 소정의 적법한 어업신고가 있는 것으로 볼 수 없다(대판 2000.5.26, 99다37382).

08 행정입법

1. 법규명령

(1) 의의

법규명령이란 행정부가 행정주체와 사인과의 관계에 있어서 권리나 의무에 관한 일반적 · 추상적 규율을 제정한 명령을 말한다.

대한민국 헌법
제40조 입법권은 국회에 속한다.
제75조 대통령은 법률에서 구체적으로 범위를 정하여 위임받은 사항과 법률을 집행하기 위하여 필요한 사항에 관하여 대통령령을 발할 수 있다.
제95조 국무총리 또는 행정각부의 장은 소관사무에 관하여 법률이나 대통령령의 위임 또는 직권으로 총리령 또는 부령을 발할 수 있다.

국회법
제98조의2 【대통령령 등의 제출 등】 ① 중앙행정기관의 장은 법률에서 위임한 사항이나 법률을 집행하기 위하여 필요한 사항을 규정한 대통령령 · 총리령 · 부령 · 훈령 · 예규 · 고시 등이 제정 · 개정 또는 폐지되었을 때에는 10일 이내에 이를 국회 소관 상임위원회에 제출하여야 한다. 다만, 대통령령의 경우에는 입법예고를 할 때(입법예고를 생략하는 경우에는 법제처장에게 심사를 요청할 때를 말한다)에도 그 입법예고안을 10일 이내에 제출하여야 한다.

(2) 종류

① **비상명령**: 비상사태의 수습을 위해 행정권에서 발하는 헌법적 효력을 지닌 독자적 명령이며, 현행 헌법에는 헌법적 효력을 가지는 법규명령을 인정하지 않는다.

② **법률대위명령**: 법률대위명령이란 헌법의 수권에 의하여 법률과 대등한 효력을 가지는 명령을 말한다. 대통령의 긴급명령 및 긴급재정·경제명령(헌법 제76조)을 들 수 있다.

③ **법률종속명령**: 법률종속명령은 위임명령과 집행명령으로 구분할 수 있다.

판례 **임용권자가 시·군·구의 5급 이상 공무원을 직권면직시킬 경우 시·도인사위원회의 의견을 듣도록 규정하고 있는 지방공무원 징계 및 소청규정 제14조, 제1조의3 제1항 제1호가 무효인지 여부(소극)**

지방공무원 징계 및 소청규정 제14조, 제1조의3 제1항 제1호는 지방공무원법 제62조 제2항 본문의 의견을 듣는 절차에 관하여 임용권자가 시·군·구의 5급 이상 공무원을 직권면직시킬 경우 시·도인사위원회의 의견을 듣도록 규정하고 있는바, 같은 법이 직권면직절차에 관하여 위임에 관한 아무런 규정을 두지 아니하였다고 하더라도 대통령령은 직권면직에 관한 같은 법의 규정을 집행하기 위하여 필요한 사항에 관하여 규정할 수 있고, 지방공무원 징계 및 소청규정이 위와 같이 시·군·구의 5급 이상의 공무원에 대한 직권면직에 관하여 시·도인사위원회의 의견을 듣도록 함으로써 그 대상자인 공무원에게 유리하게 엄격한 절차를 규정하고 있는 것은 직권면직처분의 객관성과 공정성을 확보함으로써 공무원의 정치적 중립성의 보장과 신분보장이라는 헌법상의 이념을 구현하려는 데 그 입법 취지가 있는 것이며, 시·도인사위원회의 의견이 임용권자인 기초자치단체장에 대하여 기속력이 있는 것이 아니라는 점에서 그 인사권을 침해하지도 않으므로 위 지방공무원 징계 및 소청규정을 무효라고 할 수 없다(대판 2006.10.27, 2004두12261).

(3) 효력의 소멸

① 폐지(명시적·직접적 소멸): 법규명령의 효력을 장래에 대하여 소멸시키려는 행정권의 명시적이고 직접적인 의사표시를 폐지라고 한다.

② 실효(간접적 소멸): 법규명령은 내용상 상충되는 동위 또는 상위의 법령의 제정이나 종기의 도래 등으로 간접적으로 소멸한다.

판례

1. **상위법령이 개정된 경우 종전 집행명령의 효력 유무(적극)**
   상위법령의 시행에 필요한 세부적 사항을 정하기 위하여 행정관청이 일반적 직권에 의하여 제정하는 이른바 집행명령은 근거법령인 상위법령이 폐지되면 특별한 규정이 없는 이상 실효되는 것이나, 상위법령이 개정됨에 그친 경우에는 개정법령과 성질상 모순, 저촉되지 아니하고 개정된 상위법령의 시행에 필요한 사항을 규정하고 있는 이상 그 집행명령은 상위법령의 개정에도 불구하고 당연히 실효되지 아니하고 개정법령의 시행을 위한 집행명령이 제정, 발효될 때까지는 여전히 그 효력을 유지한다(대판 1989.9.12, 88누6962).
2. **법 개정으로 위임 근거 유무에 변동이 있는 법규명령의 유효 여부 판단기준**
   일반적으로 법률의 위임에 의하여 효력을 갖는 법규명령의 경우, 구법에 위임의 근거가 없어 무효였더라도 사후에 법개정으로 위임의 근거가 부여되면 그 때부터는 유효한 법규명령이 되나, 반대로 구법의 위임에 의한 유효한 법규명령이 법개정으로 위임의 근거가 없어지게 되면 그때부터 무효인 법규명령이 되므로, 어떤 법령의 위임 근거 유무에 따른 유효 여부를 심사하려면 법개정의 전·후에 걸쳐 모두 심사하여야만 그 법규명령의 시기에 따른 유효·무효를 판단할 수 있다(대판 1995.6.30, 93추83).

3. 법령이 전문 개정된 경우, 전문 개정 전 부칙 규정은 소멸하는지 여부(적극)

법률의 개정시에 종전 법률 부칙의 경과규정을 개정하거나 삭제하는 명시적인 조치가 없다면 개정 법률에 다시 경과규정을 두지 않았다고 하여도 부칙의 경과규정이 당연히 실효되는 것은 아니지만, 개정 법률이 전문 개정인 경우에는 기존 법률을 폐지하고 새로운 법률을 제정하는 것과 마찬가지이어서 종전의 본칙은 물론 부칙 규정도 모두 소멸하는 것으로 보아야 할 것이므로 특별한 사정이 없는 한 종전의 법률 부칙의 경과규정도 모두 실효된다고 보아야 한다(대판 2002.7.26, 2001두11168).

4. 부당이득금

법규명령의 위임근거가 되는 법률에 대하여 위헌결정이 선고되면 그 위임에 근거하여 제정된 법규명령도 원칙적으로 효력을 상실한다(대판 2001.6.12, 2000다18547).

5. 위헌 · 위법한 시행령에 근거한 행정처분이 당연무효가 되기 위한 요건 및 그 시행령의 무효를 선언한 대법원판결이 없는 상태에서 그에 근거하여 이루어진 처분을 당연무효라 할 수 있는지 여부(원칙적 소극)

일반적으로 시행령이 헌법이나 법률에 위반된다는 사정은 그 시행령의 규정을 위헌 또는 위법하여 무효라고 선언한 대법원의 판결이 선고되지 아니한 상태에서는 그 시행령 규정의 위헌 내지 위법 여부가 해석상 다툼의 여지가 없을 정도로 명백하였다고 인정되지 아니하는 이상 객관적으로 명백한 것이라 할 수 없으므로, 이러한 시행령에 근거한 행정처분의 하자는 취소사유에 해당할 뿐 무효사유가 되지 아니한다(대판 2007.6.14, 2004두619).

(4) 법규명령의 한계

법규명령의 경우 '구체적으로 범위를 정하여 위임받은 사항'에 관해서만 위임명령을 발할 수 있다.

CHAPTER 04

판례

1. 법률이 입법사항을 대통령령이나 부령이 아닌 고시와 같은 행정규칙의 형식으로 위임하는 것이 헌법 제40조, 제75조, 제95조 등과의 관계에서 허용되는지 여부(한정적극)

오늘날 의회의 입법독점주의에서 입법중심주의로 전환하여 일정한 범위 내에서 행정입법을 허용하게 된 동기가 사회적 변화에 대응한 입법수요의 급증과 종래의 형식적 권력분립주의로는 현대사회에 대응할 수 없다는 기능적 권력분립론에 있다는 점 등을 감안하여 헌법 제40조와 헌법 제75조, 제95조의 의미를 살펴보면, 국회입법에 의한 수권이 입법기관이 아닌 행정기관에게 법률 등으로 구체적인 범위를 정하여 위임한 사항에 관하여는 당해 행정기관에게 법정립의 권한을 갖게 되고, 입법자가 규율의 형식도 선택할 수도 있다 할 것이므로, 헌법이 인정하고 있는 위임입법의 형식은 예시적인 것으로 보아야 할 것이고, 그것은 법률이 행정규칙에 위임하더라도 그 행정규칙은 위임된 사항만을 규율할 수 있으므로, 국회입법의 원칙과 상치되지도 않는다. 다만, 형식의 선택에 있어서 규율의 밀도와 규율영역의 특성이 개별적으로 고찰되어야 할 것이고, 그에 따라 입법자에게 상세한 규율이 불가능한 것으로 보이는 영역이라면 행정부에게 필요한 보충을 할 책임이 인정되고 극히 전문적인 식견에 좌우되는 영역에서는 행정기관에 의한 구체화의 우위가 불가피하게 있을 수 있다. 그러한 영역에서 행정규칙에 대한 위임입법이 제한적으로 인정될 수 있다(헌재 2004.10.28, 99헌바91).

2. 입법사항을 총리령이나 부령에 위임할 수 있는지 여부(적극)

헌법 제75조는 대통령에 대한 입법권한의 위임에 관한 규정이지만, 국무총리나 행정각부의 장으로 하여금 법률의 위임에 따라 총리령 또는 부령을 발할 수 있도록 하고 있는 헌법 제95조의 취지에 비추어 볼 때, 입법자는 법률에서 구체적으로 범위를 정하기만 한다면 대통령령뿐만 아니라 부령에 입법사항을 위임할 수도 있다(헌재 1998.2.27, 97헌마64).

3. 고시가 법규명령으로서 구속력을 갖기 위한 요건

일반적으로 행정 각부의 장이 정하는 고시라 하더라도 그것이 특히 법령의 규정에서 특정 행정기관에게 법령 내용의 구체적 사항을 정할 수 있는 권한을 부여함으로써 그 법령 내용을 보충하는 기능을 가질 경우에는 그 형식과 상관없이 근거법령 규정과 결합하여 대외적으로 구속력이 있는 법규명령으로서의 효력을 가지는 것이나 이는 어디까지나 법령의 위임에 따라 그 법령 규정을 보충하는 기능을 가지는 점에 근거하여 예외적으로 인정되는 효력이므로 특정 고시가 비록 법령에 근거를 둔 것이라고 하더라도 그 규정 내용이 법령의 위임 범위를 벗어난 것일 경우에는 위와 같은 법규명령으로서의 대외적 구속력을 인정할 여지는 없다(대판 1999.11.26, 97누13474).

4. 법률의 포괄적 위임에 의한 지방자치단체의 조례제정권의 범위

법률이 주민의 권리의무에 관한 사항에 관하여 구체적으로 아무런 범위도 정하지 아니한 채 조례로 정하도록 포괄적으로 위임하였다고 하더라도, 행정관청의 명령과는 달라, 조례도 주민의 대표기관인 지방의회의 의결로 제정되는 지방자치단체의 자주법인 만큼, 지방자치단체가 법령에 위반되지 않는 범위 내에서 주민의 권리의무에 관한 사항을 조례로 제정할 수 있는 것이다(대판 1991.8.27, 90누6613).

5. 지방자치단체가 조례안을 제정함에 있어서 법률의 개별적 위임이 필요한지 여부(소극)

지방자치법 제15조에 의하면 지방자치단체는 그 내용이 주민의 권리의 제한 또는 의무의 부과에 관한 사항이거나 벌칙에 관한 사항이 아닌 한 법률의 위임이 없더라도 그의 사무에 관하여 조례를 제정할 수 있는바, 지방자치단체의 세 자녀 이상 세대 양육비 등 지원에 관한 조례안은 저출산 문제의 국가적·사회적 심각성을 십분 감안하여 향후 지방자치단체의 출산을 적극 장려토록 하여 인구정책을 보다 전향적으로 실효성 있게 추진하고자 세 자녀 이상 세대 중 세 번째 이후 자녀에게 양육비 등을 지원할 수 있도록 하는 것으로서, 위와 같은 사무는 지방자치단체 고유의 자치사무 중 주민의 복지증진에 관한 사무를 규정한 지방자치법 제9조 제2항 제2호 (라)목에서 예시하고 있는 아동·청소년 및 부녀의 보호와 복지증진에 해당되는 사무이고, 또한 위 조례안에는 주민의 편의 및 복리증진에 관한 내용을 담고 있어 그 제정에 있어서 반드시 법률의 개별적 위임이 따로 필요한 것은 아니다(대판 2006.10.12, 2006추38).

6. 주민(住民)의 권리(權利)·의무(義務)에 관한 조례제정권(條例制定權)에 대한 법률(法律)의 위임(委任) 정도

조례의 제정권자인 지방의회는 선거를 통해서 그 지역적인 민주적 정당성을 지니고 있는 주민의 대표기관이고 헌법이 지방자치단체에 포괄적인 자치권을 보장하고 있는 취지로 볼 때, 조례에 대한 법률의 위임은 법규명령에 대한 법률의 위임과 같이 반드시 구체적으로 범위를 정하여 할 필요가 없으며 포괄적인 것으로 족하다(헌재 1995.4.20, 92헌마264).

7. 법령의 규정이 특정 행정기관에 그 법령 내용의 구체적 사항을 정할 수 있는 권한을 부여하면서 권한 행사의 절차나 방법을 특정하고 있지 않아 수임행정기관이 행정규칙의 형식으로 법령의 내용이 될 사항을 구체적으로 정한 경우 그 효력

상급행정기관이 하급행정기관에 대하여 업무처리지침이나 법령의 해석적용에 관한 기준을 정하여 발하는 이른바 행정규칙은 일반적으로 행정조직 내부에서만 효력을 가질 뿐 대외적인 구속력을 갖지 않지만, 법령의 규정이 특정 행정기관에게 그 법령 내용의 구체적 사항을 정할 수 있는 권한을 부여하면서 그 권한 행사의 절차나 방법을 특정하고 있지 않아 수임행정기관이 행정규칙의 형식으로 그 법령의 내용이 될 사항을 구체적으로 정하고 있다면, 그와 같은 행정규칙은 위에서 본 행정규칙이 갖는 일반적 효력으로서가 아니라 행정기관에 법령의 구체적 내용을 보충할 권한을 부여한 법령 규정의 효력에 의하여 그 내용을 보충하는 기능을 갖게 되고, 따라서 이와 같은 행정규칙은 당해 법령의 위임 한계를 벗어나지 않는 한 그것들과 결합하여 대외적인 구속력이 있는 법규명령으로서의 효력을 가진다(대판 2008.3.27, 2006두3742).

8. 분담금의 분담방법 및 분담비율에 관한 사항을 대통령령으로 정하도록 규정한 교통안전공단법 제17조가 포괄적 위임입법으로 헌법에 위반되는지 여부(적극)

분담금의 분담방법 및 분담비율에 관한 사항을 대통령령으로 정하도록 규정한 교통안전공단법 제17조는 국민의 재산권과 관련된 중요한 사항 내지 본질적인 요소인 분담금의 분담방법 및 분담비율에 관한 기본사항을 구체적이고 명확하게 규정하지 아니한 채 시행령에 포괄적으로 위임함으로써, 분담금 납부의무자로 하여금 분담금 납부의무의 내용이나 범위를 전혀 예측할 수 없게 하고, 나아가 행정부의 자의적인 행정입법권 행사에 의하여 국민의 재산권이 침해될 여지를 남김으로써 경제생활의 법적 안정성을 현저히 해친 포괄적인 위임입법으로서 헌법 제75조에 위반된다(헌재 1999.1.28, 97헌가8).

9. 구(舊) 소득세법(所得稅法) 제60조가 조세법률주의(租稅法律主義) 및 위임입법(委任立法)의 한계를 규정한 헌법(憲法)의 취지에 반하는지 여부

이 사건 위임조항은 기준시가(基準時價)의 내용 자체에 관한 기준이나 한계는 물론 내용 결정을 위한 절차조차도 규정함이 없이 기준시가(基準時價)의 내용 및 그 결정절차를 전적으로 대통령령이 정하는 바에 의하도록 하였다. 이는 어떤 사정을 고려하여, 어떤 내용으로, 어떤 절차를 거쳐 양도소득세(讓渡所得稅) 납세의무(納稅義務)의 중요한 사항 내지 본질적 내용인 기준시가(基準時價)를 결정할 것인가에 관하여 과세권자에게 지나치게 광범한 재량의 여지를 부여함으로써, 국민으로 하여금 소득세법(所得稅法)만 가지고서는 양도소득세(讓渡所得稅) 납세의무(納稅義務)의 존부 및 범위에 관하여 개략적으로나마 이를 예측하는 것조차 불가능하게 하고, 나아가 대통령을 포함한 행정권의 자의적인 행정입법권 및 과세처분권 행사에 의하여 국민의 재산권(財産權)이 침해될 여지를 남김으로써 국민의 경제생활에서의 법적(法的) 안정성(安定性)을 현저히 해친 입법으로서 조세법률주의(租稅法律主義) 및 위임입법(委任立法)의 한계를 규정한 헌법(憲法)의 취지에 반한다(헌재 1995.11.30, 91헌바1).

10. 질서위반행위규제법 제17조 제2항이 위임의 한계를 벗어난 것으로서 위헌인지 여부(소극)
질서위반행위규제법 제17조 제2항은 과태료를 부과하는 서면에 명시하여야 할 사항으로 '질서위반행위', '과태료 금액'을 규정하고, 그 밖에 명시하여야 할 사항을 대통령령으로 정하도록 위임하였는바, 누구라도 위 법률조항의 위임을 받은 대통령령에서는 과태료의 부과주체, 부과대상자, 과태료 납부에 관한 사항, 불복절차 및 방법 등을 규정할 것이라고 예측할 수 있으므로 위 법률 조항이 위임의 한계를 벗어나 위헌이라고 할 수 없다(대결 2014.10.16, 2014마132).

11. 노령수당의 지급대상자를 '70세 이상'으로 규정한 지침이 노인복지법 제13조, 같은 법 시행령 제17조의 위임한계를 벗어나 효력이 없다고 한 사례
보건사회부장관이 정한 1994년도 노인복지사업지침은 노령수당의 지급대상자를 '70세 이상'의 생활보호대상자로 규정함으로써 당초 법령이 예정한 노령수당의 지급대상자를 부당하게 축소·조정하였고, 따라서 위 지침 가운데 노령수당의 지급대상자를 '70세 이상'으로 규정한 부분은 법령의 위임한계를 벗어난 것이어서 그 효력이 없다(대판 1996.4.12, 95누7727).

(5) 법규명령에 대한 통제

행정입법에 대한 법원의 통제는 추상적 규범통제와 구체적 규범통제로 구분할 수 있으며, 헌법 제107조 제2항은 "명령·규칙 또는 처분이 헌법이나 법률에 위반되는 여부가 재판의 전제가 된 경우에는 대법원은 이를 최종적으로 심사할 권한을 가진다."고 규정하여 구체적 규범통제만 인정하고 있다.

그러나 법규명령이 예외적으로 직접적·구체적으로 국민의 법적 지위에 영향을 미치는 경우에는 취소소송의 대상이 될 수 있다는 것이 통설·판례의 입장이다.

법령보충적 행정규칙은 헌법 제107조의 구체적 규범통제 대상이 되지만, 법규성이 없는 행정규칙은 헌법 제107조의 통제대상이 되지 않는다. 그리고 구체적 규범통제의 결과 처분의 근거가 된 명령이 위법하다는 대법원의 판결이 난 경우, 그 명령은 일반적으로 효력이 상실되는 것이 아니고, 당해 사건에 한하여 그 법규명령이 적용되지 않는다. 또한, 당해 처분의 하자는 중대명백설에 따라 취소사유에 해당한다고 보아야 한다.

판례

1. 행정규칙(行政規則)이 법규명령(法規命令)으로서 기능하게 되어 헌법소원심판청구(憲法訴願審判請求)의 대상이 되는 경우
법령의 직접적인 위임에 따라 위임행정기관이 그 법령을 시행하는데 필요한 구체적 사항을 정한 것이면, 그 제정형식은 비록 법규명령이 아닌 고시, 훈령, 예규 등과 같은 행정규칙이더라도 그것이 상위법령의 위임한계를 벗어나지 아니하는 한, 상위법령과 결합하여 대외적인 구속력을 갖는 법규명령으로서 기능하게 된다고 보아야 할 것인바, 청구인이 법령과 예규의 관계규정으로 말미암아 직접 기본권침해를 받았다면 이에 대하여 바로 헌법소원심판을 청구할 수 있다(헌재 1992.6.26, 91헌마25).

2. 조례가 항고소송의 대상이 되는 행정처분에 해당되는 경우 및 그 경우 조례무효확인 소송의 피고적격(지방자치단체의 장)
조례가 집행행위의 개입 없이도 그 자체로서 직접 국민의 구체적인 권리의무나 법적 이익에 영향을 미치는 등의 법률상 효과를 발생하는 경우 그 조례는 항고소송의 대상이 되는 행정처분에 해당하고, 이러한 조례에 대한 무효확인소송을 제기함에 있어서 행정소송법 제38조 제1항, 제13조에 의하여 피고적격이 있는 처분 등을 행한 행정청은, 행정주체인 지방자치단체 또는 지방자치단체의 내부적 의결기관으로서 지방자치단체의 의사를 외부에 표시한 권한이 없는 지방의회가 아니라, 구 지방자치법(1994.3.16. 법률 제4741호로 개정되기 전의 것) 제19조 제2항, 제92조에 의하여 지방자치단체의 집행기관으로서 조례로서의 효력을 발생시키는 공포권이 있는 지방자치단체의 장이다(대판 1996.9.20, 95누8003).

3. 추상적인 법령의 제정 여부 등이 부작위위법확인소송의 대상이 될 수 있는지 여부(소극)
행정소송은 구체적 사건에 대한 법률상 분쟁을 법에 의하여 해결함으로써 법적 안정을 기하자는 것이므로 부작위위법확인소송의 대상이 될 수 있는 것은 구체적 권리의무에 관한 분쟁이어야 하고 추상적인 법령에 관하여 제정의 여부 등은 그 자체로서 국민의 구체적인 권리의무에 직접적 변동을 초래하는 것이 아니어서 그 소송의 대상이 될 수 없다(대판 1992.5.8, 91누11261).

4. 조례(條例)가 헌법소원의 대상이 될 수 있는지 여부

조례는 지방자치단체가 그 자치입법권에 근거하여 자주적으로 지방의회의 의결을 거쳐 제정한 법규이기 때문에 조례 자체로 인하여 직접 그리고 현재 자기의 기본권을 침해받은 자는 그 권리구제의 수단으로서 조례에 대한 헌법소원을 제기할 수 있다(헌재 1995.4.20, 92헌마264).

2. 행정규칙

(1) 의의

행정규칙이란 행정기관이 정립하는 일반적·추상적 규율 가운데 법규성을 갖지 않는 것을 말한다.

판례

1. 국민의 권익보호를 위한 행정절차에 관한 훈령의 법적 성격

국민의 권익보호를 위한 행정절차에 관한 훈령(1989.11.17. 국무총리훈령 제235호)은 상급행정기관이 하급행정기관에 대하여 발하는 일반적인 행정명령으로서 행정기관 내부에서만 구속력이 있을 뿐 대외적인 구속력을 가지는 것이 아니다(대판 1994.8.9, 94누3414).

2. 건강보험심사평가원 원장이 보건복지부장관의 고시('요양급여비용 심사·지급업무 처리기준')에 따라 진료심사평가위원회 심의를 거쳐 정한 요양급여비용의 심사기준 또는 심사지침의 법적 성격(= 행정규칙)

건강보험심사평가원(이하 '심사평가원')의 원장이 보건복지부장관의 고시('요양급여비용 심사·지급업무 처리기준')에 따라 진료심사평가위원회의 심의를 거쳐 정한 요양급여비용의 심사기준 또는 심사지침은 심사평가원이 법령에서 정한 요양급여의 인정 기준을 구체적 진료행위에 적용하기 위하여 마련한 내부적 업무처리 기준으로서 행정규칙에 불과하다(대판 2012.11.29, 2008두21669).

3. 대학입시기본계획 내의 내신성적산정지침이 항고소송의 대상인 행정처분성을 갖는지의 여부

교육부장관이 내신성적 산정기준의 통일을 기하기 위해 대학입시기본계획의 내용에서 내신성적 산정기준에 관한 시행지침을 마련하여 시·도 교육감에서 통보한 것은 행정조직 내부에서 내신성적 평가에 관한 내부적 심사기준을 시달한 것에 불과하며, 각 고등학교에서 위 지침에 일률적으로 기속되어 내신성적을 산정할 수밖에 없고 또 대학에서도 이를 그대로 내신성적으로 인정하여 입학생을 선발할 수밖에 없는 관계로 장차 일부 수험생들이 위 지침으로 인해 어떤 불이익을 입을 개연성이 없지는 아니하나, 그러한 사정만으로서 위 지침에 의하여 곧바로 개별적이고 구체적인 권리의 침해를 받은 것으로는 도저히 인정할 수 없으므로, 그것만으로는 현실적으로 특정인의 구체적인 권리의무에 직접적으로 변동을 초래케 하는 것은 아니라 할 것이어서 내신성적 산정지침을 항고소송의 대상이 되는 행정처분으로 볼 수 없다(대판 1994.9.10, 94두33).

4. 구 국립묘지안장대상심의위원회 운영규정의 법적 성격(= 행정청 내부의 사무처리준칙)

구 국립묘지안장대상심의위원회 운영규정(2010.12.29. 국가보훈처 훈령 제956호로 개정되기 전의 것)은 국가보훈처장이 심의위원회의 운영에 관하여 구 국립묘지의 설치 및 운영에 관한 법률(2011.8.4. 법률 제11027호로 개정되기 전의 것) 및 시행령에서 위임된 사항과 그 시행에 필요한 사항을 규정함을 목적으로 하여 국가보훈처 훈령으로 제정된 것으로서, 영예성 훼손 여부 등에 관한 판단의 기준을 정한 행정청 내부의 사무처리준칙이다(대판 2013.12.26, 2012두19571).

(2) 고시

고시는 행정기관이 결정한 사항 또는 일정한 사항을 공식적으로 일반에게 널리 알리는 통지행위를 말하며, 공고 또는 공시 등으로 표현되는 경우도 있다.

판례

구 청소년보호법에 따른 청소년유해매체물 결정·고시의 법적 성격 및 그 효력발생의 요건과 시기

구 청소년보호법(2001.5.24. 법률 제6479호로 개정되기 전의 것)에 따른 청소년유해매체물 결정 및 고시처분은 당해 유해매체물의 소유자 등 특정인만을 대상으로 한 행정처분이 아니라 일반 불특정 다수인을 상대방으로 하여 일률적으로 표시의무, 포장의무, 청소년에 대한 판매 · 대여 등의 금지의무 등 각종 의무를 발생시키는 행정처분으로서, 정보통신윤리위원회가 특정 인터넷 웹사이트를 청소년유해매체물로 결정하고 청소년보호위원회가 효력발생시기를 명시하여 고시함으로써 그 명시된 시점에 효력이 발생하였다고 봄이 상당하고, 정보통신윤리위원회와 청소년보호위원회가 위 처분이 있었음을 위 웹사이트 운영자에게 제대로 통지하지 아니하였다고 하여 그 효력 자체가 발생하지 아니한 것으로 볼 수는 없다(대판 2007.6.14, 2004두619).

(3) 공포 여부

법령보충적 행정규칙은 국민을 구속하는 법규명령의 효력을 갖게 되므로 예측 가능성을 보호하기 위해서 공포를 해야 한다는 것이 다수설의 입장이다. 그러나 판례는 법령보충적 행정규칙은 그 형식상 법규명령이 아니므로 공포를 요하지 않으며, 공포하지 아니하였다고 해서 그 효력을 부인할 수 없다고 본다(대판 1990.2.9, 89누3731).

판례

1. **국세청훈령의 공포 요부(소극)**
   국세청훈령이 과세의 법령상 근거가 됨은 물론이나 이는 어디까지나 행정규칙이고 그 자체 법령은 아니므로 이를 공포하지 아니하였다는 이유로 그 효력을 부인할 수 없다(대판 1990.2.9, 89누3731).
2. **서울시가 정한 개인택시운송사업면허지침의 법적 성질(사무처리준칙)**
   서울특별시가 정한 개인택시운송사업면허지침은 재량권 행사의 기준으로 설정된 행정청의 내부의 사무처리준칙에 불과하므로, 대외적으로 국민을 기속하는 법규명령의 경우와는 달리 외부에 고지되어야만 효력이 발생하는 것은 아니다(대판 1997.1.21, 95누12941).

(4) 행정규칙에 대한 통제

행정규칙의 경우 원칙적으로 직접 국민의 권리 · 의무에 영향을 미치는 것은 아니므로 행정규칙이 위법하다고 하더라도 행정소송을 제기할 수 없다. 다만, 행정규칙이라고 하더라도 어떠한 처분이 행정규칙의 내부적 구속력에 의하여 상대방의 권리 · 의무에 직접적인 영향을 미친다면, 항고소송의 대상이 된다.

판례

1. **법률이 입법사항을 대통령령이나 부령이 아닌 고시와 같은 행정규칙의 형식으로 위임하는 것이 헌법 제40조, 제75조, 제95조 등과의 관계에서 허용되는지 여부(한정적극)**
   오늘날 의회의 입법독점주의에서 입법중심주의로 전환하여 일정한 범위 내에서 행정입법을 허용하게 된 동기가 사회적 변화에 대응한 입법수요의 급증과 종래의 형식적 권력분립주의로는 현대사회에 대응할 수 없다는 기능적 권력분립론에 있다는 점 등을 감안하여 헌법 제40조와 헌법 제75조, 제95조의 의미를 살펴보면, 국회입법에 의한 수권이 입법기관이 아닌 행정기관에게 법률 등으로 구체적인 범위를 정하여 위임한 사항에 관하여는 당해 행정기관에게 법정립의 권한을 갖게 되고, 입법자가 규율의 형식도 선택할 수도 있다 할 것이므로, 헌법이 인정하고 있는 위임입법의 형식은 예시적인 것으로 보아야 할 것이고, 그것은 법률이 행정규칙에 위임하더라도 그 행정규칙은 위임된 사항만을 규율할 수 있으므로, 국회입법의 원칙과 상치되지도 않는다. 다만, 형식의 선택에 있어서 규율의 밀도와 규율영역의 특성이 개별적으로 고찰되어야 할 것이고, 그에 따라 입법자에게 상세한 규율이 불가능한 것으로 보이는 영역이라면 행정부에게 필요한 보충을 할 책임이 인정되고 극히 전문적인 식견에 좌우되는 영역에서는 행정기관에 의한 구체화의 우위가 불가피하게 있을 수 있다. 그러한 영역에서 행정규칙에 대한 위임입법이 제한적으로 인정될 수 있다(헌재 2004.10.28, 99헌바91).
2. **국세청훈령의 공포 요부(소극)**
   구 소득세법 시행령 제170조 제4항 제2호에 해당할 거래를 행정규칙의 형식으로 지정한 것에 지나지 아니하므로 적당한 방법으로 이를 표시, 또는 통보하면 되는 것이지, 공포하거나 고시하지 아니하였다는 이유만으로 그 효력을 부인할 수 없다(대판 1990.5.22, 90누639).

3. 어떠한 처분의 근거나 법적인 효과가 행정규칙에 규정되어 있는 경우, 그 처분이 항고소송의 대상이 되는 행정처분에 해당하기 위한 요건

항고소송의 대상이 되는 행정처분이라 함은 원칙적으로 행정청의 공법상 행위로서 특정 사항에 대하여 법규에 의한 권리의 설정 또는 의무의 부담을 명하거나 기타 법률상 효과를 발생하게 하는 등으로 일반 국민의 권리·의무에 직접 영향을 미치는 행위를 가리키는 것이지만, 어떠한 처분의 근거나 법적인 효과가 행정규칙에 규정되어 있다고 하더라도, 그 처분이 행정규칙의 내부적 구속력에 의하여 상대방에게 권리의 설정 또는 의무의 부담을 명하거나 기타 법적인 효과를 발생하게 하는 등으로 그 상대방의 권리의무에 직접 영향을 미치는 행위라면, 이 경우에도 항고소송의 대상이 되는 행정처분에 해당한다.

행정규칙에 의한 '불문경고조치'가 비록 법률상의 징계처분은 아니지만 위 처분을 받지 아니하였다면 차후 다른 징계처분이나 경고를 받게 될 경우 징계감경사유로 사용될 수 있었던 표창공적의 사용가능성을 소멸시키는 효과와 1년 동안 인사기록카드에 등재됨으로써 그 동안은 장관표창이나 도지사표창 대상자에서 제외시키는 효과 등이 있다는 이유로 항고소송의 대상이 되는 행정처분에 해당한다(대판 2002.7.26, 2001두3532).

3. 형식과 내용의 불일치

행정입법의 경우 국민의 권리·의무에 관한 사항을 규율하는 내용을 포함하는 경우에는 위임명령의 형식으로, 행정내부의 사무처리기준에 불과한 배용을 담고 있으면 집행명령이나 행정규칙으로 발령되는 것이 바람직하다. 그러나 법규명령의 형식이지만 행정규칙의 성질을 가지는 경우 또는 행정규칙의 형식이지만 법규명령의 성질을 가지는 경우 그 실질을 무엇으로 볼 것인지가 문제된다.

(1) 법규명령 형식의 행정규칙

법규명령 형식의 행정규칙을 법규명령으로 보는 견해가 다수설의 입장이다. 판례의 경우 행정사무처리기준이 대통령령(시행령)에 규정되어 있는 경우에는 주로 법규명령으로 보며, 총리령과 부령(시행규칙)에 규정되어 있는 경우에는 주로 법규성을 부인하고 행정규칙에 해당한다고 본다.

(2) 행정규칙 형식의 법규명령

법규적 내용의 행정규칙(법령보충적 행정규칙)이란 법령의 규정이 특정 행정기관에게 그 법령 내용의 구체적인 사항을 정할 수 있는 권한을 부여하면서도 그 권한행사의 절차나 방법을 특정하지 아니한 관계로, 수임행정기관이 행정규칙의 형식으로 그 법령의 내용을 구체적으로 정하고 있는 경우를 말한다. 이와 관련하여 법규적 내용의 행정규칙은 법규를 보충하는 기능을 가지며, 대외적 효력을 가지므로 법규명령으로 보아야 한다는 것이 다수설의 입장이다.

판례

1. 구 청소년보호법 제49조 제1항, 제2항의 위임에 따른 같은 법 시행령 제40조 [별표 6]의 위반행위의 종별에 따른 과징금 처분기준의 법적 성격(= 법규명령) 및 그 과징금 수액의 의미(= 최고한도액)

구 청소년보호법(1999.2.5. 법률 제5817호로 개정되기 전의 것) 제49조 제1항, 제2항에 따른 같은 법 시행령(1999.6.30. 대통령령 제16461호로 개정되기 전의 것) 제40조 [별표 6]의 위반행위의 종별에 따른 과징금처분기준은 법규명령이기는 하나 모법의 위임규정의 내용과 취지 및 헌법상의 과잉금지의 원칙과 평등의 원칙 등에 비추어 같은 유형의 위반행위라 하더라도 그 규모나 기간·사회적 비난 정도·위반행위로 인하여 다른 법률에 의하여 처벌받은 다른 사정·행위자의 개인적 사정 및 위반행위로 얻은 불법이익의 규모 등 여러 요소를 종합적으로 고려하여 사안에 따라 적정한 과징금의 액수를 정하여야 할 것이므로 그 수액은 정액이 아니라 최고한도액이다(대판 2001.3.9, 99두5207).

2. 주택건설촉진법 제7조 제2항의 위임에 터잡아 행정처분의 기준을 정한 같은 법 시행령 제10조의3 제1항 [별표 1]이 법규명령에 해당하는지 여부(적극)

당해 처분의 기준이 된 주택건설촉진법 시행령 제10조의3 제1항 [별표 1]은 주택건설촉진법 제7조 제2항의 위임규정에 터잡은 규정형식상 대통령령이므로 그 성질이 부령인 시행규칙이나 또는 지방자치단체의 규칙과 같이 통상적으로 행정조직 내부에 있어서의 행정명령에 지나지 않는 것이 아니라 대외적으로 국민이나 법원을 구속하는 힘이 있는 법규명령에 해당한다(대판 1997.12.26, 97누15418).

3. 도로교통법 시행규칙 제53조 제1항 별표 16의 운전면허 행정처분 기준의 법규성 유무(소극)

도로교통법 시행규칙 제53조 제1항 별표 16의 운전면허 행정처분기준은 관할 행정청이 운전면허의 취소 및 운전면허의 효력정지 등의 사무처리를 함에 있어서 처리기준과 방법 등의 세부사항을 규정한 행정기관 내부의 처리지침에 불과한 것으로서 대외적으로 국민이나 법원을 기속하는 효력이 없으므로, 자동차운전면허취소처분의 적법 여부는 위 운전면허행정처분기준만에 의하여 판단할 것이 아니라 도로교통법의 규정 내용과 취지에 따라 판단되어야 하며, 위 운전면허행정처분기준의 하나로 삼고 있는 벌점이란 자동차운전면허의 취소・정지처분의 기초자료로 활용하기 위하여 법규 위반 또는 사고야기에 대하여 그 위반의 경중, 피해의 정도 등에 따라 배점되는 점수를 말하는 것으로서, 이러한 벌점의 누산에 따른 처분기준 역시 행정청 내의 사무처리에 관한 재량준칙에 지나지 아니할 뿐 법규적 효력을 가지는 것은 아니다.

도로교통법 시행규칙 제53조 제1항 [별표 16]의 벌점에 관한 규정을 보면, 정지처분 개별기준에서 정하는 각 위반항목 별로 일정한 벌점을 배점하여 이를 누적한 다음 무위반・무사고기간 경과시에 부여되는 점수 등을 상계치로 뺀 점수를 '누산점수'로서 관리하고 그 누산점수에서 이미 처분이 집행된 벌점을 뺀 점수를 '처분벌점'으로 하여 처분의 기준으로 삼되, 취소처분 또는 정지처분의 개별기준을 적용하는 것이 현저하게 불합리한 경우에는 그 처분기준을 감경할 수 있다는 것이지, 각 위반 항목별로 규정된 점수가 최고한도를 규정한 것이라고 볼 만한 아무런 근거가 없다(대판 1990.10.16, 90누4297).

4. 재산제세사무처리규정 제72조 제3항이 양도소득세의 실지거래가액에 의한 과세의 법령상 근거가 될 수 있는지 여부(적극)

소득세법(1982.12.21. 법률 제3576호로 개정된 것) 제23조 제4항, 제45조 제1항 제1호에서 양도소득세의 양도차익을 계산함에 있어 실지거래가액이 적용될 경우를 대통령령에 위임함으로써 동법 시행령(1982.12.31. 대통령령 제10977호로 개정된 것) 제170조 제4항 제2호가 위 위임규정에 따라 양도소득세의 실지거래가액이 적용될 경우의 하나로서 국세청장으로 하여금 양도소득세의 실지거래가액이 적용될 부동산투기억제를 위하여 필요하다고 인정되는 거래를 지정하게 하면서 그 지정의 절차나 방법에 관하여 아무런 제한을 두고 있지 아니하고 있어 이에 따라 국세청장이 재산제세사무처리규정 제72조 제3항에서 양도소득세의 실지거래가액이 적용될 부동산투기억제를 위하여 필요하다고 인정되는 거래의 유형을 열거하고 있으므로, 이는 비록 위 재산제세사무처리규정이 국세청장의 훈령형식으로 되어 있다 하더라도 이에 의한 거래지정은 소득세법 시행령의 위임에 따라 그 규정의 내용을 보충하는 기능을 가지면서 그와 결합하여 대외적 효력을 발생하게 된다 할 것이므로 그 보충규정의 내용이 위 법령의 위임한계를 벗어났다는 등 특별한 사정이 없는 한 양도소득세의 실지거래가액에 의한 과세의 법령상의 근거가 된다(대판 1987.9.29, 86누484).

5. 독점규제 및 공정거래에 관한 법률 제23조 제3항의 위임규정에 따라 공정거래위원회가 제정한 표시・광고에 관한 공정거래지침

구 독점규제 및 공정거래에 관한 법률(1996.12.30. 법률 제5235호로 개정되기 전의 것) 제23조 제3항은 "공정거래위원회가 불공정거래행위를 예방하기 위하여 필요한 경우 사업자가 준수하여야 할 지침을 제정・고시할 수 있다."고 규정하고 있으므로 위 위임규정에 근거하여 제정・고시된 표시・광고에 관한 공정거래지침의 여러 규정 중 불공정거래행위를 예방하기 위하여 사업자가 준수하여야 할 지침을 마련한 것으로 볼 수 있는 내용의 규정은 위 법의 위임범위 내에 있는 것으로서 위 법의 규정과 결합하여 법규적 효력을 가진다(대판 2000.9.29, 98두12772).

6. 공정거래위원회가 구 독점규제 및 공정거래에 관한 법률 제23조 제1항 제7호의 규정을 운영하기 위하여 만든 부당한 지원행위의 심사지침의 법적 성질(= 행정청 내부의 사무처리지침)

공정거래위원회가 구 독점규제 및 공정거래에 관한 법률(1999.12.28. 법률 제6043호로 개정되기 전의 것) 제23조 제1항 제7호의 규정을 운영하기 위하여 만든 부당한 지원행위의 심사지침이 '관계 법령을 면탈 또는 회피하여 지원하는 등 지원행위의 방법 또는 절차가 불공정한 경우'를 부당성 판단 기준의 하나로서 규정하고 있기는 하나, 위 심사지침은 법령의 위임에 따른 것이 아니라 법령상 부당지원행위 금지규정의 운영과 관련하여 심사기준을 마련하기 위하여 만든 공정거래위원회 내부의 사무처리지침에 불과하다(대판 2004.9.24, 2001두6364).

7. 전라남도 주유소등록요건에 관한 고시의 법적 성질(= 법규명령)

석유사업법 제9조 제1항, 제3항, 석유사업법 시행령 제15조 [별표 2]의 각 규정에 따라 전라남도지사는 전라남도 주유소등록요건에 관한 고시(전라남도 1997-32) 제2조 제2항 [별표 1]에서 주유소의 진출입로는 도로상의 횡단보도로부터 10m 이상 이격되게 설치하여야 한다고 규정하였는바, 위 고시는 석유사업법 및 그 시행령의 위의 규정이 도지사에게 그 법령 내용의 구체적인 사항을 정할 수 있는 권한을 부여하면서 그 권한행사의 절차나 방법을 정하지 아니하고 있는 관계로 도지사가 규칙의 형식으로 그 법령의 내용이 될 사항을 구체적으로 규정한 것으로서, 이는 당해 석유사업법 및 그 시행령의 위임한계를 벗어나지 아니하는 한 그 법령의 규정과 결합하여 대외적인 구속력이 있는 법규명령으로서의 효력을 갖게 된다고 할 것이고, 따라서 위 전라남도 고시에 정하여진 등록요건에 맞지 아니하는 석유판매업등록신청에 대하여 그 등록을 거부한 행정처분은 적법하다(대판 1998.9.25, 98두7503).

8. 건축법 제80조 제1항 제2호, 지방세법 제4조 제2항, 지방세법 시행령 제4조 제1항 제1호의 위임에 따라 행정자치부장관이 정한 '2014년도 건물 및 기타물건 시가표준액 조정기준'이 법규명령으로서의 효력을 가지는지 여부(적극) 및 그중 '증·개축 건물 등에 대한 시가표준액 산출요령'의 규정들도 마찬가지인지 여부(적극)

건축법 제80조 제1항 제2호, 지방세법 제4조 제2항, 지방세법 시행령 제4조 제1항 제1호의 내용, 형식 및 취지 등을 종합하면, '2014년도 건물 및 기타물건 시가표준액 조정기준'의 각 규정들은 일정한 유형의 위반 건축물에 대한 이행강제금의 산정기준이 되는 시가표준액에 관하여 행정자치부장관으로 하여금 정하도록 한 위 건축법 및 지방세법령의 위임에 따른 것으로서 그 법령 규정의 내용을 보충하고 있으므로, 그 법령 규정과 결합하여 대외적인 구속력이 있는 법규명령으로서의 효력을 가지고, 그중 증·개축 건물과 대수선 건물에 관한 특례를 정한 '증·개축 건물 등에 대한 시가표준액 산출요령'의 규정들도 마찬가지라고 보아야 한다(대판 2017.5.31, 2017두30764).

9. 시외버스운송사업의 사업계획변경 기준 등에 관한 구 여객자동차 운수사업법 시행규칙 제31조 제2항 제1호, 제2호, 제6호의 법적 성질(= 법규명령)

구 여객자동차 운수사업법 시행규칙(2000.8.23. 건설교통부령 제259호로 개정되기 전의 것) 제31조 제2항 제1호, 제2호, 제6호는 구 여객자동차 운수사업법(2000.1.28. 법률 제6240호로 개정되기 전의 것) 제11조 제4항의 위임에 따라 시외버스운송사업의 사업계획변경에 관한 절차, 인가기준 등을 구체적으로 규정한 것으로서, 대외적인 구속력이 있는 법규명령이라고 할 것이고, 그것을 행정청 내부의 사무처리준칙을 규정한 행정규칙에 불과하다고 할 수는 없다(대판 2006.6.27, 2003두4355).

10. 보건사회부장관이 정한 1994년도 노인복지사업지침의 법적 성질

보건사회부장관이 정한 1994년도 노인복지사업지침은 노령수당의 지급대상자의 선정기준 및 지급수준 등에 관한 권한을 부여한 노인복지법 제13조 제2항, 같은 법 시행령 제17조, 제20조 제1항에 따라 보건사회부장관이 발한 것으로서 실질적으로 법령의 규정내용을 보충하는 기능을 지니면서 그것과 결합하여 대외적으로 구속력이 있는 법규명령의 성질을 가지는 것으로 보인다(대판 1996.4.12, 95누7727).

09 경찰작용 일반

1. 경찰작용의 개념

(1) 행정행위

행정행위는 행정의 행위형식의 하나로서 실정법상의 개념이 아니라 학문상의 개념이다. 이러한 행정행위는 실정법상으로는 허가·인가·특허·면허·재결 등으로 표현하며, 이를 행정심판법과 행정소송법에서는 총괄적 개념으로 처분이라는 용어를 사용하고 있다. 행정행위의 개념에 대한 여러 견해가 있으나 통설과 판례는 행정청이 법을 근거로 하여 구체적 사실에 관한 법집행으로서 행하는 권력적 단독행위를 의미한다(최협의설)고 본다.

(2) 행정행위의 구성요소

① 행정(관)청의 행위

㉠ 행정행위란 행정관청의 행위를 말한다. 조직법상 행정관청이라 함은 국가 또는 지방자치단체의 의사를 결정하여 표시할 수 있는 권한을 가진 행정기관(행정관청)을 의미하지만 행정행위의 개념을 정의하는 데 있어서의 행정관청은 조직법상의 행정관청과 반드시 일치하는 것은 아니다.

㉡ 행정기본법 제2조는 '행정청이란 행정에 관한 의사를 결정하여 표시하는 국가 또는 지방자치단체의 기관 및 그 밖에 법령등에 따라 행정에 관한 의사를 결정하여 표시하는 권한을 가지고 있거나 그 권한을 위임 또는 위탁받은 공공단체 또는 그 기관이나 사인(私人)'을 말한다고 규정하고 있고, 행정절차법 제2조는 '행정청이란 행정에 관한 의사를 결정하여 표시하는 국가 또는 지방자치단체의 기관 및 그 밖에 법령 또는 자치법규에 따라 행정권한을 가지고 있거나 위임 또는 위탁받은 공공단체 또는 그 기관이나 사인(私人)'을 말한다고 규정하고 있다. 그러므로 공사나 기타 공법인도 행정관청에 해당하며 공무수탁사인이나 국회·사법부의 행위 중 소속 공무원의 임명과 같은 행위도 실질적으로는 행정행위의 구성요소를 갖출 경우 행정행위로 볼 수 있다. 또한, 행정관청이 구성한 프로그램에 따라 행해지는 자동기계에 의한 결정(교통신호기에 의한 신호·학교의 배정 등)도 행정행위에 포함된다.

㉢ 행정기관이라고 하더라도 보조기관(차장·국장 등)의 행위와 국회나 사법부의 행위는 실질적 의미의 행정에는 해당할 수 있으나 형식적 의미의 행정행위에 해당하지 않는다.

판례

1. 항고소송을 제기할 수 있는 상대가 되는 행정청의 의의

항고소송은 행정청의 처분 등이나 부작위에 대하여 처분 등을 행한 행정청을 상대로 이를 제기할 수 있고 행정청에는 처분 등을 할 수 있는 권한이 있는 국가 또는 지방자치단체와 같은 행정기관뿐만 아니라 법령에 의하여 행정권한의 위임 또는 위탁을 받은 행정기관, 공공단체 및 그 기관 또는 사인이 포함되는바 특별한 법률에 근거를 두고 행정주체로서의 국가 또는 지방자치단체로부터 독립하여 특수한 존립목적을 부여받은 특수한 행정주체로서 국가의 특별한 감독하에 그 존립목적인 특정한 공공사무를 행하는 공법인인 특수행정조직 등이 이에 해당한다(대판 1992.11.27, 92누3618).

2. 대한주택공사가 시행한 택지개발사업 및 이에 따른 이주대책에 관한 처분이 항고소송의 대상이 되는 행정처분인지 여부(적극)

대한주택공사의 설립목적, 취급업무의 성질, 권한과 의무 및 택지개발사업의 성질과 내용 등에 비추어 같은 공사가 관계법령에 따른 사업을 시행하는 경우 법률상 부여받은 행정작용권한을 행사하는 것으로 보아야 할 것이므로 같은 공사가 시행한 택지개발사업 및 이에 따른 이주대책에 관한 처분은 항고소송의 대상이 된다(대판 1992.11.27, 92누3618).

3. 지방의회 의장에 대한 불신임의결이 행정처분의 일종인지 여부

지방의회를 대표하고 의사를 정리하며 회의장 내의 질서를 유지하고 의회의 사무를 감독하며 위원회에 출석하여 발언할 수 있는 등의 직무권한을 가지는 지방의회 의장에 대한 불신임의결은 의장으로서의 권한을 박탈하는 행정처분의 일종으로서 항고소송의 대상이 된다(대결 1994.10.11, 94두23).

4. 원천징수의무자인 행정청의 원천징수행위가 행정처분인지 여부(소극)

원천징수하는 소득세에 있어서는 납세의무자의 신고나 과세관청의 부과결정이 없이 법령이 정하는 바에 따라 그 세액이 자동적으로 확정되고, 원천징수의무자는 소득세법 제142조 및 제143조의 규정에 의하여 이와 같이 자동적으로 확정되는 세액을 수급자로부터 징수하여 과세관청에 납부하여야 할 의무를 부담하고 있으므로, 원천징수의무자가 비록 과세관청과 같은 행정청이더라도 그의 원천징수행위는 법령에서 규정된 징수 및 납부의무를 이행하기 위한 것에 불과한 것이지, 공권력의 행사로서의 행정처분을 한 경우에 해당되지 아니한다(대판 1990.3.23, 89누4789).

② 구체적 사실에 관한 법집행행위

㉠ 행정행위는 구체적 사실을 규율하는 행위이므로 일반적·추상적 성격을 가지는 행정입법은 행정행위에 해당하지 않는다. 반면 구체적 사실을 규율한다면 그것이 불특정다수인을 상대방으로 하는 일반처분일지라도 행정행위에 해당한다.

㉡ 행정행위는 법을 정립하는 작용이 아니라 구체적 사실을 규율하는 행위이다. 그러므로 일반적·추상적 규율을 제정하는 작용(법규명령이나 행정규칙의 제정)은 행정행위가 아니다.

㉢ 행정행위는 그 효과가 추상적인지 구체적인지에 따라 결정되는 개념이라고 할 수 있다.

판례 **조례가 항고소송의 대상이 되는 행정처분에 해당되는 경우 및 그 경우 조례무효확인 소송의 피고적격(지방자치단체의 장)**

조례가 집행행위의 개입 없이도 그 자체로서 직접 국민의 구체적인 권리의무나 법적 이익에 영향을 미치는 등의 법률상 효과를 발생하는 경우 그 조례는 항고소송의 대상이 되는 행정처분에 해당하고, 이러한 조례에 대한 무효확인소송을 제기함에 있어서 행정소송법 제38조 제1항, 제13조에 의하여 피고적격이 있는 처분 등을 행한 행정청은, 행정주체인 지방자치단체 또는 지방자치단체의 내부적 의결기관으로서 지방자치단체의 의사를 외부에 표시한 권한이 없는 지방의회가 아니라, 구 지방자치법(1994.3.16. 법률 제4741호로 개정되기 전의 것) 제19조 제2항, 제92조에 의하여 지방자치단체의 집행기관으로서 조례로서의 효력을 발생시키는 공포권이 있는 지방자치단체의 장이다(대판 1996.9.20, 95누8003).

③ 외부에 대하여 직접 법적 효과를 발생시키는 행위

㉠ 행정행위는 국민에 대하여 직접적인 법적 효과를 발생시키는 행위이다. 즉, 국민의 권리·의무를 형성(발생·변경·소멸)하거나 그 범위를 확정하는 등 기존의 권리상태를 변동시키거나 일반적인 법적 상태를 구체화하는 것이어야 한다.

㉡ 행정기관 내부의 행위(상급관청의 하급관청에 대한 명령·승인·동의 등)는 행정행위에 해당하지 않는다. 그러나 내부적 행위라고 하더라도 징계와 같이 특별권력관계 구성원에 대한 지위의 박탈 등과 같은 행위에 대해서는 처분성을 인정하는 것이 학설과 판례의 입장이다.

㉢ 행정행위는 직접 법적 효과를 발생시킨다는 점에서 단순한 조사·보고·상담 등과 같은 사실행위는 행정행위에 해당하지 않는다. 다만, 사실행위라고 하더라도 그 집행에 대하여 수인의 의무를 부담하는 권력적 사실행위(강제진단·강제격리·압류 등)의 경우 계속적이고 반복적으로 이루어지면 처분성이 인정될 수 있다.

판례

1. **징병검사시의 신체등위판정이 행정처분인지 여부**
   병역법상 신체등위판정은 행정청이라고 볼 수 없는 군의관이 하도록 되어 있으며, 그 자체만으로 바로 병역법상의 권리의무가 정하여지는 것이 아니라 그에 따라 지방병무청장이 병역처분을 함으로써 비로소 병역의무의 종류가 정하여지는 것이므로 항고소송의 대상이 되는 행정처분이라 보기 어렵다(대판 1993.8.27, 93누3356).
2. **경제기획원장관의 정부투자기관에 대한 예산편성지침통보가 행정처분인지 여부**
   정부투자기관관리기본법 제21조의 규정에 따른 경제기획원장관의 정부투자기관에 대한 예산편성지침통보는 정부투자기관의 경영합리화와 정부투자의 효율적 관리를 도모하기 위한 것으로서 그에 대한 감독작용에 해당할 뿐 그 자체만으로는 직접적으로 국민의 권리, 의무가 설정, 변경, 박탈되거나 그 범위가 확정되는 등 기존의 권리상태에 어떤 변동을 가져오는 것이 아니므로 이를 행정소송의 대상이 되는 행정처분이라고 할 수 없다(대판 1993.9.14, 93누9163).

3. 운전면허 행정처분처리대장상 벌점의 배점이 행정처분인지 여부
운전면허 행정처분처리대장상 벌점의 배점은 도로교통법규 위반행위를 단속하는 기관이 도로교통법 시행규칙 별표 16의 정하는 바에 의하여 도로교통법규 위반의 경중, 피해의 정도 등에 따라 배정하는 점수를 말하는 것으로 자동차운전면허의 취소, 정지처분의 기초자료로 제공하기 위한 것이고 그 배점 자체만으로는 아직 국민에 대하여 구체적으로 어떤 권리를 제한하거나 의무를 명하는 등 법률적 규제를 하는 효과를 발생하는 요건을 갖춘 것이 아니어서 그 무효확인 또는 취소를 구하는 소송의 대상이 되는 행정처분이라고 할 수 없다(대판 1994.8.12, 94누2190).

4. 공정거래위원회의 고발조치 · 의결이 항고소송의 대상이 되는 행정처분인지 여부
이른바 고발은 수사의 단서에 불과할 뿐 그 자체가 국민의 권리의무에 어떤 영향을 미치는 것이 아니고, 특히 독점규제 및 공정거래에 관한 법률 제71조는 공정거래위원회의 고발을 위 법률위반죄의 소추요건으로 규정하고 있어 공정거래위원회의 고발조치는 사직 당국에 대하여 형벌권 행사를 요구하는 행정기관 상호간의 행위에 불과하여 항고소송의 대상이 되는 행정처분이라 할 수 없으며, 더욱이 공정거래위원회의 고발 의결은 행정청 내부의 의사결정에 불과할 뿐 최종적인 처분은 아닌 것이므로 이 역시 항고소송의 대상이 되는 행정처분이 되지 못한다(대판 1995.5.12, 94누13794).

5. 당연퇴직처분이 행정소송의 대상인 행정처분인지 여부
국가공무원법 제69조에 의하면 공무원이 제33조 각 호의 1에 해당할 때에는 당연히 퇴직한다고 규정하고 있으므로, 국가공무원법상 당연퇴직은 결격사유가 있을 때 법률상 당연히 퇴직하는 것이지 공무원관계를 소멸시키기 위한 별도의 행정처분을 요하는 것이 아니며, 당연퇴직의 인사발령은 법률상 당연히 발생하는 퇴직사유를 공적으로 확인하여 알려주는 이른바 관념의 통지에 불과하고 공무원의 신분을 상실시키는 새로운 형성적 행위가 아니므로 행정소송의 대상이 되는 독립한 행정처분이라고 할 수 없다(대판 1995.11.14, 95누2036).

6. 항고소송의 피고적격 및 상급행정청이나 타행정청의 지시나 통보, 권한의 위임이나 위탁이 항고소송의 대상이 되는 행정처분인지 여부(소극)
항고소송은 원칙적으로 소송의 대상인 행정처분 등을 외부적으로 그의 명의로 행한 행정청을 피고로 하여야 하는 것으로서, 그 행정처분을 하게 된 연유가 상급행정청이나 타행정청의 지시나 통보에 의한 것이라 하여 다르지 않고, 권한의 위임이나 위탁을 받아 수임행정청이 자신의 명의로 한 처분에 관하여도 마찬가지이다. 그리고 위와 같은 지시나 통보, 권한의 위임이나 위탁은 행정기관 내부의 문제일 뿐 국민의 권리의무에 직접 영향을 미치는 것이 아니어서 항고소송의 대상이 되는 행정처분에 해당하지 않는다(대판 2013.2.28, 2012두22904).

④ 권력적 단독행위

㉠ 행정행위는 공권력의 행사로서 행정관청이 일방적으로 국민에게 권리를 부여하거나 의무를 명하는 행위이다. 따라서 공법상의 계약이나 합동행위 등은 행정행위에 해당하지 않는다.

㉡ 행정행위의 성립에 있어 상대방의 신청이나 동의와 같은 협력을 필요로 하는 쌍방적 행정행위의 경우 당해 법률관계의 내용이 일방적으로 결정되는 것인 때에는 행정행위에 해당하게 된다.

⑤ 공법상의 행위: 행정행위는 행정관청의 공법상의 행위이므로 행정관청이 행하는 사법행위(물품구입 · 잡종재산의 매각 등)는 행정행위가 아니다. 공법관계와 사법관계는 적용법규의 결정, 소송절차의 결정 및 강제집행절차에 차이가 있으므로 양자의 구별이 필요하다.

판례

Ⅰ. 공법관계에 해당하는 경우

1. 국유재산법 제51조 소정의 국유재산 무단점유자에 대한 변상금부과처분이 행정소송의 대상이 되는 행정처분인지 여부
국유재산법 제51조 제1항은 국유재산의 무단점유자에 대하여는 대부 또는 사용, 수익허가 등을 받은 경우에 납부하여야 할 대부료 또는 사용료 상당액 외에도 그 징벌적 의미에서 국가측이 일방적으로 그 2할 상당액을 추가하여 변상금을 징수토록 하고 있으며 동조 제2항은 변상금의 체납시 국세징수법에 의하여 강제징수토록 하고 있는 점 등에 비추어 보면 국유재산의 관리청이 그 무단점유자에 대하여 하는 변상금부과처분은 순전히 사경제 주체로서 행하는 사법상의 법률행위라 할 수 없고 이는 관리청이 공권력을 가진 우월적 지위에서 행한 것으로서 행정소송의 대상이 되는 행정처분이라고 보아야 한다(대판 1988.2.23, 87누1046).

2. 공립교육기관의 장에 의하여 공립유치원의 임용기간을 정한 전임강사로 임용되어 지방자치단체로부터 보수를 지급받으면서 공무원복무규정을 적용받고 사실상 유치원 교사의 업무를 담당하여 온 유치원 교사의 자격이 있는 자

교육부장관(당시 문교부장관)의 권한을 재위임받은 공립교육기관의 장에 의하여 공립유치원의 임용기간을 정한 전임강사로 임용되어 지방자치단체로부터 보수를 지급받으면서 공무원복무규정을 적용받고 사실상 유치원 교사의 업무를 담당하여 온 유치원 교사의 자격이 있는 자는 교육공무원에 준하여 신분보장을 받는 정원 외의 임시직 공무원으로 봄이 상당하므로 그에 대한 해임처분의 시정 및 수령지체된 보수의 지급을 구하는 소송은 행정소송의 대상이지 민사소송의 대상이 아니다(대판 1991.5.10, 90다10766).

3. 국가나 지방자치단체에 근무하는 청원경찰에 대한 징계처분에 대한 불복방법

국가나 지방자치단체에 근무하는 청원경찰은 국가공무원법이나 지방공무원법상의 공무원은 아니지만, 다른 청원경찰과는 달리 그 임용권자가 행정기관의 장이고, 국가나 지방자치단체로부터 보수를 받으며, 산업재해보상보험법이나 근로기준법이 아닌 공무원연금법에 따른 재해보상과 퇴직급여를 지급받고, 직무상의 불법행위에 대하여도 민법이 아닌 국가배상법이 적용되는 등의 특질이 있으며 그외 임용자격, 직무, 복무의무 내용 등을 종합하여 볼때, 그 근무관계를 사법상의 고용계약관계로 보기는 어려우므로 그에 대한 징계처분의 시정을 구하는 소는 행정소송의 대상이지 민사소송의 대상이 아니다(대판 1993.7.13, 92다47564).

4. 농지개량조합 직원의 근무관계의 성질

농지개량조합과 그 직원과의 관계는 사법상의 근로계약관계가 아닌 공법상의 특별권력관계이고, 그 조합의 직원에 대한 징계처분의 취소를 구하는 소송은 행정소송사항에 속한다(대판 1995.6.9, 94누10870).

5. 구 공무원연금법상 퇴직급여결정이 행정처분인지 여부(적극)

구 공무원연금법(1995.12.29. 법률 제5117호로 개정되기 전의 것) 제26조 제1항, 제80조 제1항, 공무원연금법 시행령 제19조의2의 각 규정을 종합하면, 같은 법 소정의 급여는 급여를 받을 권리를 가진 자가 당해 공무원이 소속하였던 기관장의 확인을 얻어 신청하는 바에 따라 공무원연금관리공단이 그 지급결정을 함으로써 그 구체적인 권리가 발생하는 것이므로, 공무원연금관리공단의 급여에 관한 결정은 국민의 권리에 직접 영향을 미치는 것이어서 행정처분에 해당하고, 공무원연금관리공단의 급여결정에 불복하는 자는 공무원연금급여재심위원회의 심사결정을 거쳐 공무원연금관리공단의 급여결정을 대상으로 행정소송을 제기하여야 한다(대판 1996.12.6, 96누6417).

6. 행정재산에 대한 사용 · 수익허가취소가 항고소송의 대상인 행정처분인지 여부(적극)

국 · 공유재산의 관리청이 행정재산의 사용 · 수익을 허가한 다음 그 사용 · 수익하는 자에 대하여 하는 사용 · 수익허가취소는 순전히 사경제주체로서 행하는 사법상의 행위라 할 수 없고, 이는 관리청이 공권력을 가진 우월적 지위에서 행한 것으로서 항고소송의 대상이 되는 행정처분이다(대판 1997.4.11, 96누17325).

7. 구 남녀차별금지 및 구제에 관한 법률상 국가인권위원회의 성희롱결정 및 시정조치권고가 행정소송의 대상이 되는 행정처분에 해당하는지 여부(적극)

구 남녀차별금지 및 구제에 관한 법률(2003.5.29. 법률 제6915호로 개정되기 전의 것) 제28조에 의하면, 국가인권위원회의 성희롱결정과 이에 따른 시정조치의 권고는 불가분의 일체로 행하여지는 것인데 국가인권위원회의 이러한 결정과 시정조치의 권고는 성희롱 행위자로 결정된 자의 인격권에 영향을 미침과 동시에 공공기관의 장 또는 사용자에게 일정한 법률상의 의무를 부담시키는 것이므로 국가인권위원회의 성희롱결정 및 시정조치권고는 행정소송의 대상이 되는 행정처분에 해당한다고 보지 않을 수 없다(대판 2005.7.8, 2005두487).

8. 수신료 부과행위의 법적 성질(= 공권력 행사) 및 수신료 징수권한 여부를 다투는 소송의 성격(= 공법상 당사자소송)

수신료의 법적 성격, 피고 보조참가인의 수신료 강제징수권의 내용[구 방송법(2008.2.29. 법률 제8867호로 개정되기 전의 것) 제66조 제3항] 등에 비추어 보면 수신료 부과행위는 공권력의 행사에 해당하므로, 피고가 피고 보조참가인으로부터 수신료의 징수업무를 위탁받아 자신의 고유업무와 관련된 고지행위와 결합하여 수신료를 징수할 권한이 있는지 여부를 다투는 이 사건 쟁송은 민사소송이 아니라 공법상의 법률관계를 대상으로 하는 것으로서 행정소송법 제3조 제2호에 규정된 당사자소송에 의하여야 한다고 봄이 상당하다(대판 2008.7.24, 2007다25261).

Ⅱ. 사법관계에 해당하는 경우

1. **입찰보증금 국고귀속 조치에 관한 분쟁이 행정소송의 대상인지 여부(소극)**
   예산회계법에 따라 체결되는 계약은 사법상의 계약이라고 할 것이고 동법 제70조의5의 입찰보증금은 낙찰자의 계약체결의무이행의 확보를 목적으로 하여 그 불이행시에 이를 국고에 귀속시켜 국가의 손해를 전보하는 사법상의 손해배상 예정으로서의 성질을 갖는 것이라고 할 것이므로 입찰보증금의 국고귀속조치는 국가가 사법상의 재산권의 주체로서 행위하는 것이지 공권력을 행사하는 것이거나 공권력작용과 일체성을 가진 것이 아니라 할 것이므로 이에 관한 분쟁은 행정소송이 아닌 민사소송의 대상이 될 수밖에 없다고 할 것이다(대판 1983.12.27, 81누366).
2. **서울특별시 지하철공사 사장의 소속 직원에 대한 징계처분이 행정소송의 대상인지 여부(소극)**
   서울특별시지하철공사의 임원과 직원의 근무관계의 성질은 지방공기업법의 모든 규정을 살펴보아도 공법상의 특별권력관계라고는 볼 수 없고 사법관계에 속할 뿐만 아니라, 위 지하철공사의 사장이 그 이사회의 결의를 거쳐 제정된 인사규정에 의거하여 소속직원에 대한 징계처분을 한 경우 위 사장은 행정소송법 제13조 제1항 본문과 제2조 제2항 소정의 행정청에 해당되지 않으므로 공권력발동주체로서 위 징계처분을 행한 것으로 볼 수 없고, 따라서 이에 대한 불복절차는 민사소송에 의할 것이지 행정소송에 의할 수는 없다(대판 1989.9.12, 89누2103).
3. **과세처분의 당연무효를 전제로 한 세금반환청구소송이 민사소송인지 여부(다수설은 공법관계로 본다)**
   조세부과처분이 당연무효임을 전제로 하여 이미 납부한 세금의 반환을 청구하는 것은 민사상의 부당이득반환청구로서 민사소송절차에 따라야 한다(대판 1995.4.28, 94다55019).
4. **국유잡종재산 대부행위의 법적 성질(= 사법상 계약) 및 그 대부료 납부고지의 법적 성질(= 사법상 이행청구)**
   국유재산법 제31조, 제32조 제3항, 산림법 제75조 제1항의 규정 등에 의하여 국유잡종재산에 관한 관리 처분의 권한을 위임받은 기관이 국유잡종재산을 대부하는 행위는 국가가 사경제 주체로서 상대방과 대등한 위치에서 행하는 사법상의 계약이고, 행정청이 공권력의 주체로서 상대방의 의사 여하에 불구하고 일방적으로 행하는 행정처분이라고 볼 수 없으며, 국유잡종재산에 관한 대부료의 납부고지 역시 사법상의 이행청구에 해당하고, 이를 행정처분이라고 할 수 없다(대판 2000.2.11, 99다61675).
5. **한국마사회의 조교사 및 기수 면허 부여 또는 취소가 행정처분인지 여부(소극)**
   한국마사회가 조교사 또는 기수의 면허를 부여하거나 취소하는 것은 경마를 독점적으로 개최할 수 있는 지위에서 우수한 능력을 갖추었다고 인정되는 사람에게 경마에서의 일정한 기능과 역할을 수행할 수 있는 자격을 부여하거나 이를 박탈하는 것에 지나지 아니하므로, 이는 국가 기타 행정기관으로부터 위탁받은 행정권한의 행사가 아니라 일반 사법상의 법률관계에서 이루어지는 단체 내부에서의 징계 내지 제재처분이다(대판 2008.1.31, 2005두8269).

2. 행정행위의 종류

(1) 법률행위적 행정행위와 준법률행위적 행정행위

① 행정행위는 법률효과의 발생 원인(구성요소)에 따라 법률행위적 행정행위와 준법률행위적 행정행위로 구분할 수 있다.

② 법률행위적 행정행위는 행정관청의 의사표시를 그 구성요소로 하며 그 표시된 의사의 내용(효과의사)에 따라 법적 효과가 발생하는 행위를 말한다. 준법률행위적 행정행위는 의사표시 이외의 정신작용(판단·인식 등)을 그 구성요소로 하며, 그 법적 효과는 행정관청의 의사와 관계없이 법이 정하는 바에 따라 발생하는 행위를 말한다.

③ 법률행위적 행정행위는 다시 명령적 행정행위(하명·허가·면제 등)와 형성적 행정행위(특허·인가·대리)로 구분할 수 있고, 준법률행위적 행정행위는 확인·공증·통지·수리 등으로 구분할 수 있다.

④ 법률행위적 행정행위와 준법률행위적 행정행위를 구별하는 실익은 행정행위에 있어 부관을 붙일 수 있는지 여부를 구분하는 데 있다.

준법률행위적 행정행위의 유형

공증	① 공증은 특정사실 또는 법률관계의 존부를 공적 권위로써 증명하는 행정행위를 말한다. ② 부동산등기부에의 등기, 선거인명부에의 등재, 합격증명서의 발급 등이 공증에 해당한다.
확인	① 특정한 사실 또는 법률관계에 관하여 의문 또는 다툼이 있는 경우에 공권적으로 그 존부 또는 정부(正否)를 판단하는 행정행위이다. ② 당선인의 결정, 행정심판의 결정 등이 확인에 해당한다.
통지	① 특정인 또는 불특정다수인에게 특정사실을 알리는 행정행위를 말한다. ② 관념의 통지와 사실의 통지가 있다. ③ 대집행의 계고 등이 통지에 해당한다.
수리	① 타인의 행위를 유효한 행위로 받아들이는 행정행위이다. ② 사직원서의 수리 · 혼인신고의 수리 · 이의신청의 수리 · 행정심판청구서의 수리 등이 수리에 해당한다.

판례

1. **관할 관청이 무허가건물의 무허가건물관리대장 등재 요건에 관한 오류를 바로잡으면서 당해 무허가건물을 무허가건물관리대장에서 삭제하는 행위(공증)가 항고소송의 대상이 되는 행정처분인지 여부(소극)**
무허가건물관리대장은, 행정관청이 지방자치단체의 조례 등에 근거하여 무허가건물 정비에 관한 행정상 사무처리의 편의와 사실증명의 자료로 삼기 위하여 작성, 비치하는 대장으로서 무허가건물을 무허가건물관리대장에 등재하거나 등재된 내용을 변경 또는 삭제하는 행위로 인하여 당해 무허가 건물에 대한 실체상의 권리관계에 변동을 가져오는 것이 아니고, 무허가건물의 건축시기, 용도, 면적 등이 무허가건물관리대장의 기재에 의해서만 증명되는 것도 아니므로, 관할관청이 무허가건물의 무허가건물관리대장 등재 요건에 관한 오류를 바로잡으면서 당해 무허가건물을 무허가건물관리대장에서 삭제하는 행위는 다른 특별한 사정이 없는 한 항고소송의 대상이 되는 행정처분이 아니다(대판 2009.3.12, 2008두11525).

2. **대학교원의 임용권자가 임용기간이 만료된 조교수에 대하여 재임용을 거부하는 취지로 한 임용기간만료의 통지가 행정소송의 대상이 되는 처분에 해당하는지 여부(적극)**
기간제로 임용되어 임용기간이 만료된 국 · 공립대학의 조교수는 교원으로서의 능력과 자질에 관하여 합리적인 기준에 의한 공정한 심사를 받아 위 기준에 부합되면 특별한 사정이 없는 한 재임용되리라는 기대를 가지고 재임용 여부에 관하여 합리적인 기준에 의한 공정한 심사를 요구할 법규상 또는 조리상 신청권을 가진다고 할 것이니, 임용권자가 임용기간이 만료된 조교수에 대하여 재임용을 거부하는 취지로 한 임용기간만료의 통지는 위와 같은 대학교원의 법률관계에 영향을 주는 것으로서 행정소송의 대상이 되는 처분에 해당한다[대판 2004.4.22, 2000두7735(전합)].

3. **정년퇴직 발령이 행정소송의 대상인지 여부(소극)**
국가공무원법 제74조에 의하면 공무원이 소정의 정년에 달하면 그 사실에 대한 효과로서 공무담임권이 소멸되어 당연히 퇴직되고 따로 그에 대한 행정처분이 행하여져야 비로소 퇴직되는 것은 아니라 할 것이며 피고(영주지방철도청장)의 원고에 대한 정년퇴직 발령은 정년퇴직 사실을 알리는 이른바 관념의 통지에 불과하므로 행정소송의 대상이 되지 아니한다(대판 1983.2.8, 81누263).

4. **당연퇴직처분이 행정소송의 대상인 행정처분인지 여부**
국가공무원법 제69조에 의하면 공무원이 제33조 각 호의 1에 해당할 때에는 당연히 퇴직한다고 규정하고 있으므로, 국가공무원법상 당연퇴직은 결격사유가 있을 때 법률상 당연히 퇴직하는 것이지 공무원관계를 소멸시키기 위한 별도의 행정처분을 요하는 것이 아니며, 당연퇴직의 인사발령은 법률상 당연히 발생하는 퇴직사유를 공적으로 확인하여 알려주는 이른바 관념의 통지에 불과하고 공무원의 신분을 상실시키는 새로운 형성적 행위가 아니므로 행정소송의 대상이 되는 독립한 행정처분이라고 할 수 없다(대판 1995.11.14, 95누2036).

5. 지방병무청장이 복무기관을 정하여 공익근무요원 소집통지를 한 후 소집대상자의 원에 의하여 또는 직권으로 그 기일을 연기한 다음 다시 한 공익근무요원 소집통지가 항고소송의 대상이 되는 독립된 행정처분인지 여부(소극)
지방병무청장이 보충역 편입처분을 받은 자에 대하여 복무기관을 정하여 공익근무요원 소집통지를 한 이상 그것으로써 공익근무요원으로서의 복무를 명하는 병역법상의 공익근무요원 소집처분이 있었다고 할 것이고, 그 후 지방병무청장이 공익근무요원 소집대상자의 원에 의하여 또는 직권으로 그 기일을 연기한 다음 다시 공익근무요원 소집통지를 하였다고 하더라도 이는 최초의 공익근무요원 소집통지에 관하여 다시 의무이행기일을 정하여 알려주는 연기통지에 불과한 것이므로, 이는 항고소송의 대상이 되는 독립한 행정처분으로 볼 수 없다(대판 2005.10.28, 2003두14550).

6. 체육시설의 회원을 모집하고자 하는 자의 회원모집계획서 제출 및 이에 대한 시·도지사 등의 검토결과 통보의 법적 성격
구 체육시설의 설치·이용에 관한 법률(2005.3.31. 법률 제7428호로 개정되기 전의 것) 제19조 제1항, 구 체육시설의 설치·이용에 관한 법률 시행령(2006.9.22. 대통령령 제19686호로 개정되기 전의 것) 제18조 제2항 제1호 (가)목, 제18조의2 제1항 등의 규정에 의하면, 위 법 제19조의 규정에 의하여 체육시설의 회원을 모집하고자 하는 자는 시·도지사 등으로부터 회원모집계획서에 대한 검토결과 통보를 받은 후에 회원을 모집할 수 있다고 보아야 하고, 따라서 체육시설의 회원을 모집하고자 하는 자의 시·도지사 등에 대한 회원모집계획서 제출은 수리를 요하는 신고에서의 신고에 해당하며, 시·도지사 등의 검토결과 통보는 수리행위로서 행정처분에 해당한다(대판 2009.2.26, 2006두16243).

(2) 기속행위와 재량행위

① 기속행위란 법이 엄격하게 규율함으로써 행정관청이 선택의 자유를 가지지 못하고 법이 정한 요건을 갖춘 경우에는 반드시 법이 정한 일정한 행위를 하도록 되어 있는 경우를 말한다.

② 재량행위는 행정관청의 행위에 대하여 행정관청에게 선택의 자유가 인정되어 있는 경우를 말한다. 이는 결정재량(어떤 행정행위를 할 수도 있고 하지 않을 수도 있는 자유가 인정되는 경우)과 선택재량(다수의 행정행위 중 어느 것을 해도 무방한 경우)로 구분할 수 있다.

③ 학설(요건재량설과 효과재량설)

요건재량설	효과재량설
1. 재량의 범위를 축소시키고자 하는 입장으로, 재량의 본질은 요건 부분에 규정된 불확정적 개념의 해석·적용에 있다고 전제한다. 2. 불확정 개념 중 불확정성이 상대적으로 작은 것들을 재량에서 제외하여 기속행위로 본다. 3. 처분에 관한 근거 규정이 처분의 요건에 관하여 공백규정을 두거나 단지 공익상 필요와 같은 종국목적만을 규정한 경우에는 재량이 인정된다고 본다. 4. 각 처분에 관한 특수한 중간목적(예 교통안전 등)을 요건으로 규정하고 있는 경우나 요건이 구체적으로 규정되어 있는 경우에는 기속행위로 본다. 5. 요건재량설의 경우 중간목적과 종국목적을 구별하고 있으나 양자의 구별이 명확하지 않다는 점에서 비판을 받는다.	1. 재량은 행정관련 법규의 불확정 개념에는 존재할 수 없고 오직 효과의 선택과 결정에만 존재할 수 있다고 보는 견해이다. 2. 관련 법이 특별한 규정을 두고 있는 경우를 제외하고는 처분의 성질을 기준으로 국민의 권리·이익을 제한하거나 새로운 의무를 부과하는 침익적 행정행위의 경우에는 기속행위로 본다. 3. 국민에게 권리나 이익을 부여하는 수익적 행정행위는 관련 규정 또는 그 해석상 특별한 기속이 없는한 재량행위로 본다. 4. 효과재량설의 경우 수익적 행정행위지만 기속행위에 해당하는 경우도 있고, 제재처분과 같은 침익적 행정행위에도 재량이 인정될 수 있다는 점에서 비판을 받는다.

Add ⊕

1. 「도로교통법」상 교통단속임무를 수행하는 경찰공무원을 폭행한 사람의 운전면허를 취소하는 것은 행정청이 재량여지가 없으므로 재량권의 일탈 · 남용과는 관련이 없다.
2. 재량을 선택재량과 결정재량으로 나눌 경우, 경찰공무원의 비위에 대해 징계처분을 하는 결정과 그 공무원의 건강 등 제반사정을 고려하여 징계처분을 하지 않는 결정 사이에서 선택권을 갖는 것을 결정재량이라 한다.
3. 재량의 일탈 · 남용뿐만 아니라 단순히 재량권 행사에서 합리성을 결하는 등 재량을 그르친 경우에도 행정심판의 대상이 된다.
4. 재량권의 일탈이란 재량권의 외적 한계(법적 · 객관적 한계)를 벗어난 것을 말하며, 재량권의 남용이란 재량권의 내적 한계(재량권이 부여된 내재적 목적)를 벗어난 것을 의미한다.

판례

1. **기속행위와 재량행위의 구별 기준**
   어느 행정행위가 기속행위인지 재량행위인지 나아가 재량행위라고 할지라도 기속재량행위인지 또는 자유재량에 속하는 것인지의 여부는 이를 일률적으로 규정지을 수는 없는 것이고, 당해 처분의 근거가 된 규정의 형식이나 체재 또는 문언에 따라 개별적으로 판단하여야 한다(대판 1997.12.26, 97누15418).
2. **외교관 자녀 등의 입학고사 특별전형에 관한 대학교총장의 처분이 행정소송의 대상이 될 수 있는지 여부(적극)**
   자유재량에 있어서도 무제한의 재량권은 인정할 수 없는 것이고 그 범위의 넓고 좁은 차이는 있다고 하더라도 법령의 규정뿐만 아니라 관습법 또는 일반적 조리에 의한 일정한 한계가 있는 것으로서 위 한계를 벗어난 재량권의 행사는 위법하다고 하지 않을 수 없다(대판 1990.8.28, 89누8255).
3. **기속행위와 재량행위에 대한 사법심사 방식의 차이**
   행정행위를 기속행위와 재량행위로 구분하는 경우 양자에 대한 사법심사는, 전자의 경우 그 법규에 대한 원칙적인 기속성으로 인하여 법원이 사실인정과 관련 법규의 해석 · 적용을 통하여 일정한 결론을 도출한 후 그 결론에 비추어 행정청이 한 판단의 적법 여부를 독자의 입장에서 판정하는 방식에 의하게 되나, 후자의 경우 행정청의 재량에 기한 공익판단의 여지를 감안하여 법원은 독자의 결론을 도출함이 없이 당해 행위에 재량권의 일탈 · 남용이 있는지 여부만을 심사하게 되고 이러한 재량권의 일탈 · 남용 여부에 대한 심사는 사실오인, 비례 · 평등의 원칙 위배 등을 그 판단 대상으로 한다(대판 2007.5.31, 2005두1329).
4. **기속행위나 기속적 재량행위에 붙인 부관의 효력**
   일반적으로 기속행위나 기속적 재량행위에는 부관을 붙일 수 없고 가사 부관을 붙였다 하더라도 무효이다(대판 1995.6.13, 94다56883).
5. **경찰공무원 임용령 제46조 제1항은 행정청 내부의 사무처리기준을 규정한 재량준칙이 아니라 일반 국민이나 법원을 구속하는 법규명령에 해당하므로, 그에 의한 처분은 재량행위가 아니라 기속행위라고 한 사례**
   경찰공무원 임용령 제46조 제1항의 수권형식과 내용에 비추어 이는 행정청 내부의 사무처리기준을 규정한 재량준칙이 아니라 일반 국민이나 법원을 구속하는 법규명령에 해당하고 따라서 위 규정에 의한 처분은 재량행위가 아닌 기속행위라 할 것이다(대판 2008.5.29, 2007두18321).
6. **음주측정거부를 이유로 운전면허취소를 함에 있어서 행정청이 그 취소 여부를 선택할 수 있는 재량의 여지가 있는지 여부(소극)**
   도로교통법 제78조 제1항 단서 제8호의 규정에 의하면, 술에 취한 상태에 있다고 인정할 만한 상당한 이유가 있음에도 불구하고 경찰공무원의 측정에 응하지 아니한 때에는 필요적으로 운전면허를 취소하도록 되어 있어 처분청이 그 취소 여부를 선택할 수 있는 재량의 여지가 없음이 그 법문상 명백하므로, 위 법조의 요건에 해당하였음을 이유로 한 운전면허취소처분에 있어서 재량권의 일탈 또는 남용의 문제는 생길 수 없다(대판 2004.11.12, 2003두12042).
7. **개인택시운송사업면허의 법적 성질 및 면허기준의 해석 적용방법**
   자동차운수사업법에 의한 개인택시운송사업면허는 특정인에게 권리나 이익을 부여하는 행정행위로서 법령에 특별한 규정이 없는 한 재량행위이고, 그 면허기준을 정하는 것도 역시 행정청의 재량에 속하는 것이므로, 행정청이 정한 면허발급의 우선순위 등에 관한 기준을 해석 적용함에 있어서도 그 기준이 객관적으로 보아 합리적이 아니라거나 타당하지 아니하여 재량권을 남용한 위법한 것이라고 인정되지 아니하는 이상 행정청의 의사는 가능한 한 존중되어야 한다(대판 1993.10.12, 93누4243).

8. 공정거래위원회의 법 위반행위자에 대한 과징금 부과처분의 법적 성질(= 재량행위)

구 독점규제 및 공정거래에 관한 법률(1999.2.5. 법률 제5813호로 개정되기 전의 것) 제6조, 제17조, 제22조, 제24조의2, 제28조, 제31조의2, 제34조의2 등 각 규정을 종합하여 보면, 공정거래위원회는 법 위반행위에 대하여 과징금을 부과할 것인지 여부와 만일 과징금을 부과한다면 일정한 범위 안에서 과징금의 부과액수를 얼마로 정할 것인지에 관하여 재량을 가지고 있다 할 것이므로 공정거래위원회의 법 위반행위자에 대한 과징금 부과처분은 재량행위라 할 것이나, 이러한 과징금 부과의 재량행사에 있어서 사실오인, 비례·평등의 원칙 위배 등의 사유가 있다면 이는 재량권의 일탈·남용으로서 위법하다(대판 2002.5.28, 2000두6121).

9. 총포·도검·화약류단속법 제12조 소정의 총포 등 소지허가의 법적 성질(= 재량행위)

총포·도검·화약류 등 단속법령상 총포 등의 소지허가를 받을 수 있는 자격요건을 정하고 있는 규정은 없으나, 관할 관청의 총포 등 소지허가가 총포·도검·화약류단속법 제13조 제1항 소정의 결격자에 해당되지 아니하는 경우 반드시 허가를 하여야 하는 기속행위라고는 할 수 없고, 같은 법 제13조 제2항의 규정에 비추어 관할 관청에 총포 등 소지허가에 관한 재량권이 유보되어 있는 것이다(대판 1993.5.14, 92도2179).

10. 소속 공무원의 구체적인 행위가 징계사유에 해당하는 것이 명백한 경우에 소속 지방자치단체장이 관할 인사위원회에 징계를 요구할 의무를 지는지 여부(적극)

지방공무원의 징계와 관련된 규정을 종합해 보면, 징계권자이자 임용권자인 지방자치단체장은 소속 공무원의 구체적인 행위가 과연 지방공무원법 제69조 제1항에 규정된 징계사유에 해당하는지 여부에 관하여 판단할 재량은 있지만, 징계사유에 해당하는 것이 명백한 경우에는 관할 인사위원회에 징계를 요구할 의무가 있다(대판 2007.7.12, 2006도1390).

11. 법무부장관이 법률에서 정한 귀화 요건을 갖춘 귀화신청인에게 귀화를 허가할 것인지 여부에 관하여 재량권을 가지는지 여부(적극)

국적법 제4조 제1항은 "외국인은 법무부장관의 귀화허가를 받아 대한민국의 국적을 취득할 수 있다."라고 규정하고, 그 제2항은 "법무부장관은 귀화 요건을 갖추었는지를 심사한 후 그 요건을 갖춘 자에게만 귀화를 허가한다."라고 정하고 있다. 국적은 국민의 자격을 결정짓는 것이고, 이를 취득한 사람은 국가의 주권자가 되는 동시에 국가의 속인적 통치권의 대상이 되므로, 귀화허가는 외국인에게 대한민국 국적을 부여함으로써 국민으로서의 법적 지위를 포괄적으로 설정하는 행위에 해당한다. 한편, 국적법 등 관계 법령 어디에도 외국인에게 대한민국의 국적을 취득할 권리를 부여하였다고 볼 만한 규정이 없다. 이와 같은 귀화허가의 근거 규정의 형식과 문언, 귀화허가의 내용과 특성 등을 고려해 보면, 법무부장관은 귀화신청인이 귀화 요건을 갖추었다 하더라도 귀화를 허가할 것인지 여부에 관하여 재량권을 가진다고 보는 것이 타당하다(대판 2010.10.28, 2010두6496).

12. 구 도시계획법상의 개발제한구역 내의 건축물의 용도변경허가의 법적 성질(= 재량행위 내지 자유재량행위) 및 그 위법 여부에 대한 사법심사 대상(= 재량권 일탈·남용의 유무)

구 도시계획법(2000.1.18. 법률 제6243호로 전문 개정되기 전의 것) 제21조와 같은 법 시행령(1998.5. 19. 대통령령 제15799호로 개정되기 전의 것) 제20조 제1, 2항 및 같은 법 시행규칙(1998.5.19. 건설교통부령 제133호로 개정되기 전의 것) 제7조 제1항 제6호 (다)목 등의 규정을 살펴보면, 도시의 무질서한 확산을 방지하고 도시주변의 자연환경을 보전하여 도시민의 건전한 생활환경을 확보하기 위하여 지정되는 개발제한구역 내에서는 구역 지정의 목적상 건축물의 건축이나 그 용도변경은 원칙적으로 금지되고, 다만 구체적인 경우에 위와 같은 구역 지정의 목적에 위배되지 아니할 경우 예외적으로 허가에 의하여 그러한 행위를 할 수 있게 되어 있음이 위와 같은 관련 규정의 체재와 문언상 분명한 한편, 이러한 건축물의 용도변경에 대한 예외적인 허가는 그 상대방에게 수익적인 것에 틀림이 없으므로, 이는 그 법률적 성질이 재량행위 내지 자유재량행위에 속하는 것이라고 할 것이고, 따라서 그 위법 여부에 대한 심사는 재량권 일탈·남용의 유무를 그 대상으로 한다(대판 2001.2.9, 98두17593).

13. **식품위생법상 일반음식점영업허가신청에 대하여 관계 법령에서 정하는 제한사유 외에 공공복리 등의 사유를 들어 거부할 수 있는지 여부(소극) 및 위 법리는 일반음식점 허가사항의 변경허가의 경우에도 적용되는지 여부(적극)**
식품위생법상 일반음식점영업허가는 성질상 일반적 금지의 해제에 불과하므로 허가권자는 허가신청이 법에서 정한 요건을 구비한 때에는 허가하여야 하고 관계 법령에서 정하는 제한사유 외에 공공복리 등의 사유를 들어 허가신청을 거부할 수는 없고, 이러한 법리는 일반음식점 허가사항의 변경허가에 관하여도 마찬가지이다(대판 2000.3.24, 97누12532).

14. **국토의 계획 및 이용에 관한 법률이 정한 용도지역 안에서 토지의 형질변경행위·농지전용행위를 수반하는 건축허가 역시 재량행위에 해당하는지 여부(적극)**
국토계획법이 정한 용도지역 안에서 토지의 형질변경행위·농지전용행위를 수반하는 건축허가는 건축법 제11조 제1항에 의한 건축허가와 위와 같은 개발행위허가 및 농지전용허가의 성질을 아울러 갖게 되므로 이 역시 재량행위에 해당한다(대판 2017.10.12, 2017두48956).

15. **개발제한구역 내에서의 건축물의 건축 등에 대한 예외적 허가의 법적 성질(= 재량행위) 및 그에 관한 사법심사의 기준**
구 도시계획법(2000.1.28. 법률 제6243호로 전문 개정되기 전의 것) 제21조, 구 도시계획법 시행령(2000.7.1. 대통령령 제16891호로 전문 개정되기 전의 것) 제20조 제1항, 제2항 등의 각 규정을 종합하면, 개발제한구역 내에서는 구역지정의 목적상 건축물의 건축, 공작물의 설치, 토지의 형질변경 등의 행위는 원칙적으로 금지되고, 다만 구체적인 경우에 위와 같은 구역 지정의 목적에 위배되지 아니할 경우 예외적으로 허가에 의하여 그러한 행위를 할 수 있게 되며, 한편 개발제한구역 내에서의 건축물의 건축 등에 대한 예외적 허가는 그 상대방에게 수익적인 것으로서 재량행위에 속하는 것이라고 할 것이므로 그에 관한 행정청의 판단이 사실오인, 비례·평등의 원칙 위배, 목적위반 등에 해당하지 아니하는 이상 재량권의 일탈·남용에 해당한다고 할 수 없다(대판 2004.7.22, 2003두7606).

16. **'제주특별자치도 설치 및 국제자유도시 조성을 위한 특별법'상 도지사의 절대보전지역 지정 및 변경행위의 법적 성격(= 재량행위)**
제주특별자치도 설치 및 국제자유도시 조성을 위한 특별법(이하 '제주특별법'이라 한다) 제292조 제1항의 형식 및 문언에 의하면 도지사의 절대보전지역 지정 및 변경행위는 재량행위로 보는 것이 타당하다[대판 2012.7.5, 2011두19239(전합)].

17. **야생동·식물보호법 제16조 제3항에 의한 용도변경승인 행위 및 용도변경의 불가피성 판단에 필요한 기준을 정하는 행위의 법적 성질(= 재량행위)**
야생동·식물보호법 제16조 제3항과 같은 법 시행규칙 제22조 제1항의 체제 또는 문언을 살펴보면 원칙적으로 국제적멸종위기종 및 그 가공품의 수입 또는 반입 목적 외의 용도로의 사용을 금지하면서 용도변경이 불가피한 경우로서 환경부장관의 용도변경승인을 받은 경우에 한하여 용도변경을 허용하도록 하고 있으므로, 위 법 제16조 제3항에 의한 용도변경승인은 특정인에게만 용도 외의 사용을 허용해주는 권리나 이익을 부여하는 이른바 수익적 행정행위로서 법령에 특별한 규정이 없는 한 재량행위이다(대판 2011.1.27, 2010두23033).

⑶ 상대방에 대한 효과에 따른 구분

① 행정행위의 상대방에게 어떤 효과가 발생하느냐에 따라 수익적 행정행위·부담적(침해적·침익적) 행정행위·복효적 행정행위로 구분할 수 있다.

② 수익적 행정행위란 상대방에 대하여 권리·이익을 부여하거나 권리의 제한·의무를 철폐하는 등 상대방에게 유리한 효과를 발생시키는 행정행위를 말한다(예 허가·특허·면제·인가·부담적 행정행위의 철회 등).

③ 부담적 행정행위는 의무를 부과하거나 권리·이익을 침해 또는 제한하는 등 상대방에게 불리한 효과를 발생시키는 행정행위를 말한다. 경찰하명(경찰명령·경찰금지), 박권행위, 수익적 행정행위의 철회·정지 등이 여기에 해당한다.

④ 복효적 행정행위란 이중효과적 행정행위라고도 하며 하나의 행정행위가 상대방에게 수익과 부담(침해)를 동시에 발생하게 하는 행정행위를 말한다. 이 때 수익과 부담이 동일인에게 귀속되는 경우를 혼합효행정행위라고 하며, 수익과 부담이 서로 다른 사람에게 귀속되는 경우를 제3자효 행정행위라고 하여 구분한다.

(4) 이전성의 유무에 따른 구분

① 대인적 행정행위는 개인의 주관적 요소(학식 · 기술 · 경험 · 기능 등)를 기준으로 행하여진 행정행위를 말한다. 의사면허 · 운전면허 · 인간문화재 지정 등이 대인적 행정행위에 해당하며 원칙적으로 일신전속적인 성격을 가지므로 이전될 수 없다.

② 대물적 행정행위는 객관적 사정(물건의 구조 · 성질 · 설비 등)에 착안하여 행해지는 행정행위로 자동차검사증의 교부 · 건축허가 등이 여기에 해당한다. 이러한 대물적 행정행위는 이전성이 인정된다.

③ 혼합적 행정행위는 인적 · 주관적 사정과 물적 · 객관적 사정을 모두 고려하여 행해지는 행정행위로 도시가스사업허가 · 총포 · 화약류제조허가 등이 해당한다. 이러한 혼합적 행정행위는 이전하려면 관계법상 다시 양수자의 주관적 · 객관적 사정에 대한 행정관청의 허가나 승인을 받도록 되어 있으므로 이전이나 양도가 제한된다.

(5) 단독행위와 쌍방행위

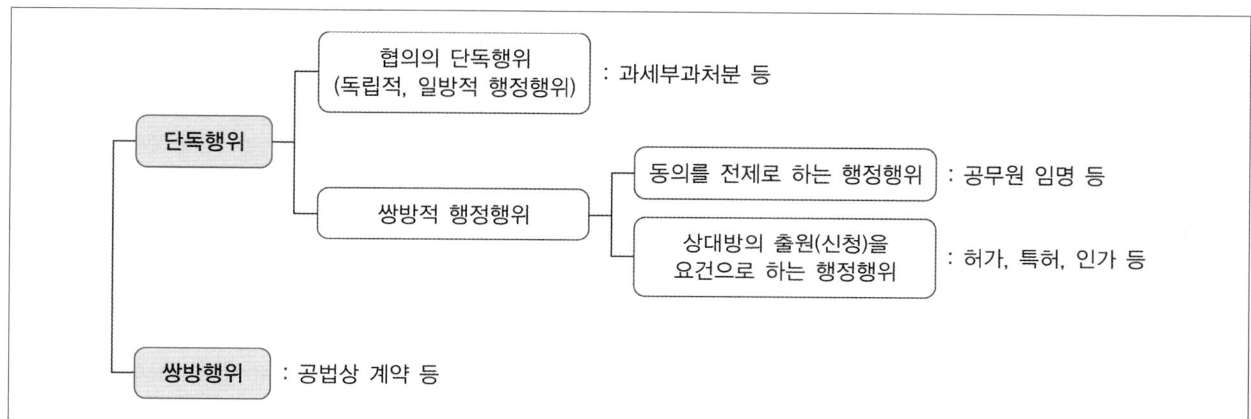

① 쌍방적 행정행위와 독립적 행정행위는 상대방의 협력 여부에 따른 구분이다. 단, 쌍방적 행정행위는 행정행위지만 쌍방(적) 행위는 행정행위가 아니므로 양자를 구별하여야 한다.

② 쌍방적 행정행위란 상대방의 협력을 요건(적법요건 또는 유효요건)으로 하는 행위로서 허가(원칙적으로 출원이 요구됨) · 인가 · 특허(출원이 필요요건)와 같이 상대방의 신청을 요건으로 하는 행위와 공무원의 임명 등과 같이 동의를 요하는 행정행위를 말한다.

③ 쌍방적 행정행위는 단독행위의 일종으로 상대방의 신청(출원) 또는 동의라는 의사표시가 있지만 그 법률관계의 내용은 법규에 기한 행정관청의 결정에 의하여 일방적으로 결정된다. 이러한 점이 쌍방(적) 행위의 일종인 공법상 계약과의 차이점이다. 공법상 계약은 행정관청과 상대방의 의사합치에 의하여 성립한다.

(6) 가행정행위

가행정행위는 종국적 행정행위가 있기 전까지 잠정적인 구속력을 가지는 행정행위 형식이다. 이와 관련하여 행정청의 본처분 권한이 있으면 명시적인 법적 근거가 없더라도 가행정행위가 가능하다고 보는 것이 다수설의 입장이다.

(7) 단계적 행정결정(예비결정과 부분허가)

① 의의: 단계적 행정결정이란 최종결정이 내려지기까지 여러 단계의 과정을 가각 독립하여 하나의 행정행위로 행하는 것을 말한다. 이러한 단계적 행정결정에는 예비결정과 부분허가가 있다.

② 예비결정: 예비결정이란 복잡한 최종적인 행정결정이 있기 전의 사전적 단계로서, 전체 행정결정에 필요한 형식적 · 실질적 요건심사에 대한 종국적인 판단을 내리는 결정을 말한다.

이러한 예비결정의 경우 단계적 절차로서 개별적인 요건에 대한 종국적이며 구속적인 결정이며 후속적인 최종 결정의 토대로 작용하게 되므로, 전체적인 모든 법적 요건을 심사하여 결정되는 일반적 행정행위와 구별된다.

판례 **폐기물처리업의 허가에 앞서 사업계획서에 대한 적정·부적정 통보 제도를 둔 취지**

폐기물관리법 제26조 제1항, 제2항 및 같은 법 시행규칙 제17조 제1항 내지 제5항의 규정에 비추어 보면 폐기물처리업의 허가에 앞서 사업계획서에 대한 적정·부적정 통보 제도를 두고 있는 것은 폐기물처리업을 하고자 하는 자가 스스로 시설 등을 설치하여 허가신청을 하였다가 허가단계에서 그 사업계획이 부적정하다고 판명되어 불허가되면 허가신청인이 막대한 경제적·시간적 손실을 입게 되므로, 이를 방지하는 동시에 허가관청으로 하여금 미리 사업계획서를 심사하여 그 적정·부적정통보 처분을 하도록 하고, 나중에 허가단계에서는 나머지 허가요건만을 심사하여 신속하게 허가업무를 처리하는데 그 취지가 있다(대판 1998.4.28, 97누21086).

③ 부분허가: 부분허가는 신청내용이 가분적인 경우 허가의 요건을 갖춘 일부에 대해서만 허가를 하는 것을 말한다.

3. 경찰하명

경찰하명은 경찰상의 목적을 위하여 국가의 일반통치권에 의거 개인에게 특정한 작위·부작위·수인 또는 급부의 의무를 명하는 행정행위이다. 경찰하명은 의사표시를 구성요소로 하는 법률행위적 행정행위에 해당한다. 또한, 경찰하명은 국민의 자연적 자유의 제한을 내용으로 하는 명령적 행위이며 일반통치권에 의거한 것이기 때문에 경찰하명의 상대방은 일반통치권에 복종하는 모든 자이다. 경찰하명은 공공의 안녕과 질서유지라는 경찰목적을 위하여 발해진다.

(1) 법규하명

① 법규하명이란 구체적인 행정행위의 존재를 요하지 않고 법령의 규정만으로 일정한 경찰하명의 효과를 발생하게 하는 것(무면허운전, 음주운전금지, 음란퇴폐행위금지 등)을 말한다. 반복적으로 적용되는 성질의 사건에 대하여 그 법규 자체가 행정행위의 효력을 가지는 것으로 법령의 공포라는 형식에 의하여 효력이 발생한다.

② 법규하명은 일반적·추상적 내용을 전제로 하며, 국민에게 새로운 의무를 부과할 수 있다는 특징이 있다.

(2) 경찰처분

① 법률에는 하명의 권한에 대한 근거만 규정되어 있어 이에 따라 구체적으로 명령하거나 금지하는 행정행위가 있음으로써 비로소 하명의 효과가 발생하는 경우를 경찰처분이라고 한다.

② 경찰처분은 법령에 의거하여 특정한 경찰의무를 과하기 위해 행하는 구체적인 행정행위로서 그 권한은 경찰행정관청 및 그의 명을 받은 경찰집행기관이 행사하는 것이 원칙이다.

③ 경찰처분은 문서에 의하는 것이 원칙이지만, 구술·행동(교통경찰관의 수신호) 및 그 밖의 여러 가지 표지를 통하여 행해지며, 다른 규정이 없는 한 의무자가 보통의 사정 아래서 알 수 있다고 인정되는 방법으로 고지함으로써 효력이 발생한다. 다만, 법규에서 형식을 요구할 때는 그 형식*을 갖추어야 한다.

* 서면·게시·관보게재·신문에 의한 공고·신호 등

④ 경찰처분은 법규하명과 달리 국민에게 새로운 의무를 부과할 수 없고, 개별적·구체적이라는 특성을 가지고 있다.

(3) 경찰하명의 종류

① **작위하명**: 작위하명은 적극적으로 어떤 행위를 하도록 의무를 명하는 경우이다. 감염병 예방을 위한 청결·소독시행, 집회신고·화재신고·사체신고 등의 신고의무나 위험건축물의 철거명령·공해방지시설 개선명령, 현역병 입영명령 등이 해당한다.

② **수인하명**: 경찰권의 발동에 의해 자신의 신체·재산·가택 등에 대하여 사실상의 침해가 발생하더라도 이를 감수하고 저항하지 아니할 의무를 과하는 행위를 수인하명이라고 한다. 수인하명은 경찰강제의 부수적 효과로서 경찰관 직무집행법에 따라 경찰상 공개된 장소에 출입하거나 장부를 검사할 때 영업주가 출입을 허용하고 검사에 응하여야 할 의무나 대집행·즉시강제시에 공권력에 복종하여야 할 의무 등이 해당한다.

③ **급부하명**: 금전이나 물품의 급부를 명하는 것을 급부하명이라고 한다. 경찰작용이 특정인에게 이익을 주거나 특정인을 위하여 필요한 경우에 그 비용을 징수하는 것으로서 대집행의 비용징수, 운전면허 수수료, 실험상 필요한 물품수거, 조세부과처분 등이 해당한다.

④ **부작위하명**: 부작위하명이란 소극적으로 어떠한 행위를 하지 아니할 의무를 명하는 경우로 이를 특히 경찰금지라고 한다. 부작위하명은 경찰하명 중에서 가장 중요한 것으로 경찰목적이 사회질서유지를 위한 위험의 제거에 있으므로 위해발생의 우려가 있는 행위를 금지시키는 가장 보편적인 경찰하명이다.

해제의 유보 여부	절대적 금지	마약판매, 인신매매, 불량식품판매, 19세 미만자의 흡연·음주 등
	상대적 금지	총포소지, 수렵, 도로통행, 음식점영업 등
인적 범위	일반금지	불특정다수인에게 부과(우측통행, 무면허운전 등)
	개별금지	일정한 영업에 종사하는 자, 특정한 지위에 있는 자 등 특정인에게만 과하여진 금지

(4) 경찰하명의 효과

① 의무발생

㉠ 경찰하명의 효과는 그 하명의 상대방에게 하명의 내용을 이행하여야 할 공법상의 의무를 발생시킨다. 하명의 종류에 따라 작위·수인·급부·부작위 의무가 발생하게 된다.

㉡ 의무를 위반한 경우 공법상 처벌의 대상이 되지만 그 행위 자체의 사법상의 효과는 당연히 무효가 아니라 유효한 행위로 남게 된다. 그 이유는 경찰상 의무부과의 직접적인 효과는 국민의 자연적 자유를 제한하는 데 있으며, 법률상의 능력이나 법률행위의 효력을 좌우하는 것이 목적이 아니기 때문이다.

㉢ 법규하명의 경우 일반적·추상적 규정에 기초하므로 그 효과는 불특정다수인에게 발생하게 되며, 경찰처분의 경우에는 하명의 유형에 따라 그 효과 발생의 대상이 제한된다.

대인적 하명	특정인의 주관적 사정을 이유로 한 하명이므로 그 특정인에게 하명의 효과가 국한되며 일신전속적인 특성으로 인해 타인에게 이전·승계되지 않는다(예 예방접종, 운전면허의 취소·정지, 의사면허, 운전면허, 총포소지허가 등).
대물적 하명	사물의 외적·물적 사정을 이유로 그 소유자나 영업주 등에 대해서 행하는 하명이므로, 하명의 효과는 그 물건·영업 등에 대한 권리의 양도가 있을 때 양수인에 대하여도 하명의 효과가 발생한다(예 건축허가, 자동차검사합격처분, 정비불량 차량의 운행금지, 주정차금지구역의 지정 등).
혼합적 하명	대물적 하명과 대인적 하명의 성격을 동시에 가지고 있는 경우로 하명효과의 이전성의 유무는 개별법에 근거하여 구체적으로 결정된다. 그러므로 이전이 제한된다(예 풍속영업허가, 총포류의 제조·판매허가 등).

② 구속력(기속력): 구속력은 행정행위의 내용에 따라 관계 행정관청, 상대방 및 이해관계인에 대하여 일정한 법적 효과가 발생하여 그 효과를 받는 자를 구속하는 힘을 말한다. 구속력은 행정행위의 성립・발효와 동시에 발생하고 취소・철회가 있기 전까지 효력이 지속된다.

③ 공정력(예선적 효력)

㉠ 행정행위가 행하여지면 비록 법정 요건을 갖추지 못한 하자가 있는 경우라도 그 하자가 중대・명백하여 당연무효가 아닌 한 권한 있는 기관에 의하여 취소되기 전까지는 일응 구속력 있는 것으로 통용되는 힘을 말한다.

㉡ 통설에 의하면 공정력은 정책적 이유로 행정행위의 유효성을 잠정적으로 추정하는 것이며 사실상의 구속력을 통용시키는 절차법적 효력에 불과하다고 본다. 그러므로 실체법적인 적법성은 추정되지 않으며, 공정력과 입증책임은 상호 관련이 없다.

㉢ 공정력은 행정의 실효성 보장, 행정법 관계의 안정성 유지 및 상대방의 신뢰보호의 필요성을 이유로 하는 법적 안정성설이 이론적 근거에 해당하며 행정의 실효성 확보 및 신뢰보호를 위하여 행정행위의 잠정적・일반적 통용력을 인정하는 절차법적 효력에 해당한다는 것이다.

㉣ 공정력은 실체법적인 적법성을 추정하는 것은 아니므로 취소소송에서의 입증책임에는 영향을 미치지 않는다. 그러므로 입증책임의 문제에 있어서는 처분의 적법요건 충족사실에 대하여는 행정관청이, 처분의 위법성에 대하여는 원고측이 입증책임을 부담하게 된다.

㉤ 공정력과 선결문제

ⓐ 의의: 선결문제란 민사소송 및 형사소송 등에서 본안판단의 전제로 제기되는 행정행위의 위법성 또는 유효 여부에 관한 문제, 즉 선결문제를 항고소송의 관할법원 이외의 법원인 민사법원 또는 형사법원이 스스로 심리・판단할 수 있는가의 문제이다.

ⓑ 민사소송에서의 선결문제: 과세처분의 취소사유를 원인으로 민사법원에 과오납금(부당이득)환급청구소송을 제기한 경우, 원고의 청구가 이유 있는 청구가 되기 위해서는 과오납금이 법률상 원인이 없는 이익이어야 하는 바, 법률상 원인이 없으려면 수소법원이 과세처분의 효력을 부인하여야 한다. 민사소송에 있어서 어느 행정처분의 당연무효 여부가 선결문제로 되는 때에는 이를 판단하여 당연무효임을 전제로 판결할 수 있고, 반드시 행정소송 등의 절차에 의하여 그 취소나 무효확인을 받아야 하는 것은 아니다.

판례

1. **조세의 과오납이 부당이득이 되는 경우 및 행정행위의 공정력의 의의**
조세의 과오납이 부당이득이 되기 위하여는 납세 또는 조세의 징수가 실체법적으로나 절차법적으로 전혀 법률상의 근거가 없거나 과세처분의 하자가 중대하고 명백하여 당연무효이어야 하고, 과세처분의 하자가 단지 취소할 수 있는 정도에 불과할 때에는 과세관청이 이를 스스로 취소하거나 항고소송절차에 의하여 취소되지 않는 한 그로 인한 조세의 납부가 부당이득이 된다고 할 수 없다.
행정처분이 아무리 위법하다고 하여도 그 하자가 중대하고 명백하여 당연무효라고 보아야 할 사유가 있는 경우를 제외하고는 아무도 그 하자를 이유로 무단히 그 효과를 부정하지 못하는 것으로, 이러한 행정행위의 공정력은 판결의 기판력과 같은 효력은 아니지만 그 공정력의 객관적 범위에 속하는 행정행위의 하자가 취소사유에 불과한 때에는 그 처분이 취소되지 않는 한 처분의 효력을 부정하여 그로 인한 이득을 법률상 원인 없는 이득이라고 말할 수 없는 것이다(대판 1994.11.11, 94다28000).

2. 행정처분의 취소를 구하는 취소소송에 당해 처분의 취소를 선결문제로 하는 부당이득반환청구가 병합된 경우, 그 청구가 인용되려면 소송절차에서 당해 처분의 취소가 확정되어야 하는지 여부(소극)
행정소송법 제10조는 처분의 취소를 구하는 취소소송에 당해 처분과 관련되는 부당이득반환소송을 관련 청구로 병합할 수 있다고 규정하고 있는바, 이 조항을 둔 취지에 비추어 보면, 취소소송에 병합할 수 있는 당해 처분과 관련되는 부당이득반환소송에는 당해 처분의 취소를 선결문제로 하는 부당이득반환청구가 포함되고, 이러한 부당이득반환청구가 인용되기 위해서는 그 소송절차에서 판결에 의해 당해 처분이 취소되면 충분하고 그 처분의 취소가 확정되어야 하는 것은 아니라고 보아야 한다(대판 2009.4.9, 2008두23153).

3. 손해배상
위법한 행정대집행이 완료되면 그 처분의 무효확인 또는 취소를 구할 소의 이익은 없다 하더라도, 미리 그 행정처분의 취소판결이 있어야만, 그 행정처분의 위법임을 이유로 한 손해배상청구를 할 수 있는 것은 아니다(대판 1972. 4.28, 72다337).

4. 민사소송에서 어느 행정처분의 당연무효 여부가 선결문제로 된 경우 반드시 행정소송 등의 절차에 의해 그 취소나 무효 확인을 받아야 하는지 여부(소극)
민사소송에 있어서 어느 행정처분의 당연무효 여부가 선결문제로 되는 때에는 이를 판단하여 당연무효임을 전제로 판결할 수 있고 반드시 행정소송 등의 절차에 의하여 그 취소나 무효확인을 받아야 하는 것은 아니다(대판 2010.4.8, 2009다90092).

ⓒ 형사소송에서의 선결문제 : 범죄구성요건에 해당하는 행정행위의 위법성 심사는 그 처분의 효력을 부인하지 않고도 심리가 가능하므로, 형사법원은 선결문제로 행정행위의 위법성을 심사할 수 있다고 보는 긍정설이 통설과 판례의 입장이다. 그러나 행정행위의 효력 유무에 관하여는 형사법원이 행정행위의 효력 유무를 스스로 판단할 수는 없다는 부정설이 다수설과 판례의 입장이다.

판례

1. 도로교통법 제57조 제1호에 위반하여 교부된 운전면허의 효력
연령미달의 결격자인 피고인이 소외인의 이름으로 운전면허시험에 응시, 합격하여 교부받은 운전면허는 당연무효가 아니고 도로교통법 제65조 제3호의 사유에 해당함에 불과하여 취소되지 않는 한 유효하므로 피고인의 운전행위는 무면허운전에 해당하지 아니한다(대판 1982.6.8, 80도2646).

2. 개발제한구역의 지정 및 관리에 관한 특별조치법 제30조 제1항에 의하여 행정청으로부터 시정명령을 받은 자가 이를 위반한 경우, 같은 법 제32조 제2호에 정한 처벌을 하기 위하여는 시정명령이 적법하여야 하는지 여부(적극) 및 시정명령이 당연무효는 아니지만 위법한 것으로 인정되는 경우, 같은 법 제32조 제2호 위반죄가 성립하는지 여부(소극)
피고인 甲 주식회사의 대표이사 피고인 乙이 개발제한구역 내에 무단으로 고철을 쌓아 놓은 행위 등에 대하여 관할관청으로부터 원상복구를 명하는 시정명령을 받고도 이행하지 아니하였다고 하여 개발제한구역의 지정 및 관리에 관한 특별조치법(이하 '개발제한구역법'이라 한다) 위반으로 기소된 사안에서, 관할관청이 침해적 행정처분인 시정명령을 하면서 피고인 乙에게 행정절차법 제21조, 제22조에 따른 적법한 사전통지를 하거나 의견제출 기회를 부여하지 않았고 이를 정당화할 사유도 없으므로 시정명령은 절차적 하자가 있어 위법하고, 시정명령이 당연무효가 아니더라도 위법한 것으로 인정되는 이상 피고인 乙이 시정명령을 이행하지 아니하였더라도 피고인 乙에 대하여 개발제한구역법 제32조 제2호 위반죄가 성립하지 아니한다(대판 2017.9.21, 2017도7321).

④ 확정력(존속력) : 행정행위로 확정되면 상대방이 그 효력을 다툴 수 없고(불가쟁력), 행정관청이 행정행위를 변경할 수 없는 것(불가변력)을 의미한다.

불가쟁력 (형식적 확정력)	행정행위에 대한 쟁송제기기간이 경과하거나 쟁송수단을 모두 거친 경우에는 상대방 또는 이해관계인은 더 이상 그 행정행위의 효력을 다툴 수 없게 되는 힘이다. 형식적 확정력이라 부르는 것으로 모든 행정행위가 가지는 효력이며 행정객체를 구속하는 힘으로 실체법적 구속력에 해당한다.
불가변력 (실질적 확정력)	행정행위를 행정관청이 직권으로 취소·철회할 수 없게 되는 제한을 받는 힘이다. 실질적 확정력에 해당하는 것으로 준사법적 행위 등 특정한 행위에 대해서만 발생한다. 행정주체를 구속하는 힘으로 실체법적 구속력에 해당한다.
양자는 상호 관련이 없으므로 불가쟁력과 불가변력 중 어느 하나의 힘만 발생한 경우 다른 힘과 관계된 당사자는 그 주장이나 변경에 있어 제한을 받지 않는다.	

판례

1. **행정처분이나 행정심판재결이 불복기간의 경과로 인하여 확정된 경우, 그 확정력의 의미**
   일반적으로 행정처분이나 행정심판재결이 불복기간의 경과로 인하여 확정될 경우, 그 확정력은 그 처분으로 인하여 법률상 이익을 침해받은 자가 당해 처분이나 재결의 효력을 더 이상 다툴 수 없다는 의미일 뿐, 더 나아가 판결에 있어서와 같은 기판력이 인정되는 것은 아니어서 그 처분의 기초가 된 사실관계나 법률적 판단이 확정되고 당사자들이나 법원이 이에 기속되어 모순되는 주장이나 판단을 할 수 없게 되는 것은 아니다(대판 2000.4.25, 2000다2023).
2. **제소기간이 도과하여 불가쟁력이 생긴 행정처분에 대하여 국민에게 그 변경을 구할 신청권이 있는지 여부(원칙적 소극)**
   제소기간이 이미 도과하여 불가쟁력이 생긴 행정처분에 대하여는 개별 법규에서 그 변경을 요구할 신청권을 규정하고 있거나 관계 법령의 해석상 그러한 신청권이 인정될 수 있는 등 특별한 사정이 없는 한 국민에게 그 행정처분의 변경을 구할 신청권이 있다 할 수 없다(대판 2007.4.26, 2005두11104).
3. **대상을 달리하는 동종의 행정행위의 불가변력이 인정되는지 여부**
   국민의 권리와 이익을 옹호하고 법적안정을 도모하기 위하여 특정한 행위에 대하여는 행정청이라 하여도 이것을 자유로이 취소, 변경 및 철회할 수 없다는 행정행위의 불가변력은 당해 행정행위에 대하여서만 인정되는 것이고, 동종의 행정행위라 하더라도 그 대상을 달리할 때에는 이를 인정할 수 없다(대판 1974.12.10, 73누129).
4. **비교표준지 선정의 잘못으로 인하여 개별토지가격의 산정이 명백히 잘못된 경우, 개별토지의 가격결정에 대한 직권취소가 가능한지 여부**
   행정처분을 한 처분청은 그 행위에 하자가 있는 경우에는 원칙적으로 별도의 법적 근거가 없더라도 스스로 이를 직권으로 취소할 수 있는 것이고, 행정처분에 대한 법정의 불복기간이 지나면 직권으로도 취소할 수 없게 되는 것은 아니다(대판 1995.9.15, 95누6311).

⑤ 강제력(집행력)

㉠ 강제력은 자력집행력과 제재력으로 구분할 수 있다. 자력집행력이란 행정행위에 의하여 부과된 의무를 상대방이 이행하지 않을 경우 행정관청이 자력으로 그 이행을 강제할 수 있는 힘을 의미한다.

㉡ 제재력이란 행정행위에 의해 부과된 의무를 위반하는 경우 행정처벌을 부과할 수 있는 힘을 말한다.

(5) 경찰하명 위반에 대한 제재

경찰하명에 위반한 행위는 강제집행이나 처벌의 대상이 되지만, 원칙적으로 사법(私法)상의 법률적 효력까지 부인하는 것은 아니다. 그러므로 경찰하명에 위반한 행위라고 하더라도 제3자와 형성한 사법상의 법률관계에 대해서는 아무런 영향을 미치지 않는다.

(6) 경찰하명의 하자

① 적법한 경찰하명은 법규에 근거가 있어야 하고 법규의 범위 내에서 이루어져야 한다. 즉, 경찰권발동의 한계를 일탈하여서는 아니 된다. 그러나 경찰권의 발동이 이러한 적법요건을 구비하지 못한 경우 그 하자의 정도에 따라 경찰하명은 무효 또는 취소가 된다. 이러한 하자의 유무는 행정행위가 외부에 표시된 시점을 기준으로 판단하므로, 사후에 위법사유가 발생한 경우에는 철회의 문제에 해당한다.

② 위법한 경찰하명으로 인하여 권리·이익이 침해된 자는 행정쟁송 또는 손해배상을 청구할 수 있다.

> **판례** **행정처분의 위법 여부 판단의 기준시점(= 처분시) 및 하자 있는 행정행위의 치유가 허용되기 위한 요건**
> 행정소송에서 행정처분의 위법 여부는 행정처분이 있을 때의 법령과 사실상태를 기준으로 하여 판단하여야 하고, 처분 후 법령의 개폐나 사실상태의 변동에 의하여 영향을 받지는 않는다고 할 것이고, 하자 있는 행정행위의 치유는 행정행위의 성질이나 법치주의의 관점에서 볼 때 원칙적으로 허용될 수 없는 것이고, 예외적으로 행정행위의 무용한 반복을 피하고 당사자의 법적 안정성을 위해 이를 허용하는 때에도 국민의 권리나 이익을 침해하지 않는 범위에서 구체적 사정에 따라 합목적적으로 인정하여야 한다(대판 2002.7.9, 2001두10684).

③ 경찰하명의 무효

㉠ 외관상 행정행위는 존재하나 그 하자가 중대·명백하여 행정관청의 취소가 없어도 처음부터 그 법률행위의 효과가 발생하지 않는다.

㉡ 통설적 견해에 의하면 경찰하명의 무효원인은 중대하고 명백한 하자가 있는 경우에 한하며, 그 외의 하자는 취소사유에 해당한다고 본다. 무효의 원인에는 주체·내용·절차·형식 등에 하자가 있는 경우 등이 있다.

㉢ 무효인 경찰하명은 처음부터 그 효력이 발생하지 않으므로 수명자는 의무에 위반하여도 처벌되지 아니할 뿐만 아니라 의무불이행으로 인한 경찰상 강제집행의 대상에도 해당하지 않는다.

④ 경찰하명의 취소

㉠ 경찰하명의 취소란 경찰하명에 하자가 있지만 그 하자가 경미하여 부당 또는 단순위법에 불과하므로 '일단 유효하게 효력이 발생'하지만 나중에 정당한 권한 있는 기관에 의하여 행정행위의 하자를 이유로 취소권이 행사될 경우 그 효력이 '소급하여 소멸'되는 경우를 말한다.

㉡ 경찰하명의 하자가 중대·명백하지 않아 당연무효가 아닌 경우, 권한 있는 기관에 의하여 취소되기 전까지는 공정력에 의하여 유효한 하명으로 추정받게 된다.

㉢ 권한 있는 행정관청에 의하여 취소되기 전까지 수명자는 이에 위반하거나 의무를 이행하지 않으면 처벌 또는 강제집행의 대상이 된다.

㉣ 그러므로 권한 있는 행정관청에 의하여 취소되기 전까지 수명자는 이에 위반하거나 의무를 이행하지 않으면 처벌 또는 강제집행의 대상이 된다.

> **판례**
>
> 1. **수익적 행정행위를 취소할 수 있는 경우**
> 행정행위를 한 처분청은 그 행위에 하자가 있는 경우에 별도의 법적 근거가 없더라도 스스로 이를 취소할 수 있는 것이며, 다만 그 행위가 국민에게 권리나 이익을 부여하는 이른바 수익적 행정행위인 때에는 그 행위를 취소하여야 할 공익상 필요와 그 취소로 인하여 당사자가 입을 기득권과 신뢰보호 및 법률생활 안정의 침해 등 불이익을 비교교량한 후 공익상 필요가 당사자의 기득권침해 등 불이익을 정당화할 수 있을 만큼 강한 경우에 한하여 취소할 수 있다(대판 1986.2.25, 85누664).

2. 음주운전을 단속한 경찰관 명의로 행한 운전면허정지처분의 효력(무효)

운전면허에 대한 정지처분권한은 경찰청장으로부터 경찰서장에게 권한위임된 것이므로 음주운전자를 적발한 단속 경찰관으로서는 관할 경찰서장의 명의로 운전면허정지처분을 대행처리할 수 있을지는 몰라도 자신의 명의로 이를 할 수는 없다 할 것이므로, 단속 경찰관이 자신의 명의로 운전면허행정 처분통지서를 작성·교부하여 행한 운전면허정지처분은 비록 그 처분의 내용·사유·근거 등이 기재된 서면을 교부하는 방식으로 행하여졌다고 하더라도 권한 없는 자에 의하여 행하여진 점에서 무효의 처분에 해당한다(대판 1997.5.16, 97누2313).

3. 부동산을 양도한 사실이 없음에도 행한 양도소득세 부과처분의 효력(= 당연무효)

부동산을 양도한 사실이 없음에도 세무당국이 부동산을 양도한 것으로 오인하여 양도소득세를 부과하였다면 그 부과처분은 착오에 의한 행정처분으로서 그 표시된 내용에 중대하고 명백한 하자가 있어 당연무효이다(대판 1983.8.23, 83누179).

4. 체납자 아닌 제3자 소유물건에 대한 압류처분의 효력(=당연무효)

과세관청이 납세자에 대한 체납처분으로서 제3자의 소유물건을 압류하고 공매하더라도 그 처분으로 인하여 제3자가 소유권을 상실하는 것이 아니므로 체납자가 아닌 제3자의 소유물건을 대상으로 한 압류처분은 하자가 객관적으로 명백한 것인지 여부와는 관계없이 처분의 내용이 법률상 실현될 수 없는 것이어서 당연무효라고 하지 않을 수 없다(대판 1993.4.27, 92누12117).

5. 구 환경영향평가법상 환경영향평가를 실시하여야 할 사업에 대하여 환경영향평가를 거치지 아니하였음에도 승인 등 처분을 한 경우, 그 처분의 하자가 행정처분의 당연무효사유에 해당하는지 여부(적극)

환경영향평가를 거쳐야 할 대상사업에 대하여 환경영향평가를 거치지 아니하였음에도 불구하고 승인 등 처분이 이루어진다면, 사전에 환경영향평가를 함에 있어 평가대상지역 주민들의 의견을 수렴하고 그 결과를 토대로 하여 환경부장관과의 협의내용을 사업계획에 미리 반영시키는 것 자체가 원천적으로 봉쇄되는바, 이렇게 되면 환경파괴를 미연에 방지하고 쾌적한 환경을 유지·조성하기 위하여 환경영향평가제도를 둔 입법 취지를 달성할 수 없게 되는 결과를 초래할 뿐만 아니라 환경영향평가대상지역 안의 주민들의 직접적이고 개별적인 이익을 근본적으로 침해하게 되므로, 이러한 행정처분의 하자는 법규의 중요한 부분을 위반한 중대한 것이고 객관적으로도 명백한 것이라고 하지 않을 수 없어, 이와 같은 행정처분은 당연무효이다(대판 2006.6.30, 2005두14363).

6. 행정청의 처분의 방식을 규정한 행정절차법 제24조를 위반하여 행해진 행정청의 처분이 무효인지 여부(원칙적 적극)

행정절차법 제24조는, 행정청이 처분을 하는 때에는 다른 법령 등에 특별한 규정이 있는 경우를 제외하고는 문서로 하여야 하고 전자문서로 하는 경우에는 당사자 등의 동의가 있어야 하며, 다만 신속을 요하거나 사안이 경미한 경우에는 구술 기타 방법으로 할 수 있다고 규정하고 있는데, 이는 행정의 공정성·투명성 및 신뢰성을 확보하고 국민의 권익을 보호하기 위한 것이므로 위 규정을 위반하여 행하여진 행정청의 처분은 하자가 중대하고 명백하여 원칙적으로 무효이다(대판 2011.11.10, 2011도11109).

7. 공청회와 이주대책이 없는 도시계획수립행위의 위법과 수용재결처분의 취소

도시계획의 수립에 있어서 도시계획법 제16조의2 소정의 공청회를 열지 아니하고 공공용지의 취득 및 손실보상에 관한 특례법 제8조 소정의 이주대책을 수립하지 아니하였더라도 이는 절차상의 위법으로서 취소사유에 불과하고 그 하자가 도시계획결정 또는 도시계획사업시행인가를 무효라고 할 수 있을 정도로 중대하고 명백하다고는 할 수 없으므로 이러한 위법을 선행처분인 도시계획결정이나 사업시행인가 단계에서 다투지 아니하였다면 그 쟁소기간이 이미 도과한 후인 수용재결단계에 있어서는 도시계획수립 행위의 위와 같은 위법을 들어 재결처분의 취소를 구할 수는 없다고 할 것이다(대판 1990.1.23, 87누947).

8. 행정청이 침해적 행정처분을 함에 있어서 당사자에게 행정절차법상의 사전통지를 하지 않거나 의견제출의 기회를 주지 아니한 경우, 그 처분이 위법한 것인지 여부(한정 적극)

행정절차법 제21조 제1항, 제4항, 제22조 제1항 내지 제4항에 의하면, 행정청이 당사자에게 의무를 과하거나 권익을 제한하는 처분을 하는 경우에는 미리 처분하고자 하는 원인이 되는 사실과 처분의 내용 및 법적 근거, 이에 대하여 의견을 제출할 수 있다는 뜻과 의견을 제출하지 아니하는 경우의 처리방법 등의 사항을 당사자 등에게 통지하여야 하고, 다른 법령 등에서 필요적으로 청문을 실시하거나 공청회를 개최하도록 규정하고 있지 아니한 경우에도 당사자 등에게 의견제출의 기회를 주어야 하되, 당해 처분의 성질상 의견청취가 현저히 곤란하거나 명백히 불필요하다고 인정될 만한 상당한 이유가 있는 경우 등에는 처분의 사전통지나 의견청취를 하지 아니할 수 있도록 규정하고 있으므로, 행정청이 침해적 행정처분을 함에 있어서 당사자에게 위와 같은 사전통지를 하거나 의견제출의 기회를 주지 아니하였다면 사전통지를 하지 않거나 의견제출의 기회를 주지 아니하여도 되는 예외적인 경우에 해당하지 아니하는 한 그 처분은 위법하여 취소를 면할 수 없다(대판 2000.11.14, 99두5870).

9. 약사법 제69조의2 규정에 따른 청문절차를 거치지 않고 한 양약종상허가 취소처분의 효력

양약종상허가취소처분을 하기에 앞서 약사법 제69조의2 규정에 따른 청문의 기회를 부여하지 아니한 것은 위법이나 그러한 흠 때문에 동 허가취소처분이 당연무효가 되는 것은 아니다(대판 1986.8.19, 86누115).

10. 청문절차 없이 한 영업소 폐쇄명령의 효력

행정청이 영업허가취소 등의 처분을 하려면 반드시 사전에 청문절차를 거쳐야 하고 설사 식품위생법 제26조 제1항 소정의 사유가 분명히 존재하는 경우라 할지라도 당해 영업자가 청문을 포기한 경우가 아닌 한 청문절차를 거치지 않고 한 영업소 폐쇄명령은 위법하여 취소사유에 해당된다(대판 1983.6.14, 83누14).

11. 법률에 대한 헌법재판소의 위헌결정이 있기 전에 그 법률에 근거하여 행해진 행정처분이 당연무효인지 여부(소극)

행정청이 법률에 근거하여 행정처분을 한 후에 헌법재판소가 그 법률을 위헌으로 결정하였다면 그 행정처분은 결과적으로 법률의 근거가 없이 행하여진 것과 마찬가지가 되어 하자가 있다고 할 것이나, 하자 있는 행정처분이 당연무효가 되기 위하여는 그 하자가 중대할 뿐만 아니라 명백한 것이어야 하는데, 일반적으로 법률이 헌법에 위반된다는 사정은 헌법재판소의 위헌결정이 있기 전에는 객관적으로 명백한 것이라고 할 수 없으므로 특별한 사정이 없는 한 이러한 하자는 위 행정처분의 취소사유에 해당할 뿐 당연무효 사유는 아니라고 보아야 한다(대판 2000.6.9, 2000다16329).

12. 과세처분 이후 조세 부과의 근거가 되었던 법률규정에 대하여 위헌결정이 내려진 경우, 그 조세채권의 집행을 위한 체납처분이 당연무효인지 여부(적극)

구 헌법재판소법(2011.4.5. 법률 제10546호로 개정되기 전의 것) 제47조 제1항은 "법률의 위헌결정은 법원 기타 국가기관 및 지방자치단체를 기속한다."고 규정하고 있는데, 이러한 위헌결정의 기속력과 헌법을 최고규범으로 하는 법질서의 체계적 요청에 비추어 국가기관 및 지방자치단체는 위헌으로 선언된 법률규정에 근거하여 새로운 행정처분을 할 수 없음은 물론이고, 위헌결정 전에 이미 형성된 법률관계에 기한 후속처분이라도 그것이 새로운 위헌적 법률관계를 생성·확대하는 경우라면 이를 허용할 수 없다. 따라서 조세 부과의 근거가 되었던 법률규정이 위헌으로 선언된 경우, 비록 그에 기한 과세처분이 위헌결정 전에 이루어졌고, 과세처분에 대한 제소기간이 이미 경과하여 조세채권이 확정되었으며, 조세채권의 집행을 위한 체납처분의 근거규정 자체에 대하여는 따로 위헌결정이 내려진 바 없다고 하더라도, 위와 같은 위헌결정 이후에 조세채권의 집행을 위한 새로운 체납처분에 착수하거나 이를 속행하는 것은 더 이상 허용되지 않고, 나아가 이러한 위헌결정의 효력에 위배하여 이루어진 체납처분은 그 사유만으로 하자가 중대하고 객관적으로 명백하여 당연무효라고 보아야 한다[대판 2012.2.16, 2010두10907(전합)].

13. 운전면허취소처분을 받은 후 자동차를 운전하였으나 위 취소처분이 행정쟁송절차에 의하여 취소된 경우, 무면허운전의 성립 여부(소극)

피고인이 행정청으로부터 자동차 운전면허취소처분을 받았으나 나중에 그 행정처분 자체가 행정쟁송절차에 의하여 취소되었다면, 위 운전면허취소처분은 그 처분시에 소급하여 효력을 잃게 되고, 피고인은 위 운전면허취소처분에 복종할 의무가 원래부터 없었음이 후에 확정되었다고 봄이 타당할 것이고, 행정행위에 공정력의 효력이 인정된다고 하여 행정소송에 의하여 적법하게 취소된 운전면허취소처분이 단지 장래에 향하여서만 효력을 잃게 된다고 볼 수는 없다(대판 1999.2.5, 98도4239).

14. 취소되어 더 이상 존재하지 않는 행정처분을 대상으로 한 취소소송에 소의 이익이 있는지 여부(소극)

행정처분이 취소되면 그 처분은 효력을 상실하여 더 이상 존재하지 않는 것이고, 존재하지 않는 행정처분을 대상으로 한 취소소송은 소의 이익이 없어 부적법하다(대판 2010.4.29, 2009두16879).

15. 과세관청의 응소행위에 의하여 시효중단의 효력이 생기는지 여부

선행과세처분에 대한 소송이 진행 중이라도 과세관청으로서는 위법한 행정처분을 스스로 취소하고 그 절차상의 하자를 보완하여 다시 적법한 과세처분을 할 수도 있다(대판 1988.3.22, 86누269).

16. 행정행위의 취소처분의 취소가 가능한지 여부

행정행위(과세처분)의 취소처분의 위법이 중대하고 명백하여 당연무효이거나, 그 취소처분에 대하여 소원 또는 행정소송으로 다툴 수 있는 명문규정이 있는 경우는 별론, 행정행위의 취소처분의 취소에 의하여 이미 효력을 상실한 행정행위를 소생시킬 수 없고, 그러기 위하여는 원 행정행위와 동일내용의 행정행위를 다시 행할 수밖에 없다(대판 1979.5.8, 77누61).

17. 행정청이 의료법인의 이사에 대한 이사취임승인취소처분을 직권으로 취소한 경우, 법원에 의하여 선임된 임시이사는 법원의 해임결정이 없더라도 당연히 그 지위가 소멸되는지 여부(적극)

행정처분이 취소되면 그 소급효에 의하여 처음부터 그 처분이 없었던 것과 같은 효과를 발생하게 되는바, 행정청이 의료법인의 이사에 대한 이사취임승인취소처분(제1처분)을 직권으로 취소(제2처분)한 경우에는 그로 인하여 이사가 소급하여 이사로서의 지위를 회복하게 되고, 그 결과 위 제1처분과 제2처분 사이에 법원에 의하여 선임결정된 임시이사들의 지위는 법원의 해임결정이 없더라도 당연히 소멸된다(대판 1997.1.21, 96누3401).

18. 학교법인의 교비회계자금을 법인회계로 부당전출한 행위의 위법성 정도와 임원들의 이에 대한 가공의 정도, 학교법인이 사실상 행정청의 시정 요구 대부분을 이행하지 아니하였던 사정 등을 참작하여, 임원취임승인취소처분이 재량권을 일탈 · 남용하였다고 볼 수 없다고 한 사례

학교법인의 임원취임승인취소처분에 대한 취소소송에서, 교비회계자금을 법인회계로 부당전출한 위법성의 정도와 임원들의 이에 대한 가공의 정도가 가볍지 아니하고, 학교법인이 행정청의 시정 요구에 대하여 이를 시정하기 위한 노력을 하였다고는 하나 결과적으로 대부분의 시정 요구 사항이 이행되지 아니하였던 사정 등을 참작하여, 위 취소처분이 재량권을 일탈 · 남용하였다고 볼 수 없다[대판 2007.7.19, 2006두19297(전합)].

19. 영업허가취소처분취소

미성년자를 출입시켰다는 이유로 2회나 영업정지에 갈음한 과징금을 부과받은 지 1개월만에 다시 만 17세도 되지 아니한 고등학교 1학년 재학생까지 포함된 미성년자들을 연령을 확인하지 않고 출입시킨 행위에 대한 영업허가취소처분이 재량권을 일탈한 위법한 처분이라고 보기 어렵다(대판 1993.10.26, 93누5185).

20. 지방식품의약품안정청이 유해화학물질인 말라카이트그린이 사용된 냉동새우를 수입하면서 수입신고서에 그 사실을 누락한 회사에 대하여 영업정지 1월의 처분을 한 사안

지방식품의약품안정청이 유해화학물질인 말라카이트그린이 사용된 냉동새우를 수입하면서 수입신고서에 그 사실을 누락한 회사에 대하여 영업정지 1월의 처분을 한 사안에서, '구 식품위생법 시행규칙 제53조 [별표 15] 행정처분기준 Ⅰ. 일반기준'을 준수한 위 처분에 재량권을 일탈하거나 남용한 위법이 없다(대판 2010.4.8, 2009두22997).

21. 교통사고를 일으킨 후 구호조치 없이 도주한 수사 담당 경찰관에 대한 해임처분이 재량권의 범위를 일탈 · 남용한 것이 아니라고 본 사례

교통사고를 일으켜 피해자 2인에게 각 전치 2주의 상해를 입히고 약 296,890원 상당의 손해를 입히고도 구호조치 없이 도주한 수사 담당 경찰관에 대한 해임처분이 재량권의 범위를 일탈 · 남용한 것은 아니다(대판 1999.10.8, 99두6101).

22. 임면권자가 아닌 국가정보원장이 5급 이상의 국가정보원직원에 대하여 한 의원면직처분이 당연무효가 아니라고 한 사례

5급 이상의 국가정보원직원에 대한 의원면직처분이 임면권자인 대통령이 아닌 국가정보원장에 의해 행해진 것으로 위법하고, 나아가 국가정보원직원의 명예퇴직원 내지 사직서 제출이 직위해제 후 1년여에 걸친 국가정보원장 측의 종용에 의한 것이었다는 사정을 감안한다 하더라도 그러한 하자가 중대한 것이라고 볼 수는 없으므로, 대통령의 내부결재가 있었는지에 관계없이 당연무효는 아니다(대판 2007.7.26, 2005두15748).

23. 과세대상인 법률관계 내지 사실관계를 오인하여 부과된 과세처분이 당연 무효인지 여부(소극)

과세대상이 되는 법률관계나 사실관계(소득 또는 행위)가 전혀 없는 사람에게 하는 과세처분은 그 하자가 명백하고 중대하다 할 것이나, 과세대상이 되지 아니하는 어떠한 법률관계나 사실관계에 대하여 이를 과세대상이 되는 것으로 오인할 만한 객관적인 사정이 있는 경우에, 그것이 과세대상이 되는지의 여부가 그 사실관계를 정확히 조사하여야 비로서 밝혀질 수 있는 경우라면, 이를 오인한 하자가 중대한 경우라도 외관상 명백하다고는 할 수 없으므로, 과세대상의 법률관계 내지 사실관계를 오인하고 세금을 부과한 경우에는 그 과세처분을 당연무효라고는 할 수 없고 단지 취소할 수 있음에 불과한 것이다(대판 1982.10.26, 81누69).

24. 청산중인 귀속휴면법인의 사유지를 국유미간지로 오인하여 한 일반개간허가처분의 효력

일단 성립된 행정처분에 내재하는 하자가 중요한 법규에 위반한 것이고 객관적으로도 명백한 것인 때에는 그 행정처분은 효력을 발생하지 못하는 것이고 여기에서 행정처분의 하자가 객관적으로 명백하다 함은 그 행정처분 자체에 하자가 있음이 외관상 명백함을 말하는 것으로 단순히 행정처분의 대상 자체에 명백한 하자가 있음만을 가리키는 것은 아니므로 귀속휴면법인의 사유지를 국유지로 오인하여 한 일반개간허가처분이 취소할 수 있는 행정처분에 불과한 것이라고 단정할 수는 없으나, 그 하자가 명백하고 중대한 것이라고 인정할 수 없는 한 당연무효의 행정처분이라고는 볼 수 없다(대판 1965.10.19, 65누83).

25. 공공사업의 경제성 또는 사업성의 결여로 인하여 행정처분이 무효로 되기 위한 요건과 그 경제성 또는 사업성의 판단방법

공공사업의 경제성 내지 사업성의 결여로 인하여 행정처분이 무효로 되기 위하여는 공공사업을 시행함으로 인하여 얻는 이익에 비하여 공공사업에 소요되는 비용이 훨씬 커서 이익과 비용이 현저하게 균형을 잃음으로써 사회통념에 비추어 행정처분으로 달성하고자 하는 사업 목적을 실질적으로 실현할 수 없는 정도에 이르렀다고 볼 정도로 과다한 비용과 희생이 요구되는 등 그 하자가 중대하여야 할 뿐만 아니라, 그러한 사정이 객관적으로 명백한 경우라야 한다[대판 2006.3.16, 2006두330, (전합)].

26. 하자 있는 행정처분이 당연무효로 되기 위한 요건과 그 판단 기준

행정처분에 존재하는 하자가 중대하다고 하더라도 외형상 객관적으로 명백하지 않다면 그 처분을 당연무효라고 할 수 없는 것인바, 행정청이 어느 법률관계나 사실관계에 대하여 어느 법률의 규정을 적용하여 행정처분을 한 경우에, 그 법률관계나 사실관계에 대하여는 그 법률의 규정을 적용할 수 없다는 법리가 명백히 밝혀져 그 해석에 다툼의 여지가 없음에도 불구하고 행정청이 위 규정을 적용하여 처분을 한 때에는 그 하자가 중대하고도 명백하다고 할 것이나, 그 법률관계나 사실관계에 대하여 그 법률의 규정을 적용할 수 없다는 법리가 명백히 밝혀지지 아니하여 그 해석에 다툼의 여지가 있는 때에는 행정관청이 이를 잘못 해석하여 행정처분을 하였더라도 이는 그 처분 요건사실을 오인한 것에 불과하여 그 하자가 명백하다고 할 수 없는 것이고, 또한 행정처분의 대상이 되는 법률관계나 사실관계가 전혀 없는 사람에게 행정처분을 한 때에는 그 하자가 중대하고도 명백하다 할 것이나, 행정처분의 대상이 되지 아니하는 어떤 법률관계나 사실관계에 대하여 이를 처분의 대상이 되는 것으로 오인할 만한 객관적인 사정이 있는 경우로서 그것이 처분대상이 되는지의 여부가 그 사실관계를 정확히 조사하여야 비로소 밝혀질 수 있는 때에는 비록 이를 오인한 하자가 중대하다고 할지라도 외관상 명백하다고 할 수 없다(대판 1997.5.9, 95다46722).

27. 행정청이 과징금 부과처분을 하였다가 감액처분을 한 경우 감액처분에 의하여 감액된 부분에 대한 부과처분 취소청구의 적법 여부(소극)

행정처분을 한 처분청은 그 처분에 하자가 있는 경우에는 별도의 법적 근거가 없더라도 스스로 이를 취소하거나 변경할 수 있다고 할 것인바(대판 1986.2.25, 85누664 ; 대판 2006.5.25, 2003두4669 등 참조), 과징금 부과처분에 있어 행정청이 납부의무자에 대하여 부과처분을 한 후 그 부과처분의 하자를 이유로 과징금의 액수를 감액하는 경우에 그 감액처분은 감액된 과징금 부분에 관하여만 법적 효과가 미치는 것으로서 당초 부과처분과 별개 독립의 과징금 부과처분이 아니라 그 실질은 당초 부과처분의 변경이고, 그에 의하여 과징금의 일부취소라는 납부의무자에게 유리한 결과를 가져오는 처분이므로 당초 부과처분이 전부 실효되는 것은 아니다. 따라서 그 감액처분에 의하여 감액된 부분에 대한 부과처분 취소청구는 이미 소멸하고 없는 부분에 대한 것으로서 그 소의 이익이 없어 부적법하다고 할 것이다(대판 2008.2.15, 2006두4226).

28. 지방병무청장이 재신체검사 등을 거쳐 현역병입영대상편입처분을 보충역편입처분이나 제2국민역편입처분으로 변경하거나 보충역편입처분을 제2국민역편입처분으로 변경하는 경우, 그 후 새로운 병역처분의 성립에 하자가 있었음을 이유로 하여 이를 취소한다고 하더라도 종전의 병역처분의 효력이 되살아나는지 여부(소극)

구 병역법(1999.2.5. 법률 제5757호로 개정되기 전의 것) 제5조, 제8조, 제12조, 제14조, 제62조, 제63조, 제65조의 규정을 종합하면, 지방병무청장이 재신체검사 등을 거쳐 현역병입영대상편입처분을 보충역편입처분이나 제2국민역편입처분으로 변경하거나 보충역편입처분을 제2국민역편입처분으로 변경하는 경우 비록 새로운 병역처분의 성립에 하자가 있다고 하더라도 그것이 당연무효가 아닌 한 일단 유효하게 성립하고 제소기간의 경과 등 형식적 존속력이 생김

CHAPTER 04

과 동시에 종전의 병역처분의 효력은 취소 또는 철회되어 확정적으로 상실된다고 보아야 할 것이므로 그 후 새로운 병역처분의 성립에 하자가 있었음을 이유로 하여 이를 취소한다고 하더라도 종전의 병역처분의 효력이 되살아난다고 할 수 없다(대판 2002.5.28, 2001두9653).

29. 도로관리청이 도로점용허가를 하면서 특별사용의 필요가 없는 부분을 점용장소 및 점용면적에 포함한 경우, 도로점용허가 중 위 부분은 위법한지 여부(적극)

도로점용허가는 도로의 일부에 대한 특정사용을 허가하는 것으로서 도로의 일반사용을 저해할 가능성이 있으므로 그 범위는 점용목적 달성에 필요한 한도로 제한되어야 한다. 도로관리청이 도로점용허가를 하면서 특별사용의 필요가 없는 부분을 점용장소 및 점용면적에 포함하는 것은 그 재량권 행사의 기초가 되는 사실인정에 잘못이 있는 경우에 해당하므로 그 도로점용허가 중 특별사용의 필요가 없는 부분은 위법하다. 이러한 경우 도로점용허가를 한 도로관리청은 위와 같은 흠이 있다는 이유로 유효하게 성립한 도로점용허가 중 특별사용의 필요가 없는 부분을 직권취소할 수 있음이 원칙이다. 다만, 이 경우 행정청이 소급적 직권취소를 하려면 이를 취소하여야 할 공익상 필요와 그 취소로 당사자가 입을 기득권 및 신뢰보호와 법률생활 안정의 침해 등 불이익을 비교·교량한 후 공익상 필요가 당사자의 기득권 침해 등 불이익을 정당화할 수 있을 만큼 강한 경우여야 한다. 이에 따라 도로관리청이 도로점용허가 중 특별사용의 필요가 없는 부분을 소급적으로 직권취소하였다면, 도로관리청은 이미 징수한 점용료 중 취소된 부분의 점용면적에 해당하는 점용료를 반환하여야 한다(대판 2019.1.17, 2016두56721·56738).

30. 구 학교보건법상 학교환경위생정화구역에서의 금지행위 및 시설의 해제 여부에 관한 행정처분을 함에 있어 학교환경위생정화위원회의 심의를 거치도록 한 취지 및 그 심의절차를 누락한 행정처분이 위법한지 여부(적극)

행정청이 구 학교보건법(2005.12.7. 법률 제7700호로 개정되기 전의 것) 소정의 학교환경위생정화구역 내에서 금지행위 및 시설의 해제 여부에 관한 행정처분을 함에 있어 학교환경위생정화위원회의 심의를 거치도록 한 취지는 그에 관한 전문가 내지 이해관계인의 의견과 주민의 의사를 행정청의 의사결정에 반영함으로써 공익에 가장 부합하는 민주적 의사를 도출하고 행정처분의 공정성과 투명성을 확보하려는 데 있고, 나아가 그 심의의 요구가 법률에 근거하고 있을 뿐 아니라 심의에 따른 의결내용도 단순히 절차의 형식에 관련된 사항에 그치지 않고 금지행위 및 시설의 해제 여부에 관한 행정처분에 영향을 미칠 수 있는 사항에 관한 것임을 종합해 보면, 금지행위 및 시설의 해제 여부에 관한 행정처분을 하면서 절차상 위와 같은 심의를 누락한 흠이 있다면 그와 같은 흠을 가리켜 위 행정처분의 효력에 아무런 영향을 주지 않는다거나 경미한 정도에 불과하다고 볼 수는 없으므로, 특별한 사정이 없는 한 이는 행정처분을 위법하게 하는 취소사유가 된다(대판 2007.3.15, 2006두15806).

31. 임용권자의 과실에 의한 임용결격자에 대한 경찰공무원 임용행위의 효력(무효)

경찰공무원법에 규정되어 있는 경찰관임용 결격사유는 경찰관으로 임용되기 위한 절대적인 소극적 요건으로서 임용 당시 경찰관임용 결격사유가 있었다면 비록 임용권자의 과실에 의하여 임용결격자임을 밝혀내지 못하였다 하더라도 그 임용행위는 당연무효로 보아야 한다(대판 2005.7.28, 2003두469).

⑤ 경찰하명의 철회: 완전유효하게 성립한 행정행위에 대하여 사후에 그 효력을 존속시킬 수 없는 사정의 변경에 의하여 그 효력을 장래에 대하여(추급효) 소멸시키는 독립한 행정행위를 말한다.

판례

1. 행정청이 행정처분을 한 후 자의로 그 행정처분을 취소할 수 있는지 여부(한정 소극)

행정청이 일단 행정처분을 한 경우에는 행정처분을 한 행정청이라도 법령에 규정이 있는 때, 행정처분에 하자가 있는 때, 행정처분의 존속이 공익에 위반되는 때, 또는 상대방의 동의가 있는 때 등의 특별한 사유가 있는 경우를 제외하고는 행정처분을 자의로 취소(철회의 의미를 포함한다)할 수 없다.

운전면허 취소사유에 해당하는 음주운전을 적발한 경찰관의 소속 경찰서장이 사무착오로 위반자에게 운전면허정지처분을 한 상태에서 위반자의 주소지 관할 지방경찰청장이 위반자에게 운전면허취소처분을 한 것은 선행처분에 대한 당사자의 신뢰 및 법적 안정성을 저해하는 것으로서 허용될 수 없다(대판 2000.2.25, 99두10520).

2. 대리운전으로 운행정지처분을 받은 개인택시운송사업자에게 그 이전의 대리운전을 이유로 운송사업면허를 취소한 처분이 재량권일탈에 해당한다고 본 사례

개인택시운송사업자인 원고가 2차례에 걸쳐 대리운전으로 운행정지처분을 받았고 다시 대리운전을 하게 한 사실이 적발되었다고 하더라도, 원고의 개인택시운송사업은 가족의 유일한 생계수단으로서 원고가 그의 신병 때문에 부득이 대리운전을 하게 하였고, 두 번째 운행정지처분의 대상인 대리운전 이후에는 대리운전을 하게 한 사실이 없는데 그 이전의 대리운전을 대상으로 하여 원고의 개인택시운송사업면허를 취소한 것이라면, 이 사건 면허취소처분은 공익상의 필요보다 그 취소로 인하여 원고가 입게 될 불이익이 너무 커서 재량권의 한계를 일탈하였다고 한 원심의 판단은 정당하다(대판 1990.11.23, 90누5146).

3. 자동차운수사업법 제31조 제1항 제5호 소정의 '중대한 교통사고'를 이유로 사고로부터 1년 10개월 후 사고택시에 대하여 한 운송사업면허의 취소가 재량권유탈에 해당하는지 여부(소극)

교통사고가 일어난지 1년 10개월이 지난 뒤 그 교통사고를 일으킨 택시에 대하여 운송사업면허를 취소하였더라도 처분관할관청이 위반행위를 적발한 날로부터 10일 이내에 처분을 하여야 한다는 교통부령인 자동차운수사업법 제31조 등의 규정에 의한 사업면허의 취소 등의 처분에 관한 규칙 제4조 제2항 본문을 강행규정으로 볼 수 없을 뿐만 아니라 택시운송사업자로서는 자동차운수사업법의 내용을 잘 알고 있어 교통사고를 낸 택시에 대하여 운송사업면허가 취소될 가능성을 예상할 수도 있었을 터이니, 자신이 별다른 행정조치가 없을 것으로 믿고 있었다 하여 바로 신뢰의 이익을 주장할 수는 없으므로 그 교통사고가 자동차운수사업법 제31조 제1항 제5호 소정의 '중대한 교통사고로 인하여 많은 사상자를 발생하게 한 때'에 해당한다면 그 운송사업면허의 취소가 행정에 대한 국민의 신뢰를 저버리고 국민의 법생활의 안정을 해치는 것이어서 재량권의 범위를 일탈한 것이라고 보기는 어렵다(대판 1989.6.27, 88누6283).

4. 3년 전의 위반행위를 이유로 한 운전면허취소처분의 당부

택시운전사가 1983.4.5. 운전면허정지기간 중의 운전행위를 하다가 적발되어 형사처벌을 받았으나 행정청으로부터 아무런 행정조치가 없어 안심하고 계속 운전업무에 종사하고 있던 중 행정청이 위 위반행위가 있은 이후에 장기간에 걸쳐 아무런 행정조치를 취하지 않은채 방치하고 있다가 3년여가 지난 1986.7.7.에 와서 이를 이유로 행정제재를 하면서 가장 무거운 운전면허를 취소하는 행정처분을 하였다면 이는 행정청이 그간 별다른 행정조치가 없을 것이라고 믿은 신뢰의 이익과 그 법적 안정성을 빼앗는 것이 되어 매우 가혹할 뿐만 아니라 비록 그 위반행위가 운전면허취소사유에 해당한다 할지라도 그와 같은 공익상의 목적만으로는 위 운전사가 입게 될 불이익에 견줄바 못된다 할 것이다(대판 1987.9.8, 87누373).

5. 부담부 행정처분의 상대방이 그 부담을 이행하지 않음을 이유로 한 처분의 취소가부(적극)

부담부 행정처분에 있어서 처분의 상대방이 부담(의무)을 이행하지 아니한 경우에 처분행정청으로서는 이를 들어 당해 처분을 취소(철회)할 수 있는 것이다(대판 1989.10.24, 89누2431).

6. 외형상 하나의 행정처분이라 하더라도 가분성이 있거나 그 처분대상의 일부가 특정될 수 있는 경우, 일부 취소의 가능성

외형상 하나의 행정처분이라 하더라도 가분성이 있거나 그 처분대상의 일부가 특정될 수 있다면 그 일부만의 취소도 가능하고 그 일부의 취소는 당해 취소부분에 관하여 효력이 생긴다[대판 1995.11.16, 95누8850(전합)].

⑥ 경찰하명의 실효: 적법한 경찰하명의 효력이 행정관청의 의사와 관계없이 일정한 사실에 의해 당연히 소멸되는 것을 말한다.

판례 신청에 의한 영업허가처분에 있어서 그 영업의 폐업과 그 허가처분의 당연 실효 여부(적극)

청량음료 제조업허가는 신청에 의한 처분이고, 이와 같이 신청에 의한 허가처분을 받은 원고가 그 영업을 폐업한 경우에는 그 영업허가는 당연 실효되고, 이런 경우 허가행정청의 허가취소처분은 허가의 실효됨을 확인하는 것에 불과하므로 원고는 그 허가취소처분의 취소를 구할 소의 이익이 없다고 할 것이다(대판 1981.7.14, 80누593).

무효와 취소의 구분

구분	무효	취소
공정력, 불가쟁력	인정 안 됨	인정됨
사정재결, 사정판결	불가능	가능
출소기간	제한 없음	제한 있음
선결문제	판단 가능	판단 불가
전환, 치유	전환만 가능	치유만 인정 (반대 견해 있음)
하자의 승계	선행행위가 무효인 경우 후행행위도 무효	① 선행행위와 후행행위가 동일한 효과발생시 하자의 승계인정 ② 양자가 별개 효과발생시 하자의 승계 불인정
소송형태	① 무효확인소송 ② 무효확인 취지의 취소소송	취소소송

취소와 철회의 구분

구분	취소	철회
권한자	처분청, 감독청, 법원	원칙적으로 처분청만 가능 (감독청은 개별규정 있으면 가능)
발생원인	처분의 원시적 하자	사후적으로 발생한 새로운 사정
절차	엄격한 절차 적용	특별한 절차 규정 없음
효과	소급효 긍정, 손해배상문제 발생	소급효 부정, 손실보상문제 발생

(7) 하자의 승계

둘 이상의 행정행위가 서로 연속하여 행하여지는 경우에, 선행행위의 하자를 이유로 하여 하자가 없는 후행행위의 효과를 다툴 수 있는지의 문제이다. 하자의 승계가 인정될 때 선행행위의 하자를 이유로 후행행위의 하자를 주장할 수 있다. 선행처분과 후행처분이 서로 결합하여 1개의 법률효과를 완성하는 때에는 선행처분에 하자가 있으면 그 하자는 후행처분에 승계된다.

하자 승계의 요건	① 선행행위에 취소사유인 하자가 존재할 것(선행행위에 무효사유인 하자가 존재할 경우 항상 후행행위에 승계) ② 선행행위에 불가쟁력이 발생하였을 것 ③ 선행행위와 후행행위 모두 항고소송의 대상인 처분일 것 ④ 후행행위에는 고유한 하자가 없을 것	
하자의 승계 여부 (판례)	긍정	선행행위와 후행행위가 결합하여 하나의 법적 효과를 목적으로 하는 경우 ① 대집행절차 상호간(계고 · 통지 · 실행 · 비용징수) ② 납세독촉과 체납처분 상호간 ③ 귀속재산의 임대처분과 후행매각처분 상호간 ④ 한지(限地)의사시험자격인정과 한지의사면허처분 상호간 ⑤ 안경사시험합격무효처분의 하자와 안경사면허취소처분 상호간 ⑥ 개별공시지가결정과 양도소득세부과처분 상호간 ⑦ 조세체납처분에서의 독촉 · 압류 · 매각 · 충당의 각 행위

하자의 승계 여부 (판례)	긍정	⑧ 암매장분묘개장명령과 계고처분 ⑨ 기준지가고시처분과 토지수용처분 ⑩ 표준공시지가결정과 수용(수용금)재결
	부정	선행행위와 후행행위가 독립하여 상호 별개의 법적 효과를 목적으로 하는 경우 ① 과세처분과 체납처분 상호간 ② 공무원의 직위해제처분과 직권면직처분 상호간 ③ 표준공시지가처분과 과세처분 상호간 ④ 토지수용의 사업인정과 토지수용위원회의 재결처분 상호간 ⑤ 대학원에서의 수강거부처분과 수료처분 상호간 ⑥ 변상판정과 변상명령 상호간 ⑦ 도시계획결정과 수용재결처분 상호간 ⑧ 액화석유가스판매사업허가처분과 사업개시신고반려처분 상호간 ⑨ 건물철거명령과 대집행계고처분 상호간 ⑩ 도시계획시설변경과 사업계획승인처분 ⑪ 사업인정과 수용재결처분 ⑫ 택지개발승인과 수용재결처분 ⑬ 병역법상 보충역편입처분과 공익근무요원소집처분 ⑭ 표준공시지가결정과 개별토지가격결정 ⑮ 감사원의 시정요구결정과 행정처분의 취소 ⑯ 고속도로민간투자시설의 사업시행자 지정처분과 후행처분인 도로구역결정처분 ⑰ 수강거부처분과 수료처분

(8) 하자의 치유

① 하자의 치유란 행정행위가 성립 당시에는 하자가 있더라도 사후에 그 법정요건을 보완하거나 또는 그 하자가 경미하여 취소할 필요성이 없는 경우에 하자가 있음에도 불구하고 그 효력을 유지시키는 것을 말한다. 이는 상대방의 신뢰를 보호하고 법적 안정성을 도모하는 것을 목적으로 하며 무용한 절차의 반복을 회피하는 의미도 있다.

② 하자의 치유는 무효인 행정행위에는 인정되지 않으며(통설·판례) 취소할 수 있는 행정행위에 대해서만 인정된다. 하자가 치유될 경우 그 효과는 소급적으로 발생한다.

③ 하자의 치유는 원칙적으로 허용될 수 없는 것이지만 행정행위의 무용한 반복을 피함으로써 행정경제를 도모하기 위해서 허용될 수 있으며 다른 국민의 권리나 이익을 침해하지 않는 범위 내에서 인정된다.

판례

1. **납세고지서에 세액산출근거 등의 기재사항이 누락되었거나 과세표준과 세액의 계산명세서가 첨부되지 않은 납세 고지의 적부(소극) 및 위와 같은 납세고지의 하자는 납세의무자가 그 나름대로 산출근거를 알고 있다거나 사실상 이를 알고서 쟁송에 이른 경우 치유되는지 여부(소극)**
   납세고지서에 과세연도, 세목, 세액 및 그 산출근거, 납부기한과 납부장소 등의 명시를 요구한 국세징수법 제9조나 과세표준과 세액계산명세서의 첨부를 명한 구 법인세법(1993.12.31. 법률 제4664호로 개정되기 전의 것) 제37조, 제59조의5, 구 법인세법 시행령(1993.12.31. 대통령령 제14080호로 개정되기 전의 것) 제99조 등의 규정이 단순한 세무행정상의 편의를 위한 훈시규정이 아니라, 헌법과 국세기본법에 규정된 조세법률주의의 원칙에 따라 과세관청의 자의를 배제하고 신중하고도 합리적인 과세처분을 하게 함으로써 조세행정의 공정을 기함과 아울러 납세의무자에게 부과처분의 내용을 자세히 알려

주어 이에 대한 불복 여부의 결정과 불복신청의 편의를 주려는데 그 근본취지가 있으므로, 이 규정들은 강행규정으로 보아야 하고, 따라서 납세고지서에 세액산출근거 등의 기재사항이 누락되었거나 과세표준과 세액의 계산명세서가 첨부되지 않았다면 적법한 납세의 고지라고 볼 수 없으며, 위와 같은 납세고지의 하자는 납세의무자가 그 나름대로 산출근거를 알고 있다거나 사실상 이를 알고서 쟁송에 이르렀다 하더라도 치유되지 않는다(대판 2002.11.13, 2001두1543).

2. **행정청이 식품위생법상의 청문절차를 이행함에 있어 청문서 도달기간을 다소 어겼지만 영업자가 이의하지 아니한 채 청문일에 출석하여 의견을 진술하고 변명하는 등 방어의 기회를 충분히 가진 경우 하자의 치유 여부(적극)**
행정청이 식품위생법상의 청문절차를 이행함에 있어 소정의 청문서 도달기간을 지키지 아니하였다면 이는 청문의 절차적 요건을 준수하지 아니한 것이므로 이를 바탕으로 한 행정처분은 일단 위법하다고 보아야 할 것이지만 이러한 청문제도의 취지는 처분으로 말미암아 받게 될 영업자에게 미리 변명과 유리한 자료를 제출할 기회를 부여함으로써 부당한 권리침해를 예방하려는 데에 있는 것임을 고려하여 볼 때, 가령 행정청이 청문서 도달기간을 다소 어겼다 하더라도 영업자가 이에 대하여 이의하지 아니한 채 스스로 청문일에 출석하여 그 의견을 진술하고 변명하는 등 방어의 기회를 충분히 가졌다면 청문서 도달기간을 준수하지 아니한 하자는 치유되었다고 봄이 상당하다(대판 1992.10.23, 92누2844).

3. **세액산출근거가 누락된 납세고지서에 의한 하자있는 과세처분의 치유요건**
과세처분시 납세고지서에 과세표준, 세율, 세액의 산출근거 등이 누락된 경우에는 늦어도 과세처분에 대한 불복 여부의 결정 및 불복신청에 편의를 줄 수 있는 상당한 기간 내에 보정행위를 하여야 그 하자가 치유된다(대판 1983.7.26, 82누420).

4. **소송계류 중 과세관청의 보정통지와 위법한 부과처분의 하자치유 여부**
과세관청이 취소소송 계속 중에 납세고지서의 세액산출근거를 밝히는 보정통지를 하였다 하여 이것을 종전에 위법한 부과처분을 스스로 취소하고 새로운 부과처분을 한 것으로 볼 수 없으므로 이미 항고소송이 계속 중인 단계에서 위와 같은 보정통지를 하였다 하여 그 위법성이 이로써 치유된다 할 수 없다(대판 1988.2.9, 83누404).

5. **당연무효인 징계처분의 하자가 피징계자의 인용으로 치료되는지 여부(소극)**
징계처분이 중대하고 명백한 흠 때문에 당연무효의 것이라면 징계처분을 받은 자가 이를 용인하였다 하여 그 흠이 치료되는 것은 아니다(대판 1989.12.12, 88누8869).

6. **토지소유자가 토지등급결정 전후에 그 내용을 알았다거나 또는 그 결정 이후 매년 정기 등급수정의 결과가 토지소유자 등의 열람에 공하여진 경우, 개별통지의 하자가 치유되는지 여부(소극)**
토지등급결정내용의 개별통지가 있다고 볼 수 없어 토지등급결정이 무효인 이상, 토지소유자가 그 결정 이전이나 이후에 토지등급결정내용을 알았다거나 또는 그 결정 이후 매년 정기 등급수정의 결과가 토지소유자 등의 열람에 공하여졌다 하더라도 개별통지의 하자가 치유되는 것은 아니다(대판 1997.5.28, 96누5308).

7. **시외버스운송사업계획변경인가처분취소**
사업계획변경인가처분에 관한 하자가 행정처분의 내용에 관한 것이고 새로운 노선면허가 소 제기 이후에 이루어진 사정 등에 비추어 하자의 사후적 치유를 인정할 수 없다(대판 1991.5.28, 90누1359).

8. **환지변경처분 후 이의를 유보함이 없이 변경처분에 따른 청산금을 교부받았다면 무효인 행정처분의 흠이 치유되거나 소권을 포기 또는 부제소합의를 하였다고 인정할 수 있는지 여부(소극)**
환지변경처분 후에 이의를 유보함이 없이 변경처분에 따른 청산금을 교부받았다 하더라도 그 사정만으로 무효인 행정처분의 흠이 치유된다고 볼 수 없고 소권을 포기 또는 부제소합의를 하였다고 인정할 수 없다(대판 1992.11.10, 91누8227).

9. **임명취소처분취소**
행정처분에 하자가 있음을 이유로 처분청이 이를 취소하는 경우에도 그 처분이 국민에게 권리나 이익을 부여하는 처분인 때에는 그 처분을 취소하여야 할 공익상의 필요와 그 취소로 인하여 당사자가 입게 될 불이익을 비교교량한 후 공익상의 필요가 당사자가 입을 불이익을 정당화할 만큼 강한 경우에 한하여 취소할 수 있는 것이지만, 그 처분의 하자가 당사자의 사실은폐나 기타 사위의 방법에 의한 신청행위에 기인한 것이라면 당사자는 그 처분에 의한 이익이 위법하게 취득되었음을 알아 그 취소가능성도 예상하고 있었다고 할 것이므로 그 자신이 위 처분에 관한 신뢰이익을 원용할 수 없음은 물론 행정청이 이를 고려하지 아니하였다고 하여도 재량권의 남용이 되지 않는다. 허위의 고등학교 졸업증명서를 제출하는 사위의 방법에 의한 하사관 지원의 하자를 이유로 하사관 임용일로부터 33년이 경과한 후에 행정청이 행한 하사관 및 준사관 임용취소처분은 적법하다(대판 2002.2.5, 2001두5286).

(9) 하자의 전환

① 하자의 전환은 행정행위의 중대·명백한 하자를 이유로 당연무효이나, 이를 다른 행정행위로 보면 그 요건이 충족되는 경우에 이를 다른 행정행위로 보아 유효한 행정행위로 인정하는 것을 말한다. 통설적 견해에 의하면 취소할 수 있는 행정행위는 하자의 전환이 인정되지 않으며 무효인 행정행위에 대해서만 전환이 가능하다고 본다.

요건	㉠ 무효인 행정행위와 전환하려는 행위 사이에 요건·목적·효과에 있어 실질적인 공통성이 있을 것 ㉡ 양 행정행위에 대하여 동일한 행정기관이 권한을 가지고 있을 것 ㉢ 원처분이 전환되는 행위로서의 성립·발효요건을 갖추고 있을 것 ㉣ 당사자에게 원처분보다 불이익한 것이 아닐 것 ㉤ 제3자의 이익을 침해하지 않을 것
하자의 전환을 인정한 경우 (판례)	㉠ 사자(死者)에 대한 과세처분을 상속인에 대한 과세처분으로 전환 ㉡ 사자(死者)에 대한 광업허가처분을 상속인에 대한 광업허가처분으로 전환 ㉢ 공무원이 아닌 자의 행위를 공무원의 행위로 인정하는 것

② 하자 있는 행정행위가 전환되면 새로운 행정행위로서 효력이 발생하며, 그 새로운 행정행위에 대해서는 소급효가 인정된다.

4. 경찰허가

(1) 경찰허가의 의의

일반적·상대적 금지를 특정한 경우에 해제하여 적법하게 특정행위를 할 수 있도록 자연적 자유를 회복시켜 주는 경찰처분을 말한다. 경찰허가는 허가를 유보한 일반적인 경찰금지, 즉 일반적인 상대적 금지의 존재를 전제로 하여 행하여진다.

판례 **인·허가신청 후 처분 전에 관계 법령이 개정 시행된 경우 새로운 법령 및 허가기준에 따라서 한 처분의 적부 (한정적극)**

행정행위는 처분 당시에 시행 중인 법령 및 허가기준에 의하여 하는 것이 원칙이고, 인·허가신청 후 처분 전에 관계 법령이 개정 시행된 경우 신법령 부칙에서 신법령 시행 전에 이미 허가신청이 있는 때에는 종전의 규정에 의한다는 취지의 경과규정을 두지 아니한 이상 당연히 허가신청 당시의 법령에 의하여 허가 여부를 판단하여야 하는 것은 아니며, 소관 행정청이 허가신청을 수리하고도 정당한 이유 없이 처리를 늦추어 그 사이에 법령 및 허가기준이 변경된 것이 아닌 한 새로운 법령 및 허가기준에 따라서 한 불허가처분이 위법하다고 할 수 없다(대판 1992.12.8, 92누13813).

(2) 경찰허가의 성질

① 허가를 유보했던 일반적·상대적 경찰금지를 해제하는 행정행위이므로 경찰허가는 작위·수인·급부의무의 해제인 경찰면제와 구별된다.

② 또한, 경찰허가는 행정주체의 의사표시를 구성요소로 하는 법률행위적 행정행위인 점에서 사실적 행위인 경찰강제와 구별되고, 일반 국민에 대하여 의무를 해제하는(자연적 자유를 회복시켜 주는) 명령적 행정행위라는 점에서 형성적 행정행위과 구별된다.

판례 **공중목욕장 영업허가처분**

구 공중목욕장법에 의한 공중목욕장업허가는 그 사업경영의 권리를 인정하는 형성적 행위가 아니고 경찰금지의 해제에 불과하다(대판 1963.8.31, 63누101).

③ 경찰허가는 그 형식상 법규가 재량으로 규정하고 있다고 하더라도 경찰법규에 어떤 경우에 허가할 수 있다는 기준이 있다면 그것은 경찰기관의 심사기준이 개입할 수 없는 기속행위에 해당한다. 또한, 경찰법규가 허가 여부에 대하여 일정한 기준을 정하지 않고, 경찰기관이 그 허가 여부를 결정하기 위해 판단을 가할 여지가 있는 경우에는 그 경찰허가는 재량행위에 속하나 이 경우의 재량처분은 자유재량이 아니고 기속재량에 해당한다는 것이 통설적 견해이다.

판례 **식품위생법상 일반음식점영업허가신청에 대하여 관계 법령에서 정하는 제한사유 외에 공공복리 등의 사유를 들어 거부할 수 있는지 여부(소극) 및 위 법리는 일반음식점 허가사항의 변경허가의 경우에도 적용되는지 여부(적극)**

식품위생법상 일반음식점영업허가는 성질상 일반적 금지의 해제에 불과하므로 허가권자는 허가신청이 법에서 정한 요건을 구비한 때에는 허가하여야 하고 관계 법령에서 정하는 제한사유 외에 공공복리 등의 사유를 들어 허가신청을 거부할 수는 없고, 이러한 법리는 일반음식점 허가사항의 변경허가에 관하여도 마찬가지이다(대판 2000.3.24, 97누12532).

④ 경찰허가는 원칙상 당사자의 신청을 필요로 하는 쌍방적 행정행위에 해당하지만 통행금지의 해제와 같이 상대방의 신청(출원) 없이 직권에 의하여 행해지는 허가도 있다.

경찰허가의 종류

구분	내용
대인적 허가	사람의 능력, 자격과 같은 인적·주관적 요소를 심사대상으로 하는 허가(비이전성)(예 운전면허, 의사면허, 마약취급면허, 총포소지허가 등)
대물적 허가	물건의 객관적 사정에 착안하여 행하는 허가(이전 가능)(예 차량검사, 택시미터기 검사, 건축허가, 사설학원인가, 단란주점영업, 석유판매업 등)
혼합적 허가	사람과 물건을 모두 심사대상으로 하는 허가(예 총포류제조·판매, 자동차운전학원, 풍속영업, 종합병원, 사설묘지설치 등)

판례 **공중위생영업에 있어 그 영업을 정지할 위법사유가 있는 경우, 그 영업이 양도·양수되었다 하더라도 양수인에 대하여 영업정지처분을 할 수 있는지 여부(적극)**

만일 어떠한 공중위생영업에 대하여 그 영업을 정지할 위법사유가 있다면, 관할 행정청은 그 영업이 양도·양수되었다 하더라도 그 업소의 양수인에 대하여 영업정지처분을 할 수 있다고 봄이 상당하다(대판 2001.6.29, 2001두1611).

(3) 경찰허가의 효과

① 일반적 금지가 해제됨으로써 피허가자는 적법하게 허가된 행위를 할 수 있게 되지만, 타법상의 제한까지 해제되는 것은 아니다. 그러므로 공무원이 음식점 영업허가를 받은 경우 식품위생법상의 금지만을 해제한 것이고 공무원법상의 영리업무금지까지 해제해 주는 것은 아니다.

판례 **도로법 제50조 제1항에 의하여 접도구역으로 지정된 지역 안에 있는 건물에 관하여 같은 법조 제4항 · 제5항에 의하여 도로관리청으로부터 개축허가를 받은 경우 건축법 제5조 제1항에 의한 건축허가를 다시 받아야 하는지 여부(적극)**

도로법과 건축법에서 각 규정하고 있는 건축허가는 그 허가권자의 허가를 받도록 한 목적, 허가의 기준, 허가 후의 감독에 있어서 같지 아니하므로 도로법 제50조 제1항에 의하여 접도구역으로 지정된 지역 안에 있는 건물에 관하여 같은 법조 제4항 · 제5항에 의하여 도로관리청인 도지사로부터 개축허가를 받았다고 하더라도 건축법 제5조 제1항에 의하여 시장 또는 군수의 허가를 다시 받아야 한다(대판 1991.4.12, 91도218).

② 경찰허가는 특정행위를 사실상 적법하게 할 수 있도록 하는 적법요건에 불과하다. 그러므로 무허가행위는 강제집행이나 행정벌의 대상은 되지만, 행위자체의 효력은 유효하다.

판례

1. **담배 일반소매인으로 지정되어 영업을 하고 있는 기존업자의 신규 구내소매인에 대한 이익이 법률상 보호되는 이익으로서 기존 업자가 신규 구내소매인 지정처분의 취소를 구할 원고 적격이 있는지 여부(소극)**
   일반소매인으로 지정되어 영업을 하고 있는 기존업자의 신규 일반소매인에 대한 이익은 단순한 사실상의 반사적 이익이 아니라 법률상 보호되는 이익으로서 기존 일반소매인이 신규 일반소매인 지정처분의 취소를 구할 원고적격이 있다고 보아야 할 것이나(대판 2008.3.27, 2007두23811 참조), 한편 구내소매인과 일반소매인 사이에서는 구내소매인의 영업소와 일반소매인의 영업소간에 거리제한을 두지 아니할 뿐 아니라 건축물 또는 시설물의 구조 · 상주인원 및 이용인원 등을 고려하여 동일 시설물 내 2개소 이상의 장소에 구내소매인을 지정할 수 있으며, 이 경우 일반소매인이 지정된 장소가 구내소매인 지정대상이 된 때에는 동일 건축물 또는 시설물 안에 지정된 일반소매인은 구내소매인으로 보고, 구내소매인이 지정된 건축물 등에는 일반소매인을 지정할 수 없으며, 구내소매인은 담배진열장 및 담배소매점 표시판을 건물 또는 시설물의 외부에 설치하여서는 아니 된다고 규정하는 등 일반소매인의 입장에서 구내소매인과의 과당경쟁으로 인한 경영의 불합리를 방지하는 것을 그 목적으로 할 수 있다고 보기 어려우므로, 일반소매인으로 지정되어 영업을 하고 있는 기존업자의 신규 구내소매인에 대한 이익은 법률상 보호되는 이익이 아니라 단순한 사실상의 반사적 이익이라고 해석함이 상당하므로, 기존 일반소매인은 신규 구내소매인 지정처분의 취소를 구할 원고적격이 없다(대판 2008.4.10, 2008두402).
2. **담배 일반소매인으로 지정되어 영업을 하고 있는 기존업자의 신규업자에 대한 이익이 '법률상 보호되는 이익'에 해당하는지 여부(적극)**
   담배 일반소매인의 지정기준으로서 일반소매인의 영업소간에 일정한 거리제한을 두고 있는 것은 담배유통구조의 확립을 통하여 국민의 건강과 관련되고 국가 등의 주요 세원이 되는 담배산업 전반의 건전한 발전 도모 및 국민경제에의 이바지라는 공익목적을 달성하고자 함과 동시에 일반소매인간의 과당경쟁으로 인한 불합리한 경영을 방지함으로써 일반소매인의 경영상 이익을 보호하는 데에도 그 목적이 있다고 보이므로, 일반소매인으로 지정되어 영업을 하고 있는 기존업자의 신규 일반소매인에 대한 이익은 단순한 사실상의 반사적 이익이 아니라 법률상 보호되는 이익이라고 해석함이 상당하다(대판 2008.3.27, 2007두23811).
3. **주류제조회사의 순자산가액을 평가함에 있어서 주류제조면허를 포함시켜야 하는지 여부(적극)**
   주류제조면허는 국가의 수입확보를 위하여 설정된 재정허가의 일종이지만 일단 이 면허를 얻은 자의 이득은 단순한 사실상의 반사적 이득에만 그치는 것이 아니라 주세법의 규정에 따라 보호되는 이득이다(대판 1989.12.22, 89누46).
4. **행정처분의 상대방이 아닌 제3자에게 그 처분의 취소를 구할 법률상의 이익이 있다고 한 사례**
   甲이 적법한 약종상허가를 받아 허가지역 내에서 약종상영업을 경영하고 있음에도 불구하고 행정관청이 구 약사법 시행규칙(1969.8.13. 보건사회부령 제344호)을 위배하여 같은 약종상인 乙에게 乙의 영업허가지역이 아닌 甲의 영업허가지역 내로 영업소를 이전하도록 허가하였다면 甲으로서는 이로 인하여 기존업자로서의 법률상 이익을 침해받았음이 분명하므로 甲에게는 행정관청의 영업소이전허가처분의 취소를 구할 법률상 이익이 있다(대판 1988.6.14, 87누873).

5. 종전 허가의 유효기간이 지난 후에 한 기간연장신청의 성격

종전의 허가가 기한의 도래로 실효한 이상 원고가 종전 허가의 유효기간이 지나서 신청한 이 사건 기간연장신청은 그에 대한 종전의 허가처분을 전제로 하여 단순히 그 유효기간을 연장하여 주는 행정처분을 구하는 것이라기 보다는 종전의 허가처분과는 별도의 새로운 허가를 내용으로 하는 행정처분을 구하는 것이라고 보아야 할 것이어서, 이러한 경우 허가권자는 이를 새로운 허가신청으로 보아 법의 관계 규정에 의하여 허가요건의 적합 여부를 새로이 판단하여 그 허가 여부를 결정하여야 할 것이다(대판 1995.11.10, 94누11866).

6. 유료 직업소개사업의 허가갱신 후에 갱신 전의 법위반을 이유로 한 허가취소 가부(적극)

유료직업 소개사업의 허가갱신은 허가취득자에게 종전의 지위를 계속 유지시키는 효과를 갖는 것에 불과하고 갱신 후에는 갱신 전의 법위반사항을 불문에 붙이는 효과를 발생하는 것이 아니므로 일단 갱신이 있은 후에도 갱신 전의 법위반사실을 근거로 허가를 취소할 수 있다(대판 1982.7.27, 81누174).

7. 어업에 관한 허가 또는 신고의 경우 유효기간이 지나면 당연히 효력이 소멸하는지 여부(적극) 및 이 경우 다시 어업허가를 받거나 신고를 하더라도 종전 허가나 신고의 효력 등이 계속되는지 여부(소극)

어업에 관한 허가 또는 신고의 경우에는 어업면허와 달리 유효기간연장제도가 마련되어 있지 아니하므로 그 유효기간이 경과하면 그 허가나 신고의 효력이 당연히 소멸하며, 재차 허가를 받거나 신고를 하더라도 허가나 신고의 기간만 갱신되어 종전의 어업허가나 신고의 효력 또는 성질이 계속된다고 볼 수 없고 새로운 허가 내지 신고로서의 효력이 발생한다고 할 것이다(대판 2011.7.28, 2011두5728).

(4) 부관

① 부관의 개념

㉠ 행정행위의 효과를 제한 또는 보충하기 위하여 주된 의사표시에 부가된 종된 의사표시를 부관이라고 한다. 부관의 경우 명문규정이 없더라도 행정관청에 일정한 재량이 인정되는 경우에는 재량으로 부관을 붙인 행정처분이 가능하다.

㉡ 법정부관의 경우 처분의 효과제한이 법규에 의하여 직접 규정되므로 여기서 말하는 부관과는 구별되는 개념이며 원칙적으로 부관의 개념에 속하지 않는다.

② 부관의 성질

㉠ 부관은 부종성을 가지므로 주된 행정행위의 존재에 의존한다는 성질을 가진다. 그러므로 주된 행정행위가 효력이 발생하지 않을 경우 부관도 효력이 발생하지 않는다. 또한 부관은 독립성을 가지지 못하므로 부관만 독립하여 쟁송으로 다툴 수 없으며 원칙적으로 주된 의사표시와 부관을 전체로 하여 하나의 소송물로 다투는 것이 원칙이다.

㉡ 부관은 주된 의사표시에 붙이는 종된 의사표시이므로 의사표시를 구성요소로 하는 법률행위적 행정행위에만 부관을 붙일 수 있고, 준법률행위적 행정행위에는 부관을 붙일 수 없다.

㉢ 부관이 법령에 위반되지 않는 한 법적 근거 없이 자유롭게 부관을 붙일 수 있다는 것이 통설적 견해이다. 다만, 부관이 법령상 · 목적상 · 조리상의 한계를 위반할 경우 무효가 된다.

③ 부관의 종류

㉠ 조건: 조건이란 행정행위의 효과의 발생 또는 소멸을 장래의 불확실한 사실에 의존시키는 부관을 말한다. 그러므로 조건이 성취되면 당연히 효과가 발생하거나 소멸한다.

정지조건	경찰허가의 효과의 발생을 장래의 불확실한 사실에 의존시키는 부관으로 조건이 성취되면 그때부터 행정행위의 효력이 발생하고 조건이 성취될 수 없음이 확정되면 행정행위의 효력은 발생하지 않는다(예 도로확장을 조건으로 한 자동차운송사업허가, 시설완성을 전제로 한 학교법인의 설립허가).
해제조건	행정행위의 효과의 소멸을 장래의 불확실한 사실에 의존시키는 부관으로 일단 행정행위와 동시에 효력은 발생하지만 해제조건이 성취되면 그때부터 행정행위의 효력은 소멸하고, 반대로 해제조건이 성취될 수 없는 것으로 확정되면 행정행위의 효력은 소멸하지 않고 완전히 유효한 것으로 확정된다(예 기간 내에 공사를 착수하지 않으면 효력을 잃는다는 조건으로 행한 특허기업허가).

㉡ 기한

ⓐ 기한이란 행정행위의 효력의 발생 또는 소멸을 장래의 확실한 사실에 의존하게 하는 부관을 말한다. 그러나 기간은 사건에 해당하며 부관이 아니다.

효력발생 여부	시기	기한의 도래로 효력이 발생
	종기	기한의 도래로 효력이 소멸
확실성	확정기한	도래의 시기가 확실한 기한(예 일주일 후)
	불확정기한	도래의 시기가 확실하지 않은 기한(예 비가 오면)

ⓑ 일반적으로 종기인 기한이 도래하면 행정행위의 효력이 소멸되는 것이 원칙이다. 그러나 내용상 장기계속성이 예정되어 있는 행정행위에 너무 짧은 종기가 붙여진 경우, 그 종기를 행정행위의 소멸원인으로 볼 것인지가 문제된다. 이와 관련하여 다수설과 판례는 행정행위 자체의 존속기간이 아니라 그 조건의 존속기간으로 본다(갱신기간).

판례

1. **행정행위인 허가 또는 특허에 붙인 조항으로서 종료의 기한을 정한 경우 기한의 도래로 그 행정행위의 효력이 당연히 상실되는지 여부**
   행정행위인 허가 또는 특허에 붙인 조항으로서 종료의 기한을 정한 경우 종기인 기한에 관하여는 일률적으로 기한이 왔다고 하여 당연히 그 행정행위의 효력이 상실된다고 할 것이 아니고 그 기한이 그 허가 또는 특허된 사업의 성질상 부당하게 짧은 기한을 정한 경우에 있어서는 그 기한은 그 허가 또는 특허의 조건의 존속기간을 정한 것이며 그 기한이 도래함으로써 그 조건의 개정을 고려한다는 뜻으로 해석하여야 할 것이다(대판 1995.11.10, 94누11866).
2. **허가에 붙은 기한이 그 허가된 사업의 성질상 부당하게 짧아 그 기한을 허가조건의 존속기간으로 볼 수 있는 경우에 허가기간이 연장되기 위하여는 그 종기 도래 이전에 연장에 관한 신청이 있어야 하는지 여부(적극)**
   일반적으로 행정처분에 효력기간이 정하여져 있는 경우에는 그 기간의 경과로 그 행정처분의 효력은 상실되고, 다만 허가에 붙은 기한이 그 허가된 사업의 성질상 부당하게 짧은 경우에는 이를 그 허가 자체의 존속기간이 아니라 그 허가조건의 존속기간으로 보아 그 기한이 도래함으로써 그 조건의 개정을 고려한다는 뜻으로 해석할 수는 있지만, 그와 같은 경우라 하더라도 그 허가기간이 연장되기 위하여는 그 종기가 도래하기 전에 그 허가기간의 연장에 관한 신청이 있어야 하며, 만일 그러한 연장신청이 없는 상태에서 허가기간이 만료하였다면 그 허가의 효력은 상실된다(대판 2007.10.11., 2005두12404).
3. **조건과 기한의 구별**
   조건은 법률행위 효력의 발생 또는 소멸을 장래의 불확실한 사실의 성부에 의존하게 하는 법률행위의 부관이다. 반면 장래의 사실이더라도 그것이 장래 반드시 실현되는 사실이면 실현되는 시기가 비록 확정되지 않더라도 이는 기한으로 보아야 한다[대법원 2018. 6. 28. 선고 2018다201702 판결].

㉢ 부담

ⓐ 부담이라 함은 수익적 행정행위의 주된 의사표시에 부가하여 그 효과를 받는 상대방에게 작위·수인·급부·부작위의무를 명하는 행정관청의 의사표시를 말한다. 부담은 독립성이 인정되지 않는 다른 부관과는 달리 그 자체가 하나의 독립된 행정행위이고 이는 '하명'으로서의 성질을 가지게 된다. 그러므로 주된 의사표시와 분리하여 독립적으로 소송의 대상이 될 수 있고, 경찰강제의 대상이 될 수 있다.

ⓑ 부담과 정지조건의 구별이 불분명한 경우에는 최소침해의 원칙에 따라 부담으로 보아야 한다.

Add

부담부 행정행위의 특성

1. 부담은 본행정행위의 효력에 영향을 미치지 않는다.
2. 부담을 이행하지 않더라도 행정행위의 효력은 유지되며, 그 불이행의 상대방에 대해서는 행정상 강제집행이나 행정벌을 부과한다.
3. 부담의 불이행으로 부담부 행정행위가 당연히 효력을 상실하는 것은 아니며 당해 의무불이행은 부담부 행정행위의 철회사유에 해당한다.

판례

1. **부담부 행정처분의 상대방이 그 부담을 이행하지 않음을 이유로 한 처분의 취소가부(적극)**
   부담부 행정처분에 있어서 처분의 상대방이 부담(의무)을 이행하지 아니한 경우에 처분행정청으로서는 이를 들어 당해 처분을 취소(철회)할 수 있는 것이다(대판 1989.10.24, 89누2431).
2. **부관이 부당결부금지의 원칙에 위반하여 위법하지만 그 하자가 중대하고 명백하여 당연무효라고 볼 수는 없다고 한 사례**
   지방자치단체장이 사업자에게 주택사업계획승인을 하면서 그 주택사업과는 아무런 관련이 없는 토지를 기부채납하도록 하는 부관을 주택사업계획승인에 붙인 경우, 그 부관은 부당결부금지의 원칙에 위반되어 위법하지만, 지방자치단체장이 승인한 사업자의 주택사업계획은 상당히 큰 규모의 사업임에 반하여, 사업자가 기부채납한 토지 가액은 그 100분의 1 상당의 금액에 불과한 데다가, 사업자가 그 동안 그 부관에 대하여 아무런 이의를 제기하지 아니하다가 지방자치단체장이 업무착오로 기부채납한 토지에 대하여 보상협조요청서를 보내자 그 때서야 비로소 부관의 하자를 들고 나온 사정에 비추어 볼 때 부관의 하자가 중대하고 명백하여 당연무효라고는 볼 수 없다(대판 1997.3.11, 96다49650).
3. **행정청이 수익적 행정처분을 하면서 부관으로 부담을 붙이는 방법**
   수익적 행정처분에 있어서는 법령에 특별한 근거규정이 없다고 하더라도 그 부관으로서 부담을 붙일 수 있고, 그와 같은 부담은 행정청이 행정처분을 하면서 일방적으로 부가할 수도 있지만 부담을 부가하기 이전에 상대방과 협의하여 부담의 내용을 협약의 형식으로 미리 정한 다음 행정처분을 하면서 이를 부가할 수도 있다(대판 2009.2.12, 2005다65500).
4. **행정처분과 실제적 관련성이 없어 부관으로 붙일 수 없는 부담을 사법상 계약의 형식으로 행정처분의 상대방에게 부과할 수 있는지 여부(소극)**
   공무원이 인·허가 등 수익적 행정처분을 하면서 상대방에게 그 처분과 관련하여 이른바 부관으로서 부담을 붙일 수 있다 하더라도, 그러한 부담은 법치주의와 사유재산 존중, 조세법률주의 등 헌법의 기본원리에 비추어 비례의 원칙이나 부당결부의 원칙에 위반되지 않아야만 적법한 것인바, 행정처분과 부관 사이에 실제적 관련성이 있다고 볼 수 없는 경우 공무원이 위와 같은 공법상의 제한을 회피할 목적으로 행정처분의 상대방과 사이에 사법상 계약을 체결하는 형식을 취하였다면 이는 법치행정의 원리에 반하는 것으로서 위법하다(대판 2009.12.10, 2007다63966).

㉣ **철회권(취소권)의 유보**: 철회권의 유보는 행정행위의 주된 의사표시에 부가하여 특정한 경우에 행정행위를 철회할 수 있는 권리를 미리 유보하는 행정관청의 의사표시를 말한다. 철회권이 유보된 경우 철회사유가 발생하면 당연히 철회권을 행사할 수 있는가 아니면 상대방의 신뢰보호 또는 기득권 존중 등 일정한 조리상 제한을 받는 것인가에 대하여 다툼이 있으나 후자가 다수설과 판례의 입장이다.

판례

1. **행정행위인 허가 또는 특허에 종료의 기한 또는 취소권의 유보에 관한 조항이 있는 경우의 효력**
   허가 또는 특허에 종료의 기한을 정하거나 취소권을 유보한 경우 그 기한이 그 허가 또는 특허된 그 사업의 성질상 부당하게 짧게 정하여졌다면 그 기한은 허가 또는 특허의 존속기한을 정한 것이며 그 기한도래시 그 조건의 개정을 고려한다는 뜻으로 해석할 것이고 또 취소권의 유보의 경우에 있어서도 무조건으로 취소권을 행사할 수 있는 것이 아니고 취소를 필요로 할 만한 공익상의 필요가 있는 때에 한하여 취소권을 행사할 수 있는 것이다(대판 1962.2.22., 4293행상42).
2. **행정청이 종교단체에 대하여 기본재산전환인가를 함에 있어 인가조건을 부가하고 그 불이행시 인가를 취소할 수 있도록 한 경우, 인가조건의 의미는 철회권을 유보한 것이라고 본 사례**
   행정청이 종교단체에 대하여 기본재산전환인가를 함에 있어 인가조건을 부가하고 그 불이행시 인가를 취소할 수 있도록 한 경우, 인가조건의 의미는 철회권을 유보한 것이다(대판 2003.5.30. 선고 2003다6422 판결).

㉤ **부담권의 유보**: 행정관청이 행정행위에 대하여 사후에 추가・변경・보충할 수 있는 권리를 유보하는 부관이다. 이는 장기간에 걸친 사회・경제적 변화에 대비하기 위한 것으로 행정행위시에 미리 사후에 의무를 부과할 수 있는 근거를 마련하는 부관이다. 부담의 유보・행정행위의 사후변경의 유보・추가변경의 유보라고도 한다.

㉥ 법률효과의 일부배제

ⓐ 행정행위의 주된 의사표시에 부가하여, 법률에서 일반적으로 그 행위에 부여한 법률효과 중의 일부의 발생을 배제(제한)하는 행정관청의 의사표시를 말한다(**예** 격일제 운행을 조건으로 한 택시영업허가).

ⓑ 법률효과의 일부배제의 경우 법령이 부여하는 행정행위의 효과를 행정관청이 자의적으로 배제할 수 없는 것이 원칙이므로 법률효과의 일부배제는 법률에 개별적 근거가 있을 때에 한하여 인정된다.

Add ⊕

수정허가(수정부담)
행정행위의 상대방이 신청한 것과 다르게 행정행위의 내용을 정하는 부관(시・도경찰청장에게 기관총의 소지허가를 신청하였으나 권총의 소지허가를 받은 경우)으로 상대방의 동의가 있어야 효력이 발생하는 부관이다. 수정부담에 대해서는 독립된 행정행위라고 보는 견해(수정허가설, 독립된 행정행위설)가 다수설이며, 부관인 수정부담이라고 보는 견해(부관설)는 소수설의 견해이다.

④ 부관의 한계

㉠ 부관은 법률행위적 행정행위에 속하는 재량행위에만 붙일 수 있고 기속행위에는 붙일 수 없다. 일반적으로 기속행위나 기속재량행위에는 부관을 붙일 수 없고, 부관을 붙였다 하더라도 이는 무효에 해당한다.

판례

1. **기속행위나 기속적 재량행위에 붙인 부관의 효력**
   일반적으로 기속행위나 기속적 재량행위에는 부관을 붙일 수 없고 가사 부관을 붙였다 하더라도 무효이다. 건축허가를 하면서 일정 토지를 기부채납하도록 하는 내용의 허가조건은 부관을 붙일 수 없는 기속행위 내지 기속적 재량행위인 건축허가에 붙인 부담이거나 또는 법령상 아무런 근거가 없는 부관이어서 무효이다(대판 1995.6.13, 94다56883).

2. 법령상의 근거 없이도 재량행위에 부관을 붙일 수 있는지 여부(적극) 및 부관의 내용적 한계
재량행위에 있어서는 법령상의 근거가 없다고 하더라도 부관을 붙일 수 있는데, 그 부관의 내용은 적법하고 이행가능하여야 하며 비례의 원칙 및 평등의 원칙에 적합하고 행정처분의 본질적 효력을 해하지 아니하는 한도의 것이어야 한다(대판 1997.3.14, 96누16698).

㉡ 사후부관의 인정 여부에 대하여 판례는 제한적으로 인정하는 견해를 취하고 있다. 부관의 사후변경은 법률에 명문의 규정이 있거나 그 변경이 미리 유보되어 있는 경우 또는 상대방의 동의가 있는 경우에 한하여 허용되는 것이 원칙이고 사정변경으로 인하여 당초에 부담을 부가한 목적을 달성할 수 없게 된 경우에도 그 목적달성에 필요한 범위 내에서 예외적으로 허용된다.

판례 **부관의 사후변경이 허용되는 범위**
행정처분에 이미 부담이 부가되어 있는 상태에서 그 의무의 범위 또는 내용 등을 변경하는 부관의 사후변경은, 법률에 명문의 규정이 있거나 그 변경이 미리 유보되어 있는 경우 또는 상대방의 동의가 있는 경우에 한하여 허용되는 것이 원칙이지만, 사정변경으로 인하여 당초에 부담을 부가한 목적을 달성할 수 없게 된 경우에도 그 목적달성에 필요한 범위 내에서 예외적으로 허용된다(대판 1997.5.30, 97누2627).

⑤ 부관의 하자

㉠ 무효인 부관

ⓐ 부관 자체의 하자(부관이 강행법규 위반, 불명확, 실현불능)인 경우나 부관을 붙일 수 없는 준법률행위적 행정행위나 기속행위에 부관을 붙인 경우, 부관이 필요한 한계를 명백히 넘어서 붙여진 경우 등은 외형적으로는 부관에 해당하는 경찰기관의 의사표시가 있음에도 불구하고 당연히 부관으로서의 효력은 발생하지 않는다.

ⓑ 무효인 부관은 원칙적으로 부관이 없는 허가로서 효력을 발생하나, 그 부관이 중대하여 주된 의사표시의 주요부분을 구성하는 경우 경찰허가 자체도 무효가 된다.

㉡ 취소할 수 있는 부관

ⓐ 권한 있는 기관에 의하여 취소될 때까지는 일단 유효한 부관에 해당한다. 부관에 취소원인이 있는 경우에는 사후에 일정한 절차에 따라 그것을 취소할 수 있을 뿐이다.

ⓑ 취소가 있었을 때에 그것이 행정행위의 효력에 미치는 영향은 부관의 무효의 경우와 동일하다.

㉢ 위법·부당한 부관에 대한 쟁송: 원칙적으로 부관은 행정행위의 주된 의사표시에 부가된 종된 의사표시로서 부관은 부종성을 가지고 양자가 하나의 행정행위가 되는 것이므로 부관만을 독립시켜 쟁송의 대상으로 삼을 수 없다. 그러나 부관 중 '부담'은 주된 의사표시와 독립된 그 자체로서 하나의 행정행위이므로 독립하여 쟁송의 대상이 될 수 있다.

판례

1. 행정행위의 부관 중 행정행위에 부수하여 그 상대방에게 일정한 의무를 부과하는 행정청의 의사표시인 부담이 그 자체만으로 행정쟁송의 대상이 될 수 있는지 여부(적극)
행정행위의 부관은 행정행위의 일반적인 효력이나 효과를 제한하기 위하여 의사표시의 주된 내용에 부가되는 종된 의사표시이지 그 자체로서 직접 법적 효과를 발생하는 독립된 처분이 아니므로 현행 행정쟁송제도 아래서는 부관 그 자체만을 독립된 쟁송의 대상으로 할 수 없는 것이 원칙이나 행정행위의 부관 중에서도 행정행위에 부수하여 그 행정행위의 상대방에게 일정한 의무를 부과하는 행정청의 의사표시인 부담의 경우에는 다른 부관과는 달리 행정행위의 불가분적인 요소가 아니고 그 존속이 본체인 행정행위의 존재를 전제로 하는 것일 뿐이므로 부담 그 자체로서 행정쟁송의 대상이 될 수 있다(대판 1992.1.21, 91누1264).

2. **기부채납받은 행정재산에 대한 사용 · 수익허가 중 사용 · 수익허가의 기간에 대하여 독립하여 행정소송을 제기할 수 있는지 여부(소극)**
행정행위의 부관은 부담인 경우를 제외하고는 독립하여 행정소송의 대상이 될 수 없는바, 기부채납받은 행정재산에 대한 사용 · 수익허가에서 공유재산의 관리청이 정한 사용 · 수익허가의 기간은 그 허가의 효력을 제한하기 위한 행정행위의 부관으로서 이러한 사용 · 수익허가의 기간에 대해서는 독립하여 행정소송을 제기할 수 없다(대판 2001.6.15, 99두509).

3. **공유수면매립준공인가 중 매립지 일부에 대하여 한 국가귀속처분에 대하여 독립하여 행정소송의 대상으로 삼을 수 있는지 여부(소극)**
행정행위의 부관은 부담의 경우를 제외하고는 독립하여 행정소송의 대상이 될 수 없는 것인바, 행정청이 한 공유수면매립준공인가 중 매립지 일부에 대하여 한 국가귀속처분은 매립준공인가를 함에 있어서 매립의 면허를 받은자의 매립지에 대한 소유권취득을 규정한 공유수면매립법 제14조의 효과 일부를 배제하는 부관을 붙인 것이므로 이러한 행정행위의 부관에 대하여는 독립하여 행정소송의 대상으로 삼을 수 없다(대판 1991.12.13, 90누8503).

4. **행정처분에 붙인 부담인 부관이 무효가 되면 그 부담의 이행으로 한 사법상 법률행위도 당연히 무효가 되는지 여부(소극) 및 행정처분에 붙인 부담인 부관이 제소기간 도과로 불가쟁력이 생긴 경우에도 그 부담의 이행으로 한 사법상 법률행위의 효력을 다툴 수 있는지 여부(적극)**
행정처분에 부담인 부관을 붙인 경우 부관의 무효화에 의하여 본체인 행정처분 자체의 효력에도 영향이 있게 될 수는 있지만, 그 처분을 받은 사람이 부담의 이행으로 사법상 매매 등의 법률행위를 한 경우에는 그 부관은 특별한 사정이 없는 한 법률행위를 하게 된 동기 내지 연유로 작용하였을 뿐이므로 이는 법률행위의 취소사유가 될 수 있음은 별론으로 하고 그 법률행위 자체를 당연히 무효화하는 것은 아니다. 또한, 행정처분에 붙은 부담인 부관이 제소기간의 도과로 확정되어 이미 불가쟁력이 생겼다면 그 하자가 중대하고 명백하여 당연 무효로 보아야 할 경우 외에는 누구나 그 효력을 부인할 수 없을 것이지만, 부담의 이행으로서 하게 된 사법상 매매 등의 법률행위는 부담을 붙인 행정처분과는 어디까지나 별개의 법률행위이므로 그 부담의 불가쟁력의 문제와는 별도로 법률행위가 사회질서 위반이나 강행규정에 위반되는지 여부 등을 따져보아 그 법률행위의 유효 여부를 판단하여야 한다(대판 2009.6.25, 2006다18174).

5. **토지소유자가 토지형질변경행위허가에 붙은 기부채납의 부관에 따라 토지를 기부채납(증여)한 경우, 기부채납의 부관이 당연무효이거나 취소되지 않은 상태에서 그 부관으로 인하여 증여계약의 중요 부분에 착오가 있음을 이유로 증여계약을 취소할 수 있는지 여부(소극)**
토지소유자가 토지형질변경행위허가에 붙은 기부채납의 부관에 따라 토지를 국가나 지방자치단체에 기부채납(증여)한 경우, 기부채납의 부관이 당연무효이거나 취소되지 아니한 이상 토지소유자는 위 부관으로 인하여 증여계약의 중요부분에 착오가 있음을 이유로 증여계약을 취소할 수 없다(대판 1999.5.25, 98다53134).

6. **기부자가 제시한 조건을 이의 없이 수락하면서 시설물을 기부채납받은 행정청이 위 시설물이용을 위한 도로점용 허가를 함에 있어 위 조건에 반하여 점용기간을 단축한 경우, 동 행정처분의 적법 여부**
원고가 신축한 상가 등 시설물을 부산직할시에 기부채납함에 있어 그 무상사용을 위한 도로점용기간은 원고의 총공사비와 시 징수조례에 의한 점용료가 같아지는 때까지로 정하여 줄 것을 전제조건으로 하고 원고의 위 조건에 대하여 시는 아무런 이의 없이 수락하고 위 상가 등 건물을 기부채납받아 그 소유권을 취득하였다면 시가 원고에 대하여 위 상가 등의 사용을 위한 도로점용허가를 함에 있어서는 그 점용기간을 수락한 조건대로 해야 할 것임에도 합리적인 근거 없이 단축한 것은 위법한 처분이라 할 것이며 가사 원고가 위 상가를 타에 임대하여 보증금 및 임료수입을 얻는다 하여 위 무상점용기간을 단축할 사유가 될 수 없다(대판 1985.7.9, 84누604).

7. **행정청이 수익적 행정처분을 하면서 사전에 상대방과 체결한 협약상의 의무를 부담으로 부가하였는데 부담의 전제가 된 주된 행정처분의 근거 법령이 개정되어 부관을 붙일 수 없게 된 경우, 위 협약의 효력이 소멸하는지 여부(소극)**
행정청이 수익적 행정처분을 하면서 부가한 부담의 위법 여부는 처분 당시 법령을 기준으로 판단하여야 하고, 부담이 처분 당시 법령을 기준으로 적법하다면 처분 후 부담의 전제가 된 주된 행정처분의 근거 법령이 개정됨으로써 행정청이 더 이상 부관을 붙일 수 없게 되었다 하더라도 곧바로 위법하게 되거나 그 효력이 소멸하게 되는 것은 아니다. 따라서 행정처분의 상대방이 수익적 행정처분을 얻기 위하여 행정청과 사이에 행정처분에 부가할 부담에 관한 협약을 체결하고 행정청이 수익적 행정처분을 하면서 협약상의 의무를 부담으로 부가하였으나 부담의 전제가 된 주된 행정처분의 근거 법령이 개정됨으로써 행정청이 더 이상 부관을 붙일 수 없게 된 경우에도 곧바로 협약의 효력이 소멸하는 것은 아니다(대판 2009.2.12, 2005다65500).

8. **행정청이 관리처분계획에 대한 인가처분을 하면서 기부채납과 같은 조건을 붙일 수 있는지 여부(소극)**
행정청이 관리처분계획에 대한 인가 여부를 결정할 때에는 그 관리처분계획에 도시정비법 제48조 및 그 시행령 제50조에 규정된 사항이 포함되어 있는지, 그 계획의 내용이 도시정비법 제48조 제2항의 기준에 부합하는지 여부 등을 심사·확인하여 그 인가 여부를 결정할 수 있을 뿐 기부채납과 같은 다른 조건을 붙일 수는 없다고 할 것이다(대판 2012.8.30, 2010두24951).

5. 경찰면제

경찰면제란 법령에 의하여 과하여진 경찰상의 작위·수인·급부의무를 특정한 경우에 해제하여 주는 경찰상의 행정행위이다. 경찰상의 의무를 해제하여 주는 행위이므로 명령적 행위에 속하며, 경찰면제의 여부를 결정하는 것은 원칙적으로 경찰행정관청의 기속재량에 해당한다.

6. 형성적 행정행위

형성적 행정행위란 행정행위의 상대방에 대하여 일정한 권리·능력 또는 포괄적 법률관계 및 법률상의 힘을 발생·변경·소멸시키는 행정행위를 말한다.

(1) 특허

특정인에게 법률상의 힘을 설정하여 주는 행정행위, 즉 설권행위를 협의의 특허라고 한다.

판례

1. **실효된 공유수면매립면허의 효력을 회복시키는 처분이 자유재량 행위인지 여부(적극)**
공유수면매립면허는 설권행위인 특허의 성질을 갖는 것이므로 원칙적으로 행정청의 자유재량에 속하며, 일단 실효된 공유수면매립면허의 효력을 회복시키는 행위도 특단의 사정이 없는 한 새로운 면허부여와 같이 면허관청의 자유재량에 속한다고 할 것이므로 공유수면매립법(1986.12.31. 개정) 부칙 제4항의 규정에 의하여 위 법시행 전에 같은 법 제25조 제1항의 규정에 의하여 효력이 상실된 매립면허의 효력을 회복시키는 처분도 특단의 사정이 없는 한 면허관청의 자유재량에 속하는 행위라고 봄이 타당하다(대판 1989.9.12, 88누9206).
2. **개인택시운송사업 면허(특허)가 재량행위인지 여부(적극) 및 그 면허기준의 해석·적용 방법**
자동차운수사업법에 의한 개인택시운송사업면허는 특정인에게 권리나 이익을 부여하는 행정행위로서 법령에 특별한 규정이 없는 한 재량행위이고, 그 면허를 위하여 필요한 기준을 정하는 것도 역시 행정청의 재량에 속하는 것이므로, 그 설정된 기준이 객관적으로 합리적이 아니라거나 타당하지 않다고 볼 만한 다른 특별한 사정이 없는 이상 행정청의 의사는 가능한 한 존중되어야 한다(대판 1996.10.11, 96누6172).
3. **법무부장관이 법률에서 정한 귀화 요건을 갖춘 귀화신청인에게 귀화를 허가할 것인지 여부에 관하여 재량권을 가지는지 여부(적극)**
국적법 제4조 제1항은 "외국인은 법무부장관의 귀화허가를 받아 대한민국의 국적을 취득할 수 있다."라고 규정하고, 그 제2항은 "법무부장관은 귀화 요건을 갖추었는지를 심사한 후 그 요건을 갖춘 자에게만 귀화를 허가한다."라고 정하고 있다. 국적은 국민의 자격을 결정짓는 것이고, 이를 취득한 사람은 국가의 주권자가 되는 동시에 국가의 속인적 통치권의 대상이 되므로, 귀화허가는 외국인에게 대한민국 국적을 부여함으로써 국민으로서의 법적 지위를 포괄적으로 설정하는 행위에 해당한다. 한편, 국적법 등 관계 법령 어디에도 외국인에게 대한민국의 국적을 취득할 권리를 부여하였다고 볼 만한 규정이 없다.

이와 같은 귀화허가의 근거 규정의 형식과 문언, 귀화허가의 내용과 특성 등을 고려해 보면, 법무부장관은 귀화신청인이 귀화 요건을 갖추었다 하더라도 귀화를 허가할 것인지 여부에 관하여 재량권을 가진다고 보는 것이 타당하다(대판 2010.10. 28, 2010두6496).

(2) 인가

① 의의: 인가란 제3자가 한 계약・합동행위 등 법률행위를 보충하여 그 법률행위의 효력을 완성시켜주는 행정행위를 말한다.

② **인가에는 하자가 없으나** 기본행위에 하자가 있는 경우: 기본행위가 부존재하거나 무효인 경우에는 인가 자체가 적법하다고 하더라도 인가는 무효에 해당하며, 기본행위는 효력이 발생하지 않는다. 기본행위에 취소사유가 존재하는 경우 인가가 있은 후에도 취소가 가능하다. 그러므로 인가가 기본행위의 하자를 치유할 수 있는 것은 아니다. 그리고 기본행위와 인가가 유효하게 성립했다고 하더라도, 이 후에 기본행위가 취소되거나 실효되는 경우 인가도 당연히 실효된다.

③ **기본행위는 적법・유효하지만** 인가에 하자가 있는 경우: 기본행위는 적법・유효한데 인가만 무효인 경우에는 무인가행위에 해당하므로 기본행위의 효력이 완성되지 않아 무효인 행위가 된다. 그러나 인가에 취소사유만 존재하는 경우 인가가 취소되기 전까지는 유인가행위로서 효력을 가지며, 인가가 취소되면 무인가행위가 된다.

판례

1. **재단법인의 정관변경 결의의 하자를 이유로 정관변경 인가처분의 취소・무효 확인을 소구할 수 있는지 여부(소극)**
   인가는 기본행위인 재단법인의 정관변경에 대한 법률상의 효력을 완성시키는 보충행위로서, 그 기본이 되는 정관변경 결의에 하자가 있을 때에는 그에 대한 인가가 있었다 하여도 기본행위인 정관변경 결의가 유효한 것으로 될 수 없으므로 기본행위인 정관변경 결의가 적법・유효하고 보충행위인 인가처분 자체에만 하자가 있다면 그 인가처분의 무효나 취소를 주장할 수 있지만, 인가처분에 하자가 없다면 기본행위에 하자가 있다 하더라도 따로 그 기본행위의 하자를 다투는 것은 별론으로 하고 기본행위의 무효를 내세워 바로 그에 대한 행정청의 인가처분의 취소 또는 무효확인을 소구할 법률상의 이익이 없다[대판 1996.5.16, 95누4810(전합)].
2. **학교법인의 임원에 대한 감독청의 취임승인의 법적 성질**
   사립학교법 제20조 제2항에 의한 학교법인의 임원에 대한 감독청의 취임승인은 학교법인의 임원선임행위를 보충하여 그 법률상의 효력을 완성케하는 보충적 행정행위로서 성질상 기본행위를 떠나 승인처분 그 자체만으로는 법률상 아무런 효력도 발생할 수 없으므로 기본행위인 학교법인의 임원선임행위가 불성립 또는 무효인 경우에는 비록 그에 대한 감독청의 취임승인이 있었다 하여도 이로써 무효인 그 선임행위가 유효한 것으로 될 수는 없다(대판 1987.8.18, 86누152).

(3) 공법상의 대리

제3자가 해야 할 행위를 행정청이 대리하여 행위하고, 그 법적 효과는 제3자에게 귀속되는 행위를 말한다. 공법상의 대리는 법률규정에 의한 공권력의 발동에 해당하므로 법정대리에 해당한다.

판례

1. **공매의 성질 및 공매에 의하여 재산을 매수한 자가 그 공매처분이 취소된 경우 그 취소처분의 위법을 주장하여 행정소송을 제기할 법률상의 이익이 있는지 여부**
   과세관청이 체납처분으로서 행하는 공매는 우월한 공권력의 행사로서 행정소송의 대상이 되는 공법상의 행정처분이며 공매에 의하여 재산을 매수한 자는 그 공매처분이 취소된 경우에 그 취소처분의 위법을 주장하여 행정소송을 제기할 법률상 이익이 있다(대판 1984.9.25, 84누201).

2. 성업공사가 한 공매처분에 대한 취소소송의 피고적격(성업공사)
성업공사가 체납압류된 재산을 공매하는 것은 세무서장의 공매권한 위임에 의한 것으로 보아야 할 것이므로, 성업공사가 한 그 공매처분에 대한 취소 등의 항고소송을 제기함에 있어서는 수임청으로서 실제로 공매를 행한 성업공사를 피고로 하여야 하고, 위임청인 세무서장은 피고적격이 없다(대판 1997.2.28, 96누1757).

7. 경찰상 의무이행 확보수단

(1) 의의

행정주체가 국민에게 의무를 부과했는데도 불구하고 국민이 이를 이행하지 않을 경우 경찰목적을 달성하기 위한 불가결한 제도로서 구체적인 경찰목적을 실현하기 위한 실효성을 확보하기 위한 수단으로 경찰강제와 경찰벌이 존재한다.

(2) 수단

① 전통적 의무이행 확보수단과 새로운 의무이행 확보수단

전통적 수단	경찰강제	강제집행 – 대집행, 집행벌(이행강제금), 강제징수, 직접강제
		즉시강제
		경찰조사
	경찰벌	경찰형벌, 경찰질서벌
새로운 수단	비금전적 제재	공급거부, 공표, 관허사업의 제한, 행정행위의 철회·정지, 취업제한
	금전적 제재	과징금(부과금), 가산세, 가산금(중가산금)

② 직접적 수단과 간접적 수단

직접적 수단	㉠ 강제집행(대집행, 직접강제, 강제징수) ㉡ 즉시강제(각 개별법상의 조치)
간접적 수단	㉠ 경찰벌(경찰형벌, 경찰질서벌) ㉡ 집행벌(이행강제금) ㉢ 새로운 수단(금전적 제재, 비금전적 제재)

Add ⊕

1. 과징금은 원칙적으로 행정법상의 의무를 위반한 자에 대하여 당해 위반행위로 얻게 된 경제적 이익을 박탈하기 위한 목적으로 부과하는 금전적인 제재이다.
2. 가산세는 개별 세법이 과세의 적정을 기하기 위하여 정한 의무의 이행을 확보할 목적으로 그 의무 위반에 대하여 세금의 형태로 가하는 행정상 제재이다.

(3) 경찰강제

경찰강제라 함은 경찰상의 목적(질서유지)을 위하여 개인의 신체·재산 또는 가택에 실력을 가하여 경찰상 필요한 상태를 실현하는 사실상의 작용(사실행위)을 말하며, 경찰상 강제집행과 경찰상 즉시강제로 구분할 수 있다.

① **경찰상의 강제집행**: 경찰상 강제집행이란 경찰하명에 의한 경찰의무의 불이행을 전제로 하여 상대방에게 실력을 행사하여 강제적으로 의무를 이행시키거나 이행된 것과 동일한 상태를 실현시키는 작용이다.

㉠ 대집행

㉠ **의의**: 행정법상의 대체적 작위의무를 진 자의 의무불이행시 경찰행정관청이 스스로 그 행위를 하거나 또는 제3자로 하여금 의무자가 하여야 할 행위를 하게 함으로써 의무의 이행이 있는 것과 같은 상태를 실현시킨 후, 그에 관한 비용을 의무자로부터 징수하는 경찰상의 강제집행이다.
㉡ **법적 근거**: 일반법인 행정대집행법이 있다.
㉢ **대집행의 절차**: 대집행의 계고 ⇨ 대집행영장에 의한 통지 ⇨ 대집행의 실행 ⇨ 비용의 징수
㉣ 비상시 또는 위험이 절박한 경우에 있어서 당해 행위의 급속한 실시를 요하여 전 2항에 규정한 수속(대집행의 계고, 대집행영장에 의한 통지)을 취할 여유가 없을 때에는 그 수속을 거치지 아니하고 대집행을 할 수 있다(행정대집행법 제3조 제3항).

판례 **대집행 관련 판례**

1. **건물철거대집행계고처분취소**
건축법에 위반하여 건축한 것이어서 철거의무가 있는 건물이라 하더라도 그 철거의무를 대집행하기 위한 계고처분을 하려면 다른 방법으로는 이행의 확보가 어렵고 불이행을 방치함이 심히 공익을 해하는 것으로 인정될 때에 한하여 허용되고 이러한 요건의 주장입증책임은 처분 행정청에 있다(대판 1993.9.14, 92누16690).

2. **시설물철거대집행계고처분취소**
도시공원시설인 매점의 관리청이 그 공동점유자 중의 1인에 대하여 소정의 기간 내에 위 매점으로부터 퇴거하고 이에 부수하여 그 판매 시설물 및 상품을 반출하지 아니할 때에는 이를 대집행하겠다는 내용의 계고처분은 그 주된 목적이 매점의 원형을 보존하기 위하여 점유자가 설치한 불법 시설물을 철거하고자 하는 것이 아니라, 매점에 대한 점유자의 점유를 배제하고 그 점유이전을 받는 데 있다고 할 것인데, 이러한 의무는 그것을 강제적으로 실현함에 있어 직접적인 실력행사가 필요한 것이지 대체적 작위의무에 해당하는 것은 아니어서 직접강제의 방법에 의하는 것은 별론으로 하고 행정대집행법에 의한 대집행의 대상이 되는 것은 아니다(대판 1998.10.23, 97누157).

3. **건물철거대집행계고처분취소**
계고서라는 명칭의 1장의 문서로서 일정기간 내에 위법건축물의 자진철거를 명함과 동시에 그 소정기한 내에 자진철거를 하지 아니할 때에는 대집행할 뜻을 미리 계고한 경우라도 건축법에 의한 철거명령과 행정대집행법에 의한 계고처분은 독립하여 있는 것으로서 각 그 요건이 충족되었다고 볼 것이다(대판 1992.6.12, 91누13564).

4. **군수가 사무위임조례에 의하여 무허가 건축물에 대한 철거대집행사무를 읍·면에게 위임한 경우, 읍·면장이 대집행 계고처분권을 가지는지 여부(적극)**
군수가 군사무위임조례의 규정에 따라 무허가 건축물에 대한 철거대집행사무를 하부 행정기관인 읍·면에 위임하였다면, 읍·면장에게는 관할구역 내의 무허가 건축물에 대하여 그 철거대집행을 위한 계고처분을 할 권한이 있다(대판 1997.2.14, 96누15428).

5. **아무런 권원 없이 국유재산에 설치한 시설물에 대하여 행정청이 행정대집행을 할 수 있음에도 민사소송의 방법으로 그 시설물의 철거를 구하는 것이 허용되는지 여부(소극)**
피고들이 아무런 권원 없이 이 사건 시설물을 설치함으로써 이 사건 토지를 불법점유하고 있는 이상, 특별한 사정이 없는 한, 국가로서는 소유권에 기한 방해배제청구권을 행사하여 피고들에 대하여 이 사건 시설물의 철거 및 이 사건 토지의 인도를 구할 수 있다고 할 것이나, 이 사건 토지는 잡종재산인 국유재산으로서, 국유재산법 제52조는 "정당한 사유 없이 국유재산을 점유하거나 이에 시설물을 설치한 때에는 행정대집행법을 준용하여 철거 기타 필요한 조치를 할 수 있다."고 규정하고 있으므로, 관리권자인 보령시장으로서는 행정대집행의 방법으로 이 사건 시설물을 철거할 수 있고, 이러한 행정대집행의 절차가 인정되는 경우에는 따로 민사소송의 방법으로 피고들에 대하여 이 사건 시설물의 철거를 구하는 것은 허용되지 않는다고 할 것이다(대판 2009.6.11, 2009다1122).

6. 아무런 권원 없이 국유재산에 설치한 시설물에 대하여 행정청이 행정대집행을 실시하지 않는 경우, 그 국유재산에 대한 사용청구권을 가지고 있는 자가 국가를 대위하여 민사소송으로 그 시설물의 철거를 구할 수 있는지 여부(적극)

관리권자인 보령시장이 행정대집행을 실시하지 아니하는 경우 국가에 대하여 이 사건 토지 사용청구권을 가지는 원고로서는 위 청구권을 보전하기 위하여 국가를 대위하여 피고들을 상대로 민사소송의 방법으로 이 사건 시설물의 철거를 구하는 이외에는 이를 실현할 수 있는 다른 절차와 방법이 없어 그 보전의 필요성이 인정되므로, 원고는 국가를 대위하여 피고들을 상대로 민사소송의 방법으로 이 사건 시설물의 철거를 구할 수 있다고 보아야 할 것이고, 한편 이 사건 청구 중 이 사건 토지 인도청구 부분에 대하여는 관리권자인 보령시장으로서도 행정대집행의 방법으로 이를 실현할 수 없으므로, 원고는 당연히 국가를 대위하여 피고들을 상대로 민사소송의 방법으로 이 사건 토지의 인도를 구할 수 있다고 할 것이다(대판 2009.6.11, 2009다1122).

7. 공유재산 대부계약의 해지에 따른 원상회복으로 행정대집행의 방법에 의하여 그 지상물을 철거시킬 수 있는지 여부(적극)

지방재정법 제85조 제1항은, 공유재산을 정당한 이유 없이 점유하거나 그에 시설을 한 때에는 이를 강제로 철거하게 할 수 있다고 규정하고, 그 제2항은, 지방자치단체의 장이 제1항의 규정에 의한 강제철거를 하게 하고자 할 때에는 행정대집행법 제3조 내지 제6조의 규정을 준용한다고 규정하고 있는바, 공유재산의 점유자가 그 공유재산에 관하여 대부계약 외 달리 정당한 권원이 있다는 자료가 없는 경우 그 대부계약이 적법하게 해지된 이상 그 점유자의 공유재산에 대한 점유는 정당한 이유 없는 점유라 할 것이고, 따라서 지방자치단체의 장은 지방재정법 제85조에 의하여 행정대집행의 방법으로 그 지상물을 철거시킬 수 있다(대판 2001.10.12, 2001두4078).

8. 구 공공용지의 취득 및 손실보상에 관한 특례법에 의한 협의취득시 건물소유자가 매매대상 건물에 대한 철거의무를 부담하겠다는 취지의 약정을 한 경우, 그 철거의무가 행정대집행법에 의한 대집행의 대상이 되는지 여부(소극)

행정대집행법상 대집행의 대상이 되는 대체적 작위의무는 공법상 의무이어야 할 것인데, 구 공공용지의 취득 및 손실보상에 관한 특례법(2002.2.4. 법률 제6656호) 공익사업을 위한 토지 등의 취득 및 보상에 관한 법률 부칙 제2조로 폐지)에 따른 토지 등의 협의취득은 공공사업에 필요한 토지 등을 그 소유자와의 협의에 의하여 취득하는 것으로서 공공기관이 사경제주체로서 행하는 사법상 매매 내지 사법상 계약의 실질을 가지는 것이므로, 그 협의취득시 건물소유자가 매매대상 건물에 대한 철거의무를 부담하겠다는 취지의 약정을 하였다고 하더라도 이러한 철거의무는 공법상의 의무가 될 수 없고, 이 경우에도 행정대집행법을 준용하여 대집행을 허용하는 별도의 규정이 없는 한 위와 같은 철거의무는 행정대집행법에 의한 대집행의 대상이 되지 않는다(대판 2006.10.13, 2006두7096).

9. 대집행계고를 함에 있어 대집행할 행위의 내용 및 범위가 대집행계고서에 의하여서만 특정되어야 하는지 여부

행정청이 행정대집행법 제3조 제1항에 의한 대집행계고를 함에 있어서는 의무자가 스스로 이행하지 아니하는 경우에 대집행할 행위의 내용 및 범위가 구체적으로 특정되어야 하나, 그 행위의 내용 및 범위는 반드시 대집행계고서에 의하여서만 특정되어야 하는 것이 아니고 계고처분 전후에 송달된 문서나 기타 사정을 종합하여 행위의 내용이 특정되면 족하다(대판 1994.10.28, 94누5144).

10. 위법건축물에 대한 철거명령 및 계고처분에 불응하자 제2차, 제3차로 행한 계고처분이 행정처분인지 여부

건물의 소유자에게 위법건축물을 일정기간까지 철거할 것을 명함과 아울러 불이행할 때에는 대집행한다는 내용의 철거대집행 계고처분을 고지한 후 이에 불응하자 다시 제2차, 제3차 계고서를 발송하여 일정기간까지의 자진철거를 촉구하고 불이행하면 대집행을 한다는 뜻을 고지하였다면 행정대집행법상의 건물철거의무는 제1차 철거명령 및 계고처분으로서 발생하였고 제2차, 제3차의 계고처분은 새로운 철거의무를 부과한 것이 아니고 다만 대집행기한의 연기통지에 불과하므로 행정처분이 아니다(대판 1994.10.28, 94누5144).

11. 대한주택공사가 법령에 의하여 대집행권한을 위탁받아 공무인 대집행을 실시하기 위하여 지출한 비용을 행정대집행법 절차에 따라 국세징수법의 예에 의하여 징수할 수 있는지 여부(적극)

대한주택공사가 구 대한주택공사법(2009.5.22. 법률 제9706호 한국토지주택공사법 부칙 제2조로 폐지) 및 구 대한주택공사법 시행령(2009.9.21. 대통령령 제21744호 한국토지주택공사법 시행령 부칙 제2조로 폐지)에 의하여 대집행권한을 위탁받아 공무인 대집행을 실시하기 위하여 지출한 비용은 행정대집행법 절차에 따라 국세징수법의 예에 의하여 징수할 수 있다(대판 2011.9.8, 2010다48240).

12. 대한주택공사가 법령에 의하여 대집행권한을 위탁받아 공무인 대집행을 실시하기 위하여 지출한 비용을 행정대집행법 절차에 따라 징수할 수 있음에도 민사소송절차에 의하여 그 비용의 상환을 청구한 사안

대한주택공사가 구 대한주택공사법(2009.5.22. 법률 제9706호 한국토지주택공사법 부칙 제2조로 폐지) 및 구 대한주택공사법 시행령(2009.9.21. 대통령령 제21744호 한국토지주택공사법 시행령 부칙 제2조로 폐지)에 의하여 대집행권한을 위탁받아 공무인 대집행을 실시하기 위하여 지출한 비용을 행정대집행법 절차에 따라 국세징수법의 예에 의하여 징수할 수 있음에도 민사소송절차에 의하여 그 비용의 상환을 청구한 사안에서, 행정대집행법이 대집행비용의 징수에 관하여 민사소송절차에 의한 소송이 아닌 간이하고 경제적인 특별구제절차를 마련해 놓고 있으므로, 위 청구는 소의 이익이 없어 부적법하다(대판 2011.9.8., 2010다48240).

13. 행정대집행이 실행완료된 경우 대집행계고처분의 취소를 구할 법률상 이익이 있는지 여부(소극)

대집행계고처분 취소소송의 변론종결 전에 대집행영장에 의한 통지절차를 거쳐 사실행위로서 대집행의 실행이 완료된 경우에는 행위가 위법한 것이라는 이유로 손해배상이나 원상회복 등을 청구하는 것은 별론으로 하고 처분의 취소를 구할 법률상 이익은 없다(대판 1993.6.8, 93누6164).

14. 손해배상

위법한 행정대집행이 완료되면 그 처분의 무효확인 또는 취소를 구할 소의 이익은 없다 하더라도, 미리 그 행정처분의 취소판결이 있어야만, 그 행정처분의 위법임을 이유로 한 손해배상청구를 할 수 있는 것은 아니다(대판 1972.4.28, 72다337).

ⓛ 이행강제금(집행벌)

㉠ **의의**: 집행벌은 부작위의무 또는 비대체적 작위의무를 강제하기 위하여 일정한 기한까지 의무를 이행하지 않으면 금전적 제재를 가한다는 뜻을 미리 계고하여 의무자에게 심리적 압박을 가함으로써 의무이행을 간접적으로 강제하는 수단으로, 집행벌은 사후적 제제가 아니고 장래의 의무이행을 담보한다는 점에서 일사부재리의 원칙에 반하지 않는다.

㉡ **처분성**: 이행강제금 부과처분에 대하여는 비송사건절차법에 의한 특별한 불복 절차가 마련되어 있으므로 항고소송의 대상이 되는 처분이 아니다.

㉢ **경찰벌과의 구별**: 사후적 제재로서의 성질이 아니라 의무이행의 확보에 그 주된 지향점이 있다는 점에서 경찰벌과 구별된다.

㉣ **즉시강제와의 구별**: 의무불이행을 전제로 한다는 점에서 즉시강제와 구별된다.

판례 **이행강제금 관련 판례**

1. 신고 대상 건축물에 대하여 건축법상 이행강제금을 부과할 수 있는지 여부(적극)

이행강제금 부과 근거 규정인 건축법 제80조 제1항 제1호는 '건축물이 제55조와 제56조에 따른 건폐율이나 용적률을 초과하여 건축된 경우 또는 허가를 받지 아니하거나 신고를 하지 아니하고 건축된 경우에는 지방세법에 따라 해당 건축물에 적용되는 $1m^2$의 시가표준액의 100분의 50에 해당하는 금액에 위반면적을 곱한 금액 이하'의 이행강제금을 부과하도록 규정하고 있는바, 건축법이 이와 같이 건축물이 신고하지 않고 건축된 경우에도 이행강제금을 부과할 수 있도록 규정하고 있는 점에 비추어 보면, 건축법상의 이행강제금은 허가 대상 건축물뿐만 아니라 신고 대상 건축물에 대해서도 부과할 수 있다(대판 2013.1.24, 2011두10164).

2. 형사처벌과 별도로 시정명령 위반에 대하여 이행강제금을 부과하는 건축법 제83조 제1항이 이중처벌에 해당하는지 여부(소극) 및 시정명령 이행시까지 반복하여 이행강제금을 부과·징수할 수 있도록 규정하는 같은 조 제4항이 과잉금지원칙에 반하는지 여부(소극)

개발제한구역 내의 건축물에 대하여 허가를 받지 않고 한 용도변경행위에 대한 형사처벌과 건축법 제83조 제1항에 의한 시정명령 위반에 대한 이행강제금의 부과는 그 처벌 내지 제재대상이 되는 기본적 사실관계로서의 행위를 달리하며, 또한 그 보호법익과 목적에서도 차이가 있으므로 이중처벌에 해당한다고 할 수 없고, 이행강제금은 위법건축물의 원상회복을 궁극적인 목적으로 하고, 그 궁극적인 목적을 달성하기 위해서는 위법건축물이 존재하는 한 계속하여 부과할 수밖에 없으며, 만약 통산부과횟수나 통산부과상한액의 제한을 두면 위법건축물의 소유자 등에게 위법건축물의 현상을 고착할 수 있는 길을 열어주게 됨으로써 이행강제금의 본래의 취지를 달성할 수 없게 될 수 있으므로, 건축법 제83조 제4항이 "허가권자는 최초의 시정명령이 있은 날을 기준으로 하여 1년에 2회의 범위 안에서 당해 시정명령이 이행될 때까지 반복하여 이행강제금을 부과·징수할 수 있다."고 규정하였다고 하여 과잉금지원칙에 반한다고 할 수도 없다(대결 2005.8.19, 2005마30).

3. 건축법상 시정명령을 위반한 자에 대하여 그 이행을 강제하기 위해서 이행강제금을 부과하는 건축법 제83조 제1항이 과잉금지원칙 및 이중처벌금지원칙에 위배되는지 여부(소극)

전통적으로 행정대집행은 대체적 작위의무에 대한 강제집행수단으로, 이행강제금은 부작위의무나 비대체적 작위의무에 대한 강제집행수단으로 이해되어 왔으나, 이는 이행강제금제도의 본질에서 오는 제약은 아니며, 이행강제금은 대체적 작위의무의 위반에 대하여도 부과될 수 있다. 현행 건축법상 위법건축물에 대한 이행강제수단으로 대집행과 이행강제금(제83조 제1항)이 인정되고 있는데, 양 제도는 각각의 장·단점이 있으므로 행정청은 개별사건에 있어서 위반내용, 위반자의 시정의지 등을 감안하여 대집행과 이행강제금을 선택적으로 활용할 수 있으며, 이처럼 그 합리적인 재량에 의해 선택하여 활용하는 이상 중첩적인 제재에 해당한다고 볼 수 없다(헌재 2004.2.26, 2001헌바80).

ⓒ 강제징수

㉠ **의의**: 행정법상의 금전급부의무를 이행하지 않는 경우에 경찰행정관청이 강제적으로 의무가 이행된 것과 동일한 상태를 실현하는 경찰상 강제집행이다.
㉡ **법적 근거**: 일반법인 국세징수법에 근거한다.
㉢ **강제징수의 절차**: 독촉처분 ⇨ 강제징수(압류 – 매각 – 청산) 순으로 진행된다.

판례 **강제징수 관련 판례**

1. 구 의료보험법 제45조, 제55조, 제55조의2에 기하여 보험자 또는 보험자단체가 의료기관에게 부당이득금 또는 가산금의 납부를 독촉한 후 다시 동일한 내용의 독촉을 한 경우, 후에 한 동일한 내용의 독촉이 항고소송의 대상이 되는 행정처분인지 여부(소극)

구 의료보험법(1994.1.7. 법률 제4728호로 전문 개정되기 전의 것) 제45조, 제55조, 제55조의2의 각 규정에 의하면, 보험자 또는 보험자단체가 사기 기타 부정한 방법으로 보험급여비용을 받은 의료기관에게 그 급여비용에 상당하는 금액을 부당이득으로 징수할 수 있고, 그 의료기관이 납부고지에서 지정된 납부기한까지 징수금을 납부하지 아니한 경우 국세체납절차에 의하여 강제징수할 수 있는바, 보험자 또는 보험자단체가 부당이득금 또는 가산금의 납부를 독촉한 후 다시 동일한 내용의 독촉을 하는 경우 최초의 독촉만이 징수처분으로서 항고소송의 대상이 되는 행정처분이 되고 그 후에 한 동일한 내용의 독촉은 체납처분의 전제요건인 징수처분으로서 소멸시효 중단사유가 되는 독촉이 아니라 민법상의 단순한 최고에 불과하여 국민의 권리의무나 법률상의 지위에 직접적으로 영향을 미치는 것이 아니므로 항고소송의 대상이 되는 행정처분이라 할 수 없다(대판 1999.7.13, 97누119).

2. 납세자 아닌 제3자의 재산을 대상으로 한 체납압류처분의 효력(무효) 및 과세관청이 체납자가 점유하고 있는 제3자 소유의 동산을 압류한 경우, 체납자가 그 압류처분의 취소나 무효확인을 구할 원고적격이 있는지 여부(적극)

과세관청이 납세자에 대한 체납처분으로서 제3자의 소유 물건을 압류하고 공매하더라도 그 처분으로 인하여 제3자가 소유권을 상실하는 것이 아니고, 체납처분으로서 압류의 요건을 규정하는 국세징수법 제24조 각 항의 규정을 보면 어느 경우에나 압류의 대상을 납세자의 재산에 국한하고 있으므로, 납세자가 아닌 제3자의 재산을 대상으로 한 압류처분은 그 처분의 내용이 법률상 실현될 수 없는 것이어서 당연무효이다.

국세징수법 제38조, 제39조의 규정에 의하면 동산의 압류는 세무공무원이 점유함으로써 행하되, 다만 일정한 경우 체납자로 하여금 보관하게 하고 그 사용 또는 수익을 허가할 수 있을 뿐이며, 여기서의 점유는 목적물에 대한 체납자의 점유를 전면적으로 배제하고 세무공무원이 이를 직접 지배, 보관하는 것을 뜻하므로, 과세관청이 조세의 징수를 위하여 체납자가 점유하고 있는 제3자의 소유 동산을 압류한 경우, 그 체납자는 그 압류처분에 의하여 당해 동산에 대한 점유권의 침해를 받은 자로서 그 압류처분에 대하여 법률상 직접적이고 구체적인 이익을 가지는 것이어서 그 압류처분의 취소나 무효확인을 구할 원고적격이 있다(대판 2006.4.13, 2005두15151).

3. **체납자 등에 대한 공매통지가 공매의 절차적 요건인지 여부(적극) 및 체납자 등에게 공매통지를 하지 않았거나 적법하지 않은 공매통지를 한 경우 그 공매처분이 위법한지 여부(적극)**
   체납자는 국세징수법 제66조에 의하여 직접이든 간접이든 압류재산을 매수하지 못함에도, 국세징수법이 압류재산을 공매할 때 공고와 별도로 체납자 등에게 공매통지를 하도록 한 이유는, 체납자 등에게 공매절차가 유효한 조세부과처분 및 압류처분에 근거하여 적법하게 이루어지는지 여부를 확인하고 이를 다툴 수 있는 기회를 주는 한편, 국세징수법이 정한 바에 따라 체납세액을 납부하고 공매절차를 중지 또는 취소시켜 소유권 또는 기타의 권리를 보존할 수 있는 기회를 갖도록 함으로써, 체납자 등이 감수하여야 하는 강제적인 재산권 상실에 대응한 절차적인 적법성을 확보하기 위한 것이다. 따라서 체납자 등에 대한 공매통지는 국가의 강제력에 의하여 진행되는 공매에서 체납자 등의 권리 내지 재산상의 이익을 보호하기 위하여 법률로 규정한 절차적 요건이라고 보아야 하며, 공매처분을 하면서 체납자 등에게 공매통지를 하지 않았거나 공매통지를 하였더라도 그것이 적법하지 아니한 경우에는 절차상의 흠이 있어 그 공매처분은 위법하다. 다만, 공매통지의 목적이나 취지 등에 비추어 보면, 체납자 등은 자신에 대한 공매통지의 하자만을 공매처분의 위법사유로 주장할 수 있을 뿐 다른 권리자에 대한 공매통지의 하자를 들어 공매처분의 위법사유로 주장하는 것은 허용되지 않는다[대판 2008.11.20, 2007두18154(전합)].
4. **공매의 성질 및 공매에 의하여 재산을 매수한 자가 그 공매처분이 취소된 경우 그 취소처분의 위법을 주장하여 행정소송을 제기할 법률상의 이익이 있는 지 여부**
   과세관청이 체납처분으로서 행하는 공매는 우월한 공권력의 행사로서 행정소송의 대상이 되는 공법상의 행정처분이며 공매에 의하여 재산을 매수한 자는 그 공매처분이 취소된 경우에 그 취소처분의 위법을 주장하여 행정소송을 제기할 법률상 이익이 있다(대판 1984.9.25, 84누201).
5. **성업공사가 한 공매처분에 대한 취소소송의 피고적격(성업공사)**
   성업공사가 체납압류된 재산을 공매하는 것은 세무서장의 공매권한 위임에 의한 것으로 보아야 할 것이므로, 성업공사가 한 그 공매처분에 대한 취소 등의 항고소송을 제기함에 있어서는 수임청으로서 실제로 공매를 행한 성업공사를 피고로 하여야 하고, 위임청인 세무서장은 피고적격이 없다(대판 1997.2.28, 96누1757).

㉣ 직접강제

㉠ **의의**: 의무자가 의무를 이행하지 않는 경우엔 직접적으로 의무자의 신체 또는 재산에 실력을 가하여 행정상 필요한 상태를 실현하는 것으로 대체적·비대체적 작위의무·부작위·수인의무 불이행에 대해 행사할 수 있다.
㉡ **한계**: 인권침해의 소지가 크므로 최후의 수단으로 사용되어야 하며, 각 일반법은 없고 각 개별법에서 규정하고 있다.

② 경찰상 즉시강제

㉠ 경찰상 즉시강제라 함은 목전의 급박한 경찰상 장해를 미연에 제거하고 장해발생을 예방하기 위하여 미리 의무를 명할 시간적 여유가 없을 때, 또는 그 성질상 의무를 명하는 것으로는 그 목적을 달성하기 곤란할 때에, 직접 국민의 신체 또는 재산에 실력을 가하여 경찰상 필요한 상태를 실현하는 작용을 말한다.
㉡ 적법한 즉시강제에 대해서는 손실보상, 위법한 즉시강제에 대해서는 행정상 쟁송, 정당방위, 손해배상청구, 직권에 의한 취소·정지, 공무원에 대한 징계요구, 청원, 고소·고발 등으로 구제받을 수 있다.

판례

1. **영장주의와 적법절차의 원칙에 위배되는지 여부(소극)**
행정상 즉시강제란 행정강제의 일종으로서 목전의 급박한 행정상 장해를 제거할 필요가 있는 경우에, 미리 의무를 명할 시간적 여유가 없을 때 또는 그 성질상 의무를 명하여 가지고는 목적달성이 곤란할 때에, 직접 국민의 신체 또는 재산에 실력을 가하여 행정상 필요한 상태를 실현하는 작용이며, 법령 또는 행정처분에 의한 선행의 구체적 의무의 존재와 그 불이행을 전제로 하는 행정상 강제집행과 구별된다.
행정강제는 행정상 강제집행을 원칙으로 하며, 법치국가적 요청인 예측가능성과 법적 안정성에 반하고, 기본권 침해의 소지가 큰 권력작용인 행정상 즉시강제는 어디까지나 예외적인 강제수단이라고 할 것이다. 이러한 행정상 즉시강제는 엄격한 실정법상의 근거를 필요로 할 뿐만 아니라, 그 발동에 있어서는 법규의 범위 안에서도 다시 행정상의 장해가 목전에 급박하고, 다른 수단으로는 행정목적을 달성할 수 없는 경우이어야 하며, 이러한 경우에도 그 행사는 필요 최소한도에 그쳐야 함을 내용으로 하는 조리상의 한계에 기속된다.
이 사건 법률조항은 수거에 앞서 청문이나 의견제출 등 절차보장에 관한 규정을 두고 있지 않으나, 행정상 즉시강제는 목전에 급박한 장해에 대하여 바로 실력을 가하는 작용이라는 특성에 비추어 사전적(事前的) 절차와 친하기 어렵다는 점을 고려하면, 이를 이유로 적법절차의 원칙에 위반되는 것으로는 볼 수 없다(헌재 2002.10.31, 2000헌가12).
2. **구 사회안전법 제11조 소정의 동행보호규정이 사전영장주의를 규정한 헌법 규정에 반하는지 여부(소극, 절충설의 입장)**
사전영장주의는 인신보호를 위한 헌법상의 기속원리이기 때문에 인신의 자유를 제한하는 모든 국가작용의 영역에서 존중되어야 하지만, 헌법 제12조 제3항 단서도 사전영장주의의 예외를 인정하고 있는 것처럼 사전영장주의를 고수하다가는 도저히 행정목적을 달성할 수 없는 지극히 예외적인 경우에는 형사절차에서와 같은 예외가 인정되므로, 구 사회안전법(1989.6.16. 법률 제4132호에 의해 '보안관찰법'이란 명칭으로 전문 개정되기 전의 것) 제11조 소정의 동행보호규정은 재범의 위험성이 현저한 자를 상대로 긴급히 보호할 필요가 있는 경우에 한하여 단기간의 동행보호를 허용한 것으로서 그 요건을 엄격히 해석하는 한, 동 규정 자체가 사전영장주의를 규정한 헌법규정에 반한다고 볼 수는 없다(대판 1997.6.13, 96다56115).

(4) 경찰벌

경찰벌이라 함은 경찰행정법상의 의무 위반에 대한 제재로서 일반통치권에 의하여 사후적으로 과하는 처벌을 말한다.

경찰벌의 종류

구분	경찰형벌	경찰질서벌
대상	경찰형벌은 직접적으로 행정목적을 침해한 행위에 대하여 과한다.	경찰질서벌은 간접적으로 행정법상 질서에 장해를 줄 위험성이 있는 행위에 대하여 과한다.
적용되는 벌	형법총칙에 규정된 9종의 형벌(사형·징역·금고·자격상실·자격정지·벌금·구류·과료·몰수)을 과한다.	형법총칙에 규정이 없는 벌, 즉 과태료를 과한다.
형법 총칙의 적용 여부	형벌을 과하므로 행정형벌에는 형법총칙의 적용이 있다.	형법총칙에 없는 과태료로 벌하므로 경찰질서벌에는 형법총칙의 적용이 없다.
고의·과실	고의·과실, 위법성의 인식을 요한다.	고의·과실, 위법성의 인식을 요한다(견해의 대립이 있음).
과벌절차	경찰형벌은 형사소송법이 정하는 절차에 따라 처벌된다.	경찰질서벌은 비송사건절차법이 정하는 절차에 따라 처벌된다.

판례

1. **행정법규 위반에 대한 처벌내용에 관한 입법재량**
   어떤 행정법규 위반행위에 대하여 이를 단지 간접적으로 행정상의 질서에 장해를 줄 위험성이 있음에 불과한 경우로 보아 행정질서벌인 과태료를 과할 것인가 아니면 직접적으로 행정목적과 공익을 침해한 행위로 보아 행정형벌을 과할 것인가, 그리고 행정형벌을 과할 경우 그 법정형의 형종과 형량을 어떻게 정할 것인가는 당해 위반행위가 위의 어느 경우에 해당하는가에 대한 법적 판단을 그르친 것이 아닌한 그 처벌내용은 기본적으로 입법권자가 제반사정을 고려하여 결정할 입법재량에 속하는 문제라고 할 수 있다(헌재 1994.4.28, 91헌바14).
2. **임시운행허가기간을 벗어나 무등록차량을 운행한 자에 대한 과태료의 제재와 형사처벌이 일사부재리의 원칙에 반하는 것인지 여부(소극)**
   행정법상의 질서벌인 과태료의 부과처분과 형사처벌은 그 성질이나 목적을 달리하는 별개의 것이므로 행정법상의 질서벌인 과태료를 납부한 후에 형사처벌을 한다고 하여 이를 일사부재리의 원칙에 반하는 것이라고 할 수는 없으며, 자동차의 임시운행허가를 받은 자가 그 허가 목적 및 기간의 범위 안에서 운행하지 아니한 경우에 과태료를 부과하는 것은 당해 자동차가 무등록 자동차인지 여부와는 관계없이, 이미 등록된 자동차의 등록번호표 또는 봉인이 멸실되거나 식별하기 어렵게 되어 임시운행허가를 받은 경우까지를 포함하여, 허가받은 목적과 기간의 범위를 벗어나 운행하는 행위 전반에 대하여 행정질서벌로써 제재를 가하고자 하는 취지라고 해석되므로, 만일 임시운행허가기간을 넘어 운행한 자가 등록된 차량에 관하여 그러한 행위를 한 경우라면 과태료의 제재만을 받게 되겠지만, 무등록 차량에 관하여 그러한 행위를 한 경우라면 과태료와 별도로 형사처벌의 대상이 된다(대판 1996.4.12, 96도158).
3. **이중처벌금지원칙(二重處罰禁止原則)을 정한 헌법 제13조 제1항 소정의 '처벌(處罰)'의 의미**
   헌법 제13조 제1항이 정한 '이중처벌금지(二重處罰禁止)의 원칙(原則)'은 동일한 범죄행위에 대하여 국가가 형벌권(刑罰權)을 거듭 행사할 수 없도록 함으로써 국민의 기본권 특히 신체의 자유를 보장하기 위한 것이므로, 그 '처벌(處罰)'은 원칙으로 범죄에 대한 국가의 형벌권 실행으로서의 과벌(課罰)을 의미하는 것이고, 국가가 행하는 일체의 제재(制裁)나 불이익처분(不利益處分)을 모두 그에 포함된다고 할 수는 없다.
   다만, 행정질서벌로서의 과태료는 행정상 의무의 위반에 대하여 국가가 일반통치권에 기하여 과하는 제재로서 형벌(특히 행정형벌)과 목적·기능이 중복되는 면이 없지 않으므로, 동일한 행위를 대상으로 하여 형벌을 부과하면서 아울러 행정질서벌로서의 과태료까지 부과한다면 그것은 이중처벌금지의 기본정신에 배치되어 국가 입법권의 남용으로 인정될 여지가 있음을 부정할 수 없다.
   이러한 점에 비추어 구 건축법 제54조 제1항에 의한 무허가 건축행위에 대한 형사처벌과 이 사건 규정에 의한 시정명령 위반에 대한 과태료의 부과는 헌법 제13조 제1항이 금지하는 이중처벌에 해당한다고 할 수 없고, 또한 무허가 건축행위에 대하여 형사처벌을 한 후에라도 그 위법행위의 결과 침해된 법익을 원상회복시킬 필요가 있으므로 이를 위한 행정상 조치로서 시정명령을 발하고 그 위반에 대하여 과태료를 부과할 수 있도록 한 것이 기본권의 본질적 내용을 침해하는 것이라고 할 수도 없다 할 것이다(헌재 1994.6.30, 92헌바38).

8. 질서위반행위규제법

(1) 서설

법률상 의무의 효율적인 이행을 확보하고 국민의 권리와 이익을 보호하기 위하여 질서위반행위의 성립요건과 과태료의 부과·징수 및 재판 등에 관한 사항을 규정하는 것을 목적으로 한다. 과태료의 부과·징수, 재판 및 집행 등의 절차에 관한 다른 법률의 규정 중 이 법의 규정에 저촉되는 것은 이 법으로 정하는 바에 따른다.

질서위반행위규제법

제2조 【정의】 이 법에서 사용하는 용어의 뜻은 다음과 같다.

1. '질서위반행위'란 법률(지방자치단체의 조례를 포함한다. 이하 같다)상의 의무를 위반하여 과태료를 부과하는 행위를 말한다. 다만, 다음 각 목의 어느 하나에 해당하는 행위를 제외한다.
   가. 대통령령으로 정하는 사법(私法)상 · 소송법상 의무를 위반하여 과태료를 부과하는 행위
   나. 대통령령으로 정하는 법률에 따른 징계사유에 해당하여 과태료를 부과하는 행위

제5조 【다른 법률과의 관계】 과태료의 부과 · 징수, 재판 및 집행 등의 절차에 관한 다른 법률의 규정 중 이 법의 규정에 저촉되는 것은 이 법으로 정하는 바에 따른다.

지방자치법

제34조 【조례 위반에 대한 과태료】 ① 지방자치단체는 조례를 위반한 행위에 대하여 조례로써 1천만원 이하의 과태료를 정할 수 있다.

② 제1항에 따른 과태료는 해당 지방자치단체의 장이나 그 관할 구역 안의 지방자치단체의 장이 부과 · 징수한다.

시간적 범위 (제3조)	① 질서위반행위의 성립과 과태료처분은 행위시의 법률에 따른다. ② 질서위반행위 후 법률이 변경되어 그 행위가 질서위반행위에 해당하지 아니하게 되거나 과태료가 변경되기 전의 법률보다 가볍게 된 때에는 법률에 특별한 규정이 없는 한 변경된 법률을 적용한다. ③ 행정청의 과태료처분이나 법원의 과태료 재판이 확정된 후 법률이 변경되어 그 행위가 질서위반행위에 해당하지 아니하게 된 때에는 변경된 법률에 특별한 규정이 없는 한 과태료의 징수 또는 집행을 면제한다.
장소적 범위 (제4조)	① 이 법은 대한민국 영역 안에서 질서위반행위를 한 자에게 적용한다. ② 이 법은 대한민국 영역 밖에서 질서위반행위를 한 대한민국의 국민에게 적용한다. ③ 이 법은 대한민국 영역 밖에 있는 대한민국의 선박 또는 항공기 안에서 질서위반행위를 한 외국인에게 적용한다.

(2) 질서위반행위의 성립 등

질서위반행위 법정주의 (제6조)	법률에 따르지 아니하고는 어떤 행위도 질서위반행위로 과태료를 부과하지 아니한다.
고의 또는 과실 (제7조)	고의 또는 과실이 없는 질서위반행위는 과태료를 부과하지 아니한다.
위법성의 착오 (제8조)	자신의 행위가 위법하지 아니한 것으로 오인하고 행한 질서위반행위는 그 오인에 정당한 이유가 있는 때에 한하여 과태료를 부과하지 아니한다.
책임연령 (제9조)	14세가 되지 아니한 자의 질서위반행위는 과태료를 부과하지 아니한다. 다만, 다른 법률에 특별한 규정이 있는 경우에는 그러하지 아니하다.
심신장애 (제10조)	① 심신(心神)장애로 인하여 행위의 옳고 그름을 판단할 능력이 없거나 그 판단에 따른 행위를 할 능력이 없는 자의 질서위반행위는 과태료를 부과하지 아니한다. ② 심신장애로 인하여 ①에 따른 능력이 미약한 자의 질서위반행위는 과태료를 감경한다. ③ 스스로 심신장애 상태를 일으켜 질서위반행위를 한 자에 대하여는 ① 및 ②를 적용하지 아니한다.

법인의 처리 등 (제11조)	① 법인의 대표자, 법인 또는 개인의 대리인·사용인 및 그 밖의 종업원이 업무에 관하여 법인 또는 그 개인에게 부과된 법률상의 의무를 위반한 때에는 법인 또는 그 개인에게 과태료를 부과한다. **판례 지방자치단체가 도로법 제86조의 양벌규정의 적용대상이 되는 법인에 해당하는지 여부 (한정 적극)** 헌법 제117조, 지방자치법 제3조 제1항, 제9조, 제93조, 도로법 제54조, 제83조, 제86조의 각 규정을 종합하여 보면, 국가가 본래 그의 사무의 일부를 지방자치단체의 장에게 위임하여 그 사무를 처리하게 하는 기관위임사무의 경우에는 지방자치단체는 국가기관의 일부로 볼 수 있는 것이지만, 지방자치단체가 그 고유의 자치사무를 처리하는 경우에는 지방자치단체는 국가기관의 일부가 아니라 국가기관과는 별도의 독립한 공법인이므로, 지방자치단체 소속 공무원이 지방자치단체 고유의 자치사무를 수행하던 중 도로법 제81조 내지 제85조의 규정에 의한 위반행위를 한 경우에는 지방자치단체는 도로법 제86조의 양벌규정에 따라 처벌대상이 되는 법인에 해당한다(대판 2005.11.10, 2004도2657). ② 제7조부터 제10조까지의 규정은 도로교통법 제56조 제1항에 따른 고용주 등을 같은 법 제160조 제3항에 따라 과태료를 부과하는 경우에는 적용하지 아니한다.
다수인의 질서위반행위 가담 (제12조)	① 2인 이상이 질서위반행위에 가담한 때에는 각자가 질서위반행위를 한 것으로 본다. ② 신분에 의하여 성립하는 질서위반행위에 신분이 없는 자가 가담한 때에는 신분이 없는 자에 대하여도 질서위반행위가 성립한다. ③ 신분에 의하여 과태료를 감경 또는 가중하거나 과태료를 부과하지 아니하는 때에는 그 신분의 효과는 신분이 없는 자에게는 미치지 아니한다.
수개의 질서위반 행위의 처리 (제13조)	① 하나의 행위가 둘 이상의 질서위반행위에 해당하는 경우에는 각 질서위반행위에 대하여 정한 과태료 중 가장 중한 과태료를 부과한다. ② ①의 경우를 제외하고 둘 이상의 질서위반행위가 경합하는 경우에는 각 질서위반행위에 대하여 정한 과태료를 각각 부과한다. 다만, 다른 법령(지방자치단체의 조례를 포함한다)에 특별한 규정이 있는 경우에는 그 법령으로 정하는 바에 따른다.
과태료의 산정 (제14조)	행정청 및 법원은 과태료를 정함에 있어서 다음의 사항을 고려하여야 한다. ① 질서위반행위의 동기·목적·방법·결과 ② 질서위반행위 이후의 당사자의 태도와 정황 ③ 질서위반행위자의 연령·재산상태·환경 ④ 그 밖에 과태료의 산정에 필요하다고 인정되는 사유
과태료의 시효 (제15조)	① 과태료는 행정청의 과태료부과처분이나 법원의 과태료 재판이 확정된 후 5년간 징수하지 아니하거나 집행하지 아니하면 시효로 인하여 소멸한다. ② ①에 따른 소멸시효의 중단·정지 등에 관하여는 국세기본법 제28조를 준용한다.

(3) 행정청의 과태료 부과 및 징수

사전통지 및 의견제출 등 (제16조)	① 행정청이 질서위반행위에 대하여 과태료를 부과하고자 하는 때에는 미리 당사자(제11조 제2항에 따른 고용주 등을 포함한다)에게 대통령령으로 정하는 사항을 통지하고, 10일 이상의 기간을 정하여 의견을 제출할 기회를 주어야 한다. 이 경우 지정된 기일까지 의견제출이 없는 경우에는 의견이 없는 것으로 본다. ② 당사자는 의견제출기한 이내에 대통령령으로 정하는 방법에 따라 행정청에 의견을 진술하거나 필요한 자료를 제출할 수 있다. ③ 행정청은 ②에 따라 당사자가 제출한 의견에 상당한 이유가 있는 경우에는 과태료를 부과하지 아니하거나 통지한 내용을 변경할 수 있다.

<table>
<tr><td>과태료의 부과
(제17조)</td><td>① 행정청은 제16조의 의견 제출 절차를 마친 후에 서면(당사자가 동의하는 경우에는 전자문서를 포함한다)으로 과태료를 부과하여야 한다.
② ①에 따른 서면에는 질서위반행위, 과태료 금액, 그 밖에 대통령령으로 정하는 사항을 명시하여야 한다.

판례 '서울특별시 수도조례' 및 '서울특별시 하수도사용조례'에 근거한 과태료 부과처분이 행정소송의 대상이 되는 행정처분인지 여부(소극)
수도조례 및 하수도사용조례에 기한 과태료의 부과 여부 및 그 당부는 최종적으로 질서위반행위규제법에 의한 절차에 의하여 판단되어야 한다고 할 것이므로, 그 과태료 부과처분은 행정청을 피고로 하는 행정소송의 대상이 되는 행정처분이라고 볼 수 없다(대판 2012.10.11, 2011두19369).</td></tr>
<tr><td>신용카드
등에 의한
과태료의 납부
(제17조의2)</td><td>① 당사자는 과태료, 제24조에 따른 가산금, 중가산금 및 체납처분비를 대통령령으로 정하는 과태료 납부대행기관을 통하여 신용카드, 직불카드 등(이하 '신용카드 등'이라 한다)으로 낼 수 있다.
② ①에 따라 신용카드 등으로 내는 경우에는 과태료 납부대행기관의 승인일을 납부일로 본다.
③ 과태료 납부대행기관은 납부자로부터 신용카드 등에 의한 과태료 납부대행 용역의 대가로 납부대행 수수료를 받을 수 있다.
④ 과태료 납부대행기관의 지정 및 운영, 납부대행 수수료에 관한 사항은 대통령령으로 정한다.</td></tr>
<tr><td>자진납부자에
대한
과태료 감경
(제18조)</td><td>① 행정청은 당사자가 제16조에 따른 의견제출기한 이내에 과태료를 자진하여 납부하고자 하는 경우에는 대통령령으로 정하는 바에 따라 과태료를 감경할 수 있다.

질서위반행위규제법 시행령
제5조 【자진납부자에 대한 과태료 감경】 법 제18조 제1항에 따라 자진납부하는 경우 감경할 수 있는 금액은 부과될 과태료의 100분의 20의 범위 이내로 한다.
제2조의2 【과태료 감경】 ① 행정청은 법 제16조에 따른 사전통지 및 의견 제출 결과 당사자가 다음의 어느 하나에 해당하는 경우에는 해당 과태료 금액의 100분의 50의 범위에서 과태료를 감경할 수 있다. 다만, 과태료를 체납하고 있는 당사자에 대해서는 그러하지 아니하다.
1. 국민기초생활 보장법 제2조에 따른 수급자
2. 한부모가족 지원법 제5조 및 제5조의2 제2항ㆍ제3항에 따른 보호대상자
3. 장애인복지법 제2조에 따른 장애인 중 장애의 정도가 심한 장애인
4. 국가유공자 등 예우 및 지원에 관한 법률 제6조의4에 따른 1급부터 3급까지의 상이등급 판정을 받은 사람
5. 미성년자
② 법령상 감경할 사유가 여러 개 있는 경우라도 제1항에 따라 감경을 하는 경우에는 법 제18조에 따른 감경을 제외하고는 거듭 감경할 수 없다.

② 당사자가 ①에 따라 감경된 과태료를 납부한 경우에는 해당 질서위반행위에 대한 과태료부과 및 징수절차는 종료한다.</td></tr>
<tr><td>과태료 부과의
제척기간
(제19조)</td><td>① 행정청은 질서위반행위가 종료된 날(다수인이 질서위반행위에 가담한 경우에는 최종행위가 종료된 날을 말한다)부터 5년이 경과한 경우에는 해당 질서위반행위에 대하여 과태료를 부과할 수 없다.
② ①에도 불구하고 행정청은 제36조 또는 제44조에 따른 법원의 결정이 있는 경우에는 그 결정이 확정된 날부터 1년이 경과하기 전까지는 과태료를 정정부과하는 등 해당 결정에 따라 필요한 처분을 할 수 있다.</td></tr>
<tr><td>이의제기
(제20조)</td><td>① 행정청의 과태료부과에 불복하는 당사자는 제17조 제1항에 따른 과태료부과 통지를 받은 날부터 60일 이내에 해당 행정청에 서면으로 이의제기를 할 수 있다.
② ①에 따른 이의제기가 있는 경우에는 행정청의 과태료부과처분은 그 효력을 상실한다.
③ 당사자는 행정청으로부터 제21조 제3항에 따른 통지를 받기 전까지는 행정청에 대하여 서면으로 이의제기를 철회할 수 있다.</td></tr>
</table>

가산금 징수 및 체납처분 등 (제24조)	① 행정청은 당사자가 납부기한까지 과태료를 납부하지 아니한 때에는 납부기한을 경과한 날부터 체납된 과태료에 대하여 100분의 3에 상당하는 가산금을 징수한다. ② 체납된 과태료를 납부하지 아니한 때에는 납부기한이 경과한 날부터 매 1개월이 경과할 때마다 체납된 과태료의 1,000분의 12에 상당하는 가산금(이하 '중가산금'이라 한다)을 ①에 따른 가산금에 가산하여 징수한다. 이 경우 중가산금을 가산하여 징수하는 기간은 60개월을 초과하지 못한다. ③ 행정청은 당사자가 제20조 제1항에 따른 기한 이내에 이의를 제기하지 아니하고 ①에 따른 가산금을 납부하지 아니한 때에는 국세 또는 지방세 체납처분의 예에 따라 징수한다.
과태료의 징수유예 등 (제24조의3)	① 행정청은 당사자가 다음의 어느 하나에 해당하여 과태료(체납된 과태료와 가산금, 중가산금 및 체납처분비를 포함한다)를 납부하기가 곤란하다고 인정되면 1년의 범위에서 대통령령으로 정하는 바에 따라 과태료의 분할납부나 납부기일의 연기(이하 '징수유예 등' 라 한다)를 결정할 수 있다. ㉠ 국민기초생활 보장법에 따른 수급권자 ㉡ 국민기초생활 보장법에 따른 차상위계층 중 다음의 대상자 ⓐ 의료급여법에 따른 수급권자 ⓑ 한부모가족지원법에 따른 지원대상자 ⓒ 자활사업 참여자 ㉢ 장애인복지법 제2조 제2항에 따른 장애인 ㉣ 본인 외에는 가족을 부양할 사람이 없는 사람 ㉤ 불의의 재난으로 피해를 당한 사람 ㉥ 납부의무자 또는 그 동거 가족이 질병이나 중상해로 1개월 이상의 장기 치료를 받아야 하는 경우 ㉦ 채무자 회생 및 파산에 관한 법률에 따른 개인회생절차개시결정자 ㉧ 고용보험법에 따른 실업급여수급자 ㉨ 그 밖에 ㉠부터 ㉧까지에 준하는 것으로서 대통령령으로 정하는 부득이한 사유가 있는 경우 **질서위반행위규제법 시행령** **제7조의2【과태료의 징수유예 등】** ① 행정청은 법 제24조의3 제1항에 따라 과태료의 분할납부나 납부기일의 연기(이하 '징수유예 등'이라 한다)를 결정하는 경우 그 기간을 그 징수유예 등을 결정한 날의 다음 날부터 9개월 이내로 하여야 한다. 다만, 그 기간이 만료될 때까지 법 제24조의3 제1항에 따른 징수유예 등의 사유가 해소되지 아니하는 경우에는 1회에 한정하여 3개월의 범위에서 그 기간을 연장할 수 있다. ② 법 제24조의3 제1항 제9호에서 '대통령령으로 정하는 부득이한 사유가 있는 경우'란 다음의 어느 하나에 해당하는 경우를 말한다. 1. 도난 등으로 재산에 현저한 손실을 입은 경우 2. 사업이 중대한 위기에 처한 경우 3. 과태료를 일시에 내면 생계유지가 곤란하거나 자금사정에 현저한 어려움이 예상되는 경우 ③ 행정청은 제1항에 따라 징수유예 등을 결정하는 경우 법 제24조의3 제1항에 따른 징수유예 등의 사유를 고려하여 납부기한의 연기, 분할납부의 횟수 및 금액을 정한다. ② ①에 따라 징수유예 등을 받으려는 당사자는 대통령령으로 정하는 바에 따라 이를 행정청에 신청할 수 있다. ③ 행정청은 ①에 따라 징수유예 등을 하는 경우 그 유예하는 금액에 상당하는 담보의 제공이나 제공된 담보의 변경을 요구할 수 있고, 그 밖에 담보보전에 필요한 명령을 할 수 있다. ④ 행정청은 ①에 따른 징수유예 등의 기간 중에는 그 유예한 과태료 징수금에 대하여 가산금, 중가산금의 징수 또는 체납처분(교부청구는 제외한다)을 할 수 없다.

과태료의 징수유예 등 (제24조의3)	⑤ 행정청은 다음의 어느 하나에 해당하는 경우 그 징수유예 등을 취소하고, 유예된 과태료 징수금을 한꺼번에 징수할 수 있다. 이 경우 그 사실을 당사자에게 통지하여야 한다. ㉠ 과태료 징수금을 지정된 기한까지 납부하지 아니하였을 때 ㉡ 담보의 제공이나 변경, 그 밖에 담보보전에 필요한 행정청의 명령에 따르지 아니하였을 때 ㉢ 재산상황이나 그 밖의 사정의 변화로 유예할 필요가 없다고 인정될 때 ㉣ ㉠부터 ㉢까지에 준하는 대통령령으로 정하는 사유에 해당되어 유예한 기한까지 과태료 징수금의 전액을 징수할 수 없다고 인정될 때 ⑥ 과태료 징수유예 등의 방식과 절차, 그 밖에 징수유예 등에 관하여 필요한 사항은 대통령령으로 정한다.
결손처분 (제24조의4)	① 행정청은 당사자에게 다음의 어느 하나에 해당하는 사유가 있을 경우에는 결손처분을 할 수 있다. ㉠ 제15조 제1항에 따라 과태료의 소멸시효가 완성된 경우 ㉡ 체납자의 행방이 분명하지 아니하거나 재산이 없는 등 징수할 수 없다고 인정되는 경우로서 대통령령으로 정하는 경우 ② 행정청은 ①의 ②에 따라 결손처분을 한 후 압류할 수 있는 다른 재산을 발견하였을 때에는 지체 없이 그 처분을 취소하고 체납처분을 하여야 한다.

(4) 고액 · 상습체납자에 대한 제재(질서위반행위규제법 제54조)

① 법원은 검사의 청구에 따라 결정으로 30일의 범위 이내에서 과태료의 납부가 있을 때까지 다음의 사유에 모두 해당하는 경우 체납자(법인인 경우에는 대표자를 말한다)를 감치(監置)에 처할 수 있다.

㉠ 과태료를 3회 이상 체납하고 있고, 체납발생일부터 각 1년이 경과하였으며, 체납금액의 합계가 1천만원 이상인 체납자 중 대통령령으로 정하는 횟수와 금액 이상을 체납한 경우

㉡ 과태료 납부능력이 있음에도 불구하고 정당한 사유 없이 체납한 경우

② 행정청은 과태료 체납자가 위 ①의 각 사유에 모두 해당하는 경우에는 관할 지방검찰청 또는 지청의 검사에게 체납자의 감치를 신청할 수 있다.

③ ①의 결정에 대하여는 즉시항고를 할 수 있다.

④ ①에 따라 감치에 처하여진 과태료 체납자는 동일한 체납사실로 인하여 재차 감치되지 아니한다.

⑤ ①에 따른 감치에 처하는 재판 절차 및 그 집행, 그 밖에 필요한 사항은 대법원규칙으로 정한다.

10 경찰관 직무집행법

1. 개요

(1) 경찰관 직무집행법은 경찰관의 직무범위 · 권리남용의 금지 등을 규정하고 있기 때문에 경찰작용법이 불비한 현시점에서는 경찰작용에 관한 일반법으로서의 성격을 가진 법이라고 할 수 있다. 경찰관 직무집행법은 경찰상 즉시강제에 관한 일반법으로서의 성격을 갖고 있으며, 동시에 강제를 수반하지 않는 임의적 수단(사실행위)에 대해서도 규정하고 있다.

(2) 경찰관 직무집행법에는 법률적 효과가 발생하는 경찰하명(명령 · 금지)이나 경찰허가 · 경찰면제에 대한 규정은 없으나 경찰권의 발동의 주축을 이루는 각종 사실행위(경찰상 즉시강제)는 이 법을 토대로 한다.

2. 경찰관 직무집행법의 개정과정

개정절차	주요 개정내용
제정 (1953년)	
제1차 개정 (1981년)	① 경찰장구의 사용, 사실의 확인 등을 신설 ② 경호, 작전, 정보업무의 직무규정의 신설과 경찰관의 직무범위의 구체화 ③ 제9조에 유치장의 설치근거를 명시
제2차 개정 (1988년)	① 임의동행에 대한 동행거절권의 명시와 임의동행 거부자유를 반드시 사전고지할 것을 의무화 ② 경찰관서에서의 유치시한을 3시간으로 규정하여 임의동행의 요건과 절차 강화 ③ 임시영치의 기간을 30일에서 10일로 단축 ④ 경찰관의 직권남용에 대한 벌칙규정을 6개월 이하의 징역·금고에서 1년 이하의 징역·금고로 강화
제3차 개정 (1989년)	최루탄의 사용조항을 신설
제4차 개정 (1991년)	① 임의동행시 경찰관서에서의 유치시한을 3시간에서 6시간으로 연장 ② 경찰장구의 사용대상 요건에 현행범인을 추가
제5차 개정 (1996년)	해양경찰이 해양수산부로 이관됨에 따라 해양경찰에게도 동법이 적용되도록 개정
제6차 개정 (1999년)	① 경찰장구·무기 등을 포괄하는 경찰장비의 정의규정을 신설 ② 분사기·최류탄의 사용기록보관, 경찰장비의 임의개조금지규정 마련
제7차 개정 (2004년)	① 기존의 파출소를 통·폐합하여 지구대를 설치 ② 정무직공무원으로 되어 있던 경찰위원회 상임위원에 대한 법적 근거를 마련
제8차 개정 (2006년)	제주특별자치도를 설치하고, 자치경찰제도를 도입
제9차 개정 (2011년)	직무의 범위(제2조)를 국가경찰의 임무(경찰법 제3조)와 일치하도록 두 규정을 수정
제10차 개정 (2013년)	손실보상(제11조의2) 규정을 신설하여 경찰관 직무집행법상의 경찰권발동으로 인한 손실에 대하여 보상의 근거를 마련
제11차 개정 (2014년)	① 대테러 작전수행 및 국제협력 관련 규정을 경찰관의 직무범위에 추가함(제2조) ② 경찰청장 또는 해양경찰청장은 경찰관의 직무수행을 위하여 외국 정부기관, 국제기구 등과의 자료 교환, 국제협력활동을 할 수 있도록 함(제8조의2 신설) ③ 경찰장비의 종류에 살수차를 명시하고, 살수차 사용시 사용일시 등을 기록하여 보관하도록 함(제10조 제2항 및 제11조) ④ 인명 또는 신체에 위해를 끼칠 수 있는 위해성 경찰장비는 필요한 최소한도에서 사용하도록 명시함(제10조 제4항 신설) ⑤ 위해성 경찰장비를 새로 도입하는 경우 안전성 검사를 실시하도록 하고 그 안전성 검사의 결과 보고서를 소관 상임위원회에 제출하도록 함(제10조 제5항 신설) ⑥ 법률의 한글화, 어려운 법령 용어의 순화(醇化), 한글맞춤법 등 어문 규범의 준수, 정확하고 자연스러운 법 문장의 구성, 체계 정비를 통한 간결화·명확화 등 정부의 알기 쉬운 법령 만들기 사업 일환의 개정
제12차 개정 (2016년)	이전까지는 경찰청의 범인검거공로자 등에 대한 보상금은 경찰청 훈령(범죄신고자 등 보호 및 보상에 관한 규칙)에 근거하여 예산을 편성하고 집행하고 있는 실정이었으나, 범인검거공로자 등에 대한 보상금 지급에 관한 규정을 법률로 상향함으로써 이에 대한 법적 근거를 마련

제13차 개정 (2017년)	정부조직법의 개정으로 국민안전처장관 소속의 해양경비안전본부가 해양수산부장관 소속의 해양경찰청으로 이관
제14차 개정 (2018년)	범죄피해자를 1차적으로 접하는 경찰의 직무에 '범죄피해자 보호'를 명시함으로써 범죄피해자를 경찰이 적극적으로 보호하도록 하고, 범죄피해자가 적시에 필요한 지원을 받을 수 있게 그 근거를 마련
제15차 개정 (2019년)	국가가 경찰관의 적법한 직무집행 과정에서 발생한 재산상 손실 외에 생명 또는 신체상의 손실에 대하여도 보상을 하도록 하되, 거짓 또는 부정한 방법으로 보상금을 받은 사람에 대하여는 해당 보상금을 환수하도록 하고, 손실보상심의위원회는 보상금 지급 후 경찰위원회에 정기적으로 보고하게 하며, 경찰청장 또는 지방경찰청장은 보상금을 반환하여야 할 사람이 대통령령으로 정한 기한까지 그 금액을 납부하지 아니한 때에는 국세 체납처분의 예에 따라 징수할 수 있도록 함으로써 해당 손실에 대한 국민의 권리구제를 강화함과 동시에 경찰관의 충실한 직무수행 및 투명한 보상금 지급절차가 되도록 그 근거를 마련
제16차 개정 (2021년)	'치안정보'의 개념을 경찰개혁위원회의 권고에 맞추어 '공공안녕에 대한 위험의 예방과 대응을 위한 정보'로 수정하는 한편, 경찰관이 수집·작성·배포 등을 하는 정보의 범위 및 처리 기준을 대통령령으로 구체적으로 정할 수 있는 위임 근거를 마련하고, 경찰관의 인권보호의무를 법률에 명시하여 인권을 존중하는 경찰 활동을 정립
제17차 개정 (2021년)	경찰관이 직무를 안정적으로 수행할 수 있도록 직무수행으로 인하여 민·형사상 책임과 관련된 소송을 수행할 경우 경찰청장과 해양경찰청장이 소송수행에 필요한 지원을 할 수 있도록 법적 근거를 마련하려는 것임
제18차 개정 (2022년)	현행법상 경찰공무원의 직무 수행 과정에서 경과실로 인해 발생한 사고에 대하여 형을 감면할 수 있는 근거가 미비하여 경찰관이 직무 집행에 소극적으로 임하고 있다는 지적이 제기되고 있는바, 살인 또는 상해·폭행의 죄, 아동학대범죄 등으로 타인의 생명·신체에 대한 위해 발생의 우려가 명백하고 긴급한 상황에서 경찰관이 그 위해를 예방·진압하는 등의 과정에서 타인에게 피해가 발생한 경우, 그 경찰관의 직무수행이 불가피하고 필요한 최소한의 범위에서 이루어졌으며 고의 또는 중대한 과실이 없는 경우에는 그 정상을 참작하여 형을 감경하거나 면제할 수 있도록 하려는 것임
제19차 개정 (2024년)	경찰장비의 종류에 경찰착용기록장치를 추가하고, 경찰관이 필요한 최소한의 범위에서 경찰착용기록장치를 사용할 수 있는 직무를 규정하며, 경찰관이 경찰착용기록장치를 사용하여 기록하는 경우로서 이동형 영상정보처리기기로 사람 또는 그 사람과 관련된 사물의 영상을 촬영하는 때에는 불빛, 소리, 안내판 등의 방법으로 촬영 사실을 표시하고 알리도록 하고, 경찰청장 등이 경찰착용기록장치로 기록한 영상·음성을 저장하고 데이터베이스로 관리하는 영상음성기록정보 관리체계를 구축·운영하도록 하는 등 현행 제도의 운영상 나타난 일부 미비점을 개선·보완함
제20차 개정	거짓 또는 부정한 방법으로 수령한 손실보상금의 환수 주체에 해양경찰청장과 지방해양경찰청장을 추가하고, 손실보상금 지급 후 손실보상심의위원회로부터 심사자료와 결과를 보고받는 대상에 해양경찰위원회를 추가하며, 범인검거 공로자 등에 대한 보상금 지급 및 환수 주체에 해양경찰청장, 지방해양경찰청장 및 해양경찰서장을 추가함.

Tip 경찰관 직무집행법의 문제점

1. 경찰관 직무집행법의 기본법적 지위의 미흡
2. 경찰권발동의 근거로서의 개괄적 수권조항의 인정 여부에 대한 견해 대립
3. 경찰직무의 한계로서 타기관과의 관계에 대한 규정이 미비
4. 경찰의 사권보호와 관련하여 민사관계에 관한 경찰의 개입한계 또는 원칙의 미비
5. 경찰권 행사의 제한기준의 부족
6. 경찰상의 긴급상태에서 경찰비책임자에 대한 경찰권발동 규정의 미흡

7. 경찰비용의 책임에 관한 규정의 미비
8. 기타 경찰강제, 상환청구권과 배상청구권 등의 불비(손실보상이나 보상금 지급에 관한 규정은 존재함)
9. 현재의 각종 경찰활동의 법적 근거에 대하여 구체적 수권이 의문시되는 사안 등이 존재

3. 경찰관 직무집행법의 인적 적용범위

(1) 경찰공무원

경찰관 직무집행법은 경찰공무원법상의 경찰공무원과 의무경찰대 설치 및 운영에 관한 법률상의 의무경찰대원의 직무수행에 적용된다.

Tip

의무경찰도 경찰관 직무집행법상의 경찰관에 해당한다. 그러나 경찰관의 직무수행을 보조하는 입장에 있으므로 명시적 · 묵시적으로 지시를 받은 경우에는 단독으로 불심검문 · 보호조치 · 무기사용 등의 권한을 행사할 수 있다. 그러나 긴급체포는 사법경찰관에게만 주어진 권한이므로 의무경찰은 물리적인 보조는 가능하지만 법률적인 보조권은 없다고 본다.

(2) 청원경찰

청원경찰은 청원경찰법 제3조에 근거하여 그 경비구역 내에서 경비임무를 수행하며, 이 때 경찰관 직무집행법에 의한 직무를 수행한다.

청원경찰법
제3조【청원경찰의 직무】 청원경찰은 제4조 제2항에 따라 청원경찰의 배치결정을 받은 자[이하 '청원주(請願主)'라 한다]와 배치된 기관 · 시설 또는 사업장 등의 구역을 관할하는 경찰서장의 감독을 받아 그 경비구역만의 경비를 목적으로 필요한 범위에서 경찰관 직무집행법에 따른 경찰관의 직무를 수행한다.

(3) 기타

특별사법경찰관리와 제주자치경찰도 경찰관 직무집행법에 의한 직무를 수행한다.

제주특별자치도 설치 및 국제자유도시 조성을 위한 특별법
제96조【경찰관 직무집행법의 준용】 ① 자치경찰공무원이 자치경찰사무를 수행할 때에는 경찰관 직무집행법 제3조부터 제7조까지, 제10조, 제10조의2부터 제10조의4까지, 제11조 및 제12조를 준용한다.

4. 목적

경찰관 직무집행법
제1조【목적】 ① 이 법은 국민의 자유와 권리 및 모든 개인이 가지는 불가침의 기본적 인권을 보호하고 사회공공의 질서를 유지하기 위한 경찰관(경찰공무원만 해당한다)의 직무 수행에 필요한 사항을 규정함을 목적으로 한다.
② 이 법에 규정된 경찰관의 직권은 그 직무 수행에 필요한 최소한도에서 행사되어야 하며 남용되어서는 아니 된다.

경찰관의 직무상 권한은 직무수행에 필요한 최소한도에서 행사되어야 한다는 규정은 경찰비례의 원칙의 명시적 규정이라 할 수 있다.

5. 직무의 범위

경찰관 직무집행법

제2조 【직무의 범위】 경찰관은 다음의 직무를 수행한다.

1. 국민의 생명·신체 및 재산의 보호
2. 범죄의 예방·진압 및 수사

2의2. 범죄피해자 보호

3. 경비, 주요 인사(人士) 경호 및 대간첩·대테러 작전 수행
4. 공공안녕에 대한 위험의 예방과 대응을 위한 정보의 수집·작성 및 배포
5. 교통 단속과 교통 위해(危害)의 방지
6. 외국 정부기관 및 국제기구와의 국제협력
7. 그 밖에 공공의 안녕과 질서 유지

6. 불심검문

경찰관 직무집행법

제3조 【불심검문】 ① 경찰관은 다음의 어느 하나에 해당하는 사람을 정지시켜 질문할 수 있다.

1. 수상한 행동이나 그 밖의 주위 사정을 합리적으로 판단해 볼 때 어떠한 죄를 범하였거나 범하려 하고 있다고 의심할 만한 상당한 이유가 있는 사람
2. 이미 행하여진 범죄나 행하여지려고 하는 범죄행위에 관한 사실을 안다고 인정되는 사람

② 경찰관은 제1항에 따라 같은 항 각 호의 사람을 정지시킨 장소에서 질문을 하는 것이 그 사람에게 불리하거나 교통에 방해가 된다고 인정될 때에는 질문을 하기 위하여 가까운 경찰서·지구대·파출소 또는 출장소(지방해양경찰관서를 포함하며, 이하 '경찰관서'라 한다)로 동행할 것을 요구할 수 있다. 이 경우 동행을 요구받은 사람은 그 요구를 거절할 수 있다.

③ 경찰관은 제1항 각 호의 어느 하나에 해당하는 사람에게 질문을 할 때에 그 사람이 흉기를 가지고 있는지를 조사할 수 있다.

④ 경찰관은 제1항이나 제2항에 따라 질문을 하거나 동행을 요구할 경우 자신의 신분을 표시하는 증표를 제시하면서 소속과 성명을 밝히고 질문이나 동행의 목적과 이유를 설명하여야 하며, 동행을 요구하는 경우에는 동행 장소를 밝혀야 한다.

⑤ 경찰관은 제2항에 따라 동행한 사람의 가족이나 친지 등에게 동행한 경찰관의 신분, 동행 장소, 동행 목적과 이유를 알리거나 본인으로 하여금 즉시 연락할 수 있는 기회를 주어야 하며, 변호인의 도움을 받을 권리가 있음을 알려야 한다.

⑥ 경찰관은 제2항에 따라 동행한 사람을 6시간을 초과하여 경찰관서에 머물게 할 수 없다.

⑦ 제1항부터 제3항까지의 규정에 따라 질문을 받거나 동행을 요구받은 사람은 형사소송에 관한 법률에 따르지 아니하고는 신체를 구속당하지 아니하며, 그 의사에 반하여 답변을 강요당하지 아니한다.

경찰관 직무집행법 시행령

제5조 【신분을 표시하는 증표】 법 제3조 제4항 및 법 제7조 제4항의 신분을 표시하는 증표는 경찰공무원의 공무원증으로 한다.

Add ⊕

1. 불심검문은 경찰관이 범죄의 예방 및 범인검거의 목적으로 거동이 수상하다고 인정되는 자를 정지시켜서 그 권한에 의하여 직접 질문하여 조사하는 경찰작용이다. 경찰상 즉시강제 중 대인적 즉시강제 수단에 해당한다. 그러나 다수설은 불심검문을 경찰상 조사(행정조사)로 본다.
2. 이미 행하여진 범죄 또는 행하여지려고 하는 범죄에 관하여 그 사실을 안다고 인정되는 사람(이는 경찰비책임자에 대한 경찰권발동을 예정하고 있는 경우로 경찰긴급권에 해당)도 불심검문의 대상이다.
3. 대상자에게 형사책임능력을 요하지는 않으므로 어린이나 심신상실자 등도 불심검문의 대상이 될 수 있다.
4. 질문은 수사의 단서를 얻기 위한 질문이며 형사소송법에 근거한 피의자신문이 아니므로 진술거부권을 고지할 의무는 없다.

5. 불심검문 시에 흉기의 소지 여부를 조사할 수 있다. 검사의 수단은 관찰과 제시요구 및 외표검사에 한한다. 이는 질문시 위해방지 및 자해방지라는 행정목적을 위해 인정되는 것이며, 목적의 달성을 위한 필요 최소한도의 강제력 행사도 가능하다. 신체수색은 오직 흉기의 소지 여부를 조사하는데 그쳐야 하며 흉기조사시 영장은 불필요하다. 경찰관이 불심검문시 흉기 이외의 일반소지품에 대한 조사는 명시적인 근거규정이 없다.
6. 임의동행시 동행 후 언제든지 경찰관서로부터 퇴거할 수 있음을 고지할 필요는 없다.
7. 경찰공무원의 신분을 표시하는 증표에 흉장은 포함되지 않는다.

형사소송법

제244조의3 【진술거부권 등의 고지】 ① 검사 또는 사법경찰관은 피의자를 신문하기 전에 다음의 사항을 알려주어야 한다.

1. 일체의 진술을 하지 아니하거나 개개의 질문에 대하여 진술을 하지 아니할 수 있다는 것
2. 진술을 하지 아니하더라도 불이익을 받지 아니한다는 것
3. 진술을 거부할 권리를 포기하고 행한 진술은 법정에서 유죄의 증거로 사용될 수 있다는 것
4. 신문을 받을 때에는 변호인을 참여하게 하는 등 변호인의 조력을 받을 수 있다는 것

판례 경찰관이 불심검문 대상자 해당 여부를 판단하는 기준 및 불심검문의 적법 요건과 내용

경찰관직무집행법(이하 '법'이라고 한다)의 목적, 법 제1조 제1항, 제2항, 제3조 제1항, 제2항, 제3항, 제7항의 내용 및 체계 등을 종합하면, 경찰관이 법 제3조 제1항에 규정된 대상자(이하 '불심검문 대상자'라 한다) 해당 여부를 판단할 때에는 불심검문 당시의 구체적 상황은 물론 사전에 얻은 정보나 전문적 지식 등에 기초하여 불심검문 대상자인지를 객관적·합리적인 기준에 따라 판단하여야 하나, 반드시 불심검문 대상자에게 형사소송법상 체포나 구속에 이를 정도의 혐의가 있을 것을 요한다고 할 수는 없다[대법원 2014. 2. 27. 선고 2011도13999 판결].

7. 보호조치 등

경찰관 직무집행법

제4조 【보호조치 등】 ① 경찰관은 수상한 행동이나 그 밖의 주위 사정을 합리적으로 판단해 볼 때 다음의 어느 하나에 해당하는 것이 명백하고 응급구호가 필요하다고 믿을 만한 상당한 이유가 있는 사람(이하 '구호대상자'라 한다)을 발견하였을 때에는 보건의료기관이나 공공구호기관에 긴급구호를 요청하거나 경찰관서에 보호하는 등 적절한 조치를 할 수 있다.

1. 정신착란을 일으키거나 술에 취하여 자신 또는 다른 사람의 생명·신체·재산에 위해를 끼칠 우려가 있는 사람
2. 자살을 시도하는 사람
3. 미아, 병자, 부상자 등으로서 적당한 보호자가 없으며 응급구호가 필요하다고 인정되는 사람. 다만, 본인이 구호를 거절하는 경우는 제외한다.

② 제1항에 따라 긴급구호를 요청받은 보건의료기관이나 공공구호기관은 정당한 이유 없이 긴급구호를 거절할 수 없다.

③ 경찰관은 제1항의 조치를 하는 경우에 구호대상자가 휴대하고 있는 무기·흉기 등 위험을 일으킬 수 있는 것으로 인정되는 물건을 경찰관서에 임시로 영치(領置)해 놓을 수 있다.

④ 경찰관은 제1항의 조치를 하였을 때에는 지체 없이 구호대상자의 가족, 친지 또는 그 밖의 연고자에게 그 사실을 알려야 하며, 연고자가 발견되지 아니할 때에는 구호대상자를 적당한 공공보건의료기관이나 공공구호기관에 즉시 인계하여야 한다.

⑤ 경찰관은 제4항에 따라 구호대상자를 공공보건의료기관이나 공공구호기관에 인계하였을 때에는 즉시 그 사실을 소속 경찰서장이나 해양경찰서장에게 보고하여야 한다.

⑥ 제5항에 따라 보고를 받은 소속 경찰서장이나 해양결찰서장은 대통령령으로 정하는 바에 따라 구호대상자를 인계한 사실을 지체 없이 해당 공공보건의료기관 또는 공공구호기관의 장 및 그 감독행정청에 통보하여야 한다.

⑦ 제1항에 따라 구호대상자를 경찰관서에서 보호하는 기간은 24시간을 초과할 수 없고, 제3항에 따라 물건을 경찰관서에 임시로 영치하는 기간은 10일을 초과할 수 없다.

Add

1. 경찰관이 긴급구호를 요하는 자를 발견하여 경찰관서에 일시적으로 보호하여 구호의 방법을 강구하는 조치로서 경찰상 대인적 즉시강제수단의 성질을 가진다.
2. 경찰관 직무집행법상 즉시강제는 국민의 자유·권리를 제한하는 것임에 반해 보호조치는 적극적으로 국민의 복리증진에 기여한다는 점에 그 특색이 있다.
3. 가출인은 자신의 의사로 집을 나온 자로서 경찰관 직무집행법상의 보호조치대상자로 볼 수 없다.
4. 구호대상자를 24시간 이내에 병원이나 구호기관에 인계하거나 귀가조치 등의 방법으로 보호조치를 해제하여야 한다.
5. 긴급구호의 요청은 즉시강제 자체가 아니라 즉시강제에 수반한 후속적 조치로서 사실행위에 해당한다.
6. 임시영치는 경찰상 즉시강제 중 대물적 즉시강제에 해당하며, 임시영치를 하는 경우에 24시간 이내에 임시영치보고서를 작성하여 소속 경찰관서의 장에게 보고하여야 한다.

Add

경찰관의 긴급구호요청을 받은 보건의료기관이나 공공구호기관은 정당한 이유 없이 긴급구호의 요청을 거부할 수 없다. 그러나 정당한 사유 없이 요청을 거부하더라도 경찰관 직무집행법에는 처벌할 수 있는 근거 규정이 없다. 이 때는 '응급의료에 관한 법률'에 처벌에 관한 근거 규정이 있으므로 이에 의한다.

응급의료에 관한 법률

제6조 【응급의료의 거부금지 등】 ② 응급의료종사자는 업무 중에 응급의료를 요청받거나 응급환자를 발견하면 즉시 응급의료를 하여야 하며 정당한 사유 없이 이를 거부하거나 기피하지 못한다.

제60조 【벌칙】 ③ 다음의 어느 하나에 해당하는 사람은 3년 이하의 징역 또는 3천만원 이하의 벌금에 처한다.

1. 제6조 제2항을 위반하여 응급의료를 거부 또는 기피한 응급의료종사자

판례

1. **치료비 등**

   경찰관이 응급의 구호를 요하는 자를 보건의료기관에게 긴급구호요청을 하고, 보건의료기관이 이에 따라 치료행위를 하였다고 하더라도 국가와 보건의료기관 사이에 국가가 그 치료행위를 보건의료기관에 위탁하고 보건의료기관이 이를 승낙하는 내용의 치료위임계약이 체결된 것으로는 볼 수 없다(대판 1994.2.22, 93다4472).

2. **공용물건 손상·도로교통법 위반(무면허운전)·공무집행 방해·상해·도로교통법 위반(음주측정 거부)**

   [1] 경찰관직무집행법 제4조 제1항 제1호(이하 '이 사건 조항'이라 한다)에서 규정하는 술에 취한 상태로 인하여 자기 또는 타인의 생명·신체와 재산에 위해를 미칠 우려가 있는 피구호자에 대한 보호조치는 경찰 행정상 즉시강제에 해당하므로, 그 조치가 불가피한 최소한도 내에서만 행사되도록 발동·행사 요건을 신중하고 엄격하게 해석하여야 한다. 따라서 이 사건 조항의 '술에 취한 상태'란 피구호자가 술에 만취하여 정상적인 판단능력이나 의사능력을 상실할 정도에 이른 것을 말하고, 이 사건 조항에 따른 보호조치를 필요로 하는 피구호자에 해당하는지는 구체적인 상황을 고려하여 경찰관 평균인을 기준으로 판단하되, 그 판단은 보호조치의 취지와 목적에 비추어 현저하게 불합리하여서는 아니 되며, 피구호자의 가족 등에게 피구호자를 인계할 수 있다면 특별한 사정이 없는 한 경찰관서에서 피구호자를 보호하는 것은 허용되지 않는다.

   [2] 경찰관직무집행법 제4조 제1항 제1호(이하 '이 사건 조항'이라 한다)의 보호조치 요건이 갖추어지지 않았음에도, 경찰관이 실제로는 범죄수사를 목적으로 피의자에 해당하는 사람을 이 사건 조항의 피구호자로 삼아 그의 의사에 반하여 경찰관서에 데려간 행위는, 달리 현행범체포나 임의동행 등의 적법 요건을 갖추었다고 볼 사정이 없다면, 위법한 체포에 해당한다고 보아야 한다.

   [3] 교통안전과 위험방지를 위한 필요가 없음에도 주취운전을 하였다고 인정할 만한 상당한 이유가 있다는 이유만으로 이루어지는 음주측정은 이미 행하여진 주취운전이라는 범죄행위에 대한 증거 수집을 위한 수사절차로서 의미를 가지는데, 도로교통법상 규정들이 음주측정을 위한 강제처분의 근거가 될 수 없으므로 위와 같은 음주측정을 위하여 운전자를 강제로 연행하기 위해서는 수사상 강제처분에 관한 형사소송법상 절차에 따라야 하고, 이러한 절차를 무시한 채 이루어진

강제연행은 위법한 체포에 해당한다. 이와 같은 위법한 체포 상태에서 음주측정요구가 이루어진 경우, 음주측정요구를 위한 위법한 체포와 그에 이은 음주측정요구는 주취운전이라는 범죄행위에 대한 증거 수집을 위하여 연속하여 이루어진 것으로서 개별적으로 적법 여부를 평가하는 것은 적절하지 않으므로 일련의 과정을 전체적으로 보아 위법한 음주측정요구가 있었던 것으로 볼 수밖에 없고, 운전자가 주취운전을 하였다고 인정할 만한 상당한 이유가 있다 하더라도 운전자에게 경찰공무원의 이와 같은 위법한 음주측정요구까지 응할 의무가 있다고 보아 이를 강제하는 것은 부당하므로 그에 불응하였다고 하여 음주측정거부에 관한 도로교통법 위반죄로 처벌할 수 없다.

[4] 화물차 운전자인 피고인이 경찰의 음주단속에 불응하고 도주하였다가 다른 차량에 막혀 더 이상 진행하지 못하게 되자 운전석에서 내려 다시 도주하려다 경찰관에게 검거되어 지구대로 보호조치된 후 2회에 걸쳐 음주측정요구를 거부하였다고 하여 도로교통법 위반(음주측정거부)으로 기소된 사안에서, 당시 피고인이 술에 취한 상태이기는 하였으나 술에 만취하여 정상적인 판단능력이나 의사능력을 상실할 정도에 있었다고 보기 어려운 점, 당시 상황에 비추어 평균적인 경찰관으로서는 피고인이 경찰관직무집행법 제4조 제1항 제1호(이하 '이 사건 조항'이라 한다)의 보호조치를 필요로 하는 상태에 있었다고 판단하지 않았을 것으로 보이는 점, 경찰관이 피고인에 대하여 이 사건 조항에 따른 보호조치를 하고자 하였다면, 당시 옆에 있었던 피고인 처(妻)에게 피고인을 인계하였어야 하는데도, 피고인 처의 의사에 반하여 지구대로 데려간 점 등 제반 사정을 종합할 때, 경찰관이 피고인과 피고인 처의 의사에 반하여 피고인을 지구대로 데려간 행위를 적법한 보호조치라고 할 수 없고, 나아가 달리 적법 요건을 갖추었다고 볼 자료가 없는 이상 경찰관이 피고인을 지구대로 데려간 행위는 위법한 체포에 해당하므로, 그와 같이 위법한 체포 상태에서 이루어진 경찰관의 음주측정요구도 위법하다고 볼 수밖에 없어 그에 불응하였다고 하여 피고인을 음주측정거부에 관한 도로교통법 위반죄로 처벌할 수는 없는데도, 이와 달리 보아 유죄를 선고한 원심판결에 이 사건 조항의 보호조치에 관한 법리를 오해하여 위법한 체포 상태에서의 도로교통법 위반(음주측정거부)죄 성립에 관한 판단을 그르친 위법이 있다[대법원 2012. 12. 13., 선고, 2012도11162, 판결].

CHAPTER 04

8. 위험발생의 방지 등

경찰관 직무집행법

제5조【위험발생의 방지 등】 ① 경찰관은 사람의 생명 또는 신체에 위해를 끼치거나 재산에 중대한 손해를 끼칠 우려가 있는 천재(天災), 사변(事變), 인공구조물의 파손이나 붕괴, 교통사고, 위험물의 폭발, 위험한 동물 등의 출현, 극도의 혼잡, 그 밖의 위험한 사태가 있을 때에는 다음의 조치를 할 수 있다.

1. 그 장소에 모인 사람, 사물(事物)의 관리자, 그 밖의 관계인에게 필요한 경고를 하는 것
2. 매우 긴급한 경우에는 위해를 입을 우려가 있는 사람을 필요한 한도에서 억류하거나 피난시키는 것
3. 그 장소에 있는 사람, 사물의 관리자, 그 밖의 관계인에게 위해를 방지하기 위하여 필요하다고 인정되는 조치를 하게 하거나 직접 그 조치를 하는 것

② 경찰관서의 장은 대간첩 작전의 수행이나 소요(騷擾) 사태의 진압을 위하여 필요하다고 인정되는 상당한 이유가 있을 때에는 대간첩 작전지역이나 경찰관서·무기고 등 국가중요시설에 대한 접근 또는 통행을 제한하거나 금지할 수 있다.

③ 경찰관은 제1항의 조치를 하였을 때에는 지체 없이 그 사실을 소속 경찰관서의 장에게 보고하여야 한다.

④ 제2항의 조치를 하거나 제3항의 보고를 받은 경찰관서의 장은 관계 기관의 협조를 구하는 등 적절한 조치를 하여야 한다.

Add

1. 위험발생의 방지 등은 경찰상의 즉시강제조치로서 대인적·대물적·대가택적 강제 성격을 모두 가진 수단이다.
2. 경고는 위험의 내용을 알리고 대피 또는 예방조치를 취하도록 권고하는 비권력적 사실행위이며 경찰지도의 성질을 가진다.

판례 **손해배상(자)**

[1] 경찰관 직무집행법 제5조는 경찰관은 인명 또는 신체에 위해를 미치거나 재산에 중대한 손해를 끼칠 우려가 있는 위험한 사태가 있을 때에는 그 각 호의 조치를 취할 수 있다고 규정하여 형식상 경찰관에게 재량에 의한 직무수행권한을 부여한 것처럼 되어 있으나, 경찰관에게 그러한 권한을 부여한 취지와 목적에 비추어 볼 때 구체적인 사정에 따라 경찰관이 그 권한을 행사하여 필요한 조치를 취하지 아니하는 것이 현저하게 불합리하다고 인정되는 경우에는 그러한 권한의 불행사는 직무상의 의무를 위반한 것이 되어 위법하게 된다.

[2] 농민들의 시위를 진압하고 시위 과정에 도로상에 방치된 트랙터 1대를 도로 밖으로 옮기는 등 도로의 질서 및 교통을 회복하는 조치를 취하던 소외 1 등 경찰관들로서는 도로교통의 안전을 위하여 나머지 트랙터 1대도 도로 밖으로 옮기거나 그것이 어려우면 야간에 다른 차량에 의한 추돌사고를 방지하기 위하여 트랙터 후방에 안전표지판을 설치하는 등 경찰관 직무집행법 제5조가 규정하는 위험발생방지의 조치를 취하여야 할 의무가 있는데도 위 트랙터가 무거워 옮기지 못한다는 등의 이유로 아무런 사고예방조치도 취하지 아니한 채 그대로 방치하고 철수하여 버린 것은 직무상의 의무를 위반한 것으로 위법하다는 취지로 판단하여 이 사건 사고에 대한 피고의 손해배상책임을 인정한 것은 이러한 법리에 따른 것으로 정당하고, 거기에 경찰관 직무집행법에 관한 법리오해 등 상고이유의 주장과 같은 위법이 없다. 따라서 이 점에 관한 상고이유도 받아들이지 아니한다(대판 1998.8.25, 98다16890).

9. 범죄의 예방과 제지

경찰관 직무집행법

제6조【범죄의 예방과 제지】 경찰관은 범죄행위가 목전(目前)에 행하여지려고 하고 있다고 인정될 때에는 이를 예방하기 위하여 관계인에게 필요한 경고를 하고, 그 행위로 인하여 사람의 생명・신체에 위해를 끼치거나 재산에 중대한 손해를 끼칠 우려가 있는 긴급한 경우에는 그 행위를 제지할 수 있다.

Add

1. 경고는 비권력적 사실행위로서 경찰지도의 성질을 가진다.
2. 경찰관의 제지에 관한 부분은 범죄의 예방을 위한 경찰행정상 (대인적)즉시강제, 즉 눈앞의 급박한 경찰상 장해를 제거하여야 할 필요가 있고 의무를 명할 시간적 여유가 없거나 의무를 명하는 방법으로는 그 목적을 달성하기 어려운 상황에서 의무불이행을 전제로 하지 아니하고 경찰이 직접 실력을 행사하여 경찰상 필요한 상태를 실현하는 권력적 사실행위에 관한 근거조항이다.

Add

1. **특정 지역에서의 불법집회에 참가하려는 것을 막기 위하여 시간적・장소적으로 근접하지 않은 다른 지역에서 집회예정장소로 이동하는 것을 제지하는 행위가 경찰관 직무집행법 제6조 제1항에 따른 공무원의 적법한 직무집행인지 여부(소극)**
   구 집회 및 시위에 관한 법률(2007.5.11. 법률 제8424호로 개정되기 전의 것)에 의하여 금지되어 그 주최 또는 참가행위가 형사처벌의 대상이 되는 위법한 집회・시위가 장차 특정지역에서 개최될 것이 예상된다고 하더라도, 이와 시간적・장소적으로 근접하지 않은 다른 지역에서 그 집회・시위에 참가하기 위하여 출발 또는 이동하는 행위를 함부로 제지하는 것은 경찰관 직무집행법 제6조 제1항의 행정상 즉시강제인 경찰관의 제지의 범위를 명백히 넘어 허용될 수 없다. 따라서 이러한 제지 행위는 공무집행방해죄의 보호대상이 되는 공무원의 적법한 직무집행이 아니다(대판 2008.11.13, 2007도9794).
2. **경찰관 직무집행법 제6조 제1항에 규정된 경찰관의 '경고'나 '제지'가 범죄행위에 관한 실행의 착수 이후 범죄행위가 계속되는 중에 그 진압을 위하여도 행하여질 수 있는지 여부(적극)**
   경찰관 직무집행법 제6조 제1항은 '경찰관은 범죄행위가 목전에 행하여지려고 하고 있다고 인정될 때에는 이를 예방하기 위하여 관계인에게 필요한 경고를 발하고, 그 행위로 인하여 인명・신체에 위해를 미치거나 재산에 중대한 손해를 끼칠 우려가 있어 긴급을 요하는 경우에는 그 행위를 제지할 수 있다'고 규정하고 있다. 여기에 규정된 경찰관의 경고나 제지는 그 문언과 같이 범죄의 예방을 위하여 범죄행위에 관한 실행의 착수 전에 행하여질 수 있을 뿐만 아니라, 이후 범죄행위가 계속되는 중에 그 진압을 위하여도 당연히 행하여질 수 있다고 보아야 한다(대판 2013.9.26., 2013도643).

3. 경찰관 직무집행법 제6조에 따른 경찰관의 제지 조치가 적법한지 판단하는 기준

경찰관 직무집행법 제6조는 "경찰관은 범죄행위가 목전에 행하여지려고 하고 있다고 인정될 때에는 이를 예방하기 위하여 관계인에게 충분한 경고를 하고, 그 행위로 인하여 사람의 생명·신체에 위해를 끼치거나 재산에 중대한 손해를 끼칠 우려가 있는 긴급한 경우에는 그 행위를 제지할 수 있다."라고 규정하고 있다. 위 조항 중 경찰관의 제지에 관한 부분은 범죄의 예방을 위한 경찰행정상 즉시강제, 즉 눈앞의 급박한 경찰상 장해를 제거하여야 할 필요가 있고 의무를 명할 시간적 여유가 없거나 의무를 명하는 방법으로는 그 목적을 달성하기 어려운 상황에서 의무불이행을 전제로 하지 아니하고 경찰이 직접 실력을 행사하여 경찰상 필요한 상태를 실현하는 권력적 사실행위에 관한 근거조항이다. 경찰행정상 즉시강제는 그 본질상 행정 목적 달성을 위하여 불가피한 한도 내에서 예외적으로 허용되는 것이므로, 위 조항에 의한 경찰관의 제지 조치 역시 그러한 조치가 불가피한 최소한도 내에서만 행사되도록 그 발동·행사 요건을 신중하고 엄격하게 해석하여야 하고, 그러한 해석·적용의 범위 내에서만 우리 헌법상 신체의 자유 등 기본권 보장 조항과 그 정신 및 해석 원칙에 합치될 수 있다(대법원 2021.11.11., 선고, 2018다288631, 판결).

10. 위험방지를 위한 출입

경찰관 직무집행법

제7조【위험방지를 위한 출입】 ① 경찰관은 제5조 제1항·제2항 및 제6조에 따른 위험한 사태가 발생하여 사람의 생명·신체 또는 재산에 대한 위해가 임박한 때에 그 위해를 방지하거나 피해자를 구조하기 위하여 부득이하다고 인정하면 합리적으로 판단하여 필요한 한도에서 다른 사람의 토지·건물·배 또는 차에 출입할 수 있다.

② 흥행장(興行場), 여관, 음식점, 역, 그 밖에 많은 사람이 출입하는 장소의 관리자나 그에 준하는 관계인은 경찰관이 범죄나 사람의 생명·신체·재산에 대한 위해를 예방하기 위하여 해당 장소의 영업시간이나 해당 장소가 일반인에게 공개된 시간에 그 장소에 출입하겠다고 요구하면 정당한 이유 없이 그 요구를 거절할 수 없다.

③ 경찰관은 대간첩 작전수행에 필요할 때에는 작전지역에서 제2항에 따른 장소를 검색할 수 있다.

④ 경찰관은 제1항부터 제3항까지의 규정에 따라 필요한 장소에 출입할 때에는 그 신분을 표시하는 증표를 제시하여야 하며, 함부로 관계인이 하는 정당한 업무를 방해해서는 아니 된다.

Add

1. 위험방지를 위한 출입은 경찰상 대가택적 즉시강제에 해당하는 조치이다.
2. 경찰관의 출입은 경찰행정상의 필요성에 의한 것이고 범죄수사를 위한 수색이 아니기 때문에 영장을 요하지 않는다.
3. 경찰관 직무집행법상 위험방지를 위한 출입은 각 개별법에서 인정되고 있는 출입권(총포·도검·화약류 등 단속, 풍속영업단속, 사행행위영업단속 등)과는 그 성질을 달리한다. 각 개별법에서 인정되는 출입권의 경우 행정감독상의 필요에 의하여 인정되는 반면, 경찰관 직무집행법상의 위험방지를 위한 출입은 문언 그대로 목적이 위험의 방지에 있기 때문이다.

11. 사실의 확인 등

경찰관 직무집행법

제8조【사실의 확인 등】 ① 경찰관서의 장은 직무수행에 필요하다고 인정되는 상당한 이유가 있을 때에는 국가기관이나 공사(公私) 단체 등에 직무수행에 관련된 사실을 조회할 수 있다. 다만, 긴급한 경우에는 소속 경찰관으로 하여금 현장에 나가 해당 기관 또는 단체의 장의 협조를 받아 그 사실을 확인하게 할 수 있다.

② 경찰관은 다음의 직무를 수행하기 위하여 필요하면 관계인에게 출석하여야 하는 사유·일시 및 장소를 명확히 적은 출석요구서를 보내 경찰관서에 출석할 것을 요구할 수 있다.

1. 미아를 인수할 보호자 확인
2. 유실물을 인수할 권리자 확인
3. 사고로 인한 사상자(死傷者) 확인
4. 행정처분을 위한 교통사고 조사에 필요한 사실 확인

Add

1. 사실을 조회하거나 사실의 확인을 위하여 관계인에게 출석할 것을 요구하는 사실행위로써 경찰관의 사실확인 행위는 법률행위가 아니며 즉시강제 수단에도 해당하지 않는다. 그러므로 상대방이 불응한다고 하더라도 강제집행이나 경찰벌의 대상이 될 수도 없다.
2. 출석요구와 관련하여 경찰관이 출석요구를 할 수 있는 것으로 규정되어 있으나 사실상 상급자의 결재에 의해서만 출석을 요구할 수 있으므로 개개의 경찰관의 권한으로 보기 어려우며, 출석요구서의 명의인인 경찰관서의 장의 권한에 속하는 것으로 보아야 한다.

12. 정보의 수집 등

경찰관 직무집행법

제8조의2 【정보의 수집 등】 ① 경찰관은 범죄·재난·공공갈등 등 공공안녕에 대한 위험의 예방과 대응을 위한 정보의 수집·작성·배포와 이에 수반되는 사실의 확인을 할 수 있다.

② 제1항에 따른 정보의 구체적인 범위와 처리 기준, 정보의 수집·작성·배포에 수반되는 사실의 확인 절차와 한계는 대통령령으로 정한다.

경찰관의 정보수집 및 처리 등에 관한 규정

제1조 【목적】 이 영은 경찰관 직무집행법 제8조의2에 따라 경찰관이 수집·작성·배포할 수 있는 공공안녕에 대한 위험의 예방과 대응을 위한 정보의 구체적인 범위와 처리 기준, 정보의 수집·작성·배포에 수반되는 사실의 확인 절차 및 한계에 관하여 규정함을 목적으로 한다.

제2조 【정보활동의 기본원칙 등】 ① 공공안녕에 대한 위험의 예방과 대응을 위한 정보의 수집·작성·배포와 이에 수반되는 사실의 확인을 위해 경찰관이 수행하는 활동(이하 '정보활동'이라 한다)은 국민의 자유와 권리를 보호하는 것을 목적으로 해야 하며, 필요 최소한의 범위에 그쳐야 한다.

② 경찰관은 정보활동과 관련하여 다음의 행위를 해서는 안 된다.

1. 정치에 관여하기 위해 정보를 수집·작성·배포하는 행위
2. 법령의 직무 범위를 벗어나 개인의 동향 등을 파악하기 위해 사생활에 관한 정보를 수집·작성·배포하는 행위
3. 상대방의 명시적 의사에 반해 자료 제출이나 의견 표명을 강요하는 행위
4. 부당한 민원이나 청탁을 직무 관련자에게 전달하는 행위
5. 직무상 알게 된 정보를 누설하거나 개인의 이익을 위해 사용하는 행위
6. 직무와 무관한 비공식적 직함을 사용하는 행위

③ 경찰청장 또는 해양경찰청장은 정보활동이 적법하게 이루어지도록 현장점검·교육 강화 방안 등을 수립·시행해야 한다.

제3조 【수집 등 대상 정보의 구체적인 범위】 경찰관이 경찰관 직무집행법(이하 '법'이라 한다) 제8조의2 제1항에 따라 수집·작성·배포할 수 있는 정보의 구체적인 범위는 다음 각 호와 같다.

1. 범죄의 예방과 대응에 필요한 정보
2. 형의 집행 및 수용자의 처우에 관한 법률 제126조의2 또는 보호관찰 등에 관한 법률 제55조의3에 따라 통보되는 정보의 대상자인 수형자·가석방자의 재범방지 및 피해자의 보호에 필요한 정보
3. 국가중요시설의 안전 및 주요 인사(人士)의 보호에 필요한 정보
4. 방첩·대테러활동 등 국가안전을 위한 활동에 필요한 정보
5. 재난·안전사고 등으로부터 국민안전을 확보하기 위한 정보
6. 집회·시위 등으로 인한 공공갈등과 다중운집에 따른 질서 및 안전 유지에 필요한 정보

7. 국민의 생명·신체·재산의 보호와 공공안녕에 대한 위험의 예방과 대응을 위한 정책에 관한 정보[해당 정책의 입안·집행·평가를 위해 객관적이고 필요한 사항에 관한 정보로 한정하며, 이와 직접적·구체적으로 관련이 없는 사생활·신조(信條) 등에 관한 정보는 제외한다]
8. 도로 교통의 위해(危害) 방지·제거 및 원활한 소통 확보를 위한 정보
9. 보안업무규정 제45조 제1항에 따라 경찰청장이 위탁받은 신원조사 또는 공공기관의 정보공개에 관한 법률 제2조 제3호에 따른 공공기관의 장이 법령에 근거하여 요청한 사실의 확인을 위한 정보
10. 그 밖에 제1호부터 제9호까지에서 규정한 사항에 준하는 정보

제4조【정보의 수집 및 사실의 확인 절차】 ① 경찰관은 법 제8조의2 제1항에 따라 정보를 수집하거나 정보의 수집·작성·배포에 수반되는 사실을 확인하려는 경우에는 상대방에게 자신의 신분을 밝히고 정보 수집 또는 사실 확인의 목적을 설명해야 한다. 이 경우 강제적인 방법을 사용해서는 안 된다.

② 제1항 전단에도 불구하고 다음의 어느 하나에 해당하는 경우에는 같은 항 전단에서 규정한 절차를 생략할 수 있다.

1. 국민의 생명·신체의 안전이나 국가안보에 긴박한 위험이 발생할 우려가 있는 경우
2. 범죄의 대응을 위한 정보활동에 현저한 지장을 초래할 우려가 있는 경우

③ 경찰관은 정보를 제공하거나 사실을 확인해 준 자가 신분이나 처우와 관련하여 불이익을 받지 않도록 비밀유지 등 필요한 조치를 해야 한다.

제5조【정보 수집 등을 위한 출입의 한계】 경찰관은 다음의 장소에 상시적으로 출입해서는 안 되며, 정보활동을 위해 필요한 경우에 한정하여 일시적으로만 출입해야 한다.

1. 언론·교육·종교·시민사회 단체 등 민간단체
2. 민간기업
3. 정당의 사무소

제6조【정보의 작성】 경찰관은 수집한 정보를 작성할 때 객관적 사실에 기초해 중립적으로 작성해야 하며, 정치에 관여하는 등 특정한 목적을 가지고 그 내용을 왜곡해서는 안 된다.

제7조【수집·작성한 정보의 처리】 ① 경찰관은 수집·작성한 정보를 그 목적 외의 용도로 사용해서는 안 된다.

② 경찰관은 공공안녕에 대한 위험의 예방과 대응을 위해 필요한 경우에는 수집·작성한 정보를 관계 기관 등에 통보할 수 있다.

③ 경찰관은 수집·작성한 정보가 그 목적이 달성되어 불필요하게 되었을 때에는 지체 없이 그 정보를 폐기해야 한다. 다만, 다른 법령에 따라 보존해야 하는 경우는 제외한다.

제8조【위법한 지시의 금지 및 거부】 ① 누구든지 정보활동과 관련하여 경찰관에게 이 영과 그 밖의 법령에 반하여 지시해서는 안 된다.

② 경찰관은 명백히 위법한 지시라고 판단되는 경우에는 그 집행을 거부할 수 있다.

③ 경찰관은 명백히 위법한 지시를 거부했다는 이유로 인사·직무 등과 관련한 어떠한 불이익도 받지 않는다.

제9조【세부 사항】 이 영에서 규정한 사항 외에 경찰관의 정보활동에 필요한 세부 사항은 경찰청장 또는 해양경찰청장이 정한다.

13. 국제협력

경찰관 직무집행법

제8조의3【국제협력】 경찰청장 또는 해양경찰청장은 이 법에 따른 경찰관의 직무수행을 위하여 외국 정부기관, 국제기구 등과 자료 교환, 국제협력 활동 등을 할 수 있다.

14. 유치장

경찰관 직무집행법

제9조【유치장】 법률에서 정한 절차에 따라 체포·구속된 사람 또는 신체의 자유를 제한하는 판결이나 처분을 받은 사람을 수용하기 위하여 경찰서와 해양경찰서에 유치장을 둔다.

15. 경찰장비의 사용 등

경찰관 직무집행법

제10조【경찰장비의 사용 등】 ① 경찰관은 직무수행 중 경찰장비를 사용할 수 있다. 다만, 사람의 생명이나 신체에 위해를 끼칠 수 있는 경찰장비(이하 이 조에서 '위해성 경찰장비'라 한다)를 사용할 때에는 필요한 안전교육과 안전검사를 받은 후 사용하여야 한다.

② 제1항 본문에서 '경찰장비'란 무기, 경찰장구(警察裝具), 경찰착용기록장치, 최루제(催淚劑)와 그 발사장치, 살수차, 감식기구(鑑識機具), 해안 감시기구, 통신기기, 차량·선박·항공기 등 경찰이 직무를 수행할 때 필요한 장치와 기구를 말한다.

③ 경찰관은 경찰장비를 함부로 개조하거나 경찰장비에 임의의 장비를 부착하여 일반적인 사용법과 달리 사용함으로써 다른 사람의 생명·신체에 위해를 끼쳐서는 아니 된다.

④ 위해성 경찰장비는 필요한 최소한도에서 사용하여야 한다.

⑤ 경찰청장은 위해성 경찰장비를 새로 도입하려는 경우에는 대통령령으로 정하는 바에 따라 안전성 검사를 실시하여 그 안전성 검사의 결과보고서를 국회 소관 상임위원회에 제출하여야 한다. 이 경우 안전성 검사에는 외부 전문가를 참여시켜야 한다.

⑥ 위해성 경찰장비의 종류 및 그 사용기준, 안전교육·안전검사의 기준 등은 대통령령으로 정한다.

위해성 경찰장비의 사용기준 등에 관한 규정

제2조【위해성 경찰장비의 종류】「경찰관 직무집행법」(이하 "법"이라 한다) 제10조제1항 단서에 따른 사람의 생명이나 신체에 위해를 끼칠 수 있는 경찰장비(이하 "위해성 경찰장비"라 한다)의 종류는 다음 각 호와 같다.

1. 경찰장구 : 수갑·포승(捕繩)·호송용포승·경찰봉·호신용경봉·전자충격기·방패 및 전자방패
2. 무기 : 권총·소총·기관총(기관단총을 포함한다. 이하 같다)·산탄총·유탄발사기·박격포·3인치포·함포·크레모아·수류탄·폭약류 및 도검
3. 분사기·최루탄등 : 근접분사기·가스분사기·가스발사총(고무탄 발사겸용을 포함한다. 이하 같다) 및 최루탄(그 발사장치를 포함한다. 이하 같다)
4. 기타장비 : 가스차·살수차·특수진압차·물포·석궁·다목적발사기 및 도주차량차단장비

제17조【위해성 경찰장비 사용을 위한 안전교육】 법 제10조 제1항 단서에 따라 직무수행 중 위해성 경찰장비를 사용하는 경찰관은 별표 1의 기준에 따라 위해성 경찰장비 사용을 위한 안전교육을 받아야 한다.

제18조【위해성 경찰장비에 대한 안전검사】 위해성 경찰장비를 사용하는 경찰관이 소속한 국가경찰관서의 장은 소속 경찰관이 사용할 위해성 경찰장비에 대한 안전검사를 별표 2의 기준에 따라 실시하여야 한다.

제18조의2【신규 도입 장비의 안전성 검사】 ① 경찰청장은 위해성 경찰장비를 새로 도입하려는 경우에는 법 제10조 제5항에 따라 안전성 검사를 실시하여 새로 도입하려는 장비(이하 이 조에서 '신규 도입 장비'라 한다)가 사람의 생명이나 신체에 미치는 영향을 평가하여야 한다.

② 제1항에 따른 안전성 검사는 신규 도입 장비와 관련된 분야의 외부 전문가가 신규 도입 장비의 주요 특성이나 작동원리에 기초하여 제시하는 검사방법 및 기준에 따라 실시하되, 신규 도입 장비에 대하여 일반적으로 인정되는 합리적인 검사방법이나 기준이 있을 경우 그 검사방법이나 기준에 따라 안전성 검사를 실시할 수 있다.

③ 법 제10조 제5항 후단에 따라 안전성 검사에 참여한 외부 전문가는 안전성 검사가 끝난 후 30일 이내에 신규 도입 장비의 안전성 여부에 대한 의견을 경찰청장에게 제출하여야 한다.

④ 경찰청장은 신규 도입 장비에 대한 안전성 검사를 실시한 후 3개월 이내에 다음의 내용이 포함된 안전성 검사 결과보고서를 국회 소관 상임위원회에 제출하여야 한다.

1. 신규 도입 장비의 주요 특성 및 기본적인 작동 원리
2. 안전성 검사의 방법 및 기준
3. 안전성 검사에 참여한 외부 전문가의 의견
4. 안전성 검사 결과 및 종합 의견

제19조【위해성 경찰장비의 개조 등】 국가경찰관서의 장은 폐기대상인 위해성 경찰장비 또는 성능이 저하된 위해성 경찰장비를 개조할 수 있으며, 소속 경찰관으로 하여금 이를 본래의 용법에 준하여 사용하게 할 수 있다.

판례

1. **경찰관이 불법적인 농성을 진압하는 과정에서 특정한 경찰장비를 필요한 최소한의 범위를 넘어 관계 법령에서 정한 통상의 용법과 달리 사용함으로써 타인의 생명·신체에 위해를 가한 경우, 그 직무수행은 위법하다고 보아야 하는지 여부(원칙적 적극) 및 이때 상대방이 그로 인한 생명·신체에 대한 위해를 면하기 위하여 직접적으로 대항하는 과정에서 경찰장비를 손상시킨 경우, 정당방위에 해당하는지 여부(적극)**
   경찰관이 농성 진압의 과정에서 경찰장비를 위법하게 사용함으로써 그 직무수행이 적법한 범위를 벗어난 것으로 볼 수밖에 없다면, 상대방이 그로 인한 생명·신체에 대한 위해를 면하기 위하여 직접적으로 대항하는 과정에서 경찰장비를 손상시켰더라도 이는 위법한 공무집행으로 인한 신체에 대한 현재의 부당한 침해에서 벗어나기 위한 행위로서 정당방위에 해당한다(대법원 2022.11.30. 선고 2016다26662, 26679, 26686 판결).
2. **수사기관에서 구속된 피의자의 도주, 항거 등을 억제하는데 필요한 한도 내에서 포승이나 수갑을 사용하는 것이 무죄추정의 원칙에 위배되는 것인지 여부(소극)**
   무죄추정을 받는 피의자라고 하더라도 그에게 구속의 사유가 있어 구속영장이 발부, 집행된 이상 신체의 자유가 제한되는 것은 당연한 것이고, 특히 수사기관에서 구속된 피의자의 도주, 항거 등을 억제하는데 필요하다고 인정할 상당한 이유가 있는 경우에는 필요한 한도 내에서 포승이나 수갑을 사용할 수 있는 것이며, 이러한 조치가 무죄추정의 원칙에 위배되는 것이라고 할 수는 없다(대법원 1996.5.14. 선고 96도561 판결).

16. 경찰장구의 사용

경찰관 직무집행법
제10조의2【경찰장구의 사용】 ① 경찰관은 다음의 직무를 수행하기 위하여 필요하다고 인정되는 상당한 이유가 있을 때에는 그 사태를 합리적으로 판단하여 필요한 한도에서 경찰장구를 사용할 수 있다.
1. 현행범이나 사형·무기 또는 장기 3년 이상의 징역이나 금고에 해당하는 죄를 범한 범인의 체포 또는 도주방지
2. 자신이나 다른 사람의 생명·신체의 방어 및 보호
3. 공무집행에 대한 항거(抗拒)제지

② 제1항에서 '경찰장구'란 경찰관이 휴대하여 범인검거와 범죄진압 등의 직무수행에 사용하는 수갑, 포승(捕繩), 경찰봉, 방패 등을 말한다.

(1) 의의

경찰장구의 사용은 경찰관의 무기사용 다음으로 인명, 신체에 실력을 가하는 수단에 해당하며 대인적 즉시강제에 해당한다.

(2) 경찰장구 사용의 한계

단순히 불심검문에 불응했다고 하여 강제연행을 하거나 경찰장구를 사용해서는 아니 된다.

17. 분사기 등의 사용

경찰관 직무집행법
제10조의3【분사기 등의 사용】 경찰관은 다음의 직무를 수행하기 위하여 부득이한 경우에는 현장책임자가 판단하여 필요한 최소한의 범위에서 분사기(총포·도검·화약류 등의 안전관리에 관한 법률에 따른 분사기를 말하며, 그에 사용하는 최루 등의 작용제를 포함한다. 이하 같다) 또는 최루탄을 사용할 수 있다.
1. 범인의 체포 또는 범인의 도주방지
2. 불법집회·시위로 인한 자신이나 다른 사람의 생명·신체와 재산 및 공공시설 안전에 대한 현저한 위해의 발생억제

(1) 의의

최루탄 및 분사기 등은 가스를 발생시켜 일시적으로 신체·정신적 기능에 장애를 주는 화학탄의 일종으로 사람을 살상시킬 목적으로 제조된 무기는 아니나 경우에 따라서는 생명·신체에 위해를 발생시킬 위험이 있으므로 그 사용에 있어 엄격한 규제가 필요하다.

(2) 분사기 등 사용의 한계

분사기 등의 사용은 부득이한 경우로서 현장책임자의 판단으로 필요한 최소한의 범위 안에서 사용이 가능하다.

분사기 등의 사용제한

위해성 경찰장비의 사용기준 등에 관한 규정
제12조【가스발사총 등의 사용제한】 ① 경찰관은 범인의 체포 또는 도주방지, 타인 또는 경찰관의 생명·신체에 대한 방호, 공무집행에 대한 항거의 억제를 위하여 필요한 때에는 최소한의 범위 안에서 가스발사총을 사용할 수 있다. 이 경우 경찰관은 1m 이내의 거리에서 상대방의 얼굴을 향하여 이를 발사하여서는 아니 된다.
② 경찰관은 최루탄발사기로 최루탄을 발사하는 경우 30° 이상의 발사각을 유지하여야 하고, 가스차·살수차 또는 특수진압차의 최루탄발사대로 최루탄을 발사하는 경우에는 15° 이상의 발사각을 유지하여야 한다.

18. 무기의 사용

경찰관 직무집행법
제10조의4【무기의 사용】 ① 경찰관은 범인의 체포, 범인의 도주방지, 자신이나 다른 사람의 생명·신체의 방어 및 보호, 공무집행에 대한 항거의 제지를 위하여 필요하다고 인정되는 상당한 이유가 있을 때에는 그 사태를 합리적으로 판단하여 필요한 한도에서 무기를 사용할 수 있다. 다만, 다음의 어느 하나에 해당할 때를 제외하고는 사람에게 위해를 끼쳐서는 아니 된다.
1. 형법에 규정된 정당방위와 긴급피난에 해당할 때
2. 다음 각 목의 어느 하나에 해당하는 때에 그 행위를 방지하거나 그 행위자를 체포하기 위하여 무기를 사용하지 아니하고는 다른 수단이 없다고 인정되는 상당한 이유가 있을 때
   가. 사형·무기 또는 장기 3년 이상의 징역이나 금고에 해당하는 죄를 범하거나 범하였다고 의심할 만한 충분한 이유가 있는 사람이 경찰관의 직무집행에 항거하거나 도주하려고 할 때
   나. 체포·구속영장과 압수·수색영장을 집행하는 과정에서 경찰관의 직무집행에 항거하거나 도주하려고 할 때
   다. 제3자가 가목 또는 나목에 해당하는 사람을 도주시키려고 경찰관에게 항거할 때
   라. 범인이나 소요를 일으킨 사람이 무기·흉기 등 위험한 물건을 지니고 경찰관으로부터 3회 이상 물건을 버리라는 명령이나 항복하라는 명령을 받고도 따르지 아니하면서 계속 항거할 때
3. 대간첩 작전수행 과정에서 무장간첩이 항복하라는 경찰관의 명령을 받고도 따르지 아니할 때

② 제1항에서 '무기'란 사람의 생명이나 신체에 위해를 끼칠 수 있도록 제작된 권총·소총·도검 등을 말한다.
③ 대간첩·대테러 작전 등 국가안전에 관련되는 작전을 수행할 때에는 개인화기(個人火器) 외에 공용화기(共用火器)를 사용할 수 있다.

판례 **손해배상(기)**

[1] 경찰관은 범인의 체포, 도주의 방지, 자기 또는 타인의 생명·신체에 대한 방호, 공무집행에 대한 항거의 억제를 위하여 무기를 사용할 수 있으나, 이 경우에도 무기는 목적 달성에 필요하다고 인정되는 상당한 이유가 있을 때 그 사태를 합리적으로 판단하여 필요한 한도 내에서 사용하여야 하는바(경찰관 직무집행법 제10조의4), 경찰관의 무기 사용이 이러한 요건을 충족하는지 여부는 범죄의 종류, 죄질, 피해법익의 경중, 위해의 급박성, 저항의 강약, 범인과 경찰관의 수, 무기의 종류, 무기사용의 태양, 주변의 상황 등을 고려하여 사회통념상 상당하다고 평가되는지 여부에 따라 판단하여야 하고, 특히 사람에게 위해를 가할 위험성이 큰 권총의 사용에 있어서는 그 요건을 더욱 엄격하게 판단하여야 한다.

[2] 불법행위에 따른 형사책임은 사회의 법질서를 위반한 행위에 대한 책임을 묻는 것으로서 행위자에 대한 공적인 제재(형벌)를 그 내용으로 함에 비하여, 민사책임은 타인의 법익을 침해한 데 대하여 행위자의 개인적 책임을 묻는 것으로서 피해자에게 발생한 손해의 전보를 그 내용으로 하는 것이고, 손해배상제도는 손해의 공평·타당한 부담을 그 지도원리로 하는 것이므로, 형사상 범죄를 구성하지 아니하는 침해행위라고 하더라도 그것이 민사상 불법행위를 구성하는지 여부는 형사책임과 별개의 관점에서 검토하여야 한다.

[3] 경찰관이 범인을 제압하는 과정에서 총기를 사용하여 범인을 사망에 이르게 한 사안에서, 경찰관이 총기사용에 이르게 된 동기나 목적, 경위 등을 고려하여 형사사건에서 무죄판결이 확정되었더라도 당해 경찰관의 과실의 내용과 그로 인하여 발생한 결과의 중대함에 비추어 민사상 불법행위책임이 인정된다(대판 2008.2.1, 2006다6713).

Add

위해성 경찰장비의 사용기준 등에 관한 규정

영장집행 등에 따른 수갑 등의 사용기준 (제4조)	경찰관(경찰공무원으로 한정한다. 이하 같다)은 체포·구속영장을 집행하거나 신체의 자유를 제한하는 판결 또는 처분을 받은 자를 법률이 정한 절차에 따라 호송하거나 수용하기 위하여 필요한 때에는 최소한의 범위 안에서 수갑·포승 또는 호송용포승을 사용할 수 있다.
자살방지 등을 위한 수갑 등의 사용기준 및 사용보고 (제5조)	경찰관은 범인·술에 취한 사람 또는 정신착란자의 자살 또는 자해기도를 방지하기 위하여 필요한 때에는 수갑·포승 또는 호송용포승을 사용할 수 있다. 이 경우 경찰관은 소속 국가경찰관서의 장(경찰청장·해양경찰청장·시·도경찰청장·지방해양경찰청장·경찰서장 또는 해양경찰서장 기타 경무관·총경·경정 또는 경감을 장으로 하는 국가경찰관서의 장을 말한다. 이하 같다)에게 그 사실을 보고해야 한다.
불법집회 등에서의 경찰봉·호신용경봉의 사용기준 (제6조)	경찰관은 불법집회·시위로 인하여 발생할 수 있는 타인 또는 경찰관의 생명·신체의 위해와 재산·공공시설의 위험을 방지하기 위하여 필요한 때에는 최소한의 범위 안에서 경찰봉 또는 호신용경봉을 사용할 수 있다.
경찰봉·호신용경봉의 사용시 주의사항 (제7조)	경찰관이 경찰봉 또는 호신용경봉을 사용하는 때에는 인명 또는 신체에 대한 위해를 최소화하도록 주의하여야 한다.
전자충격기 등의 사용제한 (제8조)	① 경찰관은 14세 미만의 자 또는 임산부에 대하여 전자충격기 또는 전자방패를 사용하여서는 아니 된다. ② 경찰관은 전극침(電極針) 발사장치가 있는 전자충격기를 사용하는 경우 상대방의 얼굴을 향하여 전극침을 발사하여서는 아니 된다.
총기사용의 경고 (제9조)	경찰관은 법 제10조의4에 따라 사람을 향하여 권총 또는 소총을 발사하고자 하는 때에는 미리 구두 또는 공포탄에 의한 사격으로 상대방에게 경고하여야 한다. 다만, 다음의 어느 하나에 해당하는 경우로서 부득이한 때에는 경고하지 아니할 수 있다. 1. 경찰관을 급습하거나 타인의 생명·신체에 대한 중대한 위험을 야기하는 범행이 목전에 실행되고 있는 등 상황이 급박하여 특히 경고할 시간적 여유가 없는 경우 2. 인질·간첩 또는 테러사건에 있어서 은밀히 작전을 수행하는 경우
권총 또는 소총의 사용제한 (제10조)	① 경찰관은 법 제10조의4의 규정에 의하여 권총 또는 소총을 사용하는 경우에 있어서 범죄와 무관한 다중의 생명·신체에 위해를 가할 우려가 있는 때에는 이를 사용하여서는 아니 된다. 다만, 권총 또는 소총을 사용하지 아니하고는 타인 또는 경찰관의 생명·신체에 대한 중대한 위험을 방지할 수 없다고 인정되는 때에는 필요한 최소한의 범위 안에서 이를 사용할 수 있다. ② 경찰관은 총기 또는 폭발물을 가지고 대항하는 경우를 제외하고는 14세 미만의 자 또는 임산부에 대하여 권총 또는 소총을 발사하여서는 아니 된다.
동물의 사살 (제11조)	경찰관은 공공의 안전을 위협하는 동물을 사살하기 위하여 부득이한 때에는 권총 또는 소총을 사용할 수 있다.

CHAPTER 04

가스발사총 등의 사용제한 (제12조)	① 경찰관은 범인의 체포 또는 도주방지, 타인 또는 경찰관의 생명·신체에 대한 방호, 공무집행에 대한 항거의 억제를 위하여 필요한 때에는 최소한의 범위 안에서 가스발사총을 사용할 수 있다. 이 경우 경찰관은 1m 이내의 거리에서 상대방의 얼굴을 향하여 이를 발사하여서는 아니 된다. ② 경찰관은 최루탄발사기로 최루탄을 발사하는 경우 30° 이상의 발사각을 유지하여야 하고, 가스차·살수차 또는 특수진압차의 최루탄발사대로 최루탄을 발사하는 경우에는 15° 이상의 발사각을 유지하여야 한다.
가스차·특수진압차·물포의 사용기준 (제13조)	① 경찰관은 불법집회·시위 또는 소요사태로 인하여 발생할 수 있는 타인 또는 경찰관의 생명·신체의 위해와 재산·공공시설의 위험을 억제하기 위하여 부득이한 경우에는 현장책임자의 판단에 의하여 필요한 최소한의 범위에서 가스차를 사용할 수 있다. ② 경찰관은 소요사태의 진압, 대간첩·대테러 작전의 수행을 위하여 부득이한 경우에는 필요한 최소한의 범위 안에서 특수진압차를 사용할 수 있다. ③ 경찰관은 불법해상시위를 해산시키거나 선박운항정지(정선)명령에 불응하고 도주하는 선박을 정지시키기 위하여 부득이한 경우에는 현장책임자의 판단에 의하여 필요한 최소한의 범위 안에서 경비함정의 물포를 사용할 수 있다. 다만, 사람을 향하여 직접 물포를 발사해서는 안 된다.
살수차의 사용기준 (제13조의2)	① 경찰관은 다음의 어느 하나에 해당하여 살수차 외의 경찰장비로는 그 위험을 제거·완화시키는 것이 현저히 곤란한 경우에는 시·도경찰청장의 명령에 따라 살수차를 배치·사용할 수 있다. 1. 소요사태로 인해 타인의 법익이나 공공의 안녕질서에 대한 직접적인 위험이 명백하게 초래되는 경우 2. 통합방위법 제21조 제4항에 따라 지정된 국가중요시설에 대한 직접적인 공격행위로 인해 해당 시설이 파괴되거나 기능이 정지되는 등 급박한 위험이 발생하는 경우 ② 경찰관은 제1항에 따라 살수차를 사용하는 경우 별표 3의 살수거리별 수압기준에 따라 살수해야 한다. 이 경우 사람의 생명 또는 신체에 치명적인 위해를 가하지 않도록 필요한 최소한의 범위에서 살수해야 한다. ③ 경찰관은 제2항에 따라 살수하는 것으로 제1항 각 호의 어느 하나에 해당하는 위험을 제거·완화시키는 것이 곤란하다고 판단하는 경우에는 시·도경찰청장의 명령에 따라 필요한 최소한의 범위에서 최루액을 혼합하여 살수할 수 있다. 이 경우 최루액의 혼합 살수 절차 및 방법은 경찰청장이 정한다.
석궁의 사용기준 (제14조)	경찰관은 총기·폭발물 기타 위험물로 무장한 범인 또는 인질범의 체포, 대간첩·대테러 작전 등 국가안전에 관련되는 작전을 은밀히 수행하거나 총기를 사용할 경우에는 화재·폭발의 위험이 있는 등 부득이한 때에 한하여 현장책임자의 판단에 의하여 필요한 최소한의 범위 안에서 석궁을 사용할 수 있다.
다목적발사기의 사용기준 (제15조)	경찰관은 인질범의 체포 또는 대간첩·대테러 작전 등 국가안전에 관련되는 작전을 수행하거나 공공시설의 안전에 대한 현저한 위해의 발생을 방지하기 위하여 필요한 때에는 최소한의 범위 안에서 다목적발사기를 사용할 수 있다.
도주차량차단장비의 사용기준 등 (제16조)	① 경찰관은 무면허운전이나 음주운전 기타 범죄에 이용하였다고 의심할 만한 차량 또는 수배중인 차량이 정당한 검문에 불응하고 도주하거나 차량으로 직무집행 중인 경찰관에게 위해를 가한 후 도주하려는 경우에는 도주차량차단장비를 사용할 수 있다. ② 도주차량차단장비를 운용하는 경찰관은 검문 또는 단속장소의 전방에 동 장비의 운용 중임을 알리는 안내표지판을 설치하고 기타 필요한 안전조치를 취하여야 한다.
부상자에 대한 긴급조치 (제21조)	경찰관이 위해성 경찰장비를 사용하여 부상자가 발생한 경우에는 즉시 구호, 그 밖에 필요한 긴급조치를 하여야 한다.

Add

경찰 물리력 행사의 기준과 방법에 관한 규칙

<table>
<tr><td>경찰 물리력의 정의</td><td colspan="2">경찰 물리력이란 범죄의 예방과 제지, 범인 체포 또는 도주 방지, 자신이나 다른 사람의 생명·신체 방어 및 보호, 공무집행에 대한 항거 제지 등 경찰목적을 달성하기 위해 경찰권발동의 대상자(이하 '대상자')에 대해 행해지는 일체의 신체적, 도구적 접촉(경찰관의 현장 임장, 언어적 통제 등 직접적인 신체 접촉 전 단계의 행위들도 포함한다)을 말한다.</td></tr>
<tr><td>경찰 물리력 사용 3대 원칙</td><td colspan="2">경찰관은 경찰목적을 실현함에 있어 적합하고 필요하며 상당한 수단을 선택함으로써 그 목적과 수단 사이에 합리적인 비례관계가 유지되도록 하여야 하며, 특히 물리력을 사용할 필요가 있는 경우 다음 원칙을 준수하여야 한다.
1. 객관적 합리성의 원칙
경찰관은 자신이 처해있는 사실과 상황에 비추어 합리적인 현장 경찰관의 관점에서 가장 적절한 물리력을 사용하여야 하며, 이를 위해 범죄의 종류, 피해의 경중, 위해의 급박성, 저항의 강약, 대상자와 경찰관의 수, 대상자가 소지한 무기의 종류 및 무기 사용의 태양, 대상자의 신체 및 건강 상태, 도주여부, 현장 주변의 상황 등을 종합적으로 고려하여야 한다.
2. 대상자 행위와 물리력 간 상응의 원칙
경찰관은 대상자의 행위에 따른 위해의 수준을 계속 평가·판단하여 필요최소한의 수준으로 물리력을 높이거나 낮추어서 사용하여야 한다.
3. 위해감소노력 우선의 원칙
경찰관은 현장상황이 안전하고 시간적 여유가 있는 경우에는 대상자가 야기하는 위해 수준을 떨어뜨려 보다 덜 위험한 물리력을 통해 상황을 종결시킬 수 있도록 노력하여야 한다. 다만, 이러한 노력이 오히려 상황을 악화시킬 가능성이 있거나 급박한 경우에는 이 원칙을 적용하지 않을 수 있다.</td></tr>
<tr><td rowspan="6">대상자 행위</td><td colspan="2">대상자가 경찰관 또는 제3자에 대해 보일 수 있는 행위는 그 위해의 정도에 따라 ① 순응 ② 소극적 저항 ③ 적극적 저항 ④ 폭력적 공격 ⑤ 치명적 공격 등 다섯 단계로 구별한다.</td></tr>
<tr><td>순응</td><td>대상자가 경찰관의 지시, 통제에 따르는 상태를 말한다. 다만, 대상자가 경찰관의 요구에 즉각 응하지 않고 약간의 시간만 지체하는 경우는 '순응'으로 본다.</td></tr>
<tr><td>소극적 저항</td><td>1. 대상자가 경찰관의 지시, 통제를 따르지 않고 비협조적이지만 경찰관 또는 제3자에 대해 직접적인 위해를 가하지 않는 상태를 말한다.
2. 경찰관이 정당한 이동 명령을 발하였음에도 가만히 서있거나 앉아 있는 등 전혀 움직이지 않는 상태, 일부러 몸의 힘을 모두 빼거나, 고정된 물체를 꽉 잡고 버팀으로써 움직이지 않으려는 상태 등이 이에 해당한다.</td></tr>
<tr><td>적극적 저항</td><td>1. 대상자가 자신에 대한 경찰관의 체포·연행 등 정당한 공무집행을 방해하지만 경찰관 또는 제3자에 대해 위해 수준이 낮은 행위만을 하는 상태를 말한다.
2. 대상자가 자신을 체포·연행하려는 경찰관으로부터 물리적으로 이탈하거나 도주하려는 행위, 체포·연행을 위해 팔을 잡으려는 경찰관의 손을 뿌리치거나, 경찰관을 밀고 잡아끄는 행위, 경찰관에게 침을 뱉거나 경찰관을 밀치는 행위 등이 이에 해당한다.</td></tr>
<tr><td>폭력적 공격</td><td>1. 대상자가 경찰관 또는 제3자에 대해 신체적 위해를 가하는 상태를 말한다.
2. 대상자가 경찰관에게 폭력을 행사하려는 자세를 취하여 그 행사가 임박한 상태, 주먹·발 등을 사용해서 경찰관에 대해 신체적 위해를 초래하고 있거나 임박한 상태, 강한 힘으로 경찰관을 밀거나 잡아당기는 등 완력을 사용해 체포에서 벗어나려고 하는 상태 등이 이에 해당한다.</td></tr>
<tr><td>치명적 공격</td><td>1. 대상자가 경찰관 또는 제3자에 대해 사망 또는 심각한 부상을 초래할 수 있는 행위를 하는 상태를 말한다.
2. 총기류(공기총·엽총·사제권총 등), 흉기(칼·도끼·낫 등), 둔기(망치· 쇠파이프 등)를 이용하여 경찰관, 제3자에 대해 위력을 행사하고 있거나 위해 발생이 임박한 경우, 경찰관이나 제3자의 목을 세게 조르거나 무차별 폭행하는 등 생명·신체에 대해 중대한 위해가 발생할 정도의 위험한 폭력을 행사하는 경우가 이에 해당한다.</td></tr>
</table>

CHAPTER 04

<table>
<tr><td rowspan="6">경찰관 대응 수준</td><td colspan="2">대상자 행위에 따른 경찰관의 대응 수준은 ① 협조적 통제, ② 접촉 통제, ③ 저위험 물리력, ④ 중위험 물리력, ⑤ 고위험 물리력 등 다섯 단계로 구별한다.</td></tr>
<tr><td>협조적 통제</td><td>'순응' 이상의 상태인 대상자에 대해 사용할 수 있는 물리력 수준으로서, 대상자의 협조를 유도하거나 협조에 따른 물리력을 말한다. 그 종류는 다음과 같다.
가. 현장 임장
나. 언어적 통제
다. 체포 등을 위한 수갑 사용
라. 안내·체포 등에 수반한 신체적 물리력</td></tr>
<tr><td>접촉 통제</td><td>'소극적 저항' 이상의 상태인 대상자에 대해 사용할 수 있는 물리력 수준으로서, 대상자 신체 접촉을 통해 경찰목적 달성을 강제하지만 신체적 부상을 야기할 가능성은 극히 낮은 물리력을 말한다. 그 종류는 다음과 같다.
가. 신체 일부 잡기·밀기·잡아끌기, 쥐기·누르기·비틀기
나. 경찰봉 양 끝 또는 방패를 잡고 대상자의 신체에 안전하게 밀착한 상태에서 대상자를 특정 방향으로 밀거나 잡아당기기</td></tr>
<tr><td>저위험 물리력</td><td>'적극적 저항' 이상의 상태인 대상자에 대해 사용할 수 있는 물리력 수준으로서, 대상자가 통증을 느낄 수 있으나 신체적 부상을 당할 가능성은 낮은 물리력을 말한다. 그 종류는 다음과 같다.
가. 목을 압박하여 제압하거나 관절을 꺾는 방법, 팔·다리를 이용해 움직이지 못하도록 조르는 방법, 다리를 걸거나 들쳐 매는 등 균형을 무너뜨려 넘어뜨리는 방법, 대상자가 넘어진 상태에서 움직이지 못하게 위에서 눌러 제압하는 방법
나. 분사기 사용(다른 저위험 물리력 이하의 수단으로 제압이 어렵고, 경찰관이나 대상자의 부상 등의 방지를 위해 필요한 경우)</td></tr>
<tr><td>중위험 물리력</td><td>'폭력적 공격' 이상의 상태의 대상자에 대해 사용할 수 있는 물리력 수준으로서, 대상자에게 신체적 부상을 입힐 수 있으나 생명·신체에 대한 중대한 위해 발생 가능성은 낮은 물리력을 말한다. 그 종류는 다음과 같다.
가. 손바닥, 주먹, 발 등 신체부위를 이용한 가격
나. 경찰봉으로 중요부위가 아닌 신체 부위를 찌르거나 가격
다. 방패로 강하게 압박하거나 세게 미는 행위
라. 전자충격기 사용</td></tr>
<tr><td>고위험 물리력</td><td>가. '치명적 공격' 상태의 대상자로 인해 경찰관 또는 제3자의 생명·신체에 급박하고 중대한 위해가 초래될 가능성이 있는 경우 최후의 수단으로 사용할 수 있는 물리력 수준으로서, 대상자의 사망 또는 심각한 부상을 초래할 수 있는 물리력을 말한다.
나. 경찰관은 대상자의 '치명적 공격' 상황에서도 현장상황이 급박하지 않은 경우에는 낮은 수준의 물리력을 우선적으로 사용하여 상황을 종결시킬 수 있도록 노력하여야 한다.
다. '고위험 물리력'의 종류는 다음과 같다.
1) 권총 등 총기류 사용
2) 경찰봉, 방패, 신체적 물리력으로 대상자의 신체 중요 부위 또는 급소 부위 가격, 대상자의 목을 강하게 조르거나 신체를 강한 힘으로 압박하는 행위</td></tr>
</table>

19. 경찰착용기록장치

구분	내용
경찰착용 기록장치의 사용 (제10조의5)	① 경찰관은 다음 각 호의 어느 하나에 해당하는 직무 수행을 위하여 필요한 경우에는 필요한 최소한의 범위에서 경찰착용기록장치를 사용할 수 있다. 1. 경찰관이 「형사소송법」 제200조의2, 제200조의3, 제201조 또는 제212조에 따라 피의자를 체포 또는 구속하는 경우 2. 범죄 수사를 위하여 필요한 경우로서 다음 각 목의 요건을 모두 갖춘 경우 가. 범행 중이거나 범행 직전 또는 직후일 것 나. 증거보전의 필요성 및 긴급성이 있을 것 3. 제5조제1항에 따른 인공구조물의 파손이나 붕괴 등의 위험한 사태가 발생한 경우 4. 경찰착용기록장치에 기록되는 대상자(이하 이 조에서 "기록대상자"라 한다)로부터 그 기록의 요청 또는 동의를 받은 경우 5. 제4조제1항 각 호에 해당하는 것이 명백하고 응급구호가 필요하다고 믿을 만한 상당한 이유가 있는 경우 6. 제6조에 따라 사람의 생명 · 신체에 위해를 끼치거나 재산에 중대한 손해를 끼칠 우려가 있는 범죄행위를 긴급하게 예방 및 제지하는 경우 7. 경찰관이 「해양경비법」 제12조 또는 제13조에 따라 해상검문검색 또는 추적 · 나포하는 경우 8. 경찰관이 「수상에서의 수색 · 구조 등에 관한 법률」에 따라 같은 법 제2조제4호의 수난구호 업무 시 수색 또는 구조를 하는 경우 9. 그 밖에 제1호부터 제8호까지에 준하는 경우로서 대통령령으로 정하는 경우 ② 이 법에서 "경찰착용기록장치"란 경찰관이 신체에 착용 또는 휴대하여 직무수행 과정을 근거리에서 영상 · 음성으로 기록할 수 있는 기록장치 또는 그 밖에 이와 유사한 기능을 갖춘 기계장치를 말한다.
경찰착용 기록장치의 사용 고지 등 (제10조의6)	① 경찰관이 경찰착용기록장치를 사용하여 기록하는 경우로서 이동형 영상정보처리기기로 사람 또는 그 사람과 관련된 사물의 영상을 촬영하는 때에는 불빛, 소리, 안내판 등 대통령령으로 정하는 바에 따라 촬영 사실을 표시하고 알려야 한다. **경찰착용기록장치 운영 등에 관한 규정 제3조【경찰착용기록장치의 사용 고지 등】** 경찰관은 법 제10조의6제1항에 따라 경찰착용기록장치로 사람 또는 그 사람과 관련된 사물의 영상을 촬영하는 때에는 불빛, 소리, 안내판, 안내서면, 안내방송, 안내문구 부착 또는 이에 준하는 수단이나 방법으로 촬영 사실을 표시하고 알려야 한다. ② 제1항에도 불구하고 제10조의5제1항 각 호에 따른 경우로서 불가피하게 고지가 곤란한 경우에는 제3항에 따라 영상음성기록을 전송 · 저장하는 때에 그 고지를 못한 사유를 기록하는 것으로 대체할 수 있다. ③ 경찰착용기록장치로 기록을 마친 영상음성기록은 지체 없이 제10조의7에 따른 영상음성기록정보 관리체계를 이용하여 영상음성기록정보 데이터베이스에 전송 · 저장하도록 하여야 하며, 영상음성기록을 임의로 편집 · 복사하거나 삭제하여서는 아니 된다. ④ 그 밖에 경찰착용기록장치의 사용기준 및 관리 등에 필요한 사항은 대통령령으로 정한다. **경찰착용기록장치 운영 등에 관한 규정 제5조【영상음성기록의 보관기간】** ① 경찰착용기록장치로 기록한 영상음성기록의 보관기간은 해당 기록을 법 제10조의6제3항에 따라 영상음성기록정보 데이터베이스에 전송 · 저장한 날부터 30일(해당 영상음성기록이 수사 중인 범죄와 관련된 경우 등 경찰청장 또는 해양경찰청장이 정하는 사항에 해당하는 경우에는 90일)로 한다.

CHAPTER 04

경찰착용 기록장치의 사용 고지 등 (제10조의6)	② 제1항에도 불구하고 경찰청장, 해양경찰청장, 시·도경찰청장, 지방해양경찰청장, 중앙해양특수구조단장, 경찰서장 또는 해양경찰서장은 범죄수사를 위한 증거 보전이 필요한 경우 등 영상음성기록을 계속하여 보관할 필요가 있다고 인정하는 경우에는 90일의 범위에서 한 차례만 보관기간을 연장할 수 있다.
영상음성기록정보 관리체계의 구축·운영 (제10조의7)	경찰청장 및 해양경찰청장은 경찰착용기록장치로 기록한 영상·음성을 저장하고 데이터베이스로 관리하는 영상음성기록정보 관리체계를 구축·운영하여야 한다.

20. 사용기록의 보관

경찰관 직무집행법

제11조【사용기록의 보관】 제10조 제2항에 따른 살수차, 제10조의3에 따른 분사기, 최루탄 또는 제10조의4에 따른 무기를 사용하는 경우 그 책임자는 사용일시·장소·대상, 현장책임자, 종류, 수량 등을 기록하여 보관하여야 한다.

위해성 경찰장비의 사용기준 등에 관한 규정

제20조【사용기록의 보관 등】 ① 제2조 제2호부터 제4호까지의 위해성 경찰장비(제4호의 경우에는 살수차만 해당한다)를 사용하는 경우 그 현장책임자 또는 사용자는 별지 서식의 사용보고서를 작성하여 직근상급 감독자에게 보고하고, 직근상급 감독자는 이를 3년간 보관하여야 한다.

21. 손실보상

경찰관 직무집행법

제11조의2【손실보상】 ① 국가는 경찰관의 적법한 직무집행으로 인하여 다음의 어느 하나에 해당하는 손실을 입은 자에 대하여 정당한 보상을 하여야 한다.

1. 손실발생의 원인에 대하여 책임이 없는 자가 생명·신체 또는 재산상의 손실을 입은 경우(손실발생의 원인에 대하여 책임이 없는 자가 경찰관의 직무집행에 자발적으로 협조하거나 물건을 제공하여 생명·신체 또는 재산상의 손실을 입은 경우를 포함한다)
2. 손실발생의 원인에 대하여 책임이 있는 자가 자신의 책임에 상응하는 정도를 초과하는 생명·신체 또는 재산상의 손실을 입은 경우

② 제1항에 따른 보상을 청구할 수 있는 권리는 손실이 있음을 안 날부터 3년, 손실이 발생한 날부터 5년간 행사하지 아니하면 시효의 완성으로 소멸한다.

③ 제1항에 따른 손실보상신청 사건을 심의하기 위하여 손실보상심의위원회를 둔다.

④ 경찰청장, 해양경찰청장, 시·도경찰청장 또는 지방해양경찰청장은 제3항의 손실보상심의위원회의 심의·의결에 따라 보상금을 지급하고, 거짓 또는 부정한 방법으로 보상금을 받은 사람에 대하여는 해당 보상금을 환수하여야 한다.

⑤ 보상금이 지급된 경우 손실보상심의위원회는 대통령령으로 정하는 바에 따라 국가경찰위원회 또는 해양경찰위원회에 심사자료와 결과를 보고하여야 한다. 이 경우 국가경찰위원회 또는 해양경찰위원회는 손실보상의 적법성 및 적정성 확인을 위하여 필요한 자료의 제출을 요구할 수 있다.

⑥ 경찰청장, 해양경찰청장, 시·도경찰청장 또는 지방해양경찰청장은 제4항에 따라 보상금을 반환하여야 할 사람이 대통령령으로 정한 기한까지 그 금액을 납부하지 아니한 때에는 국세강제징수의 예에 따라 징수할 수 있다.

⑦ 제1항에 따른 손실보상의 기준, 보상금액, 지급절차 및 방법, 제3항에 따른 손실보상심의위원회의 구성 및 운영, 제4항 및 제6항에 따른 환수절차, 그 밖에 손실보상에 관하여 필요한 사항은 대통령령으로 정한다.

손실보상의 기준 및 보상금액 등 (시행령 제9조)	① 법 제11조의2 제1항에 따라 손실보상을 할 때 물건을 멸실・훼손한 경우에는 다음의 기준에 따라 보상한다. ㉠ 손실을 입은 물건을 수리할 수 있는 경우: 수리비에 상당하는 금액 ㉡ 손실을 입은 물건을 수리할 수 없는 경우: 손실을 입은 당시의 해당 물건의 교환가액 ㉢ 영업자가 손실을 입은 물건의 수리나 교환으로 인하여 영업을 계속할 수 없는 경우: 영업을 계속할 수 없는 기간 중 영업상 이익에 상당하는 금액 ② 물건의 멸실・훼손으로 인한 손실 외의 재산상 손실에 대해서는 직무집행과 상당한 인과관계가 있는 범위에서 보상한다. ③ 법 제11조의2 제1항에 따라 손실보상을 할 때 생명・신체상의 손실의 경우에는 별표의 기준에 따라 보상한다. ④ 법 제11조의2 제1항에 따라 보상금을 지급받을 사람이 동일한 원인으로 다른 법령에 따라 보상금 등을 지급받은 경우 그 보상금 등에 상당하는 금액을 제외하고 보상금을 지급한다.
손실보상의 지급 절차 및 방법 (시행령 제10조)	① 법 제11조의2에 따라 경찰관의 적법한 직무집행으로 인하여 발생한 손실을 보상받으려는 사람은 별지 제4호 서식의 보상금 지급 청구서에 손실내용과 손실금액을 증명할 수 있는 서류를 첨부하여 경찰청장・해양경찰청장이나 손실보상청구 사건 발생지를 관할하는 시・도경찰청, 지방해양경찰청의 장 또는 경찰관서의 장에게 제출해야 한다. ② ①에 따라 보상금 지급 청구서를 받은 경찰관서의 장은 해당 청구서를 제11조제1항에 따른 손실보상청구 사건을 심의할 손실보상심의위원회가 설치된 경찰청, 해양경찰청, 시・도경찰청 또는 지방해양경찰청의 장에게 보내야 한다. ③ 보상금 지급 청구서를 받은 경찰청장, 해양경찰청장, 시・도경찰청장 또는 지방해양경찰청장은 손실보상심의위원회의 심의・의결에 따라 보상 여부 및 보상금액을 결정하되, 다음 각 호의 어느 하나에 해당하는 경우에는 그 청구를 각하(却下)하는 결정을 해야 한다. ㉠ 청구인이 같은 청구 원인으로 보상신청을 하여 보상금 지급 여부에 대하여 결정을 받은 경우. 다만, 기각결정을 받은 청구인이 손실을 증명할 수 있는 새로운 증거가 발견되었음을 소명(疎明)하는 경우는 제외한다. ㉡ 손실보상청구가 요건과 절차를 갖추지 못한 경우. 다만, 그 잘못된 부분을 시정할 수 있는 경우는 제외한다. ④ 경찰청장, 해양경찰청장, 시・도경찰청장 또는 지방해양경찰청장은 ③에 따른 결정일부터 10일 이내에 다음 각 호의 구분에 따른 통지서에 결정 내용을 적어서 청구인에게 통지해야 한다. ㉠ 보상금을 지급하기로 결정한 경우: 별지 제5호 서식의 보상금 지급 청구 승인 통지서 ㉡ 보상금 지급 청구를 각하하거나 보상금을 지급하지 아니하기로 결정한 경우: 별지 제6호 서식의 보상금 지급 청구 기각・각하 통지서 ⑤ 보상금은 다른 법률에 특별한 규정이 있는 경우를 제외하고는 현금으로 지급하여야 한다. ⑥ 보상금은 일시불로 지급하되, 예산부족 등의 사유로 일시금으로 지급할 수 없는 특별한 사정이 있는 경우에는 청구인의 동의를 받아 분할하여 지급할 수 있다. ⑦ 보상금을 지급받은 사람은 보상금을 지급받은 원인과 동일한 원인으로 인한 부상이 악화되거나 새로 발견되어 다음의 어느 하나에 해당하는 경우에는 보상금의 추가 지급을 청구할 수 있다. 이 경우 보상금 지급 청구, 보상금액 결정, 보상금 지급 결정에 대한 통지, 보상금 지급 방법 등에 관하여는 ①부터 ⑥까지의 규정을 준용한다. ㉠ 별표 제2호에 따른 부상등급이 변경된 경우(부상등급 외의 부상에서 제1급부터 제8급까지의 등급으로 변경된 경우를 포함한다) ㉡ 별표 제2호에 따른 부상등급 외의 부상에 대해 부상등급의 변경은 없으나 보상금의 추가 지급이 필요한 경우

손실보상의 지급 절차 및 방법 (시행령 제10조)	⑧ ①부터 ⑦까지에서 규정한 사항 외에 손실보상의 청구 및 지급에 필요한 사항은 경찰청장 또는 해양경찰청장이 정한다.
손실보상심의 위원회의 설치 및 구성 (시행령 제11조)	① 법 제11조의2 제3항에 따라 소속 경찰관의 직무집행으로 인하여 발생한 손실보상청구 사건을 심의하기 위하여 경찰청, 해양경찰청, 시·도경찰청 및 지방해양경찰청에 손실보상심의위원회(이하 '위원회'라 한다)를 설치한다. ② 위원회는 위원장 1명을 포함한 5명 이상 7명 이하의 위원으로 구성한다. ③ 위원회의 위원은 소속 경찰관과 다음의 어느 하나에 해당하는 사람 중에서 경찰청장, 해양경찰청장, 시·도경찰청장 또는 지방해양경찰청장이 위촉하거나 임명한다. 이 경우 위원의 과반수 이상은 경찰관이 아닌 사람으로 하여야 한다. ㉠ 판사·검사 또는 변호사로 5년 이상 근무한 사람 ㉡ 고등교육법 제2조에 따른 학교에서 법학 또는 행정학을 가르치는 부교수 이상으로 5년 이상 재직한 사람 ㉢ 경찰 업무와 손실보상에 관하여 학식과 경험이 풍부한 사람 ④ 위촉위원의 임기는 2년으로 한다. ⑤ 위원회의 사무를 처리하기 위하여 위원회에 간사 1명을 두되, 간사는 소속 경찰관 중에서 경찰청장, 해양경찰청장, 시·도경찰청장 또는 지방해양경찰청장이 지명한다.
위원장 (시행령 제12조)	① 위원장은 위원 중에서 호선(互選)한다. ② 위원장은 위원회를 대표하며, 위원회의 업무를 총괄한다. ③ 위원장이 부득이한 사유로 직무를 수행할 수 없는 때에는 위원장이 미리 지명한 위원이 그 직무를 대행한다.
손실보상심의 위원회의 운영 (시행령 제13조)	① 위원장은 위원회의 회의를 소집하고, 그 의장이 된다. ② 위원회의 회의는 재적위원 과반수의 출석으로 개의(開議)하고, 출석위원 과반수의 찬성으로 의결한다. ③ 위원회는 심의를 위하여 필요한 경우에는 관계 공무원이나 관계 기관에 사실조사나 자료의 제출 등을 요구할 수 있으며, 관계 전문가에게 필요한 정보의 제공이나 의견의 진술 등을 요청할 수 있다.
위원의 제척·기피·회피 (시행령 제14조)	① 위원회의 위원이 다음의 어느 하나에 해당하는 경우에는 위원회의 심의·의결에서 제척(除斥)된다. ㉠ 위원 또는 그 배우자나 배우자였던 사람이 심의 안건의 청구인인 경우 ㉡ 위원이 심의 안건의 청구인과 친족이거나 친족이었던 경우 ㉢ 위원이 심의 안건에 대하여 증언, 진술, 자문, 용역 또는 감정을 한 경우 ㉣ 위원이나 위원이 속한 법인이 심의 안건 청구인의 대리인이거나 대리인이었던 경우 ㉤ 위원이 해당 심의 안건의 청구인인 법인의 임원인 경우 ② 청구인은 위원에게 공정한 심의·의결을 기대하기 어려운 사정이 있는 경우에는 위원회에 기피신청을 할 수 있고, 위원회는 의결로 이를 결정한다. 이 경우 기피신청의 대상인 위원은 그 의결에 참여하지 못한다. ③ 위원이 ①의 각 사항에 따른 제척사유에 해당하는 경우에는 스스로 해당 안건의 심의·의결에서 회피(回避)하여야 한다.

위원의 해촉 (시행령 제15조)	경찰청장, 해양경찰청장, 시·도경찰청장 또는 지방해양경찰청장은 위원회의 위원이 다음 각 호의 어느 하나에 해당하는 경우에는 해당 위원을 해촉(解囑)할 수 있다. ① 심신쇠약 등으로 장기간 직무를 수행할 수 없게 된 경우 ② 직무태만, 품위손상이나 그 밖의 사유로 위원으로 적합하지 아니하다고 인정되는 경우 ③ 영 제14조 제1항 각 사항의 어느 하나에 해당하는 데에도 불구하고 회피하지 아니한 경우 ④ 영 제16조를 위반하여 직무상 알게 된 비밀을 누설한 경우
비밀 누설의 금지 (시행령 제16조)	위원회의 회의에 참석한 사람은 직무상 알게 된 비밀을 누설해서는 아니 된다.
위원회의 운영 등에 필요한 사항 (시행령 제17조)	영 제11조부터 영 제16조까지에서 규정한 사항 외에 위원회의 운영 등에 필요한 사항은 경찰청장이 정한다.
보상금의 환수절차 (시행령 제17조의2)	① 경찰청장, 해양경찰청장, 시·도경찰청장 또는 지방해양경찰청장은 법 제11조의2 제4항에 따라 보상금을 환수하려는 경우에는 위원회의 심의·의결에 따라 환수 여부 및 환수금액을 결정하고, 거짓 또는 부정한 방법으로 보상금을 받은 사람에게 다음의 내용을 서면으로 통지해야 한다. ㉠ 환수사유 ㉡ 환수금액 ㉢ 납부기한 ㉣ 납부기관 ② 법 제11조의2 제6항에서 '대통령령으로 정한 기한'이란 ①에 따른 통지일부터 40일 이내의 범위에서 경찰청장, 해양경찰청장, 시·도경찰청장 또는 지방해양경찰청장이 정하는 기한을 말한다. ③ ① 및 ②에서 규정한 사항 외에 보상금 환수절차에 관하여 필요한 사항은 경찰청장 또는 해양경찰청장이 정한다.
국가경찰 위원회 보고 등 (시행령 제17조의3)	① 법 제11조의2 제5항에 따라 위원회는 보상금 지급과 관련된 심사자료와 결과를 반기별로 국가경찰위원회 또는 해양경찰위원회에 보고해야 한다. ② 국가경찰위원회 또는 해양경찰위원회는 필요하다고 인정하는 때에는 수시로 보상금 지급과 관련된 심사자료와 결과에 대한 보고를 위원회에 요청할 수 있다. 이 경우 위원회는 그 요청에 따라야 한다.

22. 범인검거 등 공로자 보상

경찰관 직무집행법

제11조의3 【범인검거 등 공로자 보상】 ① 경찰청장, 해양경찰청장, 시·도경찰청장, 지방해양경찰청장, 경찰서장 또는 해양경찰서장(이하 이 조에서 "경찰청장등"이라 한다)은 다음의 어느 하나에 해당하는 사람에게 보상금을 지급할 수 있다.

1. 범인 또는 범인의 소재를 신고하여 검거하게 한 사람
2. 범인을 검거하여 경찰공무원에게 인도한 사람
3. 테러범죄의 예방활동에 현저한 공로가 있는 사람
4. 그 밖에 제1호부터 제3호까지의 규정에 준하는 사람으로서 대통령령으로 정하는 사람

② 경찰청장등은 제1항에 따른 보상금 지급의 심사를 위하여 대통령령으로 정하는 바에 따라 각각 보상금심사위원회를 설치·운영하여야 한다.

③ 제2항에 따른 보상금심사위원회는 위원장 1명을 포함한 5명 이내의 위원으로 구성한다.

④ 제2항에 따른 보상금심사위원회의 위원은 소속 경찰공무원 중에서 경찰청장등이 임명한다.
⑤ 경찰청장등은 제2항에 따른 보상금심사위원회의 심사·의결에 따라 보상금을 지급하고, 거짓 또는 부정한 방법으로 보상금을 받은 사람에 대하여는 해당 보상금을 환수한다.
⑥ 경찰청장등은 제5항에 따라 보상금을 반환하여야 할 사람이 대통령령으로 정한 기한까지 그 금액을 납부하지 아니한 때에는 국세 체납처분의 예에 따라 징수할 수 있다.
⑦ 제1항에 따른 보상대상, 보상금의 지급기준 및 절차, 제2항 및 제3항에 따른 보상금심사위원회의 구성 및 심사사항, 제5항 및 제6항에 따른 환수절차, 그 밖에 보상금 지급에 관하여 필요한 사항은 대통령령으로 정한다.

범인검거 등 공로자 보상금 지급대상자 (시행령 제18조)	법 제11조의3 제1항 제4호에서 '대통령령으로 정하는 사람'이란 다음의 어느 하나에 해당하는 사람을 말한다. ① 범인의 신원을 특정할 수 있는 정보를 제공한 사람 ② 범죄사실을 입증하는 증거물을 제출한 사람 ③ 그 밖에 범인 검거와 관련하여 경찰 수사 활동에 협조한 사람 중 보상금 지급대상자에 해당한다고 법 제11조의3 제2항에 따른 보상금심사위원회가 인정하는 사람
보상금심사 위원회의 구성 및 심사사항 등 (시행령 제19조)	① 법 제11조의3 제2항에 따라 경찰청, 해양경찰청, 시·도경찰청, 지방해양경찰청, 경찰서 또는 해양경찰서에 두는 보상금심사위원회의 위원장은 해당 기관 소속 과장급 이상의 경찰관 중에서 경찰청장, 해양경찰청장, 시·도경찰청장, 지방해양경찰청장, 경찰서장 또는 해양경찰서장(이하 "경찰청장등"이라 한다)이 임명하는 사람으로 한다. ② 법 제11조의3 제2항에 따른 보상금심사위원회(이하 '보상금심사위원회'라 한다)는 다음의 사항을 심사·의결한다. ㉠ 보상금 지급대상자에 해당하는지 여부 ㉡ 보상금 지급금액 ㉢ 보상금 환수 여부 ㉣ 그 밖에 보상금 지급이나 환수에 필요한 사항 ③ 보상금심사위원회의 회의는 재적위원 과반수의 찬성으로 의결한다.
범인검거 등 공로자 보상금의 지급기준 (시행령 제20조)	법 제11조의3 제1항에 따른 보상금의 최고액은 5억원으로 하며, 구체적인 보상금 지급기준은 경찰청장 또는 해양경찰청장이 정하여 고시한다.
범인검거 등 공로자 보상금의 지급 절차 등 (시행령 제21조)	① 경찰청장등은 보상금 지급사유가 발생한 경우에는 직권으로 또는 보상금을 지급받으려는 사람의 신청에 따라 소속 보상금심사위원회의 심사·의결을 거쳐 보상금을 지급한다. ② 보상금심사위원회는 영 제20조에 따라 경찰청장 또는 해양경찰청장이 정하여 고시한 보상금 지급기준에 따라 보상 금액을 심사·의결한다. 이 경우 보상금심사위원회는 다음의 사항을 고려하여 보상금액을 결정할 수 있다. ㉠ 테러범죄 예방의 기여도 ㉡ 범죄피해의 규모 ㉢ 범인신고 등 보상금 지급대상 행위의 난이도 ㉣ 보상금 지급대상자가 다른 법령에 따라 보상금 등을 지급받을 수 있는지 여부 ㉤ 그 밖에 범인검거와 관련한 제반 사정 ③ 경찰청장등은 소속 보상금심사위원회의 보상금 심사를 위하여 필요한 경우에는 보상금 지급대상자와 관계 공무원 또는 기관에 사실조사나 자료의 제출 등을 요청할 수 있다.

범인검거 등 공로자 보상금의 환수절차 (시행령 제21조의2)	① 경찰청장등은 법 제11조의3 제5항에 따라 보상금을 환수하려는 경우에는 보상금심사위원회의 심사·의결에 따라 환수 여부 및 환수금액을 결정하고, 거짓 또는 부정한 방법으로 보상금을 받은 사람에게 다음의 내용을 서면으로 통지해야 한다. ㉠ 환수사유 ㉡ 환수금액 ㉢ 납부기한 ㉣ 납부기관 ② 법 제11조의3 제6항에서 '대통령령으로 정한 기한'이란 ①에 따른 통지일부터 40일 이내의 범위에서 경찰청장등이 정하는 기한을 말한다.
범인검거 등 공로자 보상금의 지급 등에 필요한 사항 (시행령 제22조)	영 제18조부터 영 제21조까지 및 제21조의2에서 규정한 사항 외에 보상금의 지급 등에 필요한 사항은 경찰청장 또는 해양경찰청장이 정하여 고시한다.

Add ⊕

범인검거 등 공로자 보상에 관한 규정

제1조【목적】 이 규정은 경찰관 직무집행법 제11조의3, 같은 법 시행령 제18조에 따른 범인 검거 및 테러범죄 예방에 대한 공로가 있는 사람에게 적정한 보상금을 지급하기 위하여 필요한 사항을 규정함을 목적으로 한다.

제2조【용어의 정의】 이 규정에서 사용하는 용어의 뜻은 다음과 같다.

1. '테러범죄'란 국민보호와 공공안전을 위한 테러방지법 제2조 제1호 각 목에 해당하는 행위 및 정보통신기반 보호법 제12조 각 호에 해당하는 행위를 말한다.
2. '범인검거 등 공로자'란 경찰관 직무집행법(이하 '법'이라 한다) 제11조의3, 같은 법 시행령(이하 '시행령'이라 한다) 제18조에 따른 범인 검거 및 테러범죄 예방에 대한 공로가 있는 사람을 말한다.

제3조【보상금 심사 주무부서】 ① 경찰관서별 보상금 심사 주무부서(이하 '주무부서'라 한다)는 다음 각 호와 같다.

1. 제2호에 규정한 사건을 제외한 모든 사건
   가. 경찰청: 수사기획조정관 수사기획담당관
   나. 시·도경찰청: 수사과
   다. 경찰서: 수사과
2. 교통사범 및 교통사고 야기도주 사건
   가. 경찰청: 형사국 강력범죄수사과
   나. 시·도경찰청: 교통과(교통과가 없는 경우에는 교통안전과, 생활안전교통과 또는 경비교통과)
   다. 경찰서: 교통과(교통과가 없는 경우에는 경비교통과 또는 생활안전교통과)

② 경찰관서별 주무부서의 장은 별지 제1호서식의 보상금 심사·지급 대장을 작성·관리하여야 한다.

제4조【보상금심사위원회의 구성 등】 ① 보상금심사위원회(이하 '위원회'라 한다)의 위원장은 제3조 제1항의 보상금 심사 주무부서의 장이 된다.

② 위원장은 위원회의 업무를 총괄하고 위원회를 대표하여 그 의장이 된다.

③ 위원장이 부득이한 사유로 직무를 수행할 수 없을 때에는 경찰관서장이 지명하는 소속 경찰관서의 다른 과장급 경찰공무원이 그 직무를 대행한다.

④ 위원은 소속 경찰관서의 경정·경감 또는 경위 계급으로서 직위가 있는 경찰공무원 4명으로 한다. 다만, 위원의 계급은 위원장보다 하위의 계급으로 한다.

⑤ 경찰관서장이 위원을 임명할 때에는 심사 대상 사건을 담당하는 부서의 경찰공무원을 1명 이상 포함하여야 한다.

⑥ 위원회에 위원회의 사무를 처리할 간사 1명을 둔다.

⑦ 간사는 주무부서의 경감 이하 계급 경찰공무원 중에서 주무부서의 장이 지명한다.

제5조【회의】 ① 위원장은 시행령 제21조 제1항에 따른 경찰관서장의 보상금 지급 심사 요청이 있는 경우 위원회의 회의를 소집하여야 한다.
② 위원회는 보상금 지급 심사가 완료되면 그 결과를 별지 제2호 서식의 보상금 지급 심사·의결서에 기재하고 출석한 위원이 서명하거나 기명날인하여야 한다.
③ 위원장은 제2항에 따른 보상금 지급 심사·의결서 작성이 완료되면 보상금 심사·의결 결과를 경찰관서장에게 보고하여야 한다.
제6조【보상금의 지급 기준】 ① 시행령 제20조에 따른 보상금 지급기준 금액은 다음 각 호와 같다.
1. 사형, 무기징역 또는 무기금고, 장기 10년 이상의 징역 또는 금고에 해당하는 범죄: 100만원
2. 장기 10년 미만의 징역 또는 금고에 해당하는 범죄: 50만원
3. 장기 5년 미만의 징역 또는 금고, 장기 10년 이상의 자격정지 또는 벌금형: 30만원
② 연쇄 살인, 사이버 테러 등과 같이 피해 규모가 심각하고 사회적 파장이 큰 범죄의 지급기준 금액은 별표에 따른다.
③ 위원회는 제1항 및 제2항에 따른 보상금 지급기준에서 시행령 제21조 제2항 각 호의 사항을 고려하여 그 금액을 조정하거나 지급하지 아니할 수 있다.
④ 경찰청장 또는 경찰청장의 승인을 받은 시·도경찰청장이 미리 보상금액을 정하여 수배할 경우에는 제1항 및 제2항에 따른 보상금 지급기준에도 불구하고 예산의 범위에서 금액을 따로 결정할 수 있다.
⑤ 동일한 사람에게 지급결정일을 기준으로 연간(1월 1일부터 12월 31일까지를 말한다) 5회를 초과하여 보상금을 지급할 수 없다.
제7조【보상금의 지급 제한】 다음의 어느 하나에 해당하는 경우에는 보상금을 지급하지 않거나 감액하여 지급할 수 있다.
1. 신고내용이 사실이 아닌 것으로 판명되거나 이미 신고된 사항인 경우
2. 신고내용이 언론매체 등을 통해 이미 공개된 사항인 경우
3. 범인검거 등 공로자 본인이 보상금을 거절하는 경우
4. 익명 또는 가명으로 신고하여 신고자가 누구인지 알 수 없는 경우
5. 법령에 신고 의무가 규정되어 있거나, 범죄의 수사·범인의 검거가 직무로 규정되어 있는 경우
6. 공직자가 자기의 직무 또는 직무였던 사항과 관련하여 신고한 경우
7. 범인검거 등 공로자가 보상대상 행위와 관련된 불법 행위를 하여 보상금 지급이 부적절하다고 인정되는 경우
제8조【보상금 중복 지급의 제한】 보상금을 지급받을 사람이 동일한 원인으로 다른 법령에 따른 포상금·보상금 등을 지급받거나 지급받을 예정인 경우에는 그 포상금·보상금 등의 액수가 지급할 보상금액과 동일하거나 이를 초과할 때에는 보상금을 지급하지 아니하며, 그 포상금·보상금 등의 액수가 지급할 보상금액보다 적을 때에는 그 금액을 공제하고 보상금액을 정하여야 한다.
제9조【보상금 이중 지급의 제한】 보상금 지급 심사·의결을 거쳐 지급이 이루어진 이후에는 동일한 사건에 대하여 보상금을 지급할 수 없다.
제10조【보상금의 배분 지급】 범인검거 등 공로자가 2명 이상인 경우에는 각자의 공로, 당사자 간의 분배 합의 등을 감안해서 배분하여 지급할 수 있다.
제11조【보상금 지급 신청 방법】 시행령 제21조 제1항에 따라 보상금의 지급을 신청하려는 사람은 별지 제3호 서식의 보상금 지급신청서를 관할 경찰관서의 장에게 제출하여야 한다.
제12조【보상금의 지급 방법 등】 경찰관서장은 위원회의 심사·의결이 완료되면 지체 없이 보상금을 지급하고 그 결과를 상급 경찰관서장에게 보고하여야 한다.
제13조【보상금의 환수】 경찰관서장은 보상금을 지급한 후 위법한 증거수집, 허위신고, 거짓진술, 증거위조 등 부정한 방법으로 보상금을 지급받은 사실이 발견된 때에는 해당 보상금을 환수하여야 한다.

23. 소송 지원

경찰관 직무집행법
제11조의4 【소송 지원】 경찰청장과 해양경찰청장은 경찰관이 제2조 각 호에 따른 직무의 수행으로 인하여 민·형사상 책임과 관련된 소송을 수행할 경우 변호인 선임 등 소송 수행에 필요한 지원을 할 수 있다.

24. 직무 수행으로 인한 형의 감면

경찰관 직무집행법
제11조의5 【직무 수행으로 인한 형의 감면】 다음의 범죄가 행하여지려고 하거나 행하여지고 있어 타인의 생명·신체에 대한 위해 발생의 우려가 명백하고 긴급한 상황에서, 경찰관이 그 위해를 예방하거나 진압하기 위한 행위 또는 범인의 검거 과정에서 경찰관을 향한 직접적인 유형력 행사에 대응하는 행위를 하여 그로 인하여 타인에게 피해가 발생한 경우, 그 경찰관의 직무수행이 불가피한 것이고 필요한 최소한의 범위에서 이루어졌으며 해당 경찰관에게 고의 또는 중대한 과실이 없는 때에는 그 정상을 참작하여 형을 감경하거나 면제할 수 있다.
1. 형법 제2편 제24장 살인의 죄, 제25장 상해와 폭행의 죄, 제32장 강간과 추행의 죄 중 강간에 관한 범죄, 제38장 절도와 강도의 죄 중 강도에 관한 범죄 및 이에 대하여 다른 법률에 따라 가중처벌하는 범죄
2. 가정폭력범죄의 처벌 등에 관한 특례법에 따른 가정폭력범죄, 아동학대범죄의 처벌 등에 관한 특례법에 따른 아동학대범죄

25. 벌칙

경찰관 직무집행법 제12조 【벌칙】 이 법에 규정된 경찰관의 의무를 위반하거나 직권을 남용하여 다른 사람에게 해를 끼친 사람은 1년 이하의 징역이나 금고 또는 300만원 이하의 벌금에 처한다.

11 행정조사기본법

1. 서설

(1) 목적(제1조)

이 법은 행정조사에 관한 기본원칙·행정조사의 방법 및 절차 등에 관한 공통적인 사항을 규정함으로써 행정의 공정성·투명성 및 효율성을 높이고, 국민의 권익을 보호함을 목적으로 한다.

(2) 정의(제2조)

이 법에서 사용하는 용어의 정의는 다음과 같다.

행정조사	행정기관이 정책을 결정하거나 직무를 수행하는 데 필요한 정보나 자료를 수집하기 위하여 현장조사·문서열람·시료채취 등을 하거나 조사대상자에게 보고요구·자료제출요구 및 출석·진술요구를 행하는 활동을 말한다.
행정기관	법령 및 조례·규칙(이하 '법령 등'이라 한다)에 따라 행정권한이 있는 기관과 그 권한을 위임 또는 위탁받은 법인·단체 또는 그 기관이나 개인을 말한다.
조사원	행정조사업무를 수행하는 행정기관의 공무원·직원 또는 개인을 말한다.
조사대상자	행정조사의 대상이 되는 법인·단체 또는 그 기관이나 개인을 말한다.

(3) 적용범위(제3조)

① 행정조사에 관하여 다른 법률에 특별한 규정이 있는 경우를 제외하고는 이 법으로 정하는 바에 따른다.

② 다음의 어느 하나에 해당하는 사항에 대하여는 이 법을 적용하지 아니한다.

> ㉠ 행정조사를 한다는 사실이나 조사내용이 공개될 경우 국가의 존립을 위태롭게 하거나 국가의 중대한 이익을 현저히 해칠 우려가 있는 국가안전보장 · 통일 및 외교에 관한 사항
> ㉡ **국방 및 안전에 관한 사항 중 다음의 어느 하나에 해당하는 사항**
> ⓐ 군사시설 · 군사기밀보호 또는 방위사업에 관한 사항
> ⓑ 병역법 · 예비군법 · 민방위기본법 · 비상대비에 관한 법률 · 재난관리자원의 관리 등에 관한 법률에 따른 징집 · 소집 · 동원 및 훈련에 관한 사항
> ㉢ 공공기관의 정보공개에 관한 법률 제4조 제3항의 정보에 관한 사항
> ㉣ 근로기준법 제101조에 따른 근로감독관의 직무에 관한 사항
> ㉤ 조세 · 형사 · 행형 및 보안처분에 관한 사항
> ㉥ 금융감독기관의 감독 · 검사 · 조사 및 감리에 관한 사항
> ㉦ 독점규제 및 공정거래에 관한 법률, 표시 · 광고의 공정화에 관한 법률, 하도급거래 공정화에 관한 법률, 가맹사업거래의 공정화에 관한 법률, 방문판매 등에 관한 법률, 전자상거래 등에서의 소비자보호에 관한 법률, 약관의 규제에 관한 법률 및 할부거래에 관한 법률에 따른 공정거래위원회의 법률위반행위 조사에 관한 사항

③ 위 ②에도 불구하고 제4조(행정조사의 기본원칙), 제5조(행정조사의 근거) 및 제28조(정보통신수단을 통한 행정조사)는 위 ②의 각 사항에 대하여 적용한다.

(4) 행정조사의 기본원칙(제4조)

① 행정조사는 조사목적을 달성하는데 필요한 최소한의 범위 안에서 실시하여야 하며, 다른 목적 등을 위하여 조사권을 남용하여서는 아니 된다.

② 행정기관은 조사목적에 적합하도록 조사대상자를 선정하여 행정조사를 실시하여야 한다.

③ 행정기관은 유사하거나 동일한 사안에 대하여는 공동조사 등을 실시함으로써 행정조사가 중복되지 아니하도록 하여야 한다.

④ 행정조사는 법령 등의 위반에 대한 처벌보다는 법령 등을 준수하도록 유도하는 데 중점을 두어야 한다.

⑤ 다른 법률에 따르지 아니하고는 행정조사의 대상자 또는 행정조사의 내용을 공표하거나 직무상 알게 된 비밀을 누설하여서는 아니 된다.

⑥ 행정기관은 행정조사를 통하여 알게 된 정보를 다른 법률에 따라 내부에서 이용하거나 다른 기관에 제공하는 경우를 제외하고는 원래의 조사목적 이외의 용도로 이용하거나 타인에게 제공하여서는 아니 된다.

(5) 행정조사의 근거(제5조)

행정기관은 법령 등에서 행정조사를 규정하고 있는 경우에 한하여 행정조사를 실시할 수 있다. 다만, 조사대상자의 자발적인 협조를 얻어 실시하는 행정조사의 경우에는 그러하지 아니하다.

2. 조사계획의 수립 및 조사대상의 선정

(1) 연도별 행정조사운영계획의 수립 및 제출(제6조)

① 행정기관의 장은 매년 12월 말까지 다음 연도의 행정조사운영계획을 수립하여 국무조정실장에게 제출하여야 한다. 다만, 행정조사운영계획을 제출해야 하는 행정기관의 구체적인 범위는 대통령령으로 정한다.

② 행정기관의 장이 행정조사운영계획을 수립하는 때에는 제4조에 따른 행정조사의 기본원칙에 따라야 한다.

③ ①에 따른 행정조사운영계획에는 조사의 종류·조사방법·공동조사 실시계획·중복조사 방지계획, 그 밖에 대통령령으로 정하는 사항이 포함되어야 한다.

④ 국무조정실장은 행정기관의 장이 제출한 행정조사운영계획을 검토한 후 그에 대한 보완을 요청할 수 있다. 이 경우 행정기관의 장은 특별한 사정이 없는 한 이에 응하여야 한다.

(2) 조사의 주기(제7조)

행정조사는 법령 등 또는 행정조사운영계획으로 정하는 바에 따라 정기적으로 실시함을 원칙으로 한다. 다만, 다음 중 어느 하나에 해당하는 경우에는 수시조사를 할 수 있다.

① 법률에서 수시조사를 규정하고 있는 경우
② 법령 등의 위반에 대하여 혐의가 있는 경우
③ 다른 행정기관으로부터 법령 등의 위반에 관한 혐의를 통보 또는 이첩받은 경우
④ 법령 등의 위반에 대한 신고를 받거나 민원이 접수된 경우
⑤ 그 밖에 행정조사의 필요성이 인정되는 사항으로서 대통령령으로 정하는 경우

(3) 조사대상의 선정(제8조)

① 행정기관의 장은 행정조사의 목적, 법령준수의 실적, 자율적인 준수를 위한 노력, 규모와 업종 등을 고려하여 명백하고 객관적인 기준에 따라 행정조사의 대상을 선정하여야 한다.

② 조사대상자는 조사대상 선정기준에 대한 열람을 행정기관의 장에게 신청할 수 있다.

③ 행정기관의 장이 위 ②에 따라 열람신청을 받은 때에는 다음의 어느 하나에 해당하는 경우를 제외하고 신청인이 조사대상 선정기준을 열람할 수 있도록 하여야 한다.

㉠ 행정기관이 당해 행정조사업무를 수행할 수 없을 정도로 조사활동에 지장을 초래하는 경우
㉡ 내부고발자 등 제3자에 대한 보호가 필요한 경우

④ 위 ② 및 ③에 따른 행정조사 대상 선정기준의 열람방법이나 그 밖에 행정조사 대상 선정기준의 열람에 관하여 필요한 사항은 대통령령으로 정한다.

CHAPTER 04

3. 조사방법

(1) 출석 · 진술 요구(제9조)

① 행정기관의 장이 조사대상자의 출석 · 진술을 요구하는 때에는 다음의 사항이 기재된 출석요구서를 발송하여야 한다.

> ㉠ 일시와 장소
> ㉡ 출석요구의 취지
> ㉢ 출석하여 진술하여야 하는 내용
> ㉣ 제출자료
> ㉤ 출석거부에 대한 제재(근거법령 및 조항 포함)
> ㉥ 그 밖에 당해 행정조사와 관련하여 필요한 사항

② 조사대상자는 지정된 출석일시에 출석하는 경우 업무 또는 생활에 지장이 있는 때에는 행정기관의 장에게 출석일시를 변경하여 줄 것을 신청할 수 있으며, 변경신청을 받은 행정기관의 장은 행정조사의 목적을 달성할 수 있는 범위 안에서 출석일시를 변경할 수 있다.

③ 출석한 조사대상자가 위 ①에 따른 출석요구서에 기재된 내용을 이행하지 아니하여 행정조사의 목적을 달성할 수 없는 경우를 제외하고는 조사원은 조사대상자의 1회 출석으로 당해 조사를 종결하여야 한다.

(2) 보고요구와 자료제출의 요구(제10조)

① 행정기관의 장은 조사대상자에게 조사사항에 대하여 보고를 요구하는 때에는 다음의 사항이 포함된 보고요구서를 발송하여야 한다.

> ㉠ 일시와 장소
> ㉡ 조사의 목적과 범위
> ㉢ 보고하여야 하는 내용
> ㉣ 보고거부에 대한 제재(근거법령 및 조항 포함)
> ㉤ 그 밖에 당해 행정조사와 관련하여 필요한 사항

② 행정기관의 장은 조사대상자에게 장부 · 서류나 그 밖의 자료를 제출하도록 요구하는 때에는 다음의 사항이 기재된 자료제출요구서를 발송하여야 한다.

> ㉠ 제출기간
> ㉡ 제출요청사유
> ㉢ 제출서류
> ㉣ 제출서류의 반환 여부
> ㉤ 제출거부에 대한 제재(근거법령 및 조항 포함)
> ㉥ 그 밖에 당해 행정조사와 관련하여 필요한 사항

(3) 현장조사(제11조)

① 조사원이 가택·사무실 또는 사업장 등에 출입하여 현장조사를 실시하는 경우에는 행정기관의 장은 다음의 사항이 기재된 현장출입조사서 또는 법령 등에서 현장조사시 제시하도록 규정하고 있는 문서를 조사대상자에게 발송하여야 한다.

㉠ 조사목적
㉡ 조사기간과 장소
㉢ 조사원의 성명과 직위
㉣ 조사범위와 내용
㉤ 제출자료
㉥ 조사거부에 대한 제재(근거법령 및 조항 포함)
㉦ 그 밖에 당해 행정조사와 관련하여 필요한 사항

② ①에 따른 현장조사는 해가 뜨기 전이나 해가 진 뒤에는 할 수 없다. 다만, 다음의 어느 하나에 해당하는 경우에는 그러하지 아니하다.

㉠ 조사대상자(대리인 및 관리책임이 있는 자를 포함한다)가 동의한 경우
㉡ 사무실 또는 사업장 등의 업무시간에 행정조사를 실시하는 경우
㉢ 해가 뜬 후부터 해가 지기 전까지 행정조사를 실시하는 경우에는 조사목적의 달성이 불가능하거나 증거인멸로 인하여 조사대상자의 법령 등의 위반 여부를 확인할 수 없는 경우

③ 위 ① 및 ②에 따라 현장조사를 하는 조사원은 그 권한을 나타내는 증표를 지니고 이를 조사대상자에게 내보여야 한다.

(4) 시료채취(제12조)

① 조사원이 조사목적의 달성을 위하여 시료채취를 하는 경우에는 그 시료의 소유자 및 관리자의 정상적인 경제활동을 방해하지 아니하는 범위 안에서 최소한도로 하여야 한다.

② 행정기관의 장은 ①에 따른 시료채취로 조사대상자에게 손실을 입힌 때에는 대통령령으로 정하는 절차와 방법에 따라 그 손실을 보상하여야 한다.

(5) 자료 등의 영치(제13조)

① 조사원이 현장조사 중에 자료·서류·물건 등(이하 '자료 등'이라 한다)을 영치하는 때에는 조사대상자 또는 그 대리인을 입회시켜야 한다.

② 조사원이 ①에 따라 자료 등을 영치하는 경우에 조사대상자의 생활이나 영업이 사실상 불가능하게 될 우려가 있는 때에는 조사원은 자료 등을 사진으로 촬영하거나 사본을 작성하는 등의 방법으로 영치에 갈음할 수 있다. 다만, 증거인멸의 우려가 있는 자료 등을 영치하는 경우에는 그러하지 아니하다.

③ 조사원이 영치를 완료한 때에는 영치조서 2부를 작성하여 입회인과 함께 서명날인하고 그중 1부를 입회인에게 교부하여야 한다.

④ 행정기관의 장은 영치한 자료 등이 다음의 어느 하나에 해당하는 경우에는 이를 즉시 반환하여야 한다.

㉠ 영치한 자료 등을 검토한 결과 당해 행정조사와 관련이 없다고 인정되는 경우
㉡ 당해 행정조사의 목적의 달성 등으로 자료 등에 대한 영치의 필요성이 없게 된 경우

(6) 공동조사(제14조)

① 행정기관의 장은 다음의 어느 하나에 해당하는 행정조사를 하는 경우에는 공동조사를 하여야 한다.

> ㉠ 당해 행정기관 내의 2 이상의 부서가 동일하거나 유사한 업무분야에 대하여 동일한 조사대상자에게 행정조사를 실시하는 경우
> ㉡ 서로 다른 행정기관이 대통령령으로 정하는 분야에 대하여 동일한 조사대상자에게 행정조사를 실시하는 경우

② ①의 각 사항에 대하여 행정조사의 사전통지를 받은 조사대상자는 관계 행정기관의 장에게 공동조사를 실시하여 줄 것을 신청할 수 있다. 이 경우 조사대상자는 신청인의 성명・조사일시・신청이유 등이 기재된 공동조사 신청서를 관계 행정기관의 장에게 제출하여야 한다.

③ ②에 따라 공동조사를 요청받은 행정기관의 장은 이에 응하여야 한다.

④ 국무조정실장은 행정기관의 장이 제6조에 따라 제출한 행정조사운영계획의 내용을 검토한 후 관계 부처의 장에게 공동조사의 실시를 요청할 수 있다.

⑤ 그 밖에 공동조사에 관하여 필요한 사항은 대통령령으로 정한다.

(7) 중복조사의 제한(제15조)

① 정기조사 또는 수시조사를 실시한 행정기관의 장은 동일한 사안에 대하여 동일한 조사대상자를 재조사 하여서는 아니 된다. 다만, 당해 행정기관이 이미 조사를 받은 조사대상자에 대하여 위법행위가 의심되는 새로운 증거를 확보한 경우에는 그러하지 아니하다.

② 행정조사를 실시할 행정기관의 장은 행정조사를 실시하기 전에 다른 행정기관에서 동일한 조사대상자에게 동일하거나 유사한 사안에 대하여 행정조사를 실시하였는지 여부를 확인할 수 있다.

③ 행정조사를 실시할 행정기관의 장이 ②에 따른 사실을 확인하기 위하여 행정조사의 결과에 대한 자료를 요청하는 경우 요청받은 행정기관의 장은 특별한 사유가 없는 한 관련 자료를 제공하여야 한다.

4. 조사실시

(1) 개별조사계획의 수립(제16조)

① 행정조사를 실시하고자 하는 행정기관의 장은 제17조에 따른 사전통지를 하기 전에 개별조사계획을 수립하여야 한다. 다만, 행정조사의 시급성으로 행정조사계획을 수립할 수 없는 경우에는 행정조사에 대한 결과보고서로 개별조사계획을 갈음할 수 있다.

② ①에 따른 개별조사계획에는 조사의 목적・종류・대상・방법 및 기간, 그 밖에 대통령령으로 정하는 사항이 포함되어야 한다.

(2) 조사의 사전통지(제17조)

① 행정조사를 실시하고자 하는 행정기관의 장은 제9조에 따른 출석요구서, 제10조에 따른 보고요구서・자료제출요구서 및 제11조에 따른 현장출입조사서(이하 '출석요구서 등'이라 한다)를 조사개시 7일 전까지 조사대상자에게 서면으로 통지하여야 한다. 다만, 다음의 어느 하나에 해당하는 경우에는 행정조사의 개시와 동시에 출석요구서 등을 조사대상자에게 제시하거나 행정조사의 목적 등을 조사대상자에게 구두로 통지할 수 있다.

㉠ 행정조사를 실시하기 전에 관련 사항을 미리 통지하는 때에는 증거인멸 등으로 행정조사의 목적을 달성할 수 없다고 판단되는 경우
㉡ 통계법 제3조 제2호에 따른 지정통계의 작성을 위하여 조사하는 경우
㉢ 제5조 단서에 따라 조사대상자의 자발적인 협조를 얻어 실시하는 행정조사의 경우

② 행정기관의 장이 출석요구서등을 조사대상자에게 발송하는 경우 출석요구서 등의 내용이 외부에 공개되지 아니하도록 필요한 조치를 하여야 한다.

(3) 조사의 연기신청(제18조)

① 출석요구서 등을 통지받은 자가 천재지변이나 그 밖에 대통령령으로 정하는 사유로 인하여 행정조사를 받을 수 없는 때에는 당해 행정조사를 연기하여 줄 것을 행정기관의 장에게 요청할 수 있다.

② ①에 따라 연기요청을 하고자 하는 자는 연기하고자 하는 기간과 사유가 포함된 연기신청서를 행정기관의 장에게 제출하여야 한다.

③ 행정기관의 장은 ②에 따라 행정조사의 연기요청을 받은 때에는 연기요청을 받은 날부터 7일 이내에 조사의 연기 여부를 결정하여 조사대상자에게 통지하여야 한다.

(4) 제3자에 대한 보충조사(제19조)

① 행정기관의 장은 조사대상자에 대한 조사만으로는 당해 행정조사의 목적을 달성할 수 없거나 조사대상이 되는 행위에 대한 사실 여부 등을 입증하는 데 과도한 비용 등이 소요되는 경우로서 다음의 어느 하나에 해당하는 경우에는 제3자에 대하여 보충조사를 할 수 있다.

㉠ 다른 법률에서 제3자에 대한 조사를 허용하고 있는 경우
㉡ 제3자의 동의가 있는 경우

② 행정기관의 장은 ①에 따라 제3자에 대한 보충조사를 실시하는 경우에는 조사개시 7일 전까지 보충조사의 일시·장소 및 보충조사의 취지 등을 제3자에게 서면으로 통지하여야 한다.

③ 행정기관의 장은 제3자에 대한 보충조사를 하기 전에 그 사실을 원래의 조사대상자에게 통지하여야 한다. 다만, 제3자에 대한 보충조사를 사전에 통지하여서는 조사목적을 달성할 수 없거나 조사목적의 달성이 현저히 곤란한 경우에는 제3자에 대한 조사결과를 확정하기 전에 그 사실을 통지하여야 한다.

④ 원래의 조사대상자는 ③에 따른 통지에 대하여 의견을 제출할 수 있다.

(5) 자발적인 협조에 따라 실시하는 행정조사(제20조)

① 행정기관의 장이 제5조 단서에 따라 조사대상자의 자발적인 협조를 얻어 행정조사를 실시하고자 하는 경우 조사대상자는 문서·전화·구두 등의 방법으로 당해 행정조사를 거부할 수 있다.

② ①에 따른 행정조사에 대하여 조사대상자가 조사에 응할 것인지에 대한 응답을 하지 아니하는 경우에는 법령등에 특별한 규정이 없는 한 그 조사를 거부한 것으로 본다.

③ 행정기관의 장은 ① 및 ②에 따른 조사거부자의 인적사항 등에 관한 기초자료는 특정 개인을 식별할 수 없는 형태로 통계를 작성하는 경우에 한하여 이를 이용할 수 있다.

(6) 의견제출(제21조)

① 조사대상자는 제17조에 따른 사전통지의 내용에 대하여 행정기관의 장에게 의견을 제출할 수 있다.

② 행정기관의 장은 ①에 따라 조사대상자가 제출한 의견이 상당한 이유가 있다고 인정하는 경우에는 이를 행정조사에 반영하여야 한다.

(7) 조사원 교체신청(제22조)

① 조사대상자는 조사원에게 공정한 행정조사를 기대하기 어려운 사정이 있다고 판단되는 경우에는 행정기관의 장에게 당해 조사원의 교체를 신청할 수 있다.

② ①에 따른 교체신청은 그 이유를 명시한 서면으로 행정기관의 장에게 하여야 한다.

③ ①에 따른 교체신청을 받은 행정기관의 장은 즉시 이를 심사하여야 한다.

④ 행정기관의 장은 ①에 따른 교체신청이 타당하다고 인정되는 경우에는 다른 조사원으로 하여금 행정조사를 하게 하여야 한다.

⑤ 행정기관의 장은 ①에 따른 교체신청이 조사를 지연할 목적으로 한 것이거나 그 밖에 교체신청에 타당한 이유가 없다고 인정되는 때에는 그 신청을 기각하고 그 취지를 신청인에게 통지하여야 한다.

(8) 조사권 행사의 제한(제23조)

① 조사원은 제9조부터 제11조까지에 따라 사전에 발송된 사항에 한하여 조사대상자를 조사하되, 사전통지한 사항과 관련된 추가적인 행정조사가 필요할 경우에는 조사대상자에게 추가조사의 필요성과 조사내용 등에 관한 사항을 서면이나 구두로 통보한 후 추가조사를 실시할 수 있다.

② 조사대상자는 법률 · 회계 등에 대하여 전문지식이 있는 관계 전문가로 하여금 행정조사를 받는 과정에 입회하게 하거나 의견을 진술하게 할 수 있다.

③ 조사대상자와 조사원은 조사과정을 방해하지 아니하는 범위 안에서 행정조사의 과정을 녹음하거나 녹화할 수 있다. 이 경우 녹음 · 녹화의 범위 등은 상호 협의하여 정하여야 한다.

④ 조사대상자와 조사원이 ③에 따라 녹음이나 녹화를 하는 경우에는 사전에 이를 당해 행정기관의 장에게 통지하여야 한다.

(9) 조사결과의 통지(제24조)

행정기관의 장은 법령 등에 특별한 규정이 있는 경우를 제외하고는 행정조사의 결과를 확정한 날부터 7일 이내에 그 결과를 조사대상자에게 통지하여야 한다.

5. 자율관리체제의 구축 등

(1) 자율신고제도(제25조)

① 행정기관의 장은 법령 등에서 규정하고 있는 조사사항을 조사대상자로 하여금 스스로 신고하도록 하는 제도를 운영할 수 있다.

② 행정기관의 장은 조사대상자가 ①에 따라 신고한 내용이 거짓의 신고라고 인정할 만한 근거가 있거나 신고내용을 신뢰할 수 없는 경우를 제외하고는 그 신고내용을 행정조사에 갈음할 수 있다.

(2) 자율관리체제의 구축(제26조)

① 행정기관의 장은 조사대상자가 자율적으로 행정조사사항을 신고·관리하고, 스스로 법령준수사항을 통제하도록 하는 체제(이하 '자율관리체제'라 한다)의 기준을 마련하여 고시할 수 있다.

② 다음의 어느 하나에 해당하는 자는 ①에 따른 기준에 따라 자율관리체제를 구축하여 대통령령으로 정하는 절차와 방법에 따라 행정기관의 장에게 신고할 수 있다.

> ㉠ 조사대상자
> ㉡ 조사대상자가 법령 등에 따라 설립하거나 자율적으로 설립한 단체 또는 협회

③ 국가와 지방자치단체는 행정사무의 효율적인 집행과 법령 등의 준수를 위하여 조사대상자의 자율관리체제 구축을 지원하여야 한다.

(3) 자율관리에 대한 혜택의 부여(제27조)

행정기관의 장은 제25조에 따라 자율신고를 하는 자와 제26조에 따라 자율관리체제를 구축하고 자율관리체제의 기준을 준수한 자에 대하여는 법령 등으로 규정한 바에 따라 행정조사의 감면 또는 행정·세제상의 지원을 하는 등 필요한 혜택을 부여할 수 있다.

6. 보칙

(1) 정보통신수단을 통한 행정조사(제28조)

① 행정기관의 장은 인터넷 등 정보통신망을 통하여 조사대상자로 하여금 자료의 제출 등을 하게 할 수 있다.

② 행정기관의 장은 정보통신망을 통하여 자료의 제출 등을 받은 경우에는 조사대상자의 신상이나 사업비밀 등이 유출되지 아니하도록 제도적·기술적 보안조치를 강구하여야 한다.

(2) 행정조사의 점검과 평가(제29조)

① 국무조정실장은 행정조사의 효율성·투명성 및 예측가능성을 제고하기 위하여 각급 행정기관의 행정조사 실태, 공동조사 실시현황 및 중복조사 실시 여부 등을 확인·점검하여야 한다.

② 국무조정실장은 ①에 따른 확인·점검결과를 평가하여 대통령령으로 정하는 절차와 방법에 따라 국무회의와 대통령에게 보고하여야 한다.

③ 국무조정실장은 ①에 따른 확인·점검을 위하여 각급 행정기관의 장에게 행정조사의 결과 및 공동조사의 현황 등에 관한 자료의 제출을 요구할 수 있다.

④ 행정조사의 확인·점검 대상 행정기관과 행정조사의 확인·점검 및 평가절차에 관한 사항은 대통령령으로 정한다.

제5절 경찰구제법

01 경찰구제의 의의

경찰구제란 경찰행정주체의 행정작용으로 인해 피해를 입은 상대방이 행정기관이나 법원을 통해 그 피해에 대한 손해배상 또는 손실보상이나 원상회복 및 해당 행정작용의 취소·변경 등을 구하는 것을 말한다. 이러한 경찰구제 영역에 대해서도 법치주의는 당연히 적용되며, 각각의 경찰구제 작용에 관련된 여러 법령을 통칭해서 경찰구제법이라고 한다.

이러한 경찰구제는 그 기준에 따라 여러 가지 형태로 구분할 수 있으며, 그중에서도 가장 중요하고 빈번하게 사용되는 경찰구제 수단으로는 손해전보와 행정쟁송을 그 예로 들 수 있다.

손해전보란 경찰작용으로 인해 상대방에게 손해나 손실이 발생한 경우 이를 보전하는 제도로, 경찰작용의 적법 또는 위법 여부를 기준으로 손해배상과 손실보상으로 구분한다. 그리고 행정쟁송은 행정상 법률관계에 대한 다툼이 있을 경우 당사자의 청구에 의해 국가기관이 그 존부(存否) 또는 적법 여부를 심리·판정하는 절차를 말하며 행정심판과 행정소송 등으로 구분할 수 있다.

02 경찰상 손해배상

1. 경찰상 손해배상의 의의

(1) 경찰상 손해배상의 개념

경찰상 손해배상이란 공무원의 위법한 직무행위나 영조물의 하자로 인해 상대방에게 손해가 발생한 경우 경찰행정주체가 이를 배상하는 제도를 말한다.

(2) 법적 근거

경찰상 손해배상과 관련한 근거 규정으로 헌법 제29조, 국가배상법 및 민법 등을 들 수 있다. 이 중에서 경찰상 손해배상의 일반법은 국가배상법이라고 할 수 있다.

대한민국 헌법
제29조 ① 공무원의 직무상 불법행위로 손해를 받은 국민은 법률이 정하는 바에 의하여 국가 또는 공공단체에 정당한 배상을 청구할 수 있다. 이 경우 공무원 자신의 책임은 면제되지 아니한다.

국가배상법
제2조【배상책임】 ① 국가나 지방자치단체는 공무원 또는 공무를 위탁받은 사인(이하 '공무원'이라 한다)이 직무를 집행하면서 고의 또는 과실로 법령을 위반하여 타인에게 손해를 입히거나, 자동차손해배상 보장법에 따라 손해배상의 책임이 있을 때에는 이 법에 따라 그 손해를 배상하여야 한다. 다만, 군인·군무원·경찰공무원 또는 예비군대원이 전투·훈련 등 직무 집행과 관련하여 전사(戰死)·순직(殉職)하거나 공상(公傷)을 입은 경우에 본인이나 그 유족이 다른 법령에 따라 재해보상금·유족연금·상이연금 등의 보상을 지급받을 수 있을 때에는 이 법 및 민법에 따른 손해배상을 청구할 수 없다.
제5조【공공시설 등의 하자로 인한 책임】 ① 도로·하천, 그 밖의 공공의 영조물(營造物)의 설치나 관리에 하자(瑕疵)가 있기 때문에 타인에게 손해를 발생하게 하였을 때에는 국가나 지방자치단체는 그 손해를 배상하여야 한다. 이 경우 제2조 제1항 단서, 제3조 및 제3조의2를 준용한다.

민법
제756조【사용자의 배상책임】 ① 타인을 사용하여 어느 사무에 종사하게 한 자는 피용자가 그 사무집행에 관하여 제삼자에게 가한 손해를 배상할 책임이 있다. 그러나 사용자가 피용자의 선임 및 그 사무감독에 상당한 주의를 한 때 또는 상당한 주의를 하여도 손해가 있을 경우에는 그러하지 아니하다.
제758조【공작물 등의 점유자, 소유자의 책임】 ① 공작물의 설치 또는 보존의 하자로 인하여 타인에게 손해를 가한 때에는 공작물점유자가 손해를 배상할 책임이 있다. 그러나 점유자가 손해의 방지에 필요한 주의를 해태하지 아니한 때에는 그 소유자가 손해를 배상할 책임이 있다.

2. 국가배상법

(1) 서설

① 목적(제1조): 이 법은 국가나 지방자치단체의 손해배상(損害賠償)의 책임과 배상절차를 규정함을 목적으로 한다.

② 다른 법률과의 관계(제8조)

㉠ 국가나 지방자치단체의 손해배상 책임에 관하여는 이 법에 규정된 사항 외에는 민법에 따른다. 다만, 민법 외의 법률에 다른 규정이 있을 때에는 그 규정에 따른다.

㉡ 경찰상 손해배상에 있어서 법 적용의 우선순위를 살펴보면 경찰상 손해배상에 관한 특별법이 존재하면 해당 규정이 우선 적용되고, 이러한 특별법이 존재하지 않을 경우 국가배상법이 적용된다. 그리고 국가배상법에 규정이 없는 사항에 대해서는 민법 규정을 적용하게 된다.

③ 법적 성질

㉠ 사법설(私法說): 공무원의 직무상 불법행위라고 하더라도 일반적인 불법행위에 불과하므로 국가배상법을 민법의 특별법으로 보는 입장이다. 사법설에 따르면 국가배상청구소송은 민사소송 절차에 따르게 된다. 현재 판례도 사법설의 입장을 취하고 있다.

판례

1. 손해배상
공무원의 직무상 불법행위로 손해를 받은 국민이 국가 또는 공공단체에 배상을 청구하는 경우 국가 또는 공공단체에 대하여 그의 불법행위를 이유로 손해배상을 구함은 국가배상법이 정한바에 따른다 하여도 이 역시 민사상의 손해배상 책임을 특별법인 국가배상법이 정한데 불과하다(대판 1972.10.10, 69다701).

2. 구청이 관내 청소를 목적으로 운전직원을 두고 차량을 운행한 것
구청이 관내 청소를 목적으로 운전직원을 두고 차량을 운행한 것은 공권력의 행사로 보아야 하고 이로 인한 손해배상은 특별한 사정이 없는 한 민법의 특별법인 본법을 적용하여야 한다(대판 1971.4.6, 70다2955).

㉡ 공법설(公法說): 공법설은 손해발생의 원인이 되는 행위를 중시하는 입장으로 공법과 사법의 이원적 체계를 취하고 있는 우리나라의 법제도하에서는 국가배상법이 공법의 지위를 가진다고 본다. 공법설에 따를 경우 국가배상청구소송은 행정소송, 그중에서도 당사자소송의 절차를 따르게 된다.

④ 국가배상청구소송의 유형: 동 법은 공무원의 직무상 불법행위로 발생한 손해배상책임(제2조)과 공공시설 등의 하자로 인한 책임(제5조)으로 구분하고 있다.

⑤ 다른 법률과의 비교(제8조)

㉠ 헌법과 국가배상법의 차이

ⓐ 손해배상의 주체와 관련하여 헌법은 '국가 또는 공공단체', 국가배상법은 '국가 또는 지방자치단체'를 규정하고 있다.

ⓑ 또한, 헌법은 '직무행위로 인한 손해배상청구'에 대해서만 규정하고 있지만, 국가배상법은 공무원의 직무행위 뿐만 아니라 공공시설 등(영조물)의 하자로 인한 책임까지 규정하고 있다는 점에서 차이가 있다.

㉡ 민법과 국가배상법의 차이: 민법은 '사용자가 피용자의 선임 및 그 사무감독에 상당한 주의를 한 때 또는 상당한 주의를 하여도 손해가 있을 경우'나 '점유자가 손해의 방지에 필요한 주의를 해태하지 아니한 때'에는 면책된다는 규정이 있지만 국가배상법에는 이러한 면책규정이 없다.

(2) 공무원의 직무행위로 인한 손해배상

국가배상법

제2조【배상책임】 ① 국가나 지방자치단체는 공무원 또는 공무를 위탁받은 사인(이하 '공무원'이라 한다)이 직무를 집행하면서 고의 또는 과실로 법령을 위반하여 타인에게 손해를 입히거나, 자동차손해배상 보장법에 따라 손해배상의 책임이 있을 때에는 이 법에 따라 그 손해를 배상하여야 한다. 다만, 군인·군무원·경찰공무원 또는 예비군대원이 전투·훈련 등 직무 집행과 관련하여 전사(戰死)·순직(殉職)하거나 공상(公傷)을 입은 경우에 본인이나 그 유족이 다른 법령에 따라 재해보상금·유족연금·상이연금 등의 보상을 지급받을 수 있을 때에는 이 법 및 민법에 따른 손해배상을 청구할 수 없다.
② 제1항 본문의 경우에 공무원에게 고의 또는 중대한 과실이 있으면 국가나 지방자치단체는 그 공무원에게 구상(求償)할 수 있다.

① 배상책임의 요건

㉠ 공무원 또는 공무를 위탁받은 사인의 행위

ⓐ 공무원은 경찰조직법뿐만 아니라 기능적 의미를 포함하는 개념으로 국가공무원법 및 경찰공무원법상의 공무원뿐만 아니라 널리 공무를 위탁받아 실질적으로 공무에 종사하는 모든 자를 포함한다고 보는 것이 통설적 견해이다.

판례

1. 국가배상법 제2조 소정의 '공무원'의 의미

국가배상법 제2조 소정의 '공무원'이라 함은 국가공무원법이나 지방공무원법에 의하여 공무원으로서의 신분을 가진 자에 국한하지 않고, 널리 공무를 위탁받아 실질적으로 공무에 종사하고 있는 일체의 자를 가리키는 것으로서, 공무의 위탁이 일시적이고 한정적인 사항에 관한 활동을 위한 것이어도 달리 볼 것은 아니다.
지방자치단체가 '교통할아버지 봉사활동 계획'을 수립한 후 관할 동장으로 하여금 '교통할아버지'를 선정하게 하여 어린이 보호, 교통안내, 거리질서 확립 등의 공무를 위탁하여 집행하게 하던 중 '교통할아버지'로 선정된 노인이 위탁받은 업무 범위를 넘어 교차로 중앙에서 교통정리를 하다가 교통사고를 발생시킨 경우, 지방자치단체가 국가배상법 제2조 소정의 배상책임을 부담한다(대판 2001.1.5, 98다39060).

2. 통장이 전입신고서에 날인하는 행위

동사무소 주민등록업무 담당공무원이 우송되어 온 주민등록표가 용지의 마멸 훼손상태, 정정방법, 기재내용 등이 비정상적이어서 위조의 의심이 있는데도 전주거지에 확인하여 보는 등의 조치를 취하지 아니한 채 접수한 잘못과 통장이 실전입 여부도 확인함이 없이 전입신고서에 날인하여 준 잘못으로 말미암아 동사무소에 허무인의 주민등록표와 인감대장이 비치되고, 그로 인하여 허위의 주민등록표와 인감증명서가 발급되어 무효인 근저당권 설정등기 등이 경료됨으로써 이를 믿고 물품을 외상판매한 피해자에 대하여 지방자치단체(구)에게 국가배상법 제2조 소정의 손해배상책임이 있다(대판 1991.7.9, 91다5570).

3. **향토예비군도 공무원에 해당하는지 여부**
   향토예비군도 그 동원기간 중에는 국가배상법 제2조 소정의 공무원 중에 포함된다고 보는 것이 상당하다(대판 1970.5.26, 70다471).

4. **국가나 지방자치단체에 근무하는 청원경찰에 대한 징계처분에 대한 불복방법**
   국가나 지방자치단체에 근무하는 청원경찰은 국가공무원법이나 지방공무원법상의 공무원은 아니지만, 다른 청원경찰과는 달리 그 임용권자가 행정기관의 장이고, 국가나 지방자치단체로부터 보수를 받으며, 산업재해보상보험법이나 근로기준법이 아닌 공무원연금법에 따른 재해보상과 퇴직급여를 지급받고, 직무상의 불법행위에 대하여도 민법이 아닌 국가배상법이 적용되는 등의 특질이 있으며 그 외 임용자격, 직무, 복무의무 내용 등을 종합하여 볼때, 그 근무관계를 사법상의 고용계약관계로 보기는 어려우므로 그에 대한징계처분의 시정을 구하는 소는 행정소송의 대상이지 민사소송의 대상이 아니다(대판 1993.7.13, 92다47564).

5. **의용소방대원이 운전사고를 발생케 한 경우 군의 손해배상책임의 유무**
   의용소방대는 국가기관이라 할 수 없음은 물론이고 군(郡)에 예속된 기관이라고 할 수도 없으니 의용소방대원이 소방호수를 교환받기 위하여 소방대장의 승인을 받고 위 의용소방대가 보관 사용하는 차량을 운전하고 가다가 운전사고가 발생하였다면 이를 군의 사무집행에 즈음한 행위라고 볼 수 없다(대판 1975.11.25, 73다1896).

6. **법령에 의해 대집행권한을 위탁받은 한국토지공사가 국가공무원법 제2조에서 말하는 공무원에 해당하는지 여부(소극)**
   한국토지공사는 구 한국토지공사법(2007.4.6. 법률 제8340호로 개정되기 전의 것) 제2조, 제4조에 의하여 정부가 자본금의 전액을 출자하여 설립한 법인이고, 같은 법 제9조 제4호에 규정된 한국토지공사의 사업에 관하여는 공익사업을 위한 토지 등의 취득 및 보상에 관한 법률 제89조 제1항, 위 한국토지공사법 제22조 제6호 및 같은 법 시행령 제40조의3 제1항의 규정에 의하여 본래 시·도지사나 시장·군수 또는 구청장의 업무에 속하는 대집행권한을 한국토지공사에게 위탁하도록 되어 있는바, 한국토지공사는 이러한 법령의 위탁에 의하여 대집행을 수권받은 자로서 공무인 대집행을 실시함에 따르는 권리·의무 및 책임이 귀속되는 행정주체의 지위에 있다고 볼 것이지 지방자치단체 등의 기관으로서 국가배상법 제2조 소정의 공무원에 해당한다고 볼 것은 아니다. 그러나 한국토지공사의 업무담당자는 이 사건 대집행을 실제 수행한 자들로서 공무인 이 사건 대집행에 실질적으로 종사한 자라고 할 것이므로 국가배상법 제2조 소정의 공무원에 해당한다고 볼 수 있다(대판 2010.1.28, 2007다82950·82967).

Add

군인·군무원·경찰공무원 또는 예비군대원이 전투·훈련 등 직무 집행과 관련하여 전사(戰死)·순직(殉職)하거나 공상(公傷)을 입은 경우 관련 사례

1. **현역병으로 입영하여 교정시설경비교도로 전임 임용된 자가 국가배상법 제2조 제1항 단서 소정의 군인 등에 해당하는지 여부(소극)**
   현역병으로 입영하여 소정의 군사교육을 마치고 전임되어 구 교정시설경비교도대설치법(1989.12.30. 법률 제4157호로 개정되기 전의 것)상의 경비교도로 임용된 자는 군인의 신분을 상실하고, 군인과 다른 경비교도로서의 신분을 취득하게 되었다 할 것이어서 국가배상법 제2조 제1항 단서 소정의 군인 등에 해당하지 아니하고, 위 법 제9조, 제10조, 동 시행령 제38조, 교정시설경비교도대운영규칙(법무부훈령 제143호) 제104조 등의 규정에 의하여 경비교도가 전사상 급여금을 지급받는다든지, 원호와 가료의 대상이 된다든지, 만기전역이 되는 등 그 처우에 있어서 군인에 준하는 취급을 받는다 하여 여전히 군인의 신분을 유지하는 것이라고 할 수 없으며, 또한 경비교도로 근무중 공무수행과 관련하여 사망한 자에 대하여 국가기관이 그를 국가유공자예우 등에 관한 법률 제4조 제1항 제5호 소정의 순직 군경(군인 또는 경찰공무원으로서 교육훈련 또는 직무수행 중 사망한 자)에 해당한다 하여 국가유공자로 결정하고 사망급여금 등이 지급되었다 하더라도 그러한 사실 때문에 그 신분이 군인 또는 경찰공무원으로 바뀌는 것은 아니라 할 것이다(대판 1991.4.26, 90다15907).

2. 전투경찰순경이 국가배상법 제2조 제1항 단서 소정의 '경찰공무원'에 해당하는지 여부
공무원의 국가배상청구를 제한한 헌법 제29조 제2항은 그 입법취지가 위험성이 높은 직무에 종사하는 자에 대하여는 사회보장적 위험부담으로서의 국가보상제도를 별도로 마련함으로써 그것과 경합되는 국가배상청구를 배제하려는 것이고, 국가배상법 제2조 제1항 단서 소정의 '경찰공무원'은 위 헌법규정을 그대로 이어받은 규정이며, 전투경찰순경이 경찰청 산하의 전투경찰대에 소속되어 대간첩작전의 수행 및 치안업무의 보조를 그 임무로 하고 있어서 그 직무수행상 위험성이 다른 경찰공무원의 경우보다 낮지 않을 뿐 아니라, 전투경찰대설치법 제4조에서 경찰공무원법의 일부 조항을 준용하고 있는 점에 비추어 보면, 국가배상법 제2조 제1항 단서 소정의 '경찰공무원'이 '경찰공무원법상 경찰공무원'에 한정된다고 단정하기 어렵고, 오히려 경찰업무의 위험성을 고려하여 '경찰조직의 구성원을 이루는 공무원'을 특별취급하려는 것으로 보아야 할 것이므로 전투경찰순경은 국가배상법 제2조 제1항 단서 소정의 '경찰공무원'에 해당한다고 보아야 한다(대판 1995.3.24, 94다25414).

3. 직무집행과 관련하여 공상을 입은 군인 등이 먼저 국가배상법에 따라 손해배상금을 지급받은 다음 보훈보상대상자 지원에 관한 법률이 정한 보상금 등 보훈급여금의 지급을 청구하는 경우, 국가배상법에 따라 손해배상을 받았다는 이유로 그 지급을 거부할 수 있는지 여부(소극)
전투·훈련 등 직무집행과 관련하여 공상을 입은 군인·군무원·경찰공무원 또는 향토예비군대원이 먼저 국가배상법에 따라 손해배상금을 지급받은 다음 보훈보상대상자 지원에 관한 법률(이하 '보훈보상자법'이라 한다)이 정한 보상금 등 보훈급여금의 지급을 청구하는 경우, 국가배상법 제2조 제1항 단서가 명시적으로 '다른 법령에 따라 보상을 지급받을 수 있을 때에는 국가배상법 등에 따른 손해배상을 청구할 수 없다'고 규정하고 있는 것과 달리 보훈보상자법은 국가배상법에 따른 손해배상금을 지급받은 자를 보상금 등 보훈급여금의 지급대상에서 제외하는 규정을 두고 있지 않은 점, 국가배상법 제2조 제1항 단서의 입법 취지 및 보훈보상자법이 정한 보상과 국가배상법이 정한 손해배상의 목적과 산정방식의 차이 등을 고려하면 국가배상법 제2조 제1항 단서가 보훈보상자법 등에 의한 보상을 받을 수 있는 경우 국가배상법에 따른 손해배상청구를 하지 못한다는 것을 넘어 국가배상법상 손해배상금을 받은 경우 보훈보상자법상 보상금 등 보훈급여금의 지급을 금지하는 것으로 해석하기는 어려운 점 등에 비추어, 국가보훈처장은 국가배상법에 따라 손해배상을 받았다는 사정을 들어 보상금 등 보훈급여금의 지급을 거부할 수 없다(대판 2017.2.3, 2015두60075).

ⓑ 국가배상법상 손해배상책임이 인정되기 위해서는 가해 공무원이 특정되어야 하는가에 대하여 가해 공무원이 특정될 필요는 없다는 것이 통설과 판례의 입장이다.

㉠ 직무

ⓐ 직무의 범위: 국가배상법상 '직무'는 규정은 모든 행정작용을 의미한다고 보는 것이 통설과 판례의 입장이다. 그러나 행정주체가 사경제주체로서 행한 작용은 국가배상법상 직무개념에 해당하지 않으므로 사경제 작용과 관련된 사항에 대해서는 민법이 적용된다.

판례

1. 국가배상법이 정한 배상청구의 요건인 '공무원의 직무'의 범위
국가배상법이 정한 배상청구의 요건인 '공무원의 직무'에는 권력적 작용만이 아니라 행정지도와 같은 비권력적 작용도 포함되며 단지 행정주체가 사경제주체로서 하는 활동만 제외된다(대판 1998.7.10, 96다38971).

2. 지방자치단체의 철거건물 소유자에 대한 시영아파트분양권 부여 등의 업무가 공행정작용과 관련된 활동인지 여부(적극)
도로가설 등 공사로 인한 무허가건물의 강제철거와 관련하여 이루어지는 시나 구 등 지방자치단체의 철거건물 소유자에 대한 시영아파트분양권 부여 및 세입자에 대한 지원대책 등의 업무는 지방자치단체의 공권력 행사 기타 공행정작용과 관련된 활동으로 볼 것이지 단순한 사경제주체로서 하는 활동이라고는 볼 수 없다(대판 1991.7.26, 91다14819).

3. **국가의 철도운행사업과 관련하여 발생한 사고로 인한 손해배상청구에 관하여 적용될 법규(공무원의 직무상 과실을 원인으로 한 경우 = 민법, 영조물 설치 · 관리의 하자를 원인으로 한 경우 = 국가배상법)**
국가 또는 지방자치단체라 할지라도 공권력의 행사가 아니고 단순한 사경제의 주체로 활동하였을 경우에는 그 손해배상책임에 국가배상법이 적용될 수 없고 민법상의 사용자책임 등이 인정되는 것이고 국가의 철도운행사업은 국가가 공권력의 행사로서 하는 것이 아니고 사경제적 작용이라 할 것이므로, 이로 인한 사고에 공무원이 간여하였다고 하더라도 국가배상법을 적용할 것이 아니고 일반 민법의 규정에 따라야 하지만, 공공의 영조물인 철도시설물의 설치 또는 관리의 하자로 인한 불법행위를 원인으로 하여 국가에 대하여 손해배상청구를 하는 경우에는 국가배상법이 적용된다(대판 1999.6.22, 99다7008).

ⓑ 사익보호: 국가배상책임이 인정되기 위해서는 법령에 의하여 공무원에게 부과된 직무가 전적으로 또는 부수적으로 사익을 보호하는 것으로 인정되어야 한다.

판례 **공무원에게 부과된 직무상 의무를 위반함으로 인해 발생한 손해에 대하여 국가 또는 지방자치단체가 배상책임을 지기 위한 요건**
공무원에게 부과된 직무상 의무의 내용이 단순히 공공일반의 이익을 위한 것이거나 행정기관 내부의 질서를 규율하기 위한 것이 아니고, 전적으로 또는 부수적으로 사회구성원 개인의 안전과 이익을 보호하기 위하여 설정된 것이라면 공무원이 그와 같은 직무상 의무를 위반함으로 인하여 피해자가 입은 손해에 대하여는 상당인과관계가 인정되는 범위 내에서 국가 또는 지방자치단체가 배상책임을 지는 것이고, 이 때 상당인과관계의 유무를 판단함에 있어서는 일반적인 결과 발생의 개연성은 물론 직무상의 의무를 부과하는 법령 기타 행동규범의 목적이나 가해행위의 태양 및 피해의 정도 등을 종합적으로 고려하여야 한다(대판 1997.9.9, 97다12907).

ⓒ 직무행위에 해당하는지 여부

판례

1. **국회의 입법행위 또는 입법부작위가 국가배상법 제2조 제1항의 위법행위에 해당하는 경우**
우리 헌법이 채택하고 있는 의회민주주의하에서 국회는 다원적 의견이나 각가지 이익을 반영시킨 토론과정을 거쳐 다수결의 원리에 따라 통일적인 국가의사를 형성하는 역할을 담당하는 국가기관으로서 그 과정에 참여한 국회의원은 입법에 관하여 원칙적으로 국민 전체에 대한 관계에서 정치적 책임을 질 뿐 국민 개개인의 권리에 대응하여 법적 의무를 지는 것은 아니므로, 국회의원의 입법행위는 그 입법 내용이 헌법의 문언에 명백히 위배됨에도 불구하고 국회가 굳이 당해 입법을 한 것과 같은 특수한 경우가 아닌 한 국가배상법 제2조 제1항 소정의 위법행위에 해당한다고 볼 수 없고, 같은 맥락에서 국가가 일정한 사항에 관하여 헌법에 의하여 부과되는 구체적인 입법의무를 부담하고 있음에도 불구하고 그 입법에 필요한 상당한 기간이 경과하도록 고의 또는 과실로 이러한 입법의무를 이행하지 아니하는 등 극히 예외적인 사정이 인정되는 사안에 한정하여 국가배상법 소정의 배상책임이 인정될 수 있으며, 위와 같은 구체적인 입법의무 자체가 인정되지 않는 경우에는 애당초 부작위로 인한 불법행위가 성립할 여지가 없다(대판 2008.5.29, 2004다33469).
2. **법관의 재판에 대한 국가배상책임이 인정되기 위한 요건**
법관의 재판에 법령의 규정을 따르지 아니한 잘못이 있다 하더라도 이로써 바로 그 재판상 직무행위가 국가배상법 제2조 제1항에서 말하는 위법한 행위로 되어 국가의 손해배상책임이 발생하는 것은 아니고, 그 국가배상책임이 인정되려면 당해 법관이 위법 또는 부당한 목적을 가지고 재판을 하였다거나 법이 법관의 직무수행상 준수할 것을 요구하고 있는 기준을 현저하게 위반하는 등 법관이 그에게 부여된 권한의 취지에 명백히 어긋나게 이를 행사하였다고 인정할 만한 특별한 사정이 있어야 한다(대판 2003.7.11, 99다24218).
3. **재판에 대한 불복절차 내지 시정절차의 유무와 부당한 재판으로 인한 국가배상책임 인정 여부**
재판에 대하여 따로 불복절차 또는 시정절차가 마련되어 있는 경우에는 재판의 결과로 불이익 내지 손해를 입었다고 여기는 사람은 그 절차에 따라 자신의 권리 내지 이익을 회복하도록 함이 법이 예정하는 바이므로, 불복에 의한 시정을 구할 수 없었던 것 자체가 법관이나 다른 공무원의 귀책사유로 인한 것이라거나 그와 같은 시정을 구할 수 없었던 부득이한 사정이 있었다는 등의 특별한 사정이 없는 한, 스스로 그와 같은 시정을 구하지 아니한 결과 권리 내지 이익을 회복하지 못한 사람은 원칙적으로 국가배상에 의한 권리구제를 받을 수 없다고 봄이 상당하다고 하겠으나, 재판에 대하여 불복절차 내지 시정절차 자체가 없는 경우에는 부당한 재판으로 인하여 불이익 내지 손해를 입은 사람은 국가배상 이외의 방법으로는 자신의 권리 내지 이익을 회복할 방법이 없으므로, 이와 같은 경우에는 배상책임의 요건이 충족되는 한 국가배상책임을 인정하지 않을 수 없다(대판 2003. 7.11, 99다24218).

4. **헌법재판소 재판관이 청구기간 내에 제기된 헌법소원심판청구 사건에서 청구기간을 오인하여 각하결정을 한 경우**
헌법재판소 재판관이 청구기간 내에 제기된 헌법소원심판청구 사건에서 청구기간을 오인하여 각하결정을 한 경우, 이에 대한 불복절차 내지 시정절차가 없는 때에는 국가배상책임(위법성)을 인정할 수 있다(대판 2003.7. 11, 99다24218).

5. **검사 등의 수사기관이 피의자를 구속하여 수사한 후 공소를 제기하였으나 법원에서 무죄판결이 선고되어 확정된 경우, 국가배상법 제2조에 의한 손해배상책임이 인정되기 위한 요건**
검사는 수사기관으로서 피의사건을 조사하여 진상을 명백히 하고, 죄를 범하였다고 의심할 만한 상당한 이유가 있는 피의자에게 증거 인멸 및 도주의 염려 등이 있을 때에는 법관으로부터 영장을 발부받아 피의자를 구속할 수 있으며, 나아가 수집·조사된 증거를 종합하여 객관적으로 볼 때, 피의자가 유죄판결을 받을 가능성이 있는 정도의 혐의를 가지게 된 데에 합리적인 이유가 있다고 판단될 때에는 피의자에 대하여 공소를 제기할 수 있으므로 그 후 형사재판 과정에서 범죄사실의 존재를 증명함에 충분한 증거가 없다는 이유로 무죄판결이 확정되었다고 하더라도 그러한 사정만으로 바로 검사의 구속 및 공소제기가 위법하다고 할 수 없고, 그 구속 및 공소제기에 관한 검사의 판단이 그 당시의 자료에 비추어 경험칙이나 논리칙상 도저히 합리성을 긍정할 수 없는 정도에 이른 경우에만 그 위법성을 인정할 수 있다(대판 2002.2.22, 2001다23447).

㉢ 집행하면서: 공무원의 직무집행과 관련하여 통설과 판례는 직접 공무원의 직무집행행위이거나 그와 밀접한 관련이 있는 행위를 포함하고, 이를 판단함에 있어서는 행위 자체의 외관을 객관적으로 관찰하여 공무원의 직무행위로 보여질 때에는 비록 그것이 실질적으로 직무행위가 아니거나 또는 행위자로서는 주관적으로 공무집행의 의사가 없었다고 하더라도 그 행위는 공무원이 '직무를 집행함에 당하여' 한 것으로 보아야 한다고 본다(외형설).

판례

1. **국가배상법 제2조 제1항에 말하는 '직무를 행함에 당하여'의 해석기준**
본조 제1항에서 말하는 '직무를 행함에 당하여'라는 취지는 공무원의 행위의 외관을 객관적으로 관찰하여 공무원의 직무행위로 보여질 때에는 비록 그것이 실질적으로 직무행위이거나 아니거나 또는 행위자의 주관적 의사에 관계없이 그 행위는 공무원의 직무집행행위로 볼 것이요 이러한 행위가 실질적으로 공무집행행위가 아니라는 사정을 피해자가 알았다 하더라도 그것을 '직무를 행함에 당하여'라고 단정하는데 아무런 영향을 미치는 것이 아니다(대판 1966. 6.28, 66다781).

2. **인사업무담당 공무원이 다른 공무원의 공무원증 등을 위조한 행위**
인사업무담당 공무원이 다른 공무원의 공무원증 등을 위조한 행위에 대하여 실질적으로는 직무행위에 속하지 아니한다 할지라도 외관상으로 국가배상법 제2조 제1항의 직무집행관련성을 인정할 수 있다(대판 2005.1.14, 2004다26805).

3. **지방자치단체의 무허가건물철거와 관련된 시영아파트 분양권 부여 등의 업무가 사경제주체로서의 활동인지 여부**
도로가설 등 공사로 인한 무허가건물의 강제철거와 관련하여 이루어지는 시나 구 등 지방자치단체의 철거건물 소유자에 대한 시영아파트 분양권 부여 및 세입자에 대한 지원대책 등의 업무는 지방자치단체의 공권력 행사 기타 공행정 작용과 관련된 활동으로 볼 것이지 사경제주체로서 하는 활동이라고는 볼 수 없다(대판 1994.9.30, 94다11767).

4. 구청 세무공무원이 무허가건물 세입자들에 대한 시영아파트 입주권의 매매행위를 하여 금원을 편취한 후 구청 주택정비계장으로 부임한 경우, 시 · 구에 손해배상책임을 물을 수 있는지 여부

구청 세무1과 소속 공무원의 기망으로 시영아파트 입주권을 매수하여 대금 상당액을 편취당하였다면 그 공무원이 그 후 시영아파트 분양업무 등을 담당하는 구청 주택정비계장이 되었다고 하더라도 그러한 손해는 그 공무원의 직무와 관련된 손해라고 할 수 없어 시 · 구에게 책임을 물을 수는 없다(대판 1994.9.30, 94다11767).

5. 공무원이 자기 소유 차량을 운전하여 출근하던 중 교통사고를 일으킨 경우, 직무집행 관련성 인정 여부(소극)

공무원이 통상적으로 근무하는 근무지로 출근하기 위하여 자기 소유의 자동차를 운행하다가 자신의 과실로 교통사고를 일으킨 경우에는 특별한 사정이 없는 한 국가배상법 제2조 제1항 소정의 공무원이 '직무를 집행함에 당하여' 타인에게 불법행위를 한 것이라고 할 수 없으므로 그 공무원이 소속된 국가나 지방공공단체가 국가배상법상의 손해배상책임을 부담하지 않는다(대판 1996.5.31, 94다15271).

6. 육군중사가 훈련에 대비하여 개인 소유의 오토바이를 운전하여 사전정찰차 훈련지역 일대를 돌아보고 귀대하다가 교통사고를 일으킨 경우, 오토바이의 운전행위가 국가배상법 제2조 소정의 직무집행행위에 해당하는지 여부

국가배상법 제2조 소정의 '공무원이 그 직무를 집행함에 당하여'라고 함은 직무의 범위 내에 속한 행위이거나 직무수행의 수단으로써 또는 직무행위에 부수하여 행하여지는 행위로서 직무와 밀접한 관련이 있는 것도 포함되는바, 육군중사가 자신의 개인소유 오토바이 뒷좌석에 같은 부대 소속 군인을 태우고 다음 날부터 실시예정인 훈련에 대비하여 사전정찰차 훈련지역 일대를 살피고 귀대하던 중 교통사고가 일어났다면, 그가 비록 개인소유의 오토바이를 운전한 경우라 하더라도 실질적, 객관적으로 위 운전행위는 그에게 부여된 훈련지역의 사전정찰임무를 수행하기 위한 직무와 밀접한 관련이 있다고 보아야 한다(대판 1994.5.27, 94다6741).

7. 경찰서 감방 내의 폭력행위를 방지하기 위한 경찰관의 주의의무

경찰서 대용감방에 배치된 경찰관 등으로서는 감방 내의 상황을 잘 살펴 수감자들 사이에서 폭력행위 등이 일어나지 않도록 예방하고 나아가 폭력행위 등이 일어난 경우에는 이를 제지하여야 할 의무가 있음에도 불구하고 이러한 주의의무를 게을리하였다면 국가는 감방 내의 폭력행위로 인한 손해를 배상할 책임이 있다(대판 1993.9.28, 93다17546).

㉣ 고의 · 과실

ⓐ 판단기준: 고의 또는 과실 여부를 판단함에 있어서 공무원을 선임 · 감독하는 국가의 고의 또는 과실 여부는 문제되지 않는다. 해당 직무를 수행하는 공무원을 기준으로 고의 또는 과실이 있는지 여부를 기준으로 국가배상책임을 인정하는 것이 판례의 입장이다.

판례 국가배상법 제2조 제1항 본문 및 제2항의 입법 취지

국가배상법 제2조 제1항 본문 및 제2항의 입법 취지는 공무원의 직무상 위법행위로 타인에게 손해를 끼친 경우에는 변제자력이 충분한 국가 등에게 선임감독상 과실 여부에 불구하고 손해배상책임을 부담시켜 국민의 재산권을 보장하되, 공무원이 직무를 수행함에 있어 경과실로 타인에게 손해를 입힌 경우에는 그 직무수행상 통상 예기할 수 있는 흠이 있는 것에 불과하므로, 이러한 공무원의 행위는 여전히 국가 등의 기관의 행위로 보아 그로 인하여 발생한 손해에 대한 배상책임도 전적으로 국가 등에만 귀속시키고 공무원 개인에게는 그로 인한 책임을 부담시키지 아니하여 공무원의 공무집행의 안정성을 확보하고, 반면에 공무원의 위법행위가 고의 · 중과실에 기한 경우에는 비록 그 행위가 그의 직무와 관련된 것이라고 하더라도 그와 같은 행위는 그 본질에 있어서 기관행위로서의 품격을 상실하여 국가 등에게 그 책임을 귀속시킬 수 없으므로 공무원 개인에게 불법행위로 인한 손해배상책임을 부담시키되, 다만 이러한 경우에도 그 행위의 외관을 객관적으로 관찰하여 공무원의 직무집행으로 보여질 때에는 피해자인 국민을 두텁게 보호하기 위하여 국가 등이 공무원 개인과 중첩적으로 배상책임을 부담하되 국가 등이 배상책임을 지는 경우에는 공무원 개인에게 구상할 수 있도록 함으로써 궁극적으로 그 책임이 공무원 개인에게 귀속되도록 하려는 것이라고 봄이 합당하다[대판 1996.2. 15, 95다38677(전합)].

ⓑ 과실의 객관화(객관적 주관설) : 국가배상책임의 성립이 용이하도록 공무원의 과실 유무를 판단할 때 '직무를 수행한 해당 공무원 개인'을 기준으로 하는 것이 아니라 해당 직무를 담당하는 '평균적 공무원'의 주의의무를 기준으로 판단한다(추상적 과실 기준).

판례

1. **공무원의 직무집행상의 과실의 의의(해당 공무원이 아닌 평균적 공무원을 기준으로 판단)**
   공무원의 직무집행상의 과실이라 함은 공무원이 그 직무를 수행함에 있어 당해직무를 담당하는 평균인이 보통(통상) 갖추어야 할 주의의무를 게을리한 것을 말한다(대판 1987.9.22, 87다카1164).
2. **행정처분이 후에 항고소송에서 취소된 사실만으로 당해 행정처분이 곧바로 공무원의 고의 또는 과실로 인한 것으로서 불법행위를 구성한다고 단정할 수 있는지 여부(소극) 및 이 경우 국가배상책임의 성립 요건과 그 판단 기준**
   어떠한 행정처분이 후에 항고소송에서 취소되었다고 할지라도 그 기판력에 의하여 당해 행정처분이 곧바로 공무원의 고의 또는 과실로 인한 것으로서 불법행위를 구성한다고 단정할 수는 없는 것이고, 그 행정처분의 담당공무원이 보통 일반의 공무원을 표준으로 하여 볼 때 객관적 주의의무를 결하여 그 행정처분이 객관적 정당성을 상실하였다고 인정될 정도에 이른 경우에 국가배상법 제2조 소정의 국가배상책임의 요건을 충족하였다고 봄이 상당할 것이며, 이 때에 객관적 정당성을 상실하였는지 여부는 피침해이익의 종류 및 성질, 침해행위가 되는 행정처분의 태양 및 그 원인, 행정처분의 발동에 대한 피해자측의 관여의 유무, 정도 및 손해의 정도 등 제반 사정을 종합하여 손해의 전보책임을 국가 또는 지방자치단체에게 부담시켜야 할 실질적인 이유가 있는지 여부에 의하여 판단하여야 한다(대판 2003.12.11, 2001다65236).
3. **법규해석을 그르쳐 위법한 행정처분을 한 행정청의 귀책사유 유무**
   법령에 대한 해석이 복잡, 미묘하여 워낙 어렵고, 이에 대한 학설, 판례조차 귀일되어 있지 않는 등의 특별한 사정이 없는 한 일반적으로 공무원이 관계 법규를 알지 못하거나 필요한 지식을 갖추지 못하고 법규의 해석을 그르쳐 행정처분을 하였다면 그가 법률전문가가 아닌 행정직 공무원이라고 하여 과실이 없다고는 할 수 없다(대판 2001.2.9, 98다52988).
4. **행정청이 확립된 법령의 해석에 어긋나는 견해를 고집하여 계속하여 위법한 행정처분을 하거나 이에 준하는 행위로 평가될 수 있는 불이익을 처분상대방에게 계속 주는 경우, 손해배상책임이 있는지 여부(적극)**
   행정청이 관계 법령의 해석이 확립되기 전에 어느 한 견해를 취하여 업무를 처리한 것이 결과적으로 위법하게 되어 그 법령의 부당집행이라는 결과를 빚었다고 하더라도 처분 당시 그와 같은 처리방법 이상의 것을 성실한 평균적 공무원에게 기대하기 어려웠던 경우라면 특별한 사정이 없는 한 이를 두고 공무원의 과실로 인한 것이라고 볼 수는 없다 할 것이지만(대판 1995.10.13, 95다32747 ; 대판 2004.6.11, 2002다31018 등 참조), 대법원의 판단으로 관계 법령의 해석이 확립되고 이어 상급 행정기관 내지 유관 행정부서로부터 시달된 업무지침이나 업무연락 등을 통하여 이를 충분히 인식할 수 있게 된 상태에서, 확립된 법령의 해석에 어긋나는 견해를 고집하여 계속하여 위법한 행정처분을 하거나 이에 준하는 행위로 평가될 수 있는 불이익을 처분상대방에게 주게 된다면, 이는 그 공무원의 고의 또는 과실로 인한 것이 되어 그 손해를 배상할 책임이 있다(대판 2007.5.10, 2005다31828).
5. **학설, 판례에 귀일된 견해가 없어 설이 갈릴 수 있는 복잡미묘한 법률해석에 관하여 공무원이 취한 견해가 대법원판례가 취한 그것과 달라진 경우와 공무원의 국가배상법상의 과실**
   법령의 해석이 복잡 미묘하여 어렵고 학설, 판례가 통일되지 않을 때에 공무원이 신중을 기해 그 중 어느 한 설을 취하여 처리한 경우에는 그 해석이 결과적으로 위법한 것이었다 하더라도 국가배상법상 공무원의 과실을 인정할 수 없다(대판 1973.10.10, 72다2583).
6. **처분의 근거 법률이 위헌으로 결정된 경우, 해당 법률을 적용한 공무원에게 고의 또는 과실이 있는지 여부**
   당해 사건에서 문제된 청구인의 전화번호 등 개인정보가 기재된 증거서류의 제출 및 송달에 관한 근거규정인 행정심판법 제27조에 대하여 위헌결정이 선고된다 하더라도, 당시 청구인의 인적사항이 기재된 증거서류의 제출 및 송달에 관여한 공무원들로서는 그 행위 당시에 위 법률조항이 헌법에 위반되는지 여부를 심사할 권한이 없이 오로지 위 법률조항에 따라 증거자료를 제출하고 이를 송달하였을 뿐이라 할 것이므로 당해 공무원들에게 고의 또는 과실이 있다 할 수 없어 대한민국의 청구인에 대한 손해배상책임은 성립되지 아니한다 할 것이다(헌재 2009.9.24, 2008헌바23).

ⓒ 입증책임: 피해자인 원고가 가해 공무원에게 고의 또는 과실이 있었음을 입증해야 한다는 것이 통설과 판례의 입장이다. 그러나 가해 공무원에게 고의 또는 과실이 있었음이 추정되는 경우도 있다.

판례 구 국세징수법 제24조 제2항에 따라 국세 확정 전 보전압류를 한 후 보전압류에 의하여 징수하려는 국세의 전부 또는 일부가 확정되지 못한 경우, 국가가 부당한 보전압류로 납세자가 입은 손해를 배상할 책임이 있는지 여부

국세가 확정되기 전에 보전압류를 한 후 보전압류에 의하여 징수하려는 국세의 전부 또는 일부가 확정되지 못하였다면 보전압류로 인하여 납세자가 입은 손해에 대하여 특별한 반증이 없는 한 과세관청의 담당공무원에게 고의 또는 과실이 있다고 사실상 추정되므로, 국가는 부당한 보전압류로 인한 손해를 배상할 책임이 있다(대판 2015.10.29, 2013다209534).

㉣ 법령을 위반

ⓐ 법령의 개념: 법령의 범위에 대하여 성문법과 불문법을 포함한 모든 법규를 의미한다고 보는 협의설과 법령 외에 인권·공서양속 등도 포함하여 해당 직무행위가 객관적으로 정당성을 상실한 경우까지를 의미한다고 보는 광의설(다수설과 판례)이 대립하고 있다.

판례 국가배상책임에 있어서 '법령 위반'의 의미

국가배상책임에 있어 공무원의 가해행위는 법령을 위반한 것이어야 하고, 법령을 위반하였다 함은 엄격한 의미의 법령 위반뿐 아니라 인권존중, 권력남용금지, 신의성실과 같이 공무원으로서 마땅히 지켜야 할 준칙이나 규범을 지키지 아니하고 위반한 경우를 포함하여 널리 그 행위가 객관적인 정당성을 결여하고 있음을 뜻하는 것이므로, 경찰관이 범죄수사를 함에 있어 경찰관으로서 의당 지켜야 할 법규상 또는 조리상의 한계를 위반하였다면 이는 법령을 위반한 경우에 해당한다(대판 2008.6.12, 2007다64365).

ⓑ 위반의 개념: '법령 위반'에서의 '위반'이 행위의 위법성을 의미하느냐 결과가 법질서에 반하는 것을 의미하느냐에 대해서는 결과위법설, 행위위법설 및 상대적 위법성설 등 견해의 대립이 있다. 행위위법설이 다수설에 해당하며, 판례의 주류적 견해도 행위위법설을 취하고 있으나, 상대적 위법성설을 따른 판례도 존재한다. 다만, 판례는 결과위법설은 배제하고 있다.

판례

1. **국가배상책임의 성립요건으로서의 법령 위반의 의미(공무원의 직무집행이 법령이 정한 요건과 절차에 따라 이루어진 경우 위법성이 부정됨)**
   국가배상책임은 공무원의 직무집행이 법령에 위반한 것임을 요건으로 하는 것으로서, 공무원의 직무집행이 법령이 정한 요건과 절차에 따라 이루어진 것이라면 특별한 사정이 없는 한 이는 법령에 적합한 것이고 그 과정에서 개인의 권리가 침해되는 일이 생긴다고 하여 그 법령 적합성이 곧바로 부정되는 것은 아니라고 할 것인바, 불법시위를 진압하는 경찰관들의 직무집행이 법령에 위반한 것이라고 하기 위하여는 그 시위진압이 불필요하거나 또는 불법시위의 태양 및 시위 장소의 상황 등에서 예측되는 피해 발생의 구체적 위험성의 내용에 비추어 시위진압의 계속 수행 내지 그 방법 등이 현저히 합리성을 결하여 이를 위법하다고 평가할 수 있는 경우이어야 한다(대판 1997.7.25, 94다2480).

2. 경찰관이 교통법규 등을 위반하고 도주하는 차량을 순찰차로 추적하는 직무를 집행하는 중에 그 도주 차량의 주행에 의하여 제3자가 손해를 입은 경우, 경찰관의 추적행위가 위법한 것인지 여부(한정 소극)
경찰관이 교통법규 등을 위반하고 도주하는 차량을 순찰차로 추적하는 직무를 집행하는 중에 그 도주차량의 주행에 의하여 제3자가 손해를 입었다고 하더라도 그 추적이 당해 직무 목적을 수행하는 데에 불필요하다거나 또는 도주차량의 도주의 태양 및 도로교통상황 등으로부터 예측되는 피해발생의 구체적 위험성의 유무 및 내용에 비추어 추적의 개시 · 계속 혹은 추적의 방법이 상당하지 않다는 등의 특별한 사정이 없는 한 그 추적행위를 위법하다고 할 수는 없다(대판 2000.11.10, 2000다26807).

3. 시청 소속 공무원이 시장을 부패방지위원회에 부패혐의자로 신고한 후 동사무소로 전보된 사안에서, 그 전보인사가 사회통념상 용인될 수 없을 정도로 객관적 상당성을 결여하였다고 단정할 수 없어 불법행위를 구성하지 않는다고 한 사례
공무원에 대한 전보인사가 법령이 정한 기준과 원칙에 위배되거나 인사권을 다소 부적절하게 행사한 것으로 볼 여지가 있다 하더라도 그러한 사유만으로 그 전보인사가 당연히 불법행위를 구성한다고 볼 수는 없고, 인사권자가 당해 공무원에 대한 보복감정 등 다른 의도를 가지고 인사재량권을 일탈 · 남용하여 객관적 정당성을 상실하였음이 명백한 경우 등 전보인사가 우리의 건전한 사회통념이나 사회상규상 도저히 용인될 수 없음이 분명한 경우에, 그 전보인사는 위법하게 상대방에게 정신적 고통을 가하는 것이 되어 당해 공무원에 대한 관계에서 불법행위를 구성한다. 그리고 이러한 법리는 구 부패방지법(2001.7.24. 법률 제6494호)에 따라 다른 공직자의 부패행위를 부패방지위원회에 신고한 공무원에 대하여 위 신고행위를 이유로 불이익한 전보인사가 행하여진 경우에도 마찬가지이다. 시청 소속 공무원이 시장을 부패방지위원회에 부패혐의자로 신고한 후 동사무소로 하향 전보된 사안에서, 그 전보인사 조치는 해당 공무원에 대한 다면평가 결과, 원활한 업무 수행의 필요성 등을 고려하여 이루어진 것으로 볼 여지도 있으므로, 사회통념상 용인될 수 없을 정도로 객관적 상당성을 결여하였다고 단정할 수 없어 불법행위를 구성하지 않는다(대판 2009.5.28, 2006다16215).

ⓒ 행정규칙의 위반: 국가배상법 제2조에 이른바 법령에 위반하여라 함은 일반적으로 위법행위를 함을 말하는 것이고, 단순한 행정적인 내부규칙에 위배하는 것을 포함하지 아니한다(대판 1973.1.30, 72다2062).

ⓓ 부작위: 공무원의 부작위로 인한 국가배상책임을 인정하기 위해서는 작위로 인한 국가배상책임의 인정요건과 동일하게 국가배상법 제2조의 요건이 충족되어야 한다. 그러나 공무원의 부작위가 위법한 행위로 평가되기 위해서는 우선 공무원의 작위의무가 인정되어야 한다.

판례

1. 공무원의 부작위로 인한 국가배상책임의 인정 요건 및 위법성의 판단 기준
공무원의 부작위로 인한 국가배상책임을 인정하기 위하여는 공무원의 작위로 인한 국가배상책임을 인정하는 경우와 마찬가지로 '공무원이 그 직무를 집행함에 당하여 고의 또는 과실로 법령에 위반하여 타인에게 손해를 가한 때'라고 하는 국가배상법 제2조 제1항의 요건이 충족되어야 할 것인바, 여기서 '법령에 위반하여'라고 하는 것이 엄격하게 형식적 의미의 법령에 명시적으로 공무원의 작위의무가 규정되어 있는데도 이를 위반하는 경우만을 의미하는 것은 아니고, 국민의 생명, 신체, 재산 등에 대하여 절박하고 중대한 위험상태가 발생하였거나 발생할 우려가 있어서 국민의 생명, 신체, 재산 등을 보호하는 것을 본래적 사명으로 하는 국가가 초법규적, 일차적으로 그 위험 배제에 나서지 아니하면 국민의 생명, 신체, 재산 등을 보호할 수 없는 경우에는 형식적 의미의 법령에 근거가 없더라도 국가나 관련 공무원에 대하여 그러한 위험을 배제할 작위의무를 인정할 수 있을 것이지만, 그와 같은 절박하고 중대한 위험상태가 발생하였거나 발생할 우려가 있는 경우가 아니라면 원칙적으로 공무원이 관련 법령을 준수하여 직무를 수행하였다면 그와 같은 공무원의 부작위를 가지고 '고의 또는 과실로 법령에 위반'하였다고 할 수는 없을 것이므로, 공무원의 부작위로 인한 국가배상책임을 인정할 것인지 여부가 문제되는 경우에 관련 공무원에 대하여 작위의무를 명하는 법령의 규정이 없다면 공무원의 부작위로 인하여 침해된 국민의 법익 또는 국민에게 발생한 손해가 어느 정도 심각하고 절박한 것인지, 관련 공무원이 그와 같은 결과를 예견하여 그 결과를 회피하기 위한 조치를 취할 수 있는 가능성이 있는지 등을 종합적으로 고려하여 판단하여야 할 것이다(대판 1998.10.13, 98다18520).

2. **경찰관에게 부여된 권한의 불행사가 직무상의 의무를 위반하여 위법하게 되는 경우**
경찰은 범죄의 예방, 진압 및 수사와 함께 국민의 생명, 신체 및 재산의 보호 등과 기타 공공의 안녕과 질서유지도 직무로 하고 있고, 그 직무의 원활한 수행을 위하여 경찰관 직무집행법, 형사소송법 등 관계 법령에 의하여 여러 가지 권한이 부여되어 있으므로, 구체적인 직무를 수행하는 경찰관으로서는 제반 상황에 대응하여 자신에게 부여된 여러 가지 권한을 적절하게 행사하여 필요한 조치를 취할 수 있는 것이고, 그러한 권한은 일반적으로 경찰관의 전문적 판단에 기한 합리적인 재량에 위임되어 있는 것이나, 경찰관에게 권한을 부여한 취지와 목적에 비추어 볼 때 구체적인 사정에 따라 경찰관이 그 권한을 행사하여 필요한 조치를 취하지 아니하는 것이 현저하게 불합리하다고 인정되는 경우에는 그러한 권한의 불행사는 직무상의 의무를 위반한 것이 되어 위법하게 된다(대판 2004.9.23, 2003다49009).

3. **군산 윤락업소 화재 사건으로 사망한 윤락녀의 유족들이 국가를 상대로 제기한 손해배상청구 사건에서, 경찰관의 직무상 의무위반행위를 이유로 국가에게 위자료의 지급책임을 인정한 사례**
윤락녀들이 윤락업소에 감금된 채로 윤락을 강요받으면서 생활하고 있음을 쉽게 알 수 있는 상황이었음에도, 경찰관이 이러한 감금 및 윤락강요행위를 제지하거나 윤락업주들을 체포·수사하는 등 필요한 조치를 취하지 아니하고 오히려 업주들로부터 뇌물을 수수하며 그와 같은 행위를 방치한 것은 경찰관의 직무상 의무에 위반하여 위법하므로 국가는 이로 인한 정신적 고통에 대하여 위자료를 지급할 의무가 있다(대판 2004.9.23, 2003다49009).

4. **주점에서 발생한 화재로 사망한 甲 등의 유족들이 乙 광역시를 상대로 손해배상을 구한 사안**
주점에서 발생한 화재로 사망한 甲 등의 유족들이 乙 광역시를 상대로 손해배상을 구한 사안에서, 소방공무원들이 소방검사에서 비상구 중 1개가 폐쇄되고 그곳으로 대피하도록 유도하는 피난구유도등, 피난안내도 등과 일치하지 아니하게 됨으로써 화재시 피난에 혼란과 장애를 유발할 수 있는 상태임을 발견하지 못하여 업주들에 대한 시정명령이나 행정지도, 소방안전교육 등 적절한 지도·감독을 하지 아니한 것은 구체적인 소방검사 방법 등이 소방공무원의 재량에 맡겨져 있음을 감안하더라도 현저하게 합리성을 잃어 사회적 타당성이 없는 경우에 해당하고, 다른 비상구 중 1개와 그곳으로 연결된 통로가 사실상 폐쇄된 사실을 발견하지 못한 것도 주점에 설치된 피난통로 등에 대한 전반적인 점검을 소홀히 한 직무상 의무 위반의 연장선에 있어 위법성을 인정할 수 있고, 소방공무원들이 업주들에 대하여 필요한 지도·감독을 제대로 수행하였더라면 화재 당시 손님들에 대한 대피조치가 보다 신속히 이루어지고 피난통로 안내가 적절히 이루어지는 등으로 甲 등이 대피할 수 있었을 것이고, 甲 등이 대피방향을 찾지 못하다가 복도를 따라 급속히 퍼진 유독가스와 연기로 인하여 단시간에 사망하게 되는 결과는 피할 수 있었을 것인 점 등 화재 당시의 구체적 상황과 甲 등의 사망 경위 등에 비추어 소방공무원들의 직무상 의무 위반과 甲 등의 사망 사이에 상당인과관계가 인정된다(대판 2016.8.25, 2014다225083).

ⓗ 타인에게 손해를 입히거나

ⓐ **타인의 개념**: 가해공무원과 그의 직무상 위법행위에 가담한 자를 제외한 나머지 모든 사람을 의미한다. 타인의 개념에는 자연인, 법인을 불문하며 다른 공무원의 직무상 위법행위를 원인으로 피해를 입은 공무원도 타인의 개념에 포함되는 경우가 있다.

ⓑ **손해**: 가해 공무원의 위법한 직무행위로 발행한 적극적 손해, 소극적 손해 및 재산상의 손해와 비재산상의 손해, 정신적 손해까지 포함하는 개념이다.

Add ⊕

불법행위로 인한 재산상 손해의 의의 및 그 구분
불법행위로 인한 재산상 손해는 위법한 가해행위로 인하여 발생한 재산상 불이익, 즉 그 위법행위가 없었더라면 존재하였을 재산 상태와 그 위법행위가 가해진 현재의 재산 상태의 차이를 말하는 것이고, 그것은 기존의 이익이 상실되는 적극적 손해의 형태와 장차 얻을 수 있을 이익을 얻지 못하는 소극적 손해의 형태로 구분된다(대판 1998.7.10, 96다38971).

판례

1. **국가배상법 제2조 제1항에 따른 국가배상책임이 성립하기 위해서 공무원의 위법한 직무집행으로 타인의 권리 · 이익이 침해되어 구체적 손해가 발생하여야 하는지 여부(적극)**
   국가배상법 제2조 제1항은 "국가나 지방자치단체는 공무원 또는 공무를 위탁받은 사인(이하 '공무원'이라고 한다)이 직무를 집행하면서 고의 또는 과실로 법령을 위반하여 타인에게 손해를 입히거나, 자동차손해배상 보장법에 따라 손해배상의 책임이 있을 때에는 이 법에 따라 그 손해를 배상하여야 한다."라고 규정하고 있다. 따라서 국가배상책임이 성립하기 위해서는 공무원의 직무집행이 위법하다는 점만으로는 부족하고, 그로 인해 타인의 권리 · 이익이 침해되어 구체적 손해가 발생하여야 한다(대판 2016.8.30, 2015두60617).
2. **재산상의 손해로 인하여 받는 정신적 고통의 배상**
   재산상의 손해로 인하여 받는 정신적 고통은 그로 인하여 재산상 손해의 배상만으로는 전보될 수 없을 정도의 심대한 것이라고 볼 만한 특별한 사정이 없는 한 재산상 손해배상으로써 위자된다(대판 1998.7.10, 96다38971).

ⓢ 인과관계의 존재: 국가배상법상 공무원의 위법한 직무수행으로 인한 손해를 배상받기 위해서는 가해공무원의 행위와 발생한 손해 사이에 상당인과관계가 인정되어야 한다. 이러한 상당인과관계가 인정되기 위해서는 일반적인 결과발생의 개연성은 물론 직무상 의무를 부과한 법령 기타 행동규범의 목적이나 가해행위의 태양 및 피해의 정도 등을 종합적으로 고려하여야 한다는 것이 판례의 입장이다.

판례

1. **공무원의 직무상 의무 위반행위와 손해 사이의 상당인과관계 유무의 판단 기준**
   공무원에게 직무상 의무를 부과한 법령의 보호목적이 사회 구성원 개인의 이익과 안전을 보호하기 위한 것이 아니고 단순히 공공일반의 이익이나 행정기관 내부의 질서를 규율하기 위한 것이라면, 가사 공무원이 그 직무상 의무를 위반한 것을 계기로 하여 제3자가 손해를 입었다 하더라도 공무원이 직무상 의무를 위반한 행위와 제3자가 입은 손해 사이에는 법리상 상당인과관계가 있다고 할 수 없다(대판 1994.6.10, 93다30877).
2. **공설해수욕장에서 탈의실업자가 관리하는 전기시설이 부실하여 누전사고로 해수욕객이 사망한 경우, 해수욕장을 개설한 지방자치단체의 책임을 인정한 사례**
   공무원에게 부과된 직무상의 의무의 내용이 단순히 공공일반의 이익을 위한 것이거나 행정기관 내부의 질서를 규율하기 위한 것이 아니고, 전적으로 또는 부수적으로 사회구성원 개인의 안전과 이익을 보호하기 위하여 설정된 것이라면 공무원이 직무상의 의무를 위반함으로 인하여 피해자가 입은 손해에 대하여는 상당인과관계가 인정되는 범위 내에서 국가 또는 지방자치단체가 배상책임을 져야 한다(대판 1995.4.11, 94다15646).

② 배상기준액

국가배상법

제3조 【배상기준】 ① 제2조 제1항을 적용할 때 타인을 사망하게 한 경우(타인의 신체에 해를 입혀 그로 인하여 사망하게 한 경우를 포함한다) 피해자의 상속인(이하 '유족'이라 한다)에게 다음의 기준에 따라 배상한다.
1. 사망 당시(신체에 해를 입고 그로 인하여 사망한 경우에는 신체에 해를 입은 당시를 말한다)의 월급액이나 월실수입액(月實收入額) 또는 평균임금에 장래의 취업가능기간을 곱한 금액의 유족배상(遺族賠償)
2. 대통령령으로 정하는 장례비

② 제2조 제1항을 적용할 때 타인의 신체에 해를 입힌 경우에는 피해자에게 다음의 기준에 따라 배상한다.
1. 필요한 요양을 하거나 이를 대신할 요양비
2. 제1호의 요양으로 인하여 월급액이나 월실수입액 또는 평균임금의 수입에 손실이 있는 경우에는 요양기간 중 그 손실액의 휴업배상(休業賠償)
3. 피해자가 완치 후 신체에 장해(障害)가 있는 경우에는 그 장해로 인한 노동력 상실 정도에 따라 피해를 입은 당시의 월급액이나 월실수입액 또는 평균임금에 장래의 취업가능기간을 곱한 금액의 장해배상(障害賠償)

③ 제2조 제1항을 적용할 때 타인의 물건을 멸실·훼손한 경우에는 피해자에게 다음의 기준에 따라 배상한다.
1. 피해를 입은 당시의 그 물건의 교환가액 또는 필요한 수리를 하거나 이를 대신할 수리비
2. 제1호의 수리로 인하여 수입에 손실이 있는 경우에는 수리기간 중 그 손실액의 휴업배상
④ 생명·신체에 대한 침해와 물건의 멸실·훼손으로 인한 손해 외의 손해는 불법행위와 상당한 인과관계가 있는 범위에서 배상한다.
⑤ 사망하거나 신체의 해를 입은 피해자의 직계존속(直系尊屬)·직계비속(直系卑屬) 및 배우자, 신체의 해나 그 밖의 해를 입은 피해자에게는 대통령령으로 정하는 기준 내에서 피해자의 사회적 지위, 과실(過失)의 정도, 생계 상태, 손해배상액 등을 고려하여 그 정신적 고통에 대한 위자료를 배상하여야 한다.
⑥ 제1항 제1호 및 제2항 제3호에 따른 취업가능기간과 장해의 등급 및 노동력 상실률은 대통령령으로 정한다.
⑦ 제1항부터 제3항까지의 규정에 따른 월급액이나 월실수입액 또는 평균임금 등은 피해자의 주소지를 관할하는 세무서장 또는 시장·군수·구청장(자치구의 구청장을 말한다)과 피해자의 근무처의 장의 증명이나 그 밖의 공신력 있는 증명에 의하고, 이를 증명할 수 없을 때에는 대통령령으로 정하는 바에 따른다.
제3조의2【공제액】 ① 제2조 제1항을 적용할 때 피해자가 손해를 입은 동시에 이익을 얻은 경우에는 손해배상액에서 그 이익에 상당하는 금액을 빼야 한다.
② 제3조 제1항의 유족배상과 같은 조 제2항의 장해배상 및 장래에 필요한 요양비 등을 한꺼번에 신청하는 경우에는 중간이자를 빼야 한다.
③ 제2항의 중간이자를 빼는 방식은 대통령령으로 정한다.

㉠ 배상기준액의 성질: 헌법 제29조 제1항은 '정당한 배상'을 규정하고 있으며, 여기서의 정당한 배상이란 가해공무원의 행위와 상당인과관계에 있는 일체의 손해를 의미한다는 것이 통설이다. 그리고 국가배상법 제3조에서 정하고 있는 배상기준에 대하여 한정액설과 기준액설의 다툼이 있으나 동 규정은 단순한 기준을 정한 것에 불과하므로 구체적인 사안에 따라 배상액의 증감이 가능하다고 보는 기준액설이 통설과 판례의 입장이다.

㉡ 이익공제: 국가배상법 제3조의2는 피해자에게 손해와 이익이 동시에 발생한 경우 이익부분의 공제에 대한 근거규정을 두고 있다.

③ 배상책임자

㉠ 배상주체: 국가배상법은 배상책임자로 '국가 또는 지방자치단체'를 규정하고 있으므로 공공단체의 경우 국가배상법이 아닌 민법에 근거한 손해배상청구가 가능하다.

㉡ 비용부담자 등의 책임(국가배상법 제6조)

국가배상법
제6조【비용부담자 등의 책임】 ① 제2조·제3조 및 제5조에 따라 국가나 지방자치단체가 손해를 배상할 책임이 있는 경우에 공무원의 선임·감독 또는 영조물의 설치·관리를 맡은 자와 공무원의 봉급·급여, 그 밖의 비용 또는 영조물의 설치·관리 비용을 부담하는 자가 동일하지 아니하면 그 비용을 부담하는 자도 손해를 배상하여야 한다.
② 제1항의 경우에 손해를 배상한 자는 내부관계에서 그 손해를 배상할 책임이 있는 자에게 구상할 수 있다.

국가배상법의 경우 공무원의 선임·감독자와 비용을 부담하는 자가 서로 다른 경우 양자 모두에게 손해배상책임을 지도록 함으로써, 상대방은 선택적 배상청구가 가능하다. 이는 피해를 입은 국민이 배상청구권을 용이하게 행사할 수 있도록 하는데 그 의미가 있다.

판례

1. **국가배상법 제6조 제1항 소정의 '공무원의 봉급 · 급여 기타의 비용을 부담하는 자'의 의미**
   국가배상법 제6조 제1항 소정의 '공무원의 봉급 · 급여 기타의 비용'이란 공무원의 인건비만을 가리키는 것이 아니라 당해 사무에 필요한 일체의 경비를 의미한다고 할 것이고, 적어도 대외적으로 그러한 경비를 지출하는 자는 경비의 실질적 · 궁극적 부담자가 아니더라도 그러한 경비를 부담하는 자에 포함된다(대판 1994.12.9, 94다38137).
2. **지방자치단체의 장이 기관위임된 국가행정사무를 처리하는 경우, 그 지방자치단체가 같은 법 제6조 제1항 소정의 비용부담자로서 배상책임을 지는지 여부**
   지방자치단체의 장이 기관위임된 국가행정사무를 처리하는 경우 그에 소요되는 경비의 실질적 · 궁극적 부담자는 국가라고 하더라도 당해 지방자치단체는 국가로부터 내부적으로 교부된 금원으로 그 사무에 필요한 경비를 대외적으로 지출하는 자이므로, 이러한 경우 지방자치단체는 국가배상법 제6조 제1항 소정의 비용부담자로서 공무원의 불법행위로 인한 같은 법에 의한 손해를 배상할 책임이 있다(대판 1994.12.9, 94다38137).
3. **지방자치단체장간의 기관위임의 경우, 위임사무처리상의 불법행위에 대한 사무귀속 주체로서의 손해배상책임 주체 (= 상위 지방자치단체)**
   지방자치단체장간의 기관위임의 경우에 위임받은 하위 지방자치단체장은 상위 지방자치단체 산하 행정기관의 지위에서 그 사무를 처리하는 것이므로 사무귀속의 주체가 달라진다고 할 수 없고, 따라서 하위 지방자치단체장을 보조하는 하위 지방자치단체 소속 공무원이 위임사무처리에 있어 고의 또는 과실로 타인에게 손해를 가하였더라도 상위 지방자치단체는 여전히 그 사무귀속 주체로서 손해배상책임을 진다(대판 1996.11.8, 96다21331).

④ 공무원의 책임

㉠ 국가나 지방자치단체와 가해공무원에 대한 선택적 청구: 가해공무원의 위법한 직무수행으로 손해를 입은 상대방이 가해자인 공무원에게도 손해배상을 청구할 수 있느냐에 대해 가해공무원에게 경과실만 있는 경우에는 선택적 청구권을 부정하고, 고의 또는 중과실이 있었던 경우에는 선택적 청구권을 인정하는 것이 판례의 입장이다.

판례

1. **헌법 제29조 제1항 단서의 취지**
   [다수의견] 헌법 제29조 제1항 단서는 공무원이 한 직무상 불법행위로 인하여 국가 등이 배상책임을 진다고 할지라도 그 때문에 공무원 자신의 민 · 형사책임이나 징계책임이 면제되지 아니한다는 원칙을 규정한 것이나, 그 조항 자체로 공무원 개인의 구체적인 손해배상책임의 범위까지 규정한 것으로 보기는 어렵다[대판 1996.2.15, 95다38677(전합)].
2. **국가배상법 제2조 제1항 본문 및 제2항의 입법 취지**
   [다수의견] 국가배상법 제2조 제1항 본문 및 제2항의 입법 취지는 공무원의 직무상 위법행위로 타인에게 손해를 끼친 경우에는 변제자력이 충분한 국가 등에게 선임감독상 과실 여부에 불구하고 손해배상책임을 부담시켜 국민의 재산권을 보장하되, 공무원이 직무를 수행함에 있어 경과실로 타인에게 손해를 입힌 경우에는 그 직무수행상 통상 예기할 수 있는 흠이 있는 것에 불과하므로, 이러한 공무원의 행위는 여전히 국가 등의 기관의 행위로 보아 그로 인하여 발생한 손해에 대한 배상책임도 전적으로 국가 등에만 귀속시키고 공무원 개인에게는 그로 인한 책임을 부담시키지 아니하여 공무원의 공무집행의 안정성을 확보하고, 반면에 공무원의 위법행위가 고의 · 중과실에 기한 경우에는 비록 그 행위가 그의 직무와 관련된 것이라고 하더라도 그와 같은 행위는 그 본질에 있어서 기관행위로서의 품격을 상실하여 국가 등에게 그 책임을 귀속시킬 수 없으므로 공무원 개인에게 불법행위로 인한 손해배상책임을 부담시키되, 다만 이러한 경우에도 그 행위의 외관을 객관적으로 관찰하여 공무원의 직무집행으로 보여질 때에는 피해자인 국민을 두텁게 보호하기 위하여 국가 등이 공무원 개인과 중첩적으로 배상책임을 부담하되 국가 등이 배상책임을 지는 경우에는 공무원 개인에게 구상할 수 있도록 함으로써 궁극적으로 그 책임이 공무원 개인에게 귀속되도록 하려는 것이라고 봄이 합당하다[대판 1996.2.15, 95다38677(전합)].

3. 공무원이 직무수행 중 불법행위로 타인에게 손해를 입힌 경우, 공무원 개인의 손해배상책임 유무(= 제한적 긍정설)
[다수의견] 공무원이 직무수행 중 불법행위로 타인에게 손해를 입힌 경우에 국가 등이 국가배상책임을 부담하는 외에 공무원 개인도 고의 또는 중과실이 있는 경우에는 불법행위로 인한 손해배상책임을 진다고 할 것이지만, 공무원에게 경과실뿐인 경우에는 공무원 개인은 손해배상책임을 부담하지 아니한다고 해석하는 것이 헌법 제29조 제1항 본문과 단서 및 국가배상법 제2조의 입법취지에 조화되는 올바른 해석이다[대판 1996.2.15, 95다38677(전합)].

4. 경과실에 의한 공무원의 직무상 위법행위에 대하여 공무원 개인의 손해배상책임을 인정하지 않는 것이 헌법 제23조에 위배되는지 여부
[다수의견] 공무원의 직무상 위법행위가 경과실에 의한 경우에는 국가배상책임만 인정하고 공무원 개인의 손해배상책임을 인정하지 아니하는 것이 피해자인 국민의 입장에서 보면 헌법 제23조가 보장하고 있는 재산권에 대한 제한이 될 것이지만, 이는 공무수행의 안정성이란 공공의 이익을 위한 것이라는 점과 공무원 개인책임이 인정되지 아니하더라도 충분한 자력이 있는 국가에 의한 배상책임이 인정되고 국가배상책임의 인정 요건도 민법상 사용자책임에 비하여 완화하고 있는 점 등에 비추어 볼 때, 헌법 제37조 제2항이 허용하는 기본권 제한 범위에 속하는 것이라고 할 것이다[대판 1996.2.15, 95다38677(전합)].

ⓛ 구상권

ⓐ 국가나 지방자치단체의 구상권 행사: 가해공무원에게 고의 또는 중과실이 있는 경우 국가 등은 가해공무원에게 구상권을 행사할 수 있음을 명시적으로 규정하고 있다(국가배상법 제6조).

판례 국가 또는 지방자치단체의 산하 공무원에 대한 구상권 행사의 범위
국가 또는 지방자치단체의 산하 공무원이 그 직무를 집행함에 당하여 중대한 과실로 인하여 법령에 위반하여 타인에게 손해를 가함으로써 국가 또는 지방자치단체가 손해배상책임을 부담하고, 그 결과로 손해를 입게된 경우에는 국가 등은 당해 공무원의 직무내용, 당해 불법행위의 상황, 손해발생에 대한 당해 공무원의 기여정도, 당해 공무원의 평소 근무태도, 불법행위의 예방이나 손실분산에 관한 국가 또는 지방자치단체의 배려의 정도 등 제반사정을 참작하여 손해의 공평한 분담이라는 견지에서 신의칙상 상당하다고 인정되는 한도 내에서만 당해 공무원에 대하여 구상권을 행사할 수 있다고 봄이 상당하다(대판 1991.5.10, 91다6764).

ⓑ 가해공무원의 구상권 행사: 경과실로 손해를 입힌 공무원이 상대방에게 손해를 직접 배상한 경우, 원칙적으로 가해공무원은 국가나 지방자치단체에 대하여 구상권을 행사할 수 있다는 것이 판례의 입장이다.

판례 공무원이 직무수행 중 불법행위로 타인에게 손해를 입힌 경우, 피해자에게 손해를 직접 배상한 경과실이 있는 공무원이 국가에 대하여 구상권을 취득하는지 여부(원칙적 적극)
공무원이 직무수행 중 불법행위로 타인에게 손해를 입힌 경우에 국가 등이 국가배상책임을 부담하는 외에 공무원 개인도 고의 또는 중과실이 있는 경우에는 불법행위로 인한 손해배상책임을 지고, 공무원에게 경과실이 있을 뿐인 경우에는 공무원 개인은 손해배상책임을 부담하지 아니한다. 이처럼 경과실이 있는 공무원이 피해자에 대하여 손해배상책임을 부담하지 아니함에도 피해자에게 손해를 배상하였다면 그것은 채무자 아닌 사람이 타인의 채무를 변제한 경우에 해당하고, 이는 민법 제469조의 '제3자의 변제' 또는 민법 제744조의 '도의관념에 적합한 비채변제'에 해당하여 피해자는 공무원에 대하여 이를 반환할 의무가 없고, 그에 따라 피해자의 국가에 대한 손해배상청구권이 소멸하여 국가는 자신의 출연 없이 채무를 면하게 되므로, 피해자에게 손해를 직접 배상한 경과실이 있는 공무원은 특별한 사정이 없는 한 국가에 대하여 국가의 피해자에 대한 손해배상책임의 범위 내에서 공무원이 변제한 금액에 관하여 구상권을 취득한다고 봄이 타당하다(대판 2014.8.20, 2012다54478).

(3) 자동차손해배상 보장법상의 책임

① 법 적용의 우선 순위: 자동차손해배상 보장법과 국가배상법에 의하면 자동차손해배상 보장법이 우선 적용되므로 자동차손해배상 보장법에 따라 책임의 유무를 판단한다. 그리고 동법에 의해 책임이 인정될 경우 국가배상법의 절차에 의해 배상이 이루어진다.

② 자동차손해배상 보장법상 책임성립 요건

> **자동차손해배상 보장법**
> **제3조 【자동차손해배상책임】** 자기를 위하여 자동차를 운행하는 자는 그 운행으로 다른 사람을 사망하게 하거나 부상하게 한 경우에는 그 손해를 배상할 책임을 진다. 다만, 다음의 어느 하나에 해당하면 그러하지 아니하다.
> 1. 승객이 아닌 자가 사망하거나 부상한 경우에 자기와 운전자가 자동차의 운행에 주의를 게을리하지 아니하였고, 피해자 또는 자기 및 운전자 외의 제3자에게 고의 또는 과실이 있으며, 자동차의 구조상의 결함이나 기능상의 장해가 없었다는 것을 증명한 경우
> 2. 승객이 고의나 자살행위로 사망하거나 부상한 경우

㉠ 자기를 위하여: 일반적으로 자동차에 대한 운행을 지배하여 그 이익을 누리는 경우를 의미한다.

> **판례**
>
> **1. 자동차손해배상 보장법 제3조에서 자동차사고의 손해배상책임자로 정한 '자기를 위하여 자동차를 운행하는 자'의 의미**
> 자동차손해배상 보장법 제3조에서 자동차 사고에 대한 손해배상책임을 지는 자로 규정하고 있는 '자기를 위하여 자동차를 운행하는 자'란 사회통념상 당해 자동차에 대한 운행을 지배하여 그 이익을 향수하는 책임주체로서의 지위에 있다고 할 수 있는 자를 말한다. 여기서 운행의 지배는 현실적인 지배에 한하지 아니하고 사회통념상 간접지배 내지는 지배가능성이 있다고 볼 수 있는 경우도 포함한다(대판 2014.5.16, 2012다73424).
>
> **2. 공무원이 그 직무를 집행하기 위하여 국가 또는 지방자치단체 소유의 관용차를 운행하는 경우 자동차손해배상 보장법 제3조 소정의 손해배상책임의 주체가 될 수 있는지 여부(소극)**
> 공무원이 그 직무를 집행하기 위하여 국가 또는 지방자치단체 소유의 관용차를 운행하는 경우, 그 자동차에 대한 운행지배나 운행이익은 그 공무원이 소속한 국가 또는 지방자치단체에 귀속된다고 할 것이고, 그 공무원 자신이 개인적으로 그 자동차에 대한 운행지배나 운행이익을 가지는 것이라고는 볼 수 없으므로, 그 공무원이 자기를 위하여 관용차를 운행하는 자로서 같은 법조 소정의 손해배상책임의 주체가 될 수는 없다(대판 1992.2.25, 91다12356).

㉡ 무과실책임: 자동차손해배상 보장법상 책임은 무과실책임이다. 동법 제3조에 규정된 예외적인 경우에 해당하지 않는 한 운행자의 과실 여부를 불문하고 손해배상책임이 인정된다.

(4) 공공시설 등의 하자로 인한 책임(제5조)

> **국가배상법**
> **제5조 【공공시설 등의 하자로 인한 책임】** ① 도로·하천, 그 밖의 공공의 영조물(營造物)의 설치나 관리에 하자(瑕疵)가 있기 때문에 타인에게 손해를 발생하게 하였을 때에는 국가나 지방자치단체는 그 손해를 배상하여야 한다. 이 경우 제2조 제1항 단서, 제3조 및 제3조의2를 준용한다.
> ② 제1항을 적용할 때 손해의 원인에 대하여 책임을 질 자가 따로 있으면 국가나 지방자치단체는 그 자에게 구상할 수 있다.

국가배상법은 제5조는 공공시설 등(공공의 영조물)의 설치·관리상의 하자로 인해 손해가 발생한 경우 국가나 지방자치단체가 배상책임을 지도록 규정하고 있다. 이와 관련하여 국가나 지방자치단체의 무과실책임으로 보는 것이 통설과 판례의 입장이다.

판례 **국가 또는 지방자치단체가 영조물의 설치·관리상의 하자로 인하여 타인에게 손해를 가한 경우, 그 손해의 방지에 필요한 주의를 해태하지 아니하였다 하여 면책을 주장할 수 있는지 여부**

국가배상법 제5조 소정의 영조물의 설치·관리상의 하자로 인한 책임은 무과실책임이고 나아가 민법 제758조 소정의 공작물의 점유자의 책임과는 달리 면책사유도 규정되어 있지 않으므로, 국가 또는 지방자치단체는 영조물의 설치·관리상의 하자로 인하여 타인에게 손해를 가한 경우에 그 손해의 방지에 필요한 주의를 해태하지 아니하였다 하여 면책을 주장할 수 없다(대판 1994.11.22, 94다32924).

① 배상책임의 요건

㉠ 공공시설 등(공공의 영조물)

ⓐ 개념: 국가배상법 제5조 제1항 소정의 '공공의 영조물'이라 함은 국가 또는 지방자치단체에 의하여 특정 공공의 목적에 공여된 유체물 내지 물적 설비를 말하며, 국가 또는 지방자치단체가 소유권, 임차권 그 밖의 권한에 기하여 관리하고 있는 경우뿐만 아니라 사실상의 관리를 하고 있는 경우도 포함된다.

ⓑ 일반재산(잡종재산): 일반재산(행정재산 외의 모든 국유재산)은 사물(私物)에 해당하므로 일반재산에 의해 발생한 손해는 민법을 적용해야 한다는 것이 통설적 견해이다.

Add

국유재산법

제6조【국유재산의 구분과 종류】 ① 국유재산은 그 용도에 따라 행정재산과 일반재산으로 구분한다.

② 행정재산의 종류는 다음 각 호와 같다.

1. 공용재산: 국가가 직접 사무용·사업용 또는 공무원의 주거용(직무 수행을 위하여 필요한 경우로서 대통령령으로 정하는 경우로 한정한다)으로 사용하거나 대통령령으로 정하는 기한까지 사용하기로 결정한 재산
2. 공공용재산: 국가가 직접 공공용으로 사용하거나 대통령령으로 정하는 기한까지 사용하기로 결정한 재산
3. 기업용재산: 정부기업이 직접 사무용·사업용 또는 그 기업에 종사하는 직원의 주거용(직무 수행을 위하여 필요한 경우로서 대통령령으로 정하는 경우로 한정한다)으로 사용하거나 대통령령으로 정하는 기한까지 사용하기로 결정한 재산
4. 보존용재산: 법령이나 그 밖의 필요에 따라 국가가 보존하는 재산

③ '일반재산'이란 행정재산 외의 모든 국유재산을 말한다.

판례

1. **매향리 사격장**
   매향리 사격장에서 발생하는 소음 등으로 지역 주민들이 입은 피해는 사회통념상 참을 수 있는 정도를 넘는 것으로서 사격장의 설치 또는 관리에 하자가 있었다(대판 2004.3.12, 2002다14242).
2. **철도 건널목의 자동 경보기가 고장이난 경우 이에 대치하는 보안시설을 갖추어야 할 업무상 주의의무**
   주위의 지리적 상황으로 보아 충돌사고의 위험성이 크고 자동차와 열차의 통행량이 많은 철도건널목의 자동경보기가 고장이 난 경우에는 피고소속의 철도보안관계공무원으로서는 그 고장이 수리될 때까지 간수인을 두어 수신호를 하든가 이에 대치하는 보안시설을 갖추는 등 열차와 자동차와의 충돌사고를 미리 예방하여야 할 업무상 주의의무가 있다(대판 1967.9.19, 67다1302·1303).
3. **국가배상법 제5조 소정의 '공공의 영조물'의 의미**
   국가배상법 제5조 소정의 공공의 영조물이란 공유나 사유임을 불문하고 행정주체에 의하여 특정공공의 목적에 공여된 유체물 또는 물적 설비를 의미하므로 사실상 군민의 통행에 제공되고 있던 도로 옆의 암벽으로부터 떨어진 낙석에 맞아 소외인이 사망하는 사고가 발생하였다고 하여도 동 사고지점 도로가 피고 군에 의하여 노선인정 기타 공용개시가 없었으면 이를 영조물이라 할 수 없다(대판 1981.7.7, 80다2478).

4. 서울특별시 영등포구가 여의도광장에서 차량진입으로 일어난 인신사고에 관하여 국가배상법 제6조 소정의 비용부담자로서의 손해배상책임이 있는지 여부

여의도광장의 관리는 광장의 관리에 관한 별도의 법령이나 규정이 없으므로 서울특별시는 여의도광장을 도로법 제2조 제2항 소정의 '도로와 일체가 되어 그 효용을 다하게 하는 시설'로 보고 같은 법의 규정을 적용하여 관리하고 있으며, 그 관리사무 중 일부를 영등포구청장에게 권한위임하고 있어, 여의도광장의 관리청이 본래 서울특별시장이라 하더라도 그 관리사무의 일부가 영등포구청장에게 위임되었다면, 그 위임된 관리사무에 관한 한 여의도광장의 관리청은 영등포구청장이 되고, 같은 법 제56조에 의하면 도로에 관한 비용은 건설부장관이 관리하는 도로 이외의 도로에 관한 것은 관리청이 속하는 지방자치단체의 부담으로 하도록 되어 있어 여의도광장의 관리비용부담자는 그 위임된 관리사무에 관한 한 관리를 위임받은 영등포구청장이 속한 영등포구가 되므로, 영등포구는 여의도광장에서 차량진입으로 일어난 인신사고에 관하여 국가배상법 제6조 소정의 비용부담자로서의 손해배상책임이 있다(대판 1995.2.24, 94다57671).

ⓛ 설치나 관리에 하자(瑕疵): '설치나 관리에 하자'란 공공의 목적에 제공된 영조물이 그 용도에 따라 통상적으로 갖추어야 할 안전성을 갖추지 못한 상태를 말한다. 이와 관련하여 객관설, 주관설(의무위반설) 및 절충설의 대립이 있으며 판례는 설치·관리상의 하자를 객관적으로 파악하여 영조물이 통상 갖추어야 할 안전성을 결여하여 상대방에게 위해를 미칠 위험성이 있는 상태를 의미하는 것으로 보는 객관설을 취하고 있다. 이러한 객관설에 따를 경우 설치·관리자의 주관적인 관리의무 위반을 필요로 하지 않는다. 그러나 최근에는 주관설에 입각한 판례도 등장하고 있다.

판례

1. 국가배상법 제5조 제1항 소정의 '영조물의 설치·관리상의 하자'의 의미 및 하자로 볼 수 있는 경우

국가배상법 제5조 제1항에 정하여진 '영조물의 설치 또는 관리의 하자'라 함은 공공의 목적에 공여된 영조물이 그 용도에 따라 갖추어야 할 안전성을 갖추지 못한 상태에 있음을 말하고, 여기서 안전성을 갖추지 못한 상태, 즉 타인에게 위해를 끼칠 위험성이 있는 상태라 함은 당해 영조물을 구성하는 물적 시설 그 자체에 있는 물리적·외형적 흠결이나 불비로 인하여 그 이용자에게 위해를 끼칠 위험성이 있는 경우뿐만 아니라 그 영조물이 공공의 목적에 이용됨에 있어 그 이용상태 및 정도가 일정한 한도를 초과하여 제3자에게 사회통념상 참을 수 없는 피해를 입히는 경우까지 포함된다고 보아야 할 것이고, 사회통념상 참을 수 있는 피해인지의 여부는 그 영조물의 공공성, 피해의 내용과 정도, 이를 방지하기 위하여 노력한 정도 등을 종합적으로 고려하여 판단하여야 한다(대판 2004.3.12, 2002다14242).

2. 국가배상법 제5조 제1항에 정해진 영조물의 설치 또는 관리의 하자의 의미 및 그 판단 기준

국가배상법 제5조 제1항에 정해진 영조물의 설치 또는 관리의 하자라 함은 영조물이 그 용도에 따라 통상 갖추어야 할 안전성을 갖추지 못한 상태에 있음을 말하는 것이며, 다만 영조물이 완전무결한 상태에 있지 아니하고 그 기능상 어떠한 결함이 있다는 것만으로 영조물의 설치 또는 관리에 하자가 있다고 할 수 없는 것이고, 위와 같은 안전성의 구비 여부를 판단함에 있어서는 당해 영조물의 용도, 그 설치장소의 현황 및 이용 상황 등 제반 사정을 종합적으로 고려하여 설치·관리자가 그 영조물의 위험성에 비례하여 사회통념상 일반적으로 요구되는 정도의 방호조치의무를 다하였는지 여부를 그 기준으로 삼아야 하며, 만일 객관적으로 보아 시간적·장소적으로 영조물의 기능상 결함으로 인한 손해발생의 예견가능성과 회피가능성이 없는 경우 즉 그 영조물의 결함이 영조물의 설치·관리자의 관리행위가 미칠 수 없는 상황 아래에 있는 경우임이 입증되는 경우라면 영조물의 설치·관리상의 하자를 인정할 수 없다(대판 2001.7.27, 2000다56822).

3. 가변차로에 설치된 두 개의 신호등에서 서로 모순되는 신호가 들어오는 오작동이 발생하였고 그 고장이 현재의 기술수준상 부득이한 경우

가변차로에 설치된 신호등의 용도와 오작동시에 발생하는 사고의 위험성과 심각성을 감안할 때, 만일 가변차로에 설치된 두 개의 신호기에서 서로 모순되는 신호가 들어오는 고장을 예방할 방법이 없음에도 그와 같은 신호기를 설치하여 그와 같은 고장을 발생하게 한 것이라면, 그 고장이 자연재해 등 외부요인에 의한 불가항력에 기인한 것이 아닌 한 그 자체로 설치・관리자의 방호조치의무를 다하지 못한 것으로서 신호등이 그 용도에 따라 통상 갖추어야 할 안전성을 갖추지 못한 상태에 있었다고 할 것이고, 따라서 설령 적정전압보다 낮은 저전압이 원인이 되어 위와 같은 오작동이 발생하였고 그 고장은 현재의 기술수준상 부득이한 것이라고 가정하더라도 그와 같은 사정만으로 손해발생의 예견가능성이나 회피가능성이 없어 영조물의 하자를 인정할 수 없는 경우라고 단정할 수 없다(대판 2001.7.27, 2000다56822).

4. 김포공항에서 발생하는 소음 등으로 인근 주민들이 입은 피해

김포공항에서 발생하는 소음 등으로 인근 주민들이 입은 피해는 사회통념상 수인한도를 넘는 것으로서 김포공항의 설치・관리에 하자가 있다(대판 2005.1.27, 2003다49566).

5. 트럭 앞바퀴가 고속도로상에 떨어져 있는 타이어에 걸려 중앙분리대를 넘어가 사고가 발생한 경우

트럭 앞바퀴가 고속도로상에 떨어져 있는 자동차 타이어에 걸려 중앙분리대를 넘어가 사고가 발생한 경우에 있어서 한국도로공사에게 도로의 보존상하자로 인한 손해배상책임을 인정하기 위하여는 도로에 타이어가 떨어져 있어 고속으로 주행하는 차량의 통행에 안전상의 결함이 있다는 것만으로 족하지 않고, 위 공사의 고속도로 안전성에 대한 순찰 등 감시체제, 타이어의 낙하시점, 위 공사가 타이어의 낙하사실을 신고받거나 직접 이를 발견하여 그로 인한 고속도로상의 안전성 결함을 알았음에도 사고방지조치를 취하지 아니하고 방치하였는지 여부, 혹은 이를 발견할 수 있었음에도 발견하지 못하였는지 여부 등 제반 사정을 심리하여 고속도로의 하자 유무를 판단해야 한다(대판 1992.9.14, 92다3243).

6. 관리청이 하천법 등 관련 규정에 의해 책정한 하천정비기본계획 등에 따라 개수를 완료한 하천이 위 기본계획 등에서 정한 계획홍수량 등을 충족하여 관리되고 있는 경우, 그 안전성을 인정할 수 있는지 여부(원칙적 적극)

관리청이 하천법 등 관련 규정에 의해 책정한 하천정비기본계획 등에 따라 개수를 완료한 하천 또는 아직 개수 중이라 하더라도 개수를 완료한 부분에 있어서는, 위 하천정비기본계획 등에서 정한 계획홍수량 및 계획홍수위를 충족하여 하천이 관리되고 있다면 당초부터 계획홍수량 및 계획홍수위를 잘못 책정하였다거나 그 후 이를 시급히 변경해야 할 사정이 생겼음에도 불구하고 이를 해태하였다는 등의 특별한 사정이 없는 한, 그 하천은 용도에 따라 통상 갖추어야 할 안전성을 갖추고 있다고 봄이 상당하다(대판 2007.9.21, 2005다65678).

7. 교차로의 진행방향 신호기의 정지신호가 단선으로 소등되어 있는 상태에서 그대로 진행하다가 다른 방향의 진행신호에 따라 교차로에 진입한 차량과 충돌한 경우, 신호기의 적색신호가 소등된 기능상 결함이 있었다는 사정만으로 신호기의 설치 또는 관리상의 하자를 인정할 수 없다고 한 사례

피고가 관할하는 서울특별시 전역에는 약 13만여 개의 신호등 전구가 설치되어 있고 그중 약 300여 개가 하루에 소등되고, 신호등 전구의 수명은 전력변동률이 높아 예측하기 곤란하며, 신호등 전구가 단선되더라도 현장에 나가 보지 않고는 이를 파악할 수 없어 평소 교통근무자 또는 도로이용자의 신고에 의하여 단선된 신호기를 교체하여 왔으나, 이 사건 신호기의 신호등 고장신고가 이 사건 사고발생 전까지 접수되지 아니한 사실 등을 인정할 수 있는바, 이러한 점에 비추어 피고가 신호등이 점등되지 아니하는 것을 즉시 발견할 것을 기대하기 어렵고, 달리 피고가 위 신호등이 점등되지 아니하고 있다는 신고를 받고도 교통정리원 등을 배치하여 교통정리를 하지 아니하면서 장시간 동안 이를 교체하지 아니한 채 방치하는 등과 같은 특별한 사정을 인정할 증거가 없으므로 피고에게 이로 인한 책임을 물을 수 없다고 판단하여 원고의 청구를 배척하고 있다.

피고가 이 사건 신호기의 적색신호가 단선으로 소등되었다는 것을 바로 알 수 있었음에도 이를 알지 못한 잘못이 있다거나 그 소등으로 인하여 사고가 발생하리라는 것을 예측하고 이를 회피하지 못한 잘못이 있다고 할 수도 없으며, 더욱이 피고가 이 사건 교통신호기의 고장 사실을 바로 알 수 있었다고 볼 수도 없는 이상 사회통념상 이러한 경우까지 피고에게 이로 인한 사고의 발생을 방지할 수 있는 방호조치를 기대할 수도 있었다고 할 수는 없을 것이므로, 이 사건 신호기의 적색신호가 소등된 기능상 결함이 있었다는 사정만으로는 이 사건 신호기의 설치 또는 관리상의 어떠한 하자가 있었다고 할 수 없다(대판 2000.2.25, 99다54004).

㉢ 타인에게 손해를 발생: 국가배상법 제2조의 개념과 동일하다.

㉣ 상당인과관계: 국가배상법 제2조의 개념과 동일하다.

② 면책사유

㉠ 불가항력: 불가항력으로 인해 발생한 손해에 대해서는 국가배상책임이 면제된다는 것이 통설이다.

판례 **100년 발생빈도의 강우량을 기준으로 책정된 계획홍수위를 초과하여 600년 또는 1,000년 발생빈도의 강우량에 의한 하천의 범람은 예측가능성 및 회피가능성이 없는 불가항력적인 재해로서 그 영조물의 관리청에게 책임을 물을 수 없다고 본 사례**

이 사건 사고 당시 사고지점 상류지역의 강우량은 600년 또는 1,000년 발생빈도의 강우량이어서 이 사건 사고지점의 경우 계획홍수위보다 무려 1.6m 정도가 넘는 수위의 유수가 흘렀다고 추정되는 사실 및 이 사건 사고 이전에는 위 사고지점에 하천이 범람한 적이 없었던 사실을 인정할 수 있는바, 위와 같은 사실에 의하면, 특별히 계획홍수위를 정한 이후에 이를 상향조정할 만한 사정이 없는 한, 계획홍수위보다 높은 제방을 갖춘 위 사고지점을 들어 그 용도에 따라 통상 갖추어야 할 안전성을 갖추지 못한 하자가 있다고 볼 수 없고, 위와 같이 계획홍수위를 훨씬 넘는 유수에 의한 범람은 예측가능성 및 회피가능성이 없는 불가항력적인 재해로 보아 그 영조물의 관리청에게 책임을 물을 수 없다 할 것이다(대판 2003. 10.23, 2001다48057).

㉡ 예산 부족: 예산 부족과 같은 재정사정은 손해배상책임의 인정에 있어 참작사유가 될 수는 있지만 절대적 면책사유로는 보지 않는 것이 통설과 판례의 입장이다.

㉢ 피해자에게 과실의 존재: 피해자에게 과실이 있었던 경우 그 과실을 상계한다. 또한, 위험의 존재를 인식하거나 과실로 인식하지 못한 경우에는 손해배상액의 산정에 있어 형평의 원칙상 과실상계에 준하여 감경 또는 면제사유로 고려하여야 한다는 것이 판례의 입장이다.

판례

1. **소음 등을 포함한 공해 등의 위험지역으로 이주하여 거주하는 경우, 이를 손해배상액의 산정에 있어 감경 또는 면제사유로 고려하여야 하는지 여부(적극)**
   소음 등을 포함한 공해 등의 위험지역으로 이주하여 들어가 거주하는 경우와 같이 위험의 존재를 인식하거나 과실로 인식하지 못하고 이주한 경우에는 손해배상액의 산정에 있어 형평의 원칙상 과실상계에 준하여 감경 또는 면제사유로 고려하여야 한다(대판 2010.11.11, 2008다57975).
2. **소음 등을 포함한 공해 등의 위험지역으로 이주하여 거주하는 경우, 가해자의 면책 여부에 대한 판단 기준**
   소음 등을 포함한 공해 등의 위험지역으로 이주하여 들어가서 거주하는 경우와 같이 위험의 존재를 인식하면서 그로 인한 피해를 용인하며 접근한 것으로 볼 수 있는 경우에 그 피해가 직접 생명이나 신체에 관련된 것이 아니라 정신적 고통이나 생활방해의 정도에 그치고, 그 침해행위에 상당한 고도의 공공성이 인정되는 때에는 위험에 접근한 후 실제로 입은 피해 정도가 위험에 접근할 당시에 인식하고 있었던 위험의 정도를 초과하는 것이거나 위험에 접근한 후에 그 위험이 특별히 증대하였다는 등의 특별한 사정이 없는 한 가해자의 면책을 인정하여야 하는 경우도 있을 수 있을 것이나, 일반인이 공해 등의 위험지역으로 이주하여 거주하는 경우라고 하더라도 위험에 접근할 당시에 그러한 위험이 문제가 되고 있지 아니하였고, 그러한 위험이 존재하는 사실을 정확하게 알 수 없었으며, 그 밖에 위험에 접근하게 된 경위와 동기 등의 여러 가지 사정을 종합하여 그와 같은 위험의 존재를 인식하면서 굳이 위험으로 인한 피해를 용인하였다고 볼 수 없는 경우에는 그 책임이 감면되지 아니한다고 봄이 상당하다(대판 2004.3.12, 2002다14242).
3. **공군사격장 주변지역에서 발생하는 소음 등으로 피해를 입은 주민들이 국가를 상대로 손해배상을 청구한 사안**
   공군사격장 주변지역에서 발생하는 소음 등으로 피해를 입은 주민들이 국가를 상대로 손해배상을 청구한 사안에서, 사격장의 소음피해를 인식하거나 과실로 인식하지 못하고 이주한 일부 주민들의 경우, 비록 소음으로 인한 피해를 용인하고 이용하기 위하여 이주하였다는 등의 사정이 인정되지 않아 국가의 손해배상책임을 완전히 면제할 수는 없다고 하더라도, 손해배상액을 산정함에 있어 그와 같은 사정을 전혀 참작하지 아니하여 감경조차 아니 한 것은 형평의 원칙에 비추어 현저히 불합리하고, 불법행위로 인한 손해배상액의 산정에 관한 법리를 오해한 잘못이 있다(대판 2010.11.11, 2008다57975).

③ 입증책임: 영조물의 하자에 대한 입증책임은 원고가 부담한다. 그러나 판례는 예견가능성과 회피가능성의 존부에 대한 입증책임을 관리자에게 부담시키고 있으므로 불가항력에 대한 입증책임은 관리주체가 부담한다.

> **판례** **고속도로의 보존상의 하자의 존재 및 그 면책사유에 관한 입증책임**
> 고속도로의 보존상의 하자의 존재에 관한 입증책임은 피해자에게 있으나 일단 그 하자있음이 인정되는 이상 고속도로의 점유관리자는 그 하자가 불가항력에 인한 것이거나 손해의 방지에 필요한 주의를 해태하지 아니하였다는 점을 주장입증하여야 비로소 그 책임을 면할 수가 있다(대판 1988.11.8, 86다카775).

(5) 외국인에 대한 책임(제7조)

> **국가배상법**
> **제7조 【외국인에 대한 책임】** 이 법은 외국인이 피해자인 경우에는 해당 국가와 상호보증이 있을 때에만 적용한다.

> **판례** **국가배상법 제7조에서 정한 '상호보증'이 있는지 판단하는 기준**
> 국가배상법 제7조는 우리나라만이 입을 수 있는 불이익을 방지하고 국제관계에서 형평을 도모하기 위하여 외국인의 국가배상청구권의 발생요건으로 '외국인이 피해자인 경우에는 해당 국가와 상호보증이 있을 것'을 요구하고 있는데, 해당 국가에서 외국인에 대한 국가배상청구권의 발생요건이 우리나라의 그것과 동일하거나 오히려 관대할 것을 요구하는 것은 지나치게 외국인의 국가배상청구권을 제한하는 결과가 되어 국제적인 교류가 빈번한 오늘날의 현실에 맞지 아니할 뿐만 아니라 외국에서 우리나라 국민에 대한 보호를 거부하게 하는 불합리한 결과를 가져올 수 있는 점을 고려할 때, 우리나라와 외국 사이에 국가배상청구권의 발생요건이 현저히 균형을 상실하지 아니하고 외국에서 정한 요건이 우리나라에서 정한 그것보다 전체로서 과중하지 아니하여 중요한 점에서 실질적으로 거의 차이가 없는 정도라면 국가배상법 제7조가 정하는 상호보증의 요건을 구비하였다고 봄이 타당하다. 그리고 상호보증은 외국의 법령, 판례 및 관례 등에 의하여 발생요건을 비교하여 인정되면 충분하고 반드시 당사국과의 조약이 체결되어 있을 필요는 없으며, 당해 외국에서 구체적으로 우리나라 국민에게 국가배상청구를 인정한 사례가 없더라도 실제로 인정될 것이라고 기대할 수 있는 상태이면 충분하다(대판 2015.6.11, 2013다208388).

(6) 소송과 배상신청의 관계(제9조)

이 법에 따른 손해배상의 소송은 배상심의회(이하 '심의회'라 한다)에 배상신청을 하지 아니하고도 제기할 수 있다.

(7) 배상심의회

배상심의회 (제10조)	① 국가나 지방자치단체에 대한 배상신청사건을 심의하기 위하여 법무부에 본부심의회를 둔다. 다만, 군인이나 군무원이 타인에게 입힌 손해에 대한 배상신청사건을 심의하기 위하여 국방부에 특별심의회를 둔다. ② 본부심의회와 특별심의회는 대통령령으로 정하는 바에 따라 지구심의회(地區審議會)를 둔다. ③ 본부심의회와 특별심의회와 지구심의회는 법무부장관의 지휘를 받아야 한다. ④ 각 심의회에는 위원장을 두며, 위원장은 심의회의 업무를 총괄하고 심의회를 대표한다.
각급 심의회의 권한 (제11조)	① 본부심의회와 특별심의회는 다음의 사항을 심의·처리한다. ㉠ 제13조 제6항에 따라 지구심의회로부터 송부받은 사건 ㉡ 제15조의2에 따른 재심신청사건 ㉢ 그 밖에 법령에 따라 그 소관에 속하는 사항 ② 각 지구심의회는 그 관할에 속하는 국가나 지방자치단체에 대한 배상신청사건을 심의·처리한다.

CHAPTER 04

배상신청 (제12조)	① 이 법에 따라 배상금을 지급받으려는 자는 그 주소지·소재지 또는 배상원인 발생지를 관할하는 지구심의회에 배상신청을 하여야 한다. ② 손해배상의 원인을 발생하게 한 공무원의 소속 기관의 장은 피해자나 유족을 위하여 ①의 신청을 권장하여야 한다. ③ 심의회의 위원장은 배상신청이 부적법하지만 보정(補正)할 수 있다고 인정하는 경우에는 상당한 기간을 정하여 보정을 요구하여야 한다. ④ ③에 따른 보정을 하였을 때에는 처음부터 적법하게 배상신청을 한 것으로 본다. ⑤ ③에 따른 보정기간은 제13조 제1항에 따른 배상결정 기간에 산입하지 아니한다.
심의와 결정 (제13조)	① 지구심의회는 배상신청을 받으면 지체 없이 증인신문(證人訊問)·감정(鑑定)·검증(檢證) 등 증거조사를 한 후 그 심의를 거쳐 4주일 이내에 배상금 지급결정, 기각결정 또는 각하결정(이하 '배상결정'이라 한다)을 하여야 한다. ② 지구심의회는 긴급한 사유가 있다고 인정할 때에는 제3조 제1항 제2호, 같은 조 제2항 제1호 및 같은 조 제3항 제1호에 따른 장례비·요양비 및 수리비의 일부를 사전에 지급하도록 결정할 수 있다. 사전에 지급을 한 경우에는 배상결정 후 배상금을 지급할 때에 그 금액을 빼야 한다.
결정서의 송달 (제14조)	① 심의회는 배상결정을 하면 그 결정을 한 날부터 1주일 이내에 그 결정정본(決定正本)을 신청인에게 송달하여야 한다. ② ①의 송달에 관하여는 민사소송법(행정소송법 ×)의 송달에 관한 규정을 준용한다.
신청인의 동의와 배상금 지급 (제15조)	① 배상결정을 받은 신청인은 지체 없이 그 결정에 대한 동의서를 첨부하여 국가나 지방자치단체에 배상금 지급을 청구하여야 한다. ② 배상결정을 받은 신청인이 배상금 지급을 청구하지 아니하거나 지방자치단체가 대통령령으로 정하는 기간 내에 배상금을 지급하지 아니하면 그 결정에 동의하지 아니한 것으로 본다.
재심신청 (제15조의2)	① 지구심의회에서 배상신청이 기각(일부기각된 경우를 포함한다) 또는 각하된 신청인은 결정정본이 송달된 날부터 2주일 이내에 그 심의회를 거쳐 본부심의회나 특별심의회에 재심(再審)을 신청할 수 있다. ② 재심신청을 받은 지구심의회는 1주일 이내에 배상신청기록 일체를 본부심의회나 특별심의회에 송부하여야 한다. ③ 본부심의회나 특별심의회는 ①의 신청에 대하여 심의를 거쳐 4주일 이내에 다시 배상결정을 하여야 한다.

03 경찰상 손실보상

1. 경찰상 손실보상의 의의

(1) 경찰상 손실보상의 개념

경찰상 손실보상이란 적법한 공권력 행사에 의해 발생한 특별한 손실에 대하여, 재산권보장과 공평부담의 원칙에 따라 이루어지는 재산적 보상을 말한다.

(2) 법적 성질

공권설과 사권설의 대립이 있다. 공권설에 따를 경우 손실보상청구에 관한 소송은 행정소송인 당사자 소송에 의하며, 사권설에 따를 경우 당연히 민사소송에 의한다. 공권설이 통설이다. 그러나 판례는 손실발생의 원인이 공법에 의한 것이라고 하더라도 이로 인해 발생한 손실이 사권(私權)이라면 민사소송에 의하여야 한다고 본다. 그러나 최근에는 기존의 판례와는 달리 행정소송절차에 의하여야 한다고 판시한 사례도 있다.

판례

1. **구 수산업법 제81조 소정의 손실보상청구권의 법적 성질 및 그 행사 방법(민사소송)**
구 수산업법(1995.12.30. 법률 제5131호로 개정되기 전의 것) 제81조 제1항 제1호는 법 제34조 제1호 내지 제5호와 제35조 제8호(제34조 제1항 제1호 내지 제5호에 해당하는 경우에 한한다)의 규정에 해당되는 사유로 인하여 허가어업을 제한하는 등의 처분을 받았거나 어업면허 유효기간의 연장이 허가되지 아니함으로써 손실을 입은 자는 행정관청에 대하여 보상을 청구할 수 있다고 규정하고 있는바, 이러한 어업면허에 대한 처분 등이 행정처분에 해당된다 하여도 이로 인한 손실은 사법상의 권리인 어업권에 대한 손실을 본질적 내용으로 하고 있는 것으로서 그 보상청구권은 공법상의 권리가 아니라 사법상의 권리이고, 따라서 같은 법 제81조 제1항 제1호 소정의 요건에 해당한다고 하여 보상을 청구하려는 자는 행정관청이 그 보상청구를 거부하거나 보상금액을 결정한 경우라도 이에 대한 행정소송을 제기할 것이 아니라 면허어업에 대한 처분을 한 행정관청(또는 그 처분을 요청한 행정관청)이 속한 권리 주체인 지방자치단체(또는 국가)를 상대로 민사소송으로 직접 손실보상금지급청구를 하여야 하고, 이러한 법리는 농어촌진흥공사가 농업을 목적으로 하는 매립 또는 간척사업을 시행함으로 인하여 같은 법 제41조의 규정에 의한 어업의 허가를 받은 자가 더 이상 허가어업에 종사하지 못하여 입게 된 손실보상청구에도 같이 보아야 한다(대판 1998.2.27, 97다46450).
2. **공유수면매립법 제16조 소정의 손실보상청구권의 행사 방법(행정소송)**
공유수면매립법 제16조에 의한 손실보상은 협의가 성립되지 아니하거나 협의할 수 없을 경우에 토지수용위원회의 재정을 거쳐 토지수용위원회를 상대로 재정에 대한 행정소송을 제기하는 방법으로 청구해야 한다(대판 1998.2.27, 97다46450).
3. **구 공익사업을 위한 토지 등의 취득 및 보상에 관한 법률 제79조 제2항 등에 따른 사업폐지 등에 대한 보상청구권에 관한 쟁송형태(= 행정소송)**
구 공익사업을 위한 토지 등의 취득 및 보상에 관한 법률(2007.10.17. 법률 제8665호로 개정되기 전의 것, 이하 '구 공익사업법'이라고 한다) 제79조 제2항, 공익사업을 위한 토지 등의 취득 및 보상에 관한 법률 시행규칙 제57조에 따른 사업폐지 등에 대한 보상청구권은 공익사업의 시행 등 적법한 공권력의 행사에 의한 재산상 특별한 희생에 대하여 전체적인 공평부담의 견지에서 공익사업의 주체가 손해를 보상하여 주는 손실보상의 일종으로 공법상 권리임이 분명하므로 그에 관한 쟁송은 민사소송이 아닌 행정소송절차에 의하여야 한다(대판 2012.10.11, 2010다23210).

(3) 법적 근거

① 이론적 근거: 기득권의 침해에 대한 보상으로 보는 기득권설, 국가가 은혜적으로 보상하는 은혜설 등이 있으나 공익을 위해 다른 사람은 침해되지 않은 사유재산권을 특별히 또는 불평등하게 희생당한 경우 이를 공동체 전체의 부담으로 볼 필요가 있으므로 이를 보상한다고 보는 특별희생설이 통설이다.

② 실정법상의 근거: 헌법 제23조 제3항을 손실보상의 실정법적 근거로 들 수 있다. 그러나 손실보상과 관련된 일반법은 존재하지 않으며 각 개별법에 손실보상과 관련된 근거규정이 존재한다.

대한민국 헌법
제23조 ③ 공공필요에 의한 재산권의 수용·사용 또는 제한 및 그에 대한 보상은 법률로써 하되, 정당한 보상을 지급하여야 한다.

③ 불가분조항: 불가분조항이란 공용침해의 근거법률에 손실보상과 관련된 규정이 존재해야 한다는 것을 말한다. 다시 말해 동일한 법률에 침해의 근거규정과 보상의 근거규정이 함께 존재해야 한다는 것을 의미한다. 판례는 법률에 손실보상과 관련된 규정이 존재하지 않는 경우 관련 법률상 보상규정을 유추적용하여 보상해야 한다고 판시하고 있다.

판례

1. **구 수산업법상 어업허가를 받고 허가어업에 종사하던 어민이 공유수면매립사업의 시행으로 피해를 입게 된 경우, 손실보상청구권이 있는지 여부(적극)**
   어업허가는 일정한 종류의 어업을 일반적으로 금지하였다가 일정한 경우 이를 해제하여 주는 것으로서 어업면허에 의하여 취득하게 되는 어업권과는 그 성질이 다른 것이기는 하나, 어업허가를 받은 자가 그 허가에 따라 해당 어업을 함으로써 재산적인 이익을 얻는 면에서 보면 어업허가를 받은 자의 해당 어업을 할 수 있는 지위는 재산권으로 보호받을 가치가 있고, 수산업법이 1990.8.1. 개정되기 이전까지는 어업허가의 취소·제한·정지 등의 경우에 이를 보상하는 규정을 두고 있지 않았지만, 1988.4.25. 공공용지의 취득 및 손실보상에 관한 특례법 시행규칙이 개정되면서 그 제25조의2에 허가어업의 폐지·휴업 또는 피해에 대한 손실의 평가규정이 마련되었고, 공공필요에 의한 재산권의 수용·사용 또는 제한 및 그에 관한 보상은 법률로써 하되 정당한 보상을 지급하여야 한다는 헌법 제23조 제3항, 면허어업권자 내지는 입어자에 관한 손실보상을 규정한 구 공유수면매립법(1999.2.8. 법률 제5911호로 전문 개정되기 전의 것) 제16조, 공공사업을 위한 토지 등의 취득 또는 사용으로 인하여 토지 등의 소유자가 입은 손실은 사업시행자가 이를 보상하여야 한다는 공공용지의 취득 및 손실보상에 관한 특례법 제3조 제1항의 각 규정 취지를 종합하여 보면, 적법한 어업허가를 받고 허가어업에 종사하던 중 공유수면매립사업의 시행으로 피해를 입게 되는 어민들이 있는 경우 그 공유수면매립사업의 시행자로서는 위 구 공공용지의 취득 및 손실보상에 관한 특례법 시행규칙(1991.10.28. 건설부령 제493호로 개정되기 전의 것) 제25조의2의 규정을 유추적용하여 위와 같은 어민들에게 손실보상을 하여 줄 의무가 있다(대판 1999.11.23, 98다11529).
2. **도시환경정비사업의 사업시행자에게 구 도시 및 주거환경정비법 제49조 제6항 본문에 따라 사용·수익권을 제한받는 임차인의 손실을, 구 공익사업을 위한 토지 등의 취득 및 보상에 관한 법률을 유추적용하여 해당 요건이 충족되는 경우에 보상할 의무가 있는지 여부(적극)**
   구 도시 및 주거환경정비법(2009.5.27. 법률 제9729호로 개정되기 전의 것. 이하 '도시정비법') 규정에 따라 관리처분계획의 인가·고시가 있으면 목적물에 대한 종전 소유자 등의 사용·수익이 정지되므로 사업시행자는 목적물에 대한 별도의 수용 또는 사용의 절차 없이 이를 사용·수익할 수 있게 되는 반면, 임차인은 도시정비법 제49조 제6항 본문에 의하여 자신의 의사에 의하지 아니하고 임차물을 사용·수익할 권능을 제한받게 되는 손실을 입는다. 그렇다면 사업시행자는 도시정비법 제49조 제6항 본문에 의하여 사용·수익권을 제한받는 임차인에게 구 공익사업을 위한 토지 등의 취득 및 보상에 관한 법률(2011.8.4. 법률 제11017호로 개정되기 전의 것)을 유추적용하여(도시정비법 제40조 제1항도 참조) 그 해당 요건이 충족되는 경우라면 손실을 보상할 의무가 있다고 봄이 타당하다(대판 2011.11.24, 2009다28394).

2. 손실보상청구 요건

(1) 공공의 필요

① 개념: 공공의 필요란 일정한 공익사업의 시행이나 공공복리를 위해 각 개인의 재산권 침해가 불가피한 경우를 말한다. 이는 공익이라는 개념과 비례의 원칙을 포함하는 개념이다.

② 공공의 필요에 대한 판단 기준: 공공의 필요는 수용으로 인해 달성할 수 있는 공익과 이로 인해 침해되는 이익을 비교·형량하여 판단한다. 이러한 공공의 필요에 대한 입증책임은 사업시행자에게 있다.

판례 **공용수용에 있어서 공익사업을 위한 필요에 대한 증명책임의 소재(= 사업시행자)**

공용수용은 공익사업을 위하여 특정의 재산권을 법률에 의하여 강제적으로 취득하는 것을 내용으로 하므로 그 공익사업을 위한 필요가 있어야 하고, 그 필요가 있는지에 대하여는 수용에 따른 상대방의 재산권침해를 정당화할 만한 공익의 존재가 쌍방의 이익의 비교형량의 결과로 입증되어야 하며, 그 입증책임은 사업시행자에게 있다(대판 2005.11.10, 2003두7507).

③ 재산권의 침해

㉠ 재산권의 의의: 재산권이란 일반적인 소유권뿐만 아니라 법에 의해 보호받는 일체의 재산적 가치를 가진 권리를 의미한다. 이러한 재산권에는 사법상의 권리뿐만 아니라 공법상의 권리도 포함된다.

㉡ 불법 건축물: 원칙적으로 위법한 건축물도 손실보상의 대상에 해당한다. 다만, 비주거용 건축물로 위법의 정도가 심각하여 거래의 객체가 될 수 없는 경우 보상의 대상이 될 수 없다는 것이 판례의 입장이다.

판례 **주거용 건물이 아닌 위법 건축물의 경우토지수용법상의 수용보상 대상이 되는지 여부**

토지수용법상의 사업인정 고시 이전에 건축되고 공공사업용지 내의 토지에 정착한 지장물인 건물은 통상 적법한 건축허가를 받았는지 여부에 관계없이 손실보상의 대상이 되나, 주거용 건물이 아닌 위법 건축물의 경우에는 관계 법령의 입법 취지와 그 법령에 위반된 행위에 대한 비난가능성과 위법성의 정도, 합법화될 가능성, 사회통념상 거래 객체가 되는지 여부 등을 종합하여 구체적·개별적으로 판단한 결과 그 위법의 정도가 관계 법령의 규정이나 사회통념상 용인할 수 없을 정도로 크고 객관적으로도 합법화될 가능성이 거의 없어 거래의 객체도 되지 아니하는 경우에는 예외적으로 수용보상 대상이 되지 아니한다(대판 2001.4.13, 2000두6411).

㉢ 현존하는 구체적 가치: 손실보상의 대상이 되는 재산권은 현존하는 구체적 가치이어야 한다. 그러므로 지가 상승과 같은 기대이익이나 자연적·문화적·학술적 가치는 원칙적으로는 손실보상의 대상에서 제외된다.

판례

1. **토지의 문화적, 학술적 가치가 토지수용법상 손실보상의 대상이 될 수 있는지 여부(소극)**
   문화적, 학술적 가치는 특별한 사정이 없는 한 그 토지의 부동산으로서의 경제적, 재산적 가치를 높여 주는 것이 아니므로 토지수용법 제51조 소정의 손실보상의 대상이 될 수 없으니, 이 사건 토지가 철새 도래지로서 자연 문화적인 학술가치를 지녔다 하더라도 손실보상의 대상이 될 수 없다(대판 1989.9.12, 88누11216).
2. **영업을 하기 위하여 투자한 비용이나 그 영업을 통하여 얻을 것으로 기대되는 이익이 손실보상의 대상이 되는지 여부(소극)**
   구 토지수용법(2002.2.4. 법률 제6656호 공익사업을 위한 토지 등의 취득 및 보상에 관한 법률 부칙 제2조로 폐지) 제51조가 규정하고 있는 '영업상의 손실'이란 수용의 대상이 된 토지·건물 등을 이용하여 영업을 하다가 그 토지·건물 등이 수용됨으로 인하여 영업을 할 수 없거나 제한을 받게 됨으로 인하여 생기는 직접적인 손실을 말하는 것이므로 위 규정은 영업을 하기 위하여 투자한 비용이나 그 영업을 통하여 얻을 것으로 기대되는 이익에 대한 손실보상의 근거규정이 될 수 없고, 그 외 구 토지수용법이나 구 '공공용지의 취득 및 손실보상에 관한 특례법'(2002.2.4. 법률 제6656호 공익사업을 위한 토지 등의 취득 및 보상에 관한 법률 부칙 제2조로 폐지), 그 시행령 및 시행규칙 등 관계 법령에도 영업을 하기 위하여 투자한 비용이나 그 영업을 통하여 얻을 것으로 기대되는 이익에 대한 손실보상의 근거규정이나 그 보상의 기준과 방법 등에 관한 규정이 없으므로, 이러한 손실은 그 보상의 대상이 된다고 할 수 없다(대판 2006.1.27, 2003두13106).
3. **수용대상 토지의 손실보상액 평가 기준**
   수용대상 토지에 대한 손실보상액을 평가함에 있어서는 수용재결 당시의 이용상황, 주위환경 등을 기준으로 하여야 하는 것이고, 여기서의 수용대상 토지의 현실이용상황은 법령의 규정이나 토지소유자의 주관적 의도 등에 의하여 의제될 것이 아니라 오로지 관계 증거에 의하여 확정되어야 한다(대판 1997.8.29, 96누2569).
4. **공법상의 제한을 받는 토지의 수용보상액 평가방법**
   공법상의 제한을 받는 토지의 수용보상액을 산정함에 있어서는 그 공법상의 제한이 당해 공공사업의 시행을 직접 목적으로 하여 가하여진 경우에는 그 제한을 받지 아니하는 상태대로 평가하여야 할 것이지만, 공법상 제한이 당해 공공사업의 시행을 직접 목적으로 하여 가하여진 경우가 아니라면 그러한 제한을 받는 상태 그대로 평가하여야 하고, 그와 같은 제한이 당해 공공사업의 시행 이후에 가하여진 경우라고 하여 달리 볼 것은 아니다. 문화재보호구역의 확대 지정이 당해 공공사업인 택지개발사업의 시행을 직접 목적으로 하여 가하여진 것이 아님이 명백하므로 토지의 수용보상액은 그러한 공법상 제한을 받는 상태대로 평가하여야 한다(대판 2005.2.18, 2003두14222).

5. 간척사업의 시행으로 종래의 관행어업권자에게 구 공유수면매립법에서 정하는 손실보상청구권이 인정되기 위해서는 매립면허고시 후 매립공사가 실행되어 관행어업권자에게 실질적이고 현실적인 피해가 발생해야 하는지 여부(적극)

손실보상은 공공필요에 의한 행정작용에 의하여 사인에게 발생한 특별한 희생에 대한 전보라는 점에서 그 사인에게 특별한 희생이 발생하여야 하는 것은 당연히 요구되는 것이고, 공유수면 매립면허의 고시가 있다고 하여 반드시 그 사업이 시행되고 그로 인하여 손실이 발생한다고 할 수 없으므로, 매립면허 고시 이후 매립공사가 실행되어 관행어업권자에게 실질적이고 현실적인 피해가 발생한 경우에만 공유수면매립법에서 정하는 손실보상청구권이 발생하였다고 할 것이다(대판 2010.12.9, 2007두6571).

6. 하천법 제50조에 따른 하천수 사용권이 공익사업을 위한 토지 등의 취득 및 보상에 관한 법률 제76조 제1항에서 손실보상의 대상으로 규정하고 있는 '물의 사용에 관한 권리'에 해당하는지 여부(적극)

하천법 제50조에 의한 하천수 사용권(2007.4.6. 하천법 개정 이전에 종전의 규정에 따라 유수의 점용·사용을 위한 관리청의 허가를 받음으로써 2007.4.6. 개정 하천법 부칙 제9조에 따라 현행 하천법 제50조에 의한 하천수 사용허가를 받은 것으로 보는 경우를 포함한다. 이하 같다)은 하천법 제33조에 의한 하천의 점용허가에 따라 해당 하천을 점용할 수 있는 권리와 마찬가지로 특허에 의한 공물사용권의 일종으로서, 양도가 가능하고 이에 대한 민사집행법상의 집행 역시 가능한 독립된 재산적 가치가 있는 구체적인 권리라고 보아야 한다. 따라서 하천법 제50조에 의한 하천수 사용권은 공익사업을 위한 토지 등의 취득 및 보상에 관한 법률 제76조 제1항이 손실보상의 대상으로 규정하고 있는 '물의 사용에 관한 권리'에 해당한다(대판 2018.12.27, 2014두11601).

㉣ **생명·신체 등 비재산적 법익**: 생명이나 신체 등 비재산적 권리의 경우 손실보상청구권이 아닌 희생보상청구권의 문제로 논의된다.

④ 의도적인 침해

㉠ **침해의 유형**: 침해의 방식에는 법률에 의한 직접적인 침해(법률수용)와 법률에 근거하여 이루어지는 행정행위에 의한 침해(행정수용)이 있다. 헌법 제23조 제3항에 따라 '법률(형식적 의미의 법률)'에 근거한 수용만 가능하므로 법률수용과 행정수용은 모두 국회에서 제정한 형식적 의미의 법률에 근거하여야 하며, 법률의 근거 없이 명령이나 조례에 의한 수용은 허용되지 않는다.

㉡ **의도적 침해의 개념**: 침해의 상대방에게 발생하는 손실은 직접적으로 의도된 것이어야 한다. 의도되지 않은 침해의 경우 수용적 침해보상과 관련이 있다.

(2) 적법한 침해

형식적 법률에 근거한 적법한 침해가 있는 경우 손실보상청구권이 인정될 수 있다. 그러므로 법률에 근거하지 않는 위법한 수용은 손해배상청구가 가능하다.

판례 사업시행자가 해당 공익사업을 수행할 의사나 능력을 상실한 경우, 그 사업인정에 터잡아 수용권을 행사할 수 있는지 여부(소극)

공용수용은 헌법상의 재산권 보장의 요청상 불가피한 최소한에 그쳐야 한다는 헌법 제23조의 근본취지에 비추어 볼 때, 사업시행자가 사업인정을 받은 후 그 사업이 공용수용을 할 만한 공익성을 상실하거나 사업인정에 관련된 자들의 이익이 현저히 비례의 원칙에 어긋나게 된 경우 또는 사업시행자가 해당 공익사업을 수행할 의사나 능력을 상실하였음에도 여전히 그 사업인정에 기하여 수용권을 행사하는 것은 수용권의 공익 목적에 반하는 수용권의 남용에 해당하여 허용되지 않는다(대판 2011.1.27, 2009두1051).

(3) 특별한 희생

손실보상청구권이 성립하기 위해서는 상대방에게 사회적 제약의 범위를 넘어서는 특별한 희생이 발생해야 한다. 사회적 제약이란 공동체의 유지를 위해 사회구성원들이 당연히 감수해야 하는 희생을 말하며, 이는 특별한 희생에 해당하지 않는다.

판례

1. **공공용물에 대한 일반사용이 적법한 개발행위로 제한됨으로 인한 불이익이 손실보상의 대상이 되는 특별한 손실인지 여부(소극)**
   일반 공중의 이용에 제공되는 공공용물에 대하여 특허 또는 허가를 받지 않고 하는 일반사용은 다른 개인의 자유이용과 국가 또는 지방자치단체 등의 공공목적을 위한 개발 또는 관리·보존행위를 방해하지 않는 범위 내에서만 허용된다 할 것이므로, 공공용물에 관하여 적법한 개발행위 등이 이루어짐으로 말미암아 이에 대한 일정범위의 사람들의 일반사용이 종전에 비하여 제한받게 되었다 하더라도 특별한 사정이 없는 한 그로 인한 불이익은 손실보상의 대상이 되는 특별한 손실에 해당한다고 할 수 없다(대판 2002.2.26, 99다35300).
2. **어선어업자들의 백사장 등에 대한 사용이 관행어업권에 기한 것으로 볼 수 있는지 여부(소극)**
   관행어업권은 일정한 공유수면에 대한 공동어업권 설정 이전부터 어업의 면허 없이 그 공유수면에서 오랫동안 계속 수산동식물을 포획 또는 채취하여 옴으로써 그것이 대다수 사람들에게 일반적으로 시인될 정도에 이른 경우에 인정되는 권리로서 이는 어디까지나 수산동식물이 서식하는 공유수면에 대하여 성립하고, 허가어업에 필요한 어선의 정박 또는 어구의 수리·보관을 위한 육상의 장소에는 성립할 여지가 없으므로, 어선어업자들의 백사장 등에 대한 사용은 공공용물의 일반사용에 의한 것일 뿐 관행어업권에 기한 것으로 볼 수 없다(대판 2002.2.26, 99다35300).
3. **개발제한구역 지정에 관한 도시계획법 제21조의 위헌 여부(소극)**
   도시계획법 제21조의 규정에 의하여 개발제한구역 안에 있는 토지의 소유자는 재산상의 권리 행사에 많은 제한을 받게 되고 그 한도 내에서 일반 토지소유자에 비하여 불이익을 받게 됨은 명백하지만, '도시의 무질서한 확산을 방지하고 도시주변의 자연환경을 보전하여 도시민의 건전한 생활환경을 확보하기 위하여 또는 국방부장관의 요청이 있어 보안상 도시의 개발을 제한할 필요가 있다고 인정되는 때'(도시계획법 제21조 제1항)에 한하여 가하여지는 그와 같은 제한으로 인한 토지소유자의 불이익은 공공의 복리를 위하여 감수하지 아니하면 안 될 정도의 것이라고 인정된다(대판 1996.6.28, 94다54511).
4. **도시계획법 제21조의 위헌 여부(적극)**
   도시계획법 제21조에 의한 재산권의 제한은 개발제한구역으로 지정된 토지를 원칙적으로 지정 당시의 지목과 토지현황에 의한 이용방법에 따라 사용할 수 있는 한, 재산권에 내재하는 사회적 제약을 비례의 원칙에 합치하게 합헌적으로 구체화한 것이라고 할 것이나, 종래의 지목과 토지현황에 의한 이용방법에 따른 토지의 사용도 할 수 없거나 실질적으로 사용·수익을 전혀 할 수 없는 예외적인 경우에도 아무런 보상 없이 이를 감수하도록 하고 있는 한, 비례의 원칙에 위반되어 당해 토지소유자의 재산권을 과도하게 침해하는 것으로서 헌법에 위반된다(헌재 1998.12.24, 89헌마214).

3. 손실보상의 기준

완전보상설(통설)과 상당보상설의 대립이 있으나 대법원과 헌법재판소는 모두 완전보상설의 입장을 취하고 있다.

판례

1. **'정당한 보상'이라 함은 원칙적으로 피수용재산의 객관적인 재산가치를 완전하게 보상하여야 한다는 완전보상을 뜻하는지 여부**
   헌법 제23조 제3항은 "공공필요에 의한 재산권의 수용·사용 또는 제한 및 그에 대한 보상은 법률로써 하되, 정당한 보상을 지급하여야 한다."라고 규정하고 있는 바, 이 헌법의 규정은 보상청구권의 근거에 관하여서 뿐만 아니라 보상의 기준과 방법에 관하여서도 법률의 규정에 유보하고 있는 것으로 보아야 하고, 위 구 토지수용법과 지가공시법의 규정들은 바로 헌법에서 유보하고 있는 그 법률의 규정들로 보아야 할 것이다. 그리고 '정당한 보상'이라 함은 원칙적으로 피수용재산의 객관적인 재산가치를 완전하게 보상하여야 한다는 완전보상을 뜻하는 것이라 할 것이나, 투기적인 거래에 의하여 형성되는 가격은 정상적인 객관적 재산가치로는 볼 수 없으므로 이를 배제한다고 하여 완전보상의 원칙에 어긋나는 것은 아니며, 공익사업의 시행으로 지가가 상승하여 발생하는 개발이익은 궁극적으로는 국민 모두에게 귀속되어야 할 성질의 것이므로 이는 완전보상의 범위에 포함되는 피수용토지의 객관적 가치 내지 피수용자의 손실이라고는 볼 수 없다(대판 1993.7.13, 93누2131).

2. 헌법 제23조 제3항의 정당한 보상의 의미

헌법 제23조 제3항이 규정하는 정당한 보상이란 원칙적으로 피수용재산(被收用財産)의 객관적(客觀的)인 재산가치(財産價値)를 완전하게 보상하는 것이어야 한다는 완전보상을 의미한다(헌재 1995.4.20, 93헌바20).

3. 공시지가를 기준으로 수용된 토지에 대한보상액을 산정하는 것이 헌법 제23조 제3항의 정당보상원칙에 위배되는지 여부(소극)

공익사업법 제70조 제4항, 구 공익사업법 제70조 제1항 및 구 부동산평가법 제9조 제1항 제1호가 공시지가를 기준으로 수용된 토지에 대한 보상액을 산정하도록 규정한 것은, 이 법률조항들에 의한 공시지가가 공시기준일 당시 표준지의 객관적 가치를 정당하게 반영하는 것이고, 표준지와 지가산정 대상토지 사이에 가격의유사성을 인정할 수 있도록 표준지의 선정이 적정하며, 공시기준일 이후 수용시까지의 시가변동을 산출하는 시점보정의 방법이 적정한 것으로 보이므로, 헌법 제23조 제3항이 규정한 정당보상원칙에 위배되지 아니한다(헌재 2010.3.25, 2008헌바102).

4. 개발이익(開發利益)이 완전보상의 개념에 포함되는지 여부

구 토지수용법 제46조 제2항 및 지가공시 및 토지 등의 평가에 관한 법률 제10조 제1항 제1호가 토지수용으로 인한 손실보상액의 산정을 공시지가(公示地價)를 기준으로 하되 개발이익(開發利益)을 배제하고, 공시기준일부터 재결시까지의 시점보정(時點補正)을 인근토지의 가격변동률과 도매물가상승률 등에 의하여 행하도록 규정한 것은 위 각 규정에 의한 기준지가(基準地價)가 대상지역 공고일 당시의 표준지(標準地)의 객관적(客觀的) 가치(價値)를 정당하게 반영하는 것이고, 표준지와 지가산정 대상토지 사이에 가격의 유사성을 인정할 수 있도록 표준지(標準地)의 선정(選定)이 적정(適正)하며, 대상지역 공고일 이후 수용시까지의 시가변동을 산출하는 시점보정(時點補正)의 방법(方法)이 적정(適正)한 것으로 보이므로, 헌법상의 정당보상의 원칙에 위배되는 것이 아니며, 또한 위 헌법조항의 법률유보를 넘어섰다거나 과잉금지의 원칙에 위배되었다고 볼 수 없다(헌재 1995.4.20, 93헌바20).

5. 공시지가에 당해 수용사업으로 인한 개발이익이 포함되어 있거나 반대로 자연적 지가상승분도 반영되지 아니한 경우의 손실보상액 평가방법

당해 수용사업의 시행으로 인한 개발이익은 수용대상토지의 수용 당시의 객관적 가치에 포함되지 아니하는 것이므로 수용대상토지에 대한 손실보상액을 산정함에 있어서 구 토지수용법(1991.12.31. 법률 제4483호로 개정되기 전의 것) 제46조 제2항에 의하여 손실보상액 산정의 기준이 되는 지가공시 및 토지 등의 평가에 관한 법률에 의한 공시지가에 당해 수용사업의 시행으로 인한 개발이익이 포함되어 있을 경우 그 공시지가에서 그러한 개발이익을 배제한 다음 이를 기준으로 하여 손실보상액을 평가하고, 반대로 그 공시지가가 당해 수용사업의 시행으로 지가가 동결된 관계로 개발이익을 배제한 자연적 지가상승분도 반영하지 못한 경우에는 그 자연적 지가상승률을 산출하여 이를 기타사항으로 참작하여 손실보상액을 평가하는 것이 정당보상의 원리에 합당하다(대판 1993.7.27, 92누11084).

6. 토지수용으로 인한 손실보상액을 산정함에 있어서 당해 공공사업과는 관계없는 다른 사업의 시행으로 인한 개발이익을 배제하여 평가하여야 할 것인지 여부(소극)

토지수용으로 인한 손실보상액을 산정함에 있어서 당해 공공사업의 시행을 직접목적으로 하는 계획의 승인, 고시로 인한 가격변동은 이를 고려함이 없이 수용재결 당시의 가격을 기준으로 하여 적정가격을 정하여야 하나, 당해 공공사업과는 관계없는 다른 사업의 시행으로 인한 개발이익은 이를 배제하지 아니한 가격으로 평가하여야 한다(대판 1992.2.11, 91누7774).

7. 영업손실에 관한 보상에 있어서 영업의 폐지 또는 영업의 휴업인지 여부의 구별 기준(= 영업의 이전 가능성) 및 그 판단 방법

토지수용법 제57조의2에 의하여 준용되는 공공용지의 취득 및 손실보상에 관한 특례법 제4조 제4항, 같은 법 시행령 제2조의10 제7항, 같은 법 시행규칙 제24조 제1항, 제2항 제3호, 제25조 제1항, 제2항, 제5항의 각 규정을 종합하여 보면, 영업손실에 관한 보상의 경우 같은 법 시행규칙 제24조 제2항 제3호에 의한 영업의 폐지로 볼 것인지 아니면 영업의 휴업으로 볼 것인지를 구별하는 기준은 당해 영업을 그 영업소 소재지나 인접 시·군 또는 구 지역 안의 다른 장소로 이전하는 것이 가능한지 여부에 달려 있고, 이러한 이전 가능성 여부는 법령상의 이전 장애사유 유무와 당해 영업의 종류와 특성, 영업시설의 규모, 인접지역의 현황과 특성, 그 이전을 위하여 당사자가 들인 노력 등과 인근 주민들의 이전 반대 등과 같은 사실상의 이전 장애사유 유무 등을 종합하여 판단하여야 한다(대판 2000.11.10, 99두3645).

4. 손실보상의 원칙

(1) 사업시행자보상

공익사업에 필요한 토지 등의 취득 또는 사용으로 인하여 토지소유자나 관계인이 입은 손실은 사업시행자가 보상하여야 한다(공익사업을 위한 토지 등의 취득 및 보상에 관한 법률 제61조). 그러므로 국가 등이 아니라고 하더라도 사업시행자라면 그 보상을 하여야 한다.

(2) 사전보상

사업시행자는 해당 공익사업을 위한 공사에 착수하기 이전에 토지소유자와 관계인에게 보상액의 전액을 지급하여야 한다. 다만, 천재지변시의 토지 사용과 시급한 토지 사용의 경우 또는 토지소유자 및 관계인의 승낙이 있는 경우에는 그러하지 아니하다(공익사업을 위한 토지 등의 취득 및 보상에 관한 법률 제62조). 이때 이자와 물가변동에 따르는 불이익은 보상책임자가 부담한다는 것이 판례의 입장이다.

(3) 현금보상 등

손실보상은 현금으로 지급하는 것이 원칙이며 예외적으로 현물보상, 채권보상, 매수보상, 대토보상 등도 가능하다(공익사업을 위한 토지 등의 취득 및 보상에 관한 법률 제63조).

(4) 개인별 보상

손실보상은 개인별로 보상하는 것이 원칙이다. 그러나 개인별로 보상액을 산정할 수 없는 경우는 그러하지 아니하다. 그리고 이 경우 수용 또는 사용의 대상이 되는 물건별로 보상을 하는 것이 아닌 피보상자 개인별로 보상을 한다(공익사업을 위한 토지 등의 취득 및 보상에 관한 법률 제64조).

(5) 일괄보상

사업시행자는 동일한 사업지역에 보상시기를 달리하는 동일인 소유의 토지 등이 여러 개 있는 경우 토지소유자나 관계인이 요구할 때에는 한꺼번에 보상금을 지급하도록 하여야 한다(공익사업을 위한 토지 등의 취득 및 보상에 관한 법률 제65조).

(6) 사업시행이익과의 상계금지

사업시행자는 동일한 소유자에게 속하는 일단(一團)의 토지의 일부를 취득하거나 사용하는 경우 해당 공익사업의 시행으로 인하여 잔여지(殘餘地)의 가격이 증가하거나 그 밖의 이익이 발생한 경우에도 그 이익을 그 취득 또는 사용으로 인한 손실과 상계(相計)할 수 없다(공익사업을 위한 토지 등의 취득 및 보상에 관한 법률 제66조).

04 행정심판법

행정심판이란 행정청의 위법 또는 부당한 공권력의 행사 또는 그 거부로 인해 권리나 이익을 침해당한 상대방이 행정기관에 그 시정을 구하는 절차를 말한다. 이러한 행정심판은 형식적 의미의 행정에 해당하지만 실적적 의미의 사법에 해당한다는 특징이 있다.

1. 서설

(1) 목적(제1조)

이 법은 행정심판 절차를 통하여 행정청의 위법 또는 부당한 처분(處分)이나 부작위(不作爲)로 침해된 국민의 권리 또는 이익을 구제하고, 아울러 행정의 적정한 운영을 꾀함을 목적으로 한다.

(2) 정의(제2조)

이 법에서 사용하는 용어의 뜻은 다음과 같다.

용어	뜻
처분	행정청이 행하는 구체적 사실에 관한 법집행으로서의 공권력의 행사 또는 그 거부, 그 밖에 이에 준하는 행정작용을 말한다.
부작위	행정청이 당사자의 신청에 대하여 상당한 기간 내에 일정한 처분을 하여야 할 법률상 의무가 있는데도 처분을 하지 아니하는 것을 말한다.
재결(裁決)	행정심판의 청구에 대하여 제6조에 따른 행정심판위원회가 행하는 판단을 말한다.
행정청	행정에 관한 의사를 결정하여 표시하는 국가 또는 지방자치단체의 기관, 그 밖에 법령 또는 자치법규에 따라 행정권한을 가지고 있거나 위탁을 받은 공공단체나 그 기관 또는 사인(私人)을 말한다.

(3) 행정심판의 대상(제3조)

① 행정청의 처분 또는 부작위에 대하여는 다른 법률에 특별한 규정이 있는 경우 외에는 이 법에 따라 행정심판을 청구할 수 있다.

② 대통령의 처분 또는 부작위에 대하여는 다른 법률에서 행정심판을 청구할 수 있도록 정한 경우 외에는 행정심판을 청구할 수 없다.

(4) 특별행정심판 등(제4조)

① 사안(事案)의 전문성과 특수성을 살리기 위하여 특히 필요한 경우 외에는 이 법에 따른 행정심판을 갈음하는 특별한 행정불복절차(이하 '특별행정심판'이라 한다)나 이 법에 따른 행정심판 절차에 대한 특례를 다른 법률로 정할 수 없다.

② 다른 법률에서 특별행정심판이나 이 법에 따른 행정심판 절차에 대한 특례를 정한 경우에도 그 법률에서 규정하지 아니한 사항에 관하여는 이 법에서 정하는 바에 따른다.

③ 관계 행정기관의 장이 특별행정심판 또는 이 법에 따른 행정심판 절차에 대한 특례를 신설하거나 변경하는 법령을 제정·개정할 때에는 미리 중앙행정심판위원회와 협의하여야 한다.

(5) 행정심판의 종류(제5조)

행정심판의 종류는 다음과 같다.

종류	내용
취소심판	행정청의 위법 또는 부당한 처분을 취소하거나 변경하는 행정심판
무효등확인심판	행정청의 처분의 효력 유무 또는 존재 여부를 확인하는 행정심판
의무이행심판	당사자의 신청에 대한 행정청의 위법 또는 부당한 거부처분이나 부작위에 대하여 일정한 처분을 하도록 하는 행정심판

2. 심판기관

(1) 행정심판위원회의 설치(제6조)

① 다음의 행정청 또는 그 소속 행정청(행정기관의 계층구조와 관계없이 그 감독을 받거나 위탁을 받은 모든 행정청을 말하되, 위탁을 받은 행정청은 그 위탁받은 사무에 관하여는 위탁한 행정청의 소속 행정청으로 본다)의 처분 또는 부작위에 대한 행정심판의 청구(이하 '심판청구'라 한다)에 대하여는 다음의 행정청에 두는 행정심판위원회에서 심리・재결한다.

> ㉠ 감사원, 국가정보원장, 그 밖에 대통령령으로 정하는 대통령 소속기관의 장
> ㉡ 국회사무총장・법원행정처장・헌법재판소사무처장 및 중앙선거관리위원회사무총장
> ㉢ 국가인권위원회, 그 밖에 지위・성격의 독립성과 특수성 등이 인정되어 대통령령으로 정하는 행정청

② 다음의 행정청의 처분 또는 부작위에 대한 심판청구에 대하여는 부패방지 및 국민권익위원회의 설치와 운영에 관한 법률에 따른 국민권익위원회(이하 '국민권익위원회'라 한다)에 두는 중앙행정심판위원회에서 심리・재결한다.

> ㉠ 위 (1)에 따른 행정청 외의 국가행정기관의 장 또는 그 소속 행정청
> ㉡ 특별시장・광역시장・특별자치시장・도지사・특별자치도지사(특별시・광역시・특별자치시・도 또는 특별자치도의 교육감을 포함한다. 이하 '시・도지사'라 한다) 또는 특별시・광역시・특별자치시・도・특별자치도(이하 '시・도'라 한다)의 의회(의장, 위원회의 위원장, 사무처장 등 의회 소속 모든 행정청을 포함한다)
> ㉢ 지방자치법에 따른 지방자치단체조합 등 관계 법률에 따라 국가・지방자치단체・공공법인 등이 공동으로 설립한 행정청. 다만, 아래 (3)의 ③에 해당하는 행정청은 제외한다.

③ 다음의 행정청의 처분 또는 부작위에 대한 심판청구에 대하여는 시・도지사 소속으로 두는 행정심판위원회에서 심리・재결한다.

> ㉠ 시・도 소속 행정청
> ㉡ 시・도의 관할구역에 있는 시・군・자치구의 장, 소속 행정청 또는 시・군・자치구의 의회(의장, 위원회의 위원장, 사무국장, 사무과장 등 의회 소속 모든 행정청을 포함한다)
> ㉢ 시・도의 관할구역에 있는 둘 이상의 지방자치단체(시・군・자치구를 말한다)・공공법인 등이 공동으로 설립한 행정청

④ 대통령령으로 정하는 국가행정기관 소속 특별지방행정기관의 장의 처분 또는 부작위에 대한 심판청구에 대하여는 해당 행정청의 직근 상급행정기관에 두는 행정심판위원회에서 심리・재결한다.

(2) 행정심판위원회의 구성

① 중앙행정심판위원회의 구성(제8조)

㉠ 중앙행정심판위원회는 위원장 1명을 포함하여 70명 이내의 위원으로 구성하되, 위원 중 상임위원은 4명 이내로 한다.

㉡ 중앙행정심판위원회의 위원장은 국민권익위원회의 부위원장 중 1명이 되며, 위원장이 없거나 부득이한 사유로 직무를 수행할 수 없거나 위원장이 필요하다고 인정하는 경우에는 상임위원(상임으로 재직한 기간이 긴 위원 순서로, 재직기간이 같은 경우에는 연장자 순서로 한다)이 위원장의 직무를 대행한다.

㉢ 중앙행정심판위원회의 상임위원은 일반직공무원으로서 국가공무원법 제26조의5에 따른 임기제공무원으로 임명하되, 3급 이상 공무원 또는 고위공무원단에 속하는 일반직공무원으로 3년 이상 근무한 사람이나 그 밖에 행정심판에 관한 지식과 경험이 풍부한 사람 중에서 중앙행정심판위원회 위원장의 제청으로 국무총리를 거쳐 대통령이 임명한다.

㉣ 중앙행정심판위원회의 비상임위원은 아래 (2)의 ④ 각 사항의 어느 하나에 해당하는 사람 중에서 중앙행정심판위원회 위원장의 제청으로 국무총리가 성별을 고려하여 위촉한다.

㉤ 중앙행정심판위원회의 회의(제6항에 따른 소위원회 회의는 제외한다)는 위원장, 상임위원 및 위원장이 회의마다 지정하는 비상임위원을 포함하여 총 9명으로 구성한다.

㉥ 중앙행정심판위원회는 심판청구사건(이하 '사건'이라 한다) 중 도로교통법에 따른 자동차운전면허 행정처분에 관한 사건(소위원회가 중앙행정심판위원회에서 심리·의결하도록 결정한 사건은 제외한다)을 심리·의결하게 하기 위하여 4명의 위원으로 구성하는 소위원회를 둘 수 있다.

㉦ 중앙행정심판위원회 및 소위원회는 각각 구성원 과반수의 출석과 출석위원 과반수의 찬성으로 의결한다.

㉧ 중앙행정심판위원회는 위원장이 지정하는 사건을 미리 검토하도록 필요한 경우에는 전문위원회를 둘 수 있다.

② 행정심판위원회의 구성(제7조)

㉠ 행정심판위원회(중앙행정심판위원회는 제외한다)는 위원장 1명을 포함하여 50명 이내의 위원으로 구성한다.

㉡ 행정심판위원회의 위원장은 그 행정심판위원회가 소속된 행정청이 되며, 위원장이 없거나 부득이한 사유로 직무를 수행할 수 없거나 위원장이 필요하다고 인정하는 경우에는 다음의 순서에 따라 위원이 위원장의 직무를 대행한다.

> ⓐ 위원장이 사전에 지명한 위원
> ⓑ 아래 ④에 따라 지명된 공무원인 위원(2명 이상인 경우에는 직급 또는 고위공무원단에 속하는 공무원의 직무등급이 높은 위원 순서로, 직급 또는 직무등급도 같은 경우에는 위원 재직기간이 긴 위원 순서로, 재직기간도 같은 경우에는 연장자 순서로 한다)

㉢ 시·도지사 소속으로 두는 행정심판위원회의 경우에는 해당 지방자치단체의 조례로 정하는 바에 따라 공무원이 아닌 위원을 위원장으로 정할 수 있다. 이 경우 위원장은 비상임으로 한다.

㉣ 행정심판위원회의 위원은 해당 행정심판위원회가 소속된 행정청이 다음의 어느 하나에 해당하는 사람 중에서 성별을 고려하여 위촉하거나 그 소속 공무원 중에서 지명한다.

> ⓐ 변호사 자격을 취득한 후 5년 이상의 실무 경험이 있는 사람
> ⓑ 고등교육법 제2조 제1호부터 제6호까지의 규정에 따른 학교에서 조교수 이상으로 재직하거나 재직하였던 사람
> ⓒ 행정기관의 4급 이상 공무원이었거나 고위공무원단에 속하는 공무원이었던 사람
> ⓓ 박사학위를 취득한 후 해당 분야에서 5년 이상 근무한 경험이 있는 사람
> ⓔ 그 밖에 행정심판과 관련된 분야의 지식과 경험이 풍부한 사람

㉤ 행정심판위원회의 회의는 위원장과 위원장이 회의마다 지정하는 8명의 위원(위촉위원은 6명 이상으로 하되, 위원장이 공무원이 아닌 경우에는 5명 이상으로 한다)으로 구성한다. 다만, 국회규칙, 대법원규칙, 헌법재판소규칙, 중앙선거관리위원회규칙 또는 대통령령(제6조 제3항에 따라 시·도지사 소속으로 두는 행정심판위원회의 경우에는 해당 지방자치단체의 조례)으로 정하는 바에 따라 위원장과 위원장이 회의마다 지정하는 6명의 위원(위촉위원은 5명 이상으로 하되, 공무원이 아닌 위원이 위원장인 경우에는 4명 이상으로 한다)으로 구성할 수 있다.

㉥ 행정심판위원회는 구성원 과반수의 출석과 출석위원 과반수의 찬성으로 의결한다.

③ 위원의 임기 및 신분보장 등(제9조)

㉠ 위 ②의 ㉣에 따라 지명된 위원은 그 직에 재직하는 동안 재임한다.

㉡ 중앙행정심판위원회 상임위원의 임기는 3년으로 하며, 1차에 한하여 연임할 수 있다.

㉢ 위촉된 위원의 임기는 2년으로 하되, 2차에 한하여 연임할 수 있다.

㉣ 다음의 어느 하나에 해당하는 사람은 행정심판위원회(이하 '위원회'라 한다)의 위원이 될 수 없으며, 위원이 이에 해당하게 된 때에는 당연히 퇴직한다.

> ⓐ 대한민국 국민이 아닌 사람
> ⓑ 국가공무원법 제33조 각 호의 어느 하나에 해당하는 사람

㉤ 위촉된 위원은 금고(禁錮) 이상의 형을 선고받거나 부득이한 사유로 장기간 직무를 수행할 수 없게 되는 경우 외에는 임기 중 그의 의사와 다르게 해촉(解囑)되지 아니한다.

④ 위원의 제척 · 기피 · 회피(제10조)

㉠ 위원회의 위원은 다음의 어느 하나에 해당하는 경우에는 그 사건의 심리 · 의결에서 제척(除斥)된다. 이 경우 제척결정은 위원회의 위원장(이하 '위원장'이라 한다)이 직권으로 또는 당사자의 신청에 의하여 한다.

> ㉠ 위원 또는 그 배우자나 배우자이었던 사람이 사건의 당사자이거나 사건에 관하여 공동 권리자 또는 의무자인 경우
> ㉡ 위원이 사건의 당사자와 친족이거나 친족이었던 경우
> ㉢ 위원이 사건에 관하여 증언이나 감정(鑑定)을 한 경우
> ㉣ 위원이 당사자의 대리인으로서 사건에 관여하거나 관여하였던 경우
> ㉤ 위원이 사건의 대상이 된 처분 또는 부작위에 관여한 경우

㉡ 당사자는 위원에게 공정한 심리 · 의결을 기대하기 어려운 사정이 있으면 위원장에게 기피신청을 할 수 있다.

㉢ 위원에 대한 제척신청이나 기피신청은 그 사유를 소명(疏明)한 문서로 하여야 한다. 다만, 불가피한 경우에는 신청한 날부터 3일 이내에 신청 사유를 소명할 수 있는 자료를 제출하여야 한다.

㉣ 제척신청이나 기피신청이 ㉢을 위반하였을 때에는 위원장은 결정으로 이를 각하한다.

㉤ 위원장은 제척신청이나 기피신청의 대상이 된 위원에게서 그에 대한 의견을 받을 수 있다.

㉥ 위원장은 제척신청이나 기피신청을 받으면 제척 또는 기피 여부에 대한 결정을 하고, 지체 없이 신청인에게 결정서 정본(正本)을 송달하여야 한다.

㉦ 위원회의 회의에 참석하는 위원이 제척사유 또는 기피사유에 해당되는 것을 알게 되었을 때에는 스스로 그 사건의 심리 · 의결에서 회피할 수 있다. 이 경우 회피하고자 하는 위원은 위원장에게 그 사유를 소명하여야 한다.

㉧ 사건의 심리 · 의결에 관한 사무에 관여하는 위원 아닌 직원에게도 ㉠부터 ㉦까지의 규정을 준용한다.

⑤ 벌칙 적용시의 공무원 의제(제11조): 위원 중 공무원이 아닌 위원은 형법과 그 밖의 법률에 따른 벌칙을 적용할 때에는 공무원으로 본다.

⑥ 위원회의 권한 승계(제12조)

㉠ 당사자의 심판청구 후 위원회가 법령의 개정 · 폐지 또는 제17조 제5항에 따른 피청구인의 경정 결정에 따라 그 심판청구에 대하여 재결할 권한을 잃게 된 경우에는 해당 위원회는 심판청구서와 관계 서류, 그 밖의 자료를 새로 재결할 권한을 갖게 된 위원회에 보내야 한다.

㉡ ㉠의 경우 송부를 받은 위원회는 지체 없이 그 사실을 다음의 자에게 알려야 한다.

ⓐ 행정심판 청구인(이하 '청구인'이라 한다)
ⓑ 행정심판 피청구인(이하 '피청구인'이라 한다)
ⓒ 제20조 또는 제21조에 따라 심판참가를 하는 자(이하 '참가인'이라 한다)

3. 당사자와 관계인

(1) 청구인 적격(제13조)

① **취소심판**: 처분의 취소 또는 변경을 구할 법률상 이익이 있는 자가 청구할 수 있다. 처분의 효과가 기간의 경과, 처분의 집행, 그 밖의 사유로 소멸된 뒤에도 그 처분의 취소로 회복되는 법률상 이익이 있는 자의 경우에도 또한 같다.

② **무효등확인심판**: 처분의 효력 유무 또는 존재 여부의 확인을 구할 법률상 이익이 있는 자가 청구할 수 있다.

③ **의무이행심판**: 처분을 신청한 자로서 행정청의 거부처분 또는 부작위에 대하여 일정한 처분을 구할 법률상 이익이 있는 자가 청구할 수 있다.

(2) 법인이 아닌 사단 또는 재단의 청구인 능력(제14조)

법인이 아닌 사단 또는 재단으로서 대표자나 관리인이 정하여져 있는 경우에는 그 사단이나 재단의 이름으로 심판청구를 할 수 있다.

(3) 선정대표자(제15조)

① 여러 명의 청구인이 공동으로 심판청구를 할 때에는 청구인들 중에서 3명 이하의 선정대표자를 선정할 수 있다.

② 청구인들이 선정대표자를 선정하지 아니한 경우에 위원회는 필요하다고 인정하면 청구인들에게 선정대표자를 선정할 것을 권고할 수 있다.

③ 선정대표자는 다른 청구인들을 위하여 그 사건에 관한 모든 행위를 할 수 있다. 다만, 심판청구를 취하하려면 다른 청구인들의 동의를 받아야 하며, 이 경우 동의받은 사실을 서면으로 소명하여야 한다.

④ 선정대표자가 선정되면 다른 청구인들은 그 선정대표자를 통해서만 그 사건에 관한 행위를 할 수 있다.

⑤ 선정대표자를 선정한 청구인들은 필요하다고 인정하면 선정대표자를 해임하거나 변경할 수 있다. 이 경우 청구인들은 그 사실을 지체 없이 위원회에 서면으로 알려야 한다.

(4) 청구인의 지위 승계(제16조)

① 청구인이 사망한 경우에는 상속인이나 그 밖에 법령에 따라 심판청구의 대상에 관계되는 권리나 이익을 승계한 자가 청구인의 지위를 승계한다.

② 법인인 청구인이 합병(合倂)에 따라 소멸하였을 때에는 합병 후 존속하는 법인이나 합병에 따라 설립된 법인이 청구인의 지위를 승계한다.

③ 청구인의 지위를 승계한 자는 위원회에 서면으로 그 사유를 신고하여야 한다. 이 경우 신고서에는 사망 등에 의한 권리·이익의 승계 또는 합병 사실을 증명하는 서면을 함께 제출하여야 한다.

④ ③에 따른 신고가 있을 때까지 사망자나 합병 전의 법인에 대하여 한 통지 또는 그 밖의 행위가 청구인의 지위를 승계한 자에게 도달하면 지위를 승계한 자에 대한 통지 또는 그 밖의 행위로서의 효력이 있다.

⑤ 심판청구의 대상과 관계되는 권리나 이익을 양수한 자는 위원회의 허가를 받아 청구인의 지위를 승계할 수 있다.

⑥ 위원회는 ⑤의 지위 승계 신청을 받으면 기간을 정하여 당사자와 참가인에게 의견을 제출하도록 할 수 있으며, 당사자와 참가인이 그 기간에 의견을 제출하지 아니하면 의견이 없는 것으로 본다.

⑦ 위원회는 지위 승계 신청에 대하여 허가 여부를 결정하고, 지체 없이 신청인에게는 결정서 정본을, 당사자와 참가인에게는 결정서 등본을 송달하여야 한다.

⑧ 신청인은 위원회가 ⑤의 지위 승계를 허가하지 아니하면 결정서 정본을 받은 날부터 7일 이내에 위원회에 이의신청을 할 수 있다.

(5) 피청구인의 적격 및 경정(제17조)

① 행정심판은 처분을 한 행정청(의무이행심판의 경우에는 청구인의 신청을 받은 행정청)을 피청구인으로 하여 청구하여야 한다. 다만, 심판청구의 대상과 관계되는 권한이 다른 행정청에 승계된 경우에는 권한을 승계한 행정청을 피청구인으로 하여야 한다.

② 청구인이 피청구인을 잘못 지정한 경우에는 위원회는 직권으로 또는 당사자의 신청에 의하여 결정으로써 피청구인을 경정(更正)할 수 있다.

③ 위원회는 피청구인을 경정하는 결정을 하면 결정서 정본을 당사자(종전의 피청구인과 새로운 피청구인을 포함한다)에게 송달하여야 한다.

④ ②에 따른 결정이 있으면 종전의 피청구인에 대한 심판청구는 취하되고 종전의 피청구인에 대한 행정심판이 청구된 때에 새로운 피청구인에 대한 행정심판이 청구된 것으로 본다.

⑤ 위원회는 행정심판이 청구된 후에 ①의 단서의 사유가 발생하면 직권으로 또는 당사자의 신청에 의하여 결정으로써 피청구인을 경정한다. 이 경우에는 ③과 ④를 준용한다.

⑥ 당사자는 ② 또는 ⑤에 따른 위원회의 결정에 대하여 결정서 정본을 받은 날부터 7일 이내에 위원회에 이의신청을 할 수 있다.

(6) 대리인의 선임(제18조)

① 청구인은 법정대리인 외에 다음의 어느 하나에 해당하는 자를 대리인으로 선임할 수 있다.

> ㉠ 청구인의 배우자, 청구인 또는 배우자의 사촌 이내의 혈족
> ㉡ 청구인이 법인이거나 제14조에 따른 청구인 능력이 있는 법인이 아닌 사단 또는 재단인 경우 그 소속 임직원
> ㉢ 변호사
> ㉣ 다른 법률에 따라 심판청구를 대리할 수 있는 자
> ㉤ 그 밖에 위원회의 허가를 받은 자

② 피청구인은 그 소속 직원 또는 ①의 ㉢부터 ㉤까지의 어느 하나에 해당하는 자를 대리인으로 선임할 수 있다.

(7) 국선대리인(제18조의2)

① 청구인이 경제적 능력으로 인해 대리인을 선임할 수 없는 경우에는 위원회에 국선대리인을 선임하여 줄 것을 신청할 수 있다.

② 위원회는 국선대리인 선정 여부에 대한 결정을 하고, 지체 없이 청구인에게 그 결과를 통지하여야 한다. 이 경우 위원회는 심판청구가 명백히 부적법하거나 이유 없는 경우 또는 권리의 남용이라고 인정되는 경우에는 국선대리인을 선정하지 아니할 수 있다.

(8) 대표자 등의 자격(제19조)

① 대표자·관리인·선정대표자 또는 대리인의 자격은 서면으로 소명하여야 한다.

② 청구인이나 피청구인은 대표자·관리인·선정대표자 또는 대리인이 그 자격을 잃으면 그 사실을 서면으로 위원회에 신고하여야 한다. 이 경우 소명 자료를 함께 제출하여야 한다.

(9) 심판참가(제20조)

① 행정심판의 결과에 이해관계가 있는 제3자나 행정청은 해당 심판청구에 대한 위원회나 소위원회의 의결이 있기 전까지 그 사건에 대하여 심판참가를 할 수 있다.

② 심판참가를 하려는 자는 참가의 취지와 이유를 적은 참가신청서를 위원회에 제출하여야 한다. 이 경우 당사자의 수만큼 참가신청서 부본을 함께 제출하여야 한다.

③ 위원회는 참가신청서를 받으면 참가신청서 부본을 당사자에게 송달하여야 한다.

④ ③의 경우 위원회는 기간을 정하여 당사자와 다른 참가인에게 제3자의 참가신청에 대한 의견을 제출하도록 할 수 있으며, 당사자와 다른 참가인이 그 기간에 의견을 제출하지 아니하면 의견이 없는 것으로 본다.

⑤ 위원회는 참가신청을 받으면 허가 여부를 결정하고, 지체 없이 신청인에게는 결정서 정본을, 당사자와 다른 참가인에게는 결정서 등본을 송달하여야 한다.

⑥ 신청인은 송달을 받은 날부터 7일 이내에 위원회에 이의신청을 할 수 있다.

(10) 심판참가의 요구(제21조)

① 위원회는 필요하다고 인정하면 그 행정심판 결과에 이해관계가 있는 제3자나 행정청에 그 사건 심판에 참가할 것을 요구할 수 있다.

② 요구를 받은 제3자나 행정청은 지체 없이 그 사건 심판에 참가할 것인지 여부를 위원회에 통지하여야 한다.

(11) 참가인의 지위(제22조)

① 참가인은 행정심판 절차에서 당사자가 할 수 있는 심판절차상의 행위를 할 수 있다.

② 이 법에 따라 당사자가 위원회에 서류를 제출할 때에는 참가인의 수만큼 부본을 제출하여야 하고, 위원회가 당사자에게 통지를 하거나 서류를 송달할 때에는 참가인에게도 통지하거나 송달하여야 한다.

③ 참가인의 대리인 선임과 대표자 자격 및 서류 제출에 관하여는 제18조, 제19조 및 이 조 제2항을 준용한다.

4. 행정심판청구

(1) 심판청구서의 제출(제23조)

① 행정심판을 청구하려는 자는 심판청구서를 작성하여 피청구인이나 위원회에 제출하여야 한다. 이 경우 피청구인의 수만큼 심판청구서 부본을 함께 제출하여야 한다.

② 행정청이 제58조에 따른 고지를 하지 아니하거나 잘못 고지하여 청구인이 심판청구서를 다른 행정기관에 제출한 경우에는 그 행정기관은 그 심판청구서를 지체 없이 정당한 권한이 있는 피청구인에게 보내야 한다.

행정심판법

제58조 【행정심판의 고지】 ① 행정청이 처분을 할 때에는 처분의 상대방에게 다음의 사항을 알려야 한다.

1. 해당 처분에 대하여 행정심판을 청구할 수 있는지
2. 행정심판을 청구하는 경우의 심판청구 절차 및 심판청구 기간

> ② 행정청은 이해관계인이 요구하면 다음의 사항을 지체 없이 알려 주어야 한다. 이 경우 서면으로 알려 줄 것을 요구받으면 서면으로 알려 주어야 한다.
> 1. 해당 처분이 행정심판의 대상이 되는 처분인지
> 2. 행정심판의 대상이 되는 경우 소관 위원회 및 심판청구 기간

③ 심판청구서를 보낸 행정기관은 지체 없이 그 사실을 청구인에게 알려야 한다.

④ 심판청구 기간을 계산할 때에는 피청구인이나 위원회 또는 행정기관에 심판청구서가 제출되었을 때에 행정심판이 청구된 것으로 본다.

(2) 피청구인의 심판청구서 등의 접수 · 처리(제24조)

① 피청구인이 심판청구서를 접수하거나 송부받으면 10일 이내에 심판청구서와 답변서를 위원회에 보내야 한다. 다만, 청구인이 심판청구를 취하한 경우에는 그러하지 아니하다.

② ①에도 불구하고 심판청구가 그 내용이 특정되지 아니하는 등 명백히 부적법하다고 판단되는 경우에 피청구인은 답변서를 위원회에 보내지 아니할 수 있다. 이 경우 심판청구서를 접수하거나 송부받은 날부터 10일 이내에 그 사유를 위원회에 문서로 통보하여야 한다.

③ ②에도 불구하고 위원장이 심판청구에 대하여 답변서 제출을 요구하면 피청구인은 위원장으로부터 답변서 제출을 요구받은 날부터 10일 이내에 위원회에 답변서를 제출하여야 한다.

④ 피청구인은 처분의 상대방이 아닌 제3자가 심판청구를 한 경우에는 지체 없이 처분의 상대방에게 그 사실을 알려야 한다. 이 경우 심판청구서 사본을 함께 송달하여야 한다.

⑤ 피청구인이 심판청구서를 보낼 때에는 심판청구서에 위원회가 표시되지 아니하였거나 잘못 표시된 경우에도 정당한 권한이 있는 위원회에 보내야 한다.

⑥ 피청구인은 답변서를 보낼 때에는 청구인의 수만큼 답변서 부본을 함께 보내되, 답변서에는 다음의 사항을 명확하게 적어야 한다.

> ㉠ 처분이나 부작위의 근거와 이유
> ㉡ 심판청구의 취지와 이유에 대응하는 답변
> ㉢ ④에 해당하는 경우에는 처분의 상대방의 이름 · 주소 · 연락처와 ④의 의무 이행 여부

⑦ ④와 ⑤의 경우에 피청구인은 송부 사실을 지체 없이 청구인에게 알려야 한다.

⑧ 중앙행정심판위원회에서 심리 · 재결하는 사건인 경우 피청구인은 위원회에 심판청구서 또는 답변서를 보낼 때에는 소관 중앙행정기관의 장에게도 그 심판청구 · 답변의 내용을 알려야 한다.

(3) 피청구인의 직권취소 등(제25조)

① 심판청구서를 받은 피청구인은 그 심판청구가 이유 있다고 인정하면 심판청구의 취지에 따라 직권으로 처분을 취소 · 변경하거나 확인을 하거나 신청에 따른 처분(이하 '직권취소 등'이라 한다)을 할 수 있다. 이 경우 서면으로 청구인에게 알려야 한다.

② 피청구인은 직권취소 등을 하였을 때에는 청구인이 심판청구를 취하한 경우가 아니면 심판청구서 · 답변서를 보내거나 위 (2) ③에 따라 답변서를 보낼 때 직권취소 등의 사실을 증명하는 서류를 위원회에 함께 제출하여야 한다.

(4) 위원회의 심판청구서 등의 접수 · 처리(제26조)

① 위원회는 심판청구서를 받으면 지체 없이 피청구인에게 심판청구서 부본을 보내야 한다.

② 위원회는 피청구인으로부터 답변서가 제출된 경우 답변서 부본을 청구인에게 송달하여야 한다.

(5) 심판청구의 기간(제27조)

① 행정심판은 처분이 있음을 알게 된 날부터 90일 이내에 청구하여야 한다.

판례

1. **행정심판법 제18조 제1항 소정의 심판청구기간 기산점인 '처분이 있음을 안 날'의 의미**
   행정심판법 제18조 제1항 소정의 심판청구기간 기산점인 '처분이 있음을 안 날'이라 함은 당사자가 통지 · 공고 기타의 방법에 의하여 당해 처분이 있었다는 사실을 현실적으로 안 날을 의미하고, 추상적으로 알 수 있었던 날을 의미하는 것은 아니지만, 처분에 관한 서류가 당사자의 주소지에 송달되는 등 사회통념상 처분이 있음을 당사자가 알 수 있는 상태에 놓여진 때에는 반증이 없는 한 그 처분이 있음을 알았다고 추정할 수 있다(대판 1999.12.28, 99두9742).
2. **아르바이트 직원이 납부고지서를 수령한 경우**
   원고의 주소지에서 원고의 아르바이트 직원이 납부고지서를 수령한 이상, 원고로서는 그 때 처분이 있음을 알 수 있는 상태에 있었다고 볼 수 있고, 따라서 원고는 그때 처분이 있음을 알았다고 추정함이 상당하다(대판 1999.12.28, 99두9742).
3. **아파트 경비원이 과징금부과처분의 납부고지서를 수령한 날이 그 납부의무자가 '부과처분이 있음을 안 날'은 아니라고 한 사례**
   아파트 경비원이 관례에 따라 부재중인 납부의무자에게 배달되는 과징금부과처분의 납부고지서를 수령한 경우, 납부의무자가 아파트 경비원에게 우편물 등의 수령권한을 위임한 것으로 볼 수는 있을지언정, 과징금부과처분의 대상으로 된 사항에 관하여 납부의무자를 대신하여 처리할 권한까지 위임한 것으로 볼 수는 없고, 설사 위 경비원이 위 납부고지서를 수령한 때에 위 부과처분이 있음을 알았다고 하더라도 이로써 납부의무자 자신이 그 부과처분이 있음을 안 것과 동일하게 볼 수는 없다(대판 2002.8.27, 2002두3850).

② 청구인이 천재지변, 전쟁, 사변(事變), 그 밖의 불가항력으로 인하여 (1)에서 정한 기간에 심판청구를 할 수 없었을 때에는 그 사유가 소멸한 날부터 14일 이내에 행정심판을 청구할 수 있다. 다만, 국외에서 행정심판을 청구하는 경우에는 그 기간을 30일로 한다.

③ 행정심판은 처분이 있었던 날부터 180일이 지나면 청구하지 못한다. 다만, 정당한 사유가 있는 경우에는 그러하지 아니하다.

④ ①과 ②의 기간은 불변기간(不變期間)으로 한다.

⑤ 행정청이 심판청구 기간을 ①에 규정된 기간보다 긴 기간으로 잘못 알린 경우 그 잘못 알린 기간에 심판청구가 있으면 그 행정심판은 ①에 규정된 기간에 청구된 것으로 본다.

⑥ 행정청이 심판청구 기간을 알리지 아니한 경우에는 ③에 규정된 기간에 심판청구를 할 수 있다.

판례 **구 행정심판법상 행정처분의 상대방이 아닌 제3자가 당해 처분이 있음을 알았거나 쉽게 알 수 있는 경우, 행정심판의 청구기간**

행정처분의 상대방이 아닌 제3자는 일반적으로 처분이 있는 것을 바로 알 수 없는 처지에 있으므로 처분이 있은 날로부터 180일이 경과하더라도 특별한 사유가 없는 한 구 행정심판법(1995.12.6. 법률 제5000호로 개정되기 전의 것) 제18조 제3항 단서 소정의 정당한 사유가 있는 것으로 보아 심판청구가 가능하나, 그 제3자가 어떤 경위로든 행정처분이 있음을 알았거나 쉽게 알 수 있는 등 같은 법 제18조 제1항 소정의 심판청구기간 내에 심판청구가 가능하였다는 사정이 있는 경우에는

> 그때로부터 60일 이내에 심판청구를 하여야 하고, 이 경우 제3자가 그 청구기간을 지키지 못하였음에 정당한 사유가 있는지 여부는 문제가 되지 아니한다(대판 2002.5.24, 2000두3641).

⑦ ①부터 ⑥까지의 규정은 무효 등 확인심판청구와 부작위에 대한 의무이행심판청구에는 적용하지 아니한다.

(6) 심판청구의 방식(제28조)

① 심판청구는 서면으로 하여야 한다.

② 처분에 대한 심판청구의 경우에는 심판청구서에 다음의 사항이 포함되어야 한다.

> ㉠ 청구인의 이름과 주소 또는 사무소(주소 또는 사무소 외의 장소에서 송달받기를 원하면 송달장소를 추가로 적어야 한다)
> ㉡ 피청구인과 위원회
> ㉢ 심판청구의 대상이 되는 처분의 내용
> ㉣ 처분이 있음을 알게 된 날
> ㉤ 심판청구의 취지와 이유
> ㉥ 피청구인의 행정심판 고지 유무와 그 내용

판례

1. **불비된 사항이 있거나 취지가 불명확한 행정심판청구서의 처리방법**
   행정심판법 제19조, 제23조의 규정 취지와 행정심판제도의 목적에 비추어 보면 행정소송의 전치요건인 행정심판청구는 엄격한 형식을 요하지 아니하는 서면행위로 해석되므로, 위법·부당한 행정처분으로 인하여 권리나 이익을 침해당한 자로부터 그 처분의 취소나 변경을 구하는 서면이 제출되었을 때에는 그 표제와 제출기관의 여하를 불문하고 이를 행정소송법 제18조 소정의 행정심판청구로 보고, 불비된 사항이 보정가능한 때에는 보정을 명하고 보정이 불가능하거나 보정명령에 따르지 아니한 때에 비로소 부적법 각하를 하여야 할 것이며, 더욱이 심판청구인은 일반적으로 전문적 법률지식을 갖고 있지 못하여 제출된 서면의 취지가 불명확한 경우도 적지 않으나, 이러한 경우에도 행정청으로서는 그 서면을 가능한 한 제출자의 이익이 되도록 해석하고 처리하여야 한다(대판 2000.6.9, 98두2621).
2. **청구인과 피청구인의 표시, 심판청구취지 및 이유 등을 구분하여 기재하지 아니하고 작성자의 서명, 날인이 없는 학사제명취소 신청서의 제출을 적법한 행정심판청구로 본 사례**
   한국교원대학교로부터 제명처분을 당한 원고의 어머니가 그 처분이 있음을 알고 원고를 대신하여 작성, 제출한 학사제명취소신청서에는 청구인과 피청구인의 표시, 심판청구취지 및 이유 등 행정심판법 제19조 제2항 소정의 사항들을 구분하여 기재하고 있지 아니하고, 작성명의자도 '원고 어머니'라고 기재되어 있을 뿐 작성자의 서명날인이 되어 있지 아니하여 행정심판청구로서의 형식을 갖추고 있지는 않으나, 위 서면의 내용에서 계쟁처분의 내용과 심판청구의 취지 및 이유를 알아 볼 수가 있고 행정처분의 상대방인 원고의 이름과 학년, 학과를 기재하여 처분청인 피고(위 대학교 총장)에게 이를 제출하였다면, 청구인을 원고, 피청구인을 피고로 하여 원고의 어머니가 원고의 대리인으로서 심판청구를 하고 있다고 보아야 할 것이며, 그밖에 청구인의 주소, 대리인의 이름과 주소, 재결청, 처분이 있은 것을 안 날, 처분을 한 행정청의 고지의 유무 및 그 내용, 대리인의 날인과 그 자격을 소명하는 서면 등의 불비한 점은 있으나 행정심판청구는 엄격한 형식을 요하지 아니하는 서면행위이어서 어느 것이나 그 보정이 가능한 것이므로, 결국 위 학사제명취소신청서는 행정소송의 전치 요건인 행정심판청구서로서 원고는 적법한 행정심판청구를 한 것으로 보아야 할 것이다(대판 1990.6.8, 89누851).
3. **'진정서'라는 제목의 서면 제출이 행정심판청구로 볼 수 있다고 한 사례**
   비록 제목이 '진정서'로 되어 있고, 재결청의 표시, 심판청구의 취지 및 이유, 처분을 한 행정청의 고지의 유무 및 그 내용 등 행정심판법 제19조 제2항 소정의 사항들을 구분하여 기재하고 있지 아니하여 행정심판청구서로서의 형식을 다 갖추고 있다고 볼 수는 없으나, 피청구인인 처분청과 청구인의 이름과 주소가 기재되어 있고, 청구인의 기명이 되어 있으며, 문서의 기재 내용에 의하여 심판청구의 대상이 되는 행정처분의 내용과 심판청구의 취지 및 이유, 처분이 있은

> 것을 안 날을 알 수 있는 경우, 위 문서에 기재되어 있지 않은 재결청, 처분을 한 행정청의 고지의 유무 등의 내용과 날인 등의 불비한 점은 보정이 가능하므로 위 문서를 행정처분에 대한 행정심판청구로 보는 것이 옳다(대판 2000.6.9, 98두2621).
>
> **4. 이의신청을 제기해야 할 사람이 처분청에 표제를 '행정심판청구서'로 한 서류를 제출한 경우, 서류의 내용에 이의신청 요건에 맞는 불복취지와 사유가 충분히 기재되어 있다면 이를 처분에 대한 이의신청으로 볼 수 있는지 여부(적극)**
>
> 지방자치법 제140조 제3항에서 정한 이의신청은 행정청의 위법·부당한 처분에 대하여 행정기관이 심판하는 행정심판과는 구별되는 별개의 제도이나, 이의신청과 행정심판은 모두 본질에 있어 행정처분으로 인하여 권리나 이익을 침해당한 상대방의 권리구제에 목적이 있고, 행정소송에 앞서 먼저 행정기관의 판단을 받는 데에 목적을 둔 엄격한 형식을 요하지 않는 서면행위이므로, 이의신청을 제기해야 할 사람이 처분청에 표제를 '행정심판청구서'로 한 서류를 제출한 경우라 할지라도 서류의 내용에 이의신청 요건에 맞는 불복취지와 사유가 충분히 기재되어 있다면 표제에도 불구하고 이를 처분에 대한 이의신청으로 볼 수 있다(대판 2012.3.29, 2011두26886).

③ 부작위에 대한 심판청구의 경우에는 ②의 ㉠·㉡·㉤의 사항과 그 부작위의 전제가 되는 신청의 내용과 날짜를 적어야 한다.

④ 청구인이 법인이거나 청구인 능력이 있는 법인이 아닌 사단 또는 재단이거나 행정심판이 선정대표자나 대리인에 의하여 청구되는 것일 때에는 ② 또는 ③의 사항과 함께 그 대표자·관리인·선정대표자 또는 대리인의 이름과 주소를 적어야 한다.

⑤ 심판청구서에는 청구인·대표자·관리인·선정대표자 또는 대리인이 서명하거나 날인하여야 한다.

(7) 청구의 변경(제29조)

① 청구인은 청구의 기초에 변경이 없는 범위에서 청구의 취지나 이유를 변경할 수 있다.

② 행정심판이 청구된 후에 피청구인이 새로운 처분을 하거나 심판청구의 대상인 처분을 변경한 경우에는 청구인은 새로운 처분이나 변경된 처분에 맞추어 청구의 취지나 이유를 변경할 수 있다.

③ 청구의 변경은 서면으로 신청하여야 한다. 이 경우 피청구인과 참가인의 수만큼 청구변경신청서 부본을 함께 제출하여야 한다.

④ 위원회는 청구변경신청서 부본을 피청구인과 참가인에게 송달하여야 한다.

⑤ ④의 경우 위원회는 기간을 정하여 피청구인과 참가인에게 청구변경 신청에 대한 의견을 제출하도록 할 수 있으며, 피청구인과 참가인이 그 기간에 의견을 제출하지 아니하면 의견이 없는 것으로 본다.

⑥ 위원회는 청구변경 신청에 대하여 허가할 것인지 여부를 결정하고, 지체 없이 신청인에게는 결정서 정본을, 당사자 및 참가인에게는 결정서 등본을 송달하여야 한다.

⑦ 신청인은 송달을 받은 날부터 7일 이내에 위원회에 이의신청을 할 수 있다.

⑧ 청구의 변경결정이 있으면 처음 행정심판이 청구되었을 때부터 변경된 청구의 취지나 이유로 행정심판이 청구된 것으로 본다.

(8) 집행정지(제30조)

① 심판청구는 처분의 효력이나 그 집행 또는 절차의 속행(續行)에 영향을 주지 아니한다.

② 위원회는 처분, 처분의 집행 또는 절차의 속행 때문에 중대한 손해가 생기는 것을 예방할 필요성이 긴급하다고 인정할 때에는 직권으로 또는 당사자의 신청에 의하여 처분의 효력, 처분의 집행 또는 절차의 속행의 전부 또는 일부의 정지(이하 '집행정지'라 한다)를 결정할 수 있다. 다만, 처분의 효력정지는 처분의 집행 또는 절차의 속행을 정지함으로써 그 목적을 달성할 수 있을 때에는 허용되지 아니한다.

③ 집행정지는 공공복리에 중대한 영향을 미칠 우려가 있을 때에는 허용되지 아니한다.

④ 위원회는 집행정지를 결정한 후에 집행정지가 공공복리에 중대한 영향을 미치거나 그 정지사유가 없어진 경우에는 직권으로 또는 당사자의 신청에 의하여 집행정지 결정을 취소할 수 있다.

⑤ 집행정지 신청은 심판청구와 동시에 또는 심판청구에 대한 제7조 제6항 또는 제8조 제7항에 따른 위원회나 소위원회의 의결이 있기 전까지, 집행정지 결정의 취소신청은 심판청구에 대한 제7조 제6항 또는 제8조 제7항에 따른 위원회나 소위원회의 의결이 있기 전까지 신청의 취지와 원인을 적은 서면을 위원회에 제출하여야 한다. 다만, 심판청구서를 피청구인에게 제출한 경우로서 심판청구와 동시에 집행정지 신청을 할 때에는 심판청구서 사본과 접수증명서를 함께 제출하여야 한다.

⑥ 위원회의 심리・결정을 기다릴 경우 중대한 손해가 생길 우려가 있다고 인정되면 위원장은 직권으로 위원회의 심리・결정을 갈음하는 결정을 할 수 있다. 이 경우 위원장은 지체 없이 위원회에 그 사실을 보고하고 추인(追認)을 받아야 하며, 위원회의 추인을 받지 못하면 위원장은 집행정지 또는 집행정지 취소에 관한 결정을 취소하여야 한다.

⑦ 위원회는 집행정지 또는 집행정지의 취소에 관하여 심리・결정하면 지체 없이 당사자에게 결정서 정본을 송달하여야 한다.

(9) 임시처분(제31조)

① 위원회는 처분 또는 부작위가 위법・부당하다고 상당히 의심되는 경우로서 처분 또는 부작위 때문에 당사자가 받을 우려가 있는 중대한 불이익이나 당사자에게 생길 급박한 위험을 막기 위하여 임시지위를 정하여야 할 필요가 있는 경우에는 직권으로 또는 당사자의 신청에 의하여 임시처분을 결정할 수 있다.

② 임시처분에 관하여는 위 (8)의 ③부터 ⑦까지를 준용한다. 이 경우 '중대한 손해가 생길 우려'는 '중대한 불이익이나 급박한 위험이 생길 우려'로 본다.

③ 임시처분은 집행정지로 목적을 달성할 수 있는 경우에는 허용되지 아니한다.

5. 심리

(1) 보정(제32조)

① 위원회는 심판청구가 적법하지 아니하나 보정(補正)할 수 있다고 인정하면 기간을 정하여 청구인에게 보정할 것을 요구할 수 있다. 다만, 경미한 사항은 직권으로 보정할 수 있다.

② 청구인은 보정요구를 받으면 서면으로 보정하여야 한다. 이 경우 다른 당사자의 수만큼 보정서 부본을 함께 제출하여야 한다.

③ 위원회는 제출된 보정서 부본을 지체 없이 다른 당사자에게 송달하여야 한다.

④ 보정을 한 경우에는 처음부터 적법하게 행정심판이 청구된 것으로 본다.

⑤ 보정기간은 제45조에 따른 재결 기간에 산입하지 아니한다.

⑥ 위원회는 청구인이 ①에 따른 보정기간 내에 그 흠을 보정하지 아니한 경우에는 그 심판청구를 각하할 수 있다.

(2) 보정할 수 없는 심판청구의 각하(제32조의2)

위원회는 심판청구서에 타인을 비방하거나 모욕하는 내용 등이 기재되어 청구 내용을 특정할 수 없고 그 흠을 보정할 수 없다고 인정되는 경우에는 보정요구 없이 그 심판청구를 각하할 수 있다.

(3) 주장의 보충(제33조)

① 당사자는 심판청구서 · 보정서 · 답변서 · 참가신청서 등에서 주장한 사실을 보충하고 다른 당사자의 주장을 다시 반박하기 위하여 필요하면 위원회에 보충서면을 제출할 수 있다. 이 경우 다른 당사자의 수만큼 보충서면 부본을 함께 제출하여야 한다.

판례 **항고소송에서 행정청이 처분의 근거 사유를 추가하거나 변경하기 위한 요건인 '기본적 사실관계의 동일성' 유무의 판단 방법 및 이러한 법리가 행정심판 단계에서도 적용되는지 여부(적극)**

행정처분의 취소를 구하는 항고소송에서 처분청은 당초 처분의 근거로 삼은 사유와 기본적 사실관계가 동일성이 있다고 인정되는 한도 내에서만 다른 사유를 추가 또는 변경할 수 있고, 이러한 기본적 사실관계의 동일성 유무는 처분사유를 법률적으로 평가하기 이전의 구체적 사실에 착안하여 그 기초인 사회적 사실관계가 기본적인 점에서 동일한지에 따라 결정되므로, 추가 또는 변경된 사유가 처분 당시에 이미 존재하고 있었다거나 당사자가 그 사실을 알고 있었다고 하여 당초의 처분사유와 동일성이 있다고 할 수 없다. 그리고 이러한 법리는 행정심판 단계에서도 그대로 적용된다(대판 2014.5.16, 2013두26118).

② 위원회는 필요하다고 인정하면 보충서면의 제출기한을 정할 수 있다.

③ 위원회는 보충서면을 받으면 지체 없이 다른 당사자에게 그 부본을 송달하여야 한다.

(4) 증거서류 등의 제출(제34조)

① 당사자는 심판청구서 · 보정서 · 답변서 · 참가신청서 · 보충서면 등에 덧붙여 그 주장을 뒷받침하는 증거서류나 증거물을 제출할 수 있다.

② 증거서류에는 다른 당사자의 수만큼 증거서류 부본을 함께 제출하여야 한다.

③ 위원회는 당사자가 제출한 증거서류의 부본을 지체 없이 다른 당사자에게 송달하여야 한다.

(5) 자료의 제출 요구 등(제35조)

① 위원회는 사건 심리에 필요하면 관계 행정기관이 보관 중인 관련 문서, 장부, 그 밖에 필요한 자료를 제출할 것을 요구할 수 있다.

② 위원회는 필요하다고 인정하면 사건과 관련된 법령을 주관하는 행정기관이나 그 밖의 관계 행정기관의 장 또는 그 소속 공무원에게 위원회 회의에 참석하여 의견을 진술할 것을 요구하거나 의견서를 제출할 것을 요구할 수 있다.

③ 관계 행정기관의 장은 특별한 사정이 없으면 위원회의 요구에 따라야 한다.

④ 중앙행정심판위원회에서 심리 · 재결하는 심판청구의 경우 소관 중앙행정기관의 장은 의견서를 제출하거나 위원회에 출석하여 의견을 진술할 수 있다.

(6) 증거조사(제36조)

① 위원회는 사건을 심리하기 위하여 필요하면 직권으로 또는 당사자의 신청에 의하여 다음의 방법에 따라 증거조사를 할 수 있다.

> ① 당사자나 관계인(관계 행정기관 소속 공무원을 포함한다)을 위원회의 회의에 출석하게 하여 신문(訊問)하는 방법
> ② 당사자나 관계인이 가지고 있는 문서 · 장부 · 물건 또는 그 밖의 증거자료의 제출을 요구하고 영치(領置)하는 방법
> ③ 특별한 학식과 경험을 가진 제3자에게 감정을 요구하는 방법
> ④ 당사자 또는 관계인의 주소 · 거소 · 사업장이나 그 밖의 필요한 장소에 출입하여 당사자 또는 관계인에게 질문하거나 서류 · 물건 등을 조사 · 검증하는 방법

② 위원회는 필요하면 위원회가 소속된 행정청의 직원이나 다른 행정기관에 촉탁하여 증거조사를 하게 할 수 있다.

③ 증거조사를 수행하는 사람은 그 신분을 나타내는 증표를 지니고 이를 당사자나 관계인에게 내보여야 한다.

④ 당사자 등은 위원회의 조사나 요구 등에 성실하게 협조하여야 한다.

(7) 절차의 병합 또는 분리(제37조)

위원회는 필요하면 관련되는 심판청구를 병합하여 심리하거나 병합된 관련 청구를 분리하여 심리할 수 있다.

(8) 심리기일의 지정과 변경(제38조)

① 심리기일은 위원회가 직권으로 지정한다.

② 심리기일의 변경은 직권으로 또는 당사자의 신청에 의하여 한다.

③ 위원회는 심리기일이 변경되면 지체 없이 그 사실과 사유를 당사자에게 알려야 한다.

④ 심리기일의 통지나 심리기일 변경의 통지는 서면으로 하거나 심판청구서에 적힌 전화, 휴대전화를 이용한 문자전송, 팩시밀리 또는 전자우편 등 간편한 통지 방법(이하 '간이통지방법'이라 한다)으로 할 수 있다.

(9) 직권심리(제39조)

위원회는 필요하면 당사자가 주장하지 아니한 사실에 대하여도 심리할 수 있다.

(10) 심리의 방식(제40조)

① 행정심판의 심리는 구술심리나 서면심리로 한다. 다만, 당사자가 구술심리를 신청한 경우에는 서면심리만으로 결정할 수 있다고 인정되는 경우 외에는 구술심리를 하여야 한다.

② 위원회는 구술심리 신청을 받으면 그 허가 여부를 결정하여 신청인에게 알려야 한다.

③ 통지는 간이통지방법으로 할 수 있다.

(11) 발언 내용 등의 비공개(제41조)

위원회에서 위원이 발언한 내용이나 그 밖에 공개되면 위원회의 심리・재결의 공정성을 해칠 우려가 있는 사항으로서 대통령령으로 정하는 사항은 공개하지 아니한다.

(12) 심판청구 등의 취하(제42조)

① 청구인은 심판청구에 대하여 제7조 제6항 또는 제8조 제7항에 따른 의결이 있을 때까지 서면으로 심판청구를 취하할 수 있다.

② 참가인은 심판청구에 대하여 제7조 제6항 또는 제8조 제7항에 따른 의결이 있을 때까지 서면으로 참가신청을 취하할 수 있다.

③ 취하서에는 청구인이나 참가인이 서명하거나 날인하여야 한다.

④ 청구인 또는 참가인은 취하서를 피청구인 또는 위원회에 제출하여야 한다.

⑤ 피청구인 또는 위원회는 계속 중인 사건에 대하여 취하서를 받으면 지체 없이 다른 관계 기관, 청구인, 참가인에게 취하 사실을 알려야 한다.

6. 재결

(1) 재결의 구분(제43조)

① 위원회는 심판청구가 적법하지 아니하면 그 심판청구를 각하(却下)한다.

② 위원회는 심판청구가 이유가 없다고 인정하면 그 심판청구를 기각(棄却)한다.

> **판례** **행정심판에 있어서 재결청이 행정처분의 위법·부당 여부를 재결 당시까지 제출된 모든 자료를 종합하여 판단할 수 있는지 여부(적극)**
>
> 행정심판에 있어서 행정처분의 위법·부당 여부는 원칙적으로 처분시를 기준으로 판단하여야 할 것이나, 재결청은 처분 당시 존재하였거나 행정청에 제출되었던 자료뿐만 아니라, 재결 당시까지 제출된 모든 자료를 종합하여 처분 당시 존재하였던 객관적 사실을 확정하고 그 사실에 기초하여 처분의 위법·부당 여부를 판단할 수 있다(대판 2001.7.27, 99두5092).

③ 위원회는 취소심판의 청구가 이유가 있다고 인정하면 처분을 취소 또는 다른 처분으로 변경하거나 처분을 다른 처분으로 변경할 것을 피청구인에게 명한다.

④ 위원회는 무효 등 확인심판의 청구가 이유가 있다고 인정하면 처분의 효력 유무 또는 처분의 존재 여부를 확인한다.

⑤ 위원회는 의무이행심판의 청구가 이유가 있다고 인정하면 지체 없이 신청에 따른 처분을 하거나 처분을 할 것을 피청구인에게 명한다.

> **판례** **사립학교 교원이 학교법인의 해임처분에 대하여 교원지위향상을 위한 특별법에 따라 교육부 내의 교원징계재심위원회에 재심청구를 한 경우 재심위원회의 결정이 행정소송의 대상인 행정처분인지 여부(적극)**
>
> 사립학교 교원은 학교법인 또는 사립학교 경영자에 의하여 임면되는 것으로서 사립학교 교원과 학교법인의 관계를 공법상의 권력관계라고는 볼 수 없으므로 사립학교 교원에 대한 학교법인의 해임처분을 취소소송의 대상이 되는 행정청의 처분으로 볼 수 없고, 따라서 학교법인을 상대로 한 불복은 행정소송에 의할 수 없고 민사소송절차에 의할 것이다.
>
> 사립학교 교원에 대한 해임처분에 대한 구제방법으로 학교법인을 상대로한 민사소송 이외 교원지위향상을 위한 특별법 제7조 내지 10조에 따라 교육부 내에 설치된 교원징계재심위원회에 재심청구를 하고 교원징계재심위원회의 결정에 불복하여 행정소송을 제기하는 방법도 있으나, 이 경우에도 행정소송의 대상이 되는 행정처분은 교원징계재심위원회의 결정이지 학교법인의 해임처분이 행정처분으로 의제되는 것이 아니며, 또한 교원징계재심위원회의 결정을 이에 대한 행정심판으로서의 재결에 해당되는 것으로 볼 수는 없다(대판 1993.2.12, 92누13707).

(2) 조정(제43조의2)

① 위원회는 당사자의 권리 및 권한의 범위에서 당사자의 동의를 받아 심판청구의 신속하고 공정한 해결을 위하여 조정을 할 수 있다. 다만, 그 조정이 공공복리에 적합하지 아니하거나 해당 처분의 성질에 반하는 경우에는 그러하지 아니하다.

② 위원회는 조정을 함에 있어서 심판청구된 사건의 법적·사실적 상태와 당사자 및 이해관계자의 이익 등 모든 사정을 참작하고, 조정의 이유와 취지를 설명하여야 한다.

③ 조정은 당사자가 합의한 사항을 조정서에 기재한 후 당사자가 서명 또는 날인하고 위원회가 이를 확인함으로써 성립한다.

(3) 사정재결(제44조)

① 위원회는 심판청구가 이유가 있다고 인정하는 경우에도 이를 인용(認容)하는 것이 공공복리에 크게 위배된다고 인정하면 그 심판청구를 기각하는 재결을 할 수 있다. 이 경우 위원회는 재결의 주문(主文)에서 그 처분 또는 부작위가 위법하거나 부당하다는 것을 구체적으로 밝혀야 한다.

② 위원회는 재결을 할 때에는 청구인에 대하여 상당한 구제방법을 취하거나 상당한 구제방법을 취할 것을 피청구인에게 명할 수 있다.

③ ①과 ②는 무효등확인심판에는 적용하지 아니한다.

(4) 재결 기간(제45조)

① 재결은 피청구인 또는 위원회가 심판청구서를 받은 날부터 60일 이내에 하여야 한다. 다만, 부득이한 사정이 있는 경우에는 위원장이 직권으로 30일을 연장할 수 있다.

② 위원장은 재결 기간을 연장할 경우에는 재결 기간이 끝나기 7일 전까지 당사자에게 알려야 한다.

(5) 재결의 방식(제46조)

① 재결은 서면으로 한다.

② 재결서에는 다음의 사항이 포함되어야 한다.

㉠ 사건번호와 사건명
㉡ 당사자·대표자 또는 대리인의 이름과 주소
㉢ 주문
㉣ 청구의 취지
㉤ 이유
㉥ 재결한 날짜

③ 재결서에 적는 이유에는 주문 내용이 정당하다는 것을 인정할 수 있는 정도의 판단을 표시하여야 한다.

(6) 재결의 범위(제47조)

① 위원회는 심판청구의 대상이 되는 처분 또는 부작위 외의 사항에 대하여는 재결하지 못한다.

② 위원회는 심판청구의 대상이 되는 처분보다 청구인에게 불리한 재결을 하지 못한다.

(7) 재결의 송달과 효력 발생(제48조)

① 위원회는 지체 없이 당사자에게 재결서의 정본을 송달하여야 한다. 이 경우 중앙행정심판위원회는 재결 결과를 소관 중앙행정기관의 장에게도 알려야 한다.

② 재결은 청구인에게 송달되었을 때에 그 효력이 생긴다.

③ 위원회는 재결서의 등본을 지체 없이 참가인에게 송달하여야 한다.

④ 처분의 상대방이 아닌 제3자가 심판청구를 한 경우 위원회는 재결서의 등본을 지체 없이 피청구인을 거쳐 처분의 상대방에게 송달하여야 한다.

⑻ 재결의 기속력 등(제49조)

① 심판청구를 인용하는 재결은 피청구인과 그 밖의 관계 행정청을 기속(羈束)한다.

② 재결에 의하여 취소되거나 무효 또는 부존재로 확인되는 처분이 당사자의 신청을 거부하는 것을 내용으로 하는 경우에는 그 처분을 한 행정청은 재결의 취지에 따라 다시 이전의 신청에 대한 처분을 하여야 한다.

③ 당사자의 신청을 거부하거나 부작위로 방치한 처분의 이행을 명하는 재결이 있으면 행정청은 지체 없이 이전의 신청에 대하여 재결의 취지에 따라 처분을 하여야 한다.

④ 신청에 따른 처분이 절차의 위법 또는 부당을 이유로 재결로써 취소된 경우에는 ②를 준용한다.

⑤ 법령의 규정에 따라 공고하거나 고시한 처분이 재결로써 취소되거나 변경되면 처분을 한 행정청은 지체 없이 그 처분이 취소 또는 변경되었다는 것을 공고하거나 고시하여야 한다.

⑥ 법령의 규정에 따라 처분의 상대방 외의 이해관계인에게 통지된 처분이 재결로써 취소되거나 변경되면 처분을 한 행정청은 지체 없이 그 이해관계인에게 그 처분이 취소 또는 변경되었다는 것을 알려야 한다.

판례

1. 형성적 재결의 효력

행정심판법 제32조 제3항에 의하면 재결청은 취소심판의 청구가 이유 있다고 인정할 때에는 처분을 취소 · 변경하거나 처분청에게 취소 · 변경할 것을 명한다고 규정하고 있으므로, 행정심판 재결의 내용이 처분청에게 처분의 취소를 명하는 것이 아니라 재결청이 스스로 처분을 취소하는 것일 때에는 그 재결의 형성력에 의하여 당해 처분은 별도의 행정처분을 기다릴 것 없이 당연히 취소되어 소멸되는 것이다(대판 1997.5.30, 96누14678).

2. 형성적 재결의 결과통보가 항고소송의 대상이 되는 행정처분에 해당하는지 여부(소극)

재결청으로부터 '처분청의 공장설립변경신고수리처분을 취소한다'는 내용의 형성적 재결을 송부받은 처분청이 당해 처분의 상대방에게 재결결과를 통보하면서 공장설립변경신고 수리시 발급한 확인서를 반납하도록 요구한 것은 사실의 통지에 불과하고 항고소송의 대상이 되는 새로운 행정처분이라고 볼 수 없다(대판 1997.5.30, 96누14678).

3. 재결의 기속력의 범위

재결의 기속력은 재결의 주문 및 그 전제가 된 요건사실의 인정과 판단, 즉 처분 등의 구체적 위법사유에 관한 판단에만 미친다고 할 것이고, 종전 처분이 재결에 의하여 취소되었다 하더라도 종전 처분시와는 다른 사유를 들어서 처분을 하는 것은 기속력에 저촉되지 않는다고 할 것이며, 여기에서 동일 사유인지 다른 사유인지는 종전 처분에 관하여 위법한 것으로 재결에서 판단된 사유와 기본적 사실관계에 있어 동일성이 인정되는 사유인지 여부에 따라 판단되어야 한다(대판 2005.12.9, 2003두7705).

4. 행정청이 당해 처분에 관하여 위법한 것으로 재결에서 판단된 사유와 기본적 사실관계에 있어 동일성이 인정되는 사유를 내세워 다시 동일한 내용의 처분을 하는 것이 허용되는지 여부(소극)

행정심판법 제37조가 정하고 있는 재결은 당해 처분에 관하여 재결주문 및 그 전제가 된 요건사실의 인정과 판단에 대하여 처분청을 기속하므로, 당해 처분에 관하여 위법한 것으로 재결에서 판단된 사유와 기본적 사실관계에 있어 동일성이 인정되는 사유를 내세워 다시 동일한 내용의 처분을 하는 것은 허용되지 않는다(대판 2003.4.25, 2002두3201).

5. 심판청구 등에 대한 결정의 한 유형으로 실무상 행해지고 있는 '재조사 결정'의 법적 성격 및 처분청이 재조사 결정의 주문 및 그 전제가 된 요건사실의 인정과 판단, 즉 처분의 구체적 위법사유에 관한 판단에 반하여 당초 처분을 그대로 유지하는 것이 재조사 결정의 기속력에 저촉되는지 여부(적극)

심판청구 등에 대한 결정의 한 유형으로 실무상 행해지고 있는 재조사 결정은 재결청의 결정에서 지적된 사항에 관하여 처분청의 재조사결과를 기다려 그에 따른 후속 처분의 내용을 심판청구 등에 대한 결정의 일부분으로 삼겠다는 의사가 내포된 변형결정에 해당하므로, 처분청은 재조사 결정의 취지에 따라 재조사를 한 후 그 내용을 보완하는 후속 처분만을 할 수 있다. 따라서 처분청이 재조사 결정의 주문 및 그 전제가 된 요건사실의 인정과 판단, 즉 처분의 구체적 위법사유에 관한 판단에 반하여 당초 처분을 그대로 유지하는 것은 재조사 결정의 기속력에 저촉된다(대판 2017.5.11, 2015두37549).

(9) 위원회의 직접 처분(제50조)

① 위원회는 피청구인이 처분을 하지 아니하는 경우에는 당사자가 신청하면 기간을 정하여 서면으로 시정을 명하고 그 기간에 이행하지 아니하면 직접 처분을 할 수 있다. 다만, 그 처분의 성질이나 그 밖의 불가피한 사유로 위원회가 직접 처분을 할 수 없는 경우에는 그러하지 아니하다.

② 위원회는 직접 처분을 하였을 때에는 그 사실을 해당 행정청에 통보하여야 하며, 그 통보를 받은 행정청은 위원회가 한 처분을 자기가 한 처분으로 보아 관계 법령에 따라 관리·감독 등 필요한 조치를 하여야 한다.

> **판례** **행정심판법 제37조 제2항에 기한 재결청의 직접 처분의 요건**
> 행정심판법 제37조 제2항, 같은 법 시행령 제27조의2 제1항의 규정에 따라 재결청이 직접 처분을 하기 위하여는 처분의 이행을 명하는 재결이 있었음에도 당해 행정청이 아무런 처분을 하지 아니하였어야 하므로, 당해 행정청이 어떠한 처분을 하였다면 그 처분이 재결의 내용에 따르지 아니하였다고 하더라도 재결청이 직접 처분을 할 수는 없다(대판 2002.7.23, 2000두9151).

(10) 위원회의 간접강제(제50조의2)

① 위원회는 피청구인이 처분을 하지 아니하면 청구인의 신청에 의하여 결정으로 상당한 기간을 정하고 피청구인이 그 기간 내에 이행하지 아니하는 경우에는 그 지연기간에 따라 일정한 배상을 하도록 명하거나 즉시 배상을 할 것을 명할 수 있다.

② 위원회는 사정의 변경이 있는 경우에는 당사자의 신청에 의하여 결정의 내용을 변경할 수 있다.

③ 위원회는 결정을 하기 전에 신청 상대방의 의견을 들어야 한다.

④ 청구인은 결정에 불복하는 경우 그 결정에 대하여 행정소송을 제기할 수 있다.

⑤ 결정의 효력은 피청구인인 행정청이 소속된 국가·지방자치단체 또는 공공단체에 미치며, 결정서 정본은 소송제기와 관계없이 민사집행법에 따른 강제집행에 관하여는 집행권원과 같은 효력을 가진다. 이 경우 집행문은 위원장의 명에 따라 위원회가 소속된 행정청 소속 공무원이 부여한다.

⑥ 간접강제 결정에 기초한 강제집행에 관하여 이 법에 특별한 규정이 없는 사항에 대하여는 민사집행법의 규정을 준용한다. 다만, 민사집행법 제33조(집행문부여의 소), 제34조(집행문부여 등에 관한 이의신청), 제44조(청구에 관한 이의의 소) 및 제45조(집행문부여에 대한 이의의 소)에서 관할 법원은 피청구인의 소재지를 관할하는 행정법원으로 한다.

(11) 행정심판 재청구의 금지(제51조)

심판청구에 대한 재결이 있으면 그 재결 및 같은 처분 또는 부작위에 대하여 다시 행정심판을 청구할 수 없다.

7. 전자정보처리조직을 통한 행정심판 절차의 수행

(1) 전자정보처리조직을 통한 심판청구 등(제52조)

① 이 법에 따른 행정심판 절차를 밟는 자는 심판청구서와 그 밖의 서류를 전자문서화하고 이를 정보통신망을 이용하여 위원회에서 지정·운영하는 전자정보처리조직(행정심판 절차에 필요한 전자문서를 작성·제출·송달할 수 있도록 하는 하드웨어, 소프트웨어, 데이터베이스, 네트워크, 보안요소 등을 결합하여 구축한 정보처리능력을 갖춘 전자적 장치를 말한다)을 통하여 제출할 수 있다.

② 제출된 전자문서는 이 법에 따라 제출된 것으로 보며, 부본을 제출할 의무는 면제된다.

③ 제출된 전자문서는 그 문서를 제출한 사람이 정보통신망을 통하여 전자정보처리조직에서 제공하는 접수번호를 확인하였을 때에 전자정보처리조직에 기록된 내용으로 접수된 것으로 본다.

④ 전자정보처리조직을 통하여 접수된 심판청구의 경우 심판청구 기간을 계산할 때에는 (3)에 따른 접수가 되었을 때 행정심판이 청구된 것으로 본다.

(2) 전자서명 등(제53조)

① 위원회는 전자정보처리조직을 통하여 행정심판 절차를 밟으려는 자에게 본인(本人)임을 확인할 수 있는 전자서명법 제2조 제2호에 따른 전자서명(서명자의 실지명의를 확인할 수 있는 것을 말한다)이나 그 밖의 인증(이하 '전자서명 등'이라 한다)을 요구할 수 있다.

② 전자서명 등을 한 자는 이 법에 따른 서명 또는 날인을 한 것으로 본다.

(3) 전자정보처리조직을 이용한 송달 등(제54조)

① 피청구인 또는 위원회는 행정심판을 청구하거나 심판참가를 한 자에게 전자정보처리조직과 그와 연계된 정보통신망을 이용하여 재결서나 이 법에 따른 각종 서류를 송달할 수 있다. 다만, 청구인이나 참가인이 동의하지 아니하는 경우에는 그러하지 아니하다.

② 위원회는 송달하여야 하는 재결서 등 서류를 전자정보처리조직에 입력하여 등재한 다음 그 등재 사실을 국회규칙, 대법원규칙, 헌법재판소규칙, 중앙선거관리위원회규칙 또는 대통령령으로 정하는 방법에 따라 전자우편 등으로 알려야 한다.

③ 전자정보처리조직을 이용한 서류 송달은 서면으로 한 것과 같은 효력을 가진다.

④ ①에 따른 서류의 송달은 청구인이 ②에 따라 등재된 전자문서를 확인한 때에 전자정보처리조직에 기록된 내용으로 도달한 것으로 본다. 다만, ②에 따라 그 등재사실을 통지한 날부터 2주 이내(재결서 외의 서류는 7일 이내)에 확인하지 아니하였을 때에는 등재사실을 통지한 날부터 2주가 지난 날(재결서 외의 서류는 7일이 지난 날)에 도달한 것으로 본다.

8. 보칙

(1) 증거서류 등의 반환(제55조)

위원회는 재결을 한 후 증거서류 등의 반환 신청을 받으면 신청인이 제출한 문서·장부·물건이나 그 밖의 증거자료의 원본(原本)을 지체 없이 제출자에게 반환하여야 한다.

(2) 주소 등 송달장소 변경의 신고의무(제56조)

당사자, 대리인, 참가인 등은 주소나 사무소 또는 송달장소를 바꾸면 그 사실을 바로 위원회에 서면으로 또는 전자정보처리조직을 통하여 신고하여야 한다. 제54조 제2항에 따른 전자우편주소 등을 바꾼 경우에도 또한 같다.

(3) 서류의 송달(제57조)

이 법에 따른 서류의 송달에 관하여는 민사소송법 중 송달에 관한 규정을 준용한다.

(4) 행정심판의 고지(제58조)

① 행정청이 처분을 할 때에는 처분의 상대방에게 다음의 사항을 알려야 한다.

> ㉠ 해당 처분에 대하여 행정심판을 청구할 수 있는지
> ㉡ 행정심판을 청구하는 경우의 심판청구 절차 및 심판청구 기간

② 행정청은 이해관계인이 요구하면 다음의 사항을 지체 없이 알려 주어야 한다. 이 경우 서면으로 알려 줄 것을 요구받으면 서면으로 알려 주어야 한다.

> ㉠ 해당 처분이 행정심판의 대상이 되는 처분인지
> ㉡ 행정심판의 대상이 되는 경우 소관 위원회 및 심판청구 기간

05 행정소송법

1. 서설

(1) 목적(제1조)

이 법은 행정소송절차를 통하여 행정청의 위법한 처분 그 밖에 공권력의 행사·불행사 등으로 인한 국민의 권리 또는 이익의 침해를 구제하고, 공법상의 권리관계 또는 법적용에 관한 다툼을 적정하게 해결함을 목적으로 한다.

(2) 정의(제2조)

① 이 법에서 사용하는 용어의 정의는 다음과 같다.

처분 등	행정청이 행하는 구체적 사실에 관한 법집행으로서의 공권력의 행사 또는 그 거부와 그 밖에 이에 준하는 행정작용(이하 '처분'이라 한다) 및 행정심판에 대한 재결을 말한다.
부작위	행정청이 당사자의 신청에 대하여 상당한 기간 내에 일정한 처분을 하여야 할 법률상 의무가 있음에도 불구하고 이를 하지 아니하는 것을 말한다.

판례

1. 항고소송의 대상이 되는 행정처분의 의미

항고소송의 대상이 되는 행정청의 처분이라 함은 원칙적으로 행정청의 공법상의 행위로서 특정사항에 대하여 법규에 의한 권리의 설정 또는 의무의 부담을 명하거나 기타 법률상의 효과를 직접 발생하게 하는 등 국민의 권리의무에 직접 관계가 있는 행위를 말하므로, 행정청의 내부적인 의사결정 등과 같이 상대방 또는 관계자들의 법률상 지위에 직접적인 법률적 변동을 일으키지 아니하는 행위는 그에 해당하지 아니한다(대판 1999.8.20, 97누6889).

2. 항고소송의 피고적격 및 상급행정청이나 타행정청의 지시나 통보, 권한의 위임이나 위탁이 항고소송의 대상이 되는 행정처분인지 여부(소극)

항고소송은 원칙적으로 소송의 대상인 행정처분 등을 외부적으로 그의 명의로 행한 행정청을 피고로 하여야 하는 것으로서, 그 행정처분을 하게 된 연유가 상급행정청이나 타행정청의 지시나 통보에 의한 것이라 하여 다르지 않고, 권한의 위임이나 위탁을 받아 수임행정청이 자신의 명의로 한 처분에 관하여도 마찬가지이다. 그리고 위와 같은 지시나 통보, 권한의 위임이나 위탁은 행정기관 내부의 문제일 뿐 국민의 권리의무에 직접 영향을 미치는 것이 아니어서 항고소송의 대상이 되는 행정처분에 해당하지 않는다(대판 2013.2.28, 2012두22904).

3. 항고소송의 대상이 되는 행정처분의 의의 및 상급행정기관의 하급행정기관에 대한 승인·동의·지시 등이 행정처분에 해당하는지 여부(소극)

항고소송의 대상이 되는 행정처분은 행정청의 공법상의 행위로서 특정 사항에 대하여 법규에 의한 권리의 설정 또는 의무의 부담을 명하거나 기타 법률상의 효과를 직접 발생케 하는 등 국민의 구체적인 권리 의무에 직접 관계가 있는 행위를 말하는바, 상급행정기관의 하급행정기관에 대한 승인·동의·지시 등은 행정기관 상호간의 내부행위로서 국민의 권리 의무에 직접 영향을 미치는 것이 아니므로 항고소송의 대상이 되는 행정처분에 해당한다고 볼 수 없다(대판 1997.9.26, 97누8540).

4. 대학입시기본계획 내의 내신성적 산정지침이 항고소송의 대상인 행정처분성을 갖는지의 여부

교육부장관이 내신성적 산정기준의 통일을 기하기 위해 대학입시기본계획의 내용에서 내신성적 산정기준에 관한 시행지침을 마련하여 시·도 교육감에서 통보한 것은 행정조직 내부에서 내신성적 평가에 관한 내부적 심사기준을 시달한 것에 불과하며, 각 고등학교에서 위 지침에 일률적으로 기속되어 내신성적을 산정할 수밖에 없고 또 대학에서도 이를 그대로 내신성적으로 인정하여 입학생을 선발할 수밖에 없는 관계로 장차 일부 수험생들이 위 지침으로 인해 어떤 불이익을 입을 개연성이 없지는 아니하나, 그러한 사정만으로서 위 지침에 의하여 곧바로 개별적이고 구체적인 권리의 침해를 받은 것으로는 도저히 인정할 수 없으므로, 그것만으로는 현실적으로 특정인의 구체적인 권리의무에 직접적으로 변동을 초래케 하는 것은 아니라 할 것이어서 내신성적 산정지침을 항고소송의 대상이 되는 행정처분으로 볼 수 없다(대판 1994.9.10, 94두33).

5. 경찰공무원시험승진후보자명부에 등재된 자가 승진임용되기 전에 감봉 이상의 징계처분을 받은 경우, 임용권자가 당해인을 시험승진후보자명부에서 삭제한 행위가 행정처분이 되는지 여부(소극)

구 경찰공무원법(1996.8.8. 법률 제5153호로 개정되기 전의 것) 제11조 제2항, 제13조 제1항, 제2항, 경찰공무원 승진임용 규정 제36조 제1항, 제2항에 의하면, 경정 이하 계급에의 승진에 있어서는 승진심사와 함께 승진시험을 병행할 수 있고, 승진시험에 합격한 자는 시험승진후보자명부에 등재하여 그 등재순위에 따라 승진하도록 되어 있으며, 같은 규정 제36조 제3항에 의하면 시험승진후보자명부에 등재된 자가 승진임용되기 전에 감봉 이상의 징계처분을 받은 경우에는 임용권자 또는 임용제청권자가 위 징계처분을 받은 자를 시험승진후보자명부에서 삭제하도록 되어 있는바, 이처럼 시험승진후보자명부에 등재되어 있던 자가 그 명부에서 삭제됨으로써 승진임용의 대상에서 제외되었다 하더라도, 그와 같은 시험승진후보자명부에서의 삭제행위는 결국 그 명부에 등재된 자에 대한 승진 여부를 결정하기 위한 행정청 내부의 준비과정에 불과하고, 그 자체가 어떠한 권리나 의무를 설정하거나 법률상 이익에 직접적인 변동을 초래하는 별도의 행정처분이 된다고 할 수 없다(대판 1997.11.14, 97누7325).

6. 지방자치단체장이 국유 잡종재산 대부신청을 거부한 것이 행정처분인지 여부(소극)

지방자치단체장이 국유 잡종재산을 대부하여 달라는 신청을 거부한 것은 항고소송의 대상이 되는 행정처분이 아니므로 행정소송으로 그 취소를 구할 수 없다(대판 1998.9.22, 98두7602).

7. 행정규칙에 의한 징계처분이 항고소송의 대상이 되는 행정처분에 해당한다고 한 사례

행정규칙에 의한 '불문경고조치'가 비록 법률상의 징계처분은 아니지만 위 처분을 받지 아니하였다면 차후 다른 징계처분이나 경고를 받게 될 경우 징계감경사유로 사용될 수 있었던 표창공적의 사용가능성을 소멸시키는 효과와 1년 동안 인사기록카드에 등재됨으로써 그 동안은 장관표창이나 도지사표창 대상자에서 제외시키는 효과 등이 있다는 이유로 항고소송의 대상이 되는 행정처분에 해당한다(대판 2002.7.26, 2001두3532).

8. 국가보훈처장 등이 발행한 책자 등에서 독립운동가 등의 활동상을 잘못 기술하였다는 등의 이유로 그 사실관계의 확인을 구하거나, 국가보훈처장의 서훈추천서의 행사, 불행사가 당연무효 또는 위법임의 확인을 구하는 청구가 항고소송의 대상이 되는지 여부(소극)

피고 국가보훈처장이 발행·보급한 독립운동사, 피고 문교부장관이 저작하여 보급한 국사교과서 등의 각종 책자와 피고 문화부장관이 관리하고 있는 독립기념관에서의 각종 해설문·전시물의 배치 및 전시 등에 있어서, 일제치하에서의 국내외의 각종 독립운동에 참가한 단체와 독립운동가의 활동상을 잘못 기술하거나, 전시·배치함으로써 그 역사적 의의가 그릇 평가되게 하였다는 이유로 그 사실관계의 확인을 구하고, 또 피고 국가보훈처장은 이들 독립운동가들의 활동상황을 잘못 알고 국가보훈상의 서훈추천권을 행사함으로써 서훈추천권의 행사가 적정하지 아니하였다는 이유로 이러한 서훈추천권의 행사, 불행사가 당연무효임의 확인, 또는 그 불작위가 위법함의 확인을 구하는 청구는 과거의 역사적 사실관계의 존부나 공법상의 구체적인 법률관계가 아닌 사실관계에 관한 것들을 확인의 대상으로 하는 것이거나 행정청의 단순한 부작위를 대상으로 하는 것으로서 항고소송의 대상이 되지 아니하는 것이다(대판 1990.11.23, 90누3553).

9. **사립학교 교원에 대한 학교법인의 해임처분을 행정소송의 대상이 되는 행정청의 처분으로 볼 수 있는지 여부(소극)**
사립학교 교원은 학교법인 또는 사립학교 경영자에 의하여 임면되는 것으로서 사립학교 교원과 학교법인의 관계를 공법상의 권력관계라고는 볼 수 없으므로 사립학교 교원에 대한 학교법인의 해임처분을 취소소송의 대상이 되는 행정청의 처분으로 볼 수 없고, 따라서 학교법인을 상대로 한 불복은 행정소송에 의할 수 없고 민사소송절차에 의할 것이다(대판 1993.2.12, 92누13707).

② 법 적용의 대상 : 이 법을 적용함에 있어서 행정청에는 법령에 의하여 행정권한의 위임 또는 위탁을 받은 행정기관, 공공단체 및 그 기관 또는 사인이 포함된다.

(3) 행정소송의 종류(제3조)

행정소송은 다음의 네가지로 구분한다.

항고소송	행정청의 처분 등이나 부작위에 대하여 제기하는 소송
당사자소송	행정청의 처분 등을 원인으로 하는 법률관계에 관한 소송 그 밖에 공법상의 법률관계에 관한 소송으로서 그 법률관계의 한쪽 당사자를 피고로 하는 소송
민중소송	국가 또는 공공단체의 기관이 법률에 위반되는 행위를 한 때에 직접 자기의 법률상 이익과 관계없이 그 시정을 구하기 위하여 제기하는 소송
기관소송	국가 또는 공공단체의 기관 상호간에 있어서의 권한의 존부 또는 그 행사에 관한 다툼이 있을 때에 이에 대하여 제기하는 소송. 다만, 헌법재판소법 제2조의 규정에 의하여 헌법재판소의 관장사항으로 되는 소송은 제외한다.

(4) 항고소송(제4조)

① 항고소송은 다음과 같이 구분한다.

취소소송	행정청의 위법한 처분 등을 취소 또는 변경하는 소송
무효등확인소송	행정청의 처분 등의 효력 유무 또는 존재 여부를 확인하는 소송
부작위위법확인소송	행정청의 부작위가 위법하다는 것을 확인하는 소송

② 의무이행소송이나 예방적 부작위소송, 작위의무확인소송 등의 무명항고소송은 인정하지 않는 것이 판례의 입장이다.

판례

1. **검사에 대한 압수물 환부이행청구소송이 허용되는지 여부**
검사에게 압수물 환부를 이행하라는 청구는 행정청의 부작위에 대하여 일정한 처분을 하도록 하는 의무이행소송으로 현행 행정소송법상 허용되지 아니한다(대판 1995.3.10, 94누14018).

2. **행정소송법상 이행판결이나 형성판결을 구하는 소송이 허용되는지 여부(소극)**
현행 행정소송법상 행정청으로 하여금 일정한 행정처분을 하도록 명하는 이행판결을 구하는 소송이나 법원으로 하여금 행정청이 일정한 행정처분을 행한 것과 같은 효과가 있는 행정처분을 직접 행하도록 하는 형성판결을 구하는 소송은 허용되지 아니한다(대판 1997.9.30, 97누3200).

3. 행정청의 부작위를 구하는 청구의 적부

건축건물의 준공처분을 하여서는 아니된다는 내용의 부작위를 구하는 청구는 행정소송에서 허용되지 아니하는 것이므로 부적법하다(대판 1987.3.24, 86누182).

4. 국가보훈처장 등에게, 독립운동가들에 대한 서훈추천을 다시 하고, 독립운동에 관한 책자 등을 고쳐서 편찬, 보급할 의무가 있음의 확인을 구하는 청구가 항고소송의 대상이 되는지 여부(소극)

피고 국가보훈처장 등에게, 독립운동가들에 대한 서훈추천권의 행사가 적정하지 아니하였으니 이를 바로잡아 다시 추천하고, 잘못 기술된 독립운동가의 활동상을 고쳐 독립운동사 등의 책자를 다시 편찬, 보급하고, 독립기념관 전시관의 해설문, 전시물 중 잘못된 부분을 고쳐 다시 전시 및 배치할 의무가 있음의 확인을 구하는 청구는 작위의무확인소송으로서 항고소송의 대상이 되지 아니한다(대판 1990.11.23, 90누3553).

(5) 국외에서의 기간(제5조)

이 법에 의한 기간의 계산에 있어서 국외에서의 소송행위추완에 있어서는 그 기간을 14일에서 30일로, 제3자에 의한 재심청구에 있어서는 그 기간을 30일에서 60일로, 소의 제기에 있어서는 그 기간을 60일에서 90일로 한다.

(6) 명령 · 규칙의 위헌판결 등 공고(제6조)

① 행정소송에 대한 대법원판결에 의하여 명령 · 규칙이 헌법 또는 법률에 위반된다는 것이 확정된 경우에는 대법원은 지체 없이 그 사유를 행정안전부장관에게 통보하여야 한다.

② 통보를 받은 행정안전부장관은 지체 없이 이를 관보에 게재하여야 한다.

(7) 사건의 이송(제7조)

민사소송법 제34조 제1항의 규정은 원고의 고의 또는 중대한 과실없이 행정소송이 심급을 달리하는 법원에 잘못 제기된 경우에도 적용한다.

(8) 법적용 예(제8조)

① 행정소송에 대하여는 다른 법률에 특별한 규정이 있는 경우를 제외하고는 이 법이 정하는 바에 의한다.

② 행정소송에 관하여 이 법에 특별한 규정이 없는 사항에 대하여는 법원조직법과 민사소송법 및 민사집행법의 규정을 준용한다.

2. 취소소송

취소소송이란 행정청의 위법한 처분 등을 취소 또는 변경하는 소송을 말한다. 항고소송 중 가장 중요한 소송으로 행정소송법은 취소소송에 관한 상세한 규정을 두고, 이를 다른 소송에 준용하는 방식을 취하고 있다.

(1) 취소소송의 소송물

① **의의**: 취소소송에서의 소송물이란 소송의 대상, 다시 말해 소송에서 다툼이 되는 사항을 의미한다. 이러한 소송물에 의해 관할법원, 소의 병합 및 소의 변경, 기판력의 범위 등이 정해지지만 현행 행정소송법에는 소송물의 개념에 대한 명시적인 규정이 존재하지 않는다.

② **학설과 판례**: 소송물의 개념에 대하여 '처분의 위법성 일반을 소송물로 보는 견해(다수설)', '처분 개개의 위법사유를 소송물로 보는 견해' 및 '대상이 되는 처분을 통해 자신의 권리가 침해되었다는 원고의 법적 주장을 소송물로 보는 견해'의 대립이 있으나, 판례는 처분의 위법성 일반(처분의 위법성 그 자체)을 소송물로 본다.

판례 **취소소송의 소송물**

과세처분이란 법률에 규정된 과세요건이 충족됨으로써 객관적, 추상적으로 성립한 조세채권의 내용을 구체적으로 확인하여 확정하는 절차로서, 과세처분취소소송의 소송물은 그 취소원인이 되는 위법성 일반이고 그 심판의 대상은 과세처분에 의하여 확인된 조세채무인 과세표준 및 세액의 객관적 존부이다(대판 1990.3.23, 89누5386).

③ 소의 이익: 소의 이익이란 원고적격을 가진 자라고 하더라도 취소소송을 통해 분쟁을 해결할 필요가 있는지의 문제이다. 이러한 소의 이익은 소송요건으로서 소의 이익이 없으면 법원은 각하판결을 한다. 또한, 소의 이익은 상고심에서도 존속해야 한다.

판례

1. **효력기간이 경과한 행정처분의 취소를 구할 법률상 이익 유무(한정 소극)**
   행정처분에 그 효력기간이 정하여져 있는 경우, 그 처분의 효력 또는 집행이 정지된 바 없다면 위 기간의 경과로 그 행정처분의 효력은 상실되므로 그 기간 경과 후에는 그 처분이 외형상 잔존함으로 인하여 어떠한 법률상 이익이 침해되고 있다고 볼 만한 별다른 사정이 없는 한 그 처분의 취소를 구할 법률상의 이익이 없다(대판 2002.7.26, 2000두7254).
2. **사실심 변론종결일 현재 토석채취 허가기간이 경과한 경우 토석채취허가 취소처분의 취소를 구할 소의 이익 유무**
   사실심 변론종결일 현재 토석채취 허가기간이 경과하였다면 그 허가는 이미 실효되었다고 할 것이어서 새로 토석채취 허가를 받지 아니하고는 채석을 계속할 수 없고, 나아가 토석채취허가 취소처분이 외형상 잔존함으로 말미암아 어떠한 법률상 불이익이 있다고 볼 만한 특별한 사정도 없다면 위 취소처분의 취소를 구하는 소는 소의 이익이 없다(대판 1993.7.27, 93누3899).
3. **선행처분인 제재적 행정처분을 받은 상대방이 그 처분에서 정한 제재기간이 경과하였다 하더라도 그 처분의 취소를 구할 법률상 이익이 있는지 여부(한정 적극)**
   선행처분을 가중사유 또는 전제요건으로 하는 후행처분을 받을 우려가 현실적으로 존재하는 경우에는, 선행처분을 받은 상대방은 비록 그 처분에서 정한 제재기간이 경과하였다 하더라도 그 처분의 취소소송을 통하여 그러한 불이익을 제거할 권리보호의 필요성이 충분히 인정된다고 할 것이므로, 선행처분의 취소를 구할 법률상 이익이 있다고 보아야 한다[대판 2006.6.22, 2003두1684(전합)].
4. **행정처분의 위법을 이유로 무효확인 또는 취소 판결을 받더라도 처분에 의하여 발생한 위법상태를 원상으로 회복시키는 것이 불가능한 경우, 무효확인 또는 취소를 구할 법률상 이익이 있는지 여부(원칙적 소극) 및 예외적으로 법률상 이익이 인정되는 경우**
   행정처분의 무효확인 또는 취소를 구하는 소에서, 비록 행정처분의 위법을 이유로 무효확인 또는 취소 판결을 받더라도 처분에 의하여 발생한 위법상태를 원상으로 회복시키는 것이 불가능한 경우에는 원칙적으로 무효확인 또는 취소를 구할 법률상 이익이 없고, 다만 원상회복이 불가능하더라도 무효확인 또는 취소로써 회복할 수 있는 다른 권리나 이익이 남아 있는 경우 예외적으로 법률상 이익이 인정될 수 있을 뿐이다(대판 2016.6.10, 2013두1638).
5. **행정대집행이 실행완료된 경우 대집행계고처분의 취소를 구할 법률상 이익이 있는지 여부(소극)**
   대집행계고처분 취소소송의 변론종결 전에 대집행영장에 의한 통지절차를 거쳐 사실행위로서 대집행의 실행이 완료된 경우에는 행위가 위법한 것이라는 이유로 손해배상이나 원상회복 등을 청구하는 것은 별론으로 하고 처분의 취소를 구할 법률상 이익은 없다(대판 1993.6.8, 93누6164).
6. **인접건물 소유자에게 건물준공처분의 무효확인이나 취소를 구할 법률상 이익이 있는지 여부**
   처분의 무효 등 확인소송이나 취소소송은 처분의 무효 등 확인이나 취소를 구할 법률상 이익이 있는 자만이 제기할 수 있다고 할 것이어서 신축한 건물이 무단증평, 이격거리위반, 베란다돌출, 무단구조변경 등 건축법에 위반하여 시공됨으로써 인접주택 소유자의 사생활과 일조권을 침해하고 있다고 하더라도, 인접건물 소유자들로서는 위 건물준공처분의 무효확인이나 취소를 구할 법률상 이익이 없다(대판 1993.11.9, 93누13988).

7. **현역병입영대상자로 병역처분을 받은 자가 그 취소소송 중 모병에 응하여 현역병으로 자진 입대한 경우**
현역병입영대상자로 병역처분을 받은 자가 그 취소소송 중 모병에 응하여 현역병으로 자진 입대한 경우, 그 처분의 위법을 다툴 실제적 효용 내지 이익이 없다는 이유로 소의 이익이 없다(대판 1998.9.8, 98두9165).

8. **공익근무요원 소집해제신청을 거부한 후에 원고가 계속하여 공익근무요원으로 복무함에 따라 복무기간 만료를 이유로 소집해제처분을 한 경우**
공익근무요원 소집해제신청을 거부한 후에 원고가 계속하여 공익근무요원으로 복무함에 따라 복무기간 만료를 이유로 소집해제처분을 한 경우, 원고가 입게 되는 권리와 이익의 침해는 소집해제처분으로 해소되었으므로 위 거부처분의 취소를 구할 소의 이익이 없다(대판 2005.5.13, 2004두4369).

9. **취소되어 더 이상 존재하지 않는 행정처분을 대상으로 한 취소소송이 소의 이익이 있는지 여부(소극)**
행정처분이 취소되면 그 처분은 취소로 인하여 그 효력이 상실되어 더 이상 존재하지 않는 것이고, 존재하지 않는 행정처분을 대상으로 한 취소소송은 소의 이익이 없어 부적법하다. 행정청이 당초의 분뇨 등 관련영업 허가신청 반려처분의 취소를 구하는 소의 계속중, 사정변경을 이유로 위 반려처분을 직권취소함과 동시에 위 신청을 재반려하는 내용의 재처분을 한 경우, 당초의 반려처분의 취소를 구하는 소는 더 이상 소의 이익이 없다(대판 2006.9.28, 2004두5317).

10. **검사의 공소가 행정소송의 대상이 되는 처분인지 여부(소극)**
행정소송법 제2조 소정의 행정처분이라고 하더라도 그 처분의 근거 법률에서 행정소송 이외의 다른 절차에 의하여 불복할 것을 예정하고 있는 처분은 항고소송의 대상이 될 수 없다. 형사소송법에 의하면 검사가 공소를 제기한 사건은 기본적으로 법원의 심리대상이 되고 피의자 및 피고인은 수사의 적법성 및 공소사실에 대하여 형사소송절차를 통하여 불복할 수 있는 절차와 방법이 따로 마련되어 있으므로 검사의 공소제기가 적법절차에 의하여 정당하게 이루어진 것이냐의 여부에 관계없이 검사의 공소에 대하여는 형사소송절차에 의하여서만 이를 다툴 수 있고 행정소송의 방법으로 공소의 취소를 구할 수는 없다(대판 2000.3.28, 99두11264).

11. **직위해제처분 후 새로운 사유로 다시 직위해제처분을 한 경우, 종전 직위해제처분은 묵시적으로 철회되었으므로 그 처분을 다툴 소의 이익이 없다고 한 사례**
행정청이 공무원에 대하여 새로운 직위해제사유에 기한 직위해제처분을 한 경우 그 이전에 한 직위해제처분은 이를 묵시적으로 철회하였다고 봄이 상당하고, 그렇다면 직위해제처분무효확인 및 정직처분취소소송 중 이미 철회되어 그 효력이 상실된 직위해제처분의 취소를 구하는 부분은 존재하지 않는 행정처분을 대상으로 한 것으로서, 그 소의 이익이 없다(대판 1996.10.15, 95누8119).

12. **고등학교에서 퇴학처분을 당한 후 고등학교졸업학력검정고시에 합격한 경우, 퇴학처분의 취소를 구할 소의 이익 유무(적극)**
고등학교졸업이 대학입학자격이나 학력인정으로서의 의미밖에 없다고 할 수 없으므로 고등학교졸업학력검정고시에 합격하였다 하여 고등학교 학생으로서의 신분과 명예가 회복될 수 없는 것이니 퇴학처분을 받은 자로서는 퇴학처분의 위법을 주장하여 그 취소를 구할 소송상의 이익이 있다(대판 1992.7.14, 91누4737).

(2) 재판관할

① 재판관할(제9조)

㉠ 취소소송의 제1심관할법원은 피고의 소재지를 관할하는 행정법원으로 한다.

㉡ 다음의 어느 하나에 해당하는 피고에 대하여 취소소송을 제기하는 경우에는 대법원소재지를 관할하는 행정법원에 제기할 수 있다.

ⓐ 중앙행정기관, 중앙행정기관의 부속기관과 합의제행정기관 또는 그 장

ⓑ 국가의 사무를 위임 또는 위탁받은 공공단체 또는 그 장

㉢ 토지의 수용 기타 부동산 또는 특정의 장소에 관계되는 처분 등에 대한 취소소송은 그 부동산 또는 장소의 소재지를 관할하는 행정법원에 이를 제기할 수 있다.

② 관련청구소송의 이송 및 병합(제10조)

㉠ 취소소송과 다음에 해당하는 소송(이하 '관련청구소송'이라 한다)이 각각 다른 법원에 계속되고 있는 경우에 관련청구소송이 계속된 법원이 상당하다고 인정하는 때에는 당사자의 신청 또는 직권에 의하여 이를 취소소송이 계속된 법원으로 이송할 수 있다.

ⓐ 당해 처분 등과 관련되는 손해배상·부당이득반환·원상회복 등 청구소송

ⓑ 당해 처분 등과 관련되는 취소소송

㉡ 취소소송에는 사실심의 변론종결시까지 관련청구소송을 병합하거나 피고 외의 자를 상대로 한 관련청구소송을 취소소송이 계속된 법원에 병합하여 제기할 수 있다.

판례

1. **손해배상청구 등의 민사소송이 행정소송에 관련청구로 병합되기 위한 요건**
행정소송법 제10조 제1항 제1호는 행정소송에 병합될 수 있는 관련청구에 관하여 '당해 처분 등과 관련되는 손해배상·부당이득반환·원상회복 등의 청구'라고 규정함으로써 그 병합요건으로 본래의 행정소송과의 관련성을 요구하고 있는바, 이는 행정소송에서 계쟁 처분의 효력을 장기간 불확정한 상태에 두는 것은 바람직하지 않다는 관점에서 병합될 수 있는 청구의 범위를 한정함으로써 사건의 심리범위가 확대·복잡화되는 것을 방지하여 그 심판의 신속을 도모하려는 취지라 할 것이므로, 손해배상청구 등의 민사소송이 행정소송에 관련청구로 병합되기 위해서는 그 청구의 내용 또는 발생원인이 행정소송의 대상인 처분 등과 법률상 또는 사실상 공통되거나, 그 처분의 효력이나 존부 유무가 선결문제로 되는 등의 관계에 있어야 함이 원칙이다(대판 2000.10.27, 99두561).
2. **행정처분에 대한 무효확인과 취소청구의 선택적 병합 또는 단순 병합의 허용 여부(소극)**
행정처분에 대한 무효확인과 취소청구는 서로 양립할 수 없는 청구로서 주위적·예비적 청구로서만 병합이 가능하고 선택적 청구로서의 병합이나 단순 병합은 허용되지 아니한다(대판 1999.8.20, 97누6889).

③ 선결문제(제11조)

㉠ 처분 등의 효력 유무 또는 존재 여부가 민사소송의 선결문제로 되어 당해 민사소송의 수소법원이 이를 심리·판단하는 경우에는 제17조, 제25조, 제26조 및 제33조의 규정을 준용한다.

㉡ 위 ㉠의 경우 당해 수소법원은 그 처분 등을 행한 행정청에게 그 선결문제로 된 사실을 통지하여야 한다.

판례 **행정처분의 취소를 구하는 취소소송에 당해 처분의 취소를 선결문제로 하는 부당이득반환청구가 병합된 경우, 그 청구가 인용되려면 소송절차에서 당해 처분의 취소가 확정되어야 하는지 여부(소극)**
행정소송법 제10조는 처분의 취소를 구하는 취소소송에 당해 처분과 관련되는 부당이득반환소송을 관련 청구로 병합할 수 있다고 규정하고 있는바, 이 조항을 둔 취지에 비추어 보면, 취소소송에 병합할 수 있는 당해 처분과 관련되는 부당이득반환소송에는 당해 처분의 취소를 선결문제로 하는 부당이득반환청구가 포함되고, 이러한 부당이득반환청구가 인용되기 위해서는 그 소송절차에서 판결에 의해 당해 처분이 취소되면 충분하고 그 처분의 취소가 확정되어야 하는 것은 아니라고 보아야 한다(대판 2009.4.9, 2008두23153).

(3) 당사자

① 원고적격(제12조): 취소소송은 처분 등의 취소를 구할 법률상 이익이 있는 자가 제기할 수 있다. 처분 등의 효과가 기간의 경과, 처분 등의 집행 그 밖의 사유로 인하여 소멸된 뒤에도 그 처분 등의 취소로 인하여 회복되는 법률상 이익이 있는 자의 경우에는 또한 같다.

판례

1. **도롱뇽의 당사자능력을 인정할 수 없다고 한 원심의 판단을 수긍한 사례**
   도롱뇽은 천성산 일원에 서식하고 있는 도롱뇽목 도롱뇽과에 속하는 양서류로서 자연물인 도롱뇽 또는 그를 포함한 자연 그 자체로서는 소송을 수행할 당사자능력을 인정할 수 없다(대결 2006.6.2, 2004마1148).

2. **국가가 국토이용계획과 관련한 기관위임사무의 처리에 관하여 지방자치단체의 장을 상대로 취소소송을 제기할 수 있는지 여부(소극)**
   건설교통부장관은 지방자치단체의 장이 기관위임사무인 국토이용계획 사무를 처리함에 있어 자신과 의견이 다를 경우 행정협의조정위원회에 협의·조정 신청을 하여 그 협의·조정 결정에 따라 의견불일치를 해소할 수 있고, 법원에 의한 판결을 받지 않고서도 행정권한의 위임 및 위탁에 관한 규정이나 구 지방자치법에서 정하고 있는 지도·감독을 통하여 직접 지방자치단체의 장의 사무처리에 대하여 시정명령을 발하고 그 사무처리를 취소 또는 정지할 수 있으며, 지방자치단체의 장에게 기간을 정하여 직무이행명령을 하고 지방자치단체의 장이 이를 이행하지 아니할 때에는 직접 필요한 조치를 할 수도 있으므로, 국가가 국토이용계획과 관련한 지방자치단체의 장의 기관위임사무의 처리에 관하여 지방자치단체의 장을 상대로 취소소송을 제기하는 것은 허용되지 않는다(대판 2007.9.20, 2005두6935).

3. **항고소송의 원고적격 및 불이익처분의 상대방에게 원고적격이 인정되는지 여부(적극)**
   항고소송은 처분 등의 취소 또는 무효확인을 구할 법률상 이익이 있는 자가 제기할 수 있고(행정소송법 제12조, 제35조), 불이익처분의 상대방은 직접 개인적 이익의 침해를 받은 자로서 원고적격이 인정된다(대판 2018.3.27, 2015두47492).

4. **행정처분이 수익적 처분이거나 신청 내용대로 이루어진 처분인 경우, 그 취소를 구할 이익이 있는지 여부**
   행정처분이 수익적인 처분이거나 신청에 의하여 신청 내용대로 이루어진 처분인 경우에는 처분 상대방의 권리나 법률상 보호되는 이익이 침해되었다고 볼 수 없으므로 달리 특별한 사정이 없는 한 처분의 상대방은 그 취소를 구할 이익이 없다고 할 것이다(대판 1995.5.26, 94누7324).

5. **제약회사가 보건복지부 고시인 약제급여·비급여목록 및 급여상한금액표의 취소를 구할 원고적격이 있는지 여부**
   제약회사가 자신이 공급하는 약제에 관하여 국민건강보험법, 같은 법 시행령, 국민건강보험 요양급여의 기준에 관한 규칙(2001.12.31. 보건복지부령 제207호) 등 약제상한금액고시의 근거 법령에 의하여 보호되는 직접적이고 구체적인 이익을 향유하는데, 보건복지부 고시인 약제급여·비급여목록 및 급여상한금액표(보건복지부 고시 제2002-46호로 개정된 것)로 인하여 자신이 제조·공급하는 약제의 상한금액이 인하됨에 따라 위와 같이 보호되는 법률상 이익이 침해당할 경우, 제약회사는 위 고시의 취소를 구할 원고적격이 있다(대판 2006.9.22, 2005두2506).

6. **채석허가를 받은 자에 대한 관할 행정청의 채석허가 취소처분에 대하여 수허가자의 지위를 양수한 양수인에게 그 취소처분의 취소를 구할 법률상 이익이 있는지 여부(적극)**
   산림법 제90조의2 제1항, 제118조 제1항, 같은 법 시행규칙 제95조의2 등 산림법령이 수허가자의 명의변경제도를 두고 있는 취지는, 채석허가가 일반적·상대적 금지를 해제하여 줌으로써 채석행위를 자유롭게 할 수 있는 자유를 회복시켜 주는 것일 뿐 권리를 설정하는 것이 아니어서 관할 행정청과의 관계에서 수허가자의 지위의 승계를 직접 주장할 수는 없다 하더라도, 채석허가가 대물적 허가의 성질을 아울러 가지고 있고 수허가자의 지위가 사실상 양도·양수되는 점을 고려하여 수허가자의 지위를 사실상 양수한 양수인의 이익을 보호하고자 하는 데 있는 것으로 해석되므로, 수허가자의 지위를 양수받아 명의변경신고를 할 수 있는 양수인의 지위는 단순한 반사적 이익이나 사실상의 이익이 아니라 산림법령에 의하여 보호되는 직접적이고 구체적인 이익으로서 법률상 이익이라고 할 것이고, 채석허가가 유효하게 존속하고 있다는 것이 양수인의 명의변경신고의 전제가 된다는 의미에서 관할 행정청이 양도인에 대하여 채석허가를 취소하는 처분을 하였다면 이는 양수인의 지위에 대한 직접적 침해가 된다고 할 것이므로 양수인은 채석허가를 취소하는 처분의 취소를 구할 법률상 이익을 가진다(대판 2003.7.11, 2001두6289).

7. **법인의 주주나 임원이 당해 법인에 대한 행정처분에 관하여 스스로 그 처분의 취소를 구할 원고적격이 있는지 여부(소극)**
   일반적으로 법인의 주주나 임원은 당해 법인에 대한 행정처분에 관하여 사실상이나 간접적인 경제적 이해관계를 가질 뿐이어서 스스로 그 처분의 취소를 구할 원고적격이 없다(대판 1997.12.12, 96누4602).

8. 재정경제원 장관의 계약이전결정처분이 당해 법인의 존속 자체를 직접 좌우하는 처분인 경우, 위 회사의 과점주주가 그 취소를 구할 원고적격이 있는지 여부(적극)

상호신용금고회사들의 계약 전부를 다른 금고회사로 이전하는 재정경제원 장관의 당해 계약이전결정은 위 회사들의 계약 전부를 이전하는 처분으로서 그 처분이 있으면 구 상호신용금고법(1995.12.29. 법률 제5050호로 개정되기 전의 법률) 제23조의9 규정에 의하여 계약 전부가 이전되고 동시에 같은 법 제21조 제3호의 규정에 의하여 위 회사들이 해산되는 결과를 가져오는 것인바, 이와 같이 법인에 대한 행정처분이 당해 법인의 존속 자체를 직접 좌우하는 처분인 경우에는 그 주주나 임원이라 할지라도 당해 처분에 관하여 직접적이고 구체적인 법률상 이해관계를 가진다고 할 것이므로 그 취소를 구할 원고적격이 있다(대판 1997.12.12, 96누4602).

9. 석탄가공업에 관한 허가의 성질

석탄수급조정에 관한 임시조치법 소정의 석탄가공업에 관한 허가는 사업경영의 권리를 설정하는 형성적 행정행위가 아니라 질서유지와 공공복리를 위한 금지를 해제하는 명령적 행정행위여서 그 허가를 받은 자는 영업자유를 회복하는 데 불과하고 독점적 영업권을 부여받은 것이 아니기 때문에 기존허가를 받은 원고들이 신규허가로 인하여 영업상 이익이 감소된다 하더라도 이는 원고들의 반사적 이익을 침해하는 것에 지나지 아니하므로 원고들은 신규허가 처분에 대하여 행정소송을 제기할 법률상 이익이 없다(대판 1980.7.22, 80누33).

10. 개발제한구역 해제대상에서 누락된 토지의 소유자는 위 결정의 취소를 구할 법률상 이익이 있는지 여부

개발제한구역 중 일부 취락을 개발제한구역에서 해제하는 내용의 도시관리계획변경결정에 대하여, 개발제한구역 해제대상에서 누락된 토지의 소유자는 위 결정의 취소를 구할 법률상 이익이 없다(대판 2008.7.10, 2007두10242).

11. 원자로 시설부지 인근 주민들에게 방사성물질 등에 의한 생명 · 신체의 안전침해를 이유로 부지사전승인처분의 취소를 구할 원고적격이 있는지 여부(적극)

원자력법 제12조 제2호(발전용 원자로 및 관계 시설의 위치 · 구조 및 설비가 대통령령이 정하는 기술수준에 적합하여 방사성물질 등에 의한 인체 · 물체 · 공공의 재해방지에 지장이 없을 것)의 취지는 원자로 등 건설사업이 방사성물질 및 그에 의하여 오염된 물질에 의한 인체 · 물체 · 공공의 재해를 발생시키지 아니하는 방법으로 시행되도록 함으로써 방사성물질 등에 의한 생명 · 건강상의 위해를 받지 아니할 이익을 일반적 공익으로서 보호하려는 데 그치는 것이 아니라 방사성물질에 의하여 보다 직접적이고 중대한 피해를 입으리라고 예상되는 지역 내의 주민들의 위와 같은 이익을 직접적 · 구체적 이익으로서도 보호하려는 데에 있다 할 것이므로, 위와 같은 지역 내의 주민들에게는 방사성물질 등에 의한 생명 · 신체의 안전침해를 이유로 부지사전승인처분의 취소를 구할 원고적격이 있다(대판 1998.9.4, 97누19588).

12. 대학생들이 전공이 다른 교수를 임용함으로써 학습권을 침해당하였다는 이유를 들어 교수임용처분의 취소를 구할 소의 이익이 없다고 한 사례

원고들은 서울시립대학교 세무학과에 재학중인 학생들로서 조세정책과목을 수강하고 있는데 피고가 경제학적으로 접근하여야 하는 조세정책과목의 담당교수를 행정학을 전공한 소외 원윤희으로 임용함으로써 원고들의 학습권을 침해하였다는 것이나 설령 피고의 이 사건 임용처분으로 말미암아 원고들이 그 주장과 같은 불이익을 받게 되더라도 그 불이익은 간접적이거나 사실적인 불이익에 지나지 아니하여 그것만으로는 원고들에게 이 사건 임용처분의 취소를 구할 소의 이익이 있다고 할 수 없다(대판 1993.7.27, 93누8139).

② 피고적격(제13조)

㉠ 취소소송은 다른 법률에 특별한 규정이 없는 한 그 처분 등을 행한 행정청을 피고로 한다. 다만, 처분 등이 있은 뒤에 그 처분 등에 관계되는 권한이 다른 행정청에 승계된 때에는 이를 승계한 행정청을 피고로 한다.

㉡ 위 ㉠에 의한 행정청이 없게 된 때에는 그 처분 등에 관한 사무가 귀속되는 국가 또는 공공단체를 피고로 한다.

판례

1. **이주자의 이주대책대상자 선정신청에 대한 사업시행자의 확인 · 결정 및 사업시행자의 이주대책에 관한 처분의 법적 성질과 이에 대한 쟁송방법**
   사업시행자가 국가 또는 지방자치단체와 같은 행정기관이 아니고 이와는 독립하여 법률에 의하여 특수한 존립목적을 부여받아 국가의 특별감독하에 그 존립목적인 공공사무를 행하는 공법인이 관계법령에 따라 공공사업을 시행하면서 그에 따른 이주대책을 실시하는 경우에도, 그 이주대책에 관한 처분은 법률상 부여받은 행정작용권한을 행사하는 것으로서 항고소송의 대상이 되는 공법상 처분이 되므로, 그 처분이 위법부당한 것이라면 사업시행자인 당해 공법인을 상대로 그 취소소송을 제기할 수 있다 할 것임은 물론이다[대판 1994.5.24, 92다35783(전합)].
2. **성업공사가 한 공매처분에 대한 취소소송의 피고적격(성업공사)**
   성업공사가 체납압류된 재산을 공매하는 것은 세무서장의 공매권한 위임에 의한 것으로 보아야 할 것이므로, 성업공사가 한 그 공매처분에 대한 취소 등의 항고소송을 제기함에 있어서는 수임청으로서 실제로 공매를 행한 성업공사를 피고로 하여야 하고, 위임청인 세무서장은 피고적격이 없다(대판 1997.2.28, 96누1757).
3. **상급행정청으로부터 내부위임을 받은 데 불과한 하급행정청이 권한 없이 한 행정처분에 대한 행정소송의 피고적격(= 하급행정청)**
   행정처분의 취소 또는 무효확인을 구하는 행정소송은 다른 법률에 특별한 규정이 없는 한 그 처분을 행한 행정청을 피고로 하여야 하며, 행정처분을 행할 적법한 권한 있는 상급행정청으로부터 내부위임을 받은데 불과한 하급행정청이 권한 없이 행정처분을 한 경우에도 실제로 그 처분을 행한 하급행정청을 피고로 하여야 할 것이지 그 처분을 행할 적법한 권한 있는 상급행정청을 피고로 할 것이 아니므로 부산직할시장의 산하기관인 부산직할시 금강공원 관리사업소장이 한 공단사용료 부과처분에 대하여 가사 위 사업소장이 부산직할시로부터 단순히 내부위임만을 받은 경우라 하더라도 이의 취소를 구하는 소송은 위 금강공원 관리사업소장을 피고로 하여야 한다(대판 1991.2.22, 90누5641).
4. **조례가 항고소송의 대상이 되는 행정처분에 해당되는 경우 및 그 경우 조례 무효확인소송의 피고적격(지방자치단체의 장)**
   조례가 집행행위의 개입 없이도 그 자체로서 직접 국민의 구체적인 권리의무나 법적 이익에 영향을 미치는 등의 법률상 효과를 발생하는 경우 그 조례는 항고소송의 대상이 되는 행정처분에 해당하고, 이러한 조례에 대한 무효확인소송을 제기함에 있어서 행정소송법 제38조 제1항, 제13조에 의하여 피고적격이 있는 처분 등을 행한 행정청은, 행정주체인 지방자치단체 또는 지방자치단체의 내부적 의결기관으로서 지방자치단체의 의사를 외부에 표시한 권한이 없는 지방의회가 아니라, 구 지방자치법(1994.3.16. 법률 제4741호로 개정되기 전의 것) 제19조 제2항, 제92조에 의하여 지방자치단체의 집행기관으로서 조례로서의 효력을 발생시키는 공포권이 있는 지방자치단체의 장이다(대판 1996.9.20, 95누8003).
5. **교육에 관한 조례 무효확인소송에 있어서 피고적격(교육감)**
   구 지방교육자치에 관한 법률(1995.7.26. 법률 제4951호로 개정되기 전의 것) 제14조 제5항, 제25조에 의하면 시 · 도의 교육 · 학예에 관한 사무의 집행기관은 시 · 도 교육감이고 시 · 도 교육감에게 지방교육에 관한 조례안의 공포권이 있다고 규정되어 있으므로, 교육에 관한 조례의 무효확인소송을 제기함에 있어서는 그 집행기관인 시 · 도 교육감을 피고로 하여야 한다(대판 1996.9.20, 95누8003).

③ 피고경정(제14조)

㉠ 원고가 피고를 잘못 지정한 때에는 법원은 원고의 신청에 의하여 결정으로써 피고의 경정을 허가할 수 있다.

㉡ 법원은 피고경정 결정의 정본을 새로운 피고에게 송달하여야 한다.

㉢ 피고경정 신청을 각하하는 결정에 대하여는 즉시항고할 수 있다.

㉣ 피고경정 결정이 있은 때에는 새로운 피고에 대한 소송은 처음에 소를 제기한 때에 제기된 것으로 본다.

㉤ 피고경정 결정이 있은 때에는 종전의 피고에 대한 소송은 취하된 것으로 본다.

㉥ 취소소송이 제기된 후에 처분 등에 관계되는 권한이 다른 행정청에 승계되거나 행정청이 없게 된 때에는 법원은 당사자의 신청 또는 직권에 의하여 피고를 경정한다.

판례

1. **행정소송에서 피고지정이 잘못된 경우에 법원이 취할 조치**
   세무서장의 위임에 의하여 성업공사가 한 공매처분에 대하여 피고지정을 잘못하여 피고적격이 없는 세무서장을 상대로 그 공매처분의 취소를 구하는 소송이 제기된 경우, 법원으로서는 석명권을 행사하여 피고를 성업공사로 경정하게 하여 소송을 진행하여야 한다(대판 1997.2.28, 96누1757).
2. **조세소송에서 피고지정이 잘못된 경우, 법원의 조치**
   원고가 피고를 잘못 지정하였다면 법원으로서는 당연히 석명권을 행사하여 원고로 하여금 피고를 경정하게 하여 소송을 진행케 하였어야 할 것임에도 불구하고 이러한 조치를 취하지 아니한 채 피고의 지정이 잘못되었다는 이유로 소를 각하한 것이 위법하다(대판 2004.7.8., 2002두7852).
3. **행정소송법 제14조에 의한 피고경정의 종기(= 사실심 변론종결시)**
   행정소송법 제14조에 의한 피고경정은 사실심 변론종결에 이르기까지 허용되는 것으로 해석하여야 할 것이고, 굳이 제1심 단계에서만 허용되는 것으로 해석할 근거는 없다(대결 2006.2.23, 2005부4).

④ 공동소송(제15조) : 수인의 청구 또는 수인에 대한 청구가 처분 등의 취소청구와 관련되는 청구인 경우에 한하여 그 수인은 공동소송인이 될 수 있다.

⑤ 제3자의 소송참가(제16조)

㉠ 법원은 소송의 결과에 따라 권리 또는 이익의 침해를 받을 제3자가 있는 경우에는 당사자 또는 제3자의 신청 또는 직권에 의하여 결정으로써 그 제3자를 소송에 참가시킬 수 있다.

㉡ 법원이 제3자의 소송참가 결정을 하고자 할 때에는 미리 당사자 및 제3자의 의견을 들어야 한다.

㉢ 제3자는 그 신청을 각하한 결정에 대하여 즉시항고할 수 있다.

㉣ 소송에 참가한 제3자에 대하여는 민사소송법 제67조의 규정을 준용한다.

판례

1. **당사자 일방을 보조하기 위한 보조참가의 요건**
   특정 소송사건에서 당사자 일방을 보조하기 위하여 보조참가를 하려면 당해 소송의 결과에 대하여 이해관계가 있어야 하고, 여기서 말하는 이해관계라 함은 사실상 · 경제상 또는 감정상의 이해관계가 아니라 법률상의 이해관계를 가리킨다(대판 2014.8.28, 2011두17899).
2. **학교법인의 이사 겸 이사장에 대한 임원취임승인취소처분 취소소송에 대하여 관할청인 피고를 돕기 위하여 이사장직무대행자가 학교법인의 이름으로 보조참가를 하는 경우, 이사회의 특별수권결의를 요하는지 여부(소극) 및 보조참가의 요건인 법률상 이해관계에 해당하는지 여부(적극)**
   학교법인의 이사장직무대행자가 학교법인의 이름으로 관할청인 피고를 돕기 위하여 임원취임승인취소처분의 취소를 구하는 소송에 보조참가를 함에 있어 이사회의 특별수권결의를 거칠 필요는 없다고 할 것이고, 한편 임원취임승인취소처분이 취소되어 원고가 학교법인의 이사 및 이사장으로서의 지위를 회복하게 되면 학교법인으로서는 결과적으로 그 의사와 관계없이 이사회의 구성원이나 대표자가 변경되는 관계에 있다고 할 것이고, 이는 위 취소소송의 결과에 의하여 그 법률상의 지위가 결정되는 관계로서 보조참가의 요건인 법률상 이해관계에 해당한다(대판 2003.5.30, 2002두11073).

⑥ 행정청의 소송참가(제17조)

㉠ 법원은 다른 행정청을 소송에 참가시킬 필요가 있다고 인정할 때에는 당사자 또는 당해 행정청의 신청 또는 직권에 의하여 결정으로써 그 행정청을 소송에 참가시킬 수 있다.

㉡ 법원은 다른 행정청의 소송참가 결정을 하고자 할 때에는 당사자 및 당해 행정청의 의견을 들어야 한다.

㉢ 소송에 참가한 행정청에 대하여는 민사소송법 제76조의 규정을 준용한다.

판례 **행정소송 사건에서 참가인이 한 보조참가가 행정소송법 제16조가 규정한 제3자의 소송참가에 해당하지 않는 경우에도 민사소송법 제78조에 규정된 공동소송적 보조참가인지 여부(적극)**

행정소송 사건에서 참가인이 한 보조참가가 행정소송법 제16조가 규정한 제3자의 소송참가에 해당하지 않는 경우에도, 판결의 효력이 참가인에게까지 미치는 점 등 행정소송의 성질에 비추어 보면 그 참가는 민사소송법 제78조에 규정된 공동소송적 보조참가이다(대판 2013.3.28, 2011두13729).

(4) 소의 제기

① 행정심판과의 관계(제18조)

㉠ 취소소송은 법령의 규정에 의하여 당해 처분에 대한 행정심판을 제기할 수 있는 경우에도 이를 거치지 아니하고 제기할 수 있다. 다만, 다른 법률에 당해 처분에 대한 행정심판의 재결을 거치지 아니하면 취소소송을 제기할 수 없다는 규정이 있는 때에는 그러하지 아니하다.

판례 **사실심 변론종결시까지의 전심절차이행과 전심요건흠결의 하자치유 여부**

산업재해보상보험법상의 보험급여처분에 대한 행정소송은 심사 및 재심사의 2단계 전심절차를 거친 연후에 제기하도록 되어 있으나 행정심판전치주의의 근본취지가 행정청에게 반성의 기회를 부여하고 행정청의 전문지식을 활용하는데 있는 것이므로 제소당시에 비록 전치요건을 구비하지 못한 위법이 있다 하여도 사실심 변론종결당시까지 그 전치요건을 갖추었다면 그 흠결의 하자는 치유되었다고 볼 것이다(대판 1987.9.22, 87누176).

㉡ 위 ㉠의 단서의 경우에도 다음에 해당하는 사유가 있는 때에는 행정심판의 재결을 거치지 아니하고 취소소송을 제기할 수 있다.

ⓐ 행정심판청구가 있은 날로부터 60일이 지나도 재결이 없는 때

ⓑ 처분의 집행 또는 절차의 속행으로 생길 중대한 손해를 예방하여야 할 긴급한 필요가 있는 때

ⓒ 법령의 규정에 의한 행정심판기관이 의결 또는 재결을 하지 못할 사유가 있는 때

ⓓ 그 밖의 정당한 사유가 있는 때

㉢ 위 ㉠의 단서의 경우에 다음에 해당하는 사유가 있는 때에는 행정심판을 제기함이 없이 취소소송을 제기할 수 있다.

ⓐ 동종사건에 관하여 이미 행정심판의 기각재결이 있은 때

ⓑ 서로 내용상 관련되는 처분 또는 같은 목적을 위하여 단계적으로 진행되는 처분 중 어느 하나가 이미 행정심판의 재결을 거친 때

ⓒ 행정청이 사실심의 변론종결 후 소송의 대상인 처분을 변경하여 당해 변경된 처분에 관하여 소를 제기하는 때

ⓓ 처분을 행한 행정청이 행정심판을 거칠 필요가 없다고 잘못 알린 때

㉣ 위 ㉡, ㉢에 의한 사유는 이를 소명하여야 한다.

② 취소소송의 대상(제19조) : 취소소송은 처분 등을 대상으로 한다. 다만, 재결취소소송의 경우에는 재결 자체에 고유한 위법이 있음을 이유로 하는 경우에 한한다. 다시 말해 현행 행정소송법은 원처분주의를 채택하고 있다.

판례

1. **환지계획이 항고소송의 대상이 되는 행정처분인지 여부(소극)**

   토지구획정리사업법 제57조, 제62조 등의 규정상 환지예정지 지정이나 환지처분은 그에 의하여 직접 토지소유자 등의 권리의무가 변동되므로 이를 항고소송의 대상이 되는 처분이라고 볼 수 있으나, 환지계획은 위와 같은 환지예정지

지정이나 환지처분의 근거가 될 뿐 그 자체가 직접 토지소유자 등의 법률상의 지위를 변동시키거나 또는 환지예정지 지정이나 환지처분과는 다른 고유한 법률효과를 수반하는 것이 아니어서 이를 항고소송의 대상이 되는 처분에 해당한다고 할 수가 없다(대판 1999.8.20, 97누6889).

2. 한국자산공사의 재공매(입찰)결정 및 공매통지가 항고소송의 대상이 되는 행정처분인지 여부(소극)

한국자산공사가 당해 부동산을 인터넷을 통하여 재공매(입찰)하기로 한 결정 자체는 내부적인 의사결정에 불과하여 항고소송의 대상이 되는 행정처분이라고 볼 수 없고, 또한 한국자산공사가 공매통지는 공매의 요건이 아니라 공매사실 자체를 체납자에게 알려주는 데 불과한 것으로서, 통지의 상대방의 법적 지위나 권리 · 의무에 직접 영향을 주는 것이 아니라고 할 것이므로 이것 역시 행정처분에 해당한다고 할 수 없다(대판 2007.7.27, 2006두8464).

3. 진실 · 화해를 위한 과거사정리 기본법 제26조에 따른 진실 · 화해를 위한 과거사정리위원회의 진실규명결정이 항고소송의 대상이 되는 행정처분인지 여부(적극)

진실 · 화해를 위한 과거사정리 기본법(이하 '법'이라 한다)과 구 과거사 관련 권고사항 처리에 관한 규정(2010.2.24. 대통령령 제22055호 과거사 관련 권고사항 처리 등에 관한 규정으로 개정되기 전의 것)의 목적, 내용 및 취지를 바탕으로, 피해자 등에게 명문으로 진실규명 신청권, 진실규명결정 통지 수령권 및 진실규명결정에 대한 이의신청권 등이 부여된 점, 진실규명결정이 이루어지면 그 결정에서 규명된 진실에 따라 국가가 피해자 등에 대하여 피해 및 명예회복 조치를 취할 법률상 의무를 부담하게 되는 점, 진실 · 화해를 위한 과거사정리위원회가 위와 같은 법률상 의무를 부담하는 국가에 대하여 피해자 등의 피해 및 명예 회복을 위한 조치로 권고한 사항에 대한 이행의 실효성이 법적 · 제도적으로 확보되고 있는 점 등 여러 사정을 종합하여 보면, 법이 규정하는 진실규명결정은 국민의 권리의무에 직접적으로 영향을 미치는 행위로서 항고소송의 대상이 되는 행정처분이라고 보는 것이 타당하다(대판 2013.1.16, 2010두22856).

4. 정부의 수도권 소재 공공기관의 지방이전시책을 추진하는 과정에서 도지사가 도 내 특정시를 공공기관이 이전할 혁신도시 최종입지로 선정한 행위는 항고소송의 대상이 되는 행정처분이 아니라고 본 사례

법과 법 시행령 및 이 사건 지침에는 공공기관의 지방이전을 위한 정부 등의 조치와 공공기관이 이전할 혁신도시 입지선정을 위한 사항 등을 규정하고 있을 뿐 혁신도시입지 후보지에 관련된 지역 주민 등의 권리의무에 직접 영향을 미치는 규정을 두고 있지 않으므로, 피고가 원주시를 혁신도시 최종입지로 선정한 행위는 항고소송의 대상이 되는 행정처분으로 볼 수 없다(대판 2007.11.15, 2007두10198).

5. 공정거래위원회의 '표준약관 사용권장행위'가 항고소송의 대상이 되는지 여부(적극)

공정거래위원회의 '표준약관 사용권장행위'는 그 통지를 받은 해당 사업자 등에게 표준약관과 다른 약관을 사용할 경우 표준약관과 다르게 정한 주요내용을 고객이 알기 쉽게 표시하여야 할 의무를 부과하고, 그 불이행에 대해서는 과태료에 처하도록 되어 있으므로, 이는 사업자 등의 권리 · 의무에 직접 영향을 미치는 행정처분으로서 항고소송의 대상이 된다(대판 2010.10.14, 2008두23184).

6. 금융기관의 임원에 대한 금융감독원장의 문책경고가 항고소송의 대상이 되는 행정처분에 해당한다고 한 사례

금융기관의 임원에 대한 금융감독원장의 문책경고는 그 상대방에 대한 직업선택의 자유를 직접 제한하는 효과를 발생하게 하는 등 상대방의 권리 · 의무에 직접 영향을 미치는 행위로서 항고소송의 대상이 되는 행정처분에 해당한다(대판 2005.2.17, 2003두14765).

7. 금융감독원장이 종합금융주식회사의 전 대표이사에게 재직 중 위법 · 부당행위 사례를 첨부하여 금융 관련 법규를 위반하고 신용질서를 심히 문란하게 한 사실이 있다는 내용으로 '문책경고장(상당)'을 보낸 행위가 항고소송의 대상이 되는 행정처분에 해당하지 아니한다고 한 사례

이 사건 서면 통보행위는 어떠한 법적 근거에 기하여 발하여진 것이 아니고, 단지 종합금융회사의 업무와 재산상황에 대한 일반적인 검사권한을 가진 피고가 소외 주식회사에 대하여 검사를 실시한 결과, 원고가 소외 주식회사의 대표이사로 근무할 당시 행한 것으로 인정된 위법 · 부당행위 사례에 관한 단순한 사실의 통지에 불과한 것으로서, 다만 원고가 재직중인 임원이었다고 한다면 이는 금융기관검사 및 제재에 관한 규정 제18조 제1항 제3호 소정의 문책경고의 제재에 해당하는 사례라는 취지로 '문책경고장(상당)'이라는 제목을 붙인 것일 뿐 금융업 관련 법규에 근거한 문책경고의 제재처분 자체와는 다르고, 피고로부터 같은 내용을 통보받은 소외 주식회사가 금융기관검사 및 제재에 관한 규정 시행세칙 제64조 제2항에 따라 인사기록부에 원고의 위법 · 부당사실 등을 기록 · 유지함으로 인하여 원고가 소외 주식회사나 다른 금융기관에 취업함에 있어 지장을 받는 불이익이 있다고 하더라도, 이는 이 사건 서면 통보행위로 인한 것이 아닐 뿐만 아니라 사실상의 불이익에 불과한 것이고, 원고가 주장하는 취업 제한 자체도 불분명하며, 문책경고를 받은 자는 문책경고일로부터 3년간 은행장 또는 상임이사 등이 될 수 없다는 내용이 담긴 은행업감독규정은 실제로 문책경고의 제재처분을 받은 자에 대하여 적용되는 규정이므로 원고와는 무관하고, 불안감이라는 것도 원고가 주장하는 취업제한의 내용에 비추어 볼 때 은행 고위 임원을 선임함에 있어 그러한 제한을 인식하여야 할 선임권자 등의 범위는 매우 제한적이어서 그들의 법의식 수준이 위 서면 통보만으로도 이를 문책경고의 법적 효력이 있다고 오해할 것이라고 보기 어려우며, 달리 위 통보행위로 인하여 이미 소외 주식회사로부터 퇴직한 후의 원고의 권리 · 의무에 직접적 변동을 초래하는 하등의 법률상의 효과가 발생하거나 그러한 법적 불안이 존재한다고 할 수 없으므로, 이 사건 서면 통보행위는 항고소송의 대상이 되는 행정처분에 해당하지 않는다(대판 2005.2.17, 2003두10312).

8. **건축계획심의신청에 대한 반려처분이 항고소송의 대상이 되는 행정처분에 해당한다고 한 사례**
피고는 건축위원회의 심의대상이 되는 건축물에 대한 건축허가를 신청하려는 사람으로 하여금 그 신청에 앞서 건축계획심의신청을 하도록 하고, 그 절차를 거치지 아니한 경우 건축허가를 접수하지 아니하고 있어 원고로서는 이 사건 건축물의 건축허가신청에 중대한 지장이 초래된 점 등에 비추어 보면, 피고의 이 사건 반려처분은 원고의 권리 · 의무나 법률관계에 직접 영향을 미쳤다고 할 것이다. 나아가 위와 같은 사정에 건축허가를 신청하려는 사람이 직접 건축위원회의 심의를 신청할 수 있음을 전제하고 있는 건축법 부칙(2001.9.28.)의 규정과 건축허가를 신청하려는 사람으로 하여금 건축허가 신청 이전에 먼저 건축위원회의 심의를 신청하도록 규정하고 있는 일부 지방자치단체의 조례 등을 더하여 보면, 법규상 내지 조리상으로 원고에게 건축계획심의를 신청할 권리도 있다고 할 것이므로, 건축계획심의신청에 대한 반려처분은 항고소송의 대상이 된다 할 것이다(대판 2007.10.11, 2007두1316).

9. **경찰공무원시험승진후보자명부에 등재된 자가 승진임용되기 전에 감봉 이상의 징계처분을 받은 경우, 임용권자가 당해인을 시험승진후보자명부에서 삭제한 행위가 행정처분이 되는지 여부(소극)**
구 경찰공무원법(1996.8.8. 법률 제5153호로 개정되기 전의 것) 제11조 제2항, 제13조 제1항, 제2항, 경찰공무원 승진임용 규정 제36조 제1항, 제2항에 의하면, 경정 이하 계급에의 승진에 있어서는 승진심사와 함께 승진시험을 병행할 수 있고, 승진시험에 합격한 자는 시험승진후보자명부에 등재하여 그 등재순위에 따라 승진하도록 되어 있으며, 같은 규정 제36조 제3항에 의하면 시험승진후보자명부에 등재된 자가 승진임용되기 전에 감봉 이상의 징계처분을 받은 경우에는 임용권자 또는 임용제청권자가 위 징계처분을 받은 자를 시험승진후보자명부에서 삭제하도록 되어 있는바, 이처럼 시험승진후보자명부에 등재되어 있던 자가 그 명부에서 삭제됨으로써 승진임용의 대상에서 제외되었다 하더라도, 그와 같은 시험승진후보자명부에서의 삭제행위는 결국 그 명부에 등재된 자에 대한 승진 여부를 결정하기 위한 행정청 내부의 준비과정에 불과하고, 그 자체가 어떠한 권리나 의무를 설정하거나 법률상 이익에 직접적인 변동을 초래하는 별도의 행정처분이 된다고 할 수 없다(대판 1997.11.14, 97누7325).

10. **교육공무원법상 승진후보자 명부에 의한 승진심사 방식으로 행해지는 승진임용에서 승진후보자 명부에 포함되어 있던 후보자를 승진임용인사발령에서 제외하는 행위가 항고소송의 대상인 처분에 해당하는지 여부(적극)**
교육공무원의 임용권자는 승진예정인원의 3배수의 범위 안에 들어간 후보자들을 대상으로 순위가 높은 사람부터 차례로 승진임용 여부를 심사하여야 하고, 이에 따라 승진후보자 명부에 포함된 후보자는 임용권자로부터 정당한 심사를 받게 될 것에 관한 절차적 기대를 하게 된다. 그런데 임용권자 등이 자의적으로 승진후보자 명부에 포함된 후보자를 승진임용에서 제외하는 처분을 한 경우에, 이러한 승진임용제외처분을 항고소송의 대상이 되는 처분으로 보지 않는다면, 달리 이에 대하여는 불복하여 침해된 권리를 구제받을 방법이 없다. 따라서 교육공무원법상 승진후보자 명부에 의한 승진심사 방식으로 행해지는 승진임용에서 승진후보자 명부에 포함되어 있던 후보자를 승진임용인사발령에서 제외하는 행위는 불이익처분으로서 항고소송의 대상인 처분에 해당한다고 보아야 한다(대판 2018.3.27, 2016두44308).

11. **행정소송법 제19조 소정의 '재결 자체에 고유한 위법'의 의미**
행정소송법 제19조에서 말하는 '재결 자체에 고유한 위법'이란 원처분에는 없고 재결에만 있는 재결청의 권한 또는 구성의 위법, 재결의 절차나 형식의 위법, 내용의 위법 등을 뜻하고, 그중 내용의 위법에는 위법 · 부당하게 인용재결을 한 경우가 해당한다(대판 1997.9.12, 96누14661).

12. 소청결정이 재량권남용 또는 일탈로서 위법하다는 주장이 소청결정 취소사유가 되는지 여부
항고소송은 원칙적으로 당해 처분을 대상으로 하나, 당해 처분에 대한 재결 자체에 고유한 주체, 절차, 형식 또는 내용상의 위법이 있는 경우에 한하여 그 재결을 대상으로 할 수 있다고 해석되므로, 징계혐의자에 대한 감봉 1월의 징계처분을 견책으로 변경한 소청결정 중 그를 견책에 처한 조치는 재량권의 남용 또는 일탈로서 위법하다는 사유는 소청결정 자체에 고유한 위법을 주장하는 것으로 볼 수 없어 소청결정의 취소사유가 될 수 없다(대판 1993.8.24, 93누5673).

13. 원처분의 취소를 구하는 소송에서 재결 자체의 고유한 위법사유를 주장할 수 있는지 여부
행정처분에 대한 행정심판의 재결에 이유모순의 위법이 있다는 사유는 재결처분 자체에 고유한 하자로서 재결처분의 취소를 구하는 소송에서는 그 위법사유로서 주장할 수 있으나, 원처분의 취소를 구하는 소송에서는 그 취소를 구할 위법사유로서 주장할 수 없다(대판 1996.2.13, 95누8027).

③ 제소기간(제20조)

㉠ 취소소송은 처분 등이 있음을 안 날부터 90일 이내에 제기하여야 한다. 다만, 위 ①의 ㉠ 단서에 규정한 경우와 그 밖에 행정심판청구를 할 수 있는 경우 또는 행정청이 행정심판청구를 할 수 있다고 잘못 알린 경우에 행정심판청구가 있은 때의 기간은 재결서의 정본을 송달받은 날부터 기산한다.

㉡ 취소소송은 처분 등이 있은 날부터 1년(위 ㉠ 단서의 경우는 재결이 있은 날부터 1년)을 경과하면 이를 제기하지 못한다. 다만, 정당한 사유가 있는 때에는 그러하지 아니하다.

㉢ 위 ㉠의 규정에 의한 기간은 불변기간으로 한다.

판례

1. 행정심판법 제18조 제1항 소정의 심판청구기간 기산점인 '처분이 있음을 안 날'의 의미
행정심판법 제18조 제1항 소정의 심판청구기간 기산점인 '처분이 있음을 안 날'이라 함은 당사자가 통지·공고 기타의 방법에 의하여 당해 처분이 있었다는 사실을 현실적으로 안 날을 의미하고, 추상적으로 알 수 있었던 날을 의미하는 것은 아니지만, 처분에 관한 서류가 당사자의 주소지에 송달되는 등 사회통념상 처분이 있음을 당사자가 알 수 있는 상태에 놓여진 때에는 반증이 없는 한 그 처분이 있음을 알았다고 추정할 수 있다(대판 1999.12.28, 99두9742).

2. 행정소송법 제20조 제1항이 정한 제소기간의 기산점인 '처분 등이 있음을 안 날'의 의미 및 상대방이 있는 행정처분의 경우 위 제소기간의 기산점
행정소송법 제20조 제1항이 정한 제소기간의 기산점인 '처분 등이 있음을 안 날'이란 통지, 공고 기타의 방법에 의하여 당해 처분 등이 있었다는 사실을 현실적으로 안 날을 의미한다. 상대방이 있는 행정처분의 경우에는 특별한 규정이 없는 한 의사표시의 일반적 법리에 따라 행정처분이 상대방에게 고지되어야 효력을 발생하게 되므로, 행정처분이 상대방에게 고지되어 상대방이 이러한 사실을 인식함으로써 행정처분이 있다는 사실을 현실적으로 알았을 때 행정소송법 제20조 제1항이 정한 제소기간이 진행한다고 보아야 한다(대판 2014.9.25, 2014두8254).

3. 특정인에 대한 행정처분을 주소불명 등의 이유로 송달할 수 없어 관보 등에 공고한 경우, 상대방이 그 처분이 있음을 안 날(= 현실적으로 안 날)
행정소송법 제20조 제1항 소정의 제소기간 기산점인 '처분이 있음을 안 날'이라 함은 당사자가 통지, 공고 기타의 방법에 의하여 당해 처분이 있었다는 사실을 현실적으로 안 날을 의미하는바, 특정인에 대한 행정처분을 주소불명 등의 이유로 송달할 수 없어 관보·공보·게시판·일간신문 등에 공고한 경우에는, 공고가 효력을 발생하는 날에 상대방이 그 행정처분이 있음을 알았다고 볼 수는 없고, 상대방이 당해 처분이 있었다는 사실을 현실적으로 안 날에 그 처분이 있음을 알았다고 보아야 한다(대판 2006.4.28, 2005두14851).

4. 개별공시지가에 대하여 이의가 있는 자가 행정심판을 거쳐 행정소송을 제기하는 경우 제소기간의 기산점
개별공시지가에 대하여 이의가 있는 자는 곧바로 행정소송을 제기하거나 부동산 가격공시 및 감정평가에 관한 법률에 따른 이의신청과 행정심판법에 따른 행정심판청구 중 어느 하나만을 거쳐 행정소송을 제기할 수 있을 뿐 아니라, 이의신청을 하여 그 결과 통지를 받은 후 다시 행정심판을 거쳐 행정소송을 제기할 수도 있다고 보아야 하고, 이 경우 행정소송의 제소기간은 그 행정심판 재결서 정본을 송달받은 날부터 기산한다(대판 2010.1.28, 2008두19987).

5. 처분 당시에는 취소소송의 제기가 법제상 허용되지 않아 소송을 제기할 수 없다가 위헌결정으로 인하여 비로소 취소소송을 제기할 수 있게 된 경우 제소기간의 기산점

행정소송법 제20조가 제소기간을 규정하면서 '처분 등이 있은 날' 또는 '처분 등이 있음을 안 날'을 각 제소기간의 기산점으로 삼은 것은 그때 비로소 적법한 취소소송을 제기할 객관적 또는 주관적 여지가 발생하기 때문이므로, 처분 당시에는 취소소송의 제기가 법제상 허용되지 않아 소송을 제기할 수 없다가 위헌결정으로 인하여 비로소 취소소송을 제기할 수 있게 된 경우, 객관적으로는 '위헌결정이 있은 날', 주관적으로는 '위헌결정이 있음을 안 날' 비로소 취소소송을 제기할 수 있게 되어 이때를 제소기간의 기산점으로 삼아야 한다(대판 2008.2.1, 2007두20997).

④ 소의 변경(제21조) − 소의 종류 변경

㉠ 법원은 취소소송을 당해 처분 등에 관계되는 사무가 귀속하는 국가 또는 공공단체에 대한 당사자소송 또는 취소소송 외의 항고소송으로 변경하는 것이 상당하다고 인정할 때에는 청구의 기초에 변경이 없는 한 사실심의 변론종결시까지 원고의 신청에 의하여 결정으로써 소의 변경을 허가할 수 있다.

㉡ 소의 변경 허가를 하는 경우 피고를 달리하게 될 때에는 법원은 새로이 피고로 될 자의 의견을 들어야 한다.

㉢ 소의 변경 허가결정에 대하여는 즉시항고할 수 있다.

⑤ 처분변경으로 인한 소의 변경(제22조)

㉠ 법원은 행정청이 소송의 대상인 처분을 소가 제기된 후 변경한 때에는 원고의 신청에 의하여 결정으로써 청구의 취지 또는 원인의 변경을 허가할 수 있다.

㉡ 처분변경으로 인한 소의 변경 신청은 처분의 변경이 있음을 안 날로부터 60일 이내에 하여야 한다.

㉢ 위 ㉠에 의하여 변경되는 청구는 제18조 제1항 단서의 규정에 의한 요건을 갖춘 것으로 본다.

판례

1. 행정청이 식품위생법령에 따라 영업자에게 행정제재처분을 한 후 당초 처분을 영업자에게 유리하게 변경하는 처분을 한 경우, 취소소송의 대상 및 제소기간 판단 기준이 되는 처분(= 당초 처분)

행정청이 식품위생법령에 따라 영업자에게 행정제재처분을 한 후 그 처분을 영업자에게 유리하게 변경하는 처분을 한 경우, 변경처분에 의하여 당초 처분은 소멸하는 것이 아니고 당초부터 유리하게 변경된 내용의 처분으로 존재하는 것이므로, 변경처분에 의하여 유리하게 변경된 내용의 행정제재가 위법하다 하여 그 취소를 구하는 경우 그 취소소송의 대상은 변경된 내용의 당초 처분이지 변경처분은 아니고, 제소기간의 준수 여부도 변경처분이 아닌 변경된 내용의 당초 처분을 기준으로 판단하여야 한다(대판 2007.4.27, 2004두9302).

2. 선행처분의 내용을 변경하는 후행처분이 있는 경우, 선행처분의 효력 존속 여부

선행처분의 주요 부분을 실질적으로 변경하는 내용으로 후행처분을 한 경우에 선행처분은 특별한 사정이 없는 한 그 효력을 상실하지만, 후행처분이 있었다고 하여 일률적으로 선행처분이 존재하지 않게 되는 것은 아니고 선행처분의 내용 중 일부만을 소폭 변경하는 정도에 불과한 경우에는 선행처분이 소멸한다고 볼 수 없다(대판 2012.12.13, 2010두20782 · 20799).

3. 선행처분이 후행처분에 의하여 변경되지 아니한 범위 내에서 존속하고 후행처분은 선행처분의 내용 중 일부를 변경하는 범위 내에서 효력을 가지는 경우에 있어서 선행처분의 취소를 구하는 소를 제기한 후 후행처분의 취소를 구하는 청구를 추가하여 청구를 변경하는 경우, 후행처분에 관한 제소기간 준수 여부의 판단 기준시기

선행처분이 후행처분에 의하여 변경되지 아니한 범위 내에서 존속하고 후행처분은 선행처분의 내용 중 일부를 변경하는 범위 내에서 효력을 가지는 경우에, 선행처분의 취소를 구하는 소를 제기한 후 후행처분의 취소를 구하는 청구를 추가하여 청구를 변경하였다면 후행처분에 관한 제소기간 준수 여부는 청구변경 당시를 기준으로 판단하여야 하나, 선행처분에만 존재하는 취소사유를 이유로 후행처분의 취소를 청구할 수는 없다(대판 2012.12.13, 2010두20782 · 20799).

4. **기존의 행정처분을 변경하는 후속처분의 내용이 종전처분의 유효를 전제로 내용 중 일부만을 추가 · 철회 · 변경하는 것이고 그 부분이 내용과 성질상 나머지 부분과 불가분적인 것이 아닌 경우, 종전처분이 항고소송의 대상이 되는지 여부(적극) 및 종전처분을 변경하는 내용의 후속처분이 있는 경우 법원이 항고소송의 대상이 되는 행정처분을 확정하는 방법**
기존의 행정처분을 변경하는 내용의 행정처분이 뒤따르는 경우, 후속처분이 종전처분을 완전히 대체하는 것이거나 주요 부분을 실질적으로 변경하는 내용인 경우에는 특별한 사정이 없는 한 종전처분은 효력을 상실하고 후속처분만이 항고소송의 대상이 되지만, 후속처분의 내용이 종전처분의 유효를 전제로 내용 중 일부만을 추가 · 철회 · 변경하는 것이고 추가 · 철회 · 변경된 부분이 내용과 성질상 나머지 부분과 불가분적인 것이 아닌 경우에는, 후속처분에도 불구하고 종전처분이 여전히 항고소송의 대상이 된다. 따라서 종전처분을 변경하는 내용의 후속처분이 있는 경우 법원으로서는, 후속처분의 내용이 종전처분 전체를 대체하거나 주요 부분을 실질적으로 변경하는 것인지, 후속처분에서 추가 · 철회 · 변경된 부분의 내용과 성질상 나머지 부분과 가분적인지 등을 살펴 항고소송의 대상이 되는 행정처분을 확정하여야 한다[대판 2015.11.19, 2015두295(전합)].

5. **甲 등이 관할 구청장에게 재단법인 乙의 기본재산 처분에 관한 정보공개를 청구하였으나 해당 정보가 공공기관의 정보공개에 관한 법률 제9조 제1항 제4호, 제7호 등에 해당한다는 이유로 비공개결정을 한 사안에서, 공공기관의 정보공개에 관한 법률 제1항 제4호, 제5호, 제7호는 입법 취지가 다를 뿐 아니라 내용과 범위 및 요건이 달라 구청장이 처분사유로 추가한 공공기관의 정보공개에 관한 법률 제1항 제5호의 사유는 당초 처분사유인 같은 법 제9조 제1항 제4호, 제7호의 사유와 기본적 사실관계가 동일하다고 할 수 없어 이를 추가하는 것은 허용되지 않는다고 본 원심판단을 정당하다고 한 사례**
행정처분의 취소를 구하는 항고소송에서, 처분청은 당초 처분의 근거로 삼은 사유와 기본적 사실관계가 동일성이 있다고 인정되는 한도 내에서만 다른 사유를 추가하거나 변경할 수 있는바, 여기서 기본적 사실관계의 동일성 유무는 처분사유를 법률적으로 평가하기 이전의 구체적인 사실에 착안하여 그 기초인 사회적 사실관계가 기본적인 점에서 동일한지 여부에 따라 결정하여야 하므로, 만일 그와 같은 동일성이 없다면 추가 또는 변경된 사유가 당초의 처분시 그 사유를 명기하지 않았을 뿐 처분 시에 이미 존재하고 있었고 당사자도 그 사실을 알고 있었다 하더라도 당초의 처분사유와 동일성이 있는 것이라 할 수 없다(대판 2012.4.12, 2010두24913).

6. **취소소송에서 행정청의 처분사유의 추가 · 변경 시한(= 사실심 변론종결시)**
행정청은 기본적 사실관계의 동일성이 있다고 인정되는 한도 내에서만 다른 처분사유를 추가, 변경할 수 있다고 할 것이나 이는 사실심 변론종결시까지만 허용된다(대판 1999.8.20, 98두17043).

7. **행정처분취소소송에 있어서 당초의 처분사유를 변경하거나 새로운 처분사유를 추가할 수 있는 한도**
이 사건에서 당초의 처분사유인 중기취득세의 체납과 그 후 추가된 처분사유인 자동차세의 체납은 각 세목, 과세년도, 납세의무자의 지위(연대납세의무자와 직접의 납세의무자) 및 체납액 등을 달리하고 있어 기본적 사실관계가 동일하다고 볼 수 없고, 중기취득세의 체납이나 자동차세의 체납이 다같이 지방세의 체납이고 그 과세대상도 다같은 지입중기에 대한 것이라는 점만으로는 기본적 사실관계의 동일성을 인정하기에 미흡하다(대판 1989.6.27, 88누6160).

8. **항고소송에서 처분청이 당초 처분의 근거가 된 사유와 다른 사유를 처분사유로 주장할 수 있는 범위**
행정처분의 취소를 구하는 항고소송에 있어서, 처분청은 당초처분의 근거로 삼은 사유와 기본적 사실관계가 동일성이 있다고 인정되는 한도 내에서만 다른 사유를 추가하거나 변경할 수 있을 뿐, 기본적 사실관계와 동일성이 인정되지 않는 별개의 사실을 들어 처분사유로서 주장함은 허용되지 아니한다. 주류면허 지정조건 중 제6호 무자료 주류판매 및 위장거래 항목을 근거로 한 면허취소처분에 대한 항고소송에서, 지정조건 제2호 무면허판매업자에 대한 주류판매를 새로이 그 취소사유로 주장하는 것은 기본적 사실관계가 다른 사유를 내세우는 것으로서 허용될 수 없다(대판 1996.9.6, 96누7427).

⑥ 집행정지(제23조)

㉠ 취소소송의 제기는 처분 등의 효력이나 그 집행 또는 절차의 속행에 영향을 주지 아니한다.

㉡ 취소소송이 제기된 경우에 처분 등이나 그 집행 또는 절차의 속행으로 인하여 생길 회복하기 어려운 손해를 예방하기 위하여 긴급한 필요가 있다고 인정할 때에는 본안이 계속되고 있는 법원은 당사자의 신청 또는 직권에 의하여 처분 등의 효력이나 그 집행 또는 절차의 속행의 전부 또는 일부의 정지(이하 '집행정지'라 한다)를 결정할 수 있다. 다만, 처분의 효력정지는 처분 등의 집행 또는 절차의 속행을 정지함으로써 목적을 달성할 수 있는 경우에는 허용되지 아니한다.

㉢ 집행정지는 공공복리에 중대한 영향을 미칠 우려가 있을 때에는 허용되지 아니한다.

㉣ 집행정지의 결정을 신청함에 있어서는 그 이유에 대한 소명이 있어야 한다.

㉤ 집행정지의 결정 또는 기각의 결정에 대하여는 즉시항고할 수 있다. 이 경우 집행정지의 결정에 대한 즉시항고에는 결정의 집행을 정지하는 효력이 없다.

판례

1. **행정처분의 효력정지나 집행정지를 구하는 신청사건에 있어서 집행정지사건 자체에 의하여도 본안청구가 적법한 것이어야 한다는 점이 집행정지의 요건인지 여부(적극)**
   행정처분의 효력정지나 집행정지를 구하는 신청사건에 있어서는 행정처분 자체의 적법 여부는 궁극적으로 본안재판에서 심리를 거쳐 판단할 성질의 것이므로 원칙적으로 판단할 것이 아니고, 그 행정처분의 효력이나 집행을 정지할 것인가에 관한 행정소송법 제23조 제2항 소정의 요건의 존부만이 판단의 대상이 된다고 할 것이지만, 나아가 집행정지는 행정처분의 집행부정지원칙의 예외로서 인정되는 것이고 또 본안에서 원고가 승소할 수 있는 가능성을 전제로 한 권리보호수단이라는 점에 비추어 보면 집행정지사건 자체에 의하여도 신청인의 본안청구가 적법한 것이어야 한다는 것을 집행정지의 요건에 포함시켜야 한다(대결 1999.11.26, 99부3).
2. **집행정지사건 자체에 의하여도 신청인의 본안청구가 이유 없음이 명백하지 않아야 한다는 것이 집행정지의 요건에 포함되는지 여부(적극)**
   행정처분의 효력정지나 집행정지를 구하는 신청사건에서 행정처분 자체의 적법 여부는 궁극적으로 본안재판에서 심리를 거쳐 판단할 성질의 것이므로 원칙적으로는 판단할 것이 아니고 그 행정처분의 효력이나 집행을 정지할 것인가에 대한 행정소송법 제23조 제2항, 제3항에 정해진 요건의 존부만이 판단의 대상이 된다고 할 것이지만, 효력정지나 집행정지는 신청인이 본안소송에서 승소판결을 받을 때까지 그 지위를 보호함과 동시에 후에 받을 승소판결을 무의미하게 하는 것을 방지하려는 것이어서 본안소송에서 처분의 취소가능성이 없음에도 처분의 효력이나 집행의 정지를 인정한다는 것은 제도의 취지에 반하므로 효력정지나 집행정지사건 자체에 의하여도 신청인의 본안청구가 이유 없음이 명백하지 않아야 한다는 것도 효력정지나 집행정지의 요건에 포함시켜야 한다(대결 1997.4.28, 96두75).
3. **행정처분의 효력 · 집행정지를 구하는 신청사건에서의 판단대상**
   행정처분의 효력정지나 집행정지를 구하는 신청사건에 있어서는 행정처분 자체의 적법 여부를 판단할 것이 아니고 그 행정처분의 효력이나 집행 등을 정지시킬 필요가 있는지의 여부, 즉 행정소송법 제23조 제2항 소정 요건의 존부만이 판단대상이 되는 것이므로, 이러한 요건을 결하였다는 이유로 효력정지신청을 기각한 결정에 대하여 행정처분 자체의 적법 여부를 가지고 불복사유로 삼을 수는 없다(대결 1994.9.24, 94두42).
4. **행정소송법 제23조 제2항 소정의 '회복하기 어려운 손해'의 의미**
   행정소송법 제23조 제2항 소정의 행정처분 등의 효력이나 집행을 정지하기 위한 요건으로서의 '회복하기 어려운 손해'라 함은 특별한 사정이 없는 한 금전으로 보상할 수 없는 손해로서 이는 금전보상이 불능인 경우뿐만 아니라 금전보상으로는 사회관념상 행정처분을 받은 당사자가 참고 견딜 수 없거나 또는 참고 견디기가 현저히 곤란한 경우의 유형 · 무형의 손해를 일컫는다(대결 1994.9.24, 94두42).

5. 행정소송법 제23조 제3항 소정의 집행정지의 소극적 요건인 '공공복리에 중대한 영향을 미칠 우려'의 의미 및 그 주장 · 소명책임의 소재(= 행정청)
행정소송법 제23조 제3항에서 집행정지의 요건으로 규정하고 있는 '공공복리에 중대한 영향을 미칠 우려'가 없을 것이라고 할 때의 '공공복리'는 그 처분의 집행과 관련된 구체적이고도 개별적인 공익을 말하는 것으로서 이러한 집행정지의 소극적 요건에 대한 주장 · 소명책임은 행정청에게 있다(대결 1999.12.20, 99무4).

6. 항고소송의 대상이 되는 행정처분의 효력이나 집행 혹은 절차속행 등의 정지를 구하는 방법(= 행정소송법상 집행정지 신청)
항고소송의 대상이 되는 행정처분의 효력이나 집행 혹은 절차속행 등의 정지를 구하는 신청은 행정소송법상 집행정지 신청의 방법으로서만 가능할 뿐 민사소송법상 가처분의 방법으로는 허용될 수 없다(대결 2009.11.2, 2009마596).

7. 도시 및 주거환경정비법상 주택재건축정비사업조합을 상대로 관리처분계획안에 대한 조합 총회결의의 효력을 다투는 소송이 행정소송법상 당사자소송인지 여부(적극) 및 이를 본안으로 하는 가처분에 대하여 민사집행법상 가처분에 관한 규정이 준용되는지 여부(적극)
도시 및 주거환경정비법(이하 '도시정비법'이라 한다)상 행정주체인 주택재건축정비사업조합을 상대로 관리처분계획안에 대한 조합 총회결의의 효력을 다투는 소송은 행정처분에 이르는 절차적 요건의 존부나 효력 유무에 관한 소송으로서 소송결과에 따라 행정처분의 위법 여부에 직접 영향을 미치는 공법상 법률관계에 관한 것이므로, 이는 행정소송법상 당사자소송에 해당한다. 그리고 이러한 당사자소송에 대하여는 행정소송법 제23조 제2항의 집행정지에 관한 규정이 준용되지 아니하므로(행정소송법 제44조 제1항 참조), 이를 본안으로 하는 가처분에 대하여는 행정소송법 제8조 제2항에 따라 민사집행법상 가처분에 관한 규정이 준용되어야 한다(대결 2015.8.21, 2015무26).

⑦ 집행정지의 취소(제24조) : 집행정지의 결정이 확정된 후 집행정지가 공공복리에 중대한 영향을 미치거나 그 정지사유가 없어진 때에는 당사자의 신청 또는 직권에 의하여 결정으로써 집행정지의 결정을 취소할 수 있다.

(5) 심리

① 행정심판기록의 제출명령(제25조)

㉠ 법원은 당사자의 신청이 있는 때에는 결정으로써 재결을 행한 행정청에 대하여 행정심판에 관한 기록의 제출을 명할 수 있다.

㉡ 제출명령을 받은 행정청은 지체 없이 당해 행정심판에 관한 기록을 법원에 제출하여야 한다.

② 직권심리(제26조) : 법원은 필요하다고 인정할 때에는 직권으로 증거조사를 할 수 있고, 당사자가 주장하지 아니한 사실에 대하여도 판단할 수 있다.

판례

1. 행정소송에 있어서 행정처분의 존부가 직권조사사항인지 여부(적극) 및 사실심 변론종결시까지 당사자가 주장하지 않던 직권조사사항에 해당하는 사항을 상고심에서 비로소 주장하는 경우, 그 사항이 상고심의 심판범위에 해당하는지 여부(적극)
행정소송에서 쟁송의 대상이 되는 행정처분의 존부는 소송요건으로서 직권조사사항이고, 자백의 대상이 될 수 없는 것이므로, 설사 그 존재를 당사자들이 다투지 아니한다 하더라도 그 존부에 관하여 의심이 있는 경우에는 이를 직권으로 밝혀 보아야 할 것이고, 사실심에서 변론종결시까지 당사자가 주장하지 않던 직권조사사항에 해당하는 사항을 상고심에서 비로소 주장하는 경우 그 직권조사사항에 해당하는 사항은 상고심의 심판범위에 해당한다(대판 2004.12.24, 2003두15195).

2. 행정소송에 있어서 직권심리의 범위
행정소송법 제26조가 법원은 필요하다고 인정할 때에는 직권으로 증거조사를 할 수 있고, 당사자가 주장하지 아니한 사실에 대하여도 판단할 수 있다고 규정하고 있지만, 이는 행정소송의 특수성에 연유하는 당사자주의, 변론주의에 대한 일부 예외 규정일 뿐 법원이 아무런 제한 없이 당사자가 주장하지 아니한 사실을 판단할 수 있는 것은 아니고, 일건

기록에 현출되어 있는 사항에 관하여서만 직권으로 증거조사를 하고 이를 기초로 하여 판단할 수 있을 따름이고, 그것도 법원이 필요하다고 인정할 때에 한하여 청구의 범위 내에서 증거조사를 하고 판단할 수 있을 뿐이다(대판 1994.10.11, 94누4820).

3. **행정소송에서 기록상 자료가 나타나 있다면 당사자가 주장하지 않더라도 판단할 수 있는지 여부(적극)**
행정소송에서 기록상 자료가 나타나 있다면 당사자가 주장하지 않았더라도 판단할 수 있고, 당사자가 제출한 소송자료에 의하여 법원이 처분의 적법 여부에 관한 합리적인 의심을 품을 수 있음에도 단지 구체적 사실에 관한 주장을 하지 아니하였다는 이유만으로 당사자에게 석명을 하거나 직권으로 심리·판단하지 아니함으로써 구체적 타당성이 없는 판결을 하는 것은 행정소송법 제26조의 규정과 행정소송의 특수성에 반하므로 허용될 수 없다(대판 2010.2.11, 2009두18035).

(6) 재판

① 재량처분의 취소(제27조) : 행정청의 재량에 속하는 처분이라도 재량권의 한계를 넘거나 그 남용이 있는 때에는 법원은 이를 취소할 수 있다.

② 사정판결(제28조)

㉠ 원고의 청구가 이유 있다고 인정하는 경우에도 처분 등을 취소하는 것이 현저히 공공복리에 적합하지 아니하다고 인정하는 때에는 법원은 원고의 청구를 기각할 수 있다. 이 경우 법원은 그 판결의 주문에서 그 처분 등이 위법함을 명시하여야 한다.

㉡ 법원이 사정판결을 함에 있어서는 미리 원고가 그로 인하여 입게 될 손해의 정도와 배상방법 그 밖의 사정을 조사하여야 한다.

㉢ 원고는 피고인 행정청이 속하는 국가 또는 공공단체를 상대로 손해배상, 제해시설의 설치 그 밖에 적당한 구제방법의 청구를 당해 취소소송 등이 계속된 법원에 병합하여 제기할 수 있다.

판례

1. **사정판결을 하기 위한 요건인 '현저히 공공복리에 적합하지 아니한가' 여부의 판단 방법 및 사정판결제도의 위헌 여부(소극)**
행정처분이 위법한 때에는 이를 취소함이 원칙이고 그 위법한 처분을 취소·변경하는 것이 도리어 현저히 공공의 복리에 적합하지 않은 경우에 극히 예외적으로 위법한 행정처분의 취소를 허용하지 않는다는 사정판결을 할 수 있으므로, 사정판결의 적용은 극히 엄격한 요건 아래 제한적으로 하여야 하고, 그 요건인 '현저히 공공복리에 적합하지 아니한가'의 여부를 판단할 때에는 위법·부당한 행정처분을 취소·변경하여야 할 필요와 그 취소·변경으로 발생할 수 있는 공공복리에 반하는 사태 등을 비교·교량하여 그 적용 여부를 판단하여야 한다. 아울러 사정판결을 할 경우 미리 원고가 입게 될 손해의 정도와 구제방법, 그 밖의 사정을 조사하여야 하고, 원고는 피고인 행정청이 속하는 국가 또는 공공단체를 상대로 손해배상 등 적당한 구제방법의 청구를 당해 취소소송 등이 계속된 법원에 청구할 수 있는 점(행정소송법 제28조 제2항, 제3항) 등에 비추어 보면, 사정판결제도가 위법한 처분으로 법률상 이익을 침해당한 자의 기본권을 침해하고, 법치행정에 반하는 위헌적인 제도라고 할 것은 아니다(대판 2009.12.10, 2009두8359).

2. **행정소송에 있어서 법원이 직권으로 사정판결을 할 수 있는지 여부**
행정소송법 제26조, 제28조 제1항 전단의 각 규정에 비추어 보면, 법원은 행정소송에 있어서 행정처분이 위법하여 운전자의 청구가 이유 있다고 인정하는 경우에도 그 처분 등을 취소하는 것이 현저히 공공복리에 적합하지 아니하다고 인정하는 때에는 원고의 청구를 기각하는 사정판결을 할 수 있고, 이러한 사정판결을 할 필요가 있다고 인정하는 때에는 당사자의 명백한 주장이 없는 경우에도 일건 기록에 나타난 사실을 기초로 하여 직권으로 사정판결을 할 수 있다(대판 1995.7.28, 95누4629).

③ 취소판결 등의 효력(제29조)

㉠ 처분 등을 취소하는 확정판결은 제3자에 대하여도 효력이 있다.

㉡ 위 ㉠은 집행정지의 결정 또는 그 집행정지결정의 취소결정에 준용한다.

판례

1. 확정판결의 기판력이 미치는 범위 및 소송물이 동일하거나 선결문제 또는 모순관계에 의하여 기판력이 미치는 객관적 범위에 해당하지 않는 경우, 후소에 전소 판결의 기판력이 미치는지 여부(소극)

확정판결의 기판력은 그 판결의 주문에 포함된 것, 즉 소송물로 주장된 법률관계의 존부에 관한 판단의 결론 그 자체에만 생기는 것이고, 판결이유에 설시된 그 전제가 되는 법률관계의 존부에까지 미치는 것은 아니다. 그리고 기판력은 기판력 있는 전소 판결과 후소의 소송물이 동일한 경우 또는 후소의 소송물이 전소의 소송물과 동일하지는 않다고 하더라도 전소의 소송물에 관한 판단이 후소의 선결문제가 되거나 모순관계에 있을 때에는 후소에서 전소 판결의 판단과 다른 주장을 하는 것을 허용하지 않는 작용을 하는 것이므로, 이와 같이 소송물이 동일하거나 선결문제 또는 모순관계에 의하여 기판력이 미치는 객관적 범위에 해당하지 않는 경우에는 그 후소에 전소 판결의 기판력이 미치지 않는다(대판 2020.7.23, 2017다224906).

2. 과세처분 취소소송에서 청구가 기각된 확정판결의 기판력이 과세처분 무효확인소송에 미치는지 여부(적극)

과세처분의 취소소송은 과세처분의 실체적, 절차적 위법을 그 취소원인으로 하는 것으로서 그 심리의 대상은 과세관청의 과세처분에 의하여 인정된 조세채무인 과세표준 및 세액의 객관적 존부, 즉 당해 과세처분의 적부가 심리의 대상이 되는 것이며, 과세처분 취소청구를 기각하는 판결이 확정되면 그 처분이 적법하다는 점에 관하여 기판력이 생기고 그 후 원고가 이를 무효라 하여 무효확인을 소구할 수 없는 것이어서 과세처분의 취소소송에서 청구가 기각된 확정판결의 기판력은 그 과세처분의 무효확인을 구하는 소송에도 미친다(대판 1998.7.24, 98다10854).

3. 행정처분취소 확정판결의 형성력 발생에 행정처분 취소통지 등을 요하는지 여부(소극)

행정처분을 취소한다는 확정판결이 있으면 그 취소판결의 형성력에 의하여 당해 행정처분의 취소나 취소통지 등의 별도의 절차를 요하지 아니하고 당연히 취소의 효과가 발생한다(대판 1991.10.11, 90누5443).

④ 취소판결 등의 기속력(제30조)

㉠ 처분 등을 취소하는 확정판결은 그 사건에 관하여 당사자인 행정청과 그 밖의 관계행정청을 기속한다.

㉡ 판결에 의하여 취소되는 처분이 당사자의 신청을 거부하는 것을 내용으로 하는 경우에는 그 처분을 행한 행정청은 판결의 취지에 따라 다시 이전의 신청에 대한 처분을 하여야 한다.

판례

1. 확정판결을 받은 처분행정청이 그 행정소송을 사실심 변론종결 이전의 사유를 내세워 다시 한 확정판결과 저촉되는 행정처분의 효력 유무(소극)

확정판결의 당사자인 처분행정청이 그 행정소송의 사실심 변론종결 이전의 사유를 내세워 다시 확정판결과 저촉되는 행정처분을 하는 것은 허용되지 않는 것으로서 이러한 행정처분은 그 하자가 중대하고도 명백한 것이어서 당연무효라 할 것이다(대판 1990.12.11, 90누3560).

2. 확정된 거부처분취소 판결의 취지에 따라 이전 신청에 대하여 재처분을 할 의무가 있는 행정청이 종전 처분 후 발생한 '새로운 사유'를 내세워 다시 거부처분을 할 수 있는지 여부(적극) 및 '새로운 사유'인지를 판단하는 기준

행정소송법 제30조 제2항에 의하면, 행정청의 거부처분을 취소하는 판결이 확정된 경우에는 처분을 행한 행정청이 판결의 취지에 따라 이전 신청에 대하여 재처분을 할 의무가 있다. 행정처분의 적법 여부는 행정처분이 행하여진 때의 법령과 사실을 기준으로 판단하는 것이므로 확정판결의 당사자인 처분 행정청은 종전 처분 후에 발생한 새로운 사유를 내세워 다시 거부처분을 할 수 있고, 그러한 처분도 위 조항에 규정된 재처분에 해당한다. 여기에서 '새로운 사유'인지는 종전 처분에 관하여 위법한 것으로 판결에서 판단된 사유와 기본적 사실관계의 동일성이 인정되는 사유인지에 따라 판단되어야 하고, 기본적 사실관계의 동일성 유무는 처분사유를 법률적으로 평가하기 이전의 구체적인 사실에 착안하여 그 기초인 사회적 사실관계가 기본적인 점에서 동일한지에 따라 결정되며, 추가 또는 변경된 사유가 처분 당시에 그 사유를 명기하지 않았을 뿐 이미 존재하고 있었고 당사자도 그 사실을 알고 있었다고 하여 당초 처분사유와 동일성이 있는 것이라고 할 수는 없다(대판 2011.10.27, 2011두14401).

3. 행정처분 취소판결이 확정된 경우, 그 판결에 적시된 위법사유를 보완하여 행한 새로운 행정처분이 확정판결의 기판력에 저촉되는지 여부(소극)

행정소송법 제30조 제2항의 규정에 의하면 행정청의 거부처분을 취소하는 판결이 확정된 때에는 그 처분을 행한 행정청이 판결의 취지에 따라 이전의 신청에 대하여 재처분할 의무가 있으나, 이 때 확정판결의 당사자인 처분 행정청은 그 확정판결에서 적시된 위법사유를 보완하여 새로운 처분을 할 수 있다(대결 1998.1.7, 97두22).

4. 거부처분 취소의 확정판결을 받은 행정청이 거부처분 후에 법령이 개정·시행된 경우, 새로운 사유로 내세워 다시 거부처분을 한 경우도 행정소송법 제30조 제2항 소정의 재처분에 해당하는지 여부(적극)

행정처분의 적법 여부는 그 행정처분이 행하여 진 때의 법령과 사실을 기준으로 하여 판단하는 것이므로 거부처분 후에 법령이 개정·시행된 경우에는 개정된 법령 및 허가기준을 새로운 사유로 들어 다시 이전의 신청에 대한 거부처분을 할 수 있으며 그러한 처분도 행정소송법 제30조 제2항에 규정된 재처분에 해당된다(대결 1998.1.7, 97두22).

(7) 보칙

① 제3자에 의한 재심청구(제31조)

㉠ 처분 등을 취소하는 판결에 의하여 권리 또는 이익의 침해를 받은 제3자는 자기에게 책임 없는 사유로 소송에 참가하지 못함으로써 판결의 결과에 영향을 미칠 공격 또는 방어방법을 제출하지 못한 때에는 이를 이유로 확정된 종국판결에 대하여 재심의 청구를 할 수 있다.

㉡ 제3자의 재심청구는 확정판결이 있음을 안 날로부터 30일 이내, 판결이 확정된 날로부터 1년 이내에 제기하여야 한다.

㉢ 위 ㉡의 기간은 불변기간으로 한다.

② 소송비용의 부담(제32조): 취소청구가 사정판결에 의하여 기각되거나 행정청이 처분 등을 취소 또는 변경함으로 인하여 청구가 각하 또는 기각된 경우에는 소송비용은 피고의 부담으로 한다.

③ 소송비용에 관한 재판의 효력(제33조): 소송비용에 관한 재판이 확정된 때에는 피고 또는 참가인이었던 행정청이 소속하는 국가 또는 공공단체에 그 효력을 미친다.

④ 거부처분취소판결의 간접강제(제34조)

㉠ 행정청이 위 (6) ④의 ㉡에 의한 처분을 하지 아니하는 때에는 제1심수소법원은 당사자의 신청에 의하여 결정으로써 상당한 기간을 정하고 행정청이 그 기간 내에 이행하지 아니하는 때에는 그 지연기간에 따라 일정한 배상을 할 것을 명하거나 즉시 손해배상을 할 것을 명할 수 있다.

판례

1. 거부처분취소판결의 간접강제신청에 필요한 요건

거부처분에 대한 취소의 확정판결이 있음에도 행정청이 아무런 재처분을 하지 아니하거나, 재처분을 하였다 하더라도 그것이 종전 거부처분에 대한 취소의 확정판결의 기속력에 반하는 등으로 당연무효라면 이는 아무런 재처분을 하지 아니한 때와 마찬가지라 할 것이므로 이러한 경우에는 행정소송법 제30조 제2항, 제34조 제1항 등에 의한 간접강제신청에 필요한 요건을 갖춘 것으로 보아야 한다(대결 2002.12.11, 2002무22).

2. 행정소송법 제34조 소정의 간접강제결정에 기한 배상금의 성질 및 확정판결의 취지에 따른 재처분이 간접강제결정에서 정한 의무이행기한이 경과한 후에 이루어진 경우, 간접강제결정에 기한 배상금의 추심이 허용되는지 여부(소극)
행정소송법 제34조 소정의 간접강제결정에 기한 배상금은 거부처분취소판결이 확정된 경우 그 처분을 행한 행정청으로 하여금 확정판결의 취지에 따른 재처분의무의 이행을 확실히 담보하기 위한 것으로서, 확정판결의 취지에 따른 재처분의무내용의 불확정성과 그에 따른 재처분에의 해당 여부에 관한 쟁송으로 인하여 간접강제결정에서 정한 재처분의무의 기한 경과에 따른 배상금이 증가될 가능성이 자칫 행정청으로 하여금 인용처분을 강제하여 행정청의 재량권을 박탈하는 결과를 초래할 위험성이 있는 점 등을 감안하면, 이는 확정판결의 취지에 따른 재처분의 지연에 대한 제재나 손해배상이 아니고 재처분의 이행에 관한 심리적 강제수단에 불과한 것으로 보아야 하므로, 특별한 사정이 없는 한 간접강제결정에서 정한 의무이행기한이 경과한 후에라도 확정판결의 취지에 따른 재처분의 이행이 있으면 배상금을 추심함으로써 심리적 강제를 꾀할 목적이 상실되어 처분상대방이 더 이상 배상금을 추심하는 것은 허용되지 않는다(대판 2004.1.15, 2002두2444).

3. 취소소송 외의 항고소송

(1) 무효등확인소송의 원고적격(제35조)

무효등확인소송은 처분 등의 효력 유무 또는 존재 여부의 확인을 구할 법률상 이익이 있는 자가 제기할 수 있다.

판례 행정소송법 제35조에 규정된 '무효확인을 구할 법률상 이익'이 있는지를 판단할 때 행정처분의 무효를 전제로 한 이행소송 등과 같은 직접적인 구제수단이 있는지를 따져보아야 하는지 여부(소극)
행정소송은 행정청의 위법한 처분 등을 취소·변경하거나 그 효력 유무 또는 존재 여부를 확인함으로써 국민의 권리 또는 이익의 침해를 구제하고 공법상의 권리관계 또는 법 적용에 관한 다툼을 적정하게 해결함을 목적으로 하므로, 대등한 주체 사이의 사법상 생활관계에 관한 분쟁을 심판대상으로 하는 민사소송과는 목적, 취지 및 기능 등을 달리한다. 또한, 행정소송법 제4조에서는 무효확인소송을 항고소송의 일종으로 규정하고 있고, 행정소송법 제38조 제1항에서는 처분 등을 취소하는 확정판결의 기속력 및 행정청의 재처분의무에 관한 행정소송법 제30조를 무효확인소송에도 준용하고 있으므로 무효확인판결 자체만으로도 실효성을 확보할 수 있다. 그리고 무효확인소송의 보충성을 규정하고 있는 외국의 일부 입법례와는 달리 우리나라 행정소송법에는 명문의 규정이 없어 이로 인한 명시적 제한이 존재하지 않는다. 이와 같은 사정을 비롯하여 행정에 대한 사법통제, 권익구제의 확대와 같은 행정소송의 기능 등을 종합하여 보면, 행정처분의 근거 법률에 의하여 보호되는 직접적이고 구체적인 이익이 있는 경우에는 행정소송법 제35조에 규정된 '무효확인을 구할 법률상 이익'이 있다고 보아야 하고, 이와 별도로 무효확인소송의 보충성이 요구되는 것은 아니므로 행정처분의 무효를 전제로 한 이행소송 등과 같은 직접적인 구제수단이 있는지 여부를 따질 필요가 없다고 해석함이 상당하다[대판 2008.3.20, 2007두6342(전합)].

(2) 부작위위법확인소송의 원고적격(제36조)

부작위위법확인소송은 처분의 신청을 한 자로서 부작위의 위법의 확인을 구할 법률상 이익이 있는 자만이 제기할 수 있다.

(3) 소의 변경(제37조)

소의 변경(제21조)과 관련된 규정은 무효 등 확인소송이나 부작위위법확인소송을 취소소송 또는 당사자소송으로 변경하는 경우에 준용한다.

4. 당사자소송

당사자소송이란 행정청의 처분 등을 원인으로 하는 법률관계에 관한 소송 그 밖에 공법상의 법률관계에 관한 소송으로서 그 법률관계의 한쪽 당사자를 피고로 하는 소송을 말한다.

판례

1. **지방전문직공무원 채용계약 해지 의사표시에 대하여 당사자소송으로 무효확인을 청구할 수 있는지 여부**
   현행 실정법이 지방전문직공무원 채용계약 해지의 의사표시를 일반공무원에 대한 징계처분과는 달리 항고소송의 대상이 되는 처분 등의 성격을 가진 것으로 인정하지 아니하고, 지방전문직공무원규정 제7조 각호의 1에 해당하는 사유가 있을 때 지방자치단체가 채용계약관계의 한쪽 당사자로서 대등한 지위에서 행하는 의사표시로 취급하고 있는 것으로 이해되므로, 지방전문직공무원 채용계약 해지의 의사표시에 대하여는 대등한 당사자간의 소송형식인 공법상 당사자소송으로 그 의사표시의 무효확인을 청구할 수 있다(대판 1993.9.14, 92누4611).

2. **시립합창단원에 대한 재위촉 거부가 항고소송의 대상인 처분에 해당하는지 여부(소극)**
   광주광역시문화예술회관장의 단원 위촉은 광주광역시문화예술회관장이 행정청으로서 공권력을 행사하여 행하는 행정처분이 아니라 공법상의 근무관계의 설정을 목적으로 하여 광주광역시와 단원이 되고자 하는 자 사이에 대등한 지위에서 의사가 합치되어 성립하는 공법상 근로계약에 해당한다고 보아야 할 것이므로, 광주광역시립합창단원으로서 위촉기간이 만료되는 자들의 재위촉 신청에 대하여 광주광역시문화예술회관장이 실기와 근무성적에 대한 평정을 실시하여 재위촉을 하지 아니한 것을 항고소송의 대상이 되는 불합격처분이라고 할 수는 없다(대판 2001.12.11, 2001두7794).

3. **공법상의 법률관계를 다투는 당사자소송에서의 피고적격(= 국가 · 공공단체 등 권리주체)**
   공법상의 법률관계를 다투는 당사자소송은 행정소송법 제3조 제2호, 제39조에 의하여 그 법률관계의 한쪽 당사자인 국가 · 공공단체 그 밖의 권리주체가 피고적격을 가진다(대판 2001.12.11, 2001두7794).

4. **공법상 근무관계의 형성을 목적으로 하는 채용계약의 체결과정에서 행정청의 일방적인 의사표시로 계약이 성립하지 않게 된 경우**
   지방계약직공무원인 이 사건 옴부즈만 채용행위는 공법상 대등한 당사자 사이의 의사표시의 합치로 성립하는 공법상 계약에 해당한다. 이와 같이 이 사건 옴부즈만 채용행위가 공법상 계약에 해당하는 이상 원고의 채용계약 청약에 대응한 피고의 '승낙의 의사표시'가 대등한 당사자로서의 의사표시인 것과 마찬가지로 그 청약에 대하여 '승낙을 거절하는 의사표시' 역시 행정청이 대등한 당사자의 지위에서 하는 의사표시라고 보는 것이 타당하고, 그 채용계약에 따라 담당할 직무의 내용에 고도의 공공성이 있다거나 원고가 그 채용과정에서 최종합격자로 공고되어 채용계약 성립에 관한 강한 기대나 신뢰를 가지게 되었다는 사정만으로 이를 행정청이 우월한 지위에서 행하는 공권력의 행사로서 행정처분에 해당한다고 볼 수는 없다(대판 2014.4.24, 2013두6244).

5. **공무원연금관리공단이 퇴직연금 중 일부 금액에 대하여 지급거부의 의사표시를 한 경우, 그 의사표시가 항고소송의 대상이 되는 행정처분인지 여부(소극) 및 이 경우 미지급퇴직연금의 지급을 구하는 소송의 성격(=공법상 당사자소송)**
   공무원연금관리공단이 퇴직연금 중 일부 금액에 대하여 지급거부의 의사표시를 하였다고 하더라도 그 의사표시는 퇴직연금 청구권을 형성 · 확정하는 행정처분이 아니라 공법상의 법률관계의 한쪽 당사자로서 그 지급의무의 존부 및 범위에 관하여 나름대로의 사실상 · 법률상 의견을 밝힌 것일 뿐이어서, 이를 행정처분이라고 볼 수는 없고, 이 경우 미지급퇴직연금에 대한 지급청구권은 공법상 권리로서 그의 지급을 구하는 소송은 공법상의 법률관계에 관한 소송인 공법상 당사자소송에 해당한다(대판 2004.7.8, 2004두244).

6. **부가가치세 환급세액 지급청구가 당사자소송의 대상인지 여부(적극)**
   납세의무자에 대한 국가의 부가가치세 환급세액 지급의무는 그 납세의무자로부터 어느 과세기간에 과다하게 거래징수된 세액 상당을 국가가 실제로 납부 받았는지와 관계없이 부가가치세법령의 규정에 의하여 직접 발생하는 것으로서, 그 법적 성질은 정의와 공평의 관념에서 수익자와 손실자 사이의 재산상태 조정을 위해 인정되는 부당이득 반환의무가 아니라 부가가치세법령에 의하여 그 존부나 범위가 구체적으로 확정되고 조세 정책적 관점에서 특별히 인정되는 공법상 의무라고 봄이 타당하다. 그렇다면 납세의무자에 대한 국가의 부가가치세 환급세액 지급의무에 대응하는 국가에 대한 납세의무자의 부가가치세 환급세액 지급청구는 민사소송이 아니라 행정소송법 제3조 제2호에 규정된 당사자소송의 절차에 따라야 한다[대판 2013.3.21, 2011다95564(전합)].

(1) 피고적격(제39조)

항고소송의 경우 행정청을 피고로 하지만 당사자소송은 국가·공공단체 그 밖의 권리주체를 피고로 한다.

> **판례** **납세의무부존재확인의 소의 성격(= 당사자소송) 및 피고적격(= 국가·공공단체 등 권리주체)**
> 납세의무부존재확인의 소는 공법상의 법률관계 그 자체를 다투는 소송으로서 당사자소송이라 할 것이므로 행정소송법 제3조 제2호, 제39조에 의하여 그 법률관계의 한쪽 당사자인 국가·공공단체 그 밖의 권리주체가 피고적격을 가진다(대판 2000.9.8, 99두2765).

(2) 재판관할(제40조)

재판관할(제9조)은 당사자소송의 경우에 준용한다. 다만, 국가 또는 공공단체가 피고인 경우에는 관계행정청의 소재지를 피고의 소재지로 본다.

(3) 제소기간(제41조)

당사자소송에 관하여 법령에 제소기간이 정하여져 있는 때에는 그 기간은 불변기간으로 한다.

(4) 소의 변경(제42조)

소의 변경(제21조) 규정은 당사자소송을 항고소송으로 변경하는 경우에 준용한다.

> **판례** **공법상 법률관계에 관한 당사자소송의 피고적격 및 원고가 고의 또는 중대한 과실 없이 당사자소송으로 제기하여야 할 것을 항고소송으로 잘못 제기한 경우, 법원이 취할 조치**
> 공법상의 법률관계에 관한 당사자소송에서는 그 법률관계의 한쪽 당사자를 피고로 하여 소송을 제기하여야 한다(행정소송법 제3조 제2호, 제39조). 다만, 원고가 고의 또는 중대한 과실 없이 당사자소송으로 제기하여야 할 것을 항고소송으로 잘못 제기한 경우에, 당사자소송으로서의 소송요건을 결하고 있음이 명백하여 당사자소송으로 제기되었더라도 어차피 부적법하게 되는 경우가 아닌 이상, 법원으로서는 원고가 당사자소송으로 소 변경을 하도록 하여 심리·판단하여야 한다(대판 2016.5.24, 2013두14863).

(5) 가집행선고의 제한(제43조)

국가를 상대로 하는 당사자소송의 경우에는 가집행선고를 할 수 없다. 이와 관련하여 판례는 재산권의 청구를 인용하는 판결을 하는 경우에는 가집행선고가 가능하다고 판시한 경우가 있다.

> **판례** **공법상 당사자소송에서 재산권의 청구를 인용하는 판결을 하는 경우, 가집행선고를 할 수 있는지 여부(적극)**
> 행정소송법 제8조 제2항에 의하면 행정소송에도 민사소송법의 규정이 일반적으로 준용되므로 법원으로서는 공법상 당사자소송에서 재산권의 청구를 인용하는 판결을 하는 경우 가집행선고를 할 수 있다(대판 2000.11.28, 99두3416).

5. 민중소송 및 기관소송

(1) 소의 제기(제45조)

민중소송 및 기관소송은 법률이 정한 경우에 법률에 정한 자에 한하여 제기할 수 있다.

(2) 준용규정(제46조)

① 민중소송 또는 기관소송으로써 처분 등의 취소를 구하는 소송에는 그 성질에 반하지 아니하는 한 취소소송에 관한 규정을 준용한다.

② 민중소송 또는 기관소송으로써 처분 등의 효력 유무 또는 존재 여부나 부작위의 위법의 확인을 구하는 소송에는 그 성질에 반하지 아니하는 한 각각 무효 등 확인소송 또는 부작위위법확인소송에 관한 규정을 준용한다.

③ 민중소송 또는 기관소송으로서 ① 및 ②에 규정된 소송 외의 소송에는 그 성질에 반하지 아니하는 한 당사자소송에 관한 규정을 준용한다.

MEMO

CHAPTER 05 경찰관리

제1절 경찰관리 일반

01 서설

1. 경찰관리의 의의

경찰관리란 경찰목적을 달성하기 위하여 조직을 구성하고 있는 여러 가지 요소인 인력 · 장비 · 시설 · 예산 등을 확보하여 조직하고, 이를 유기적으로 연결하여 경찰 전체의 활동을 효율적이고 신속하게 운영하기 위한 활동이다. 이러한 경찰관리를 통해 경찰관 각자에게 효율적으로 직무를 부여할 수 있으며, 이들의 활동을 적절하게 조정할 수 있게 된다.

2. 경찰관리의 필요성

예산을 집행하는 경찰행정의 특성상 경찰의 조직과 인사, 장비 등을 효율적 · 능률적으로 운영하기 위해서는 반드시 경찰관리가 필요하다.

02 경찰관리의 구조

1. 경찰관리의 구조적 체계

(1) 최고관리자

① 의의: 경찰 조직의 최상위에 위치하여 기본적인 정책방향을 수립하고 경찰조직 전체의 조정과 통제의 기능을 담당하는 계층을 말한다. 행정안전부장관, 국가경찰위원회, 경찰청장, 경찰청 차장 등과 함께 총경급 이상의 관리자들이 최고관리자에 해당한다.

② 최고관리자의 기능: 기획, 조직, 인사, 지휘, 조정, 보고 등의 기능을 수행하며 조직목표 및 정책의 결정과 자원의 동원 및 통제 · 조정을 담당한다.

③ 최고관리자의 역할

구분	내용
비전의 제시	관리자는 조직의 비전을 제시하고, 조직구성원들로 하여금 그 목표에 따르도록 지도해야 한다.
환경에 대한 적응성 확보	관리자는 조직을 둘러싼 환경에 신축적으로 대응하기 위해 경찰조직의 최적화에 노력하고, 조직 내부와 시민으로부터 지지와 협력을 획득하여 경찰목적달성에 기여하도록 하여야 한다.
조정과 통합	관리자는 자기 부서나 기관의 경찰활동을 조정하고 통합하는 역할을 하여야 한다.
직원의 지도 · 육성	관리자는 직원이 갖고 있는 능력을 향상시키고 창조성을 발휘하도록 함으로써, 직원 개인이 스스로 가능성에 도전하고 성장하도록 해야 한다.

직원의 사기관리	경찰의 사기는 근본적으로 인사 등의 공정성, 인격적 대우, 경찰관의 인권보장 등과 밀접하게 관련됨을 직시하고, 이러한 환경조성에 힘써야 한다.
직원의 생활지도	관리자는 평소부터 인간관계를 확실히 유지하고 마음의 교감을 통한 직원들과의 신뢰 형성에 관심을 가져야 한다.

(2) 중간관리자

① 의의: 중간관리자란 경찰조직의 계층구조상 최고 관리층의 바로 밑에 있는 중추적인 계층을 의미하며 국·과·계의 장 등(주로 보조기관)이 중간관리자에 해당한다.

② 중간관리자의 역할

상사의 보좌	중간관리자는 상급관리자가 결정한 방침에 따라 각 부분의 실천계획을 수립하고 시행해 가야 한다.
커뮤니케이션	중간관리자는 상하·좌우의 커뮤니케이션이 잘 되도록 하여야 한다.
직원의 지도·감독	감독과 지도는 업무를 추진하는 기능뿐만 아니라, 부하를 육성하는 기능도 한다.

(3) 하급관리자

중간 관리층의 지시와 통제하에 구체적인 작업을 직접 집행·감독하는 계층으로 중간 관리계층은 업무처리와 관리에 직접적인 책임을 진다.

2. 경찰 관리자의 요건

넓은 시야	관리자는 조직을 전체적인 시야와 관점에서 파악하여야 한다.
기획능력	관리자는 조직목적을 달성하기 위하여 사회정세 변화에 잘 적응할 수 있는 새로운 기획능력이 요구된다.
리더십	경찰 관리자에게는 통솔력과 지도력이 불가결한 관리능력에 해당된다.
집행력	경찰 관리자는 방침과 결정을 강하게 추진해 나가야 경찰업무를 효율적으로 수행할 수 있다.
대외교섭력	경찰 관리자는 다른 기관, 다른 부처의 사람은 물론이고, 관할 구역의 시민들과 협조하여 협력을 받아내는 능력이 필요하다.
판단력	관리자는 돌발상황시 신속하고 정확히 판단하고 결단을 내려 사태를 조기에 수습할 수 있어야 한다.
업무지식	관리자는 업무에 대해 깊은 지식을 가져야 한다.

03 경찰정책결정 모형

구분	내용
합리 모델 (Rational model)	의사결정자의 완전한 합리성을 전제로, 목표나 가치가 명확하게 고정되어 있다는 가정 하에 목표달성의 극대화를 위해 최선의 대안 선택을 추구하는 결정모델
만족 모델 (Satisfying model)	1. 사이먼(Simon)과 마치(March)의 행태론에서 주장된 이론으로 인간이 완전한 합리성이 아닌 제한된 합리성을 가진 존재라는 점과 심리적 인지과정에 주목하여 제시한 주관적·심리적 결정모델 2. 정책담당자는 '완전한 합리성'을 전제로 '최적대안'의 추구가 아닌 '제한된 합리성'을 전제로 '만족대안'을 결정함을 설명하는 실증적·귀납적 접근법

CHAPTER 05

엘리트 모델 (Elite model)	1. 정책결정 과정에 있어서 엘리트의 주도적 역할을 중시하는 모델 2. 집단모델의 경우 정책은 대중의 요구에 대한 엘리트의 반응이라고 보지만, 엘리트 모델은 '엘리트의 주도에 의한 결정과 대중의 추종'이라는 형태로 정책이 나타남
쓰레기통 모델 (Garbage can model)	1. 코헨(Cohen), 마치(March), 올젠(Olsen) 등이 주장 2. 조직의 구성단위나 구정원 사이의 응집성이 아주 약한 혼란상태(조직화된 혼란 또는 무정부 상태)에서 이루어지는 의사결정 3. 혼란상태에서 이루어 지는 의사결정의 불합리성을 강조하기 위한 모델

제2절 경찰조직관리

01 서설

1. 경찰조직의 의의

경찰의 분업과 전문화, 명령계통, 의사전달의 과정, 지휘·감독의 범위, 권한과 책임의 분담, 조정과 통합의 과정을 중심으로 본 경찰조직의 구조차원의 개념으로 경찰조직 전체의 구성에 대한 구체적 내용을 담고 있다.

2. 경찰조직의 이념

(1) 경찰조직상의 이념

① **국가경찰과 자치경찰의 조직 및 운영에 관한 법률의 규정(민주성과 효율성)**: 국가경찰과 자치경찰의 조직 및 운영에 관한 법률 제1조는 경찰의 민주적인 관리·운영과 효율적인 임무수행을 위하여 경찰의 기본조직 및 직무범위와 그 밖에 필요한 사항을 규정함을 목적으로 한다고 규정하고 있다. 이러한 경찰의 조직상 이념은 시대에 따라 달라질 수 있지만, 민주성과 효율성의 이념은 상호 배치되는 개념이 아니라 상호 조화가 요구되는 이념에 해당한다.

② **민주성의 보장을 위한 장치**

㉠ 경찰조직의 민주적 통제를 위하여 국가경찰위원회 등의 합의제 경찰의결기관을 두어 독임제 경찰행정관청이 가지고 있는 문제를 보완하고 있으며, 권한의 분산을 위해 경찰청장과 시·도경찰청장 및 경찰서장의 관청화 및 각 경찰행정관청에 권한을 분산시키고 있다.

㉡ 자치경찰제도의 시행 역시 권한의 분산을 통한 민주성의 확보를 위한 제도의 일환이라고 할 수 있다.

③ **효율성의 확보**

㉠ 경찰조직 운영의 효율성과 경찰조직의 일사불란한 지휘체계를 위해 국가경찰제도를 채택하고 있으며 경찰청, 시·도경찰청, 경찰서로 이어지는 상하조직과 각 계층의 조직 내에서도 기능분장을 통하여 업무의 효율적 추진을 도모하고 있다.

㉡ 경찰행정관청의 독임제를 통하여 신속한 의사결정이 가능하도록 제도적 장치를 마련하고 있다.

Add

경찰권의 행사는 국민의 헌법상 기본권침해의 우려가 많기 때문에 합의제 행정관청으로 조직하게 되면 공정성을 확보할 수 있으나 신속성은 저해된다.

(2) 경찰조직의 지도원리

경찰작용은 권력적 수단에 의한 비중이 높기 때문에 경찰조직의 권한행사에 대하여 민주성의 확보가 강력히 요구된다. 한편, 경찰은 사회 안전과 질서유지를 위해 신속한 경찰권발동을 필요로 하기 때문에 경찰조직은 능률성과 기동성이 확보되어야 한다. 또한, 경찰조직은 국민을 위한 조직이고 국민적 합의에 기초하는 조직이므로 본질상 당연히 정치적 중립성이 보장되어야 한다.

02 관료제의 구조적 특성(M. Weber ; 막스 베버)

1. 막스 베버의 관료제

베버는 관료제의 특징 중에서 계층적 측면을 가장 중요하게 생각했다. 다수의 조직구성원을 수평적으로 배열하는 것이 아니라 수직적으로 배열하고 상위에 있는 사람이 하급자에 대하여 지시·명령하고, 하위에 있는 사람은 상급자의 지시·명령에 복종하도록 하는 것이 관료제의 본질이라고 파악했던 것이다.

2. 관료제의 특징

Tip

1. 관료의 권한과 직무범위는 법규에 의해 규정된다.
2. 직무조직은 계층제적 구조로 편성되어야 한다.
3. 직무의 수행은 서류에 의하여 이루어지며 기록은 장기간 보존(문서주의)된다.
4. 관료는 직무수행과정에서 애정이나 증오 등의 개인적 감정에 의하지 않고 법규에 따라 임무를 수행하여야 한다.
5. 모든 직무는 전문지식과 기술을 지닌 관료가 담당하며, 이들은 시험 또는 자격 등에 의해 공개적으로 채용된다.
6. 관료는 직무수행의 대가로 급료를 정기적으로 받고, 승진 및 퇴직금 등의 직업적 보상을 취득한다.
7. 관료제에서 구성원은 신분계급에 의한 관계가 아니라 계약관계에 해당한다.

03 계선조직과 참모조직

1. 개념

(1) 계선조직은 경찰행정기관 중에서 법령을 집행하고 정책을 결정하여 국민에게 직접 봉사하는 조직을 말한다. 경찰의 계선조직은 경찰청장 ⇨ 국장 ⇨ 과장 ⇨ 계장의 집행체계를 말하며 명령적·집행적 기능을 갖는다.

(2) 참모조직은 계선조직을 보조·지원하기 위한 조직으로 경찰청에서는 주로 기획조정관·감사관·경무인사기획관·국제협력관 등이 여기에 해당한다. 참모조직의 활동은 경찰조직 내에서 이루어지기 때문에 국민에게 직접 서비스를 제공하지는 않는다. 또한, 구체적인 집행권이 없기 때문에 명령이나 지휘권을 행사할 수 없다.

CHAPTER 05

2. 계선조직과 참모조직의 비교

계선(Line)조직	참모(Staff)조직
① 권한과 책임의 한계가 명확하다. ② 업무수행이 효율적이다. ③ 단일기관으로 구성되어 정책결정이 신속하다. ④ 업무가 단순하고 비용이 적게 드는 조직에 적합하다. ⑤ 강력한 통솔력을 행사할 수 있다. ⑥ 국민과의 접촉이 밀접하고 국민에게 직접적인 봉사를 한다.	① 기관장의 통솔범위를 확대시킨다. ② 참모들의 전문적인 지식과 경험을 활용하므로 기관장이 보다 합리적인 지시와 명령을 내릴 수 있다. ③ 업무의 수평적인 조정과 협조를 가능하게 한다. ④ 조직이 신축성을 가진다.

04 조직편성의 원리

1. 계층제의 원리

(1) 개념

계층제의 원리는 조직목적수행을 위한 구성원의 임무를 책임과 난이도에 따라 상하로 나누어 배치하고, 상위로 갈수록 권한과 책임이 무거운 임무를 수행하도록 조직을 편성하는 것을 말한다.

(2) 계층제의 기능

순기능	역기능
① 조직의 일체감, 통일성을 유지하는 데 기여한다. ② 명령·지시·권한의 위임이나 의사소통의 통로 역할을 수행한다. ③ 지휘·감독을 통하여 경찰의 위계질서와 통일성의 확보가 가능하다. ④ 경찰행정의 능률성과 책임의 명확성을 보장하는 수단이다. ⑤ 경찰행정의 목표를 설정하고 업무를 분담하는 통로가 된다. ⑥ 사기고취의 통로가 된다. ⑦ 조직 내의 분쟁·갈등의 해결·조정과 내부통제의 확보수단으로 작용하며, 조직 내의 분쟁이나 갈등이 계층구조 속에서 용해되도록 기능한다. ⑧ 권한과 책임을 계층에 따라 적정하게 배분함으로써 의사결정의 검토가 가능해지고, 이를 통해 업무처리에 신중을 기할 수 있다. ⑨ 명령과 지시를 거의 여과 없이 수행하도록 하는데 적합하다.	① 계층제는 조직의 경직성으로 인하여 신기술·지식 등의 도입이 곤란해진다. ② 환경변화에 신축적으로 대응하기가 어려워진다. ③ 조직의 경직화로 인해 동태적인 인간관계의 형성을 곤란하게 한다. ④ 자율성이 강한 경찰관은 계층제의 권위와 잦은 대립 갈등을 초래할 수 있다. ⑤ 계층의 수가 많아지면 의사소통의 단계는 기하급수적으로 늘어나고 이로 인해 업무의 흐름이 차단되거나 처리시간이 지연되는 사태가 발생한다. ⑥ 조직구성원의 자아실현욕구·성취욕구와 계층제의 조화가 힘들다. ⑦ 계층제를 능률적인 업무수행을 위한 수단으로 인식하는 것이 아니라 비합리적인 인간지배의 수단으로 오인할 수 있다.

2. 통솔범위의 원리

(1) 의의

① 통솔범위란 한 사람의 상관이 직접 관리·통솔할 수 있는 부하직원의 합리적인 수를 말한다. 즉, 한 사람의 관리자가 직접 관리할 수 있는 적정한 부하의 수는 어느 정도인가라는 문제로 관리의 효율성과 관련된 원리이다.

② 한 사람의 감독자가 직접 감독할 수 있는 부하의 수는 일정한 한도로 제한해 줄 필요가 있다. 한 사람의 상관이 직접적으로 감독할 수 있는 부하의 수는 업무의 성질, 고용기술, 작업성과 기준에 달려 있으며, 모든 조직은 일반적으로 상관보다 부하가 더 많다. 이러한 이유 때문에 경찰 조직은 사다리 모양보다는 피라미드 모양을 취하고 있다.

③ 관리자의 통솔능력한계를 벗어나게 인원을 배치하면 적정한 지휘통솔이 이루어지지 않기 때문에 하위자들의 지시 대기시간이 길어지고, 상·하급자 사이의 의사소통이 힘들어진다. 결국 이러한 원인들로 인하여 상급자의 의도와 다르게 업무가 수행되어 또 다른 문제를 야기하게 된다. 즉, 관리자의 통솔범위로 적정한 부하의 수는 어느 정도인가라는 문제는 관리의 효율성을 좌우하는 중요한 원리이다.

④ 통솔범위가 넓다는 것은 많은 부하를 감독할 수 있는 경우를 말하고, 상대적으로 좁다는 것은 적은 수의 부하를 감독하는 경우를 말한다. 조직구성원의 수가 동일하다는 전제하에 통솔범위와 계층의 수는 반비례하며, 통솔범위와 통솔의 효율성도 반비례한다.

(2) 통솔범위의 결정요인

부하직원의 능력	적정한 통솔범위는 사실 부하직원의 능력, 의욕, 경험 등에 의존한다. 부하직원의 능력, 의욕, 경험 등이 높아질수록 통솔범위는 넓어질 수 있다.
관리자의 능력	부하의 능력과 함께 관리자의 리더십 능력이 높을수록 통솔범위도 넓어질 수 있다.
시간적 요인	신설 부서보다는 오래된 부서의 경우에 통솔범위는 넓어질 수 있다.
공간적 요인	① 일반적으로 지리적으로 분산된 부서보다는 근접한 부서의 통솔범위가 넓어진다. ② 교통의 발달도 통솔범위가 넓어질 수 있는 요인이 된다.
직무상 성질	복잡하고 전문적인 업무보다는 단순한 업무의 경우에 통솔범위가 넓어질 수 있다.
계층제의 수	계층의 수가 적으면 적을수록 통솔범위가 넓어질 수 있다.
기타	의사전달 기술이 발달하거나, 하위계층으로 갈수록 통솔범위가 넓어질 수 있다. 단, 청사의 크기나 조직전체의 인원수는 통솔범위의 원리와 관련이 없다.

3. 명령통일의 원리

(1) 의의

조직의 구성원 사이에 지시나 보고를 주고받는 과정에서 지시는 한 사람만이 할 수 있고, 보고도 한 사람에게만 하여야 한다는 원칙을 말한다. 명령통일의 원리를 정의할 때 "한 사람은 한 사람에게만 명령해야 한다."고 한다면 틀린 표현이 되고, "한 사람은 한 사람으로부터만 명령을 받는다."라는 정의가 적절한 표현에 해당한다.

> **Tip**
> 1. 경찰의 경우에 수사나 사고처리 및 범죄예방활동에 이르기까지 거의 모든 업무수행에서 신속한 결단과 집행을 필요로 하는데, 이 때 지시가 분산되고 여러 사람으로부터 지시를 받는다면 범인을 놓친다든지 사고처리가 늦어 인명이나 재산의 피해에 신속하게 대응할 수 없게 된다.
> 2. 관리자의 공백 등에 대비하여 대리나 권한의 위임 또는 유고관리자의 사전지정 등이 적절히 이루어져야 한다.
> 3. 부하들을 직접 감독하지 않는 참모 및 계선조직이 부하들에게 유익한 자문을 하는 것을 허용하지 않는다.

(2) 필요성

명령통일의 원리는 업무수행의 혼선을 방지하고 혹시 발생할지도 모르는 업무상의 혼선으로 인한 비능률을 막기 위한 기술적 장치에 해당한다. 또한, 신속한 의사결정을 위해서도 명령통일의 원리가 전제되어야 한다.

(3) 문제점

명령통일의 원리를 너무 철저하게 지킨다면 실제 업무수행에 더 큰 지체와 혼란을 야기할 수 있고, 명령권자의 부재시에 업무가 마비될 수도 있다. 그러므로 이러한 상황을 전제하여 명령통일의 원리에 대한 보완으로 권한의 위임과 대리 등을 활용하여 문제점을 극복하여야 한다.

4. 분업(전문화)의 원리

(1) 의의

경찰조직의 전체 기능을 업무와 성질별로 구분하여 가급적이면 한 사람에게 하나의 업무를 부담하게 하여야 한다는 원리이다. 다시 말해 업무의 효율성을 높이기 위하여 기술과 노하우가 있고 경력이 있는 사람을 활용하여 전문적으로 그 일을 수행하게 하는 것이다. 경과(警科) 제도를 통해 특정업무의 세분화 및 시간과 경비를 절약할 수 있다.

(2) 문제점

① 구성원의 부품화(소외감)를 초래할 수 있다.

② 반복적 업무로 인하여 구성원이 업무에 대한 흥미를 상실할 수 있다.

③ 과도한 전문화는 지나친 경쟁을 초래하고, 비밀을 증가시켜 오히려 역효과를 초래할 수 있다.

④ 자신이 담당하는 업무 외의 다른 업무에 대한 이해가 부족하므로 업무관계의 예측성이 저하된다.

(3) 한계극복 방안

① 지나친 전문화로 인하여 문제가 발생할 경우, 조정의 원리를 통하여 해결하여야 한다. 다시 말해 전문화의 수준이 높아지는 만큼 조정이 이루어져야 하므로 전문화와 조정은 비례관계에 있다고 할 수 있다.

② 전문 행정가들은 기관의 종합적인 목표수립 능력이 부족하고 다른 전문가의 업무에 대해서 알지 못하기 때문에 경찰행정기관의 장은 일반 행정가를 임명하는 것이 바람직하다. 그리고 전문 행정가를 활용하여 경찰행정기관의 장을 보좌하도록 하여 보조적 기능만을 수행하도록 하는 것이 바람직하다(전문가 경계의 법칙).

5. 조정(통합)의 원리

(1) 의의

① 조정(통합)의 원리란 조직의 공동목적을 달성하기 위하여 구성원의 행동이 통일을 기할 수 있도록 집단적 노력을 질서 있게 배열하는 과정으로, 구성원이나 단위 기관의 활동을 전체적인 관점에서 통일하여 조직의 목표달성도를 높이려는 원리이다.

② 조정(통합)의 원리를 J. Mooney는 조직편성의 제1의 원리라고 강조하였으며 이는 조직편성에 있어 가장 최종적인 원리라고 할 수 있다.

(2) 필요성

조직의 구성원간에 행동양식을 정하는 것은 조직목적을 효율적으로 달성하기 위한 것으로 갈등을 조정하고 조직의 목표를 향해 모든 조직편성 원리와 활동을 통합하여야 하기 때문이다.

(3) 갈등의 조정과 통합의 방법

① 갈등이 지나치게 세분화된 업무처리에서 나오는 것이라면 업무처리과정을 통합한다든지 연결하는 장치나 대화채널을 확보해주는 것이 필요하다. 또한, 한정된 인력이나 예산을 가지고 갈등이 생기는 경우에는 가능하면 예산과 인력을 확보하고 업무추진의 우선 순위를 관리자에게 지정하도록 하여야 한다.

② 조직의 구조, 보상체계, 인사 등의 제도개선과 조직원의 행태를 합리적으로 개선하는 것은 갈등의 장기적인 대응방안이다.

③ 시간적으로 급박하거나 이해관계가 첨예하게 대립할 경우 최후의 수단으로 상관의 판단과 명령에 의하여 해결하는 방법을 선택하는 것이 바람직하다.

④ 할거주의란 관료제의 구조적 특성 때문에 조직구성원들이 자신이 소속된 기관과 부서만을 생각하고 다른 부서에 대해 배려하지 않는 편협한 태도를 취하는 현상을 말한다. 조정과 통합을 위해서는 할거주의를 해소해야 한다.

05 Raymond E. Miles와 Charles C. Snow의 조직유형

구분	내용
공격형 전략 (Prospector)	① 혁신, 적극적인 위험감수, 새로운 기회에 대한 탐색과 성장을 추구하는 전략이다. ② 창의성이 효율성보다 더 중요시되는 동태적이고 급변하는 환경에 적합한 전략유형이다.
방어형 전략 (Defender)	① 공격형 전략과 반대되는 전략으로 위험을 추구하거나 새로운 기회를 탐색하기보다는 안정성을 중요시하는 전략이다. ② 방어형 전략은 현재의 고객을 유지하기 위하여 노력하지만 혁신이나 새로운 성장을 추구하지는 않는다. ③ 방어형 전략의 주요 관심사는 내부 효율성과 함께 제품에 대한 신뢰성・품질을 확보하여 기존의 고객을 유지하는 것이다. ④ 방어형 전략은 쇠퇴기에 있는 산업이나 안정적인 환경에 있는 조직에 보다 적합한 전략이다.
분석형 전략 (Analyzer)	① 부분적으로 혁신을 추구하는 한편 안정성을 유지하는 전략으로 공격형 전략과 방어형 전략의 중간적인 성격을 갖는다고 볼 수 있다. ② 안정적인 환경에 있는 제품들은 현재의 고객을 유지하기 위한 효율적인 전략을 추구하지만, 성장가능성이 있는 제품에 대해서는 현행 제품에 대한 효율적인 생산과 혁신적인 신제품 개발간의 적절한 균형을 맞추는 것이 중요하다.

반응형 전략 (Reactor)	① 실제로는 전략이라고 할 수 없는 것으로 환경의 기회와 위협에 대해 상황에 따라 임시방편적으로 대응하는 것을 말한다. ② 반응형 전략의 경우 장기적인 계획, 명확한 사명이나 목표가 없으며 그 시점에서 환경의 요구를 충족시킬 수 있는 활동이라면 어떤 것이라도 수행한다. ③ 반응형 전략은 일반적으로 실패하는 경우가 더 많다.

제3절 경찰인사관리

01 서설

1. 인사관리의 개념

경찰의 인사관리는 경찰공무원의 모집 · 채용뿐만 아니라 배치 · 전보 · 전직 · 교육훈련 · 동기부여 · 행동통제 등을 통해 경찰공무원이 직업인으로서 경찰업무를 의욕적으로 수행할 수 있도록 하는 활동을 말한다.

2. 인사관리의 목적

핵심정리

1. 효율적인 경찰인력의 운영
2. 합리적이고 객관적인 기준을 중심으로 한 공정한 인사운영
3. 경찰조직과 경찰관 개개인의 욕구와 조화
4. 우수인력의 양성(성적주의의 활용)
5. 환경변화에 대한 적응성

02 인사관리방법의 발전

1. 정실주의와 엽관주의 인사제도

(1) 정실주의

관료를 임용함에 있어 실적 이외의 요인, 즉 정치적 요인뿐만 아니라 혈연 · 지연 · 학연 등 개인적인 친분, 기타의 온정관계 등을 기준으로 행하는 것을 말한다.

(2) 엽관주의

공무원의 임명을 정당에 대한 충성도와 공헌도에 따라 행하는 것이다.

(3) 엽관주의의 장점

엽관주의하에서는 정치가(임용권자)들이 관료에 대하여 강력한 통제력을 행사할 수 있었으며, 정당정치가 활성화된 상태에서는 집권당이 국민의 여론을 반영하고 이로 인하여 관료가 국민의 요구에 부응하는 대응성을 높일 수 있었다.

(4) 엽관주의의 문제점

① 행정의 비능률성 · 비전문성을 초래한다.

② 19세기 말 행정권의 강화로 인한 행정국가의 등장으로 전문행정가의 필요성이 증대되었다.

③ 부정부패(매관매직 등)가 만연하게 된다.

④ 기회균등의 원리에 위배(정당원만 공무원에 임용 – 다른 견해 있음)된다.

⑤ 공무원의 신분보장이 미흡해진다.

⑥ 불필요한 관직의 신설(爲人設官)로 예산낭비가 초래된다.

2. 실적주의 인사제도

(1) 의의

① 관료의 임용에 있어 당파성이나 연고관계를 떠나 개인의 자격과 능력 · 실적 등을 기준으로 하는 것이다. 엽관주의가 가지고 있던 문제점을 극복하기 위해 등장한 제도이다.

② 실적주의는 1870년대에 영국에서 시작되었으며, 미국에서는 1883년 펜들턴법(Pendleton Act)이 제정되어 공직사회에 본격적으로 실적주의가 도입되었다.

CHAPTER 05

(2) 실적주의 인사제도의 한계

엽관주의의 한계를 극복하기 위해 도입된 실적주의 인사제도도 많은 문제점을 가지고 있었다. 우선 관료들의 강력한 신분보장으로 인해 관료들이 소극화 · 집권화 · 형식화 · 경직화 · 비인간화되었으며, 국민의 요구에 적극적으로 대응하지 않고 무사안일 · 복지부동과 같은 보신주의 행태로 흘러갔다.

(3) 적극적인 인사행정의 등장

① 엽관주의와 실적주의를 거쳐 두 제도의 문제점을 극복하고자 등장한 것이 적극적인 인사행정이다. 실적주의를 기본으로 하여 엽관주의의 현실적 필요성을 감안하여 양자를 조화시킨 인사행정 제도가 등장한 것이다.

② 우리나라의 경우 실적주의를 주로 하되, 엽관주의 요소가 가미된 것으로 이해할 수 있다.

엽관주의와 실적주의 비교

구분	엽관주의	실적주의
장점	① 정당이념의 철저한 실현이 가능하다. ② 관료의 특권화를 배제함으로써 평등의 이념에 부합한다. ③ 관료의 경질을 통하여 관료주의화 및 침체를 방지할 수 있다. ④ 국민의 지지를 받은 정당의 당원이 관직에 임명되므로 민주통제의 강화 및 행정의 민주화가 가능하다.	① 공직으로의 진입에 있어 기회균등이 보장된다(공직은 모든 국민에게 개방되며 성별, 신앙, 사회적 신분, 학벌 기타의 어떠한 차별도 받지 않음). ② 공무원의 정치적 중립이 보장된다. ③ 공무원의 신분보장이 강화된다.

단점	① 정치의 부패를 초래할 수 있다(정당관료제하에서 관직을 얻기 위한 정치헌금의 수수). ② 정권교체시마다 공무원의 대량 경질로 자격이나 경험을 가진 유능한 공무원이 배제되고 행정의 무질서와 비능률을 초래한다. ③ 관료가 국민이 아닌 정당을 위해 봉사함으로써 행정책임의 확보가 곤란하다. ④ 불필요한 관직의 신설로 예산의 낭비가 심해진다.	① 인사행정의 지나친 소극성으로 인해 비융통성이 나타난다(합리적인 인사행정을 추구하는 나머지 모든 인사처리가 기준에 얽매여 적극적으로 사회의 유능한 인재를 확보하기 곤란). ② 지나친 집권성과 독립성으로 인해 국민의 요구에 둔감해진다. ③ 조직의 형식화 및 비인간화가 초래된다. ④ 관료의 특권화를 초래한다. ⑤ 정당정치의 실현이 곤란하다. ⑥ 행정의 민주통제가 어려워진다.

03 공직의 분류방식

1. 계급제

(1) 의의

계급제는 직위에 보임하고 있는 공무원의 자격 및 신분을 중심으로 계급을 만드는 제도로서 인간중심의 분류방법이다. 관료제 전통이 강한 독일, 프랑스, 일본 등이 이 제도를 시행하고 있다.

(2) 충원방식

계급제는 보통 계급의 수가 적고 계급간의 차별이 심하며 외부로부터의 충원이 힘든 폐쇄형의 충원방식을 채택하는 것이 보통이다.

(3) 기능

장점	① 일반 행정가의 확보에 유리하다. ② 기관간의 횡적 협조가 용이하다. ③ 공무원이 종합적 · 신축적인 능력을 보유할 수 있다. ④ 인사배치의 유동성과 신축성이 보장된다. ⑤ 공무원의 신분보장이 강화된다. ⑥ 직업공무원제도의 정착에 유리하다. 그러나 직업공무원제도의 정착을 위해 반드시 계급제가 전제가 되어야 하는 것은 아니다.
단점	① 행정의 전문화가 곤란해진다. ② 인사관리의 객관적이고도 합리적인 기준을 설정하기 곤란하다. ③ 권한의 책임과 한계가 불분명해진다. ④ 객관적인 근무평정과 훈련계획의 수립이 곤란하다.

✍ 우리나라의 공직분류제도는 계급제 위주로 되어 있으며 거기에 직위분류제적 요소를 가미하고 있다.

2. 직위분류제

(1) 의의

직위분류제는 공직을 분류함에 있어서 행정기관을 구성하는 개개의 직위에 내포되어 있는 직무의 종류와 책임도 및 난이도에 따라 여러 직종과 등급 및 직급으로 분류하는 제도로서 1909년 미국의 시카고에서 처음 실시된 후 다른 나라로 전파되었다.

(2) 충원방식

계급제가 폐쇄적 충원방식을 채택하고 있는데 반하여 직위분류제의 경우에는 상대적으로 개방적인 충원방식을 채택하고 있다.

(3) 기능

장점	① 시험·채용·전직의 합리적 기준을 제공하여 인사행정의 합리화에 기여할 수 있다. ② '동일직무에 대한 동일보수의 원칙'을 확립함으로써 보수제도의 합리적 기준을 제시한다. ③ 행정조직의 전문화·분업화에 기여한다. ④ 권한과 책임의 한계가 명확해진다.
단점	① 유능한 일반 행정가의 확보가 곤란하다. ② 인사배치의 융통성이 떨어진다. ③ 공무원의 신분보장이 미흡해진다. ④ 타 기관과의 협조·조정이 곤란해진다.

Tip 계급제와 직위분류제의 비교

구분	계급제	직위분류제
분류방법	인간중심의 분류방법	직무중심의 분류방법
인적 요소	일반 행정가의 확보에 유리	전문 행정가의 확보에 유리
인사배치	신축적·유동적 인사관리	비신축적·비유동적 인사관리
기관간 협조	타 기관과의 협조·조정이 용이	타 기관과의 협조·조정이 곤란
권한과 책임의 한계	권한과 책임의 한계 불명확	권한과 책임의 한계 명확
신분보장	신분보장이 용이	신분보장이 곤란
충원방식	폐쇄형 충원방식	개방형 충원방식
양자의 관계	계급제와 직위분류제는 양립할 수 없는 상호배타적인 관계가 아니라 상호보완적 관계에 있다.	

04 직업공무원제도

1. 직업공무원제도의 개념

(1) 직업공무원제도란 젊은 인재를 공직에 유치하고 이들이 공직에 근무하는 것을 명예롭게 생각하면서 일생동안 공무원으로 근무하도록 운영하는 인사제도를 말한다. 우리나라는 헌법 제7조를 통해 직업공무원제도를 보장하고 있다.

(2) 직업공무원제도는 폐쇄적 충원체제의 특징을 가지고 있으며, 일반행정가를 지향한다.

(3) 공무원의 일체감과 단결심 및 공직에 헌신하려는 정신을 강화하는 데 유리한 제도이다.

(4) 직업공무원제도는 실적주의를 전제로 하지만, 계급제를 원칙으로 한다.

2. 직업공무원제도의 성립 조건

실적주의의 확립	직업공무원제도는 기회균등이나 정치적 중립, 신분보장 등과 같은 실적주의가 확립되어야 한다.
장기적 시각의 인력계획	장기적인 인력수급계획의 수립을 통해 유능한 인력을 적시에 공급하고, 무능력자는 퇴직시키는 등의 정원관리 방법이 강구되어야 한다.
공직에 대한 높은 사회적 평가	공직은 명예롭고 긍지를 지닐 수 있는 직업이라고 평가되어야 한다.
젊은 인재의 채용	우수한 능력을 가진 젊은 인재들이 공직에 관심을 가지도록 유인하고, 상위 직책까지 일생을 근무할 수 있도록 승진 등의 절차를 마련해야 한다.
능력발전을 위한 기회 제공	교육훈련 등의 기회가 지속적으로 제공되어야 한다.
적절한 보수와 연금제도	공무원의 보수는 민간부문과 적절한 균형을 이루어야 하며, 연금제도를 통해 안심하고 공직에 종사할 수 있도록 해야 한다.
승진 · 전보 등의 공정성 확보	승진이나 전보 등과 같은 내부임용이 체계적이고 공정하게 이루어져야 한다.

05 사기관리

1. 사기관리의 개념

(1) 의의

① 경찰조직의 목표달성에 기여하려는 경찰관 개인과 집단의 정신자세 또는 태도를 말하며, 자발성 · 자주성의 개념으로 성취도와 정비례 관계에 있다. 결국, 구성원들의 사기를 높임으로서 조직의 성취도를 높일 수 있게 된다.

② 사기는 개인적 성격, 집단적 · 조직적 성격 및 사회적 성격을 가진 개념이므로 다양한 측면에서 고려되어야 한다.

(2) 경찰사기의 결정요인

사기는 조직 내의 인간관계, 근무조건, 신분의 안정, 보수, 승진 등 복합적 요인에 의하여 결정된다.

(3) 사기고취의 효과

구성원의 사기를 높임으로써 능률적인 직무수행의 기능, 우수한 인력의 지원, 소속 조직에 대한 자긍심의 고취, 규범의 자발적 준수, 위기극복 능력의 증대, 창의성 등을 고취할 수 있다.

(4) 사기고취의 방법

① 인간의 자율성의 존중(획일적인 지시와 지시의 기계적 수행을 강요하면 할수록 근무의욕은 저하되고 타성적인 근무와 면종복배*의 결과를 낳기 때문)

* 면종복배 : 겉으로는 순종하는 체하고 속으로는 다른 마음을 먹는 모습을 말한다.

② 인간으로서의 인격의 존중

③ 경찰관 개인의 기본적 인권의 존중

④ 기회의 평등을 보장(만일 인사에 있어 평등하고도 차별 없는 인사가 이루어지지 않는다면 자기완성의 욕구가 크게 훼손되기 때문)

⑤ 정당한 보상

⑥ 인사상의 불이익 처분이나 불만, 갈증 등을 해결할 수 있는 통로의 마련

2. 매슬로우(A. H. Maslow)의 5단계 기본욕구

(1) 의의

① 매슬로우는 대부분의 사람은 기본적인 다섯 가지의 욕구를 가지고 있으며 다섯 가지 욕구는 인간에게는 모두 본능적인 것으로 하위욕구로부터 상위욕구로 발현된다고 보았다. 인간의 다섯 가지 기본욕구는 서로 연관되어 있으며 이러한 욕구는 아래 단계의 욕구가 어느 정도 충족되어야 비로소 다음 단계로 순차적 · 상향적으로 표출된다고 보았다.

② 한 단계의 욕구가 만족되면 그 욕구는 더 이상 동기부여 요인으로서의 의미가 소멸되고, 상위단계의 욕구로 올라갈수록 조직과의 갈등은 커진다고 보았다.

(2) 욕구의 유형

① **생리적 욕구**: 공기, 물, 음식, 주거, 취침, 성적 욕구 등 가장 선행되어야 할 욕구로서 최하위에 있는 가장 기초적인 욕구이므로 우선 순위가 가장 높은 욕구에 해당한다.

② **안전의 욕구**: 신체적 안전, 직무상의 안전, 질서에 대한 욕구, 노년의 대비 등에 대한 욕구를 말한다.

③ **소속 및 애정의 욕구(사회적 욕구)**: 조직의 구성원들과 애정 · 우정을 주고받는 것, 동료집단 또는 친구집단의 일원으로 인정받는 것, 친밀한 인간관계, 집단에 대한 소속감 등이 여기에 해당한다.

④ **존경의 욕구**: 자신을 중요하고 가치 있는 그리고 야망 있는 사람으로 보는 것으로 이 욕구는 자신의 자질을 나타낼 기회를 찾는 동기를 유발한다. 경찰관서는 '이 달의 경찰관'과 같은 시상제도로 이 단계를 충족시킨다.

⑤ **자기실현의 욕구**: 창조적이고 잠재성을 실현시킬 수 있는, 그리고 무엇이든 할 수 있는 존재가 되려는 욕구로서 가장 궁극적인 욕구에 해당한다.

Tip Maslow의 5단계 기본욕구 정리

구분	내용	사례
자기실현욕구	앞으로의 자기발전, 자기완성의 욕구 및 성취감 충족	공정하고 합리적인 승진, 공무원 단체의 활용(인정), 주5일 근무제, 직무충실 · 확대
존경욕구 (주체욕구)	타인의 인정, 존중, 신망을 받으려는 욕구	참여확대, 권한의 위임, 제안제도, 포상제도(이 달의 경찰관 시상), 교육훈련, 근무성적평정
사회적 욕구 (소속 및 애정의 욕구)	동료, 상사, 조직전체에 대한 친근감이나 귀속감을 충족	인간관계의 개선(비공식집단의 활용), 고충처리 상담
안전욕구	공무원의 현재 및 장래의 신분이나 생활에 대한 불안감 해소	신분보장(정년제도), 연금제도
생리적 욕구	의 · 식 · 주 및 건강 등에 관한 욕구	적정보수제도, 휴양제도, 탄력시간제 등

CHAPTER 05

Add ⊕

1. 동기부여이론의 내용

구분	내용
맥클리랜드(D. Mcclelland)의 성취동기이론	1. 맥클리랜드는 조직에서 훌륭한 직무수행을 기대할 수 있는 동기유발요인을 성취욕구로 보고 있다. 즉, 어려운 일을 성취하려는 욕구, 장애를 극복하고 높은 수준을 유지하려는 욕구, 자신을 탁월하게 만들고 앞서려는 욕구, 자신의 능력을 스스로 성공적으로 발휘함으로써 자부심을 높이려는 욕구이다. 2. 맥클리랜드는 권력동기 ⇨ 친화동기 ⇨ 성취동기로 인간의 동기가 발전한다고 보았으며, 또한 성취동기가 높을수록 생산성이 높아진다고 주장하였다.
매슬로우(Maslow)의 욕구계층이론	인간은 자신의 욕구를 충족시키기 위해서 노력하며 하위 단계의 욕구가 충족되어야 다음 단계로 발전되는 순차적 특성을 갖는다.
맥그리거(D. McGregor)의 X · Y이론	1. X이론 1) 인간은 원래 태만하고 가급적 적게 일을 하려고 하며, 이기적이므로 책임지기를 싫어할 뿐 아니라 조직의 목표나 활동에 무관심하고 주로 안정과 경제적인 만족을 추구한다고 본다. 2) X이론에 기초할 경우 강압적 · 권위적 관리전략을 채택하게 된다. 2. Y이론 1) 인간은 부지런하고 책임과 자율성 및 창조성을 발휘하려고 하며 조직의 목표를 달성하는 데 적극적으로 참여하여 자아실현을 추구하고자 한다. 2) Y이론에 기초할 때는 민주적인 관리전략이 채택된다. 3) Y이론적 인간형은 부지런하고, 책임과 자율성 및 창의성을 발휘하기를 좋아하고, 스스로 통제와 발전이 가능하기 때문에 민주적이고 인간적인 동기유발 전략이 필요한 유형이다.
아지리스(Argyris)의 성숙 · 미성숙이론	인간의 개인적 성격과 성격의 성숙과정을 '미성숙에서 성숙으로'라고 보고, 관리자는 조직 구성원을 최대의 성숙상태로 실현시켜야 한다고 하였다.
허즈버그(Herzberg)의 동기 · 위생이론(2요인이론)	위생요인을 제거해주는 것은 불만을 줄여주는 소극적 효과일 뿐이기 때문에, 근무태도 변화에 단기적 영향을 주어 사기는 높여줄 수 있으나 생산성을 높여주지는 못한다. 만족요인이 충족되면 자기실현욕구를 자극하여, 적극적 만족을 유발하고 동기유발에 장기적 영향을 준다.

2. 동기부여이론의 구분

내용이론	과정이론
• Maslow – 욕구계층이론 • Alderfer – ERG 이론 • Herzberg – 동기 · 위생이론 • McClland – 성취동기이론 • Argyris – 성숙 · 미성숙이론	• Adams – 공정성이론 • Poter & Lawler – 업적만족이론 • Vroom – 기대이론

제4절 경찰예산관리(국가재정법)

01 서설

(1) 예산이란 일정기간 동안의 국가의 수입과 지출의 예정적 계획을 말하는 것으로, 국가의 정책이념이나 사업계획을 구체화하는 일련의 계획과정이다. 우리나라 예산의 경우 헌법과 국가재정법에 근거하여 일정한 형식에 따라 편성되어 국회의 심의·의결을 받은 각 회계연도의 재정계획이 예산에 해당한다.

(2) 국가재정법상 예산은 예산총칙·세입세출예산·계속비·명시이월비 및 국고채무부담행위를 총칭하며 세입예산은 그 내용을 성질별로 관·항으로 구분하고, 세출예산은 그 내용을 기능별·성질별 또는 기관별로 장·관·항으로 구분한다.

02 경찰예산의 분류

1. 일반회계와 특별회계

(1) 일반회계와 특별회계는 세입·세출의 성질에 따른 분류로 일반회계란 국가활동에 관한 세입·세출에 관한 회계이고, 특별회계는 특정한 세입으로 특정한 세출을 충당하며 일반회계와 구분하여 경리하는 회계이다. 특별회계는 원칙적으로 설치 소관부서가 관리하며 기획재정부의 직접적인 통제를 받지 않는다.

> **국가재정법**
> **제4조 【회계구분】** ① 국가의 회계는 일반회계와 특별회계로 구분한다.
> ② 일반회계는 조세수입 등을 주요 세입으로 하여 국가의 일반적인 세출에 충당하기 위하여 설치한다.
> ③ 특별회계는 국가에서 특정한 사업을 운영하고자 할 때, 특정한 자금을 보유하여 운용하고자 할 때, 특정한 세입으로 특정한 세출에 충당함으로써 일반회계와 구분하여 회계처리할 필요가 있을 때에 법률로써 설치하되, 별표 1에 규정된 법률에 의하지 아니하고는 이를 설치할 수 없다.

(2) 경찰예산의 대부분은 일반회계에 해당하며, 경찰 관련 특별회계로는 책임운영기관 특별회계(경찰병원 등)가 있다. 오늘날 경영의 합리화를 위해 특별회계의 적용이 점차 늘고 있는 추세에 있다.

2. 예산의 과정상 분류

(1) 본예산

당초에 국회의 의결을 얻어 확정 성립된 예산이다.

(2) 국회제출 중인 예산안의 수정(국가재정법 제35조)

정부는 예산안을 국회에 제출한 후 부득이한 사유로 인하여 그 내용의 일부를 수정하고자 하는 때에는 국무회의의 심의를 거쳐 대통령의 승인을 얻은 수정예산안을 국회에 제출할 수 있다.

(3) 추가경정예산

예산이 국회를 통과하여 확정된 후에 생긴 사유로 인하여 이미 성립한 예산에 추가 또는 변경을 가하는 예산이다. 수정예산이 예산안을 국회에 제출한 후 국회의 심의·확정 전에 내용을 수정하는 예산인데 반하여 추가경정예산은 예산 성립 후에 생긴 사유로 예산금액을 추가 또는 변경시킨 예산이다.

국가재정법

제89조【추가경정예산안의 편성】 ① 정부는 다음의 어느 하나에 해당하게 되어 이미 확정된 예산에 변경을 가할 필요가 있는 경우에는 추가경정예산안을 편성할 수 있다.

1. 전쟁이나 대규모 재해(재난 및 안전관리 기본법 제3조에서 정의한 자연재난과 사회재난의 발생에 따른 피해를 말한다)가 발생한 경우
2. 경기침체, 대량실업, 남북관계의 변화, 경제협력과 같은 대내·외 여건에 중대한 변화가 발생하였거나 발생할 우려가 있는 경우
3. 법령에 따라 국가가 지급하여야 하는 지출이 발생하거나 증가하는 경우

② 정부는 국회에서 추가경정예산안이 확정되기 전에 이를 미리 배정하거나 집행할 수 없다.

(4) 준예산

① 새로운 회계연도가 개시될 때까지 예산안이 성립되지 못할 경우 전년도 예산에 준하여 집행할 수 있는 예산을 말한다. 준예산은 국회에서 예산안이 의결·확정될 때까지 지출할 수 있다.

② 준예산 지출의 목적은 예산 불성립으로 인한 행정의 중단을 방지하기 위해서이다. 준예산의 지출용도는 헌법이나 법률에 의해 설치된 기관 또는 시설의 유지·운영비, 공무원의 보수와 사무처리에 관한 기본 경비, 이미 예산으로 승인된 사업의 계속비 등에 한한다.

대한민국 헌법

제54조 ③ 새로운 회계연도가 개시될 때까지 예산안이 의결되지 못한 때에는 정부는 국회에서 예산안이 의결될 때까지 다음의 목적을 위한 경비는 전년도 예산에 준하여 집행할 수 있다.

1. 헌법이나 법률에 의하여 설치된 기관 또는 시설의 유지·운영
2. 법률상 지출의무의 이행
3. 이미 예산으로 승인된 사업의 계속

3. 예산의 형식상 분류

국가재정법 제19조에 의하면 예산은 예산총칙·세입세출예산·계속비·명시이월비 및 국고채무부담행위로 구성된다.

03 예산제도의 종류

1. 품목별 예산제도(Line Item Budgeting System ; LIBS)

(1) 의의

① 예산을 지출의 대상·성질에 따라 품목별로 분류하는 방식으로 재정통제·회계책임에 대한 감독부서 및 국회의 통제가 용이하도록 하기 위한 예산제도이다. 통제지향적 예산제도로 관계 공무원의 회계기술이 필요하며 현재 경찰예산도 품목별 예산제도에 따르고 있다.

② 품목별 예산제도는 차기 회계연도의 예산증가 또는 감소를 산출하기 위한 평가기준으로서 전년도의 예산을 기준으로 삼는다.

③ 품목별예산제도는 정부지출 대상이 되는 물품, 품목 등을 기준으로 한 예산제도로서 예산의 남용이나 오용을 방지하는 데 도움이 된다.

(2) 기능과 한계

장점	① 경비주체 및 집행이 품목별로 표시되어 작성이 용이하다. ② 회계 집행내용 및 책임의 소재가 명확하다. ③ 인사행정에 유용한 정보자료의 제공이 가능하다. ④ 예산의 집행과 집행에 대한 통제가 용이하다. ⑤ 행정의 재량범위가 축소된다.
단점	① 계획과 지출과의 괴리가 발생할 수 있다. ② 예산을 사업계획에 따라 탄력적으로 운용하는 것이 불가능하다(재량의 축소, 신축성의 부족). ③ 기능의 중복을 피할 수 없다. ④ 의사결정을 위한 충분한 자료를 제시하기 어렵다. ⑤ 품목별 예산제도는 지출만을 문제삼기 때문에 효율성 산출이 곤란하다. ⑥ 미시적 관리기법에 해당하기 때문에 조정 · 통합에 필요한 수단을 제공하지 못한다. ⑦ 정부지출의 전체적인 성과파악이 곤란하다.

2. 성과주의 예산제도(Performance Budgeting System ; PBS)

(1) 의의

성과주의 예산제도는 경비지출에 의한 성과와 실적에 그 역점을 두는 제도로서 사업이나 기능을 수행하기 위하여 어느 정도의 예산이 소요되는지를 명백하게 나타내기 위한 예산제도이며 사업계획별로 예산을 편성한다. 성과주의예산제도는 정부가 무슨 일을 하느냐에 중점을 두는 제도로 관리지향성을 지닌다.

(2) 편성방법

예산과목의 편성은 정부의 각 계획내용을 명백히 할 수 있도록 사업별, 활동별로 분류된 예산과목을 사용한다. 사업계획에는 연구 및 개발비, 운영, 감독, 리더십, 간접비 등이 포함되며 예산액은 단위사업의 양에 단위원가를 곱하여 결정(단위원가 × 업무량 = 예산액)한다.

(3) 기능과 한계

장점	① 예산을 통하여 경찰 활동의 이해가 가능하다. ② 자원배분의 합리화를 꾀할 수 있고, 예산의 집행에 있어서 신축성이 부여될 수 있다. ③ 입법부의 예산심의가 용이하다. ④ 정부정책이나 계획수립이 용이하다. ⑤ 예산집행 결과에 대한 평가를 통하여 해당 부서의 업무능률의 측정이 가능하므로 다음 연도의 예산책정에 반영할 수 있다.
단점	① 업무측정 단위와 단위원가의 계산이 곤란하다. ② 인건비 등의 불용비용 산정이 어렵다.

CHAPTER 05

Tip 예산제도의 정리

품목별 예산제도 (LIBS)	① 품목별 예산은 지출의 대상과 성질에 따라 세출예산을 인건비, 운영경비, 시설비 등으로 구분하는 방법이다. ② 이 분류는 가장 오래되고 가장 많이 사용되고 있는 방법으로 차기 회계연도의 예산증가 또는 감소를 산출하기 위한 평가기준으로서 전년도의 예산을 활용하는 방식이다. ③ 현재 우리나라의 일반적인 예산 편성방식이다.
성과주의 예산제도 (PBS)	① 성과주의예산은 하나의 제한된 사업계획과 다른 제안 또는 현존하는 사업계획과 비교하여 경찰부서 사업계획의 목표를 달성하는데 있어서 효과성을 측정하기 위하여 설계된 방식이다. ② 성과주의예산은 품목별로 지출될 품목이 마련되어 있지 않고 경찰부서 내의 사업계획별로 자금이 배분된다. ③ 각 사업계획은 연구 및 개발비, 운영, 감독, 리더십, 간접비 등이 포함되어 있다. 그것은 성과단위 또는 업무측정단위로서 계획된 산물에 포함되는 항목들이다. ④ 예산과목을 사업계획 활동별 세부사업별로 [단위원가 × 업무량 = 예산액]으로 표시하여 편성하는 예산제도이다.
계획예산제도 (PPBS)	① 계획예산제도는 사업계획구조에 있어서 계획기능과 예산기능이 혼합된 방식이다. ② 계획예산이란 경찰활동을 순찰, 수사, 청소년, 교통 등의 프로그램으로 구분하여 각 프로그램에 대한 지출에 근거하여 예산을 책정한다. ③ 계획예산제도는 프로그램의 실행과 영향을 분석하여 그 결과를 금년도의 예산과 연결한다. ④ 장기적인 기획과 단기적인 예산편성을 구체적인 실시기획을 통하여 유기적으로 연결시켜 예산분배에 관한 의사결정을 합리적으로 일관성 있게 실행하려는 제도이다. ⑤ 정책결정자의 욕구를 충족하고 자원배분의 합리화가 가능해지며, 계획과 예산의 괴리를 극복할 수 있으므로 예산과 기획을 통합할 수 있다. ⑥ 예산의 정치적 성격과 실현에 필요한 비용부담 및 분석이 곤란하고 주민의 의견을 수시로 반영하기 어렵다(국민들이 이해하기 어렵다)는 문제점을 가지고 있다. ⑦ 계획예산제도는 의사결정을 일관성 있게 합리화하려는 제도이지만 하향적(top-down)인 방식으로 집권화되어 있기 때문에 조직구성원들의 참여를 저해한다는 한계가 있다.
영기준 예산제도 (ZBB)	① 예산을 편성·결정함에 있어서 전년도의 예산에 구애됨이 없이 조직체의 모든 사업·활동에 대하여 영기준을 적용해서 각각의 효율성, 효과성 및 중요성 등을 체계적으로 분석하고, 사업의 존속·축소·확대 여부를 원점에서 새로 분석·검토하여 우선순위별로 실행예산을 결정하는 제도이다. ② 제도를 활용하는 관리자는 프로그램의 평가 및 순위를 정하는 예산계획을 개발하여야 한다. ③ 예산계획에 특정활동의 비용, 성과의 척도, 활동대안, 비용편익 등에 관한 정보가 포함되어야 한다. ④ 감축관리와 관련이 있으며 작은 정부시대에 각광받고 있는 예산제도라고 할 수 있다.
일몰법	① 특정의 행정기관이나 사업이 일정기간이 지나면 의무적·자동적으로 폐지되게 하는 예산제도를 말한다. ② 입법부에서 제정한다.
자본예산제도 (CBS)	정부예산을 경상지출과 자본지출로 구분하고 경상지출은 경상수입으로 충당시켜 균형을 이루도록 하지만, 자본지출은 적자재정과 공채발행으로 그 수입에 충당하게 함으로써 불균형예산을 편성하는 제도이다.

04 경찰예산의 지출

국가의 회계연도는 매년 1월 1일에 시작하여 12월 31일에 종료한다. 각 회계연도의 경비는 그 연도의 세입 또는 수입으로 충당하여야 한다.

1. 지출의 원칙

(1) 예산안의 편성

① 신규 및 중기사업계획서의 제출(국가재정법 제28조)

㉠ 각 중앙관서의 장(경찰청장)은 매년 1월 31일까지 해당 회계연도부터 5회계연도 이상의 기간 동안의 신규사업 및 기획재정부장관이 정하는 주요 계속사업에 대한 중기사업계획서를 기획재정부장관에게 제출하여야 한다.

㉡ 신규 및 주요 계속사업계획서의 제출은 경찰청의 입장에서는 다음 연도의 주요 정책이나 새로운 사업계획을 수립하고 이를 제시하는 계기가 되지만 매년 초에 기획재정부장관에게 제출되는 신규 및 주요 계속사업계획서와 실제 예산요구 사이에는 괴리가 크다.

② 예산안편성지침의 통보(국가재정법 제29조, 제30조)

㉠ 기획재정부장관은 국무회의의 심의를 거쳐 대통령의 승인을 얻은 다음 연도의 예산안편성지침을 매년 3월 31일까지 각 중앙관서의 장(경찰청장)에게 통보하여야 한다. 기획재정부장관은 국가재정운용계획과 예산편성을 연계하기 위하여 예산안편성지침에 중앙관서별 지출한도를 포함하여 통보할 수 있다.

㉡ 기획재정부장관은 각 중앙관서의 장(경찰청장)에게 통보한 예산안편성지침을 국회 예산결산특별위원회에 보고하여야 한다.

③ 예산요구서의 제출(국가재정법 제31조)

㉠ 각 중앙관서의 장(경찰청장)은 예산안편성지침에 따라 그 소관에 속하는 다음 연도의 세입세출예산 · 계속비 · 명시이월비 및 국고채무부담행위 요구서(이하 '예산요구서'라 한다)를 작성하여 매년 5월 31일까지 기획재정부장관에게 제출하여야 한다. 예산요구서에는 대통령령으로 정하는 바에 따라 예산의 편성 및 예산관리기법의 적용에 필요한 서류를 첨부하여야 한다.

㉡ 기획재정부장관은 제출된 예산요구서가 예산안편성지침에 부합하지 아니하는 때에는 기한을 정하여 이를 수정 또는 보완하도록 요구할 수 있다.

④ 예산안의 편성(국가재정법 제32조) : 기획재정부장관은 예산요구서에 따라 예산안을 편성하여 국무회의의 심의를 거친 후 대통령의 승인을 얻어야 한다.

⑤ 예산안의 국회 제출(국가재정법 제33조) : 정부는 대통령의 승인을 얻은 예산안을 회계연도 개시 120일 전까지 국회에 제출하여야 한다.

> **대한민국 헌법**
> **제54조** ① 국회는 국가의 예산안을 심의 · 확정한다.
> ② 정부는 회계연도마다 예산안을 편성하여 회계연도 개시 90일 전까지 국회에 제출하고, 국회는 회계연도 개시 30일 전까지 이를 의결하여야 한다.

CHAPTER 05

(2) 예산안의 심의 · 의결

① 정부의 예산안이 회계연도 개시 120일 전까지 국회에 제출되면, 예산안 심의를 위한 국회가 개회되고, 예산안의 종합심사를 위하여 예산결산특별위원회가 구성된다.

② 예산결산특별위원회는 종합심사과정(종합정책 질의 ⇨ 부처별 심의 ⇨ 계수조정소위원회의 계수조정 ⇨ 예산결산특별위원회 전체회의에서 소위원회의 조정안 승인)을 거쳐 예산안의 실질적인 조정작업을 진행하며, 예산결산특별위원회의 종합심사를 거친 예산안은 회계연도 개시 30일 전까지 본회의의 의결을 거침으로써 확정된다.

> **대한민국 헌법**
> **제54조** ① 국회는 국가의 예산안을 심의 · 확정한다.
> ② 정부는 회계연도마다 예산안을 편성하여 회계연도 개시 90일 전까지 국회에 제출하고, 국회는 회계연도 개시 30일 전까지 이를 의결하여야 한다.

(3) 예산의 집행

① **예산배정요구서의 제출(국가재정법 제42조)** : 각 중앙관서의 장(경찰청장)은 예산이 확정된 후 사업운영계획 및 이에 따른 세입세출예산 · 계속비와 국고채무부담행위를 포함한 예산배정요구서를 기획재정부장관에게 제출하여야 한다.

② **예산의 배정(국가재정법 제43조)**

㉠ 기획재정부장관은 예산배정요구서에 따라 분기별 예산배정계획을 작성하여 국무회의의 심의를 거친 후 대통령의 승인을 얻어야 한다. 기획재정부장관은 각 중앙관서의 장에게 예산을 배정한 때에는 감사원에 통지하여야 한다.

㉡ 기획재정부장관은 필요한 때에는 대통령령으로 정하는 바에 따라 회계연도 개시 전에 예산을 배정할 수 있으며, 예산의 효율적인 집행관리를 위하여 필요한 때에는 분기별 예산배정계획에도 불구하고 개별사업계획을 검토하여 그 결과에 따라 예산을 배정할 수 있다.

㉢ 기획재정부장관은 재정수지의 적정한 관리 및 예산사업의 효율적인 집행관리 등을 위하여 필요한 때에는 분기별 예산배정계획을 조정하거나 예산배정을 유보할 수 있으며, 배정된 예산의 집행을 보류하도록 조치를 취할 수 있다.

> **Tip**
> 1. 예산의 집행이란 국회에서 심의 · 의결을 거쳐 확정된 예산에 따라 재원을 조달하고 경비를 지출하는 재정활동을 말한다. 예산이 국회에서 성립되면 경찰청장은 예산배정요구서를 기획재정부장관에게 제출하여 예산을 배정받는다.
> 2. 예산이 확정되었더라도 해당예산이 배정되지 않은 상태에서는 지출원인행위를 할 수 없다.
> 3. 예산의 재배정이란 기획재정부장관으로부터 배정받은 예산을 각 중앙관서의 장이 하급기관으로 다시 배정하는 것을 말한다.

(4) 예산의 결산(국가재정법 제3장)

① **중앙관서결산보고서의 작성 및 제출(국가재정법 제58조)**: 각 중앙관서의 장(경찰청장)은 국가회계법에서 정하는 바에 따라 회계연도마다 작성한 결산보고서(이하 '중앙관서결산보고서'라 한다)를 다음 연도 2월 말일까지 기획재정부장관에게 제출하여야 한다.

② **국가결산보고서의 작성 및 제출(국가재정법 제59조)**: 기획재정부장관은 국가회계법에서 정하는 바에 따라 회계연도마다 작성하여 대통령의 승인을 받은 국가결산보고서를 다음 연도 4월 10일까지 감사원에 제출하여야 한다.

③ **결산검사(국가재정법 제60조)**: 감사원은 국가결산보고서를 검사하고 그 보고서를 다음 연도 5월 20일까지 기획재정부장관에게 송부하여야 한다.

④ **국가결산보고서의 국회제출(국가재정법 제61조)**: 정부는 감사원의 검사를 거친 국가결산보고서를 다음 연도 5월 31일까지 국회에 제출하여야 한다.

2. 지출의 특례 – 관서운영경비제도(국고금 관리법)

(1) 의의

관서운영경비란 관서를 운영하는 데 드는 경비로서 그 성질상 지출의 원칙적 절차규정에 따라 지출할 경우 업무수행에 지장을 가져올 우려가 있는 경비에 대하여, 사무비를 출납공무원(관서의 장)에게 지급함으로써 그 책임과 계산하에 사용하게 하는 특수한 경비를 말한다.

(2) 관서운영경비의 운영

① 지출의 절차(국고금 관리법 제22조)

㉠ 중앙관서의 장 또는 지출원인행위의 위임을 받은 공무원(이하 '재무관'이라 한다)이 그 소관 세출예산 또는 기금운용계획에 따라 지출하려는 경우에는 대통령령으로 정하는 바에 따라 소속 중앙관서의 장이 임명한 공무원(이하 '지출관'이라 한다)에게 지출원인행위 관계 서류를 보내야 한다.

㉡ 지출원인행위에 따라 지출관이 지출을 하려는 경우에는 대통령령으로 정하는 바에 따라 채권자 또는 법령에서 정하는 바에 따라 국고금의 지급사무를 수탁하여 처리하는 자(이하 '채권자 등'이라 한다)의 계좌로 이체하여 지급하여야 한다.

㉢ 지출관은 정보통신의 장애나 그 밖의 불가피한 사유로 계좌이체의 방법으로 지급할 수 없는 경우에는 대통령령으로 정하는 바에 따라 현금 등을 채권자에게 직접 지급할 수 있다.

㉣ 지출은 지출관별 월별 세부자금계획의 범위에서 하여야 한다.

② 관서운영경비의 지급(국고금 관리법 제24조)

㉠ 관서운영경비지출의 원칙

ⓐ 중앙관서의 장 또는 그 위임을 받은 공무원은 관서를 운영하는 데 드는 경비로서 그 성질상 지출의 원칙에 따라 지출할 경우 업무수행에 지장을 가져올 우려가 있는 경비(이하 '관서운영경비'라 한다)는 필요한 자금을 출납공무원으로 하여금 지출관으로부터 교부받아 지급하게 할 수 있다.

ⓑ 관서운영경비는 관서운영경비출납공무원이 아니면 지급할 수 없다. 관서운영경비출납공무원은 관서운영경비를 금융회사 등에 예치하여 관리하여야 한다.

㉡ **관서운영경비지출의 방식**: 관서운영경비출납공무원이 관서운영경비를 지급하려는 경우에는 정부구매카드(여신전문금융업법 제2조 제3호 및 제6호에 따른 신용카드·직불카드 또는 전자금융거래법 제2조 제13호에 따른 직불전자지급수단으로서 대통령령으로 정하는 바에 따라 관서운영경비를 지급하기 위하여 사용되는 것을 말한다)를 사용하여야 한다. 다만, 경비의 성질상 정부구매카드를 사용할 수 없는 경우에는 대통령령으로 정하는 바에 따라 현금지급 등의 방법으로 지급할 수 있다.

㉢ **관서운영경비 취급관서 및 취급자**: 관서운영경비는 경찰청·시·도경찰청·경찰서·지구대·파출소 등에서 취급하며 경찰청·시·도경찰청·경찰서의 경우에는 출납공무원이, 그 외에는 지구대장과 파출소장이 관서운영경비를 취급한다.

(3) 관서운영경비의 범위와 지급

① 관서운영경비의 범위(국고금 관리법 시행령 제31조)

핵심정리

1. 운영비(복리후생비, 학교운영비·일반용역비 및 관리용역비는 제외한다)·특수활동비·안보비·정보보안비 및 업무추진비 중 기획재정부령으로 정하는 금액 이하의 경비

> **국고금 관리법 시행규칙**
> **제52조【관서운영경비의 범위】** 관서운영경비로 지급할 수 있는 경비의 최고금액은 건당 500만원으로 한다. 다만, 다음의 어느 하나에 해당하는 경우에는 그러하지 아니하다.
> 1. 기업특별회계상 당해 사업에 직접 소요되는 경비
> 2. 운영비 중 공과금 및 위원회참석비
> 3. 특수활동비 중 수사활동에 소요되는 경비
> 4. 안보비 중 정보활동에 소요되는 경비
> 5. 그 밖에 기획재정부장관이 정하는 경비

2. 외국에 있는 채권자가 외국에서 지급받으려는 경우에 지급하는 경비(재외공관 및 외국에 설치된 국가기관에 지급하는 경비를 포함한다)

3. 여비

4. 그 밖에 규정한 절차에 따라 지출할 경우 업무수행에 지장을 가져올 우려가 있는 경비로서 기획재정부령으로 정하는 경비

② 관서운영경비의 지급(국고금 관리법 제24조)

㉠ 관서운영경비는 관서운영경비 출납공무원이 아니면 지급할 수 없다. 관서운영경비출납공무원은 정부구매카드를 사용하여 관서운영경비를 지급할 수 없는 경우에는 계좌이체(공공요금 등을 자동이체하는 경우를 포함한다)의 방법으로 지급하여야 한다. 다만, 다음의 경우에는 현금으로 지급할 수 있다.

현금 등에 의한 관서운영경비의 지급(동법 시행령 제36조)

> ⓐ 운영비·특수활동비 및 업무추진비 중 기획재정부령이 정하는 금액 이하의 경비
> ⓑ 외국에 있는 채권자가 외국에서 지급받고자 하는 경우에 지급하는 경비
> ⓒ 국내여비 및 외국인에게 지급하는 국외여비
> ⓓ 섬·외딴곳·산간오지 등 관서 소재 지역으로서 경비를 사용할 지역에 신용카드 가맹점이 없는 등의 사유로 정부구매카드를 사용할 수 없는 경우
> ⓔ 분임관서운영경비 출납공무원에게 관서운영경비를 재교부하는 경우

㉡ 관서운영경비 출납공무원은 관서운영경비를 금융기관에 예치하여 관리하여야 하며, 관서운영경비출납공무원이 관서운영경비를 지급하고자 하는 때에는 정부구매카드를 사용하여야 한다(국고금 관리법 시행령 제36조).

㉢ 경비의 성질상 정부구매카드를 사용할 수 없는 경우에는 대통령령으로 정하는 바에 따라 현금지급 등의 방법으로 지급할 수 있다.

(4) 서류 등의 보관

관서운영경비의 집행에 관한 증빙서류, 현금출납부 등의 서류는 회계연도 종료 후 5년간 보관하여야 한다.

(5) 특징

관서운영경비는 목간 전용하여 사용할 수 없으나 일반적인 전용절차를 거쳐서 일부 세목조정이 가능하다.

(6) 관서운영경비 사용잔액의 반납(국고금 관리법 시행령 제37조)

관서운영경비출납공무원은 매 회계연도의 관서운영경비 사용잔액을 다음 회계연도 1월 20일까지 해당 지출관에게 반납하여야 한다. 그러나 관서운영경비출납공무원은 다음의 경우에는 관서운영경비의 사용 잔액을 다음 연도로 이월하여 사용할 수 있다.

① 지급원인행위를 하고 지급하지 아니한 금액

② 직전 회계연도에 사용한 정부구매카드사용금액 중 그 대금을 지급하지 아니한 금액

③ 재외공관의 시설비 중 지급원인행위를 하고 지급되지 아니한 경비

05 예산의 이용과 전용

1. 예산의 이용(국가재정법 제47조)

(1) 예산이용의 범위

각 중앙관서의 장은 예산이 정한 각 기관간 또는 각 장·관·항간에 상호 이용(移用)할 수 없다. 다만, 예산집행상 필요에 따라 미리 예산으로써 국회의 의결을 얻은 때에는 기획재정부장관의 승인을 얻어 이용하거나 기획재정부장관이 위임하는 범위 안에서 자체적으로 이용할 수 있다.

(2) 정부조직의 변경

기획재정부장관은 정부조직 등에 관한 법령의 제정·개정 또는 폐지로 인하여 중앙관서의 직무와 권한에 변동이 있는 때에는 그 중앙관서의 장의 요구에 따라 그 예산을 상호 이용하거나 이체(移替)할 수 있다.

(3) 예산이용의 통지

각 중앙관서의 장은 예산을 자체적으로 이용한 때에는 기획재정부장관 및 감사원에 각각 통지하여야 하며, 기획재정부장관은 예산의 이용을 승인하거나 예산을 이용 또는 이체한 때에는 그 중앙관서의 장 및 감사원에 각각 통지하여야 한다.

(4) 국회보고

각 중앙관서의 장이 예산을 이용 또는 이체한 경우에는 분기별로 분기만료일이 속하는 달의 다음 달 말일까지 그 이용 또는 이체 내역을 국회 소관 상임위원회와 예산결산특별위원회에 제출하여야 한다.

2. 예산의 전용(국가재정법 제46조)

(1) 예산전용의 범위

각 중앙관서의 장은 예산의 목적범위 안에서 재원의 효율적 활용을 위하여 대통령령으로 정하는 바에 따라 기획재정부장관의 승인을 얻어 각 세항 또는 목의 금액을 전용할 수 있다. 이 경우 사업간의 유사성이 있는지, 재해대책 재원 등으로 사용할 시급한 필요가 있는지, 기관운영을 위한 필수적 경비의 충당을 위한 것인지 여부 등을 종합적으로 고려하여야 한다.

(2) 예산의 자체 전용

각 중앙관서의 장은 회계연도마다 기획재정부장관이 위임하는 범위 안에서 각 세항 또는 목의 금액을 자체적으로 전용할 수 있다.

(3) 예산의 전용 제한

위 (1) 및 (2)에도 불구하고 각 중앙관서의 장은 다음의 어느 하나에 해당하는 경우에는 전용할 수 없다.

① 당초 예산에 계상되지 아니한 사업을 추진하는 경우

② 국회가 의결한 취지와 다르게 사업 예산을 집행하는 경우

(4) 예산전용의 통보

기획재정부장관은 예산의 전용을 승인한 때에는 그 전용명세서를 그 중앙관서의 장 및 감사원에 각각 송부하여야 하며, 각 중앙관서의 장은 예산을 전용한 때에는 전용을 한 과목별 금액 및 이유를 명시한 명세서를 기획재정부장관 및 감사원에 각각 송부하여야 한다.

(5) 예산전용의 국회통보

각 중앙관서의 장이 예산을 전용한 경우에는 분기별로 분기만료일이 속하는 달의 다음 달 말일까지 그 전용 내역을 국회 소관 상임위원회와 예산결산특별위원회에 제출하여야 한다.

제5절 경찰장비관리

01 개념

물품관리 또는 장비관리는 경찰업무를 수행하는 데 필요한 물품을 취득하여 효율적으로 보관·사용하고, 사용 후에 합리적으로 처분하는 과정을 말한다. 이는 물품의 효율적이며 적정한 관리를 도모함을 목적으로 하며, 장비관리는 능률성, 효과성, 경제성의 확보에 그 목적이 있으며 민주성의 확보는 장비관리와 관련이 없다.

02 경찰장비관리규칙

1. 무기류 관리

(1) 정의(경찰장비관리규칙 제112조)

<table>
<tr><td rowspan="3">무기</td><td colspan="2">인명 또는 신체에 위해를 가할 수 있도록 제작된 권총·소총·도검 등을 말한다.</td></tr>
<tr><td>개인화기</td><td>권총·소총(자동소총 및 기관단총을 포함한다) 등 개인이 운용하는 장비</td></tr>
<tr><td>공용화기</td><td>유탄발사기·중기관총·박격포·저격총·산탄총·로프발사총·다목적발사기(고폭탄을 사용하는 경우)·물발사분쇄기·석궁 등 부대단위로 운용되는 장비</td></tr>
<tr><td>집중무기고</td><td colspan="2">경찰인력 및 경찰기관별 무기책정기준에 따라 배정된 개인화기와 공용화기(경찰탄약×)를 집중보관·관리하기 위하여 각 경찰기관에 설치된 시설을 말한다.</td></tr>
<tr><td>탄약고</td><td colspan="2">경찰탄약을 집중 보관하기 위하여 타용도의 사무실, 무기고 등과 분리 설치된 보관시설을 말한다.</td></tr>
<tr><td>간이무기고</td><td colspan="2">경찰기관의 각 기능별 운용부서에서 효율적 사용을 위하여 집중무기고로부터 무기·탄약의 일부를 대여받아 별도로 보관·관리하는 시설을 말한다.</td></tr>
</table>

(2) 무기고 및 탄약고 설치(경찰장비관리규칙 제115조)

① 집중무기고의 설치: 집중무기고는 다음의 경찰기관에 설치한다.

㉠ 경찰청
㉡ 시·도경찰청
㉢ 경찰대학, 경찰인재개발원, 중앙경찰학교 및 경찰수사연수원
㉣ 경찰서
㉤ 경찰기동대, 방범순찰대 및 경비대
㉥ 의무경찰대
㉦ 경찰특공대
㉧ 기타 경찰청장이 지정하는 경찰관서

② 관리상 주의사항

㉠ 무기고와 탄약고는 견고하게 만들고 환기·방습장치와 방화시설 및 총가시설 등이 완비되어야 한다.
㉡ 탄약고는 무기고와 분리되어야 하며 가능한 본 청사와 격리된 독립 건물로 하여야 한다.
㉢ 무기고와 탄약고의 환기통 등에는 손이 들어가지 않도록 쇠창살 시설을 하고, 출입문은 2중으로 하여 각 1개소 이상씩 자물쇠를 설치하여야 한다.
㉣ 무기·탄약고 비상벨은 상황실과 숙직실 등 초동조치 가능장소와 연결하고, 외곽에는 철조망장치와 조명등 및 순찰함을 설치하여야 한다.
㉤ 간이무기고는 근무자가 24시간 상주하는 지구대, 파출소, 상황실 및 112타격대(이하 '지구대 및 상황실 등'이라 한다) 등 경찰기관의 장이 필요하다고 인정하는 상당한 이유가 있는 장소에 설치할 수 있다.
㉥ 탄약고 내에는 전기시설을 하여서는 아니 되며, 조명은 건전지 등으로 하고 방화시설을 완비하여야 한다. 단, 방폭설비를 갖춘 경우 전기시설을 설치할 수 있다.

(3) 무기 · 탄약고 열쇠의 보관(경찰장비관리규칙 제117조)

① 무기고와 탄약고의 열쇠는 관리 책임자가 보관한다.

② 집중무기 · 탄약고와 간이무기고는 다음의 관리자가 보관 관리한다. 다만, 휴가, 비번 등으로 관리책임자 공백 시는 별도 관리책임자를 지정하여야 한다.

> ㉠ 집중무기 · 탄약고의 경우
> ⓐ 일과시간의 경우 무기 관리부서의 장(정보화장비과장, 운영지원과장, 총무과장, 경찰서 경무과장 등)
> ⓑ 일과시간 후 또는 토요일 · 공휴일의 경우 당직 업무(청사방호) 책임자(상황관리관 등 당직근무자)
> ㉡ 간이무기고의 경우
> ⓐ 상황실 간이무기고는 112종합상황실(팀)장
> ⓑ 지구대 등 간이무기고는 지역경찰관리자
> ⓒ 그 밖의 간이무기고는 일과시간의 경우 설치부서 책임자, 일과시간 후 또는 토요일 · 공휴일의 경우 당직 업무(청사방호) 책임자

(4) 무기 · 탄약의 회수 및 보관(경찰장비관리규칙 제120조)

① 경찰기관의 장은 무기를 휴대한 자 중에서 다음 각 호에 해당하는 자가 발생한 때에는 즉시 대여한 무기 · 탄약을 회수해야 한다. 다만, 대상자가 이의신청을 하거나 소속 부서장이 무기 소지 적격 여부에 대해 심의를 요청하는 경우에는 무기 소지 적격 심의위원회(이하 '심의위원회'라 한다.)의 심의를 거쳐 대여한 무기 · 탄약의 회수여부를 결정한다.

㉠ 직무상의 비위 등으로 인하여 중징계 의결 요구된 된 자

㉡ 사의를 표명한 자

② 경찰기관의 장은 무기를 휴대한 자 중에서 다음 각 호에 해당하는 자가 있을 때에는 심의위원회의 심의를 거쳐 대여한 무기 · 탄약을 회수할 수 있다. 다만, 심의위원회를 개최할 시간적 여유가 없거나 사고 방지 등을 위해 신속한 회수가 필요하다고 인정되는 경우에는 대여한 무기 · 탄약을 즉시 회수할 수 있으며, 회수한 날부터 7일 이내에 심의위원회를 개최하여 회수의 타당성을 심의하고 계속 회수 여부를 결정한다.

㉠ 직무상의 비위 등으로 인하여 감찰조사의 대상이 되거나 경징계의결 요구 또는 경징계 처분 중인 자

㉡ 형사사건의 수사 대상이 된 자

㉢ 경찰공무원 직무적성검사 결과 고위험군에 해당되는 자

㉣ 정신건강상 문제가 우려되어 치료가 필요한 자

㉤ 정서적 불안 상태로 인하여 무기 소지가 적합하지 않은 자로서 소속 부서장의 요청이 있는 자

㉥ 그 밖에 경찰기관의 장이 무기 소지 적격 여부에 대해 심의를 요청하는 자

Add ⊕

경찰기관의 장은 위 ②의 사유들이 소멸되면 직권 또는 당사자 신청에 따라 무기소지 적격 심의위원회의 심의를 거쳐 무기 회수의 해제 조치를 할 수 있다.

무기소지 적격 심의위원회

1. 심의위원회 구성(경찰장비관리규칙 제120조의2)

① 무기 · 탄약 회수대상자에 해당하는지 여부 및 회수의 해제 여부를 심의하기 위하여 각급 경찰기관의 장 소속하에 심의위원회를 둔다.

② 심의위원회는 위원장 1명을 포함하여 총 5명 이상 7명 이내의 위원으로 성별을 고려하여 구성하되 민간위원 1명 이상이 위원으로 참여하여야 한다.

③ 위원은 다음의 사람이 된다.
㉠ 내부위원 : 심의대상자 소속 경찰기관의 장이 당해 경찰기관에 소속된 자 중 지명한 자
㉡ 민간위원 : 정신건강 분야에 관한 전문성을 갖춘 사람으로서 심의대상자 소속 경찰기관의 장이 위촉하는 사람
④ 심의위원회의 위원장은 심의대상자 소속 경찰기관의 장이 지명한다.
⑤ 심의위원회의 사무를 처리하기 위하여 위원회에 간사를 두며, 간사는 경찰공무원 중에서 위원장이 지명한다.

2. 심의위원회 운영(경찰장비관리규칙 제120조의3)

① 심의위원회의 회의는 심의대상자 소속 경찰기관의 장이 필요하다고 인정하는 경우에 개최한다.
② 심의위원회의 회의는 재적위원 과반수의 출석으로 개의하며, 출석위원 과반수의 찬성으로 의결한다.
③ 심의위원회의 회의는 비공개로 한다.
④ 심의대상자는 심의위원회의 회의에 출석하여 의견을 진술하거나 필요한 자료를 제출할 수 있다.
⑤ 위원장은 심의위원회가 심의한 사항을 지체 없이 심의대상자 소속 경찰기관의 장에게 보고하여야 한다.
⑥ 위원회의 위원 및 위원이었던 사람은 위원회 업무와 관련하여 알게 된 비밀이나 개인정보 등 관련 내용에 대하여 공개 또는 누설하여서는 안 된다.

③ 경찰기관의 장은 무기를 휴대한 자 중에서 다음에 해당하는 경우에는 대여한 무기 · 탄약을 무기고에 보관하도록 해야 한다.
㉠ 술자리 또는 연회장소에 출입할 경우
㉡ 상사의 사무실을 출입할 경우
㉢ 기타 정황을 판단하여 필요하다고 인정되는 경우

경찰장비관리규칙

제123조 【무기 · 탄약 취급상의 안전관리】 ① 경찰관은 권총 · 소총 등 총기를 휴대 · 사용하는 경우 다음의 안전수칙을 준수하여야 한다.
1. 권총
가. 총구는 공중 또는 지면(안전지역)을 향한다.
나. 실탄 장전시 반드시 안전장치(방아쇠울에 설치 사용)를 장착한다.
다. 1탄은 공포탄, 2탄 이하는 실탄을 장전한다. 다만, 대간첩작전, 살인 강도 등 중요범인이나 무기 · 흉기 등을 사용하는 범인의 체포 및 위해의 방호를 위하여 불가피한 경우에 1탄부터 실탄을 장전할 수 있다.
라. 조준시는 대퇴부 이하를 향한다.
2. 소총, 기관총, 유탄발사기
가. 실탄은 분리 휴대한다.
나. 실탄 장전시 조정간을 안전위치로 한다.
다. 사용 후 보관시 약실과 총강을 점검한다.
라. 노리쇠 뭉치나 구성품은 다른 총기의 부품과 교환하지 않도록 한다.
마. 공포 탄약은 총구에서 6m 이내의 사람을 향해 사격해서는 아니 된다.
② 총기 손질시는 총구를 공중 또는 지면을 향하여 검사 총을 실시하여야 한다.

2. 특별관리대상 장비관리(경찰장비관리규칙 제157조)

특별관리대상 장비는 경찰관의 직무수행 중 통상 용법대로 사용하는 경우 사람에게 위해를 가할 우려가 있어 관리 및 사용상 특별한 주의가 필요한 장비로, 다음과 같이 구분한다.

경찰장구	수갑, 포승, 벨트형 포승, 호송용 포승, 경찰봉, 호신용 경봉, 전자충격기, 진압봉, 방패 및 전자방패
무기	권총, 소총, 기관총, 산탄총, 유탄발사기, 박격포, 3인치포, 클레이모어, 수류탄, 폭약류 및 도검

분사기 등	근접분사기, 가스분사기, 가스발사총, 가스분사겸용 경봉, 최루탄발사기 및 최루탄
기타장비	가스차, 살수차, 특수진압차, 석궁, 다목적발사기(스펀지탄 · 고무탄 · 페인트탄 · 조명탄을 사용하는 경우)

3. 기동장비

(1) 정의(경찰장비관리규칙 제87조)

이 장에서 사용하는 용어의 정의는 다음과 같다.

기동장비	차량, 항공기, 선박, 자전거를 말한다.	
차량	자동차와 원동기를 장치한 이륜차를 말한다.	
항공기	경찰항공대에서 관리 · 운용하는 헬리콥터(이하 '헬기'라 한다)를 말하며, 그 운용에 필요한 부수장비는 다음과 같이 구분한다.	
	헬기	단발헬기, 쌍발헬기
	부수장비	시동발전기, 항공기 견인차, 견인봉, 화물 고리, 인양기, 구조망, 화물망, 물탱크, 대지방송장비, 탐조등, 진동측정장비, 헬기용 카메라, 엔진 세척기, 열풍기, 기타 부수장비
선박	범죄예방업무 수행을 위하여 운영되는 순찰정을 말한다.	
차량정수	경찰기관별로 인가되어 정하여진 차량의 수를 말한다.	

(2) 차량의 구분(경찰장비관리규칙 제88조)

차량의 차종은 승용 · 승합 · 화물 · 특수용으로 구분하고, 차형은 차종별로 대형 · 중형 · 소형 · 경형 · 다목적형으로 구분한다. 차량은 용도별로 전용 · 지휘용 · 업무용 · 순찰용 · 특수용 차량으로 구분한다.

(3) 차량소요계획의 제출(경찰장비관리규칙 제90조)

부속기관 및 시 · 도경찰청의 장은 다음 연도에 소속 기관의 차량정수를 증감시킬 필요가 있을 때에는 매년 3월 말까지 다음 연도 차량정수 소요계획을 경찰청장에게 제출하여야 한다.

(4) 차량의 교체(경찰장비관리규칙 제93조)

부속기관 및 시 · 도경찰청은 소속 기관 차량 중 다음 연도 교체대상 차량을 매년 11월 말까지 경찰청장에게 보고하여야 한다.

(5) 교체대상 차량의 불용처리(경찰장비관리규칙 제94조)

① 차량교체를 위한 불용대상 차량은 부속기관 및 시 · 도경찰청에 배정되는 수량의 범위 내에서 내용연수 경과 여부 등 차량사용기간을 최우선적으로 고려하여 선정한다.

② 사용기간이 동일한 경우에는 주행거리와 차량의 노후상태, 사용부서 등을 종합적으로 검토 예산낭비 요인이 없도록 신중하게 선정한다.

③ 단순한 내용연수 경과를 이유로 일괄교체 또는 불용처분하는 것을 지양하고 성능이 양호하여 운행가능한 차량은 교체순위에 불구하고 연장 사용할 수 있다.

④ 불용처분된 차량은 부속기관 및 시 · 도경찰청별로 실정에 맞게 공개매각을 원칙으로 하되, 공개매각이 불가능한 때에는 폐차처분을 할 수 있다. 다만, 매각을 할 때에는 경찰표시도색을 제거하는 등 필요한 조치를 하여야 한다.

(6) 차량의 집중관리(경찰장비관리규칙 제95조~제97조)

① 각 경찰기관의 업무용차량은 운전요원의 부족 등 불가피한 사유가 없는 한 집중관리를 원칙으로 한다.

② 차량열쇠는 다음의 관리자가 지정된 열쇠함에 집중보관 및 관리하고, 예비열쇠의 확보 등을 위한 무단 복제와 운전원의 임의 소지 및 보관을 금한다. 다만, 휴가, 비번 등으로 관리책임자 공백시는 별도 관리책임자를 지정하여야 한다.

> ㉠ 일과시간의 경우 차량 관리부서의 장(정보화장비과장, 운영지원과장, 총무과장, 경찰서 경무과장 등)
> ㉡ 일과시간 후 또는 토요일·공휴일의 경우 당직 업무(청사방호) 책임자(상황관리관 등 당직근무자, 지구대·파출소는 지역경찰관리자)

③ 각급 경찰기관의 장은 특수진압차, 가스차, 살수차 등 사람의 생명·신체에 위해를 가할 우려가 있는 장비는 특별한 관리를 하여야 한다.

(7) 차량의 관리책임(경찰장비관리규칙 제98조)

차량운행시 책임자는 1차 운전자, 2차 선임탑승자(사용자), 3차 경찰기관의 장으로 한다.

제6절 보안관리

01 보안의 개념

1. 보안의 의의

보안이란 국가의 안전보장을 위하여 국가가 보호를 필요로 하는 비밀이나 인원, 문서, 자재, 시설 및 지역 등을 보호하는 소극적 예방활동과 국가안전보장을 해치고자 하는 간첩, 태업이나 전복으로 국가를 위태롭게 하는 불순분자를 탐지, 조사, 체포하는 등의 적극적 예방활동으로 구분할 수 있다.

2. 보안업무의 법적 근거

국가정보원법, 정보 및 보안업무기획·조정규정(대통령령), 보안업무규정(대통령령), 보안업무규정 시행규칙(대통령훈령), 보안업무규정 시행 세부규칙(경찰청훈령) 등에 그 근거가 있다.

3. 보안업무의 원칙

원칙	내용
알 사람만 알아야 하는 원칙	① 보안의 대상이 되는 사실은 전파할 때 전파가 꼭 필요한가, 사용자가 반드시 전달받아야 하며 필요한 것인가 검토하여야 한다. ② 보안에 있어서 가장 기본적이며 중요한 원칙에 해당한다.
부분화의 원칙	한번에 다량의 비밀이나 정보가 유출되지 않도록 하여야 한다.
보안과 효율의 조화의 원칙	보안과 업무효율은 반비례관계가 있으므로 양자의 적절한 조화를 유지하는 방법을 강구해야 한다.

두문자 보안업무 원칙: 알부보

Add ⊕

적당성의 원칙

사용자가 필요한 만큼 적당한 양을 전달해야 한다. 사용자가 요구하는 것 이상으로 정보를 제공하는 것은 불필요한 보안상의 문제를 야기할 수 있고, 정보에 대한 신뢰도를 저하시킨다.

02 보안업무규정

1. 서설

보안업무규정(이하 '영'이라 한다)은 국가정보원법 제4조에 따라 국가정보원의 직무 중 보안 업무 수행에 필요한 사항을 규정함을 목적으로 한다.

(1) 용어의 정의(보안업무규정 제2조)

이 영에서 사용하는 용어의 뜻은 다음과 같다.

비밀	국가정보원법(이하 '법'이라 한다) 제4조 제1항 제2호에 따른 국가 기밀(이하 '국가 기밀'이라 한다)로서 이 영에 따라 비밀로 분류된 것을 말한다.
각급 기관	대한민국 헌법, 정부조직법 또는 그 밖의 법령에 따라 설치된 국가기관(군기관 및 교육기관을 포함한다)과 지방자치단체 및 공공기록물 관리에 관한 법률 시행령 제3조에 따른 공공기관을 말한다.
중앙행정기관 등	정부조직법 제2조 제2항에 따른 부·처·청(이에 준하는 위원회를 포함한다)과 대통령 소속·보좌·경호기관, 국무총리 보좌기관 및 고위공직자범죄수사처를 말한다.
암호자재	비밀의 보호 및 정보통신 보안을 위하여 암호기술이 적용된 장치나 수단으로서 Ⅰ급, Ⅱ급 및 Ⅲ급 비밀 소통용 암호자재로 구분되는 장치나 수단을 말한다.

(2) 보안책임(보안업무규정 제3조)

다음의 어느 하나에 해당하는 사항을 관리하는 사람 및 관계 기관(각급 기관과 제33조 제3항에 따른 관리기관을 말한다)의 장은 해당 관리 대상에 대하여 보안책임을 진다.

① 국가 기밀에 속하는 문서·자재·시설·지역

② 국가안전보장에 한정된 국가 기밀을 취급하는 인원

(3) 보안 기본정책 수립 등(보안업무규정 제3조의2)

국가정보원장은 보안 업무와 관련하여 다음의 업무를 수행한다.

① 보안업무와 관련된 기본정책의 수립 및 제도의 개선

② 보안업무 수행 기법의 연구·보급 및 표준화

③ 전자적 방법에 의한 보안업무 관련 기술개발 및 보급

④ 각급 기관의 보안업무가 ①부터 ③까지의 사항에 따라 적절하게 수행되는지 여부의 확인 및 그 결과의 분석·평가

⑤ 제38조 각 호의 어느 하나에 해당하는 사고(이하 '보안사고'라 한다)의 예방 등을 위한 다음의 업무

㉠ 제35조 제1항에 따른 보안측정

㉡ 제36조 제1항에 따른 신원조사

㉢ 제38조에 따른 보안사고 조사
㉣ 그 밖에 대도청(對盜聽) 점검, 보안교육, 컨설팅 등 각급기관의 보안 업무 지원

⑷ 보안심사위원회(보안업무규정 제3조의3)

① 중앙행정기관 등에 비밀의 공개 등 해당 기관의 보안업무 수행에 관한 중요 사항을 심의하기 위하여 보안심사위원회를 둔다.

② 보안심사위원회의 구성·운영 등에 필요한 세부사항은 국가정보원장이 정한다.

2. 비밀보호

⑴ 비밀의 구분(보안업무규정 제4조)

보안업무규정
제4조【비밀의 구분】 비밀은 그 중요성과 가치의 정도에 따라 다음 각 호와 같이 구분한다.
1. Ⅰ급 비밀: 누설될 경우 대한민국과 외교관계가 단절되고 전쟁을 일으키며, 국가의 방위계획·정보활동 및 국가방위에 반드시 필요한 과학과 기술의 개발을 위태롭게 하는 등의 우려가 있는 비밀
2. Ⅱ급 비밀: 누설될 경우 국가안전보장에 막대한 지장을 끼칠 우려가 있는 비밀
3. Ⅲ급 비밀: 누설될 경우 국가안전보장에 해를 끼칠 우려가 있는 비밀

보안업무규정 시행규칙
제16조【분류 금지와 대외비】 ③ 영 제4조에 따른 비밀 외에 공공기관의 정보공개에 관한 법률 제9조 제1항 제3호부터 제8호까지의 비공개 대상정보 중 직무수행상 특별히 보호가 필요한 사항은 이를 '대외비'로 한다.

⑵ 비밀의 보호와 관리 원칙(보안업무규정 제5조)

각급 기관의 장은 비밀의 작성·분류·취급·유통 및 이관 등의 모든 과정에서 비밀이 누설되거나 유출되지 아니하도록 보안대책을 수립하여 시행하여야 한다. 이 경우 비밀의 제목 등 해당 비밀의 내용을 유추할 수 있는 정보가 포함된 자료는 공개하지 않는다.

⑶ 암호자재 제작·공급 및 반납(보안업무규정 제7조)

① 국가정보원장은 암호자재를 제작하여 필요한 기관에 공급한다. 다만, 국가정보원장이 필요하다고 인정하는 암호자재의 경우 그 암호자재를 사용하는 기관은 국가정보원장이 인가하는 암호체계의 범위에서 암호자재를 제작할 수 있다.

② 암호자재를 사용하는 기관의 장은 사용기간이 끝난 암호자재를 지체 없이 그 제작기관의 장에게 반납하여야 한다.

③ 국가정보원장은 암호자재 제작 등 암호자재와 관련된 기술을 확보하기 위하여 과학기술분야 정부출연연구기관 등의 설립·운영 및 육성에 관한 법률 제8조 제1항에 따라 설립된 정부출연연구기관으로 하여금 관련 연구개발 및 기술지원을 수행하게 할 수 있다.

⑷ 비밀·암호자재의 취급(보안업무규정 제8조)

비밀은 해당 등급의 비밀취급인가를 받은 사람만 취급할 수 있으며, 암호자재는 해당 등급의 비밀 소통용 암호자재취급 인가를 받은 사람만 취급할 수 있다.

(5) 비밀 · 암호자재취급 인가

① 비밀 · 암호자재취급 인가권자(보안업무규정 제9조)

㉠ Ⅰ급 비밀취급인가권자와 Ⅰ급 및 Ⅱ급 비밀 소통용 암호자재취급인가권자는 다음과 같다.

ⓐ 대통령
ⓑ 국무총리
ⓒ 감사원장
ⓓ 국가인권위원회 위원장
ⓔ 고위공직자범죄수사처장
ⓕ 각 부 · 처의 장
ⓖ 국무조정실장, 방송통신위원회 위원장, 공정거래위원회 위원장, 금융위원회 위원장, 국민권익위원회 위원장, 개인정보 보호위원회 위원장 및 원자력안전위원회 위원장
ⓗ 대통령 비서실장
ⓘ 국가안보실장
ⓙ 대통령 경호처장
ⓚ 국가정보원장
ⓛ 검찰총장
ⓜ 합동참모의장, 각군 참모총장, 지상작전사령관 및 육군제2작전사령관
ⓝ 국방부장관이 지정하는 각군 부대장

㉡ Ⅱ급 및 Ⅲ급 비밀취급인가권자와 Ⅲ급 비밀 소통용 암호자재취급인가권자는 다음과 같다.

ⓐ 위 ㉠의 각 사람
ⓑ 중앙행정기관 등인 청의 장(경찰청장)
ⓒ 지방자치단체의 장
ⓓ 특별시 · 광역시 · 도 및 특별자치시 · 특별자치도의 교육감
ⓔ ⓐ부터 ⓓ까지의 사람이 지정한 기관의 장

Add ⊕

Ⅱ급 및 Ⅲ급 비밀취급인가

1. **보안업무규정 제7조 제2항에 따른 Ⅱ급 및 Ⅲ급 비밀취급 인가권자는 다음과 같다.**
   ① 경찰청장
   ② 경찰대학장
   ③ 경찰교육원장
   ④ 중앙경찰학교장
   ⑤ 경찰수사연수원장
   ⑥ 경찰병원장
   ⑦ 시 · 도경찰청장
2. 시 · 도경찰청장은 경찰서장, 기동대장에게, Ⅱ급 및 Ⅲ급 비밀취급인가권을 위임한다. 이 경우 경정 이상의 경찰공무원을 장으로 하는 경찰기관의 장에게도 Ⅱ급 및 Ⅲ급 비밀취급인가권을 위임할 수 있다.
3. 1. 및 2.에 따라 Ⅱ급 및 Ⅲ급 비밀취급인가권을 위임받은 기관의 장은 이를 다시 위임할 수 없다.

② 비밀 · 암호자재취급의 인가 및 인가해제(보안업무규정 제10조) – 일반인가

㉠ 비밀취급인가권자는 비밀을 취급하거나 비밀에 접근할 사람에게 해당 등급의 비밀취급을 인가하고, 필요한 경우에는 인가 등급을 변경한다.

㉡ 비밀취급인가는 인가대상자의 직책에 따라 필요한 최소한의 인원으로 제한하여야 한다.

㉢ 비밀취급인가를 받은 사람이 다음의 어느 하나에 해당하는 경우에는 그 인가를 해제해야 한다.

ⓐ 고의 또는 중대한 과실로 보안사고를 저질렀거나 이 영을 위반하여 보안업무에 지장을 주는 경우

ⓑ 비밀취급이 불필요하게 되었을 경우

㉣ 암호자재취급 인가권자는 비밀취급 인가를 받은 사람 중에서 암호자재취급이 필요한 사람에게 해당 등급의 비밀 소통용 암호자재취급을 인가하고, 필요한 경우에는 인가 등급을 변경한다. 이 경우 암호자재취급 인가 등급은 비밀취급 인가 등급보다 높을 수 없다.

㉤ 암호자재취급 인가를 받은 사람이 다음의 어느 하나에 해당하는 경우에는 그 인가를 해제해야 한다.

ⓐ 비밀취급 인가가 해제되었을 경우

ⓑ 암호자재와 관련하여 보안사고를 저질렀거나 이 영을 위반하여 보안 업무에 지장을 주는 경우

ⓒ 암호자재의 취급이 불필요하게 되었을 경우

㉥ 비밀취급 및 암호자재취급의 인가와 인가 등급의 변경 및 인가 해제는 문서로 하여야 하며, 직원의 인사기록사항에 그 사실을 포함하여야 한다.

③ 비밀취급자 – 특별인가

보안업무규정 시행 세부규칙

제15조【특별인가】 ① 모든 경찰공무원(전투경찰순경을 포함한다)은 임용과 동시 Ⅲ급 비밀취급권을 가진다.

② 경찰공무원 중 다음의 부서에 근무하는 자(전투경찰순경을 포함한다)는 그 보직발령과 동시에 Ⅱ급 비밀취급권을 인가받은 것으로 한다.

1. 경비, 경호, 작전, 항공, 정보통신 담당부서(기동대, 전경대의 경우는 행정부서에 한한다)
2. 정보, 보안, 외사부서
3. 감찰, 감사 담당부서
4. 치안상황실, 발간실, 문서수발실
5. 경찰청 각 과의 서무담당자 및 비밀을 관리하는 보안업무 담당자
6. 부속기관, 시 · 도경찰청, 경찰서 각 과의 서무 담당자 및 비밀을 관리하는 보안업무 담당자

③ 제1항 및 제2항에 따라 비밀의 취급인가를 받은 자에 대하여는 별도로 비밀취급인가증을 발급하지 않는다. 다만, 업무상 필요한 경우에는 발급할 수 있다.

④ 각 경찰기관의 장은 제2항 각호의 부서에 근무하는 경찰공무원 중 신원특이자에 대하여는 위원회 또는 자체 심의기구에서 Ⅱ급 비밀취급의 인가 여부를 심의하고, 비밀취급이 불가능하다고 의결된 자에 대하여는 즉시 인사조치한다.

(6) 비밀분류 일반

① 비밀의 분류(보안업무규정 제11조)

㉠ 비밀취급인가를 받은 사람은 인가받은 비밀 및 그 이하 등급 비밀의 분류권을 가진다.

㉡ 같은 등급 이상의 비밀취급인가를 받은 사람 중 직속 상급직위에 있는 사람은 그 하급직위에 있는 사람이 분류한 비밀등급을 조정할 수 있다.

㉢ 비밀을 생산하거나 관리하는 사람은 비밀의 작성을 완료하거나 비밀을 접수하는 즉시 그 비밀을 분류하거나 재분류할 책임이 있다.

② 분류원칙(보안업무규정 제12조)

과도 또는 과소분류 금지의 원칙(제1항)	비밀은 적절히 보호할 수 있는 최저등급으로 분류하되, 과도하거나 과소하게 분류해서는 아니 된다.
독립분류의 원칙 (제2항)	비밀은 그 자체의 내용과 가치의 정도에 따라 분류하여야 하며, 다른 비밀과 관련하여 분류해서는 아니 된다.
외국비밀 존중의 원칙 (제3항)	외국 정부나 국제기구로부터 접수한 비밀은 그 생산기관이 필요로 하는 정도로 보호할 수 있도록 분류하여야 한다.

③ 분류지침(보안업무규정 제13조): 각급 기관의 장은 비밀 분류를 통일성 있고 적절하게 하기 위하여 세부 분류지침을 작성하여 시행하여야 한다. 이 경우 세부 분류지침은 공개하지 않는다.

④ 예고문(보안업무규정 제14조): 분류된 비밀에는 공공기록물 관리에 관한 법률 제33조 제1항에 따른 비밀 보호기간 및 보존기간을 명시하기 위하여 예고문을 기재하여야 한다.

⑤ 재분류 등(보안업무규정 제15조)

㉠ 비밀을 효율적으로 보호하기 위하여 비밀등급 또는 예고문 변경 등의 재분류를 한다.

㉡ 비밀의 재분류는 그 비밀의 예고문에 따르거나 생산자의 직권으로 한다. 다만, 다음의 어느 하나에 해당하는 경우에는 예고문의 비밀 보호기간 및 보존기간과 관계없이 비밀을 파기할 수 있다.

ⓐ 전시 · 천재지변 등 긴급하고 부득이한 사정으로 비밀을 계속 보관할 수 없거나 안전하게 반출할 수 없는 경우

ⓑ 국가정보원장의 요청이 있는 경우

ⓒ 비밀 재분류를 통하여 예고문에 따른 파기 시기까지 계속 보관할 필요가 없게 된 경우로서 해당 비밀 취급인가권자의 사전 승인을 받은 경우

㉢ 외국 정부나 국제기구로부터 접수된 비밀 중 예고문이 없거나 기재된 예고문이 비밀 관리에 적당하지 아니하다고 인정되는 경우에는 접수한 기관의 장이 그 비밀을 최대한 보호할 수 있는 범위에서 재분류할 수 있다.

⑥ 표시(보안업무규정 제16조): 비밀은 그 취급자 또는 관리자에게 경고하고 비밀취급인가를 받지 아니한 사람의 접근을 방지하기 위하여 분류(재분류를 포함한다)와 동시에 등급에 따라 구분된 표시를 하여야 한다.

(7) 비밀의 접수 · 발송(보안업무규정 제17조)

① 비밀을 접수하거나 발송할 때에는 그 비밀을 최대한 보호할 수 있는 방법을 이용하여야 한다.

② 비밀은 암호화되지 아니한 상태로 정보통신 수단을 이용하여 접수하거나 발송해서는 아니 된다.

③ 모든 비밀을 접수하거나 발송할 때에는 그 사실을 확인하기 위하여 접수증을 사용한다.

(8) 비밀의 보관

① 보관(보안업무규정 제18조): 비밀은 도난 · 유출 · 화재 또는 파괴로부터 보호하고 비밀취급인가를 받지 아니한 사람의 접근을 방지할 수 있는 적절한 시설에 보관하여야 한다.

② 출장 중의 비밀 보관(보안업무규정 제19조): 비밀을 휴대하고 출장 중인 사람은 비밀을 안전하게 보호하기 위하여 국내 경찰기관 또는 재외공관에 보관을 위탁할 수 있으며, 위탁받은 기관은 그 비밀을 보관하여야 한다.

③ 보관책임자(보안업무규정 제20조): 각급 기관의 장은 소속 직원 중에서 이 영에 따른 비밀보관업무를 수행할 보관책임자를 임명하여야 한다.

④ 비밀의 보관(보안업무규정 시행규칙 제33조, 제34조)

㉠ 비밀은 일반문서나 암호자재와 혼합하여 보관하여서는 아니 된다. Ⅰ급 비밀은 반드시 금고에 보관하여야 하며, 다른 비밀과 혼합하여 보관하여서는 아니 된다. Ⅱ급 비밀 및 Ⅲ급 비밀은 금고 또는 이중 철제캐비닛 등 잠금장치가 있는 안전한 용기에 보관하여야 하며, 보관책임자가 Ⅱ급 비밀취급 인가를 받은 때에는 Ⅱ급 비밀과 Ⅲ급 비밀을 같은 용기에 혼합하여 보관할 수 있다. 보관용기에 넣을 수 없는 비밀은 제한구역 또는 통제구역에 보관하는 등 그 내용이 노출되지 아니하도록 특별한 보호대책을 마련하여야 한다.

㉡ 비밀의 보관용기 외부에는 비밀의 보관을 알리거나 나타내는 어떠한 표시도 해서는 아니 된다. 보관용기의 잠금장치의 종류 및 사용방법은 보관책임자 외의 사람이 알지 못하도록 특별한 통제를 하여야 하며, 다른 사람이 알았을 때에는 즉시 이를 변경하여야 한다.

(9) 비밀의 관리

① 비밀의 전자적 관리(보안업무규정 제21조)

㉠ 각급 기관의 장은 전자적 방법을 사용하여 비밀을 관리할 수 있으며, 이를 위하여 전자적 비밀관리시스템을 구축·운영할 수 있다.

㉡ 각급 기관의 장은 비밀을 관리할 경우 국가정보원장이 안전성을 확인한 암호자재를 사용하여 비밀의 위조·변조·훼손 및 유출 등을 방지하기 위한 보안대책을 마련하여 시행하여야 한다.

㉢ 국가정보원장은 관리하는 비밀이 적은 각급 기관이 공동으로 활용할 수 있도록 통합 비밀관리시스템을 구축·운영할 수 있다.

㉣ 국가정보원장은 통합 비밀관리시스템의 구축·운영을 관계 중앙행정기관의 장에게 위탁할 수 있다.

② 비밀관리기록부(보안업무규정 제22조)

㉠ 각급 기관의 장은 비밀의 작성·분류·접수·발송 및 취급 등에 필요한 모든 관리사항을 기록하기 위하여 비밀관리기록부를 작성하여 갖추어 두어야 한다. 다만, Ⅰ급 비밀관리기록부는 따로 작성하여 갖추어 두어야 하며, 암호자재는 암호자재 관리기록부로 관리한다.

㉡ 비밀관리기록부와 암호자재 관리기록부에는 모든 비밀과 암호자재에 대한 보안책임 및 보안관리 사항이 정확히 기록·보존되어야 한다.

보안업무규정 시행규칙

제70조 【비밀 및 암호자재 관련 자료의 보관】 ① 다음의 자료는 비밀과 함께 철하여 보관·활용하고, 비밀의 보호기간이 만료되면 비밀에서 분리한 후 각각 편철하여 5년간 보관해야 한다.

1. 비밀접수증
2. 비밀열람기록전
3. 배부처

② 다음의 자료는 새로운 관리부철로 옮겨서 관리할 경우 기존 관리부철을 5년간 보관해야 한다.

1. 비밀관리기록부
2. 비밀 접수 및 발송대장
3. 비밀대출부
4. 암호자재 관리기록부

③ 서약서는 서약서를 작성한 비밀취급인가자의 인사기록카드와 함께 철하여 인가 해제 시까지 보관하되, 인사기록카드와 함께 철할 수 없는 경우에는 별도로 편철하여 보관해야 한다.

④ 암호자재 증명서는 해당 암호자재를 반납하거나 파기한 후 5년간 보관해야 한다.

⑤ 암호자재 점검기록부는 최근 5년간의 점검기록을 보관해야 한다.

> ⑥ 제1항부터 제5항까지의 규정에 따른 보관기간이 지나면 해당 자료는 공공기록물 관리에 관한 법률에 따른 기록물관리기관으로 이관해야 한다.
>
> **보안업무규정 시행 세부규칙**
> **제70조【비밀관리부철의 보존】** 다음의 문서 및 대장은 5년간 보존하여야 하며, 그 이전에 폐기하고자 할 때에는 국가정보원장의 승인을 받아야 한다.
> 1. 서약서철
> 2. 비밀영수증철
> 3. 비밀관리기록부철
> 4. 비밀수발대장
> 5. 비밀열람기록전(철)
> 6. 비밀대출부

③ 비밀의 복제・복사 제한(보안업무규정 제23조)

㉠ 비밀의 일부 또는 전부나 암호자재에 대해서는 모사(模寫)・타자(打字)・인쇄・조각・녹음・촬영・인화(印畵)・확대 등 그 원형을 재현(再現)하는 행위를 할 수 없다. 다만, 다음의 구분에 따른 비밀의 경우에는 그러하지 아니하다.

ⓐ Ⅰ급 비밀 : 그 생산자의 허가를 받은 경우

ⓑ Ⅱ급 비밀 및 Ⅲ급 비밀 : 그 생산자가 특정한 제한을 하지 아니한 것으로서 해당 등급의 비밀취급인가를 받은 사람이 공용(共用)으로 사용하는 경우

ⓒ 전자적 방법으로 관리되는 비밀 : 해당 비밀을 보관하기 위한 용도인 경우

㉡ 각급 기관의 장은 보안 업무의 효율적인 수행을 위하여 필요하다고 인정되는 경우에는 해당 비밀의 보존기간 내에서 위 ㉠의 단서에 따라 그 사본을 제작하여 보관할 수 있다.

㉢ 비밀의 사본을 보관할 때에는 그 예고문이나 비밀등급을 변경해서는 아니 된다. 다만, 공공기록물 관리에 관한 법률 시행령 제68조 제6항에 따라 비밀을 재분류하는 경우에는 그러하지 아니하다.

㉣ 비밀을 복제하거나 복사한 경우에는 그 원본과 동일한 비밀등급과 예고문을 기재하고, 사본 번호를 매겨야 한다.

㉤ 예고문에 재분류 구분이 '파기'로 되어 있을 때에는 파기시기를 원본의 보호기간보다 앞당길 수 있다.

④ 비밀의 열람(보안업무규정 제24조)

㉠ 비밀은 해당 등급의 비밀취급인가를 받은 사람 중 그 비밀과 업무상 직접 관계가 있는 사람만 열람할 수 있다.

㉡ 비밀취급인가를 받지 아니한 사람에게 비밀을 열람하거나 취급하게 할 때에는 국가정보원장이 정하는 바에 따라 소속 기관의 장(비밀이 군사와 관련된 사항인 경우에는 국방부장관)이 미리 열람자의 인적사항과 열람하려는 비밀의 내용 등을 확인하고 열람시 비밀 보호에 필요한 자체 보안대책을 마련하는 등의 보안조치를 하여야 한다. 다만, Ⅰ급 비밀의 보안조치에 관하여는 국가정보원장과 미리 협의하여야 한다.

⑽ 비밀의 공개(보안업무규정 제25조)

① 중앙행정기관 등의 장은 다음의 어느 하나에 해당하는 사유가 있을 때에는 그가 생산한 비밀을 제3조의3에 따른 보안심사위원회의 심의를 거쳐 공개할 수 있다. 다만, Ⅰ급 비밀의 공개에 관하여는 국가정보원장과 미리 협의해야 한다.

㉠ 국가안전보장을 위하여 국민에게 긴급히 알려야 할 필요가 있다고 판단될 때

㉡ 공개함으로써 국가안전보장 또는 국가이익에 현저한 도움이 된다고 판단될 때

② 공무원 또는 공무원이었던 사람은 법률에서 정하는 경우를 제외하고는 소속 기관의 장이나 소속되었던 기관의 장의 승인 없이 비밀을 공개해서는 아니 된다.

(11) 비밀의 반출 및 이관

① 비밀의 반출(보안업무규정 제27조) : 비밀은 보관하고 있는 시설 밖으로 반출해서는 아니 된다. 다만, 공무상 반출이 필요할 때에는 소속 기관의 장의 승인을 받아야 한다.

② 안전 반출 및 파기 계획(보안업무규정 제28조) : 관계 기관의 장은 비상시에 대비하여 비밀을 안전하게 반출하거나 파기할 수 있는 계획을 수립하고, 소속 직원에게 주지(周知)시켜야 한다.

③ 비밀문서의 통제(보안업무규정 제29조) : 각급 기관의 장은 비밀문서의 접수·발송·복제·열람 및 반출 등의 통제에 필요한 규정을 따로 작성·운영할 수 있다.

④ 비밀의 이관(보안업무규정 제30조) : 비밀은 일반문서보관소로 이관해서는 아니 된다. 다만, 공공기록물 관리에 관한 법률 제33조 제2항 및 같은 법 시행령 제68조에 따라 기록물관리기관으로 이관하는 경우에는 그러하지 아니하다.

⑤ 비밀 소유 현황 통보(보안업무규정 제31조)

㉠ 각급 기관의 장은 연 2회 비밀 소유 현황을 조사하여 국가정보원장에게 통보하여야 한다.

㉡ 조사 및 통보된 비밀 소유 현황은 공개하지 않는다.

3. 국가보안시설 및 국가보호장비 보호

(1) 국가보안시설 및 국가보호장비 지정(보안업무규정 제32조)

① 국가정보원장은 파괴 또는 기능이 침해되거나 비밀이 누설될 경우 전략적·군사적으로 막대한 손해가 발생하거나 국가안전보장에 연쇄적 혼란을 일으킬 우려가 있는 시설 및 항공기·선박 등 중요 장비를 각각 국가보안시설 및 국가보호장비로 지정할 수 있다.

② 국가정보원장은 관계 중앙행정기관 등 및 지방자치단체의 장과 협의하여 국가보안시설 및 국가보호장비를 지정하는 데 필요한 기준(이하 '지정기준'이라 한다)을 마련해야 한다.

③ 전력시설 및 항공기 등 국가정보원장이 정하는 국가안전보장에 중요한 시설 또는 장비의 보안관리상태를 감독하는 기관의 장은 해당 시설 또는 장비가 지정기준에 부합한다고 판단할 경우 국가정보원장에게 해당 시설 또는 장비를 국가보안시설 또는 국가보호장비로 지정해줄 것을 요청해야 한다.

④ 국가정보원장은 지정 요청을 받은 경우 지정기준에 부합하는지를 심사하여 해당 시설 또는 장비의 국가보안시설 또는 국가보호장비 지정 여부를 결정하고, 그 결과를 요청 기관의 장에게 통보해야 한다.

⑤ 국가정보원장은 지정된 국가보안시설 또는 국가보호장비의 보안관리상태를 감독하는 기관(이하 '감독기관'이라 한다)의 장과 협의하여 지정기준을 수정·보완할 수 있다.

(2) 국가보안시설 및 국가보호장비 보호대책의 수립(보안업무규정 제33조)

① 국가정보원장은 국가보안시설 및 국가보호장비를 보호하기 위하여 국가보안시설 및 국가보호장비 보호대책(이하 '기본 보호대책'이라 한다)을 수립해야 한다.

② 감독기관의 장은 기본 보호대책에 따라 소관 분야의 국가보안시설 및 국가보호장비에 대한 보호대책(이하 '분야별 보호대책'이라 한다)을 수립·시행해야 한다.

③ 국가보안시설 또는 국가보호장비를 관리하는 기관(이하 '관리기관'이라 한다)의 장은 감독기관의 장이 수립한 분야별 보호대책에 따라 해당 시설 및 장비에 대한 세부 보호대책(이하 '세부 보호대책'이라 한다)을 수립・시행해야 한다.

④ 국가정보원장과 감독기관의 장은 관리기관의 장이 기본 보호대책 및 분야별 보호대책을 이행하고 있는지 확인하고, 필요한 조치를 요청할 수 있다.

⑤ 국가정보원장은 기본 보호대책의 수립을 위하여 관리기관의 장에게 필요한 자료의 제공을 요청할 수 있다.

⑥ 분야별 보호대책 및 세부 보호대책의 수립 및 시행에 필요한 세부사항은 국가정보원장이 정한다.

(3) 보호지역(보안업무규정 제34조)

① 각급 기관의 장과 관리기관 등의 장은 국가안전보장에 관련되는 인원・문서・자재・시설의 보호를 위하여 필요한 장소에 일정한 범위의 보호지역을 설정할 수 있다.

② 설정된 보호지역은 그 중요도에 따라 제한지역, 제한구역 및 통제구역으로 나눈다.

③ 보호지역에 접근하거나 출입하려는 사람은 각급 기관의 장 또는 관리기관 등의 장의 승인을 받아야 한다.

④ 보호지역을 관리하는 사람은 승인을 받지 않은 사람의 보호지역 접근이나 출입을 제한하거나 금지할 수 있다.

⑤ **보호지역의 구분(보안업무규정 시행규칙 제54조)**

구분	내용	대상
제한지역	비밀 또는 국・공유재산의 보호를 위하여 울타리 또는 방호・경비인력에 의하여 영 제34조 제3항에 따른 승인을 받지 않은 사람의 접근이나 출입에 대한 감시가 필요한 지역	
제한구역	비인가자가 비밀, 주요시설 및 Ⅲ급 비밀 소통용 암호자재에 접근하는 것을 방지하기 위하여 안내를 받아 출입하여야 하는 구역	㉠ 전자교환기(통합장비)실 ㉡ 정보통신실 ㉢ 발간실 ㉣ 송신 및 중계소 ㉤ 정보통신관제센터 ㉥ 경찰청 및 시・도경찰청 항공대 ㉦ 작전・경호・정보・안보업무 담당 부서 전역 ㉧ 과학수사센터
통제구역	보안상 매우 중요한 구역으로서 비인가자의 출입이 금지되는 구역	㉠ 암호취급소 ㉡ 정보보안기록실 ㉢ 무기창・무기고 및 탄약고 ㉣ 종합상황실・치안상황실 ㉤ 암호장비관리실 ㉥ 정보상황실 ㉦ 비밀발간실 ㉧ 종합조회처리실

(4) 보안측정(보안업무규정 제35조)

① 국가정보원장은 보안사고를 예방하기 위하여 국가보안시설, 국가보호장비 및 보호지역에 대하여 보안측정을 한다.

② 보안측정은 국가정보원장이 직권으로 하거나 관계 기관의 장의 요청에 따라 한다.

③ 국가정보원장은 보안측정을 위하여 관계 기관에 필요한 협조를 요구할 수 있다.

④ 보안측정의 절차 및 내용 등에 관하여 필요한 세부사항은 국가정보원장이 정한다.

(5) 보안측정 결과의 처리(보안업무규정 제35조의2)

① 국가정보원장은 보안측정 결과 및 개선대책을 해당 관계 기관의 장에게 통보한다.

② 보안측정 결과 및 개선대책을 통보받은 관계 기관의 장은 이를 성실히 이행해야 한다.

③ 국가정보원장과 각급 기관의 장은 관리기관의 장이 ①에 따른 개선대책을 이행하고 있는지 확인하고, 필요한 조치를 요청할 수 있다.

4. 신원조사(보안업무규정 제36조)

(1) 신원조사권자

국가정보원장은 제3조 제2호(국가안전보장에 한정된 국가 기밀을 취급하는 인원)에 해당하는 사람의 충성심·신뢰성 등을 확인하기 위하여 신원조사를 한다.

(2) 신원조사의 대상

관계 기관의 장은 다음에 해당하는 사람에 대하여 국가정보원장에게 신원조사를 요청해야 한다.

① 공무원 임용 예정자(국가안전보장에 한정된 국가 기밀을 취급하는 직위에 임용될 예정인 사람으로 한정한다)

② 비밀취급인가예정자

③ 국가보안시설·보호장비를 관리하는 기관 등의 장(해당 국가보안시설 등의 관리 업무를 수행하는 소속 직원을 포함한다)

④ 그 밖에 다른 법령에서 정하는 사람이나 각급 기관의 장이 국가안전보장을 위하여 필요하다고 인정하는 사람

(3) 신원조사결과의 처리(보안업무규정 제37조)

① 국가정보원장은 신원조사 결과 국가안전보장에 해를 끼칠 정보가 있음이 확인된 사람에 대해서는 관계 기관의 장에게 그 사실을 통보하여야 한다.

② ①에 따라 통보를 받은 관계 기관의 장은 신원조사 결과에 따라 필요한 보안대책을 마련하여야 한다.

(4) 권한의 위탁(보안업무규정 제45조)

국가정보원장은 신원조사와 관련한 권한의 일부를 국방부장관과 경찰청장에게 위탁할 수 있다. 다만, 국방부장관에 대한 위탁은 군인·군무원, 방위사업법에 따른 방위산업체 및 연구기관의 종사자와 그 밖에 군사보안에 관련된 인원의 신원조사로 한정한다.

5. 보안조사

(1) 보안사고 조사(보안업무규정 제38조)

국가정보원장은 다음의 어느 하나에 해당하는 사고가 발생한 경우 사고원인 규명 및 재발 방지 대책마련을 위하여 보안사고 조사를 한다.

① 비밀의 누설 또는 분실

② 국가보안시설 · 국가보호장비의 파괴 또는 기능 침해

③ 보안업무규정 제34조 제3항에 따른 승인을 받지 않은 보호지역 접근 또는 출입

④ 그 밖에 ①부터 ③까지에 준하는 사고로서 국가정보원장이 정하는 사고

(2) 보안사고 조사 결과의 처리(보안업무규정 제38조의2)

① 국가정보원장은 보안사고 조사의 결과를 해당 기관의 장에게 통보한다.

② 보안사고 조사결과를 통보받은 기관의 장은 조사결과와 관련하여 필요한 조치를 하고, 조치결과를 국가정보원장에게 통보해야 한다.

6. 중앙행정기관 등의 보안감사

(1) 보안감사(보안업무규정 제39조)

중앙행정기관 등의 장은 이 영에서 정한 인원 · 문서 · 자재 · 시설 · 지역 및 장비 등의 보안관리상태와 그 적정 여부를 조사하기 위하여 보안감사를 한다.

(2) 정보통신보안감사(보안업무규정 제40조)

중앙행정기관 등의 장은 정보통신수단에 의한 비밀의 누설방지와 정보통신시설의 보안상태를 조사하기 위하여 정보통신보안감사를 한다.

(3) 감사의 실시(보안업무규정 제41조)

① 보안감사와 정보통신보안감사는 정기감사와 수시감사로 구분하여 한다.

② 정기감사는 연 1회, 수시감사는 필요에 따라 수시로 한다.

③ 보안감사와 정보통신보안감사를 할 때에는 보안상의 취약점이나 개선 필요 사항의 발굴에 중점을 둔다.

(4) 조사 및 감사 결과의 처리(보안업무규정 제42조)

① 중앙행정기관 등의 장은 보안감사 및 정보통신보안감사의 결과를 국가정보원장에게 통보해야 한다.

② 중앙행정기관 등의 장은 보안감사 및 정보통신보안감사의 결과와 관련하여 보안상의 취약점이나 개선 필요 사항을 확인한 경우에는 재발 방지 및 개선을 위하여 필요한 조치를 하고, 그 조치결과를 국가정보원장에게 통보해야 한다.

Add ⊕

보안업무규정

제43조 【보안담당관】 각급 기관의 장은 소속 직원 중에서 이 영에 따른 보안업무를 수행할 보안담당관을 임명하여야 한다.

제44조 【계엄지역의 보안】 ① 계엄이 선포된 지역의 보안을 위하여 계엄사령관은 이 영에도 불구하고 특별한 보안조치를 할 수 있다.

② 계엄사령관이 제1항에 따라 특별한 보안조치를 하려는 경우 평상시 보안업무와의 연계성을 고려하여 필요하다고 인정할 때에는 미리 국가정보원장과 협의하여야 한다.

제45조 【권한의 위탁】 ① 국가정보원장은 제36조에 따른 신원조사와 관련한 권한의 일부를 국방부장관과 경찰청장에게 위탁할 수 있다.

② 국가정보원장은 필요하다고 인정할 때에는 각급 기관의 장에게 제35조에 따른 보안측정 및 제38조에 따른 보안사고 조사와 관련한 권한의 일부를 위탁할 수 있다. 다만, 국방부장관에 대한 위탁은 국방부 본부를 제외한 합동참모본부, 국방부 직할부대 및 직할기관, 각군, 방위사업법에 따른 방위산업체, 연구기관 및 그 밖의 군사보안대상의 보안측정 및 보안사고 조사로 한정한다.

③ 국가정보원장은 필요하다고 인정할 때에는 제2항에 따라 권한을 위탁받은 각급 기관의 장에게 보안측정 및 보안사고 조사 결과의 통보를 요구할 수 있다.

④ 국가정보원장은 제21조 제3항에 따른 통합 비밀관리시스템의 구축·운영을 관계 중앙행정기관 등의 장에게 위탁할 수 있다.

제46조 【고유식별정보의 처리】 ① 국가정보원장은 법 제5조 제2항에 따라 보안 업무에 필요한 조사 업무를 수행하기 위하여 불가피한 경우 개인정보 보호법 시행령 제19조 제1호 또는 제4호에 따른 주민등록번호 또는 외국인등록번호가 포함된 자료를 처리할 수 있다.

② 관계 기관의 장은 다음의 사무를 수행하기 위하여 불가피한 경우 개인정보 보호법 시행령 제19조 제1호 또는 제4호에 따른 주민등록번호 또는 외국인등록번호가 포함된 자료를 처리할 수 있다.

1. 제34조 제3항에 따른 보호지역 접근·출입 승인에 관한 사무
2. 제36조에 따른 신원조사에 관한 사무

CHAPTER 05

제7절 언론관리(경찰홍보)

1. 의의

경찰홍보란 경찰의 활동이나 업무와 관련된 사항을 널리 알려서 경찰목적 달성에 유리한 환경을 조성하는 활동을 의미한다. 그러나 넓은 의미로는 지역 주민의 경찰활동에 대한 참여를 확대하고 각종 기관·단체 및 언론 등과의 상호 협조체제를 강화하여 이를 경찰이 수행하는 다양한 업무에 연계시키는 것을 말한다.

2. 경찰홍보의 유형

구분	내용
협의의 홍보 (PR)	유인물, 팸플릿 등 각종 매체를 통해 개인이나 단체의 좋은 점을 일방적으로 알리는 활동이다.
지역공동체 관계 (CR)	지역사회 내의 각종 기관, 단체 및 주민들과 유기적인 연락 및 협조체계를 구축·유지하여 지역사회 각계각층의 요구에 부응하는 경찰활동과 관련이 있다.

언론 관계 (Press Relatoins)	신문, TV 등 뉴스프로그램의 보도기능에 대응하는 활동으로 일반적으로 각종 사건·사고에 대한 기자들의 질의에 응답하는 대응적이고 소극적인 홍보활동이다.
대중매체 관계	언론관계의 대상과 범위가 확대·발전된 보다 종합적인 홍보활동으로 각종 대중매체 제작자와 긴밀한 협조관계를 구축·유지하여 대중매체의 필요를 충족시키고, 경찰의 긍정적인 측면을 널리 알리는 홍보활동이다.
기업이미지식 홍보	영·미를 중심으로 발달한 적극적인 홍보활동으로 경찰이 더 이상 독점적 기구가 아니라는 인식에 근거하여 포돌이와 같은 상징물을 개발·전파하는 등 조직 이미지를 고양하는 등 종합적이고 체계적인 홍보활동을 말한다.

3. 경찰과 대중매체(언론)의 관계

Robert Mark	경찰과 대중매체의 관계를 "단란하고 행복스럽지는 않지만, 오래 지속되는 결혼생활"에 비유하였다.
Crandon	① 경찰은 업무수행의 어려움과 대응하는 범죄에 대한 사항을 널리 알리기 위해 대중매체가 필요한 반면, 대중매체는 시청자나 독자를 확보하고 흥밋거리를 제공해 주는 이야기를 확보하기 위하여 경찰을 필요로 한다. ② 경찰과 대중매체가 서로를 필요로 하기 때문에 둘 사이에는 공생관계가 발달한다고 주장하였다.
Ericson	① 경찰과 대중매체는 서로 연합하여 그 사회의 일탈에 대한 개념을 규정하며, 도덕성과 정의를 규정짓는 사회적 엘리트 집단을 구성한다. ② 경찰과 대중매체는 서로 얽혀서 범죄와 정의, 사회질서의 현실을 해석하고 규정짓는 사회기구의 역할을 수행한다.

4. 언론중재 및 피해구제 등에 관한 법률

(1) 목적(제1조)

이 법은 언론사 등의 언론보도 또는 그 매개(媒介)로 인하여 침해되는 명예 또는 권리나 그 밖의 법익(法益)에 관한 다툼이 있는 경우 이를 조정하고 중재하는 등의 실효성 있는 구제제도를 확립함으로써 언론의 자유와 공적(公的) 책임의 조화함을 목적으로 한다.

(2) 정의(제2조)

언론	방송, 신문, 잡지 등 정기간행물, 뉴스통신 및 인터넷신문을 말한다.
방송	방송법 제2조 제1호에 따른 텔레비전방송, 라디오방송, 데이터방송 및 이동멀티미디어방송을 말한다.
언론보도	언론의 사실적 주장에 관한 보도를 말한다.
정정보도	언론의 보도 내용의 전부 또는 일부가 진실하지 아니한 경우 이를 진실에 부합되게 고쳐서 보도하는 것을 말한다.
반론보도	언론의 보도 내용의 진실 여부와 관계없이 그와 대립되는 반박적 주장을 보도하는 것을 말한다.

(3) 언론중재위원회(제7조)

언론 등의 보도 또는 매개(이하 '언론보도 등'이라 한다)로 인한 분쟁의 조정·중재 및 침해사항을 심의하기 위하여 언론중재위원회(이하 '중재위원회'라 한다)를 둔다.

심의사항	① 중재부의 구성에 관한 사항 ② 중재위원회규칙의 제정·개정 및 폐지에 관한 사항 ③ 제11조 제2항에 따른 사무총장의 임명 동의 ④ 제32조에 따른 시정권고의 결정 및 그 취소결정 ⑤ 그 밖에 중재위원회 위원장이 회의에 부치는 사항
구성	중재위원회는 40명 이상 90명 이내의 중재위원으로 구성하며, 중재위원은 문화체육관광부장관이 위촉한다.
위원의 자격	① 법관의 자격이 있는 사람 중에서 법원행정처장이 추천한 사람 ② 변호사의 자격이 있는 사람 중에서 변호사법 제78조에 따른 대한변호사협회의 장이 추천한 사람 ③ 언론사의 취재·보도 업무에 10년 이상 종사한 사람 ④ 그 밖에 언론에 관하여 학식과 경험이 풍부한 사람 ①부터 ③까지의 위원은 각각 중재위원 정수의 5분의 1 이상이 되어야 한다
위원장, 부위원장 및 감사	① 중재위원회에 위원장 1명과 2명 이내의 부위원장 및 2명 이내의 감사를 두며, 각각 중재위원 중에서 호선(互選)한다. ② 위원장·부위원장·감사 및 중재위원의 임기는 각각 3년으로 하며, 한 차례만 연임할 수 있다. ③ 위원장은 중재위원회를 대표하고 중재위원회의 업무를 총괄한다. ④ 부위원장은 위원장을 보좌하며, 위원장이 부득이한 사유로 직무를 수행할 수 없을 때에는 중재위원회규칙으로 정하는 바에 따라 그 직무를 대행한다. ⑤ 감사는 중재위원회의 업무 및 회계를 감사한다.
의결	중재위원회의 회의는 재적위원 과반수의 출석과 출석위원 과반수의 찬성으로 의결한다.

(4) 정정보도

① 정정보도청구의 요건(제14조)

㉠ 사실적 주장에 관한 언론보도 등이 진실하지 아니함으로 인하여 피해를 입은 자(이하 '피해자'라 한다)는 해당 언론보도 등이 있음을 안 날부터 3개월 이내에 언론사, 인터넷뉴스서비스사업자 및 인터넷 멀티미디어 방송사업자(이하 '언론사 등'이라 한다)에게 그 언론보도 등의 내용에 관한 정정보도를 청구할 수 있다. 다만, 해당 언론보도 등이 있은 후 6개월이 지났을 때에는 그러하지 아니하다.

㉡ 정정보도청구에는 언론사 등의 고의·과실이나 위법성을 필요로 하지 아니한다.

② 정정보도청구권의 행사(제15조)

㉠ 정정보도청구는 언론사 등의 대표자에게 서면으로 하여야 하며, 청구서에는 피해자의 성명·주소·전화번호 등의 연락처를 적고, 정정의 대상인 언론보도 등의 내용 및 정정을 청구하는 이유와 청구하는 정정보도문을 명시하여야 한다. 다만, 인터넷신문 및 인터넷뉴스서비스의 언론보도 등의 내용이 해당 인터넷 홈페이지를 통하여 계속 보도 중이거나 매개 중인 경우에는 그 내용의 정정을 함께 청구할 수 있다.

㉡ 청구를 받은 언론사 등의 대표자는 3일 이내에 그 수용 여부에 대한 통지를 청구인에게 발송하여야 한다. 이 경우 정정의 대상인 언론보도 등의 내용이 방송이나 인터넷신문, 인터넷뉴스서비스 및 인터넷 멀티미디어 방송의 보도과정에서 성립한 경우에는 해당 언론사 등이 그러한 사실이 없었음을 입증하지 아니하면 그 사실의 존재를 부인하지 못한다.

㉢ 언론사 등이 위 ㉠의 청구를 수용할 때에는 지체 없이 피해자 또는 그 대리인과 정정보도의 내용·크기 등에 관하여 협의한 후, 그 청구를 받은 날부터 7일 내에 정정보도문을 방송하거나 게재(인터넷신문 및 인터넷뉴스서비스의 경우 위 ㉠ 단서에 따른 해당 언론보도 등 내용의 정정을 포함한다)하여야 한다. 다만, 신문 및 잡지 등 정기간행물의 경우 이미 편집 및 제작이 완료되어 부득이할 때에는 다음 발행 호에 이를 게재하여야 한다.

㉣ 다음의 어느 하나에 해당하는 사유가 있는 경우에는 언론사 등은 정정보도청구를 거부할 수 있다.

ⓐ 피해자가 정정보도청구권을 행사할 정당한 이익이 없는 경우
ⓑ 청구된 정정보도의 내용이 명백히 사실과 다른 경우
ⓒ 청구된 정정보도의 내용이 명백히 위법한 내용인 경우
ⓓ 정정보도의 청구가 상업적인 광고만을 목적으로 하는 경우
ⓔ 청구된 정정보도의 내용이 국가·지방자치단체 또는 공공단체의 공개회의와 법원의 공개재판절차의 사실보도에 관한 것인 경우

(5) 반론보도청구권(제16조)

① 사실적 주장에 관한 언론보도 등으로 인하여 피해를 입은 자는 그 보도 내용에 관한 반론보도를 언론사등에 청구할 수 있다.

② 반론보도청구에는 언론사 등의 고의·과실이나 위법성을 필요로 하지 아니하며, 보도 내용의 진실 여부와 상관없이 그 청구를 할 수 있다.

③ 반론보도청구에 관하여는 따로 규정된 것을 제외하고는 정정보도청구에 관한 이 법의 규정을 준용한다.

(6) 추후보도청구권(제17조)

① 언론등에 의하여 범죄혐의가 있거나 형사상의 조치를 받았다고 보도 또는 공표된 자는 그에 대한 형사절차가 무죄판결 또는 이와 동등한 형태로 종결되었을 때에는 그 사실을 안 날부터 3개월 이내에 언론사등에 이 사실에 관한 추후보도의 게재를 청구할 수 있다.

② 추후보도에는 청구인의 명예나 권리 회복에 필요한 설명 또는 해명이 포함되어야 한다.

③ 추후보도청구권에 관하여는 정정보도청구권에 관한 이 법의 규정을 준용한다.

④ 추후보도청구권은 특별한 사정이 있는 경우를 제외하고는 이 법에 따른 정정보도청구권이나 반론보도청구권의 행사에 영향을 미치지 아니한다.

(7) 조정

① 조정신청(제18조)

㉠ 이 법에 따른 정정보도청구등과 관련하여 분쟁이 있는 경우 피해자 또는 언론사등은 중재위원회에 조정을 신청할 수 있다.

㉡ 피해자는 언론보도등에 의한 피해의 배상에 대하여 제14조 제1항의 기간 이내에 중재위원회에 조정을 신청할 수 있다. 이 경우 피해자는 손해배상액을 명시하여야 한다.

㉢ 정정보도청구등과 손해배상의 조정신청은 제14조 제1항(제16조 제3항에 따라 준용되는 경우를 포함한다) 또는 제17조 제1항의 기간 이내에 서면 또는 구술이나 그 밖에 대통령령으로 정하는 바에 따라 전자문서 등으로 하여야 하며, 피해자가 먼저 언론사등에 정정보도청구등을 한 경우에는 피해자와 언론사등 사이에 협의가 불성립된 날부터 14일 이내에 하여야 한다.

② 조정(제19조)

㉠ 조정은 관할 중재부에서 한다. 관할구역을 같이 하는 중재부가 여럿일 경우에는 중재위원회 위원장이 중재부를 지정한다.

㉡ 조정은 신청 접수일부터 14일 이내에 하여야 하며, 중재부의 장은 조정신청을 접수하였을 때에는 지체 없이 조정기일을 정하여 당사자에게 출석을 요구하여야 한다.

㉢ 출석요구를 받은 신청인이 2회에 걸쳐 출석하지 아니한 경우에는 조정신청을 취하한 것으로 보며, 피신청 언론사등이 2회에 걸쳐 출석하지 아니한 경우에는 조정신청 취지에 따라 정정보도등을 이행하기로 합의한 것으로 본다.

㉣ 출석요구를 받은 자가 천재지변이나 그 밖의 정당한 사유로 출석하지 못한 경우에는 그 사유가 소멸한 날부터 3일 이내에 해당 중재부에 이를 소명(疏明)하여 기일 속행신청을 할 수 있다. 중재부는 속행신청이 이유 없다고 인정하는 경우에는 이를 기각(棄却)하고, 이유 있다고 인정하는 경우에는 다시 조정기일을 정하고 절차를 속행하여야 한다.

CHAPTER 05

CHAPTER 06

경찰통제

제1절 서설

01 경찰통제의 의의 및 필요성

(1) 경찰통제란 경찰의 조직과 활동을 체크하고 감시함으로써 경찰조직과 경찰행동의 적정을 도모하기 위한 제도적 장치 또는 활동을 총칭하는 개념이다.

(2) 경찰통제는 경찰의 민주적 운영, 정치적 중립 확보, 경찰활동에 있어 법치주의 도모, 국민의 인권 보호, 조직의 부패를 방지하고 건강을 유지하기 위하여 필요하다.

02 경찰통제의 기본요소

(1) 권한의 분산

권한이 중앙이나 일부에 집중되어 있을 때 남용의 위험이나 정치적 유혹 또는 이용의 대상이 될 우려가 있으므로 권한의 분산이 필요하다. 권한의 분산은 자치경찰제도의 시행만을 의미하는 것은 아니며, 경찰의 중앙조직과 지방조직간의 권한의 분산, 상급자와 하급자간의 권한의 분산 등을 의미한다.

(2) 정보의 공개

① 정보의 공개는 경찰통제의 요소 중 행정통제의 근본 또는 전제요소에 해당한다. 현재 정보공개를 위해 '공공기관의 정보공개에 관한 법률'을 제정하여 시행하고 있다.

② 일반적으로 행정의 독선과 부패는 정보를 독점하는 폐쇄성에서 초래된다고 할 수 있으므로, 외부에서 행정기관의 내부가 투명하게 보인다면 독선과 부패는 억제될 수 있다. 이에 경찰기관은 정보공개의 필요성에 따라 경찰서의 민원실 등에 정보공개 창구를 마련하고 있다.

(3) 참여

① 정보의 공개와 함께 오늘날 경찰행정을 크게 변화시켜 나갈 또 하나의 축으로서 절차적 참여의 보장이 요구되고 있다. 기존에는 주권자인 국민에게 사전적 절차로서 자기의 권리를 보호해 나가기 위한 행정참여의 기회가 인정되지 않아 행정의 절차적 통제가 소홀히 되어 온 것이 사실이다.

② 오늘날에는 국민의 권익을 보호할 목적으로 행정절차법에 의한 절차적 권리가 보편적으로 인정되고 있으며 국민의 개별적 참여 절차 외에도 민주적 통제 장치의 일환으로서 국민의 경찰행정에 대한 참여를 도모하기 위한 목적으로 국가경찰위원회가 구성되어 있는 등 제한적이나마 간접적 참여의 장치도 마련되었다.

(4) 발전을 위한 책임의 추궁

① 책임의 추궁은 단순히 처벌의 문제라기보다는 발전을 위한 과정으로 이해하여야 한다. 경찰조직의 구성원은 개인의 위법행위나 비위에 대해서 형사책임 · 민사책임이나 징계책임 등의 책임을 부담하여야 한다.

② 경찰기관의 행정에 대해서 조직으로서 책임을 져야 할 경우가 있다. 이는 경찰행정기관의 설명책임이라고도 해석될 수 있는바, 조직의 과오에 대해서 흔히 공무원 개인의 책임으로 돌리는 경우가 많으나, 조직의 구조적인 정책결정의 과오나 구조적인 문제점에 대하여는 조직으로서의 책임을 부담한다.

(5) 환류를 통한 발전

경찰통제는 경찰행정의 목표와 관련하여 그 업무수행과정의 적정 여부를 판단하는 과정으로, 이의 확인 결과에 따라 책임을 추궁하고 나아가 환류를 통하여 경찰행정을 발전적으로 유도하여야 한다.

제2절 통제의 유형

01 민주적 통제와 사법적 통제

1. 각 국의 통제의 유형

(1) 대륙법계 국가

전통적으로 경찰행정에 대한 사법심사를 통한 통제를 위주로 발전해왔다. 행정소송, 국가배상제도 등이 주된 통제수단이었으며 초기에는 행정소송의 열기주의를 채택하고 있었으나 오늘날에는 개괄주의로 전환함으로써 행정에 대한 법원의 통제를 강화하고 있다.

(2) 영미법계 국가

경찰조직의 민주성을 확보하기 위한 제도적 장치를 통해 시민이 직접 또는 그 대표기관을 통한 참여와 감시를 가능하게 하는 시스템을 구축하고 있다. 구체적으로는 국가경찰위원회제도, 경찰책임자의 선거제, 자치경찰제도 등을 시행하고 있다.

2. 우리나라의 제도

(1) 민주적 통제

① 국가경찰위원회 제도: 우리나라는 민주적 통제방법으로 국가경찰위원회제도를 도입하여 시행하고 있다. 그러나 현행 제도는 국가경찰위원회의 의결사항에 대한 행정안전부장관의 재의요구권이 인정되고 있으며, 실질적으로는 심의회 수준에 머물고 있는 실정이다(민주적 통제장치라고 볼 수 없다).

② 시 · 도자치경찰위원회 제도: 시 · 도자치경찰위원회도 민주적 통제장치로 볼 수 있다. 그러나 국가경찰위원회와 마찬가지로 시 · 도지사는 시 · 도자치경찰위원회의 의결이 적정하지 아니하다고 판단할 때에는 재의를 요구할 수 있으며, 위원회의 의결이 법령에 위반되거나 공익을 현저히 해친다고 판단되면 행정안전부장관과 경찰청장은 시 · 도지사에게 재의를 요구하게 할 수 있으므로 완전한 민주적 통제장치로 보기에는 무리가 있다.

③ **국민감사청구 제도**: 18세 이상의 국민은 공공기관의 사무처리가 위법이나 부패행위로 인하여 공익을 현저히 해하는 경우에는 300인 이상의 연서로 감사원에 감사를 청구할 수 있다.

> **부패방지 및 국민권익위원회의 설치와 운영에 관한 법률**
> **제72조【감사청구권】** ① 18세 이상의 국민은 공공기관의 사무처리가 법령 위반 또는 부패행위로 인하여 공익을 현저히 해하는 경우 대통령령으로 정하는 일정한 수 이상의 국민의 연서로 감사원에 감사를 청구할 수 있다. 다만, 국회·법원·헌법재판소·선거관리위원회 또는 감사원의 사무에 대하여는 국회의장·대법원장·헌법재판소장·중앙선거관리위원회 위원장 또는 감사원장(이하 '당해 기관의 장'이라 한다)에게 감사를 청구하여야 한다.
>
> **부패방지 및 국민권익위원회의 설치와 운영에 관한 법률 시행령**
> **제84조【감사청구인】** 법 제72조 제1항 본문에서 '대통령령으로 정하는 일정한 수'란 300명을 말한다.
>
> **국민감사청구·부패행위신고 등 처리에 관한 규칙**
> **제10조【감사청구의 방법】** ① 감사청구를 할 때에는 청구인 대표의 서명 또는 기명날인이 된 '국민감사청구서'(별지 제1호 서식)에 18세 이상 국민 300명 이상의 성명, 전화번호, 생년월일, 주소, 직업 등이 기재되어 있는 '청구인 연명부'(별지 제2호 서식)를 첨부하여야 한다.

(2) 사법적 통제

① 경찰기관의 행위에 대하여 법원이 사법심사를 통하여 행정기관의 행위를 통제하는 방식으로 우리나라에서는 행정소송법과 국가배상법을 통하여 행정의 위법한 처분 등의 행위를 통제하고 있다.

② 재량의 일탈이나 남용이 사법심사의 대상이 되는 것은 물론이고 재량의 실체적 심사뿐만 아니라, 재량의 절차적 통제가 이루어지고 있다.

02 사전통제와 사후통제

1. 사전통제

(1) 행정절차법

행정절차법은 행정에 대한 사전통제를 규정하고 있는 기본법이다.

① **청문**: 행정관청이 불이익 처분 등을 행할 경우에 상대방에 대하여 청문 등의 절차에 참여하게 하여 자기의 이익에 관하여 변명할 기회를 부여하는 제도이다.

② **입법예고·행정예고**: 미리 입법이나 행정 계획·정책 등의 수립에 이해관계인의 참여 권리를 인정하고 있다.

③ **사전통제의 강화경향**: 사전통제의 강화는 행정의 능률성을 저해할 소지가 있으나, 국민의 행정참여를 통한 행정의 공정성·투명성 및 신뢰성의 확보가 국민의 권익을 보호함은 물론 행정의 민주화에도 크게 기여할 수 있다.

④ **경찰 관련 행정절차법의 적용배제 규정**: 형사 관련 법령에 의하여 행하는 사항, 공무원 인사 관계 법령에 의한 징계 기타 처분 등에 대해서는 행정절차법이 적용되지 않는다.

(2) 그 밖의 사전적 통제 수단

입법기관인 국회의 입법권이나 예산심의권, 정보공개청구권 등이 사전적 통제기능을 수행하고 있다.

2. 사후통제

(1) 사법부에 의한 통제

행정에 대한 통제는 사법부의 사법심사에 의한 통제가 중심을 이루고 있다.

(2) 행정부에 의한 통제

행정부 내에서는 징계책임이나 상급기관의 하급기관에 대한 감사권, 행정심판을 통한 통제가 가능하다.

(3) 입법부에 의한 통제

국회의 예산결산권이나 국정감사·조사권 등의 행정감독 기능을 통하여 통제가 가능하다.

03 내부적 통제와 외부적 통제

1. 내부적 통제와 외부적 통제의 의의

(1) 내부적 통제는 경찰조직 내의 통제, 외부적 통제는 경찰조직 외의 조직에 의하여 이루어지는 경찰에 대한 통제를 의미한다.

(2) 내부적 통제수단 외에 외부적 통제수단은 조직의 속성상 자기비호(庇護)와 변화와 개혁을 싫어하는 특징과 조직 내부에서의 스스로 문제점을 발견하기 곤란하기 때문에 그 필요성이 증가하고 있다.

2. 우리나라의 제도

(1) 내부적 통제

① 감사관 제도: 경찰조직 내의 자체 통제를 위해 경찰청에는 감사관을, 시·도경찰청에는 청문감사인권담당관을, 경찰서에는 청문감사인권관을 두고 있다.

② 훈령권·직무명령권: 상급기관은 훈령권과 직무명령권을 통하여 하급기관의 위법이나 재량권 행사의 오류를 시정할 수 있다.

③ 재결권: 상급경찰행정관청은 하급경찰행정관청이 행한 처분의 위법 여부는 물론이고 부당의 문제에 대해서도 통제가 가능하다.

(2) 외부적 통제

① 국가경찰위원회: 국가경찰위원회는 행정안전부 소속으로 경찰 외부조직에 의한 통제에 해당한다.

② 국회에 의한 통제: 입법권과 예산의 심의·결산권, 국정감사·조사권 등을 통한 통제가 있다.

③ 사법통제: 위법한 행정에 대한 법원의 사법심사를 통한 통제로서 위법한 처분의 취소 등을 통하여 통제할 수 있다. 또한, 공무원 개인에게도 민·형사상의 책임을 물을 수 있다는 측면에서 위법한 행정작용을 억제하는 기능을 한다.

④ 행정부에 의한 통제

㉠ 행정수반인 대통령에 의한 통제: 경찰청장의 임명권, 국가경찰위원회 위원의 임명권, 행정수반으로서 주요 정책결정을 통하여 경찰을 통제한다.

㉡ 감사원: 경찰기관의 세입·세출의 결산뿐만 아니라, 경찰기관 및 경찰공무원의 직무에 대한 감찰을 통하여 경찰을 통제한다.

㉢ **행정안전부장관에 의한 통제**: 경찰청장과 국가경찰위원회 위원의 임명제청권을 가지므로 상급관청으로서의 권한행사를 통하여 경찰을 통제할 수 있다.

㉣ **국민권익위원회에 의한 통제**: 국민권익위원회는 과거 국민고충처리위원회와 국가청렴위원회, 국무총리 행정심판위원회가 해 왔던 기능들을 수행한다.

ⓐ 고충민원의 처리와 이와 관련된 불합리한 행정제도 개선

ⓑ 공직사회 부패예방・부패행위규제를 통한 청렴한 공직 및 시회풍토 확립

ⓒ 행정쟁송을 통하여 행정관청의 위법・부당한 처분으로부터 국민의 권리 보호를 수행함으로 그러한 범위 내에서 경찰에 대한 통제기능 수행

㉤ **소청심사위원회의 심사**: 경찰공무원 징계 등 불이익한 처분에 관한 심사청구는 인사혁신처에 설치된 소청심사위원회에서 심사하므로 외부적 통제에 해당한다.

⑤ **민중통제**: 비공식적 통제수단의 일종으로 여론, 이익집단, 언론기관, 정당 등이 경찰조직을 직・간접적으로 통제할 수 있다.

⑥ 기타 수단

㉠ 국가정보원의 조정과 통제(**예** 정보・보안업무)

㉡ 국방부의 통제(**예** 대간첩 작전)

㉢ 검찰에 의한 지휘(**예** 수사지휘권, 경찰서 등의 구속장소 감찰권, 교체임용 요구권 등)

제3절 정보공개

01 정보공개 일반

(1) 정보공개란 정부, 지방공공단체를 비롯한 공공기관이 보유한 문서 및 기타 정보를 국민이나 주민의 청구에 의해 이를 공개하는 행위로, 공공기관의 모든 정보는 원칙적으로 공개되어야 하며, 정보공개제도는 이를 의무화하는 법제도를 말한다.

(2) 오늘날 국민의 알 권리를 보장하고 국정에 대한 국민의 참여와 국정운영의 투명성을 확보함을 목적으로 행정기관의 정보공개가 강력히 요청되고 있으며, 정보의 공개는 행정통제의 근본에 해당한다.

(3) 헌법재판소는 정보공개청구권을 알 권리의 핵심으로 파악하고 있으며, 알 권리의 헌법상 근거를 헌법 제21조의 표현의 자유에서 찾고 있다.

대한민국 헌법
제21조 ① 모든 국민은 언론・출판의 자유와 집회・결사의 자유를 가진다.

02 공공기관의 정보공개에 관한 법률

1. 서설

(1) 목적(제1조)

공공기관의 정보공개에 관한 법률(이하 '법'이라 한다)은 공공기관이 보유·관리하는 정보에 대한 국민의 공개청구 및 공공기관의 공개의무에 관하여 필요한 사항을 정함으로써 국민의 알 권리를 보장하고 국정(國政)에 대한 국민의 참여와 국정 운영의 투명성을 확보함을 목적으로 한다.

(2) 정의(제2조)

이 법에서 사용하는 용어의 뜻은 다음과 같다.

정보	공공기관이 직무상 작성 또는 취득하여 관리하고 있는 문서(전자문서를 포함한다) 및 전자매체를 비롯한 모든 형태의 매체 등에 기록된 사항을 말한다.
공개	공공기관이 이 법에 따라 정보를 열람하게 하거나 그 사본·복제물을 제공하는 것 또는 전자정부법 제2조 제10호에 따른 정보통신망(이하 '정보통신망'이라 한다)을 통하여 정보를 제공하는 것 등을 말한다.
공공기관	다음의 기관을 말한다. ① 국가기관 ㉠ 국회, 법원, 헌법재판소, 중앙선거관리위원회 ㉡ 중앙행정기관(대통령 소속 기관과 국무총리 소속 기관을 포함한다) 및 그 소속 기관 ㉢ 행정기관 소속 위원회의 설치·운영에 관한 법률에 따른 위원회 ② 지방자치단체 ③ 공공기관의 운영에 관한 법률 제2조에 따른 공공기관 ④ 지방공기업법에 따른 지방공사 및 지방공단 ⑤ 그 밖에 대통령령으로 정하는 기관

판례

1. 사건기록등사불허가처분취소

공공기관의 정보공개에 관한 법률상 공개청구의 대상이 되는 정보란 공공기관이 직무상 작성 또는 취득하여 현재 보유·관리하고 있는 문서에 한정되는 것이기는 하나, 그 문서가 반드시 원본일 필요는 없다(대판 2006.5.25, 2006두3049).

2. 구 공공기관의 정보공개에 관한 법률 시행령 제2조 제1호가 정보공개의무를 지는 공공기관의 하나로 사립대학교를 들고 있는 것이 모법의 위임 범위를 벗어났다거나 사립대학교가 국비의 지원을 받는 범위 내에서만 공공기관의 성격을 가진다고 볼 수 있는지 여부(소극)

정보공개 의무기관을 정하는 것은 입법자의 입법형성권에 속하고, 이에 따라 입법자는 구 공공기관의 정보공개에 관한 법률(2004.1.29. 법률 제7127호로 전문 개정되기 전의 것) 제2조 제3호에서 정보공개 의무기관을 공공기관으로 정하였는바, 공공기관은 국가기관에 한정되는 것이 아니라 지방자치단체, 정부투자기관, 그 밖에 공동체 전체의 이익에 중요한 역할이나 기능을 수행하는 기관도 포함되는 것으로 해석되고, 여기에 정보공개의 목적, 교육의 공공성 및 공·사립학교의 동질성, 사립대학교에 대한 국가의 재정지원 및 보조 등 여러 사정을 고려해 보면, 사립대학교에 대한 국비 지원이 한정적·일시적·국부적이라는 점을 고려하더라도, 같은 법 시행령(2004.3.17. 대통령령 제18312호로 개정되기 전의 것) 제2조 제1호가 정보공개의무를 지는 공공기관의 하나로 사립대학교를 들고 있는 것이 모법인 구 공공기관의 정보공개에 관한 법률의 위임 범위를 벗어났다거나 사립대학교가 국비의 지원을 받는 범위 내에서만 공공기관의 성격을 가진다고 볼 수 없다(대판 2006.8.24, 2004두2783).

(3) 정보공개의 원칙(제3조)

공공기관이 보유·관리하는 정보는 국민의 알 권리 보장 등을 위하여 이 법에서 정하는 바에 따라 적극적으로 공개하여야 한다.

(4) 적용범위(제4조)

① 정보의 공개에 관하여는 다른 법률에 특별한 규정이 있는 경우를 제외하고는 이 법에서 정하는 바에 따른다.

② 지방자치단체는 그 소관 사무에 관하여 법령의 범위에서 정보공개에 관한 조례를 정할 수 있다.

③ 국가안전보장에 관련되는 정보 및 보안업무를 관장하는 기관에서 국가안전보장과 관련된 정보의 분석을 목적으로 수집하거나 작성한 정보에 대해서는 이 법을 적용하지 아니한다. 다만, 법 제8조 제1항에 따른 정보목록의 작성·비치 및 공개에 대해서는 그러하지 아니한다.

2. 정보공개 청구권자와 공공기관의 의무

(1) 정보공개 청구권자(제5조)

모든 국민은 정보의 공개를 청구할 권리를 가진다. 외국인의 정보공개청구에 관하여는 대통령령으로 정한다.

공공기관의 정보공개에 관한 법률 시행령
제3조【외국인의 정보공개청구】 법 제5조 제2항에 따라 정보공개를 청구할 수 있는 외국인은 다음의 어느 하나에 해당하는 자로 한다.
1. 국내에 일정한 주소를 두고 거주하거나 학술·연구를 위하여 일시적으로 체류하는 사람
2. 국내에 사무소를 두고 있는 법인 또는 단체

판례 사본공개거부처분취소
공공기관의 정보공개에 관한 법률 제6조 제1항은 "모든 국민은 정보의 공개를 청구할 권리를 가진다."고 규정하고 있는데, 여기에서 말하는 국민에는 자연인은 물론 법인, 권리능력 없는 사단·재단도 포함되고, 법인, 권리능력 없는 사단·재단 등의 경우에는 설립목적을 불문하며, **한편 정보공개청구권은 법률상 보호되는 구체적인 권리이므로 청구인이 공공기관에 대하여 정보공개를 청구하였다가 거부처분을 받은 것 자체가 법률상 이익의 침해에 해당한다**(대판 2003.12.12, 2003두8050).

(2) 공공기관의 의무(제6조)

① 공공기관은 정보의 공개를 청구하는 국민의 권리가 존중될 수 있도록 이 법을 운영하고 소관 관계 법령을 정비하며, 정보를 투명하고 적극적으로 공개하는 조직문화 형성에 노력하여야 한다.

② 공공기관은 정보의 적절한 보존 및 신속한 검색과 국민에게 유용한 정보의 분석 및 공개 등이 이루어지도록 정보관리체계를 정비하고 정보공개업무를 주관하는 부서 및 담당하는 인력을 적정하게 두어야 하며, 정보통신망을 활용한 정보공개시스템 등을 구축하도록 노력하여야 한다.

③ 행정안전부장관은 공공기관의 정보공개에 관한 업무를 종합적·체계적·효율적으로 지원하기 위하여 통합정보공개시스템을 구축·운영하여야 한다.

④ 공공기관(국회·법원·헌법재판소·중앙선거관리위원회는 제외한다)이 ②에 따른 정보공개시스템을 구축하지 아니한 경우에는 ③에 따라 행정안전부장관이 구축·운영하는 통합정보공개시스템을 통하여 정보공개 청구 등을 처리하여야 한다.

⑤ 공공기관은 소속 공무원 또는 임직원 전체를 대상으로 국회규칙 · 대법원규칙 · 헌법재판소규칙 · 중앙선거관리위원회규칙 및 대통령령으로 정하는 바에 따라 이 법 및 정보공개 제도 운영에 관한 교육을 실시하여야 한다.

(3) 정보공개 담당자의 의무(제6조의2)

공공기관의 정보공개 담당자(정보공개 청구 대상 정보와 관련된 업무 담당자를 포함한다)는 정보공개 업무를 성실하게 수행하여야 하며, 공개 여부의 자의적인 결정, 고의적인 처리 지연 또는 위법한 공개 거부 및 회피 등 부당한 행위를 하여서는 아니 된다.

(4) 정보의 사전적 공개 등(제7조)

① 공공기관은 다음의 어느 하나에 해당하는 정보에 대해서는 공개의 구체적 범위, 주기, 시기 및 방법 등을 미리 정하여 정보통신망 등을 통하여 알리고, 이에 따라 정기적으로 공개하여야 한다. 다만, 제9조 제1항 각 호의 어느 하나에 해당하는 정보에 대해서는 그러하지 아니하다.

㉠ 국민생활에 매우 큰 영향을 미치는 정책에 관한 정보
㉡ 국가의 시책으로 시행하는 공사(工事) 등 대규모 예산이 투입되는 사업에 관한 정보
㉢ 예산집행의 내용과 사업평가 결과 등 행정감시를 위하여 필요한 정보
㉣ 그 밖에 공공기관의 장이 정하는 정보

② 공공기관은 앞에서 규정된 사항 외에도 국민이 알아야 할 필요가 있는 정보를 국민에게 공개하도록 적극적으로 노력하여야 한다.

(5) 정보목록의 작성 · 비치 등(제8조)

① 공공기관은 그 기관이 보유 · 관리하는 정보에 대하여 국민이 쉽게 알 수 있도록 정보목록을 작성하여 갖추어 두고, 그 목록을 정보통신망을 활용한 정보공개시스템 등을 통하여 공개하여야 한다. 다만, 정보목록 중 아래 **3.**의 (1)의 ①에 따라 공개하지 아니할 수 있는 정보가 포함되어 있는 경우에는 해당 부분을 갖추어 두지 아니하거나 공개하지 아니할 수 있다.

② 공공기관은 정보의 공개에 관한 사무를 신속하고 원활하게 수행하기 위하여 정보공개 장소를 확보하고 공개에 필요한 시설을 갖추어야 한다.

판례 **정보공개청구자가 특정한 것과 같은 정보를 공공기관이 보유 · 관리하고 있지 않은 경우, 해당 정보에 대한 공개거부처분에 대하여 취소를 구할 법률상 이익이 있는지 여부(원칙적 소극) 및 공개를 구하는 정보를 공공기관이 보유 · 관리하는 점에 대한 증명책임의 소재**

공공기관의 정보공개에 관한 법률(이하 '정보공개법'이라고 한다)에서 말하는 공개대상 정보는 정보 그 자체가 아닌 정보공개법 제2조 제1호에서 예시하고 있는 매체 등에 기록된 사항을 의미하고, 공개대상 정보는 원칙적으로 공개를 청구하는 자가 정보공개법 제10조 제1항 제2호에 따라 작성한 정보공개청구서의 기재내용에 의하여 특정되며, 만일 공개청구자가 특정한 바와 같은 정보를 공공기관이 보유 · 관리하고 있지 않은 경우라면 특별한 사정이 없는 한 해당 정보에 대한 공개거부처분에 대하여는 취소를 구할 법률상 이익이 없다. 이와 관련하여 공개청구자는 그가 공개를 구하는 정보를 공공기관이 보유 · 관리하고 있을 상당한 개연성이 있다는 점에 대하여 입증할 책임이 있으나, **공개를 구하는 정보를 공공기관이 한때 보유 · 관리하였으나 후에 그 정보가 담긴 문서들이 폐기되어 존재하지 않게 된 것이라면 그** 정보를 더 이상 보유 · 관리하고 있지 않다는 점에 대한 증명책임은 공공기관에 있다(대판 2013.1.24, 2010두18918).

(6) 공개대상 정보의 원문공개(제8조의2)

공공기관 중 중앙행정기관 및 대통령령으로 정하는 기관은 전자적 형태로 보유·관리하는 정보 중 공개대상으로 분류된 정보를 국민의 정보공개청구가 없더라도 정보통신망을 활용한 정보공개시스템 등을 통하여 공개하여야 한다.

3. 정보공개의 절차

(1) 비공개대상 정보(제9조)

① 공공기관이 보유·관리하는 정보는 공개대상이 된다. 다만, 다음의 어느 하나에 해당하는 정보는 공개하지 아니할 수 있다.

㉠ 다른 법률 또는 법률에서 위임한 명령(국회규칙·대법원규칙·헌법재판소규칙·중앙선거관리위원회규칙·대통령령 및 조례로 한정한다)에 따라 비밀이나 비공개 사항으로 규정된 정보

㉡ 국가안전보장·국방·통일·외교관계 등에 관한 사항으로서 공개될 경우 국가의 중대한 이익을 현저히 해칠 우려가 있다고 인정되는 정보

㉢ 공개될 경우 국민의 생명·신체 및 재산의 보호에 현저한 지장을 초래할 우려가 있다고 인정되는 정보

㉣ 진행 중인 재판에 관련된 정보와 범죄의 예방, 수사, 공소의 제기 및 유지, 형의 집행, 교정, 보안처분에 관한 사항으로서 공개될 경우 그 직무수행을 현저히 곤란하게 하거나 형사피고인의 공정한 재판을 받을 권리를 침해한다고 인정할 만한 상당한 이유가 있는 정보

㉤ 감사·감독·검사·시험·규제·입찰계약·기술개발·인사관리에 관한 사항이나 의사결정 과정 또는 내부검토 과정에 있는 사항 등으로서 공개될 경우 업무의 공정한 수행이나 연구·개발에 현저한 지장을 초래한다고 인정할 만한 상당한 이유가 있는 정보. 다만, 의사결정 과정 또는 내부검토 과정을 이유로 비공개할 경우에는 제13조 제5항에 따라 통지를 할 때 의사결정 과정 또는 내부검토 과정의 단계 및 종료 예정일을 함께 안내하여야 하며, 의사결정 과정 및 내부검토 과정이 종료되면 법 제10조에 따른 청구인에게 이를 통지하여야 한다.

㉥ 해당 정보에 포함되어 있는 성명·주민등록번호 등 개인정보 보호법 제2조 제1호에 따른 개인정보로서 공개될 경우 사생활의 비밀 또는 자유를 침해할 우려가 있다고 인정되는 정보. 다만, 다음에 열거한 사항은 제외한다.

ⓐ 법령에서 정하는 바에 따라 열람할 수 있는 정보

ⓑ 공공기관이 공표를 목적으로 작성하거나 취득한 정보로서 사생활의 비밀 또는 자유를 부당하게 침해하지 아니하는 정보

ⓒ 공공기관이 작성하거나 취득한 정보로서 공개하는 것이 공익이나 개인의 권리 구제를 위하여 필요하다고 인정되는 정보

ⓓ 직무를 수행한 공무원의 성명·직위

ⓔ 공개하는 것이 공익을 위하여 필요한 경우로서 법령에 따라 국가 또는 지방자치단체가 업무의 일부를 위탁 또는 위촉한 개인의 성명·직업

ⓢ 법인 · 단체 또는 개인(이하 '법인 등'이라 한다)의 경영상 · 영업상 비밀에 관한 사항으로서 공개될 경우 법인 등의 정당한 이익을 현저히 해칠 우려가 있다고 인정되는 정보. 다만, 다음에 열거한 정보는 제외한다.
ⓐ 사업활동에 의하여 발생하는 위해(危害)로부터 사람의 생명 · 신체 또는 건강을 보호하기 위하여 공개할 필요가 있는 정보
ⓑ 위법 · 부당한 사업활동으로부터 국민의 재산 또는 생활을 보호하기 위하여 공개할 필요가 있는 정보
ⓞ 공개될 경우 부동산 투기, 매점매석 등으로 특정인에게 이익 또는 불이익을 줄 우려가 있다고 인정되는 정보

판례

1. **공공기관의 정보공개에 관한 법률 제9조 제1항 제1호의 입법 취지 및 '법률에 의한 명령'의 의미[= 법규명령(위임명령)]**
공공기관의 정보공개에 관한 법률 제9조 제1항 본문은 "공공기관이 보유관리하는 정보는 공개대상이 된다."고 규정하면서 그 단서 제1호에서는 '다른 법률 또는 법률이 위임한 명령(국회규칙 · 대법원규칙 · 중앙선거관리위원회규칙 · 대통령령 및 조례에 한한다)에 의하여 비밀 또는 비공개 사항으로 규정된 정보'는 이를 공개하지 아니할 수 있다고 규정하고 있는바, 그 입법 취지는 비밀 또는 비공개 사항으로 다른 법률 등에 규정되어 있는 경우는 이를 존중함으로써 법률 간의 마찰을 피하기 위한 것이고, 여기에서 '법률에 의한 명령'은 정보의 공개에 관하여 법률의 구체적인 위임 아래 제정된 법규명령(위임명령)을 의미한다(대판 2010.6.10, 2010두2913).

2. **보안관찰법상의 보안관찰 관련 통계자료가 공공기관의 정보공개에 관한 법률 제7조 제1항 제2호, 제3호에서 규정하는 비공개대상 정보에 해당하는지 여부(적극)**
보안관찰 관련 통계자료는 우리 나라 53개 지방검찰청 및 지청관할지역에서 매월 보고된 보안관찰처분에 관한 각종 자료로서, 보안관찰처분대상자 또는 피보안관찰자들의 매월별 규모, 그 처분시기, 지역별 분포에 대한 전국적 현황과 추이를 한눈에 파악할 수 있는 구체적이고 광범위한 자료에 해당하므로 '통계자료'라고 하여도 그 함의(含意)를 통하여 나타내는 의미가 있음이 분명하여 가치중립적일 수는 없고, 그 통계자료의 분석에 의하여 대남공작활동이 유리한 지역으로 보안관찰처분대상자가 많은 지역을 선택하는 등으로 이 사건 정보가 북한정보기관에 의한 간첩의 파견, 포섭, 선전선동을 위한 교두보의 확보 등 북한의 대남전략에 있어 매우 유용한 자료로 악용될 우려가 없다고 할 수 없다.
그러므로 이 사건 정보는 공공기관의 정보공개에 관한 법률(이하 '법'이라 한다) 제7조 제1항 제2호 소정의 공개될 경우 국가안전보장 · 국방 · 통일 · 외교관계 등 국가의 중대한 이익을 해할 우려가 있는 정보, 또는 제3호 소정의 공개될 경우 국민의 생명 · 신체 및 재산의 보호 기타 공공의 안전과 이익을 현저히 해할 우려가 있다고 인정되는 정보에 해당한다고 할 것이다(대판 2004.3.26, 2002두6583).

3. **국가정보원이 직원에게 지급하는 현금급여 및 월초수당에 관한 정보가 공공기관의 정보공개에 관한 법률 제9조 제1항 제1호의 비공개대상 정보인 '다른 법률에 의하여 비공개 사항으로 규정된 정보'에 해당하는지 여부(적극)**
국가정보원법 제12조가 국회에 대한 관계에서조차 국가정보원 예산내역의 공개를 제한하고 있는 것은, 정보활동의 비밀보장을 위한 것으로서, 그 밖의 관계에서도 국가정보원의 예산내역을 비공개 사항으로 한다는 것을 전제로 하고 있다고 볼 수 있고, 예산집행내역의 공개는 예산내역의 공개와 다를 바 없어, 비공개 사항으로 되어 있는 '예산내역'에는 예산집행내역도 포함된다고 보아야 하며, 국가정보원이 그 직원에게 지급하는 현금급여 및 월초수당에 관한 정보는 국가정보원 예산집행내역의 일부를 구성하는 것이므로, 위 현금급여 및 월초수당에 관한 정보는 국가정보원법 제12조에 의하여 비공개 사항으로 규정된 정보로서 공공기관의 정보공개에 관한 법률 제9조 제1항 제1호의 비공개대상 정보인 '다른 법률에 의하여 비공개 사항으로 규정된 정보'에 해당한다고 보아야 하고, 위 현금급여 및 월초수당이 근로의 대가로서의 성격을 가진다거나 정보공개청구인이 해당 직원의 배우자라고 하여 달리 볼 것은 아니다(대판 2010.12.23, 2010두14800).

4. **재소자가 교도관의 가혹행위를 이유로 형사고소 및 민사소송을 제기하면서 그 증명자료 확보를 위해 '근무보고서'와 '징벌위원회 회의록' 등의 정보공개를 요청하였으나 교도소장이 이를 거부한 사안**
교도소에 수용 중이던 재소자가 담당 교도관들을 상대로 가혹행위를 이유로 형사고소 및 민사소송을 제기하면서 그 증명자료 확보를 위해 '근무보고서'와 '징벌위원회 회의록' 등의 정보공개를 요청하였으나 교도소장이 이를 거부한 사안에서, 근무보고서는 공공기관의 정보공개에 관한 법률 제9조 제1항 제4호에 정한 비공개대상정보에 해당한다고 볼 수 없고, 징벌위원회 회의록 중 비공개 심사 · 의결 부분은 위 법 제9조 제1항 제5호의 비공개사유에 해당하지만 재소자의

CHAPTER 06

진술, 위원장 및 위원들과 재소자 사이의 문답 등 징벌절차 진행 부분은 비공개사유에 해당하지 않는다고 보아 분리 공개가 허용된다(대판 2009.12.10, 2009두12785).

5. **'학교폭력대책자치위원회 회의록'이 공공기관의 정보공개에 관한 법률 제9조 제1항 제1호의 비공개대상정보에 해당한다고 한 사례**
학교폭력예방 및 대책에 관한 법률 제21조 제1항, 제2항, 제3항 및 같은 법 시행령 제17조 규정들의 내용, 학교폭력예방 및 대책에 관한 법률의 목적, 입법 취지, 특히 학교폭력예방 및 대책에 관한 법률 제21조 제3항이 학교폭력대책자치위원회의 회의를 공개하지 못하도록 규정하고 있는 점 등에 비추어, 학교폭력대책자치위원회의 회의록은 공공기관의 정보공개에 관한 법률 제9조 제1항 제1호의 '다른 법률 또는 법률이 위임한 명령에 의하여 비밀 또는 비공개 사항으로 규정된 정보'에 해당한다(대판 2010.6.10, 2010두2913).

6. **불기소처분기록이나 내사기록 중 피의자신문조서 등 조서에 기재된 피의자 등의 인적사항 이외의 진술내용이 개인의 사생활의 비밀 또는 자유를 침해할 우려가 인정되는 경우 공공기관의 정보공개에 관한 법률 제9조 제1항 제6호 본문에서 정한 비공개대상 정보에 해당하는지 여부(적극)**
공공기관의 정보공개에 관한 법률 제9조 제1항 제6호 본문은 '해당 정보에 포함되어 있는 성명 · 주민등록번호 등 개인에 관한 사항으로서 공개될 경우 사생활의 비밀 또는 자유를 침해할 우려가 있다고 인정되는 정보'를 비공개대상 정보의 하나로 규정하고 있다. 여기에서 말하는 비공개대상 정보에는 성명 · 주민등록번호 등 '개인식별정보'뿐만 아니라 그 외에 정보의 내용에 따라 '개인에 관한 사항의 공개로 인하여 개인의 내밀한 내용의 비밀 등이 알려지게 되고, 그 결과 인격적 · 정신적 내면생활에 지장을 초래하거나 자유로운 사생활을 영위할 수 없게 될 위험성이 있는 정보'도 포함된다. 따라서 불기소처분기록이나 내사기록 중 피의자신문조서 등 조서에 기재된 피의자 등의 인적사항 이외의 진술내용 역시 개인의 사생활의 비밀 또는 자유를 침해할 우려가 인정되는 경우에는 위 비공개대상 정보에 해당한다(대판 2017.9.7, 2017두44558).

② 공공기관은 비공개대상 정보에 해당하는 정보가 기간의 경과 등으로 인하여 비공개의 필요성이 없어진 경우에는 그 정보를 공개대상으로 하여야 한다.

③ 공공기관은 ①의 범위에서 해당 공공기관의 업무 성격을 고려하여 비공개대상 정보의 범위에 관한 세부 기준(이하 '비공개 세부 기준'이라 한다)을 수립하고 이를 정보통신망을 활용한 정보공개시스템 등을 통하여 공개하여야 한다.

④ 공공기관(국회 · 법원 · 헌법재판소 및 중앙선거관리위원회는 제외한다)은 ③에 따라 수립된 비공개 세부 기준이 ①의 비공개 요건에 부합하는지 3년마다 점검하고 필요한 경우 비공개 세부 기준을 개선하여 그 점검 및 개선 결과를 행정안전부장관에게 제출하여야 한다.

(2) 정보공개의 청구방법(제10조)

① 정보의 공개를 청구하는 자(이하 '청구인'이라 한다)는 해당 정보를 보유하거나 관리하고 있는 공공기관에 다음의 사항을 적은 정보공개청구서를 제출하거나 말로써 정보의 공개를 청구할 수 있다.

㉠ 청구인의 성명 · 생년월일 · 주소 및 연락처(전화번호 · 전자우편주소 등을 말한다). 다만, 청구인이 법인 또는 단체인 경우에는 그 명칭, 대표자의 성명, 사업자등록번호 또는 이에 준하는 번호, 주된 사무소의 소재지 및 연락처를 말한다.

㉡ 청구인의 주민등록번호(본인임을 확인하고 공개 여부를 결정할 필요가 있는 정보를 청구하는 경우로 한정한다)

㉢ 공개를 청구하는 정보의 내용 및 공개방법

② 청구인이 말로써 정보의 공개를 청구할 때에는 담당 공무원 또는 담당 임직원(이하 '담당 공무원 등'이라 한다)의 앞에서 진술하여야 하고, 담당 공무원 등은 정보공개청구조서를 작성하여 이에 청구인과 함께 기명날인하거나 서명하여야 한다.

판례

공공기관의 정보공개에 관한 법률에 따른 정보공개청구시 요구되는 대상정보 특정의 정도

공공기관의 정보공개에 관한 법률 제10조 제1항 제2호는 정보의 공개를 청구하는 자는 정보공개청구서에 '공개를 청구하는 정보의 내용' 등을 기재할 것을 규정하고 있는바, 청구대상정보를 기재함에 있어서는 사회일반인의 관점에서 청구대상정보의 내용과 범위를 확정할 수 있을 정도로 특정함을 요한다(대판 2007.6.1, 2007두2555).

(3) 정보공개 여부의 결정(제11조)

① 공공기관은 정보공개의 청구를 받으면 그 청구를 받은 날부터 10일 이내에 공개 여부를 결정하여야 한다.

② 공공기관은 부득이한 사유로 10일 이내에 공개 여부를 결정할 수 없을 때에는 그 기간이 끝나는 날의 다음 날부터 기산(起算)하여 10일의 범위에서 공개 여부 결정기간을 연장할 수 있다. 이 경우 공공기관은 연장된 사실과 연장사유를 청구인에게 지체 없이 문서로 통지하여야 한다.

③ 공공기관은 다른 공공기관이 보유·관리하는 정보의 공개청구를 받았을 때에는 지체 없이 이를 소관 기관으로 이송하여야 하며, 이송한 후에는 지체 없이 소관 기관 및 이송사유 등을 분명히 밝혀 청구인에게 문서로 통지하여야 한다.

④ 공공기관은 정보공개청구가 다음의 어느 하나에 해당하는 경우로서 민원 처리에 관한 법률에 따른 민원으로 처리할 수 있는 경우에는 민원으로 처리할 수 있다.

㉠ 공개청구된 정보가 공공기관이 보유·관리하지 아니하는 정보인 경우

㉡ 공개청구의 내용이 진정·질의 등으로 이 법에 따른 정보공개청구로 보기 어려운 경우

Add ⊕

정보공개심의회

공공기관의 정보공개에 관한 법률

제12조【정보공개심의회】 ① 국가기관, 지방자치단체, 공공기관의 운영에 관한 법률 제5조에 따른 공기업 및 준정부기관, 지방공기업법에 따른 지방공사 및 지방공단(이하 '국가기관 등'이라 한다)은 제11조에 따른 정보공개 여부 등을 심의하기 위하여 정보공개심의회(이하 '심의회'라 한다)를 설치·운영한다. 이 경우 국가기관등의 규모와 업무성격, 지리적 여건, 청구인의 편의 등을 고려하여 소속 상급기관(지방공사·지방공단의 경우에는 해당 지방공사·지방공단을 설립한 지방자치단체를 말한다)에서 협의를 거쳐 심의회를 통합하여 설치·운영할 수 있다.

② 심의회는 위원장 1명을 포함하여 5명 이상 7명 이하의 위원으로 구성한다.

③ 심의회의 위원은 소속 공무원, 임직원 또는 외부 전문가로 지명하거나 위촉하되, 그중 3분의 2는 해당 국가기관 등의 업무 또는 정보공개의 업무에 관한 지식을 가진 외부 전문가로 위촉하여야 한다. 다만, 제9조 제1항 제2호 및 제4호에 해당하는 업무를 주로 하는 국가기관은 그 국가기관의 장이 외부 전문가의 위촉 비율을 따로 정하되, 최소한 3분의 1 이상은 외부 전문가로 위촉하여야 한다.

④ 심의회의 위원장은 위원 중에서 국가기관 등의 장이 지명하거나 위촉한다.

⑤ 심의회의 위원에 대해서는 제23조 제4항 및 제5항을 준용한다.

⑥ 심의회의 운영과 기능 등에 관하여 필요한 사항은 국회규칙·대법원규칙·헌법재판소규칙·중앙선거관리위원회규칙 및 대통령령으로 정한다.

제12조의2【위원의 제척·기피·회피】 ① 심의회의 위원이 다음의 어느 하나에 해당하는 경우에는 심의회의 심의에서 제척(除斥)된다.

1. 위원 또는 그 배우자나 배우자이었던 사람이 해당 심의사항의 당사자(당사자가 법인·단체 등인 경우에는 그 임원 또는 직원을 포함한다. 이하 이 호 및 제2호에서 같다)이거나 그 심의사항의 당사자와 공동권리자 또는 공동의무자인 경우
2. 위원이 해당 심의사항의 당사자와 친족이거나 친족이었던 경우
3. 위원이 해당 심의사항에 대하여 증언, 진술, 자문, 연구, 용역 또는 감정을 한 경우
4. 위원이나 위원이 속한 법인 등이 해당 심의사항의 당사자의 대리인이거나 대리인이었던 경우

> ② 심의회의 심의사항의 당사자는 위원에게 공정한 심의를 기대하기 어려운 사정이 있는 경우에는 심의회에 기피(忌避) 신청을 할 수 있고, 심의회는 의결로 기피 여부를 결정하여야 한다. 이 경우 기피 신청의 대상인 위원은 그 의결에 참여할 수 없다.
> ③ 위원은 제1항 각 호에 따른 제척 사유에 해당하는 경우에는 심의회에 그 사실을 알리고 스스로 해당 안건의 심의에서 회피(回避)하여야 한다.
> ④ 위원이 제1항 각 호의 어느 하나에 해당함에도 불구하고 회피신청을 하지 아니하여 심의회 심의의 공정성을 해친 경우 국가기관 등의 장은 해당 위원을 해촉하거나 해임할 수 있다.

(4) 반복 청구 등의 처리(제11조의2)

① 공공기관은 제11조에도 불구하고 제10조 제1항 및 제2항에 따른 정보공개청구가 다음의 어느 하나에 해당하는 경우에는 정보공개청구 대상 정보의 성격, 종전 청구와의 내용적 유사성·관련성, 종전 청구와 동일한 답변을 할 수밖에 없는 사정 등을 종합적으로 고려하여 해당 청구를 종결 처리할 수 있다. 이 경우 종결 처리 사실을 청구인에게 알려야 한다.

㉠ 정보공개를 청구하여 정보공개 여부에 대한 결정의 통지를 받은 자가 정당한 사유 없이 해당 정보의 공개를 다시 청구하는 경우

㉡ 정보공개청구가 제11조 제5항에 따라 민원으로 처리되었으나 다시 같은 청구를 하는 경우

② 공공기관은 제11조에도 불구하고 제10조 제1항 및 제2항에 따른 정보공개청구가 다음의 어느 하나에 해당하는 경우에는 다음의 구분에 따라 안내하고, 해당 청구를 종결 처리할 수 있다.

㉠ 제7조 제1항에 따른 정보 등 공개를 목적으로 작성되어 이미 정보통신망 등을 통하여 공개된 정보를 청구하는 경우: 해당 정보의 소재(所在)를 안내

㉡ 다른 법령이나 사회통념상 청구인의 여건 등에 비추어 수령할 수 없는 방법으로 정보공개청구를 하는 경우: 수령이 가능한 방법으로 청구하도록 안내

(5) 정보공개 여부 결정의 통지(제13조)

① 공공기관은 정보의 공개를 결정한 경우에는 공개의 일시 및 장소 등을 분명히 밝혀 청구인에게 통지하여야 한다.

② 공공기관은 청구인이 사본 또는 복제물의 교부를 원하는 경우에는 이를 교부하여야 한다.

③ 공공기관은 공개대상 정보의 양이 너무 많아 정상적인 업무수행에 현저한 지장을 초래할 우려가 있는 경우에는 해당 정보를 일정 기간별로 나누어 제공하거나 사본·복제물의 교부 또는 열람과 병행하여 제공할 수 있다.

④ 공공기관은 정보를 공개하는 경우에 그 정보의 원본이 더럽혀지거나 파손될 우려가 있거나 그 밖에 상당한 이유가 있다고 인정할 때에는 그 정보의 사본·복제물을 공개할 수 있다.

⑤ 공공기관은 정보의 비공개 결정을 한 경우에는 그 사실을 청구인에게 지체 없이 문서로 통지하여야 한다. 이 경우 제9조 제1항 각 호 중 어느 규정에 해당하는 비공개대상 정보인지를 포함한 비공개 이유와 불복(不服)의 방법 및 절차를 구체적으로 밝혀야 한다.

판례 **사본공개거부처분취소**

공공기관의 정보공개에 관한 법률 제2조 제2항, 제3조, 제5조, 제8조 제1항, 같은 법 시행령 제14조, 같은 법 시행규칙 제2조 별지 제1호 서식 등의 각 규정을 종합하면, 정보공개를 청구하는 자가 공공기관에 대해 정보의 사본 또는 출력물의 교부의 방법으로 공개방법을 선택하여 정보공개청구를 한 경우에 공개청구를 받은 공공기관으로서는 같은 법 제8조 제2항에서 규정한 정보의 사본 또는 복제물의 교부를 제한할 수 있는 사유에 해당하지 않는 한 정보공개청구자가 선택한 공개방법에 따라 정보를 공개하여야 하므로 그 공개방법을 선택할 재량권이 없다고 해석함이 상당하다(대판 2003.12.12, 2003두8050).

(6) 부분 공개(제14조)

청구인이 공개청구한 정보가 비공개대상 정보에 해당하는 부분과 공개 가능한 부분이 혼합되어 있는 경우로서 공개청구의 취지에 어긋나지 아니하는 범위에서 두 부분을 분리할 수 있는 경우에는 비공개 대상 정보에 해당하는 부분을 제외하고 공개하여야 한다.

> **판례** **법원이 행정기관의 정보공개거부처분의 위법 여부를 심리한 결과 공개를 거부한 정보에 비공개사유에 해당하는 부분과 그렇지 않은 부분이 혼합되어 있고, 공개청구의 취지에 어긋나지 않는 범위 안에서 두 부분을 분리할 수 있는 경우, 공개가 가능한 정보에 한하여 일부취소를 명할 수 있는지 여부(적극) 및 정보의 부분 공개가 허용되는 경우의 의미**
> 법원이 행정기관의 정보공개거부처분의 위법 여부를 심리한 결과 공개를 거부한 정보에 비공개사유에 해당하는 부분과 그렇지 않은 부분이 혼합되어 있고, 공개청구의 취지에 어긋나지 않는 범위 안에서 두 부분을 분리할 수 있음을 인정할 수 있을 때에는 공개가 가능한 정보에 국한하여 일부취소를 명할 수 있다. 이러한 정보의 부분 공개가 허용되는 경우란 그 정보의 공개방법 및 절차에 비추어 당해 정보에서 비공개대상정보에 관련된 기술 등을 제외 혹은 삭제하고 나머지 정보만을 공개하는 것이 가능하고 나머지 부분의 정보만으로도 공개의 가치가 있는 경우를 의미한다(대판 2009.12.10, 2009두12785).

(7) 정보의 전자적 공개(제15조)

① 공공기관은 전자적 형태로 보유·관리하는 정보에 대하여 청구인이 전자적 형태로 공개하여 줄 것을 요청하는 경우에는 그 정보의 성질상 현저히 곤란한 경우를 제외하고는 청구인의 요청에 따라야 한다.

② 공공기관은 전자적 형태로 보유·관리하지 아니하는 정보에 대하여 청구인이 전자적 형태로 공개하여 줄 것을 요청한 경우에는 정상적인 업무수행에 현저한 지장을 초래하거나 그 정보의 성질이 훼손될 우려가 없으면 그 정보를 전자적 형태로 변환하여 공개할 수 있다.

(8) 즉시 처리가 가능한 정보의 공개(제16조)

다음의 어느 하나에 해당하는 정보로서 즉시 또는 말로 처리가 가능한 정보에 대해서는 위 (3)에 따른 절차를 거치지 아니하고 공개하여야 한다.

① 법령 등에 따라 공개를 목적으로 작성된 정보

② 일반국민에게 알리기 위하여 작성된 각종 홍보자료

③ 공개하기로 결정된 정보로서 공개에 오랜 시간이 걸리지 아니하는 정보

④ 그 밖에 공공기관의 장이 정하는 정보

(9) 비용 부담(제17조)

정보의 공개 및 우송 등에 드는 비용은 실비(實費)의 범위에서 청구인이 부담한다. 그러나 공개를 청구하는 정보의 사용 목적이 공공복리의 유지·증진을 위하여 필요하다고 인정되는 경우에는 비용을 감면할 수 있다.

(10) 공개실시

공공기관은 공개결정일과 공개실시일 사이에 최소한 30일의 간격을 두어야 한다.

4. 불복 구제 절차

(1) 청구인의 권리구제수단

① 이의신청(제18조)

㉠ 청구인이 정보공개와 관련한 공공기관의 비공개결정 또는 부분 공개결정에 대하여 불복이 있거나 정보공개청구 후 20일이 경과하도록 정보공개결정이 없는 때에는 공공기관으로부터 정보공개 여부의 결정통지를 받은 날 또는 정보공개청구 후 20일이 경과한 날부터 30일 이내에 해당 공공기관에 문서로 이의신청을 할 수 있다.

㉡ 국가기관 등은 청구인의 이의신청이 있는 경우에는 심의회를 개최하여야 한다. 다만, 다음의 어느 하나에 해당하는 경우에는 심의회를 개최하지 아니할 수 있으며 개최하지 아니하는 사유를 청구인에게 문서로 통지하여야 한다.

ⓐ 심의회의 심의를 이미 거친 사항

ⓑ 단순·반복적인 청구

ⓒ 법령에 따라 비밀로 규정된 정보에 대한 청구

㉢ 공공기관은 이의신청을 받은 날부터 7일 이내에 그 이의신청에 대하여 결정하고 그 결과를 청구인에게 지체 없이 문서로 통지하여야 한다. 다만, 부득이한 사유로 7일 이내에 결정할 수 없을 때에는 그 기간이 끝나는 날의 다음 날부터 기산하여 7일의 범위에서 연장할 수 있으며, 연장사유를 청구인에게 통지하여야 한다.

㉣ 공공기관은 이의신청을 각하(却下) 또는 기각(棄却)하는 결정을 한 경우에는 청구인에게 행정심판 또는 행정소송을 제기할 수 있다는 사실을 결과 통지와 함께 알려야 한다.

② 행정심판(제19조)

㉠ 청구인이 정보공개와 관련한 공공기관의 결정에 대하여 불복이 있거나 정보공개청구 후 20일이 경과하도록 정보공개결정이 없는 때에는 행정심판법에서 정하는 바에 따라 행정심판을 청구할 수 있다. 이 경우 국가기관 및 지방자치단체 외의 공공기관의 결정에 대한 감독행정기관은 관계 중앙행정기관의 장 또는 지방자치단체의 장으로 한다.

㉡ 청구인은 위 ①에 따른 이의신청 절차를 거치지 아니하고 행정심판을 청구할 수 있다.

㉢ 행정심판위원회의 위원 중 정보공개 여부의 결정에 관한 행정심판에 관여하는 위원은 재직 중은 물론 퇴직 후에도 그 직무상 알게 된 비밀을 누설하여서는 아니 된다. 위원은 형법이나 그 밖의 법률에 따른 벌칙을 적용할 때에는 공무원으로 본다.

③ 행정소송(제20조)

㉠ 청구인이 정보공개와 관련한 공공기관의 결정에 대하여 불복이 있거나 정보공개청구 후 20일이 경과하도록 정보공개결정이 없는 때에는 행정소송법에서 정하는 바에 따라 행정소송을 제기할 수 있다.

㉡ 재판장은 필요하다고 인정하면 당사자를 참여시키지 아니하고 제출된 공개청구정보를 비공개로 열람·심사할 수 있다.

㉢ 재판장은 행정소송의 대상이 비공개대상 정보 중 국가안전보장·국방 또는 외교 관계에 관한 정보의 비공개 또는 부분 공개결정처분인 경우에 공공기관이 그 정보에 대한 비밀 지정의 절차, 비밀의 등급·종류 및 성질과 이를 비밀로 취급하게 된 실질적인 이유 및 공개를 하지 아니하는 사유 등을 입증하면 해당 정보를 제출하지 아니하게 할 수 있다.

> **판례** **공개청구의 대상이 되는 정보가 이미 다른 사람에게 공개되어 널리 알려져 있다거나 인터넷 등을 통하여 공개되어 인터넷검색 등을 통하여 쉽게 알 수 있는 경우 소의 이익이 없다거나 비공개결정이 정당화될 수 있는지 여부(소극)**
> 국민의 정보공개청구권은 법률상 보호되는 구체적인 권리이므로, 공공기관에 대하여 정보의 공개를 청구하였다가 공개거부처분을 받은 청구인은 행정소송을 통하여 그 공개거부처분의 취소를 구할 법률상의 이익이 있고, 공개청구의 대상이 되는 정보가 이미 다른 사람에게 공개되어 널리 알려져 있다거나 인터넷 등을 통하여 공개되어 인터넷검색 등을 통하여 쉽게 알 수 있다는 사정만으로는 소의 이익이 없다거나 비공개결정이 정당화될 수 없다(대판 2010.12.23, 2008두13101).

(2) 제3자의 권리구제수단

① 제3자에 대한 통지(제11조) : 공공기관은 공개청구된 공개대상 정보의 전부 또는 일부가 제3자와 관련이 있다고 인정할 때에는 그 사실을 제3자에게 지체 없이 통지하여야 하며, 필요한 경우에는 그의 의견을 들을 수 있다.

② 제3자의 비공개요청 등(제21조)

㉠ 공개청구된 사실을 통지받은 제3자는 그 통지를 받은 날부터 3일 이내에 해당 공공기관에 대하여 자신과 관련된 정보를 공개하지 아니할 것을 요청할 수 있다.

㉡ 제3자의 비공개요청에도 불구하고 공공기관이 공개결정을 할 때에는 공개결정 이유와 공개 실시일을 분명히 밝혀 지체 없이 문서로 통지하여야 하며, 제3자는 해당 공공기관에 문서로 이의신청을 하거나 행정심판 또는 행정소송을 제기할 수 있다. 이 경우 이의신청은 통지를 받은 날부터 7일 이내에 하여야 한다.

> **판례** **정보공개거부처분취소**
> 동법 제9조 제1항은 "공공기관이 보유·관리하는 정보는 공개대상이 된다. 여기에서 말하는 공공기관이 보유·관리하는 정보라 함은 당해 공공기관이 작성하여 보유·관리하고 있는 정보뿐만 아니라 경위를 불문하고 당해 공공기관이 보유·관리하고 있는 모든 정보를 의미한다고 할 것이므로, 제3자와 관련이 있는 정보라고 하더라도 당해 공공기관이 이를 보유·관리하고 있는 이상 동법 제9조 제1항 단서 각 호의 비공개사유에 해당하지 아니하면 정보공개의 대상이 되는 정보에 해당한다고 보아야 할 것이다. 따라서 제3자의 비공개요청이 있다는 사유만으로 정보공개법상 정보의 비공개사유에 해당한다고 볼 수 없다(대판 2008.9.25, 2008두8680).

5. 정보공개위원회

(1) 정보공개위원회의 설치(제22조)

정보공개위원회의 다음의 사항을 심의·조정하기 위하여 행정안전부장관 소속으로 정보공개위원회(이하 '위원회'라 한다)를 둔다.

① 정보공개에 관한 정책 수립 및 제도 개선에 관한 사항

② 정보공개에 관한 기준 수립에 관한 사항

③ 공공기관의 정보공개에 관한 법률 제12조에 따른 심의회 심의결과의 조사·분석 및 심의기준 개선 관련 의견제시에 관한 사항

④ 공공기관의 정보공개에 관한 법률 제24조 제2항 및 제3항에 따른 공공기관의 정보공개 운영실태 평가 및 그 결과 처리에 관한 사항

⑤ 정보공개와 관련된 불합리한 제도·법령 및 그 운영에 대한 조사 및 개선권고에 관한 사항

⑥ 그 밖에 정보공개에 관하여 대통령령으로 정하는 사항

(2) 위원회의 구성 등(제23조)

위원회는 성별을 고려하여 위원장과 부위원장 각 1명을 포함한 11명의 위원으로 구성한다. 위원회의 위원은 다음의 사람이 된다. 이 경우 위원장을 포함한 7명은 공무원이 아닌 사람으로 위촉하여야 한다.

① 대통령령으로 정하는 관계 중앙행정기관의 차관급 공무원이나 고위공무원단에 속하는 일반직공무원

② 정보공개에 관하여 학식과 경험이 풍부한 사람으로서 행정안전부장관이 위촉하는 사람

③ 시민단체(비영리민간단체 지원법 제2조에 따른 비영리민간단체를 말한다)에서 추천한 사람으로서 행정안전부장관이 위촉하는 사람

(3) 위원의 임기와 신분(제23조)

① 위원장·부위원장 및 위원(대통령령으로 정하는 관계 중앙행정기관의 차관급 공무원이나 고위공무원단에 속하는 일반직공무원은 제외한다)의 임기는 2년으로 하며, 연임할 수 있다.

② 위원장·부위원장 및 위원은 정보공개업무와 관련하여 알게 된 정보를 누설하거나 그 정보를 이용하여 본인 또는 타인에게 이익 또는 불이익을 주는 행위를 하여서는 아니 된다.

③ 위원장·부위원장 및 위원 중 공무원이 아닌 사람은 형법이나 그 밖의 법률에 따른 벌칙을 적용할 때에는 공무원으로 본다.

6. 기타사항

(1) 제도 총괄 등(제24조)

행정안전부장관은 이 법에 따른 정보공개제도의 정책 수립 및 제도 개선 사항 등에 관한 기획·총괄업무를 관장하며, 정보공개위원회가 정보공개제도의 효율적 운영을 위하여 필요하다고 요청하면 공공기관(국회·법원·헌법재판소 및 중앙선거관리위원회는 제외한다)의 정보공개제도 운영실태를 평가할 수 있다.

(2) 자료의 제출 요구(제25조)

국회사무총장·법원행정처장·헌법재판소사무처장·중앙선거관리위원회사무총장 및 행정안전부장관은 필요하다고 인정하면 관계 공공기관에 정보공개에 관한 자료 제출 등의 협조를 요청할 수 있다.

(3) 국회에의 보고(제26조)

행정안전부장관은 전년도의 정보공개 운영에 관한 보고서를 매년 정기국회 개회 전까지 국회에 제출하여야 한다.

(4) 신분보장(제28조)

누구든지 이 법에 따른 정당한 정보공개를 이유로 징계조치 등 어떠한 신분상 불이익이나 근무조건상의 차별을 받지 아니한다.

(5) 기간의 계산(제29조)

① 이 법에 따른 기간의 계산은 민법에 따른다.

② 위 ①에도 불구하고 다음의 기간은 '일' 단위로 계산하고 첫날을 산입하되, 공휴일과 토요일은 산입하지 아니한다.

ⓐ 법 제11조 제1항 및 제2항에 따른 정보공개 여부 결정기간

ⓑ 법 제18조 제1항, 제19조 제1항 및 제20조 제1항에 따른 정보공개 청구 후 경과한 기간

ⓒ 법 제18조 제3항에 따른 이의신청 결정기간

제4절 개인정보보호법

01 서설

1. 목적(제1조)

이 법은 개인정보의 처리 및 보호에 관한 사항을 정함으로써 개인의 자유와 권리를 보호하고, 나아가 개인의 존엄과 가치를 구현함을 목적으로 한다.

2. 정의(제2조)

이 법에서 사용하는 용어의 뜻은 다음과 같다.

용어	정의
개인정보	살아 있는 개인에 관한 정보로서 다음 각 목의 어느 하나에 해당하는 정보를 말한다. 가. 성명, 주민등록번호 및 영상 등을 통하여 개인을 알아볼 수 있는 정보 나. 해당 정보만으로는 특정 개인을 알아볼 수 없더라도 다른 정보와 쉽게 결합하여 알아볼 수 있는 정보. 이 경우 쉽게 결합할 수 있는지 여부는 다른 정보의 입수 가능성 등 개인을 알아보는 데 소요되는 시간, 비용, 기술 등을 합리적으로 고려하여야 한다. 다. 가목 또는 나목을 제1호의2에 따라 가명처리함으로써 원래의 상태로 복원하기 위한 추가 정보의 사용·결합 없이는 특정 개인을 알아볼 수 없는 정보(이하 "가명정보"라 한다)
가명처리	개인정보의 일부를 삭제하거나 일부 또는 전부를 대체하는 등의 방법으로 추가 정보가 없이는 특정 개인을 알아볼 수 없도록 처리하는 것을 말한다.
처리	개인정보의 수집, 생성, 연계, 연동, 기록, 저장, 보유, 가공, 편집, 검색, 출력, 정정(訂正), 복구, 이용, 제공, 공개, 파기(破棄), 그 밖에 이와 유사한 행위를 말한다.
정보주체	처리되는 정보에 의하여 알아볼 수 있는 사람으로서 그 정보의 주체가 되는 사람을 말한다.
개인정보처리자	업무를 목적으로 개인정보파일을 운용하기 위하여 스스로 또는 다른 사람을 통하여 개인정보를 처리하는 공공기관, 법인, 단체 및 개인 등을 말한다.

3. 개인정보 보호 원칙(제3조)

① 개인정보처리자는 개인정보의 처리 목적을 명확하게 하여야 하고 그 목적에 필요한 범위에서 최소한의 개인정보만을 적법하고 정당하게 수집하여야 한다.

② 개인정보처리자는 개인정보의 처리 목적에 필요한 범위에서 적합하게 개인정보를 처리하여야 하며, 그 목적 외의 용도로 활용하여서는 아니 된다.

③ 개인정보처리자는 개인정보의 처리 목적에 필요한 범위에서 개인정보의 정확성, 완전성 및 최신성이 보장되도록 하여야 한다.

④ 개인정보처리자는 개인정보의 처리 방법 및 종류 등에 따라 정보주체의 권리가 침해받을 가능성과 그 위험 정도를 고려하여 개인정보를 안전하게 관리하여야 한다.

⑤ 개인정보처리자는 제30조에 따른 개인정보 처리방침 등 개인정보의 처리에 관한 사항을 공개하여야 하며, 열람청구권 등 정보주체의 권리를 보장하여야 한다.

⑥ 개인정보처리자는 정보주체의 사생활 침해를 최소화하는 방법으로 개인정보를 처리하여야 한다.

⑦ 개인정보처리자는 개인정보를 익명 또는 가명으로 처리하여도 개인정보 수집목적을 달성할 수 있는 경우 익명처리가 가능한 경우에는 익명에 의하여, 익명처리로 목적을 달성할 수 없는 경우에는 가명에 의하여 처리될 수 있도록 하여야 한다.

⑧ 개인정보처리자는 이 법 및 관계 법령에서 규정하고 있는 책임과 의무를 준수하고 실천함으로써 정보주체의 신뢰를 얻기 위하여 노력하여야 한다.

4. 정보주체의 권리(제4조)

정보주체는 자신의 개인정보 처리와 관련하여 다음 각 호의 권리를 가진다.

1. 개인정보의 처리에 관한 정보를 제공받을 권리
2. 개인정보의 처리에 관한 동의 여부, 동의 범위 등을 선택하고 결정할 권리
3. 개인정보의 처리 여부를 확인하고 개인정보에 대한 열람(사본의 발급을 포함한다. 이하 같다) 및 전송을 요구할 권리
4. 개인정보의 처리 정지, 정정·삭제 및 파기를 요구할 권리
5. 개인정보의 처리로 인하여 발생한 피해를 신속하고 공정한 절차에 따라 구제받을 권리
6. 완전히 자동화된 개인정보 처리에 따른 결정을 거부하거나 그에 대한 설명 등을 요구할 권리

02 개인정보 보호위원회

개인정보 보호위원회 (제7조)	① 개인정보 보호에 관한 사무를 독립적으로 수행하기 위하여 국무총리 소속으로 개인정보 보호위원회(이하 "보호위원회"라 한다)를 둔다. ② 보호위원회는 「정부조직법」 제2조에 따른 중앙행정기관으로 본다. 다만, 다음 각 호의 사항에 대하여는 「정부조직법」 제18조를 적용하지 아니한다. 1. 제7조의8제3호 및 제4호의 사무 2. 제7조의9제1항의 심의·의결 사항 중 제1호에 해당하는 사항
보호위원회의 구성 등 (제7조의2)	① 보호위원회는 상임위원 2명(위원장 1명, 부위원장 1명)을 포함한 9명의 위원으로 구성한다. ② 보호위원회의 위원은 개인정보 보호에 관한 경력과 전문지식이 풍부한 다음 각 호의 사람 중에서 위원장과 부위원장은 국무총리의 제청으로, 그 외 위원 중 2명은 위원장의 제청으로, 2명은 대통령이 소속되거나 소속되었던 정당의 교섭단체 추천으로, 3명은 그 외의 교섭단체 추천으로 대통령이 임명 또는 위촉한다. 1. 개인정보 보호 업무를 담당하는 3급 이상 공무원(고위공무원단에 속하는 공무원을 포함한다)의 직에 있거나 있었던 사람 2. 판사·검사·변호사의 직에 10년 이상 있거나 있었던 사람 3. 공공기관 또는 단체(개인정보처리자로 구성된 단체를 포함한다)에 3년 이상 임원으로 재직하였거나 이들 기관 또는 단체로부터 추천받은 사람으로서 개인정보 보호 업무를 3년 이상 담당하였던 사람 4. 개인정보 관련 분야에 전문지식이 있고 「고등교육법」 제2조제1호에 따른 학교에서 부교수 이상으로 5년 이상 재직하고 있거나 재직하였던 사람 ③ 위원장과 부위원장은 정무직 공무원으로 임명한다. ④ 위원장, 부위원장, 제7조의13에 따른 사무처의 장은 「정부조직법」 제10조에도 불구하고 정부위원이 된다.

03 개인정보의 처리

개인정보의 수집 · 이용 (제15조)	개인정보처리자는 다음 각 호의 어느 하나에 해당하는 경우에는 개인정보를 수집할 수 있으며 그 수집 목적의 범위에서 이용할 수 있다. 1. 정보주체의 동의를 받은 경우 2. 법률에 특별한 규정이 있거나 법령상 의무를 준수하기 위하여 불가피한 경우 3. 공공기관이 법령 등에서 정하는 소관 업무의 수행을 위하여 불가피한 경우 4. 정보주체와 체결한 계약을 이행하거나 계약을 체결하는 과정에서 정보주체의 요청에 따른 조치를 이행하기 위하여 필요한 경우 5. 명백히 정보주체 또는 제3자의 급박한 생명, 신체, 재산의 이익을 위하여 필요하다고 인정되는 경우 6. 개인정보처리자의 정당한 이익을 달성하기 위하여 필요한 경우로서 명백하게 정보주체의 권리보다 우선하는 경우. 이 경우 개인정보처리자의 정당한 이익과 상당한 관련이 있고 합리적인 범위를 초과하지 아니하는 경우에 한한다. 7. 공중위생 등 공공의 안전과 안녕을 위하여 긴급히 필요한 경우
이동형 영상정보 처리기기의 운영 제한 (제25조의2)	① 업무를 목적으로 이동형 영상정보처리기기를 운영하려는 자는 다음 각 호의 경우를 제외하고는 공개된 장소에서 이동형 영상정보처리기기로 사람 또는 그 사람과 관련된 사물의 영상(개인정보에 해당하는 경우로 한정한다. 이하 같다)을 촬영하여서는 아니 된다. 1. 제15조제1항 각 호의 어느 하나에 해당하는 경우 2. 촬영 사실을 명확히 표시하여 정보주체가 촬영 사실을 알 수 있도록 하였음에도 불구하고 촬영 거부 의사를 밝히지 아니한 경우. 이 경우 정보주체의 권리를 부당하게 침해할 우려가 없고 합리적인 범위를 초과하지 아니하는 경우로 한정한다. 3. 그 밖에 제1호 및 제2호에 준하는 경우로서 대통령령으로 정하는 경우 ② 누구든지 불특정 다수가 이용하는 목욕실, 화장실, 발한실, 탈의실 등 개인의 사생활을 현저히 침해할 우려가 있는 장소의 내부를 볼 수 있는 곳에서 이동형 영상정보처리기기로 사람 또는 그 사람과 관련된 사물의 영상을 촬영하여서는 아니 된다. 다만, 인명의 구조 · 구급 등을 위하여 필요한 경우로서 대통령령으로 정하는 경우에는 그러하지 아니하다. ③ 제1항 각 호에 해당하여 이동형 영상정보처리기기로 사람 또는 그 사람과 관련된 사물의 영상을 촬영하는 경우에는 불빛, 소리, 안내판 등 대통령령으로 정하는 바에 따라 촬영 사실을 표시하고 알려야 한다.
가명정보의 처리 등 (제28조의2)	① 개인정보처리자는 통계작성, 과학적 연구, 공익적 기록보존 등을 위하여 정보주체의 동의 없이 가명정보를 처리할 수 있다. ② 개인정보처리자는 제1항에 따라 가명정보를 제3자에게 제공하는 경우에는 특정 개인을 알아보기 위하여 사용될 수 있는 정보를 포함해서는 아니 된다.

제5절 행정절차법

01 총칙

1. 서설

(1) 목적(제1조)

이 법은 행정절차에 관한 공통적인 사항을 규정하여 국민의 행정 참여를 도모함으로써 행정의 공정성·투명성 및 신뢰성을 확보하고 국민의 권익을 보호함을 목적으로 한다.

(2) 정의(제2조)

이 법에서 사용하는 용어의 뜻은 다음과 같다.

용어	뜻
행정청	다음의 자를 말한다. ① 행정에 관한 의사를 결정하여 표시하는 국가 또는 지방자치단체의 기관 ② 그 밖에 법령 또는 자치법규(이하 '법령 등'이라 한다)에 따라 행정권한을 가지고 있거나 위임 또는 위탁받은 공공단체 또는 그 기관이나 사인(私人)
처분	행정청이 행하는 구체적 사실에 관한 법 집행으로서의 공권력의 행사 또는 그 거부와 그 밖에 이에 준하는 행정작용(行政作用)을 말한다.
행정지도	행정기관이 그 소관 사무의 범위에서 일정한 행정목적을 실현하기 위하여 특정인에게 일정한 행위를 하거나 하지 아니하도록 지도, 권고, 조언 등을 하는 행정작용을 말한다.
당사자 등	다음의 자를 말한다. ① 행정청의 처분에 대하여 직접 그 상대가 되는 당사자 ② 행정청이 직권으로 또는 신청에 따라 행정절차에 참여하게 한 이해관계인
청문	행정청이 어떠한 처분을 하기 전에 당사자 등의 의견을 직접 듣고 증거를 조사하는 절차를 말한다.
공청회	행정청이 공개적인 토론을 통하여 어떠한 행정작용에 대하여 당사자 등, 전문지식과 경험을 가진 사람, 그 밖의 일반인으로부터 의견을 널리 수렴하는 절차를 말한다.
의견제출	행정청이 어떠한 행정작용을 하기 전에 당사자 등이 의견을 제시하는 절차로서 청문이나 공청회에 해당하지 아니하는 절차를 말한다.
전자문서	컴퓨터 등 정보처리능력을 가진 장치에 의하여 전자적인 형태로 작성되어 송신·수신 또는 저장된 정보를 말한다.
정보통신망	전기통신설비를 활용하거나 전기통신설비와 컴퓨터 및 컴퓨터 이용기술을 활용하여 정보를 수집·가공·저장·검색·송신 또는 수신하는 정보통신체제를 말한다.

(3) 적용 범위(제3조)

① 처분, 신고, 확약, 위반사실 등의 공표, 행정계획, 행정상 입법예고, 행정예고 및 행정지도의 절차(이하 '행정절차'라 한다)에 관하여 다른 법률에 특별한 규정이 있는 경우를 제외하고는 이 법에서 정하는 바에 따른다.

② 이 법은 다음의 어느 하나에 해당하는 사항에 대하여는 적용하지 아니한다.

> ㉠ 국회 또는 지방의회의 의결을 거치거나 동의 또는 승인을 받아 행하는 사항
> ㉡ 법원 또는 군사법원의 재판에 의하거나 그 집행으로 행하는 사항
> ㉢ 헌법재판소의 심판을 거쳐 행하는 사항
> ㉣ 각급 선거관리위원회의 의결을 거쳐 행하는 사항

ⓜ 감사원이 감사위원회의의 결정을 거쳐 행하는 사항
ⓑ 형사(刑事), 행형(行刑) 및 보안처분 관계 법령에 따라 행하는 사항
ⓢ 국가안전보장 · 국방 · 외교 또는 통일에 관한 사항 중 행정절차를 거칠 경우 국가의 중대한 이익을 현저히 해칠 우려가 있는 사항
ⓞ 심사청구, 해양안전심판, 조세심판, 특허심판, 행정심판, 그 밖의 불복절차에 따른 사항
ⓙ 병역법에 따른 징집 · 소집, 외국인의 출입국 · 난민인정 · 귀화, 공무원 인사 관계 법령에 따른 징계와 그 밖의 처분, 이해 조정을 목적으로 하는 법령에 따른 알선 · 조정 · 중재(仲裁) · 재정(裁定) 또는 그 밖의 처분 등 해당 행정작용의 성질상 행정절차를 거치기 곤란하거나 거칠 필요가 없다고 인정되는 사항과 행정절차에 준하는 절차를 거친 사항으로서 대통령령으로 정하는 사항

판례

1. **공정거래위원회의 시정조치 및 과징금납부명령에 행정절차법 소정의 의견청취절차 생략사유가 존재하는 경우, 공정거래위원회가 행정절차법을 적용하여 의견청취절차를 생략할 수 있는지 여부(소극)**
행정절차법 제3조 제2항, 같은 법 시행령 제2조 제6호에 의하면 공정거래위원회의 의결 · 결정을 거쳐 행하는 사항에는 행정절차법의 적용이 제외되게 되어 있으므로, 설사 공정거래위원회의 시정조치 및 과징금납부명령에 행정절차법 소정의 의견청취절차 생략사유가 존재한다고 하더라도, 공정거래위원회는 행정절차법을 적용하여 의견청취절차를 생략할 수는 없다(대판 2001.5.8, 2000두10212).
2. **국가공무원법상 직위해제처분에 처분의 사전통지 및 의견청취 등에 관한 행정절차법 규정이 적용되는지 여부(소극)**
국가공무원법상 직위해제처분은 구 행정절차법(2012.10.22. 법률 제11498호로 개정되기 전의 것) 제3조 제2항 제9호, 구 행정절차법 시행령(2011.12.21. 대통령령 제23383호로 개정되기 전의 것) 제2조 제3호에 의하여 당해 행정작용의 성질상 행정절차를 거치기 곤란하거나 불필요하다고 인정되는 사항 또는 행정절차에 준하는 절차를 거친 사항에 해당하므로, 처분의 사전통지 및 의견청취 등에 관한 행정절차법의 규정이 별도로 적용되지 않는다(대판 2014.5.16, 2012두26180).
3. **공무원 인사관계법령에 의한 처분에 관한 사항에 대하여 행정절차법의 적용이 배제되는 범위 및 그 법리가 별정직 공무원에 대한 직권면직처분에도 적용되는지 여부(적극)**
구 행정절차법(2012.10.22. 법률 제11498호로 개정되기 전의 것) 제3조 제2항 제9호, 구 행정절차법 시행령(2011.12.21. 대통령령 제23383호로 개정되기 전의 것) 제2조 제3호의 내용을 행정의 공정성, 투명성 및 신뢰성을 확보하고 국민의 권익을 보호함을 목적으로 하는 행정절차법의 입법 목적에 비추어 보면, 공무원 인사관계법령에 의한 처분에 관한 사항이라 하더라도 전부에 대하여 행정절차법의 적용이 배제되는 것이 아니라, 성질상 행정절차를 거치기 곤란하거나 불필요하다고 인정되는 처분이나 행정절차에 준하는 절차를 거치도록 하고 있는 처분의 경우에만 행정절차법의 적용이 배제되는 것으로 보아야 하고, 이러한 법리는 '공무원 인사관계법령에 의한 처분'에 해당하는 별정직 공무원에 대한 직권면직처분의 경우에도 마찬가지로 적용된다(대판 2013.1.16, 2011두30687).

(4) 신의성실 및 신뢰보호(제4조)

① 행정청은 직무를 수행할 때 신의(信義)에 따라 성실히 하여야 한다.
② 행정청은 법령 등의 해석 또는 행정청의 관행이 일반적으로 국민들에게 받아들여졌을 때에는 공익 또는 제3자의 정당한 이익을 현저히 해칠 우려가 있는 경우를 제외하고는 새로운 해석 또는 관행에 따라 소급하여 불리하게 처리하여서는 아니 된다.

(5) 투명성(제5조)

① 행정청이 행하는 행정작용은 그 내용이 구체적이고 명확하여야 한다.

② 행정작용의 근거가 되는 법령 등의 내용이 명확하지 아니한 경우 상대방은 해당 행정청에 그 해석을 요청할 수 있으며, 해당 행정청은 특별한 사유가 없으면 그 요청에 따라야 한다.

③ 행정청은 상대방에게 행정작용과 관련된 정보를 충분히 제공하여야 한다.

(6) 행정업무 혁신(제5조의2)

① 행정청은 모든 국민이 균등하고 질 높은 행정서비스를 누릴 수 있도록 노력하여야 한다.

② 행정청은 정보통신기술을 활용하여 행정절차를 적극적으로 혁신하도록 노력하여야 한다. 이 경우 행정청은 국민이 경제적 · 사회적 · 지역적 여건 등으로 인하여 불이익을 받지 아니하도록 하여야 한다.

③ 행정청은 행정청이 생성하거나 취득하여 관리하고 있는 데이터(정보처리능력을 갖춘 장치를 통하여 생성 또는 처리되어 기계에 의한 판독이 가능한 형태로 존재하는 정형 또는 비정형의 정보를 말한다)를 행정과정에 활용하도록 노력하여야 한다.

④ 행정청은 행정업무 혁신 추진에 필요한 행정적 · 재정적 · 기술적 지원방안을 마련하여야 한다.

2. 행정청의 관할 및 협조

(1) 관할(제6조)

① 행정청이 그 관할에 속하지 아니하는 사안을 접수하였거나 이송받은 경우에는 지체 없이 이를 관할 행정청에 이송하여야 하고 그 사실을 신청인에게 통지하여야 한다. 행정청이 접수하거나 이송받은 후 관할이 변경된 경우에도 또한 같다.

② 행정청의 관할이 분명하지 아니한 경우에는 해당 행정청을 공통으로 감독하는 상급 행정청이 그 관할을 결정하며, 공통으로 감독하는 상급 행정청이 없는 경우에는 각 상급 행정청이 협의하여 그 관할을 결정한다.

(2) 행정청간의 협조(제7조)

① 행정청은 행정의 원활한 수행을 위하여 서로 협조하여야 한다.

② 행정청은 업무의 효율성을 높이고 행정서비스에 대한 국민의 만족도를 높이기 위하여 필요한 경우 행정협업(다른 행정청과 공동의 목표를 설정하고 행정청 상호간의 기능을 연계하거나 시설 · 장비 및 정보 등을 공동으로 활용하는 것을 말한다)의 방식으로 적극적으로 협조하여야 한다.

③ 행정청은 행정협업을 활성화하기 위한 시책을 마련하고 그 추진에 필요한 행정적 · 재정적 지원방안을 마련하여야 한다.

④ 행정협업의 촉진 등에 필요한 사항은 대통령령으로 정한다.

(3) 행정응원(제8조)

① 행정청은 다음의 어느 하나에 해당하는 경우에는 다른 행정청에 행정응원(行政應援)을 요청할 수 있다.

> ㉠ 법령 등의 이유로 독자적인 직무 수행이 어려운 경우
> ㉡ 인원 · 장비의 부족 등 사실상의 이유로 독자적인 직무 수행이 어려운 경우
> ㉢ 다른 행정청에 소속되어 있는 전문기관의 협조가 필요한 경우

> ㉣ 다른 행정청이 관리하고 있는 문서(전자문서를 포함한다) · 통계 등 행정자료가 직무 수행을 위하여 필요한 경우
> ㉤ 다른 행정청의 응원을 받아 처리하는 것이 보다 능률적이고 경제적인 경우

② ①에 따라 행정응원을 요청받은 행정청은 다음의 어느 하나에 해당하는 경우에는 응원을 거부할 수 있다.

> ㉠ 다른 행정청이 보다 능률적이거나 경제적으로 응원할 수 있는 명백한 이유가 있는 경우
> ㉡ 행정응원으로 인하여 고유의 직무 수행이 현저히 지장받을 것으로 인정되는 명백한 이유가 있는 경우

③ 행정응원은 해당 직무를 직접 응원할 수 있는 행정청에 요청하여야 한다.

④ 행정응원을 요청받은 행정청은 응원을 거부하는 경우 그 사유를 응원을 요청한 행정청에 통지하여야 한다.

⑤ 행정응원을 위하여 파견된 직원은 응원을 요청한 행정청의 지휘 · 감독을 받는다. 다만, 해당 직원의 복무에 관하여 다른 법령 등에 특별한 규정이 있는 경우에는 그에 따른다.

⑥ 행정응원에 드는 비용은 응원을 요청한 행정청이 부담하며, 그 부담금액 및 부담방법은 응원을 요청한 행정청과 응원을 하는 행정청이 협의하여 결정한다.

3. 당사자 등

(1) 당사자 등의 자격(제9조)

다음의 어느 하나에 해당하는 자는 행정절차에서 당사자 등이 될 수 있다.

> ① 자연인
> ② 법인, 법인이 아닌 사단 또는 재단(이하 '법인 등'이라 한다)
> ③ 그 밖에 다른 법령 등에 따라 권리 · 의무의 주체가 될 수 있는 자

(2) 지위의 승계(제10조)

① 당사자 등이 사망하였을 때의 상속인과 다른 법령 등에 따라 당사자 등의 권리 또는 이익을 승계한 자는 당사자 등의 지위를 승계한다.

② 당사자 등인 법인 등이 합병하였을 때에는 합병 후 존속하는 법인 등이나 합병 후 새로 설립된 법인 등이 당사자 등의 지위를 승계한다.

③ ① 및 ②에 따라 당사자 등의 지위를 승계한 자는 행정청에 그 사실을 통지하여야 한다.

④ 처분에 관한 권리 또는 이익을 사실상 양수한 자는 행정청의 승인을 받아 당사자 등의 지위를 승계할 수 있다.

⑤ ③에 따른 통지가 있을 때까지 사망자 또는 합병 전의 법인 등에 대하여 행정청이 한 통지는 ① 또는 ②에 따라 당사자 등의 지위를 승계한 자에게도 효력이 있다.

(3) 대표자(제11조)

① 다수의 당사자 등이 공동으로 행정절차에 관한 행위를 할 때에는 대표자를 선정할 수 있다.

② 행정청은 ①에 따라 당사자 등이 대표자를 선정하지 아니하거나 대표자가 지나치게 많아 행정절차가 지연될 우려가 있는 경우에는 그 이유를 들어 상당한 기간 내에 3인 이내의 대표자를 선정할 것을 요청할 수 있다. 이 경우 당사자 등이 그 요청에 따르지 아니하였을 때에는 행정청이 직접 대표자를 선정할 수 있다.

③ 당사자 등은 대표자를 변경하거나 해임할 수 있다.

④ 대표자는 각자 그를 대표자로 선정한 당사자 등을 위하여 행정절차에 관한 모든 행위를 할 수 있다. 다만, 행정절차를 끝맺는 행위에 대하여는 당사자 등의 동의를 받아야 한다.

⑤ 대표자가 있는 경우에는 당사자 등은 그 대표자를 통하여서만 행정절차에 관한 행위를 할 수 있다.

⑥ 다수의 대표자가 있는 경우 그중 1인에 대한 행정청의 행위는 모든 당사자 등에게 효력이 있다. 다만, 행정청의 통지는 대표자 모두에게 하여야 그 효력이 있다.

(4) 대리인(제12조)

① 당사자 등은 다음의 어느 하나에 해당하는 자를 대리인으로 선임할 수 있다.

> ㉠ 당사자 등의 배우자, 직계 존속·비속 또는 형제자매
> ㉡ 당사자 등이 법인 등인 경우 그 임원 또는 직원
> ㉢ 변호사
> ㉣ 행정청 또는 청문 주재자(청문의 경우만 해당한다)의 허가를 받은 자
> ㉤ 법령 등에 따라 해당 사안에 대하여 대리인이 될 수 있는 자

② 대리인에 관하여는 위 (3)의 ③, ④ 및 ⑥을 준용한다.

(5) 대표자·대리인의 통지(제13조)

① 당사자 등이 대표자 또는 대리인을 선정하거나 선임하였을 때에는 지체 없이 그 사실을 행정청에 통지하여야 한다. 대표자 또는 대리인을 변경하거나 해임하였을 때에도 또한 같다.

② ①에도 불구하고 위 (4)에 ①의 ㉣에 따라 청문 주재자가 대리인의 선임을 허가한 경우에는 청문 주재자가 그 사실을 행정청에 통지하여야 한다.

4. 송달 및 기간·기한의 특례

(1) 송달(제14조)

① 송달은 우편, 교부 또는 정보통신망 이용 등의 방법으로 하되, 송달받을 자(대표자 또는 대리인을 포함한다)의 주소·거소(居所)·영업소·사무소 또는 전자우편주소(이하 '주소 등'이라 한다)로 한다. 다만, 송달받을 자가 동의하는 경우에는 그를 만나는 장소에서 송달할 수 있다.

② 교부에 의한 송달은 수령확인서를 받고 문서를 교부함으로써 하며, 송달하는 장소에서 송달받을 자를 만나지 못한 경우에는 그 사무원·피용자(被傭者) 또는 동거인으로서 사리를 분별할 지능이 있는 사람(이하 '사무원등'이라 한다)에게 문서를 교부할 수 있다. 다만, 문서를 송달받을 자 또는 그 사무원등이 정당한 사유 없이 송달받기를 거부하는 때에는 그 사실을 수령확인서에 적고, 문서를 송달할 장소에 놓아둘 수 있다.

③ 정보통신망을 이용한 송달은 송달받을 자가 동의하는 경우에만 한다. 이 경우 송달받을 자는 송달받을 전자우편주소 등을 지정하여야 한다.

④ 다음의 어느 하나에 해당하는 경우에는 송달받을 자가 알기 쉽도록 관보, 공보, 게시판, 일간신문 중 하나 이상에 공고하고 인터넷에도 공고하여야 한다.

> ㉠ 송달받을 자의 주소등을 통상적인 방법으로 확인할 수 없는 경우
> ㉡ 송달이 불가능한 경우

⑤ 위 ④에 따른 공고를 할 때에는 민감정보 및 고유식별정보 등 송달받을 자의 개인정보를 개인정보 보호법에 따라 보호하여야 한다.

⑥ 행정청은 송달하는 문서의 명칭, 송달받는 자의 성명 또는 명칭, 발송방법 및 발송 연월일을 확인할 수 있는 기록을 보존하여야 한다.

(2) 송달의 효력 발생(제15조)

① 송달은 다른 법령 등에 특별한 규정이 있는 경우를 제외하고는 해당 문서가 송달받을 자에게 도달됨으로써 그 효력이 발생한다.

② 위 (1)의 ③에 따라 정보통신망을 이용하여 전자문서로 송달하는 경우에는 송달받을 자가 지정한 컴퓨터 등에 입력된 때에 도달된 것으로 본다.

③ 위 (1)의 ④의 경우에는 다른 법령 등에 특별한 규정이 있는 경우를 제외하고는 공고일부터 14일이 지난 때에 그 효력이 발생한다. 다만, 긴급히 시행하여야 할 특별한 사유가 있어 효력 발생 시기를 달리 정하여 공고한 경우에는 그에 따른다.

판례

1. **우편물이 등기취급의 방법으로 발송된 경우 그 무렵 수취인에게 배달되었다고 추정할 수 있는지 여부(원칙적 적극)**
   우편물이 등기취급의 방법으로 발송된 경우 그것이 도중에 유실되었거나 반송되었다는 등의 특별한 사정에 대한 반증이 없는 한 그 무렵 수취인에게 배달되었다고 추정할 수 있다(대판 2017.3.9, 2016두60577).
2. **우편물이 등기취급의 방법으로 발송된 경우 그 무렵 수취인에게 배달되었다고 볼 것인지 여부**
   우편법 등 관계 규정의 취지에 비추어 볼 때 우편물이 등기취급의 방법으로 발송된 경우 반송되는 등의 특별한 사정이 없는 한 그 무렵 수취인에게 배달되었다고 보아야 한다(대법원 1992.3.27., 선고, 91누3819, 판결).
3. **보통우편의 방법으로 우편물을 발송한 경우, 그 송달을 추정할 수 있는지 여부(소극)**
   내용증명우편이나 등기우편과는 달리, 보통우편의 방법으로 발송되었다는 사실만으로는 그 우편물이 상당기간 내에 도달하였다고 추정할 수 없고 송달의 효력을 주장하는 측에서 증거에 의하여 도달사실을 입증하여야 한다(대판 2002.7.26., 2000다25002).
4. **납세고지서의 명의인이 다른 곳으로 이사하였지만 주민등록을 옮기지 아니한 채 주민등록지로 배달되는 우편물을 새로운 거주자가 수령하여 자신에게 전달하도록 한 경우**
   납세고지서의 명의인이 다른 곳으로 이사하였지만 주민등록을 옮기지 아니한 채 주민등록지로 배달되는 우편물을 새로운 거주자가 수령하여 자신에게 전달하도록 한 경우, 그 새로운 거주자에게 우편물 수령권한을 위임한 것으로 보아 그에게 한 납세고지서의 송달이 적법하다(대판 1998.4.10, 98두1161).

(3) 기간 및 기한의 특례(제16조)

① 천재지변이나 그 밖에 당사자 등에게 책임이 없는 사유로 기간 및 기한을 지킬 수 없는 경우에는 그 사유가 끝나는 날까지 기간의 진행이 정지된다.

② 외국에 거주하거나 체류하는 자에 대한 기간 및 기한은 행정청이 그 우편이나 통신에 걸리는 일수(日數)를 고려하여 정하여야 한다.

판례

1. **공정거래위원회가 국내에 주소 · 거소 · 영업소 또는 사무소가 없는 외국사업자에 대하여 우편송달의 방법으로 문서를 송달할 수 있는지 여부(적극)**
   '독점규제 및 공정거래에 관한 법률' 제55조의2 및 이에 근거한 '공정거래위원회 회의운영 및 사건절차 등에 관한 규칙'(공정거래위원회 고시 제2001-8호) 제3조 제2항에 의하여 준용되는 구 행정절차법(2002.12.30. 법률 제6839호로 개정되기 전의 것) 제14조 제1항은 문서의 송달방법의 하나로 우편송달을 규정하고 있고, 같은 법 제16조 제2항은 외국에 거주 또는 체류하는 자에 대한 기간 및 기한은 행정청이 그 우편이나 통신에 소요되는 일수를 감안하여 정하여야 한다고 규정하고 있는 점 등에 비추어 보면, 공정거래위원회는 국내에 주소 · 거소 · 영업소 또는 사무소가 없는 외국사업자에 대하여도 우편송달의 방법으로 문서를 송달할 수 있다(대판 2006.3.24, 2004두11275).
2. **과세처분 부과고지서를 수취거절한 것을 이유로 공시송달을 할 수 있는지 여부(소극)**
   수취거절은 구 국세기본법(2002.12.18. 법률 제6782호로 개정되기 전의 것)상 유치송달의 사유가 될 수 있으나 공시송달의 사유가 될 수 없을 뿐더러(제10조 제4항, 제11조 제1항 참조), 이 사건 수취거절 당시 누가 거절하였는지 분명하지 않으며 피고가 이 사건 공시송달을 할 당시 이 사건 소송이 계속중에 있었던 만큼 원고의 주소 또는 영업소가 분명하지 아니한 경우에 해당한다고 볼 수도 없어 결국 이 사건 공시송달이 적법하다고 할 수 없다(대판 2007.3.16, 2006두16816).

02 처분

1. 서설

(1) 처분의 신청(제17조)

① 행정청에 처분을 구하는 신청은 문서(구두 ×)로 하여야 한다. 다만, 다른 법령 등에 특별한 규정이 있는 경우와 행정청이 미리 다른 방법을 정하여 공시한 경우에는 그러하지 아니하다.

② ①에 따라 처분을 신청할 때 전자문서로 하는 경우에는 행정청의 컴퓨터 등에 입력된 때에 신청한 것으로 본다.

③ 행정청은 신청에 필요한 구비서류, 접수기관, 처리기간, 그 밖에 필요한 사항을 게시(인터넷 등을 통한 게시를 포함한다)하거나 이에 대한 편람을 갖추어 두고 누구나 열람할 수 있도록 하여야 한다.

④ 행정청은 신청을 받았을 때에는 다른 법령 등에 특별한 규정이 있는 경우를 제외하고는 그 접수를 보류 또는 거부하거나 부당하게 되돌려 보내서는 아니 되며, 신청을 접수한 경우에는 신청인에게 접수증을 주어야 한다. 다만, 대통령령으로 정하는 경우에는 접수증을 주지 아니할 수 있다.

⑤ 행정청은 신청에 구비서류의 미비 등 흠이 있는 경우에는 보완에 필요한 상당한 기간을 정하여 지체 없이 신청인에게 보완을 요구하여야 한다.

⑥ 행정청은 신청인이 ⑤에 따른 기간 내에 보완을 하지 아니하였을 때에는 그 이유를 구체적으로 밝혀 접수된 신청을 되돌려 보낼 수 있다.

⑦ 행정청은 신청인의 편의를 위하여 다른 행정청에 신청을 접수하게 할 수 있다. 이 경우 행정청은 다른 행정청에 접수할 수 있는 신청의 종류를 미리 정하여 공시하여야 한다.

⑧ 신청인은 처분이 있기 전에는 그 신청의 내용을 보완 · 변경하거나 취하(取下)할 수 있다. 다만, 다른 법령 등에 특별한 규정이 있거나 그 신청의 성질상 보완 · 변경하거나 취하할 수 없는 경우에는 그러하지 아니하다.

판례

1. **행정청에 대한 신청의 의사표시의 방법**
   구 행정절차법(2002.12.30. 법률 제6839호로 개정되기 전의 것) 제17조 제3항 본문은 "행정청은 신청이 있는 때에는 다른 법령 등에 특별한 규정이 있는 경우를 제외하고는 그 접수를 보류 또는 거부하거나 부당하게 되돌려 보내서는 아니 되며, 신청을 접수한 경우에는 신청인에게 접수증을 교부하여야 한다."고 규정하고 있는바, 여기에서의 신청인의 행정청에 대한 신청의 의사표시는 명시적이고 확정적인 것이어야 한다고 할 것이므로 신청인이 신청에 앞서 행정청의 허가업무 담당자에게 신청서의 내용에 대한 검토를 요청한 것만으로는 다른 특별한 사정이 없는 한 명시적이고 확정적인 신청의 의사표시가 있었다고 하기 어렵다(대판 2004.9.24, 2003두13236).
2. **보완을 요구하지 아니한 채 곧바로 건축허가신청을 거부한 것은 재량권의 범위를 벗어난 것이라고 한 사례**
   건축불허가처분을 하면서 그 사유의 하나로 소방시설과 관련된 소방서장의 건축부동의 의견을 들고 있으나 그 보완이 가능한 경우, 보완을 요구하지 아니한 채 곧바로 건축허가신청을 거부한 것은 재량권의 범위를 벗어난 것이다(대판 2004.10.15, 2003두6573).

⑵ 다수의 행정청이 관여하는 처분(제18조)

행정청은 다수의 행정청이 관여하는 처분을 구하는 신청을 접수한 경우에는 관계 행정청과의 신속한 협조를 통하여 그 처분이 지연되지 아니하도록 하여야 한다.

⑶ 처리기간의 설정 · 공표(제19조)

① 행정청은 신청인의 편의를 위하여 처분의 처리기간을 종류별로 미리 정하여 공표하여야 한다.
② 행정청은 부득이한 사유로 ①에 따른 처리기간 내에 처분을 처리하기 곤란한 경우에는 해당 처분의 처리기간의 범위에서 한 번만 그 기간을 연장할 수 있다.
③ 행정청은 ②에 따라 처리기간을 연장할 때에는 처리기간의 연장 사유와 처리 예정 기한을 지체 없이 신청인에게 통지하여야 한다.
④ 행정청이 정당한 처리기간 내에 처리하지 아니하였을 때에는 신청인은 해당 행정청 또는 그 감독 행정청에 신속한 처리를 요청할 수 있다.
⑤ ①에 따른 처리기간에 산입하지 아니하는 기간에 관하여는 대통령령으로 정한다.

⑷ 처분기준의 설정 · 공표(제20조)

① 행정청은 필요한 처분기준을 해당 처분의 성질에 비추어 되도록 구체적으로 정하여 공표하여야 한다. 처분기준을 변경하는 경우에도 또한 같다.
② 행정기본법 제24조에 따른 인허가의제의 경우 관련 인허가 행정청은 관련 인허가의 처분기준을 주된 인허가 행정청에 제출하여야 하고, 주된 인허가 행정청은 제출받은 관련 인허가의 처분기준을 통합하여 공표하여야 한다. 처분기준을 변경하는 경우에도 또한 같다.
③ ①에 따른 처분기준을 공표하는 것이 해당 처분의 성질상 현저히 곤란하거나 공공의 안전 또는 복리를 현저히 해치는 것으로 인정될 만한 상당한 이유가 있는 경우에는 처분기준을 공표하지 아니할 수 있다.
④ 당사자 등은 공표된 처분기준이 명확하지 아니한 경우 해당 행정청에 그 해석 또는 설명을 요청할 수 있다. 이 경우 해당 행정청은 특별한 사정이 없으면 그 요청에 따라야 한다.

(5) 처분의 사전 통지(제21조)

① 행정청은 당사자에게 의무를 부과하거나 권익을 제한하는 처분을 하는 경우에는 미리 다음의 사항을 당사자 등에게 통지하여야 한다.

> ㉠ 처분의 제목
> ㉡ 당사자의 성명 또는 명칭과 주소
> ㉢ 처분하려는 원인이 되는 사실과 처분의 내용 및 법적 근거
> ㉣ ㉢에 대하여 의견을 제출할 수 있다는 뜻과 의견을 제출하지 아니하는 경우의 처리방법
> ㉤ 의견제출기관의 명칭과 주소
> ㉥ 의견제출기한
> ㉦ 그 밖에 필요한 사항

② 행정청은 청문을 하려면 청문이 시작되는 날부터 10일 전까지 위 ①의 각 사항을 당사자 등에게 통지하여야 한다. 이 경우 위 ①의 ㉣부터 ㉥까지의 사항은 청문 주재자의 소속·직위 및 성명, 청문의 일시 및 장소, 청문에 응하지 아니하는 경우의 처리방법 등 청문에 필요한 사항으로 갈음한다.

③ 위 ①의 ㉥에 따른 기한은 의견제출에 필요한 기간을 10일 이상으로 고려하여 정하여야 한다.

④ 다음의 어느 하나에 해당하는 경우에는 ①에 따른 통지를 하지 아니할 수 있다.

> ㉠ 공공의 안전 또는 복리를 위하여 긴급히 처분을 할 필요가 있는 경우
> ㉡ 법령 등에서 요구된 자격이 없거나 없어지게 되면 반드시 일정한 처분을 하여야 하는 경우에 그 자격이 없거나 없어지게 된 사실이 법원의 재판 등에 의하여 객관적으로 증명된 경우
> ㉢ 해당 처분의 성질상 의견청취가 현저히 곤란하거나 명백히 불필요하다고 인정될 만한 상당한 이유가 있는 경우

⑤ 처분의 전제가 되는 사실이 법원의 재판 등에 의하여 객관적으로 증명된 경우 등 ④에 따른 사전 통지를 하지 아니할 수 있는 구체적인 사항은 대통령령으로 정한다.

⑥ ④에 따라 사전 통지를 하지 아니하는 경우 행정청은 처분을 할 때 당사자 등에게 통지를 하지 아니한 사유를 알려야 한다. 다만, 신속한 처분이 필요한 경우에는 처분 후 그 사유를 알릴 수 있다.

⑦ ⑥에 따라 당사자 등에게 알리는 경우에는 제24조를 준용한다.

판례

1. 행정청이 구 식품위생법상의 영업자지위승계신고 수리처분을 하는 경우, 종전의 영업자가 행정절차법 제2조 제4호 소정의 '당사자'에 해당하는지 여부(적극) 및 수리처분시 종전의 영업자에게 행정절차법 소정의 행정절차를 실시하여야 하는지 여부(적극)

행정절차법 제21조 제1항, 제22조 제3항 및 제2조 제4호의 각 규정에 의하면, 행정청이 당사자에게 의무를 과하거나 권익을 제한하는 처분을 함에 있어서는 당사자 등에게 처분의 사전통지를 하고 의견제출의 기회를 주어야 하며, 여기서 당사자라 함은 행정청의 처분에 대하여 직접 그 상대가 되는 자를 의미한다 할 것이고, 한편 구 식품위생법(2002.1.26. 법률 제6627호로 개정되기 전의 것) 제25조 제2항, 제3항의 각 규정에 의하면, 지방세법에 의한 압류재산 매각절차에 따라 영업시설의 전부를 인수함으로써 그 영업자의 지위를 승계한 자가 관계 행정청에 이를 신고하여 행정청이 이를 수리하는 경우에는 종전의 영업자에 대한 영업허가 등은 그 효력을 잃는다 할 것인데, 위 규정들을 종합하면 위 행정청이 구 식품위생법 규정에 의하여 영업자지위승계신고를 수리하는 처분은 종전의 영업자의 권익을 제한하는 처분이라 할 것이고 따라서 종전의 영업자는 그 처분에 대하여 직접 그 상대가 되는 자에 해당한다고 봄이 상당하므로, 행정청으로서는 위 신고를 수리하는 처분을 함에 있어서 행정절차법 규정 소정의 당사자에 해당하는 종전의 영업자에 대하여 위 규정 소정의 행정절차를 실시하고 처분을 하여야 한다(대판 2003.2.14, 2001두7015).

2. **행정청이 구 관광진흥법 또는 구 체육시설의 설치 · 이용에 관한 법률의 규정에 의하여 유원시설업자 또는 체육시설업자 지위승계신고를 수리하는 처분을 하는 경우, 종전 유원시설업자 또는 체육시설업자에 대하여 행정절차법 제21조 제1항 등에서 정한 처분의 사전통지 등 절차를 거쳐야 하는지 여부(적극)**
행정절차법 제21조 제1항, 제22조 제3항 및 제2조 제4호의 각 규정에 의하면, 행정청이 당사자에게 의무를 과하거나 권익을 제한하는 처분을 할 때에는 당사자 등에게 처분의 사전통지를 하고 의견제출의 기회를 주어야 하며, 여기서 당사자란 행정청의 처분에 대하여 직접 그 상대가 되는 자를 의미한다. 한편 구 관광진흥법(2010.3.31. 법률 제10219호로 개정되기 전의 것, 이하 같다) 제8조 제2항, 제4항, 구 체육시설의 설치 · 이용에 관한 법률(2010.3.31. 법률 제10219호로 개정되기 전의 것, 이하 '구 체육시설법'이라 한다) 제27조 제2항, 제20조의 각 규정에 의하면, 공매 등의 절차에 따라 문화체육관광부령으로 정하는 주요한 유원시설업 시설의 전부 또는 체육시설업의 시설 기준에 따른 필수시설을 인수함으로써 유원시설업자 또는 체육시설업자의 지위를 승계한 자가 관계 행정청에 이를 신고하여 행정청이 수리하는 경우에는 종전 유원시설업자에 대한 허가는 효력을 잃고, 종전 체육시설업자는 적법한 신고를 마친 체육시설업자의 지위를 부인당할 불안정한 상태에 놓이게 된다. 따라서 행정청이 구 관광진흥법 또는 구 체육시설법의 규정에 의하여 유원시설업자 또는 체육시설업자 지위승계신고를 수리하는 처분은 종전 유원시설업자 또는 체육시설업자의 권익을 제한하는 처분이고, 종전 유원시설업자 또는 체육시설업자는 그 처분에 대하여 직접 그 상대가 되는 자에 해당한다고 보는 것이 타당하므로, 행정청이 그 신고를 수리하는 처분을 할 때에는 행정절차법 규정에서 정한 당사자에 해당하는 종전 유원시설업자 또는 체육시설업자에 대하여 위 규정에서 정한 행정절차를 실시하고 처분을 하여야 한다(대판 2012.12.13, 2011두29144).

3. **행정청이 침해적 행정처분을 하면서 당사자에게 구 행정절차법에서 정한 사전통지를 하거나 의견제출의 기회를 주지 않은 경우, 처분의 적법 여부(원칙적 소극)**
구 행정절차법(2012.10.22. 법률 제11498호로 개정되기 전의 것) 제21조 제1항, 제4항, 제22조에 의하면, 행정청이 당사자에게 의무를 과하거나 권익을 제한하는 처분을 하는 경우에는 미리 처분하고자 하는 원인이 되는 사실과 처분의 내용 및 법적 근거, 이에 대하여 의견을 제출할 수 있다는 뜻과 의견을 제출하지 아니하는 경우의 처리방법 등의 사항을 당사자 등에게 통지해야 하고, 다른 법령 등에서 필수적으로 청문을 실시하거나 공청회를 개최하도록 규정하고 있지 아니한 경우에도 당사자 등에게 의견제출의 기회를 주어야 하되, '당해 처분의 성질상 의견청취가 현저히 곤란하거나 명백히 불필요하다고 인정될 만한 상당한 이유가 있는 경우' 등에는 처분의 사전통지나 의견청취를 아니 할 수 있도록 규정하고 있다. 따라서 행정청이 침해적 행정처분을 하면서 당사자에게 위와 같은 사전통지를 하거나 의견제출의 기회를 주지 않았다면, 사전통지를 하지 않거나 의견제출의 기회를 주지 않아도 되는 예외적인 경우에 해당하지 않는 한, 그 처분은 위법하여 취소를 면할 수 없다(대판 2013.1.16, 2011두30687).

4. **특별한 사정이 없는 한, 신청에 대한 거부처분이 행정절차법 제21조 제1항 소정의 처분의 사전통지대상이 되는지 여부(소극)**
행정절차법 제21조 제1항은 행정청은 당사자에게 의무를 과하거나 권익을 제한하는 처분을 하는 경우에는 미리 처분의 제목, 당사자의 성명 또는 명칭과 주소, 처분하고자 하는 원인이 되는 사실과 처분의 내용 및 법적 근거, 그에 대하여 의견을 제출할 수 있다는 뜻과 의견을 제출하지 아니하는 경우의 처리방법, 의견제출기관의 명칭과 주소, 의견제출기한 등을 당사자 등에게 통지하도록 하고 있는바, 신청에 따른 처분이 이루어지지 아니한 경우에는 아직 당사자에게 권익이 부과되지 아니하였으므로 특별한 사정이 없는 한 신청에 대한 거부처분이라고 하더라도 직접 당사자의 권익을 제한하는 것은 아니어서 신청에 대한 거부처분을 여기에서 말하는 '당사자의 권익을 제한하는 처분'에 해당한다고 할 수 없는 것이어서 처분의 사전통지대상이 된다고 할 수 없다(대판 2003.11.28, 2003두674).

5. **침해적 행정처분을 할 경우 청문을 실시하지 않을 수 있는 사유인 행정절차법 제21조 제4항 제3호 소정의 '의견청취가 현저히 곤란하거나 명백히 불필요하다고 인정될 만한 상당한 이유가 있는지 여부'의 판단 기준 및 행정처분의 상대방에 대한 청문통지서가 반송되었다거나, 행정처분의 상대방이 청문일시에 불출석하였다는 이유로 청문을 실시하지 아니하고 한 침해적 행정처분의 적법 여부(소극)**
행정절차법 제21조 제4항 제3호는 침해적 행정처분을 할 경우 청문을 실시하지 않을 수 있는 사유로서 '당해 처분의 성질상 의견청취가 현저히 곤란하거나 명백히 불필요하다고 인정될 만한 상당한 이유가 있는 경우'를 규정하고 있으나, 여기에서 말하는 '의견청취가 현저히 곤란하거나 명백히 불필요하다고 인정될 만한 상당한 이유가 있는지 여부'는 당해 행정처분의 성질에 비추어 판단하여야 하는 것이지, 청문통지서의 반송 여부, 청문통지의 방법 등에 의하여 판단할 것은 아니며, 또한 행정처분의 상대방이 통지된 청문일시에 불출석하였다는 이유만으로 행정청이 관계 법령상 그 실시가 요구되는 청문을 실시하지 아니한 채 침해적 행정처분을 할 수는 없을 것이므로, 행정처분의 상대방에 대한 청문통지서가 반송되었다거나,

> 행정처분의 상대방이 청문일시에 불출석하였다는 이유로 청문을 실시하지 아니하고 한 침해적 행정처분은 위법하다(대판 2001.4.13, 2000두3337).

(6) 의견청취(제22조)

① 행정청이 처분을 할 때 다음의 어느 하나에 해당하는 경우에는 청문을 한다.

> ㉠ 다른 법령 등에서 청문을 하도록 규정하고 있는 경우
> ㉡ 행정청이 필요하다고 인정하는 경우
> ㉢ 다음의 처분을 하는 경우
> ⓐ 인허가 등의 취소
> ⓑ 신분·자격의 박탈
> ⓒ 법인이나 조합 등의 설립허가의 취소

② 행정청이 처분을 할 때 다음의 어느 하나에 해당하는 경우에는 공청회를 개최한다.

> ㉠ 다른 법령 등에서 공청회를 개최하도록 규정하고 있는 경우
> ㉡ 해당 처분의 영향이 광범위하여 널리 의견을 수렴할 필요가 있다고 행정청이 인정하는 경우
> ㉢ 국민생활에 큰 영향을 미치는 처분으로서 대통령령으로 정하는 처분에 대하여 대통령령으로 정하는 수(30명) 이상의 당사자 등이 공청회 개최를 요구하는 경우

③ 행정청이 당사자에게 의무를 부과하거나 권익을 제한하는 처분을 할 때 위 ① 또는 ②의 경우 외에는 당사자 등에게 의견제출의 기회를 주어야 한다.

④ ①부터 ③까지의 규정에도 불구하고 제21조 제4항 각 호의 어느 하나에 해당하는 경우와 당사자가 의견진술의 기회를 포기한다는 뜻을 명백히 표시한 경우에는 의견청취를 하지 아니할 수 있다.

> **판례** **행정청이 당사자와 사이에 도시계획사업의 시행과 관련한 협약을 체결하면서 관계 법령 및 행정절차법에 규정된 청문의 실시 등 의견청취절차를 배제하는 조항을 둔 경우, 청문의 실시에 관한 규정의 적용이 배제되거나 청문을 실시하지 않아도 되는 예외적인 경우에 해당하는지 여부(소극)**
> 행정청이 당사자와 사이에 도시계획사업의 시행과 관련한 협약을 체결하면서 관계 법령 및 행정절차법에 규정된 청문의 실시 등 의견청취절차를 배제하는 조항을 두었다고 하더라도, 국민의 행정참여를 도모함으로써 행정의 공정성·투명성 및 신뢰성을 확보하고 국민의 권익을 보호한다는 행정절차법의 목적 및 청문제도의 취지 등에 비추어 볼 때, 위와 같은 협약의 체결로 청문의 실시에 관한 규정의 적용을 배제할 수 있다고 볼 만한 법령상의 규정이 없는 한, 이러한 협약이 체결되었다고 하여 청문의 실시에 관한 규정의 적용이 배제된다거나 청문을 실시하지 않아도 되는 예외적인 경우에 해당한다고 할 수 없다(대판 2004.7.8, 2002두8350).

⑤ 행정청은 청문·공청회 또는 의견제출을 거쳤을 때에는 신속히 처분하여 해당 처분이 지연되지 아니하도록 하여야 한다.

⑥ 행정청은 처분 후 1년 이내에 당사자 등이 요청하는 경우에는 청문·공청회 또는 의견제출을 위하여 제출받은 서류나 그 밖의 물건을 반환하여야 한다.

(7) 처분의 이유 제시(제23조)

① 행정청은 처분을 할 때에는 다음의 어느 하나에 해당하는 경우를 제외하고는 당사자에게 그 근거와 이유를 제시하여야 한다.

> ㉠ 신청 내용을 모두 그대로 인정하는 처분인 경우
> ㉡ 단순·반복적인 처분 또는 경미한 처분으로서 당사자가 그 이유를 명백히 알 수 있는 경우
> ㉢ 긴급히 처분을 할 필요가 있는 경우

② 행정청은 위 ①의 ㉡ 및 ㉢의 경우에 처분 후 당사자가 요청하는 경우에는 그 근거와 이유를 제시하여야 한다.

판례

1. 의원면직처분을 하는 경우에도 구 국가공무원법(1981.4.20 법률 제3447호로 개정되기 전의 것) 제75조 소정의 사유설명서를 교부하여야 하는지 여부
구 국가공무원법(1981.4.20. 법률 제3447호로 개정되기 전의 것) 제75조, 구 경찰공무원법(1982.12.31. 법률 제3606호로 개정되기 전의 것) 제58조 규정에서 징계처분 등을 행할 때 그 상대방에게 사유설명서를 교부토록한 것은 상대방에게 그 처분을 받게 된 경위를 알도록 함으로써 그에 대한 불복의 기회를 보장함과 아울러 임용권자의 자의를 배제하여 처분의 적법성을 보장하기 위한데 있는 것이므로 상대방의 의사에 기한 의원면직처분과 같은 경우에는 위 법에 따른 처분사유설명서가 요구되는 것은 아니다(대판 1986.7.22. 86누43).

2. 주류도매업면허의 취소처분에 그 대상이 된 위반사실을 특정하지 아니하여 위법하다고 본 사례
면허의 취소처분에는 그 근거가 되는 법령이나 취소권 유보의 부관 등을 명시하여야 함은 물론 처분을 받은 자가 어떠한 위반사실에 대하여 당해 처분이 있었는지를 알 수 있을 정도로 사실을 적시할 것을 요하며 이와 같은 취소처분의 근거와 위반사실의 적시를 빠뜨린 하자는 피처분자가 처분 당시 그 취지를 알고 있었다거나 그 후 알게 되었다 하여도 치유될 수 없다고 할 것이다(대판 1990.9.11. 90누1786).

3. 행정처분의 근거 및 이유제시의 정도
행정절차법 제23조 제1항은 행정청은 처분을 하는 때에는 당사자에게 그 근거와 이유를 제시하여야 한다고 규정하고 있는 바, 일반적으로 당사자가 근거규정 등을 명시하여 신청하는 인·허가 등을 거부하는 처분을 함에 있어 당사자가 그 근거를 알 수 있을 정도로 상당한 이유를 제시한 경우에는 당해 처분의 근거 및 이유를 구체적 조항 및 내용까지 명시하지 않았더라도 그로 말미암아 그 처분이 위법한 것이 된다고 할 수 없다(대판 2002.5.17. 2000두8912).

4. 납세고지서에 세액산출근거의 기재가 누락된 과세처분의 효력
국세를 징수함에 있어 과세표준과 세율, 세액 기타 필요한 사항을 납세고지서에 기재하여 서면으로 통지하도록 한 세법상의 제규정들은 헌법과 국세기본법이 규정하는 조세법률주의의 대원칙에 따라 처분청으로 하여금 자의를 배제하고 신중하고도 합리적인 처분을 행하게 함으로써 조세행정의 공정성을 기함과 동시에 납세의무자에게 부과처분의 내용을 상세하게 알려서 불복 여부의 결정 및 그 불복신청에 편의를 주려는 취지에서 나온 것으로 엄격히 해석 적용되어야 할 강행규정이라고 할 것이며, 납세고지서에 그와 같은 세액산출근거의 기재가 누락되었다면 과세처분 자체가 위법한 것으로 취소의 대상이 된다(대판 1985.12.10. 84누243).

5. 납세고지서 작성과 관련한 하자로 과세처분이 당연무효로 되는지 여부(소극)
지방세법 제1조 제1항 제5호, 제25조 제1항, 지방세법 시행령 제8조 등 납세고지서에 관한 법령 규정들은 강행규정으로서 이들 법령이 요구하는 기재사항 중 일부를 누락시킨 하자가 있는 경우 이로써 그 부과처분은 위법하게 되지만, 이러한 납세고지서 작성과 관련한 하자는 그 고지서가 납세의무자에게 송달된 이상 과세처분의 본질적 요소를 이루는 것은 아니어서 과세처분의 취소사유가 됨은 별론으로 하고 당연무효의 사유로는 되지 아니한다(대판 1998.6.26. 96누12634).

CHAPTER 06

6. 폐기물처리업 허가와 관련된 사업계획 적정 여부에 관한 기준설정이 행정청의 재량에 속하는지 여부(적극) 및 구체적이고 합리적인 이유의 제시 없이 사업계획의 부적정 통보를 하거나 사업계획서를 반려하는 경우가 재량권의 일탈 · 남용에 해당하여 위법한지 여부(적극)

폐기물처리업 허가와 관련된 법령들의 체제 또는 문언을 살펴보면 이들 규정들은 폐기물처리업 허가를 받기 위한 최소한도의 요건을 규정해 두고는 있으나, 사업계획 적정 여부에 대하여는 일률적으로 확정하여 규정하는 형식을 취하지 아니하여 그 사업의 적정 여부에 대하여 재량의 여지를 남겨 두고 있다 할 것이고, 이러한 경우 사업계획 적정 여부 통보를 위하여 필요한 기준을 정하는 것도 역시 행정청의 재량에 속하는 것이므로, 그 설정된 기준이 객관적으로 합리적이 아니라거나 타당하지 않다고 볼 만한 다른 특별한 사정이 없는 이상 행정청의 의사는 가능한 한 존중되어야 할 것이나, 그 설정된 기준이 객관적으로 합리적이 아니라거나 타당하지 않다고 보이는 경우 또는 그러한 기준을 설정하지 않은 채 구체적이고 합리적인 이유의 제시 없이 사업계획의 부적정 통보를 하거나 사업계획서를 반려하는 경우에까지 단지 행정청의 재량에 속하는 사항이라는 이유만으로 그 행정청의 의사를 존중하여야 하는 것은 아니고, 이러한 경우의 처분은 재량권을 남용하거나 그 범위를 일탈한 조치로서 위법하다(대판 2004.5.28, 2004두961).

7. 시설 종목마다 각각 다른 공동시설세 세율 중 구 지방세법 제240조 제1항 제1호, 제2호에 정한 '소방시설에 요하는 공동시설세'의 세율은 납세고지서에 상세히 기재하였으나 시설 종목을 표시하는 세목은 기재하지 않은 경우, 공동시설세 부과처분이 위법한지 여부(소극)

피고가 시설 종목마다 각각 다른 공동시설세 세율 중 구 지방세법 제240조 제1항 제1호, 제2호 소정의 '소방시설에 요하는 공동시설세'의 세율을 납세고지서에 상세히 기재한 이상 납세고지서에 시설 종목을 표시하는 세목이 기재되어 있지 아니하였더라도 이 사건 공동시설세 부과처분은 적법하다(대판 2008.11.13, 2007두160).

8. 세액산출근거가 누락된 납세고지서에 의한 하자있는 과세처분의 치유요건

과세처분시 납세고지서에 과세표준, 세율, 세액의 산출근거 등이 누락된 경우(이유제시의 하자)에는 늦어도 과세처분에 대한 불복여부의 결정 및 불복신청에 편의를 줄 수 있는 상당한 기간 내에 보정행위를 하여야 그 하자가 치유된다 할 것이므로, 과세처분이 있은지 4년이 지나서 그 취소소송이 제기된 때에 보정된 납세고지서를 송달하였다는 사실이나 오랜 기간(4년)의 경과로써 과세처분의 하자가 치유되었다고 볼 수는 없다(대판 1983.7.26, 82누420).

(8) 처분의 방식(제24조)

① 행정청이 처분을 할 때에는 다른 법령 등에 특별한 규정이 있는 경우를 제외하고는 문서로 하여야 하며, 다음의 어느 하나에 해당하는 경우에는 전자문서로 할 수 있다.

㉠ 당사자 등의 동의가 있는 경우
㉡ 당사자가 전자문서로 처분을 신청한 경우

② ①에도 불구하고 공공의 안전 또는 복리를 위하여 긴급히 처분을 할 필요가 있거나 사안이 경미한 경우에는 말, 전화, 휴대전화를 이용한 문자 전송, 팩스 또는 전자우편 등 문서가 아닌 방법으로 처분을 할 수 있다. 이 경우 당사자가 요청하면 지체 없이 처분에 관한 문서를 주어야 한다.

③ 처분을 하는 문서에는 그 처분 행정청과 담당자의 소속 · 성명 및 연락처(전화번호, 팩스번호, 전자우편주소 등을 말한다)를 적어야 한다.

판례

1. 행정처분의 처분 방식에 관한 행정절차법 제24조 제1항을 위반한 처분이 무효인지 여부(적극)

행정절차에 관한 일반법인 행정절차법은 제24조 제1항에서 "행정청이 처분을 할 때에는 다른 법령 등에 특별한 규정이 있는 경우를 제외하고는 문서로 하여야 하며, 전자문서로 하는 경우에는 당사자 등의 동의가 있어야 한다. 다만 신속히 처리할 필요가 있거나 사안이 경미한 경우에는 말 또는 그 밖의 방법으로 할 수 있다."라고 정하고 있다. 이 규정은 처분내용의 명확성을 확보하고 처분의 존부에 관한 다툼을 방지하여 처분상대방의 권익을 보호하기 위한 것이므로, 이를 위반한 처분은 하자가 중대·명백하여 무효이다(대법원 2019.7.11., 선고, 2017두38874, 판결).

2. 행정처분을 하는 문서의 문언만으로 행정처분의 내용이 분명한 경우, 그 문언과 달리 다른 행정처분까지 포함되어 있다고 해석할 수 있는지 여부(소극)

행정절차법 제24조 제1항이 행정청이 처분을 하는 때에는 다른 법령 등에 특별한 규정이 있는 경우를 제외하고는 문서로 하도록 규정한 것은 처분내용의 명확성을 확보하고 처분의 존부에 관한 다툼을 방지하기 위한 것이라 할 것인바, 그와 같은 행정절차법의 규정 취지를 감안하여 보면, 행정청이 문서에 의하여 처분을 한 경우 그 처분서의 문언이 불분명하다는 등의 특별한 사정이 없는 한, 그 문언에 따라 어떤 처분을 하였는지 여부를 확정하여야 할 것이고, 처분서의 문언만으로도 행정청이 어떤 처분을 하였는지가 분명함에도 불구하고 처분경위나 처분 이후의 상대방의 태도 등 다른 사정을 고려하여 처분서의 문언과는 달리 다른 처분까지 포함되어 있는 것으로 확대해석하여서는 아니 된다(대법원 2005.7.28., 선고, 2003두469, 판결).

(9) 처분의 정정(제25조)

행정청은 처분에 오기(誤記), 오산(誤算) 또는 그 밖에 이에 준하는 명백한 잘못이 있을 때에는 직권으로 또는 신청에 따라 지체 없이 정정하고 그 사실을 당사자에게 통지하여야 한다.

(10) 고지(제26조)

행정청이 처분을 할 때에는 당사자에게 그 처분에 관하여 행정심판 및 행정소송을 제기할 수 있는지 여부, 그 밖에 불복을 할 수 있는지 여부, 청구절차 및 청구기간, 그 밖에 필요한 사항을 알려야 한다.

2. 의견제출 및 청문

(1) 의견제출(제27조)

① 당사자 등은 처분 전에 그 처분의 관할 행정청에 서면이나 말로 또는 정보통신망을 이용하여 의견제출을 할 수 있다.

② 당사자 등은 ①에 따라 의견제출을 하는 경우 그 주장을 입증하기 위한 증거자료 등을 첨부할 수 있다.

③ 행정청은 당사자 등이 말로 의견제출을 하였을 때에는 서면으로 그 진술의 요지와 진술자를 기록하여야 한다.

④ 당사자 등이 정당한 이유 없이 의견제출기한까지 의견제출을 하지 아니한 경우에는 의견이 없는 것으로 본다.

(2) 제출 의견의 반영 등(제27조의2)

① 행정청은 처분을 할 때에 당사자 등이 제출한 의견이 상당한 이유가 있다고 인정하는 경우에는 이를 반영하여야 한다.

② 행정청은 당사자 등이 제출한 의견을 반영하지 아니하고 처분을 한 경우 당사자 등이 처분이 있음을 안 날부터 90일 이내에 그 이유의 설명을 요청하면 서면으로 그 이유를 알려야 한다. 다만, 당사자 등이 동의하면 말, 정보통신망 또는 그 밖의 방법으로 알릴 수 있다.

(3) 청문 주재자(제28조)

① 행정청은 소속 직원 또는 대통령령으로 정하는 자격을 가진 사람 중에서 청문 주재자를 공정하게 선정하여야 한다.

② 행정청은 다음의 어느 하나에 해당하는 처분을 하려는 경우에는 청문 주재자를 2명 이상으로 선정할 수 있다. 이 경우 선정된 청문 주재자 중 1명이 청문 주재자를 대표한다.

㉠ 다수 국민의 이해가 상충되는 처분
㉡ 다수 국민에게 불편이나 부담을 주는 처분
㉢ 그 밖에 전문적이고 공정한 청문을 위하여 행정청이 청문 주재자를 2명 이상으로 선정할 필요가 있다고 인정하는 처분

③ 행정청은 청문이 시작되는 날부터 7일 전까지 청문 주재자에게 청문과 관련한 필요한 자료를 미리 통지하여야 한다.

④ 청문 주재자는 독립하여 공정하게 직무를 수행하며, 그 직무 수행을 이유로 본인의 의사에 반하여 신분상 어떠한 불이익도 받지 아니한다.

⑤ ①에 따라 대통령령으로 정하는 사람 중에서 선정된 청문 주재자는 형법이나 그 밖의 다른 법률에 따른 벌칙을 적용할 때에는 공무원으로 본다.

(4) 청문 주재자의 제척 · 기피 · 회피(제29조)

① 청문 주재자가 다음의 어느 하나에 해당하는 경우에는 청문을 주재할 수 없다.

㉠ 자신이 당사자 등이거나 당사자 등과 민법 제777조 각 호의 어느 하나에 해당하는 친족관계에 있거나 있었던 경우
㉡ 자신이 해당 처분과 관련하여 증언이나 감정(鑑定)을 한 경우
㉢ 자신이 해당 처분의 당사자 등의 대리인으로 관여하거나 관여하였던 경우
㉣ 자신이 해당 처분업무를 직접 처리하거나 처리하였던 경우
㉤ 자신이 해당 처분업무를 처리하는 부서에 근무하는 경우. 이 경우 부서의 구체적인 범위는 대통령령으로 정한다.

② 청문 주재자에게 공정한 청문 진행을 할 수 없는 사정이 있는 경우 당사자 등은 행정청에 기피신청을 할 수 있다. 이 경우 행정청은 청문을 정지하고 그 신청이 이유가 있다고 인정할 때에는 해당 청문 주재자를 지체 없이 교체하여야 한다.

③ 청문 주재자는 ① 또는 ②의 사유에 해당하는 경우에는 행정청의 승인을 받아 스스로 청문의 주재를 회피할 수 있다.

(5) 청문의 공개(제30조)

청문은 당사자가 공개를 신청하거나 청문 주재자가 필요하다고 인정하는 경우 공개할 수 있다. 다만, 공익 또는 제3자의 정당한 이익을 현저히 해칠 우려가 있는 경우에는 공개하여서는 아니 된다.

(6) 청문의 진행(제31조)

① 청문 주재자가 청문을 시작할 때에는 먼저 예정된 처분의 내용, 그 원인이 되는 사실 및 법적 근거 등을 설명하여야 한다.

② 당사자 등은 의견을 진술하고 증거를 제출할 수 있으며, 참고인이나 감정인 등에게 질문할 수 있다.

③ 당사자 등이 의견서를 제출한 경우에는 그 내용을 출석하여 진술한 것으로 본다.

④ 청문 주재자는 청문의 신속한 진행과 질서유지를 위하여 필요한 조치를 할 수 있다.

⑤ 청문을 계속할 경우에는 행정청은 당사자 등에게 다음 청문의 일시 및 장소를 서면으로 통지하여야 하며, 당사자 등이 동의하는 경우에는 전자문서로 통지할 수 있다. 다만, 청문에 출석한 당사자 등에게는 그 청문일에 청문 주재자가 말로 통지할 수 있다.

(7) 청문의 병합 · 분리(제32조)

행정청은 직권으로 또는 당사자의 신청에 따라 여러 개의 사안을 병합하거나 분리하여 청문을 할 수 있다.

(8) 증거조사(제33조)

① 청문 주재자는 직권으로 또는 당사자의 신청에 따라 필요한 조사를 할 수 있으며, 당사자 등이 주장하지 아니한 사실에 대하여도 조사할 수 있다.

② 증거조사는 다음의 어느 하나에 해당하는 방법으로 한다.

> ㉠ 문서 · 장부 · 물건 등 증거자료의 수집
> ㉡ 참고인 · 감정인 등에 대한 질문
> ㉢ 검증 또는 감정 · 평가
> ㉣ 그 밖에 필요한 조사

③ 청문 주재자는 필요하다고 인정할 때에는 관계 행정청에 필요한 문서의 제출 또는 의견의 진술을 요구할 수 있다. 이 경우 관계 행정청은 직무 수행에 특별한 지장이 없으면 그 요구에 따라야 한다.

(9) 청문조서(제34조)

① 청문 주재자는 다음의 사항이 적힌 청문조서(聽聞調書)를 작성하여야 한다.

> ㉠ 제목
> ㉡ 청문 주재자의 소속, 성명 등 인적사항
> ㉢ 당사자 등의 주소, 성명 또는 명칭 및 출석 여부
> ㉣ 청문의 일시 및 장소
> ㉤ 당사자 등의 진술의 요지 및 제출된 증거
> ㉥ 청문의 공개 여부 및 공개하거나 제30조 단서에 따라 공개하지 아니한 이유
> ㉦ 증거조사를 한 경우에는 그 요지 및 첨부된 증거
> ㉧ 그 밖에 필요한 사항

② 당사자 등은 청문조서의 내용을 열람 · 확인할 수 있으며, 이의가 있을 때에는 그 정정을 요구할 수 있다.

(10) 청문 주재자의 의견서(제34조의2)

청문 주재자는 다음의 사항이 적힌 청문 주재자의 의견서를 작성하여야 한다.

> ① 청문의 제목
> ② 처분의 내용, 주요 사실 또는 증거
> ③ 종합의견
> ④ 그 밖에 필요한 사항

(11) 청문의 종결(제35조)

① 청문 주재자는 해당 사안에 대하여 당사자 등의 의견진술, 증거조사가 충분히 이루어졌다고 인정하는 경우에는 청문을 마칠 수 있다.

② 청문 주재자는 당사자 등의 전부 또는 일부가 정당한 사유 없이 청문기일에 출석하지 아니하거나 제31조 제3항에 따른 의견서를 제출하지 아니한 경우에는 이들에게 다시 의견진술 및 증거제출의 기회를 주지 아니하고 청문을 마칠 수 있다.

③ 청문 주재자는 당사자 등의 전부 또는 일부가 정당한 사유로 청문기일에 출석하지 못하거나 제31조 제3항에 따른 의견서를 제출하지 못한 경우에는 10일 이상의 기간을 정하여 이들에게 의견진술 및 증거제출을 요구하여야 하며, 해당 기간이 지났을 때에 청문을 마칠 수 있다.

④ 청문 주재자는 청문을 마쳤을 때에는 청문조서, 청문 주재자의 의견서, 그 밖의 관계 서류 등을 행정청에 지체 없이 제출하여야 한다.

⑿ 청문결과의 반영(제35조의2)

행정청은 처분을 할 때에 제35조 제4항에 따라 받은 청문조서, 청문 주재자의 의견서, 그 밖의 관계 서류 등을 충분히 검토하고 상당한 이유가 있다고 인정하는 경우에는 청문결과를 반영하여야 한다.

⒀ 청문의 재개(제36조)

행정청은 청문을 마친 후 처분을 할 때까지 새로운 사정이 발견되어 청문을 재개(再開)할 필요가 있다고 인정할 때에는 제35조 제4항에 따라 받은 청문조서 등을 되돌려 보내고 청문의 재개를 명할 수 있다. 이 경우 제31조 제5항을 준용한다.

⒁ 문서의 열람 및 비밀유지(제37조)

① 당사자 등은 의견제출의 경우에는 처분의 사전 통지가 있는 날부터 의견제출기한까지, 청문의 경우에는 청문의 통지가 있는 날부터 청문이 끝날 때까지 행정청에 해당 사안의 조사결과에 관한 문서와 그 밖에 해당 처분과 관련되는 문서의 열람 또는 복사를 요청할 수 있다. 이 경우 행정청은 다른 법령에 따라 공개가 제한되는 경우를 제외하고는 그 요청을 거부할 수 없다.

② 행정청은 ①의 열람 또는 복사의 요청에 따르는 경우 그 일시 및 장소를 지정할 수 있다.

③ 행정청은 ① 후단에 따라 열람 또는 복사의 요청을 거부하는 경우에는 그 이유를 소명(疎明)하여야 한다.

④ ①에 따라 열람 또는 복사를 요청할 수 있는 문서의 범위는 대통령령으로 정한다.

⑤ 행정청은 ①에 따른 복사에 드는 비용을 복사를 요청한 자에게 부담시킬 수 있다.

⑥ 누구든지 의견제출 또는 청문을 통하여 알게 된 사생활이나 경영상 또는 거래상의 비밀을 정당한 이유 없이 누설하거나 다른 목적으로 사용하여서는 아니 된다.

3. 공청회

⑴ 공청회 개최의 알림(제38조)

① 행정청은 공청회를 개최하려는 경우에는 공청회 개최 14일 전까지 다음의 사항을 당사자 등에게 통지하고 관보, 공보, 인터넷 홈페이지 또는 일간신문 등에 공고하는 등의 방법으로 널리 알려야 한다. 다만, 공청회 개최를 알린 후 예정대로 개최하지 못하여 새로 일시 및 장소 등을 정한 경우에는 공청회 개최 7일 전까지 알려야 한다.

㉠ 제목
㉡ 일시 및 장소
㉢ 주요 내용
㉣ 발표자에 관한 사항
㉤ 발표신청 방법 및 신청기한
㉥ 정보통신망을 통한 의견제출
㉦ 그 밖에 공청회 개최에 필요한 사항

② 관련 판례

> **판례 묘지공원과 화장장의 후보지를 선정하는 과정에서 추모공원건립추진협의회가 후보지 주민들의 의견을 청취하기 위하여 그 명의로 개최한 공청회는 행정절차법에서 정한 절차를 준수하여야 하는 것은 아니라고 한 사례**
> 묘지공원과 화장장의 후보지를 선정하는 과정에서 서울특별시, 비영리법인, 일반 기업 등이 공동발족한 협의체인 추모공원건립추진협의회가 후보지 주민들의 의견을 청취하기 위하여 그 명의로 개최한 공청회는 행정청이 도시계획시설결정을 하면서 개최한 공청회가 아니므로, 위 공청회의 개최에 관하여 행정절차법에서 정한 절차를 준수하여야 하는 것은 아니다(대판 2007.4.12, 2005두1893).

(2) 온라인공청회(제38조의2)

① 행정청은 제38조에 따른 공청회와 병행하여서만 정보통신망을 이용한 공청회(이하 '온라인공청회'라 한다)를 실시할 수 있다.

② ①에도 불구하고 다음의 어느 하나에 해당하는 경우에는 온라인공청회를 단독으로 개최할 수 있다.

> ㉠ 국민의 생명 · 신체 · 재산의 보호 등 국민의 안전 또는 권익보호 등의 이유로 제38조에 따른 공청회를 개최하기 어려운 경우
> ㉡ 제38조에 따른 공청회가 행정청이 책임질 수 없는 사유로 개최되지 못하거나 개최는 되었으나 정상적으로 진행되지 못하고 무산된 횟수가 3회 이상인 경우
> ㉢ 행정청이 널리 의견을 수렴하기 위하여 온라인공청회를 단독으로 개최할 필요가 있다고 인정하는 경우. 다만, 제22조 제2항 제1호 또는 제3호에 따라 공청회를 실시하는 경우는 제외한다.

③ 행정청은 온라인공청회를 실시하는 경우 의견제출 및 토론 참여가 가능하도록 적절한 온라인적 처리능력을 갖춘 정보통신망을 구축 · 운영하여야 한다.

④ 온라인공청회를 실시하는 경우에는 누구든지 정보통신망을 이용하여 의견을 제출하거나 제출된 의견 등에 대한 토론에 참여할 수 있다.

⑤ ①부터 ④까지에서 규정한 사항 외에 온라인공청회의 실시 방법 및 절차에 관하여 필요한 사항은 대통령령으로 정한다.

(3) 공청회의 주재자 및 발표자의 선정(제38조의3)

① 행정청은 해당 공청회의 사안과 관련된 분야에 전문적 지식이 있거나 그 분야에 종사한 경험이 있는 사람으로서 대통령령으로 정하는 자격을 가진 사람 중에서 공청회의 주재자를 선정한다.

② 공청회의 발표자는 발표를 신청한 사람 중에서 행정청이 선정한다. 다만, 발표를 신청한 사람이 없거나 공청회의 공정성을 확보하기 위하여 필요하다고 인정하는 경우에는 다음의 사람 중에서 지명하거나 위촉할 수 있다.

> ㉠ 해당 공청회의 사안과 관련된 당사자 등
> ㉡ 해당 공청회의 사안과 관련된 분야에 전문적 지식이 있는 사람
> ㉢ 해당 공청회의 사안과 관련된 분야에 종사한 경험이 있는 사람

③ 행정청은 공청회의 주재자 및 발표자를 지명 또는 위촉하거나 선정할 때 공정성이 확보될 수 있도록 하여야 한다.

④ 공청회의 주재자, 발표자, 그 밖에 자료를 제출한 전문가 등에게는 예산의 범위에서 수당 및 여비와 그 밖에 필요한 경비를 지급할 수 있다.

(4) 공청회의 진행(제39조)

① 공청회의 주재자는 공청회를 공정하게 진행하여야 하며, 공청회의 원활한 진행을 위하여 발표 내용을 제한할 수 있고, 질서유지를 위하여 발언 중지 및 퇴장 명령 등 행정안전부장관이 정하는 필요한 조치를 할 수 있다.

② 발표자는 공청회의 내용과 직접 관련된 사항에 대하여만 발표하여야 한다.

③ 공청회의 주재자는 발표자의 발표가 끝난 후에는 발표자 상호간에 질의 및 답변을 할 수 있도록 하여야 하며, 방청인에게도 의견을 제시할 기회를 주어야 한다.

(5) 공청회 및 온라인공청회 결과의 반영(제39조의2)

행정청은 처분을 할 때에 공청회, 온라인공청회 및 정보통신망 등을 통하여 제시된 사실 및 의견이 상당한 이유가 있다고 인정하는 경우에는 이를 반영하여야 한다.

(6) 공청회의 재개최(제39조의3)

행정청은 공청회를 마친 후 처분을 할 때까지 새로운 사정이 발견되어 공청회를 다시 개최할 필요가 있다고 인정할 때에는 공청회를 다시 개최할 수 있다.

03 신고, 확약 및 위반사실 등의 공표 등

(1) 신고(제40조)

① 법령 등에서 행정청에 일정한 사항을 통지함으로써 의무가 끝나는 신고를 규정하고 있는 경우 신고를 관장하는 행정청은 신고에 필요한 구비서류, 접수기관, 그 밖에 법령 등에 따른 신고에 필요한 사항을 게시(인터넷 등을 통한 게시를 포함한다)하거나 이에 대한 편람을 갖추어 두고 누구나 열람할 수 있도록 하여야 한다.

② ①에 따른 신고가 다음의 요건을 갖춘 경우에는 신고서가 접수기관에 도달된 때에 신고 의무가 이행된 것으로 본다.

㉠ 신고서의 기재사항에 흠이 없을 것
㉡ 필요한 구비서류가 첨부되어 있을 것
㉢ 그 밖에 법령 등에 규정된 형식상의 요건에 적합할 것

③ 행정청은 ②의 각 요건을 갖추지 못한 신고서가 제출된 경우에는 지체 없이 상당한 기간을 정하여 신고인에게 보완을 요구하여야 한다.

④ 행정청은 신고인이 ③에 따른 기간 내에 보완을 하지 아니하였을 때에는 그 이유를 구체적으로 밝혀 해당 신고서를 되돌려 보내야 한다.

(2) 확약(제40조의2)

① 법령 등에서 당사자가 신청할 수 있는 처분을 규정하고 있는 경우 행정청은 당사자의 신청에 따라 장래에 어떤 처분을 하거나 하지 아니할 것을 내용으로 하는 의사표시(이하 '확약'이라 한다)를 할 수 있다.

② 확약은 문서로 하여야 한다.

③ 행정청은 다른 행정청과의 협의 등의 절차를 거쳐야 하는 처분에 대하여 확약을 하려는 경우에는 확약을 하기 전에 그 절차를 거쳐야 한다.

④ 행정청은 다음의 어느 하나에 해당하는 경우에는 확약에 기속되지 아니한다.

> ㉠ 확약을 한 후에 확약의 내용을 이행할 수 없을 정도로 법령 등이나 사정이 변경된 경우
> ㉡ 확약이 위법한 경우

⑤ 행정청은 확약이 ④ 각 사항의 어느 하나에 해당하여 확약을 이행할 수 없는 경우에는 지체 없이 당사자에게 그 사실을 통지하여야 한다.

판례

1. **어업권면허처분에 선행하는 우선순위결정의 성질**
어업권면허에 선행하는 우선순위결정은 행정청이 우선권자로 결정된 자의 신청이 있으면 어업권면허처분을 하겠다는 것을 약속하는 행위로서 강학상 확약에 불과하고 행정처분은 아니므로, 우선순위결정에 공정력이나 불가쟁력과 같은 효력은 인정되지 아니하며, 따라서 우선순위결정이 잘못되었다는 이유로 종전의 어업권면허처분이 취소되면 행정청은 종전의 우선순위결정을 무시하고 다시 우선순위를 결정한 다음 새로운 우선순위결정에 기하여 새로운 어업권면허를 할 수 있다(대판 1995.1.20, 94누6529).
2. **정부간 항공노선의 개설에 관한 잠정협정 및 비밀양해각서와 건설교통부 내부지침에 의한 항공노선에 대한 운수권배분처분이 항고소송의 대상이 되는 행정처분에 해당한다고 한 사례**
각 노선에 대한 운수권배분처분은 이 사건 잠정협정 등과 행정규칙인 이 사건 지침에 근거하는 것으로서 상대방에게 권리의 설정 또는 의무의 부담을 명하거나 기타 법적 효과를 발생하게 하는 등으로 원고의 권리의무에 직접 영향을 미치는 행위로서 항고소송의 대상이 되는 행정처분에 해당한다고 할 것이다(대판 2004.11.26, 2003두10251).
3. **행정청의 확약 또는 공적인 의사표명이 그 자체에서 정한 유효기간을 경과한 이후에는 당연 실효되는지 여부(적극)**
행정청이 상대방에게 장차 어떤 처분을 하겠다고 확약 또는 공적인 의사표명을 하였다고 하더라도, 그 자체에서 상대방으로 하여금 언제까지 처분의 발령을 신청을 하도록 유효기간을 두었는데도 그 기간 내에 상대방의 신청이 없었다거나 확약 또는 공적인 의사표명이 있은 후에 사실적·법률적 상태가 변경되었다면, 그와 같은 확약 또는 공적인 의사표명은 행정청의 별다른 의사표시를 기다리지 않고 실효된다(대판 1996.8.20, 95누10877).

⑶ 위반사실 등의 공표(제40조의3)

① 행정청은 법령에 따른 의무를 위반한 자의 성명·법인명, 위반사실, 의무 위반을 이유로 한 처분사실 등(이하 '위반사실 등'이라 한다)을 법률로 정하는 바에 따라 일반에게 공표할 수 있다.

② 행정청은 위반사실 등의 공표를 하기 전에 사실과 다른 공표로 인하여 당사자의 명예·신용 등이 훼손되지 아니하도록 객관적이고 타당한 증거와 근거가 있는지를 확인하여야 한다.

③ 행정청은 위반사실 등의 공표를 할 때에는 미리 당사자에게 그 사실을 통지하고 의견제출의 기회를 주어야 한다. 다만, 다음의 어느 하나에 해당하는 경우에는 그러하지 아니하다.

> ㉠ 공공의 안전 또는 복리를 위하여 긴급히 공표를 할 필요가 있는 경우
> ㉡ 해당 공표의 성질상 의견청취가 현저히 곤란하거나 명백히 불필요하다고 인정될 만한 타당한 이유가 있는 경우
> ㉢ 당사자가 의견진술의 기회를 포기한다는 뜻을 명백히 밝힌 경우

④ ③에 따라 의견제출의 기회를 받은 당사자는 공표 전에 관할 행정청에 서면이나 말 또는 정보통신망을 이용하여 의견을 제출할 수 있다.

⑤ ④에 따른 의견제출의 방법과 제출 의견의 반영 등에 관하여는 제27조 및 제27조의2를 준용한다. 이 경우 '처분'은 '위반사실 등의 공표'로 본다.

⑥ 위반사실 등의 공표는 관보, 공보 또는 인터넷 홈페이지 등을 통하여 한다.

⑦ 행정청은 위반사실 등의 공표를 하기 전에 당사자가 공표와 관련된 의무의 이행, 원상회복, 손해배상 등의 조치를 마친 경우에는 위반사실 등의 공표를 하지 아니할 수 있다.

⑧ 행정청은 공표된 내용이 사실과 다른 것으로 밝혀지거나 공표에 포함된 처분이 취소된 경우에는 그 내용을 정정하여, 정정한 내용을 지체 없이 해당 공표와 같은 방법으로 공표된 기간 이상 공표하여야 한다. 다만, 당사자가 원하지 아니하면 공표하지 아니할 수 있다.

(4) 행정계획(제40조의4)

행정청은 행정청이 수립하는 계획 중 국민의 권리·의무에 직접 영향을 미치는 계획을 수립하거나 변경·폐지할 때에는 관련된 여러 이익을 정당하게 형량하여야 한다.

판례

1. **문화재보호구역 내 토지 소유자의 문화재보호구역 지정해제 신청에 대한 행정청의 거부행위가 항고소송의 대상이 되는 행정처분에 해당하는지 여부(적극)**
   문화재보호법은 문화재를 보존하여 이를 활용함으로써 국민의 문화적 생활의 향상을 도모함과 아울러 인류문화의 발전에 기여함을 목적으로 하면서도, 문화재보호구역의 지정에 따른 재산권행사의 제한을 줄이기 위하여, 행정청에게 보호구역을 지정한 경우에 일정한 기간마다 적정성 여부를 검토할 의무를 부과하고, 그 검토사항 등에 관한 사항은 문화관광부령으로 정하도록 위임하였으며, 검토 결과 보호구역의 지정이 적정하지 아니하거나 기타 특별한 사유가 있는 때에는 보호구역의 지정을 해제하거나 그 범위를 조정하여야 한다고 규정하고 있는 점, 같은 법 제8조 제3항의 위임에 의한 같은법 시행규칙 제3조의2 제1항은 그 적정성 여부의 검토에 있어서 당해 문화재의 보존 가치 외에도 보호구역의 지정이 재산권 행사에 미치는 영향 등을 고려하도록 규정하고 있는 점 등과 헌법상 개인의 재산권 보장의 취지에 비추어 보면, 문화재보호구역 내에 있는 토지소유자 등으로서는 위 보호구역의 지정해제를 요구할 수 있는 법규상 또는 조리상의 신청권이 있다고 할 것이고, 이러한 신청에 대한 거부행위는 항고소송의 대상이 되는 행정처분에 해당한다(대판 2004.4.27, 2003두8821).

2. **구 도시계획법 제10조의2 소정의 도시기본계획이 직접적 구속력이 있는지 여부(소극) 및 그 토지이용계획을 다소 포괄적으로 기재한 도시기본계획의 효력 유무(한정 적극)**
   구 도시계획법(1999.2.8. 법률 제5898호로 개정되기 전의 것) 제10조의2, 제16조의2, 같은 법 시행령(1999.6.16. 대통령령 제16403호로 개정되기 전의 것) 제7조, 제14조의2의 각 규정을 종합하면, 도시기본계획은 도시의 기본적인 공간구조와 장기발전방향을 제시하는 종합계획으로서 그 계획에는 토지이용계획, 환경계획, 공원녹지계획 등 장래의 도시개발의 일반적인 방향이 제시되지만, 그 계획은 도시계획입안의 지침이 되는 것에 불과하여 일반 국민에 대한 직접적인 구속력은 없는 것이므로, 도시기본계획을 입안함에 있어 토지이용계획에는 세부적인 내용을 기재하지 아니하고 다소 포괄적으로 기재하였다 하더라도 기본구상도상에 분명하게 그 내용을 표시한 이상 도시기본계획으로서 입안된 것이라고 봄이 상당하고, 또 공청회 등 절차에서 다른 자료에 의하여 그 내용이 제시된 다음 관계 법령이 정하는 절차에 따라 건설교통부장관의 승인을 받아 공람공고까지 되었다면 도시기본계획으로서 적법한 효력이 있는 것이다(대판 2002.10.11, 2000두8226).

3. **행정계획의 의미 및 행정주체의 행정계획결정에 관한 재량의 범위**
   행정계획이라 함은 행정에 관한 전문적·기술적 판단을 기초로 하여 도시의 건설·정비·개량 등과 같은 특정한 행정목표를 달성하기 위하여 서로 관련되는 행정수단을 종합·조정함으로써 장래의 일정한 시점에 있어서 일정한 질서를 실현하기 위한 활동기준으로 설정된 것으로서, 도시계획법 등 관계 법령에는 추상적인 행정목표와 절차만이 규정되어 있을 뿐 행정계획의 내용에 대하여는 별다른 규정을 두고 있지 아니하므로 행정주체는 구체적인 행정계획을 입안·결정함에 있어서 비교적 광범위한 형성의 자유를 가진다고 할 것이지만, 행정주체가 가지는 이와 같은 형성의 자유는 무제한적인 것이 아니라 그 행정계획에 관련되는 자들의 이익을 공익과 사익 사이에서는 물론이고 공익 상호간과 사익 상호간에도 정당하게 비교교량하여야 한다는 제한이 있는 것이고, 따라서 행정주체가 행정계획을 입안·결정함에 있어서 이익형량을 전혀 행하지 아니하거나 이익형량의 고려 대상에 마땅히 포함시켜야 할 사항을 누락한 경우 또는 이익형량을 하였으나 정당성·객관성이 결여된 경우에는 그 행정계획결정은 재량권을 일탈·남용한 것으로서 위법하다(대판 1996.11.29, 96누8567).

4. 비구속적 행정계획안이나 행정지침이 예외적으로 헌법소원의 대상이 되는 공권력행사에 해당될 수 있는 요건
비구속적 행정계획안이나 행정지침이라도 국민의 기본권에 직접적으로 영향을 끼치고, 앞으로 법령의 뒷받침에 의하여 그대로 실시될 것이 틀림없을 것으로 예상될 수 있을 때에는, 공권력행위로서 예외적으로 헌법소원의 대상이 될 수 있다(헌재 2000.6.1, 99헌마538).

5. 도시계획시설결정에 이해관계가 있는 주민에게 도시시설계획의 입안 내지 변경을 요구할 수 있는 법규상 또는 조리상의 신청권이 있는지 여부(적극) 및 이러한 신청에 대한 거부행위가 항고소송의 대상이 되는 행정처분에 해당하는지 여부(적극)
도시계획구역 내 토지 등을 소유하고 있는 사람과 같이 당해 도시계획시설결정에 이해관계가 있는 주민으로서는 도시시설계획의 입안권자 내지 결정권자에게 도시시설계획의 입안 내지 변경을 요구할 수 있는 법규상 또는 조리상의 신청권이 있고, 이러한 신청에 대한 거부행위는 항고소송의 대상이 되는 행정처분에 해당한다(대판 2015.3.26, 2014두42742).

04 행정상 입법예고

(1) 행정상 입법예고(제41조)

① 법령 등을 제정·개정 또는 폐지(이하 '입법'이라 한다)하려는 경우에는 해당 입법안을 마련한 행정청은 이를 예고하여야 한다. 다만, 다음의 어느 하나에 해당하는 경우에는 예고를 하지 아니할 수 있다.

> ㉠ 신속한 국민의 권리 보호 또는 예측 곤란한 특별한 사정의 발생 등으로 입법이 긴급을 요하는 경우
> ㉡ 상위 법령 등의 단순한 집행을 위한 경우
> ㉢ 입법내용이 국민의 권리·의무 또는 일상생활과 관련이 없는 경우
> ㉣ 단순한 표현·자구를 변경하는 경우 등 입법내용의 성질상 예고의 필요가 없거나 곤란하다고 판단되는 경우
> ㉤ 예고함이 공공의 안전 또는 복리를 현저히 해칠 우려가 있는 경우

② 법제처장은 입법예고를 하지 아니한 법령안의 심사 요청을 받은 경우에 입법예고를 하는 것이 적당하다고 판단할 때에는 해당 행정청에 입법예고를 권고하거나 직접 예고할 수 있다.

③ 입법안을 마련한 행정청은 입법예고 후 예고내용에 국민생활과 직접 관련된 내용이 추가되는 등 대통령령으로 정하는 중요한 변경이 발생하는 경우에는 해당 부분에 대한 입법예고를 다시 하여야 한다. 다만, ①의 각 사항의 어느 하나에 해당하는 경우에는 예고를 하지 아니할 수 있다.

④ 입법예고의 기준·절차 등에 관하여 필요한 사항은 대통령령으로 정한다.

(2) 예고방법(제42조)

① 행정청은 입법안의 취지, 주요 내용 또는 전문(全文)을 다음의 구분에 따른 방법으로 공고하여야 하며, 추가로 인터넷, 신문 또는 방송 등을 통하여 공고할 수 있다.

> ㉠ **법령의 입법안을 입법예고하는 경우**: 관보 및 법제처장이 구축·제공하는 정보시스템을 통한 공고
> ㉡ **자치법규의 입법안을 입법예고하는 경우**: 공보를 통한 공고

② 행정청은 대통령령을 입법예고하는 경우 국회 소관 상임위원회에 이를 제출하여야 한다.

③ 행정청은 입법예고를 할 때에 입법안과 관련이 있다고 인정되는 중앙행정기관, 지방자치단체, 그 밖의 단체 등이 예고사항을 알 수 있도록 예고사항을 통지하거나 그 밖의 방법으로 알려야 한다.

④ 행정청은 ①에 따라 예고된 입법안에 대하여 온라인공청회 등을 통하여 널리 의견을 수렴할 수 있다. 이 경우 제38조의2 제3항부터 제5항까지의 규정을 준용한다.

⑤ 행정청은 예고된 입법안의 전문에 대한 열람 또는 복사를 요청받았을 때에는 특별한 사유가 없으면 그 요청에 따라야 한다.

⑥ 행정청은 ⑤에 따른 복사에 드는 비용을 복사를 요청한 자에게 부담시킬 수 있다.

(3) 예고기간(제43조)

입법예고기간은 예고할 때 정하되, 특별한 사정이 없으면 40일(자치법규는 20일) 이상으로 한다.

(4) 의견제출 및 처리(제44조)

① 누구든지 예고된 입법안에 대하여 의견을 제출할 수 있다.

② 행정청은 의견접수기관, 의견제출기간, 그 밖에 필요한 사항을 해당 입법안을 예고할 때 함께 공고하여야 한다.

③ 행정청은 해당 입법안에 대한 의견이 제출된 경우 특별한 사유가 없으면 이를 존중하여 처리하여야 한다.

④ 행정청은 의견을 제출한 자에게 그 제출된 의견의 처리결과를 통지하여야 한다.

⑤ 제출된 의견의 처리방법 및 처리결과의 통지에 관하여는 대통령령으로 정한다.

(5) 공청회(제45조)

① 행정청은 입법안에 관하여 공청회를 개최할 수 있다.

② 공청회에 관하여는 제38조, 제38조의2, 제38조의3, 제39조 및 제39조의2를 준용한다.

05 행정예고

(1) 행정예고(제46조)

① 행정청은 정책, 제도 및 계획(이하 '정책 등'이라 한다)을 수립 · 시행하거나 변경하려는 경우에는 이를 예고하여야 한다. 다만, 다음의 어느 하나에 해당하는 경우에는 예고를 하지 아니할 수 있다.

> ㉠ 신속하게 국민의 권리를 보호하여야 하거나 예측이 어려운 특별한 사정이 발생하는 등 긴급한 사유로 예고가 현저히 곤란한 경우
> ㉡ 법령 등의 단순한 집행을 위한 경우
> ㉢ 정책 등의 내용이 국민의 권리 · 의무 또는 일상생활과 관련이 없는 경우
> ㉣ 정책 등의 예고가 공공의 안전 또는 복리를 현저히 해칠 우려가 상당한 경우

② ①에도 불구하고 법령 등의 입법을 포함하는 행정예고는 입법예고로 갈음할 수 있다.

③ 행정예고기간은 예고 내용의 성격 등을 고려하여 정하되, 20일 이상으로 한다.

④ ③에도 불구하고 행정목적을 달성하기 위하여 긴급한 필요가 있는 경우에는 행정예고기간을 단축할 수 있다. 이 경우 단축된 행정예고기간은 10일 이상으로 한다.

(2) 행정예고 통계 작성 및 공고(제46조의2)

행정청은 매년 자신이 행한 행정예고의 실시 현황과 그 결과에 관한 통계를 작성하고, 이를 관보 · 공보 또는 인터넷 등의 방법으로 널리 공고하여야 한다.

(3) 예고방법 등(제47조)

① 행정청은 정책등안(案)의 취지, 주요 내용 등을 관보・공보나 인터넷・신문・방송 등을 통하여 공고하여야 한다.

② 행정예고의 방법, 의견제출 및 처리, 공청회 및 온라인공청회에 관하여는 제38조, 제38조의2, 제38조의3, 제39조, 제39조의2, 제39조의3, 제42조(제1항・제2항 및 제4항은 제외한다), 제44조 제1항부터 제3항까지 및 제45조 제1항을 준용한다. 이 경우 '입법안'은 '정책등안'으로, '입법예고'는 '행정예고'로, '처분을 할 때'는 '정책 등을 수립・시행하거나 변경할 때'로 본다.

06 행정지도

(1) 의의

행정주체가 일정한 행정목적의 실현을 위하여 상대방의 임의적 협력 또는 동의하에 일정한 행정질서의 형성을 유도하는 비권력적 사실행위를 말한다. 행정지도는 단순한 사실행위에 불과하므로 법적 효과가 발생하지 않으며 비권력적 사실행위로서 강제력도 발생하지 않는다. 행정지도는 상대방의 협력・동의 아래 행해지는 비권력적 사실행위이며 행정객체를 유도하는 행정주체의 행위이다. 행정지도의 종류에는 규제적 행정지도, 조정적 행정지도 및 조성적 행정지도가 있다.

(2) 행정지도의 원칙(제48조)

① 행정지도는 그 목적 달성에 필요한 최소한도에 그쳐야 하며, 행정지도의 상대방의 의사에 반하여 부당하게 강요하여서는 아니 된다.

② 행정기관은 행정지도의 상대방이 행정지도에 따르지 아니하였다는 것을 이유로 불이익한 조치를 하여서는 아니 된다.

(3) 행정지도의 방식(제49조)

① 행정지도를 하는 자는 그 상대방에게 그 행정지도의 취지 및 내용과 신분을 밝혀야 한다.

② 행정지도가 말로 이루어지는 경우에 상대방이 ①의 사항을 적은 서면의 교부를 요구하면 그 행정지도를 하는 자는 직무 수행에 특별한 지장이 없으면 이를 교부하여야 한다.

(4) 의견제출(제50조)

행정지도의 상대방은 해당 행정지도의 방식・내용 등에 관하여 행정기관에 의견제출을 할 수 있다.

(5) 다수인을 대상으로 하는 행정지도(제51조)

행정기관이 같은 행정목적을 실현하기 위하여 많은 상대방에게 행정지도를 하려는 경우에는 특별한 사정이 없으면 행정지도에 공통적인 내용이 되는 사항을 공표하여야 한다.

판례

1. **행정관청의 행정지도에 따라 매매가격을 허위신고한 것이 구 국토이용관리법 제33조 제4호에 해당하는지 여부**
   토지의 매매대금을 허위로 신고하고 계약을 체결하였다면 이는 계약예정금액에 대하여 허위의 신고를 하고 토지 등의 거래계약을 체결한 것으로서 구 국토이용관리법(1993.8.5. 법률 제4572호로 개정되기 전의 것) 제33조 제4호에 해당한다고 할 것이고, 행정관청이 국토이용관리법 소정의 토지거래계약신고에 관하여 공시된 기준시가를 기준으로 매매가격을 신고하도록 행정지도를 하여 그에 따라 허위신고를 한 것이라 하더라도 이와 같은 행정지도는 법에 어긋나는 것으로서 그와 같은 행정지도나 관행에 따라 허위신고행위에 이르렀다고 하여도 이것만 가지고서는 그 범법행위가 정당화될 수 없다(대판 1994. 6.14, 93도3247).

2. **공정거래위원회의 '표준약관 사용권장행위'가 항고소송의 대상이 되는지 여부(적극)**
   공정거래위원회의 '표준약관 사용권장행위'는 그 통지를 받은 해당 사업자 등에게 표준약관과 다른 약관을 사용할 경우 표준약관과 다르게 정한 주요내용을 고객이 알기 쉽게 표시하여야 할 의무를 부과하고, 그 불이행에 대해서는 과태료에 처하도록 되어 있으므로, 이는 사업자 등의 권리·의무에 직접 영향을 미치는 행정처분으로서 항고소송의 대상이 된다(대판 2010.10.14, 2008두23184).

3. **한계를 일탈하지 않은 행정지도로 인하여 상대방에게 손해가 발생한 경우, 행정기관이 손해배상책임을 지는지 여부(소극)**
   행정지도가 강제성을 띠지 않은 비권력적 작용으로서 행정지도의 한계를 일탈하지 아니하였다면, 그로 인하여 상대방에게 어떤 손해가 발생하였다 하더라도 행정기관은 그에 대한 손해배상책임이 없다(대판 2008.9.25, 2006다18228).

4. **교육인적자원부장관의 국·공립대학총장들에 대한 학칙시정요구가 헌법소원의 대상이 되는 공권력행사인지 여부(적극)**
   교육인적자원부장관의 대학총장들에 대한 이 사건 학칙시정요구는 고등교육법 제6조 제2항, 동법 시행령 제4조 제3항에 따른 것으로서 그 법적 성격은 대학총장의 임의적인 협력을 통하여 사실상의 효과를 발생시키는 행정지도의 일종이지만, 그에 따르지 않을 경우 일정한 불이익조치를 예정하고 있어 사실상 상대방에게 그에 따를 의무를 부과하는 것과 다를 바 없으므로 단순한 행정지도로서의 한계를 넘어 규제적·구속적 성격을 상당히 강하게 갖는 것으로서 헌법소원의 대상이 되는 공권력의 행사라고 볼 수 있다(헌재 2003.6.26, 2002헌마337).

07 국민참여의 확대

(1) 국민참여 활성화(제52조)

① 행정청은 행정과정에서 국민의 의견을 적극적으로 청취하고 이를 반영하도록 노력하여야 한다.

② 행정청은 국민에게 다양한 참여방법과 협력의 기회를 제공하도록 노력하여야 하며, 구체적인 참여방법을 공표하여야 한다.

③ 행정청은 국민참여 수준을 향상시키기 위하여 노력하여야 하며 필요한 경우 국민참여 수준에 대한 자체진단을 실시하고, 그 결과를 행정안전부장관에게 제출하여야 한다.

④ 행정청은 ③에 따라 자체진단을 실시한 경우 그 결과를 공개할 수 있다.

⑤ 행정청은 국민참여를 활성화하기 위하여 교육·홍보, 예산·인력 확보 등 필요한 조치를 할 수 있다.

⑥ 행정안전부장관은 국민참여 확대를 위하여 행정청에 교육·홍보, 포상, 예산·인력 확보 등을 지원할 수 있다.

(2) 국민제안의 처리(제52조의2)

① 행정청(국회사무총장·법원행정처장·헌법재판소사무처장 및 중앙선거관리위원회사무총장은 제외한다)은 정부시책이나 행정제도 및 그 운영의 개선에 관한 국민의 창의적인 의견이나 고안(이하 '국민제안'이라 한다)을 접수·처리하여야 한다.

② ①에 따른 국민제안의 운영 및 절차 등에 필요한 사항은 대통령령으로 정한다.

(3) 국민참여 청구(제52조의3)

행정청은 주요 정책 등에 관한 국민과 전문가의 의견을 듣거나 국민이 참여할 수 있는 온라인 또는 오프라인 창구를 설치·운영할 수 있다.

⑷ 온라인 정책토론(제53조)

① 행정청은 국민에게 영향을 미치는 주요 정책 등에 대하여 국민의 다양하고 창의적인 의견을 널리 수렴하기 위하여 정보통신망을 이용한 정책토론(이하 '온라인 정책토론'이라 한다)을 실시할 수 있다.
② 행정청은 효율적인 온라인 정책토론을 위하여 과제별로 한시적인 토론 패널을 구성하여 해당 토론에 참여시킬 수 있다. 이 경우 패널의 구성에 있어서는 공정성 및 객관성이 확보될 수 있도록 노력하여야 한다.
③ 행정청은 온라인 정책토론이 공정하고 중립적으로 운영되도록 하기 위하여 필요한 조치를 할 수 있다.
④ 토론 패널의 구성, 운영방법, 그 밖에 온라인 정책토론의 운영을 위하여 필요한 사항은 대통령령으로 정한다.

08 보칙

⑴ 비용의 부담(제54조)

행정절차에 드는 비용은 행정청이 부담한다. 다만, 당사자 등이 자기를 위하여 스스로 지출한 비용은 그러하지 아니하다.

⑵ 참고인 등에 대한 비용 지급(제55조)

① 행정청은 행정절차의 진행에 필요한 참고인이나 감정인 등에게 예산의 범위에서 여비와 일당을 지급할 수 있다.
② ①에 따른 비용의 지급기준 등에 관하여는 대통령령으로 정한다.

⑶ 협조 요청 등(제56조)

행정안전부장관(제4장의 경우에는 법제처장을 말한다)은 이 법의 효율적인 운영을 위하여 노력하여야 하며, 필요한 경우에는 그 운영 상황과 실태를 확인할 수 있고, 관계 행정청에 관련 자료의 제출 등 협조를 요청할 수 있다.

제6절 경찰감찰

01 경찰 감찰 규칙

1. 서설

경찰 감찰 규칙(이하 '규칙'이라 한다)은 경찰청 및 그 소속 기관(이하 '경찰기관'이라 한다)에 소속하는 경찰공무원, 별정·일반직 공무원(무기계약 및 기간제 근로자를 포함한다), 의무경찰 등(이하 '소속 공무원'이라 한다)의 공직기강 확립과 경찰행정의 적정성 확보를 위한 감찰에 필요한 사항을 규정함을 목적으로 한다.

(1) 정의(제2조)

이 규칙에서 사용하는 용어의 정의는 다음과 같다.

의무위반행위	소속 공무원이 국가공무원법 등 관련 법령 또는 직무상 명령 등에 따른 각종 의무를 위반한 행위를 말한다.
감찰	복무기강 확립과 경찰행정의 적정성을 확보하기 위해 경찰기관 또는 소속 공무원의 제반업무와 활동 등을 조사·점검·확인하고 그 결과를 처리하는 감찰관의 직무활동을 말한다.
감찰관	감찰을 담당하는 경찰공무원을 말한다.

(2) 적용 범위(제3조)

경찰기관의 감찰업무는 다른 법령에 특별한 규정이 있는 경우를 제외하고는 이 규칙이 정하는 바에 따른다.

2. 감찰관

(1) 감찰관의 행동준칙(제4조)

감찰관이 감찰활동을 할 때에는 다음의 준칙에 따라 행동하여야 한다.

① 감찰관은 적법절차를 준수하고 감찰대상자 소속 기관장이나 관계인의 의견을 충분히 수렴한다.
② 감찰관은 감찰활동을 함에 있어서 소속 공무원의 인권을 존중하며, 친절하고 겸손한 자세로 직무를 수행한다.
③ 감찰관은 감찰활동 전 과정에 있어 소속 공무원의 사생활의 비밀과 자유를 부당하게 침해하지 않는다.
④ 감찰관은 직무와 무관한 사상·신념, 정치적 성향 등 불필요한 정보를 수집하지 않는다.
⑤ 감찰관은 의무 위반행위의 유형과 경중에 따른 적정한 방법으로 감찰활동을 수행한다.
⑥ 감찰관은 객관적인 증거와 조사로 사실관계를 명확히 하고, 공정하게 직무를 수행한다.
⑦ 감찰관은 직무상 알게 된 사항에 대하여 비밀을 엄수한다.
⑧ 감찰관은 선행·수범 직원을 발견하는데 적극 노력한다.

(2) 감찰관의 결격사유(제5조)

다음의 어느 하나에 해당하는 사람은 감찰관이 될 수 없다.

① 직무와 관련한 금품 및 향응수수, 공금횡령·유용, 성폭력범죄의 처벌 등에 관한 특례법에 따른 성폭력범죄로 징계처분을 받은 사람
② ① 이외의 사유로 징계처분을 받아 말소기간이 경과하지 아니한 사람
③ 질병 등으로 감찰관으로서의 업무수행이 어려운 사람
④ 기타 감찰관으로서 적합하지 아니하다고 판단되는 사람

(3) 감찰관 선발(제6조)

① 경찰기관의 장은 감찰관 보직공모에 응모한 지원자 및 3인 이상의 동료로부터 추천받은 자를 대상으로 적격심사를 거쳐 감찰관을 선발한다.

② 위 ①에 따른 감찰관 선발을 위한 적격심사에 관한 세부사항은 경찰청장이 별도로 정한다.

(4) 감찰관의 신분보장(제7조)

① 경찰기관의 장은 감찰관이 제5조에 따른 결격사유에 해당되는 것으로 밝혀졌을 경우와 다음의 어느 하나에 해당하는 경우를 제외하고는 2년 이내에 본인의 의사에 반하여 전보하여서는 아니 된다. 다만, 승진 등 인사관리상 필요한 경우에는 그러하지 아니하다.

> ㉠ 징계사유가 있는 경우
> ㉡ 형사사건에 계류된 경우
> ㉢ 질병 등으로 감찰업무를 수행할 수 없거나 직무수행 능력이 현저히 부족하다고 판단되는 경우
> ㉣ 고압 · 권위적인 감찰활동을 반복하여 물의를 야기한 경우

② 경찰기관의 장은 1년 이상 성실히 근무한 감찰관에 대해서는 희망부서를 고려하여 전보한다.

(5) 감찰관 적격심사(제8조)

① 경찰기관의 장은 소속 감찰관에 대하여 감찰관 보직 후 2년마다 적격심사를 실시하여 인사에 반영하여야 한다.

② 감찰관 선발을 위한 적격심사에 관한 세부사항은 ①을 준용한다.

(6) 감찰관의 제척 · 기피 및 회피

구분	내용
제척 **(제9조)**	감찰관은 다음 경우에 당해 감찰직무(감찰조사 및 감찰업무에 대한 지휘를 포함한다)에서 제척된다. ① 감찰관 본인이 의무 위반행위로 인해 감찰대상이 된 때 ② 감찰관 본인이 의무 위반행위로 인해 피해를 받은 자(이하 '피해자'라 한다)인 때 ③ 감찰관 본인이 의무 위반행위로 인해 감찰대상이 된 소속 공무원(이하 '조사대상자'라 한다)이나 피해자의 친족이거나 친족관계가 있었던 자인 때 ④ 감찰관 본인이 조사대상자나 피해자의 법정대리인이나 후견감독인인 때
기피 **(제10조)**	① 조사대상자, 피해자는 다음 경우에 별지 제1호 서식의 감찰관 기피 신청서를 작성하여 그 감찰관이 소속된 경찰기관의 감찰업무 담당 부서장(이하 '감찰부서장'이라 한다)에게 해당 감찰관의 기피를 신청할 수 있다. ㉠ 감찰관이 제9조 각 호의 사유에 해당되는 때 ㉡ 감찰관이 이 규칙을 위반하거나 불공정한 조사를 할 염려가 있다고 볼만한 객관적 · 구체적 사정이 있는 때 ② ①에 따른 감찰관 기피 신청을 접수받은 감찰부서장은 기피신청이 이유 있다고 인정하는 때에는 담당 감찰관을 재지정하여야 하며, 기피신청이 이유 있다고 인정하지 않는 때에는 제37조에 따른 감찰처분심의회의 심의를 거쳐 기피신청 수용 여부를 결정하여야 한다. ③ ②의 경우 감찰부서장은 기피신청자에게 결과를 통보하여야 한다.
회피 **(제11조)**	① 감찰관은 제9조의 사유에 해당하면 스스로 감찰직무를 회피하여야 하며, 제9조 이외의 사유로 감찰직무를 수행함에 있어 공정성을 잃을 염려가 있다고 인정하는 경우 회피할 수 있다. ② 회피하려는 감찰관은 소속 경찰기관의 감찰부서장에게 별지 제2호 서식을 작성하여 제출하여야 한다. ③ 제10조 제2항의 규정은 회피에 준용한다.

3. 감찰활동

(1) 감찰활동의 관할(제12조)

감찰관은 소속 경찰기관의 관할 구역 안에서 활동하여야 한다. 다만, 상급경찰기관의 장의 지시가 있는 경우에는 관할 구역 밖에서도 활동할 수 있다.

(2) 특별감찰(제13조)

경찰기관의 장은 의무 위반행위가 자주 발생하거나 그 발생 가능성이 높다고 인정되는 시기, 업무분야 및 경찰관서 등에 대하여는 일정기간 동안 전반적인 조직관리 및 업무추진 실태 등을 집중 점검할 수 있다.

(3) 교류감찰(제14조)

경찰기관의 장은 상급경찰기관의 장의 지시에 따라 소속 감찰관으로 하여금 일정기간 동안 다른 경찰기관 소속 직원의 복무실태, 업무추진 실태 등을 점검하게 할 수 있다.

(4) 감찰활동의 착수(제15조)

① 감찰관은 소속 공무원의 의무 위반행위에 관한 단서(현장인지, 진정 · 탄원 등을 포함한다)를 수집 · 접수한 경우 소속 경찰기관의 감찰부서장에게 보고하여야 한다.

② 감찰부서장은 ①에 따른 보고를 받은 경우 감찰대상으로서의 적정성을 검토한 후 감찰활동 착수 여부를 결정하여야 한다.

(5) 감찰계획의 수립(제16조)

① 감찰관은 위 (4)에 따른 감찰활동에 착수할 때에는 감찰기간과 대상, 중점감찰사항 등을 포함한 감찰계획을 소속 경찰기관의 감찰부서장에게 보고하여 승인을 받아야 한다.

② 감찰관은 사전에 계획하고 보고한 범위에 한하여 감찰활동을 수행하여야 한다.

③ ①에 따른 감찰기간은 6개월의 범위 내에서 감찰부서장이 정한다.

④ 감찰관은 계속 감찰활동이 필요한 경우 그 사유를 소명하여 소속 경찰기관의 감찰부서장의 승인을 받아 6개월의 범위 내에서 감찰기간을 연장할 수 있다.

(6) 자료 제출 요구 등(제17조)

① 감찰관은 직무상 다음의 요구를 할 수 있다. 다만, ㉡ 및 ㉢의 경우에는 필요 최소한의 범위 내에서 요구하여야 한다.

> ㉠ 조사를 위한 출석
> ㉡ 질문에 대한 답변 및 진술서 제출
> ㉢ 증거품 등 자료 제출
> ㉣ 현지조사의 협조

② 소속 공무원은 감찰관으로부터 ①에 따른 요구를 받은 때에는 정당한 사유가 없는 한 그 요구에 응하여야 한다.

③ 감찰관은 직무수행 중 알게 된 정보나 제출받은 자료를 감찰 목적 외의 용도로 이용할 수 없다.

(7) 감찰관 증명서 등 제시(제18조)

감찰관은 위 (6)에 따른 요구를 할 경우 소속 경찰기관의 장이 발행한 별지 제3호 서식의 감찰관 증명서 또는 경찰공무원증을 제시하여 신분을 밝히고 감찰활동의 목적을 설명하여야 한다.

(8) 감찰활동 결과의 보고 및 처리(제19조)

① 감찰관은 감찰활동 결과 소속 공무원의 의무 위반행위, 불합리한 제도 · 관행, 선행 · 수범 직원 등을 발견한 경우 이를 소속 경찰기관의 장에게 보고하여야 한다.

② 경찰기관의 장은 ①의 결과에 대하여 문책요구, 시정 · 개선, 포상 등 필요한 조치를 하여야 한다.

4. 감찰정보의 수집 및 처리

감찰정보의 수집 (제20조)	① 감찰관은 감찰업무와 관련된 다음의 어느 하나에 해당하는 감찰정보를 매월 1건 이상 수집·제출하여야 하며, 감찰관이 아닌 소속공무원도 감찰정보를 수집한 경우에는 이를 감찰부서에 제출할 수 있다. ㉠ 비위정보: 소속 공무원의 비위와 관련한 정보 ㉡ 제도개선자료: 불합리한 제도·시책, 관행 등의 개선에 관한 자료 ㉢ 기타자료: 관리자의 조직관리·운영실태, 주요 치안시책 등에 대한 현장여론, 비위우려자의 복무실태 등 인사·조직 운영에 참고가 될 만한 자료 ② 감찰관은 수집한 감찰정보를 별지 제4호 서식의 감찰정보보고서에 따라 작성한 후 경찰청 또는 소속 시·도경찰청의 감찰부서장에게 제출하여야 한다.
감찰정보의 처리 (제21조)	제20조에 따른 감찰정보를 접수한 감찰부서장은 다음의 기준에 따라 감찰정보를 구분한다. ① 즉시조사대상: 신속한 진상확인 및 조사·처리가 필요한 사항 ② 감찰대상: 사실관계 확인 또는 감찰활동 착수 등 감찰활동이 필요한 사항 ③ 이첩대상: 해당 경찰기관에서 직접 처리하는 것보다 다른 경찰기관이나 부서 등에서 처리·활용하는 것이 효과적이라고 판단되는 사항 ④ 참고대상: 감찰업무에 도움이 될 것으로 판단되는 사항 ⑤ 폐기대상: 익명 제보 등 출처가 불분명한 정보 또는 이미 제출된 정보와 동일한 정보 등 그 내용상 감찰대상으로서의 가치가 없거나 감찰업무 활용도가 매우 낮을 것으로 예상되는 정보
감찰정보 심의회 (제22조)	① 감찰부서장은 다음의 사항을 결정하기 위하여 감찰정보심의회를 설치·운영할 수 있다. ㉠ 제21조에 따른 감찰정보의 구분 ㉡ 제15조에 따른 감찰활동 착수와 관련된 사항 ② 감찰정보심의회는 위원장을 포함한 3명 이상 5명 이하의 위원으로 구성하며, 위원장은 감찰부서장이 되고 위원은 감찰부서장이 소속 공무원 중에서 지명한다.
평가 및 포상 (제23조)	① 감찰정보 실적은 개인별 평가를 원칙으로 하며, 정보 수집·처리 구분에 따라 점수를 부여하여 평가한다. ② 개인별 감찰정보 실적은 분기별로 종합 평가하고, 평가실적이 우수한 직원에 대하여는 포상 등을 할 수 있다.
감찰정보시스템 (제24조)	경찰청 감찰담당관은 감찰정보의 수집·처리, 감찰결과 등의 효율적 관리를 위하여 감찰정보시스템을 구축·운영할 수 있다.

5. 감찰조사 및 처리

출석요구 (제25조)	① 감찰관은 감찰조사를 위해서 조사대상자의 출석을 요구할 때에는 조사기일 3일 전까지 별지 제5호 서식의 출석요구서 또는 구두로 조사일시, 의무 위반행위사실 요지 등을 통지하여야 한다. 다만, 사안이 급박한 경우 또는 조사대상자의 요청이 있는 경우에는 즉시 조사에 착수할 수 있다. ② ①의 경우 조사일시 등을 정할 때에는 조사대상자의 의사를 존중하여야 한다. ③ 감찰관은 의무위반행위와 관련된 내용을 조사할 때에는 사전에 준비를 철저히 하여 잦은 출석으로 인한 피해를 주지 않도록 하여야 한다. ④ 감찰관은 조사대상자의 방어권 보장을 위하여 필요한 경우 조사대상자의 동의를 받아 조사대상자의 소속 부서장에게 ①에 따른 출석요구 사실을 통지할 수 있다.

변호인의 선임 (제26조)	① 조사대상자는 변호사를 변호인으로 선임할 수 있다. 다만, 감찰부서장의 승인을 받은 경우에는 변호사가 아닌 사람을 특별변호인으로 선임할 수 있다. ② ①에 따라 조사대상자의 변호인으로 선임된 사람은 그 위임장을 미리 감찰관에게 제출하여야 한다.
조사대상자의 진술거부권 (제27조)	① 조사대상자는 진술하지 아니하거나 개개의 질문에 대하여 진술을 거부할 수 있다. ② 감찰관은 조사대상자에게 ①과 같이 진술을 거부할 수 있음을 사전에 고지하여야 한다.
조사 참여 (제28조)	① 감찰관은 조사대상자가 다음의 사항을 신청할 경우 이에 해당하는 사람을 참여하게 하거나 동석하도록 하여야 한다. ㉠ 다음의 사람의 참여 ⓐ 다른 감찰관 ⓑ 변호인 ㉡ 다음의 사람의 동석 ⓐ 조사대상자의 동료공무원 ⓑ 조사대상자의 직계친족, 배우자, 가족 등 조사대상자의 심리적 안정과 원활한 의사소통에 도움을 줄 수 있는 자 ② 감찰관은 다음의 사유가 발생한 경우에는 참여자의 참여를 제한하거나 동석자의 퇴거를 요구할 수 있다. ㉠ 참여자 또는 동석자가 조사 과정에 부당하게 개입하거나 조사를 제지·중단시키는 경우 ㉡ 참여자 또는 동석자가 조사대상자에게 특정한 답변을 유도하거나 진술 번복을 유도하는 경우 ㉢ 그 밖의 참여자 또는 동석자의 언동 등으로 조사에 지장을 초래하는 경우 ③ 감찰관은 참여자의 참여를 제한하거나 동석자를 퇴거하게 한 경우 그 사유를 조사대상자에게 설명하고 그 구체적 정황을 청문보고서 등 조사서류에 기재하여 기록에 편철하여야 한다.
감찰조사 전 고지 (제29조)	① 감찰관은 감찰조사를 실시하기 전에 조사대상자에게 의무 위반행위 사실의 요지를 알려야 한다. ② ①의 경우 감찰관은 조사대상자에게 제28조 제1항 각 호의 사항을 신청할 수 있다는 사실을 고지하여야 한다.
영상녹화 (제30조)	① 감찰관은 조사대상자가 영상녹화를 요청하는 경우에는 그 조사과정을 영상녹화하여야 한다. ② 영상녹화의 범위 및 영상녹화사실의 고지, 영상녹화물의 관리와 관련된 사항은 범죄수사규칙의 영상녹화 관련 규정을 준용한다.
조사시 유의사항 (제31조)	① 감찰관은 조사시 엄정하고 공정하게 진실 발견에 노력하여야 한다. ② 감찰관은 조사시 조사대상자의 이익이 되는 주장 및 제출자료 등에 대해서도 사실관계를 명확히 하여 조사내용에 반영하여야 한다. ③ 감찰관은 조사시 조사대상자의 연령, 성별 등을 고려하여 언행에 유의하여야 한다. ④ 감찰관은 감찰에 필요한 정보 등을 제공한 자 또는 피해자에 대해서는 가명조서를 작성하는 등의 방법으로 비밀을 유지하고 그 신원을 보호하여야 한다. ⑤ 감찰부서장은 성폭력·성희롱 피해 여성에 대하여는 피해자의 의사에 반하지 않는 한 여성 경찰공무원이 조사하도록 하여야 하고, 조사 과정에서 피해자의 인격이나 명예가 손상되거나 사적인 비밀이 침해되지 않도록 하여야 한다. ⑥ 감찰관은 피해자를 조사할 경우 피해자의 심리상태를 확인하여야 하고, 필요시 소속 경찰기관의 감찰부서장에게 보고하여 피해자 심리 전문요원의 조치를 받을 수 있도록 하여야 한다.
심야조사의 금지 (제32조)	① 감찰관은 심야(자정부터 오전 6시까지를 말한다)에 조사를 하여서는 아니 된다. ② ①에도 불구하고 감찰관은 조사대상자 또는 그 변호인의 별지 제6호 서식에 의한 심야조사 요청이 있는 경우에는 예외적으로 심야조사를 할 수 있다. 이 경우 심야조사의 사유를 조서에 명확히 기재하여야 한다.

휴식시간 부여 (제33조)	① 감찰관은 조사에 장시간이 소요되는 경우 특별한 사정이 없는 한 조사 도중에 최소한 2시간마다 10분 이상의 휴식시간을 부여하여 조사대상자가 피로를 회복할 수 있도록 노력하여야 한다. ② 감찰관은 조사대상자가 조사 도중에 휴식시간을 요청하는 때에는 조사에 소요된 시간, 조사대상자의 건강상태 등을 고려하여 적정하다고 판단될 경우 휴식시간을 부여하여야 한다. ③ 감찰관은 조사 중인 조사대상자의 건강상태에 이상 징후가 발견되면 의사의 진료를 받게 하거나 휴식을 취하게 하는 등 필요한 조치를 취하여야 한다.
감찰조사 후 처리 (제34조)	① 감찰관은 감찰조사를 종료한 때에는 소속 경찰기관의 장에게 별지 제7호 서식의 진술조서, 증빙자료 등과 함께 감찰조사 결과를 보고하여야 한다. ② ①의 경우 감찰관은 조사대상자에게 감찰조사 결과 요지를 서면 또는 전화, 문자메시지(SMS) 전송 등의 방법으로 통지하여야 한다. ③ 감찰관은 조사한 의무위반행위사건이 소속 경찰기관의 징계관할이 아닌 때에는 관할 경찰기관으로 이송하여야 한다. ④ 의무위반행위사건을 이송받은 경찰기관의 감찰부서장은 필요시 해당 사건에 대하여 추가 조사 등을 실시할 수 있다.
민원사건의 처리 (제35조)	① 감찰관은 소속 공무원의 의무위반사실에 대한 민원을 접수한 경우 접수일로부터 2개월 내에 신속히 처리하여야 한다. 다만, 부득이한 사유로 민원을 기한 내에 처리할 수 없을 때에는 소속 경찰기관의 감찰부서장에게 보고하여 그 처리기간을 연장할 수 있다. ② 민원사건을 배당받은 감찰관은 민원인, 피민원인 등 관련자에 대한 감찰조사 등을 거쳐 사실관계를 명확히 하여야 한다. ③ 감찰관은 불친절 또는 경미한 복무규율 위반에 관한 민원사건에 대해서는 민원인에게 정식 조사절차 또는 조정절차를 선택할 수 있음을 고지하고, 민원인이 조정절차를 선택한 때에는 해당 소속 공무원의 사과, 해명 등의 조정절차를 진행하여야 한다. 다만, 조정이 이루어지지 아니한 때에는 지체 없이 조사절차를 진행하여야 한다. ④ 감찰관은 민원사건을 접수한 경우 접수 후 매 1개월이 경과한 때와 감찰조사를 종결하였을 때에 민원인 또는 피해자에게 사건처리 진행상황을 통지하여야 한다. 다만, 진행상황에 대한 통지가 감찰조사에 지장을 주거나 피해자 또는 사건관계인의 명예와 권리를 부당히 침해할 우려가 있는 때에는 통지하지 않을 수 있다. ⑤ ④에 따른 통지는 문서로 하여야 한다. 다만, 신속을 요하거나 민원인이 요청하는 경우에는 구술 또는 전화로 통지할 수 있다.
기관통보사건의 처리 (제36조)	① 감찰관은 다른 경찰기관 또는 검찰, 감사원 등 다른 행정기관으로부터 통보받은 소속 공무원의 의무위반행위에 대해서는 통보받은 날로부터 1개월 이내에 신속히 처리하여야 한다. ② 감찰관은 검찰·경찰, 그 밖의 수사기관으로부터 수사개시 통보를 받은 경우에는 징계의결요구권자의 결재를 받아 해당 기관으로부터 수사결과의 통보를 받을 때까지 감찰조사, 징계의결요구 등의 절차를 진행하지 아니 할 수 있다.
감찰처분심의회 (제37조)	① 감찰부서장은 다음의 사항을 심의하기 위하여 감찰처분심의회(이하 '처분심의회'라고 한다)를 설치·운영할 수 있다. ㉠ 감찰결과 처리 및 양정과 관련한 사항 ㉡ 감찰결과에 대한 이의신청 처리와 관련한 사항 ㉢ 감찰결과의 공개와 관련한 사항 ㉣ 감찰관 기피신청과 관련한 사항 ② 처분심의회는 위원장을 포함한 3명 이상 7명 이하의 위원으로 구성하며, 위원장은 감찰부서장이 되고 위원은 감찰부서장이 소속 공무원 중에서 지명하거나 학식과 경험을 고루 갖춘 해당 분야의 외부전문가 중에서 위촉할 수 있다.

감찰결과에 대한 이의신청 (제38조)	① 제34조 제2항에 따른 통지를 받은 조사대상자는 그 통지를 받은 날부터 10일 이내에 감찰을 주관한 경찰기관의 장에게 이의신청을 할 수 있다. 다만, 감찰결과 징계요구된 사건에 대해서는 징계위원회에서의 의견진술 등의 절차로 이의신청을 갈음할 수 있다. ② ①의 이의신청을 접수한 경찰기관의 장은 처분심의회의 심의를 거쳐 이의신청이 이유 없다고 인정될 때에는 이를 기각하고 이유 있다고 인정될 때에는 그 감찰조사 결과를 취소하거나 변경하여야 한다.
감찰결과의 공개 (제39조)	① 감찰결과는 원칙적으로 공개하지 아니한다. 다만, 유사한 비위의 재발을 방지하기 위하여 다음의 경우에는 감찰결과 요지를 공개할 수 있다. ㉠ 중대한 비위행위(금품·향응수수, 공금횡령·유용, 정보유출, 독직폭행, 음주운전 등) ㉡ 언론 등 사회적 관심이 집중되어 사생활 보호의 이익보다 국민의 알 권리 충족 등 공공의 이익이 현저하게 크다고 판단되는 사안 ② 감찰결과의 공개 여부는 경찰기관의 장이 처분심의회의 의견을 들어 최종 결정한다. ③ 경찰기관의 장은 감찰결과를 공개할 경우 사건관계인의 사생활과 명예가 보호될 수 있도록 다음의 사항이 공개되지 않도록 보호조치를 하여야 한다. ㉠ 성명, 소속 등 사건관계인의 개인정보 ㉡ 비위혐의와 직접 관련이 없는 개인의 신상 및 사생활에 관한 내용 ㉢ 사건관계인의 징계경력 또는 감찰조사경력 자료 ㉣ 감찰사건 기록의 원본 또는 사본

6. 징계 등 조치

(1) 감찰관에 대한 징계 등(제40조)

① 경찰기관의 장은 감찰관이 이 규칙에 위배하여 직무를 태만히 하거나 권한을 남용한 경우 및 직무상 취득한 비밀을 누설한 경우에는 해당 사건의 담당 감찰관 교체, 징계요구 등의 조치를 한다.

② 감찰관의 의무위반행위에 대해서는 경찰공무원 징계령 세부시행규칙의 징계양정에 정한 기준보다 가중하여 징계조치한다.

(2) 감찰활동 방해에 대한 징계 등(제41조)

경찰기관의 장은 조사대상자가 정당한 이유 없이 출석 거부, 현지조사 불응, 협박 등의 방법으로 감찰조사를 방해하는 경우에는 징계요구 등의 조치를 할 수 있다.

02 경찰청 감사 규칙

1. 서설

(1) 목적(제1조)

이 규칙은 공공감사에 관한 법률에 따라 경찰청장이 실시하는 자체감사(이하 '감사'라 한다)의 기준과 시행방법에 관하여 필요한 사항을 규정함을 목적으로 한다

(2) 적용범위(제2조)

감사에 관하여는 다른 법령에 규정된 것을 제외하고는 이 규칙에 정하는 바에 따르고, 이 규칙에서 정한 것 이외에는 중앙행정기관 및 지방자치단체 자체감사기준을 따른다.

2. 감사절차

감사의 종류와 주기 (제4조)	① 감사의 종류는 종합감사, 특정감사, 재무감사, 성과감사, 복무감사, 일상감사로 구분한다. ② 종합감사의 주기는 1년에서 3년까지 하되 치안수요 등을 고려하여 조정 실시한다. 다만, 직전 또는 당해연도에 감사원 등 다른 감사기관이 감사를 실시한(실시 예정인 경우를 포함한다) 감사대상기관에 대해서는 감사의 일부 또는 전부를 실시하지 아니할 수 있다 ③ 일상감사의 대상·기준 및 절차 등에 관한 세부사항은 경찰청장이 따로 정한다.
감사계획의 수립 (제5조)	① 경찰청 감사관(이하 '감사관'이라 한다)은 감사계획 수립에 필요한 경우 시·도자치경찰위원회 및 시·도경찰청장과 감사일정을 협의하여야 한다. ② 감사관은 매년 2월 말까지 연간 감사계획을 수립하여 감사대상기관에 통보한다.
감사의 절차 (제9조)	감사는 다음의 순서로 진행함을 원칙으로 하되 감사관 또는 감사단장이 감사의 종류 및 현지실정에 따라 조정할 수 있다. ① 감사개요 통보: 감사관 또는 감사단장은 감사대상기관의 장에게 감사계획의 개요를 통보한다. ② 감사의 실시: 감사담당자는 개인별 감사사무분장에 따라 감사를 실시한다. ③ 감사의 종결: 감사관 또는 감사단장은 감사기간 내에 감사를 종결하여야 한다. 다만, 감사목적의 달성을 위하여 필요한 경우 감사기간을 연장할 수 있다. ④ 감사결과의 설명: 감사관 또는 감사단장은 감사의 목적을 달성하기 위하여 필요한 경우 감사대상기관 또는 부서를 대상으로 주요 감사결과를 설명하고 이에 대한 의견을 들을 수 있다.
감사결과의 처리기준 등 (제10조)	감사관은 감사결과를 다음의 기준에 따라 처리하여야 한다. ① 징계 또는 문책 요구: 국가공무원법과 그 밖의 법령에 규정된 징계 또는 문책 사유에 해당하거나 정당한 사유 없이 자체감사를 거부하거나 자료의 제출을 게을리한 경우 ② 시정 요구: 감사결과 위법 또는 부당하다고 인정되는 사실이 있어 추징·회수·환급·추급 또는 원상복구 등이 필요하다고 인정되는 경우 ③ 경고·주의 요구: 감사결과 위법 또는 부당하다고 인정되는 사실이 있으나 그 정도가 징계 또는 문책사유에 이르지 아니할 정도로 경미하거나, 감사대상기관 또는 부서에 대한 제재가 필요한 경우 ④ 개선 요구: 감사결과 법령상·제도상 또는 행정상 모순이 있거나 그 밖에 개선할 사항이 있다고 인정되는 경우 ⑤ 권고: 감사결과 문제점이 인정되는 사실이 있어 그 대안을 제시하고 감사대상기관의 장 등으로 하여금 개선방안을 마련하도록 할 필요가 있는 경우 ⑥ 통보: 감사결과 비위 사실이나 위법 또는 부당하다고 인정되는 사실이 있으나 ①부터 ⑤까지의 요구를 하기에 부적합하여 감사대상기관 또는 부서에서 자율적으로 처리할 필요가 있다고 인정되는 경우 ⑦ 변상명령: 회계관계직원 등의 책임에 관한 법률이 정하는 바에 따라 변상책임이 있는 경우 ⑧ 고발: 감사결과 범죄 혐의가 있다고 인정되는 경우 ⑨ 현지조치: 감사결과 경미한 지적사항으로서 현지에서 즉시 시정·개선조치가 필요한 경우
감사결과의 보고 (제12조)	감사관은 감사가 종료된 후 다음의 사항을 포함한 감사결과보고서를 작성하여 경찰청장에게 보고하여야 한다. ① 감사목적 및 범위, 감사기간 등 감사실시개요 ② 제10조의 처리기준에 따른 감사결과 처분요구 및 조치사항 ③ 감사결과에 대한 감사대상기관 또는 부서의 변명 또는 반론 ④ 그 밖에 보고할 필요가 인정되는 사항
감사결과의 통보 및 처리 (제13조)	① 경찰청장은 제12조에 따라 보고받은 감사결과를 감사대상기관의 장에게 통보하여야 한다. ② 감사결과를 통보받은 감사대상기관의 장은 정당한 사유가 없으면 감사결과의 조치사항을 이행하고 30일 이내에 그 이행결과를 경찰청장에게 통보하여야 한다.

감사의뢰의 처리 (제14조)	① 경찰청장은 시·도자치경찰위원회로부터 국가경찰과 자치경찰의 조직 및 운영에 관한 법률 제24조 제1항 제7호에 따라 다음의 어느 하나에 해당하는 경우에 대해 감사의뢰를 받은 경우, 특별한 사정이 없는 한 감사를 실시한다. ㉠ 다수의 시·도에 걸쳐 동일한 기준으로 감사가 필요한 경우 ㉡ 국가경찰사무와 자치경찰사무의 구분이 모호하여 자치경찰사무만을 감사하기가 어려운 경우 ② 경찰청장은 ①에 따라 감사의뢰를 받은 경우 그에 따른 조치결과를 시·도자치경찰위원회에 통보하여야 한다.
시·도 경찰청장의 감사 (제15조)	① 시·도경찰청장은 제5조 제2항에 준하여 연간 감사계획을 수립하여 감사관에게 통보하여야 한다. ② 시·도경찰청장은 ①에 따른 연간 감사계획에 포함되지 않은 감사를 실시하고자 할 때에는 감사계획을 수립하여 감사실시 예정일 전 15일까지 감사관에게 통보하여야 한다. ③ 시·도경찰청장은 부득이한 사정으로 인하여 예정된 감사를 실시하기 어려운 때에는 다음의 기준에 따라 변경된 감사계획을 감사관에게 통보하여야 한다. ㉠ ①에 따른 감사를 실시하기 어려운 때에는 감사실시 예정일전 15일까지 ㉡ ②의 규정에 따른 감사를 실시하기 어려운 때에는 감사실시 예정일 전 7일까지 ④ 감사관은 ① 내지 ③에 따라 통보받은 감사계획을 수정할 필요가 있다고 판단되는 경우에는 일정 등을 조정하여 시·도경찰청장에게 통보한다. ⑤ 시·도경찰청장이 ① 또는 ②에 따른 감사를 실시한 때에는 감사종료 후 30일 이내에 다음의 사항을 기재한 감사결과보고서를 경찰청장에게 제출하여야 한다. ㉠ 중요감사내용 및 조치사항 ㉡ 개선·건의사항 ㉢ 그 밖에 특별히 기재할 사항

제7절 인권보호

01 경찰 인권보호 규칙

1. 서설 및 정의

경찰 인권보호 규칙(이하 '규칙'이라 한다)은 경찰청과 그 소속 기관에서 인권보호 업무를 하는 데 필요한 사항을 규정함으로써 모든 사람의 기본적 인권을 보호함을 목적으로 하며, 이 규칙에서 사용하는 용어의 정의는 다음과 같다.

경찰관 등	경찰청과 그 소속 기관의 경찰공무원, 일반직공무원, 무기계약근로자 및 기간제 근로자, 의무경찰을 의미한다.
인권침해	경찰관 등이 직무를 수행하는 과정에서 모든 사람에게 보장된 인권을 침해하는 것을 말한다.
조사담당자	인권침해를 내용으로 하는 진정을 조사하고 이에 따른 구제 업무 등을 수행하는 경찰청과 그 소속 기관에 근무하는 공무원을 말한다.

2. 경찰청 및 시 · 도경찰청 인권위원회

설치 (제3조)	경찰 활동 전반에 걸친 민주적 통제를 구현하여 경찰력 오 · 남용을 예방하고, 경찰 행정의 인권지향성을 높여 인권을 존중하는 경찰 활동을 정립하기 위해 경찰청장 및 시 · 도경찰청장의 자문기구로서 각각 경찰청 인권위원회, 시 · 도경찰청 인권위원회(이하 '위원회'라 한다)를 설치하여 운영한다.
업무 (제4조)	위원회는 다음의 사항에 대한 권고 또는 의견표명을 할 수 있다. ① 인권과 관련된 경찰의 제도 · 정책 · 관행의 개선 ② 경찰의 인권침해 행위의 시정 ③ 국가인권위원회 · 국제인권규약 감독 기구 · 국가별 정례인권검토의 권고안 및 국가인권정책기본계획의 이행 ④ 인권영향평가 및 인권침해 사건 진상조사단(이하 '진상조사단'이라 한다)에 관한 사항
구성 (제5조)	① 위원회는 위원장 1명을 포함하여 7명 이상 13명 이하의 위원으로 구성한다. 이때, 특정 성별이 전체 위원 수의 10분의 6을 초과하지 아니해야 한다. ② 위원장은 위원회에서 호선(互選)하며, 위원은 당연직 위원과 위촉 위원으로 구분한다. ③ 당연직 위원은 경찰청은 감사관, 시 · 도경찰청은 청문감사인권담당관으로 한다. ④ 위촉 위원은 인권 분야에 전문적인 지식과 경험이 있고 아래의 어느 하나에 해당하는 사람 중에서 경찰청장 또는 시 · 도경찰청장(이하 '청장'이라 한다)이 위촉한다. 이때, 각 사항에 해당하는 사람이 반드시 1명 이상 포함되어야 한다. ㉠ 판사 · 검사 또는 변호사로 3년 이상의 경력이 있는 사람 ㉡ 초 · 중등교육법 제2조 제1호부터 제4호, 고등교육법 제2조 제1호부터 제6호까지의 규정에 따른 학교에서 교원 또는 교직원으로 3년 이상 근무한 경력이 있는 사람 ㉢ 비영리민간단체지원법 제2조 제1호부터 제3호, 제5호부터 제6호까지의 규정에 따른 단체에서 인권 분야에 3년 이상 활동한 경력이 있거나 그러한 단체로부터 인권위원으로 위촉되기에 적합하다고 추천을 받은 사람 ㉣ 그 밖에 사회적 약자 등 다양한 사회 구성원의 목소리를 반영할 수 있는 사람
위촉 위원의 결격사유 (제6조)	① 다음의 어느 하나에 해당하는 사람은 위원이 될 수 없다. ㉠ 공직선거법에 따라 실시하는 선거에 후보자(예비후보자 포함)로 등록한 사람 ㉡ 공직선거법에 따라 실시하는 선거에 의하여 취임한 공무원이거나 그 직에서 퇴직한 날부터 3년이 지나지 아니한 사람 ㉢ 경찰의 직에 있거나 그 직에서 퇴직한 날부터 3년이 지나지 아니한 사람 ㉣ 공직선거법에 따른 선거사무관계자 및 정당법에 따른 정당의 당원 ② 위촉 위원이 ①의 각 사항의 어느 하나에 해당하게 된 때에는 당연히 퇴직한다.
임기 (제7조)	① 위원장과 위촉 위원의 임기는 위촉된 날로부터 2년으로 하며 위원장의 직은 연임할 수 없고, 위촉 위원은 두 차례만 연임할 수 있다. ② 위촉 위원에 결원이 생긴 경우 새로 위촉할 수 있고, 이 경우 새로 위촉된 위원의 임기는 위촉된 날부터 기산한다.
위원장의 직무 등 (제10조)	① 위원장은 위원회를 대표하며, 위원회의 업무를 총괄한다. ② 위원장이 일시적인 사유로 그 직무를 수행할 수 없을 경우에는 위원 중에서 위촉 일자가 빠른 순으로 그 직무를 대행한다. 다만, 위촉 일자가 같을 때에는 연장자순으로 대행한다. ③ 위원장이 직무를 계속하여 수행할 수 없는 사유가 발생하거나 직무를 수행할 수 없다는 의사표시를 한 경우에는 ②의 대행자는 그 사유가 발생하거나 의사를 표시한 날로부터 30일 이내에 회의를 개최하여 위원장을 선출하여야 한다. 단, 위원장의 잔여 임기가 6개월 미만일 때에는 위원장을 선출하지 않을 수 있다. ④ ③에 따라 선출된 위원장의 임기는 전임 위원장의 잔여 임기로 한다.

회의 (제11조)	① 위원회의 회의는 정기회의와 임시회의로 구분하며, 재적위원 과반수의 출석으로 개의(開議)하고, 출석위원 과반수의 찬성으로 의결한다. ② 정기회의는 경찰청은 월 1회, 시·도경찰청은 분기 1회 개최한다. ③ 임시회의는 위원장이 필요하다고 인정하거나 청장 또는 재적위원 3분의 1 이상이 소집을 요구하는 경우 위원장이 소집한다.

3. 경찰 인권정책 기본계획 및 인권교육과 인권영향평가

경찰 인권정책 기본계획의 수립 (제18조)	① 경찰청장은 국민의 인권보호와 증진을 위하여 경찰 인권정책 기본계획(이하 "기본계획"이라 한다)을 5년마다 수립해야 한다. ② 기본계획에는 다음 각 호의 사항이 포함돼야 한다. ㉠ 경찰 인권정책의 기본방향과 추진목표 ㉡ 추진목표별 세부과제 및 실행계획 ㉢ 인권취약계층에 대한 인권보호 방안 ㉣ 인권에 관한 교육 및 홍보 등 인권의식 향상을 위한 시책 ㉤ 인권보호 및 증진에 관한 협력체계 구축 방안 ㉥ 그 밖에 국민의 인권보호 및 증진에 필요한 사항
경찰 인권교육 계획의 수립 (제18조의2)	① 경찰청장은 경찰관 등(경찰공무원으로 신규 임용될 사람을 포함한다. 이하 이 조, 제20조, 제20조의2 및 제20조의3에서 같다)이 근무하는 동안 지속적·체계적으로 교육을 받을 수 있도록 3년 단위로 다음 각 호의 사항을 포함한 인권교육종합계획을 수립하여 시행해야 한다. ㉠ 경찰 인권교육의 기본방향과 추진목표 ㉡ 인권교육 전문강사 양성 및 지원 ㉢ 경찰 인권교육 실태조사·평가 ㉣ 교육기관 및 대상별 인권교육 실시 ㉤ 그 밖에 경찰관등의 인권 보호와 향상을 위하여 필요한 사항 ② 경찰관서의 장은 ①의 내용을 반영하여 매년 인권교육 계획을 수립하여 시행하여야 한다.
교육시기 및 이수시간 (제20조의3)	경찰관등에 대한 인권교육은 교육대상에 따라 다음 각 호와 같이 실시해야 한다. ㉠ **신규 임용예정 경찰관등**: 각 교육기관 교육기간 중 5시간 이상 ㉡ **경찰관서의 장(지역경찰관서의 장과 기동부대의 장을 포함한다) 및 각 경찰관서 재직 경찰관등**: 연 6시간 이상 ㉢ **교육기관에 입교한 경찰관등**: 보수·직무교육 등 교육과정 중 1시간 이상 ㉣ **인권 강사 경찰관등**: 연 40시간 이상
인권영향 평가의 실시 (제21조)	① 경찰청장은 인권침해를 예방하고, 인권친화적인 치안 행정이 구현되도록 다음의 사항에 대하여 인권영향평가를 실시하여야 한다. ㉠ 제·개정하려는 법령 및 행정규칙 ㉡ 국민의 인권에 영향을 미치는 정책 및 계획 ㉢ 참가인원, 내용, 동원 경력의 규모, 배치 장비 등을 고려하여 인권침해 가능성이 높다고 판단되는 집회 및 시위 ② ①에도 불구하고 다음의 어느 하나에 해당하는 경우 평가 대상에서 제외한다. ㉠ 제·개정하려는 법령 및 행정규칙의 내용이 경미한 경우 ㉡ 사전에 청문, 공청회 등 의견 청취 절차를 거친 정책 및 계획
점검 (제24조)	인권보호담당관은 반기 1회 이상 인권영향평가의 이행 여부를 점검하고, 이를 경찰청 인권위원회에 제출하여야 한다.

4. 인권진단

진단사항 (제25조)	인권보호담당관은 인권침해를 예방하고 제도를 개선하기 위해 연 1회 이상 다음 각 호의 사항을 진단하여야 한다. 1. 인권 관련 정책 이행 실태 2. 인권교육 추진 현황 3. 경찰청과 소속기관의 청사 및 부속 시설 전반의 인권침해적 요소의 존재 여부
방법 (제26조)	진단은 대상 경찰관서를 방문하여 관찰, 서류 점검, 면담, 설문 등의 방법으로 실시하되, 방문 진단이 곤란하다고 인정하는 경우에는 서면으로 할 수 있다.

5. 인권침해 사건의 조사 · 처리

비밀엄수 및 절차준수 (제27조)	① 조사담당자는 직무를 수행하는 과정에서 알게 된 비밀을 정당한 사유 없이 다른 사람에게 누설하거나 조사 외 다른 목적으로 사용해서는 아니 되며, 진정인 · 피해자 · 피진정인 및 관계인(이하 '진정인 등'이라 한다)의 인권을 존중하여야 한다. ② 조사담당자는 진정인 등에게 법령을 공정하게 적용하고, 적법절차를 지키며, 피진정인이 소속된 기관의 장이나 진정인 등의 의견을 충분히 수렴하여야 한다. ③ 조사담당자는 진정을 조사하는 동안 진정인 등에게 처리 과정과 결과를 친절하게 안내하고 설명하여, 진정인 등이 이해하고 납득할 수 있도록 성실하게 노력하여야 한다.
진정의 접수 및 처리 (제28조)	① 인권침해 진정은 문서(우편 · 팩스 및 컴퓨터 통신에 의한 것을 포함한다)나 전화 또는 구두로 접수받으며, 담당 부서는 경찰청 인권보호담당관실로 한다. ② 경찰청 인권보호담당관실은 진정이 제기되지 아니하였더라도 경찰청장이 직접 조사를 명하거나 중대하고 긴급한 조치가 필요하다고 판단한 사안 또는 인권침해의 단서가 되는 사실을 알게 되었을 경우에는 직접 조사할 수 있다. ③ ①에도 불구하고 사건의 내용을 확인하여 처리 관서 또는 부서가 특정되거나 경찰청 사무분장 규칙에 따른 사무가 확인될 경우에는 경찰청 인권보호담당관실에 접수된 진정을 이첩할 수 있다.
진정의 각하 (제29조)	① 경찰청 및 그 소속기관의 장은 다음의 어느 하나에 해당할 경우에는 그 진정을 각하할 수 있다. ㉠ 진정 내용이 인권침해에 해당하지 아니하는 것이 명백한 경우 ㉡ 진정 내용이 명백히 사실이 아니거나 이유가 없다고 인정되는 경우 ㉢ 피해자가 아닌 사람이 한 진정으로서 피해자가 조사를 원하지 않는다는 의사표시를 명백하게 한 경우 ㉣ 진정의 원인이 된 사실이 공소시효, 징계시효 및 민사상 시효 등이 모두 완성된 경우 ㉤ 진정의 원인이 된 사실에 관하여 법원이나 헌법재판소의 재판, 수사기관의 수사 또는 그 밖에 법률에 따른 권리 구제절차가 진행 중이거나 종결된 경우(기간의 경과 등 형식 요건을 제대로 갖추지 못하여 종결된 경우는 제외한다) ㉥ 진정이 익명(匿名)이나 가명(假名)으로 제출된 경우 ㉦ 진정인이 진정을 취소한 경우 ㉧ 기각 또는 각하된 진정과 동일한 내용으로 다시 진정한 경우 ㉨ 진정 내용이 추상적이거나 관계자를 근거 없이 비방하는 등 업무를 방해할 의도로 진정한 것으로 판단되는 경우 ㉩ 진정의 취지가 그 진정의 원인이 된 사실에 관한 법원의 확정 판결이나 헌법재판소의 결정에 반대되는 경우 ㉪ 국가인권위원회에서 진정서의 내용과 같은 사실을 이미 조사 중이거나 조사한 사실이 확인된 경우(진정인의 진정 취소를 이유로 각하 처리된 사건은 제외한다)

진정의 각하 (제29조)	② ①의 각 사항의 어느 하나에 해당하더라도 인권침해를 방지하고 제도 개선을 위한 사실관계 확인을 위하여 조사가 필요한 경우에는 각하하지 아니할 수 있다. ③ 진정에 대해 조사를 시작한 후에도 ①의 각 사항의 어느 하나의 사유가 확인된 경우 해당 진정을 각하할 수 있다.
조사중지 (제35조)	① 조사담당자는 인권침해 사건을 조사하는 과정에서 다음의 어느 하나에 해당하는 사유로 사건 조사를 진행할 수 없는 경우에는 조사를 중지할 수 있다. 다만, 확인된 인권침해 사실에 대한 구제절차는 계속하여 이행할 수 있다. ㉠ 진정인이나 피해자의 소재를 알 수 없는 경우 ㉡ 사건 해결과 진상 규명에 핵심적인 중요 참고인의 소재를 알 수 없는 경우 ㉢ 그 밖에 ㉠ 또는 ㉡과 유사한 사정으로 더 이상 사건 조사를 진행할 수 없는 경우 ㉣ 감사원의 조사, 경찰·검찰 등 수사기관에서 조사 또는 수사가 개시된 경우 ② 조사중지사유가 해소된 경우에는 조사담당자는 별지 제4호 서식의 사건 표지에 새롭게 사건을 재개한 사유를 적고 즉시 조사를 다시 시작하여야 한다.
진정의 취소 (제36조)	① 진정인은 진정을 취소하려는 경우에는 그 뜻을 분명히 밝힌 취소장(전자우편 등 전자문서 형식의 취소장을 포함한다)을 제출하여야 한다. 다만, 진정인이 경찰관 등에게 구두로 진정의 취소의사를 표시하는 경우에는 직원 등이 대신 작성하여 진정인의 서명이나 날인을 받은 취소조서를 취소장으로 갈음할 수 있으며, 전화로 진정취소 의사를 밝힌 경우에는 담당 직원의 전화통화 보고서를 취소장으로 갈음할 수 있다. ② 진정인 또는 피해자가 유치인이거나 기타 시설 수용자인 경우에 진정을 취소하거나 조사를 원하지 않는다는 뜻을 표시하려면 진정인 또는 피해자가 취소장을 작성하고 서명 및 날인(손도장을 포함한다)하여 제출하여야 한다.
진정의 기각 (제37조)	경찰청 및 그 소속기관의 장은 진정 내용을 조사한 결과 다음의 어느 하나에 해당하는 경우에는 그 진정을 기각할 수 있다. ① 진정 내용이 사실이 아니거나 사실 여부를 확인하는 것이 불가능한 경우 ② 진정 내용이 이미 피해회복이 이루어지는 등 따로 구제조치가 필요하지 아니하다고 인정되는 경우 ③ 진정 내용은 사실이나 인권침해에 해당하지 아니하는 경우

6. 진상조사단

진상조사단의 구성 (제42조)	① 경찰청장은 경찰의 법 집행 과정에서 사람의 사망 또는 중상해 그 밖에 사유로 인하여 중대한 인권침해의 의심이 있는 경우 이를 조사하기 위하여 진상조사단을 구성할 수 있다. 이 경우에 경찰청 인권위원회는 진상조사단 구성에 대하여 권고 또는 의견표명을 할 수 있다. ② 진상조사단은 경찰청 차장 직속으로 두고 진상조사팀, 실무지원팀, 민간조사자문단으로 구성하여 운영한다. ③ 단장은 경찰청 소속 경무관급 공무원 중에서 경찰위원회의 추천을 받아 경찰청장이 임명한다. ④ 단장은 진상조사단의 업무를 총괄하고 팀장 및 팀원을 지휘·감독한다.
진상조사팀의 구성 및 임무 (제43조)	① 팀장은 경찰청 소속 총경급 중에서 단장의 의견을 들어 경찰청장이 임명한다. ② 팀원은 인권·감찰·감사·수사 등의 분야에서 조사경험이 있는 경찰관과 국민권익위원회 등에서 파견 받은 조사관으로 구성하되, 팀원 수는 대상사건의 관련자 수와 조사범위 등을 고려하여 단장이 정한다. ③ 진상조사팀은 관련자 및 사실관계를 조사하고 증거를 수집한다. ④ ③의 조사방법 등에 관하여는 제27조 및 제31조의 규정을 준용한다.

실무지원팀의 구성 및 임무 (제44조)	① 팀장은 경찰청 인권보호담당관으로 하고, 팀원은 경찰청 인권보호담당관실 소속 직원으로 한다. ② 실무지원팀은 진상조사단의 원활한 운영을 위하여 진상조사단 및 진상조사팀의 업무를 지원한다.
민간조사 자문단의 구성 및 임무 (제45조)	① 민간조사자문단은 '인권분야 전문가 인력풀'에 포함된 사람 중에서 경찰청 인권위원회의 심의를 거쳐 경찰청장이 위촉한다. ② ①의 '인권분야 전문가 인력풀'은 인권 분야에 전문적인 지식과 경험이 있고 아래에 해당하는 사람 중에서 경찰청장이 구성한다. ㉠ 사회학 · 법학 등 인권분야에 관한 박사학위를 가진 사람 ㉡ 판사 · 검사 또는 변호사로 3년 이상의 경력이 있는 사람 ㉢ 그 밖에 조사대상 사건에 대해 전문성이 있다고 인정되는 사람 ③ 위촉 단원의 결격, 해촉 및 제척 · 기피 · 회피에 관하여는 제6조, 제8조, 제9조의 규정을 준용한다. ④ 민간조사자문단은 조사팀의 조사현장에 참여할 수 있으며, 조사과정을 모니터링하고 조사팀의 조사활동 및 그 결과에 대하여 의견을 제시할 수 있다. ⑤ ④의 조사활동 등에 참여한 자문단원에게는 예산의 범위 안에서 수당 또는 여비를 지급할 수 있다.
운영기간 (제46조)	진상조사단은 원칙적으로 구성된 날로부터 2개월 내에 조사를 완료하여야 한다. 다만 필요한 경우에는 경찰청장의 승인을 받은 후 기간을 연장할 수 있다.
결과발표 (제47조)	① 단장은 대상 사건에 대한 사건의 진상, 원인분석 및 그에 따른 조치의견 등을 포함하는 조사결과를 발표한다. ② 단장은 진상조사 결과 발표 전 조사결과에 대해 경찰위원회와 경찰청 인권위원회에 보고하고 그 의견을 들어야 한다.

CHAPTER 07 경찰윤리

01 경찰윤리

1. 서설

현대국가는 복지행정이 강화되고 행정이 전문화되면서 과거에 비해 행정권이 상대적으로 강화되었다. 그 결과 행정권의 비대화와 정치화 경향이 나타나고 있고, 행정을 담당하는 관료의 복지부동(伏地不動)* 이나 무사안일** 등 관료제 행정조직의 역기능이 나타나게 되었다. 이러한 문제점들이 공직사회로 침투하게 되어 또 다른 문제를 야기하므로 행정윤리의 확립이 필요하다.

* 복지부동 : "땅에 엎드려 움직이지 아니한다."는 뜻으로, 마땅히 해야 할 일을 하지 않고 몸을 사림을 비유한 말

** 무사안일 : 아무 일도 하지 않아 편안하고 한가로움을 뜻하는 말

2. 경찰윤리 확립의 필요성

(1) 재량에 의한 경찰권 행사

경찰관은 직무상의 권한을 사용할 때 상당한 재량이 주어져 있으므로 경찰관 개개인에 의한 합리적인 판단이 더욱 중요해진다. 또한, 경찰업무의 상당부분이 위급할 뿐만 아니라 정상적이지 않은 상황에서 이루어지므로 이러한 위기상황하에서 합리적인 의사결정을 위해서는 경찰관으로서의 윤리의식이 확립되어야 한다.

(2) 위험상황에서의 업무수행

위험상황에 경찰이 개입하는 것은 경찰공무원 개인의 선택이 아니라 국민과 법에 의해 경찰공무원에게 부여된 의무에 해당한다. 다시 말해 위험상황발생시에 경찰공무원들은 개입 여부를 선택할 수 있는 것이 아니라 위험한 상황의 해소를 위해 개입하여야 할 의무가 있다. 그러므로 경찰관은 위기상황에 적절하게 대처하기 위한 능력과 자질을 갖추고 있어야 한다.

(3) 강한 유혹에 직면

경찰관은 다른 공무원들보다 더 많은 권한(경찰사범의 단속권 · 통고처분권)을 가지고 있기 때문에 강한 유혹에 더 많이 노출되어 있고 이러한 유혹은 조직 내 · 외부 모두에 존재한다.

(4) 조직 내부규범에 대한 동조압력과 배타성

대부분의 행정조직은 조직구성원 상호간에 강한 유대감을 바탕으로 구성원들끼리 내부적으로 결속하려는 경향이 강하다. 만약 이러한 집단 내부규범에 동조하지 않을 경우 조직의 배타적 성격에 의하여 조직이나 구성원들로부터 소외되기 쉬우므로 개인의 도덕적 순결성을 지키기 위해서는 상당한 결단이 필요하다. 이러한 조직 내부규범에 대한 동조압력은 경찰부패의 원인 중 '침묵의 규범'과 유사한 형태로 경찰조직의 부패를 야기한다.

3. 경찰윤리교육의 목적(J. Kleinig ; 클라이니히)

(1) 도덕적 결의의 강화

경찰공무원이 직무를 수행함에 있어 조직 내·외부로부터 여러 형태의 압력과 유혹에 굴복하지 않고 자신의 소신과 직업의식에 따라 업무를 처리하기 위해서는 도덕적 결의가 강화되어야 한다. 예를 들어 A형사에게 사건 관련자가 돈 100만원을 건네면서 잘 처리해 달라고 부탁을 하자, 처음에는 거절하다가 결국 돈을 받았다면 이는 도덕적 결의가 약화된 것이다.

(2) 도덕적 감수성의 배양

경찰이 다양한 계층의 사람들(부자나 가난한 자)을 모두 인간으로서 존중하고 공평하게 봉사하기 위해서는 도덕적 감수성이 배양되어야 한다. 예를 들어 지구대에 빈곤자가 찾아왔을 때 상황근무자인 A순경이 욕설과 험담을 하면서 쫓아냈지만 부자가 찾아왔을 때는 친절하게 봉사한다면 이는 도덕적 감수성이 부족한 것이라고 볼 수 있다.

(3) 도덕적 전문능력의 함양

경찰이 비판적·반성적 사고방식을 바탕으로 조직 내에서 관습적으로 내려오는 관행을 합리적으로 검토하여 수용하기 위해서는 경찰관 개개인의 전문능력이 함양되어야 한다. 클라이니히는 도덕적 전문능력의 함양은 경찰윤리교육에 있어 가장 중요한 목적이라고 보았다.

4. 경찰의 전문직업화

(1) 등장 배경

경찰의 전문직업화는 미국에서 경찰의 높은 사회적 지위를 확보하기 위하여 볼머(August G. Vollmer)에 의해 추진되었다. 경찰의 전문직업화를 통해 경찰위상과 사기제고, 치안서비스 질의 향상 등이 이루어졌다.

(2) 전문직업화의 문제점

구분	내용
부권주의(父權主義)	① 아버지가 자녀의 모든 문제를 결정하는 것처럼 전문가인 경찰이 상대방의 입장을 고려하지 않고 일방적으로 결정하는 것 ② 치안서비스의 질을 저해할 우려가 있음
소외	① 전문지식(협소한 지식)에 치중하여 경찰의 봉사기능 등 전체적인 목적과 사회관례를 소홀히 하는 것 ② 나무는 보고 숲을 보지 못하는 것처럼 전문가가 자신의 국지적 분야만 보고 전체적인 맥락을 파악하지 못하는 것 예 ○○경찰서 경비과 소속 경찰관 甲은 집회 현장에서 시위대가 질서유지선을 침범해 경찰관을 폭행하자 교통, 정보, 생활안전 등 다른 전체적인 분야에 대한 고려 없이 경비분야만 생각하고 검거 결정을 하였다.
차별	전문직업화를 위해 고학력을 요구할 경우, 경제적 약자 등은 교육기회를 갖지 못하게 되어 공직 진출이 제한되는 등 차별을 야기할 수 있음

02 경찰부패

1. 하이덴하이머(A. J. Heidenheimer)의 부패 구분

관직(공직)중심적 정의	부패는 일반적으로 향응·뇌물 등의 수수와 결부되어 있지만 반드시 금전적인 형태일 필요는 없으며, 금전적 이익 이외의 사적인 이익을 취하기 위하여 권한을 남용하는 경우도 포함한다.
시장중심적 정의	부패는 강제적인 가격모델로부터 자유시장모델로 변화하는 것과 관련이 있다. 고객은 잘 알려진 위험을 감수하고 원하는 이익을 보장받기 위해 높은 가격(뇌물)을 지불하려고 하므로 부패가 일어난다.
공익중심적 정의	어떠한 일을 하도록 권한과 책임이 부여되고 이러한 업무를 수행할 수 있는 사람, 즉 관료가 법적으로 규정되지 않은 금전적 또는 다른 형태의 보수를 제공하는 사람들에게 이로운 행위를 하고, 한편으로는 공중의 이익에 손해를 가져오는 것을 부패라고 정의한다.

참고

하이덴하이머의 사회구성원의 용인도를 기준으로 한 부패유형

구분	내용
백색부패	1. 이론상 일탈행위로 규정될 수 있으나, 구성원 다수가 어느 정도 용인하는 선의의 부패 **또는 관례화된 부패**을 의미함 2. 관련 공무원이 경기가 안 좋은 상태임에도 국민들의 동요나 기업활동의 위축을 방지하기 위해 경기가 회복되고 있다고 거짓말을 하는 경우
회색부패	1. 사회구성원 가운데 특히 엘리트를 중심으로 일부 집단은 처벌을 원하지만, 다른 일부 집단은 처벌을 원하지 않는 경우의 부패를 의미함 2. 백색부패와 흑색부패의 중간에 위치하는 유형으로 얼마든지 흑색부패로 악화될 수 있는 잠재성을 지닌 행위 3. 정치인에 대한 후원금
흑색부패	1. 사회 전제에 심각한 해를 끼치는 부패 행위로 구성원 모두가 인정하고 처벌을 원하는 부패를 의미함 2. 업무와 관련된 대가성 있는 뇌물수수

2. 경찰부패의 원인(델라트르)

썩은 사과 가설 (Rotten apple theory)	① 부패의 원인은 자질이 없는 경찰관들이 모집단계에서 배제되지 못하고 조직 내부로 유입됨으로써 경찰의 부패가 나타난다는 이론이다. ② 경찰부패의 원인을 개인의 윤리적 성향에서 찾는다는 특징이 있다. 예 음주운전으로 징계처분을 받은 적이 있는 B가 다시 음주운전으로 적발되어 징계위원회에 회부되었다.
구조원인 가설 (Structural hypothesis)	① 니더호퍼, 로벅, 바커 등이 주장한 가설이다. ② 신임 경찰관들이 그들의 고참 동료들에 의해 조직의 부패 전통 내에서 사회화됨으로써 부패의 길로 들어선다는 입장으로 부패의 원인을 개인적 결함이 아닌 조직의 체계적 원인으로 보고 있다. ③ 이러한 부패의 관행은 경찰관들 사이에서 침묵의 규범으로 받아들여진다는 특징이 있다. 예 정직하고 청렴하였던 신임 경찰관 A가 자신의 순찰팀장인 B로부터 관내 유흥업소 업자들을 소개받고, 이후 B와 함께 활동을 해가면서 B가 유흥업소 업자들로부터 상납금을 받는 것을 보고 점점 그 방식 등을 답습하였다면 '구조원인 가설'로 설명할 수 있다. 예 경찰관 A는 동료경찰관들이 유흥업소 업주들로부터 접대를 받은 사실을 알고도 모른 체했다.

구분	내용
구조원인 가설 (Structural hypothesis)	예 P경찰관은 부서에서 많은 동료들이 단독 출장을 가면서도 공공연하게 두 사람의 출장비를 청구하고 퇴근 후 잠깐 들러서 시간 외 근무를 한 것으로 퇴근시간을 허위 기록되게 하는 것을 보고, P경찰관도 동료들과 같은 행동을 하였다.
전체사회 가설	① 미국 시카고경찰의 부패원인을 분석하던 윌슨이 내린 결론으로 시카고 시민이 경찰을 부패시켰다고 본다. ② 시민사회가 경찰의 부패를 묵인하거나 조장할 때 경찰관은 자연스럽게 부패행위를 하게 되며, 초기 단계에는 불법행위를 하지 않더라도 작은 호의에 길들여져 나중에는 부정부패로 빠져들게 된다. ③ 미끄러지기 쉬운 경사로 이론과 관련이 있다. 예 B지역은 과거부터 지역주민들이 관내 경찰관들과 어울려 도박을 일삼고, 부적절한 사건청탁을 하는 경우가 종종 있었으나 아무도 이를 문제삼지 않던 곳이었다. 이러한 B지역에 새로 발령받은 신임 경찰관 A에게도 지역주민들이 접근하여 도박을 함께 하게 되는 경우 '전체사회 가설'로 설명할 수 있다. 예 주류판매로 단속된 노래연습장 업주가 담당경찰관 C에게 사건무마를 청탁하며 뇌물수수를 시도하였다.
미끄러운 경사로 가설 (작은 호의 가설, Slippery slope theory)	① 부패에 해당하지 않는 작은 호의가 습관화될 경우 미끄러운 경사로를 타고 내려오듯이 점점 더 큰 부패와 범죄로 빠진다는 가설이다. 사회전체가 경찰의 부패를 묵인하거나 조장할 때 경찰관은 자연스럽게 부패행위를 하게 되며, 초기 단계에는 설령 불법적인 행위를 하지 않더라도 작은 호의에 길들여져 나중에는 명백한 부정부패로 빠져들게 된다는 것이다. ② 셔먼 등에 의해 주장된 이론으로 공짜 커피, 작은 선물과 같은 사소한 호의가 나중에 엄청난 부패로 이어진다는 가설이다. ③ 이러한 셔먼의 견해에 대하여 펠드버그는 경찰공무원은 작은 호의와 부패를 구분할 수 있는 윤리성을 갖추고 있으므로 작은 호의를 받았다고 해서 반드시 큰 부패로 이어진다는 것은 아니라고 비판한다. 이를 '형성재 이론'이라고 하며, 형성재 이론은 작은 사례나 호의는 시민과의 긍정적인 사회관계를 만들어주는 형성재라는 것으로, 작은 사례나 호의의 긍정적 효과를 강조하는 이론이다. ④ 델라트르는 펠드버그가 주장한 '작은 호의의 허용'에 대하여 이를 다시 비판함으로써 셔먼과 동일한 입장을 취하고 있다. 델라트르는 '미끄러지기 쉬운 경사로이론'에 따라 시민의 작은 호의를 받은 경찰관 중 큰 부패로 이어지는 경찰관은 일부에 불과하지만, 이를 무시하거나 간과할 수는 없으므로 시민의 작은 호의를 금지해야 한다고 주장하였다. 예 지구대에 근무하는 경찰관 A는 순찰 도중 동네 슈퍼마켓 주인으로부터 음료수를 얻어 마시면서 친분을 유지하다가 나중에는 폭행사건처리 무마 청탁을 받고 큰 돈까지 받게 되었다면 '미끄러지기 쉬운 경사로 이론'으로 설명할 수 있다.
법규와 현실의 괴리	A가 기소중지자의 신병인수를 위해 출장을 가면서 경찰관서에서 지급되는 출장비가 충분하지 않아 실제로는 1명이 갔음에도 2명분의 출장비를 수령하였다면, 그 원인은 행정 내부의 '법규 및 예산과 현실의 괴리' 때문이라고 볼 수 있다.
깨진 유리창 이론	경찰관의 사소한 잘못을 처벌하지 않고 방치할 경우 큰 부패로 이어질 수 있다는 이론이다.
윤리적 냉소주의 가설 (Ethical cynicism hypothesis)	경찰에 대한 외부통제기능을 수행하는 정치권력, 대중매체, 시민단체의 부패가 경찰의 냉소주의를 부채질하고 부패의 전염효과를 가져온다고 본다.
Dirty Harry 문제	도덕적으로 선한 목적을 위해 윤리적, 정치적, 혹은 법적으로 더러운 수단을 동원하는 것이 적절한가와 관련된 딜레마적 상황이다.

3. 동료 경찰관의 부패에 대한 반응

(1) 내부고발(Whistle blowing)

① 내부고발의 개념

㉠ 내부고발은 동료나 상사의 부정에 대하여 외부의 감찰기관이나 언론매체를 통하여 조직 내부의 부정·부패를 공표하는 고발행위를 말하며, 이는 '침묵의 규범'과 반대되는 개념이라고 할 수 있다.

㉡ 내부고발이 정당화되기 위해서는 일정한 요건이 갖추어져야 하는데 일반적으로 적절한 도덕적 동기에 의해 이루어져야 하며, 내부문제를 외부에 공표하기 전 조직 내 다른 채널을 통하여 해결할 수 있으면 먼저 내부적 해결을 시도해야 한다. 마지막으로 중대성·급박성과 어느 정도 성공할 가능성이 있어야 한다.

Add

딥 스로트(Deep Throat)

'내부고발자'를 말하며 휘슬 블로어(Whistle-blower)라고도 한다. 내부고발자란 기업이나 정부기관 내에 근무하는 내부자로서 조직의 불법이나 부정거래에 관한 정보를 신고하는 사람을 말한다.

② 내부고발의 정당화 요건(J. Kleinig ; 클라이니히)

㉠ 적절한 도덕적 동기에 의해서 행해져야 한다.
㉡ 내부고발자는 특별한 경우를 제외하고는 공표 전 자신의 이견을 표시하기 위한 내부적 채널을 모두 사용했어야 한다. 다시 말해 내부문제를 외부에 공표하기 전에 조직 내 다른 채널을 통하여 해결할 수 있으면 먼저 내부적 해결을 시도해야 한다(최후수단성).
㉢ 내부고발자는 부적절한 행동을 하도록 지시받았다는 자신의 신념이 합리적 증거에 근거하였는지 확인해야 한다.
㉣ 내부고발자는 도덕적 위반이 얼마나 중대한가, 도덕적 위반이 얼마나 급박한가 등에 대한 세심한 고려가 있어야 한다.
㉤ 내부고발이 어느 정도 성공할 가능성이 있어야 한다.

Add

내부고발에 대응되는 개념으로 동료의 부정부패에 대하여 눈감아 주는 것을 침묵의 규범이라고 한다.

(2) 비지 바디니스(Busy bodiness)

비지 바디니스란 남의 비행에 대하여 일일이 참견하면서 도덕적 충고를 하는 것을 의미한다.

(3) 도덕적 해이(moral hazard)

도덕적 해이란 도덕적 가치관이 붕괴되어 동료의 부패를 부패라고 인식하지 못하는 것을 말한다. 이는 부패를 잘못된 행위로 인식하고 있지만 동료라서 모르는 척 하는 침묵의 규범과는 구별되는 개념이다.

(4) 냉소주의와 회의주의

① 경찰관이 상부의 지시가 부당하다고 생각할 때 냉소주의가 나타날 수 있다. 냉소주의에 대해 니더호퍼는 자신의 신념체제가 붕괴되었지만 새로운 가치관으로 대체되지 않을 때 나타나는 아노미 현상이라고 정의하였다. 이러한 냉소주의는 합리적 근거 없이 사회에 대한 불신으로 인해 생겨나는 것으로 대상을 개선시키겠다는 의지가 없다는 데 그 특징이 있다. 냉소주의가 만연할 경우 조직에 대한 반발과 일탈현상을 초래할 수 있다.

② 냉소주의의 가장 큰 문제점은 조직구성원들이 극단적인 성향을 가지게 되고, 어떤 사실관계의 판단시에 객관성이 결여되어 조직에 대하여 무조건 부정적인 태도를 가지게 된다는 데 있다. 이러한 냉소주의는 모든 대상에 대하여 합리적 근거 없이 비난하는 것으로, 이는 대상을 개선시키겠다는 의지가 있는 회의주의와 구별된다.

구분	냉소주의	회의주의
공통점	대상에 대한 불신	
차이점	불특정대상에 대하여 합리적인 근거 없이 불신하는 것으로 개선의 의지가 없다.	특정대상에 대하여 합리적인 근거를 바탕으로 의심하는 것으로 개선의 의지가 있다.

예 냉소주의
경찰청에서 새로운 성과평가 제도를 시행하겠다고 발표하자, A순경은 '나랑 상관없어. 이런 건 전시행정이야'라고 비웃었다. 평소 그는 기존의 사회체계에 대한 신뢰가 없으며 개선시키겠다는 의지도 없는 사람이다.

③ 냉소주의를 극복하기 위해서는 의사결정과정에 일선 경찰관들의 참여를 확대시키고, 상사와 부하의 신뢰를 회복하기 위해 노력해야 한다. 또한 상급자의 일방적 지시와 명령을 줄이고 상의하달의 의사소통 과정을 개선해야 한다.

Add

조직 구성원들이 냉소주의에 빠져 있을 경우 맥그리거의 Y이론 인간관에 입각한 경찰관리가 필요하다. 그러나 '업무량과 성과에 대한 적절한 보상을 강조하며, 관리층이 적극적으로 개입하고 통제하는 임무를 맡아야 한다'는 것은 X이론 인간관에 입각한 경찰관리와 관련이 있다.

03 경찰윤리에 대한 여러 규정

1. 경찰윤리헌장(1966년 제정)

1. 우리는 헌법과 법률을 수호하고 명령에 복종하며 각자의 맡은바 책임과 임무를 충실히 완수한다.
1. 우리는 냉철한 이성과 투철한 사명감을 가지고 모든 위해와 불법과 불의에 과감하게 대결하여 항상 청렴 검소한 생활로써 명리를 멀리하고 오직 양심에 따라 행동한다.
1. 우리는 주권을 가진 국민의 수임자로서 공공의 복리를 증진하고 국민의 자유와 권리를 존중하며 성실하게 봉사한다.
1. 우리는 국민의 신뢰를 명심하여 편견이나 감정에 사로잡히지 않고 공명정대하게 업무를 처리한다.
1. 우리는 이 모든 목표와 사명을 달성하기 위하여 끊임없이 인격과 지식의 연마에 노력할 것이며 민주경찰의 발전에 헌신한다.

2. 새경찰신조(1980년 제정)

1. 우리는 새 시대의 사명을 완수한다.
1. 우리는 깨끗하고 친절하게 봉사한다.
1. 우리는 공정과 소신으로 일한다.
1. 우리는 스스로의 능력을 계발한다.

3. 경찰헌장(1991년 제정)

우리는 조국 광복과 함께 태어나, 나라와 겨레를 위하여 충성을 다하여 오늘의 자유민주사회를 지켜온 대한민국 경찰이다. 우리는 개인의 자유와 권리를 보호하며 사회의 안녕과 질서를 유지하여, 모든 국민의 평안하고 행복한 삶을 누릴 수 있도록 해야 할 영예로운 책임을 지고 있다. 이에 우리는 맡은바 임무를 충실히 수행할 것을 다짐하며, 우리가 나아갈 길을 밝혀 스스로 마음에 새기고자 한다.
1. 우리는 모든 사람의 인격을 존중하고 누구에게나 따뜻하게 봉사하는 친절한 경찰이다.
2. 우리는 정의의 이름으로 진실을 추구하며, 어떠한 불의나 불법과도 타협하지 않는 의로운 경찰이다.
3. 우리는 국민의 신뢰를 바탕으로 오직 양심에 따라 법을 집행하는 공정한 경찰이다.
4. 우리는 건전한 상식 위에 전문지식을 갈고 닦아 맡은 일을 성실하게 수행하는 근면한 경찰이다.
5. 우리는 화합과 단결 속에 항상 규율을 지키며, 검소하게 생활하는 깨끗한 경찰이다.

4. 경찰서비스헌장(1998년 제정)

우리는 국민의 생명과 재산을 보호하고 법과 질서를 수호하는 국민의 경찰로서 모든 국민이 안전하고 평온한 삶을 누릴 수 있도록 다음과 같이 실천하겠습니다.
1. 범죄와 사고를 철저히 예방하고 법을 어긴 행위는 단호하고 엄정하게 처리하겠습니다.
2. 국민이 필요로 하면 어디든지 바로 달려가 도와 드리겠습니다.
3. 모든 민원은 친절하고 신속, 공정하게 처리하겠습니다.
4. 국민의 안전과 편의를 제일 먼저 생각하며 성실히 직무를 수행하겠습니다.
5. 인권을 존중하고 권한을 남용하는 일이 없도록 하겠습니다.
6. 잘못된 업무처리는 즉시 확인하여 바로 잡겠습니다.

5. 경찰윤리강령의 문제점

(1) 냉소주의 조장

경찰윤리강령은 직원들의 참여에 의해 만들어진 것이 아니라 상부에서 제정하여 하달된 것이므로 직원들의 냉소주의를 야기할 수 있다.

(2) 실행가능성의 문제(강제력의 부족)

경찰윤리강령은 법적 강제성이 없기 때문에 이를 위반했을 경우 제재할 방법이 없다.

(3) 행위중심적 문제

경찰윤리강령이 행위 위주로 규정되어 있어 행위 이전의 의도나 동기를 소홀히 하는 경향이 있다.

(4) 최소주의의 위험

경찰관이 최선을 다하여 헌신과 봉사를 하려고 해도 경찰윤리강령에 포함된 정도의 수준으로만 근무를 하여 강령이 근무수행의 최소기준이 된다.

(5) 비진정성의 조장

경찰윤리강령은 경찰관의 도덕적 자각에 따른 자발적 행동이 아니라 외부로부터 요구된 것으로서 타율적이다.

(6) 우선순위의 미결정

각각의 경찰윤리강령 중 어떠한 강령이 가장 상위의 효력을 가지는지, 동일한 경찰윤리강령 내에서도 어떠한 규정이 가장 우선적 효력을 가지는지가 불분명하다.

04 부정청탁 및 금품 등 수수의 금지에 관한 법률

1. 서설

(1) 목적(제1조)

부정청탁 및 금품 등 수수의 금지에 관한 법률(이하 '법'이라 한다)은 공직자 등에 대한 부정청탁 및 공직자 등의 금품 등의 수수(收受)를 금지함으로써 공직자 등의 공정한 직무수행을 보장하고 공공기관에 대한 국민의 신뢰를 확보하는 것을 목적으로 한다.

(2) 용어의 정의(제2조)

이 법에서 사용하는 용어의 뜻은 다음과 같다.

용어	정의
공공기관 (제1호)	다음의 어느 하나에 해당하는 기관·단체를 말한다. ① 국회, 법원, 헌법재판소, 선거관리위원회, 감사원, 국가인권위원회, 중앙행정기관(대통령 소속 기관과 국무총리 소속 기관을 포함한다)과 그 소속 기관 및 지방자치단체 ② 공직자윤리법 제3조의2에 따른 공직유관단체 ③ 공공기관의 운영에 관한 법률 제4조에 따른 기관 ④ 초·중등교육법, 고등교육법, 유아교육법 및 그 밖의 다른 법령에 따라 설치된 각급 학교 및 사립학교법에 따른 학교법인 ⑤ 언론중재 및 피해구제 등에 관한 법률 제2조 제12호에 따른 언론사
공직자 등 (제2호)	다음의 어느 하나에 해당하는 공직자 또는 공적 업무 종사자를 말한다. ① 국가공무원법 또는 지방공무원법에 따른 공무원과 그 밖에 다른 법률에 따라 그 자격·임용·교육훈련·복무·보수·신분보장 등에 있어서 공무원으로 인정된 사람 ② 제1호 ② 및 ③에 따른 공직유관단체 및 기관의 장과 그 임직원 ③ 제1호 ④에 따른 각급 학교의 장과 교직원 및 학교법인의 임직원 ④ 제1호 ⑤에 따른 언론사의 대표자와 그 임직원
금품 등 (제3호)	다음의 어느 하나에 해당하는 것을 말한다. ① 금전, 유가증권, 부동산, 물품, 숙박권, 회원권, 입장권, 할인권, 초대권, 관람권, 부동산 등의 사용권 등 일체의 재산적 이익 ② 음식물·주류·골프 등의 접대·향응 또는 교통·숙박 등의 편의 제공 ③ 채무 면제, 취업 제공, 이권(利權) 부여 등 그 밖의 유형·무형의 경제적 이익
소속 기관장 (제4호)	공직자 등이 소속된 공공기관의 장을 말한다.

(3) 국가 등의 책무(제3조)

① 국가는 공직자가 공정하고 청렴하게 직무를 수행할 수 있는 근무 여건을 조성하기 위하여 노력하여야 한다.

② 공공기관은 공직자 등의 공정하고 청렴한 직무수행을 보장하기 위하여 부정청탁 및 금품 등의 수수를 용인(容認)하지 아니하는 공직문화 형성에 노력하여야 한다.

③ 공공기관은 공직자 등이 위반행위 신고 등 이 법에 따른 조치를 함으로써 불이익을 당하지 아니하도록 적절한 보호조치를 하여야 한다.

(4) 공직자 등의 의무(제3조)

① 공직자 등은 사적 이해관계에 영향을 받지 아니하고 직무를 공정하고 청렴하게 수행하여야 한다.

② 공직자 등은 직무수행과 관련하여 공평무사하게 처신하고 직무관련자를 우대하거나 차별해서는 아니 된다.

2. 부정청탁의 금지 등

(1) 부정청탁에 따른 직무수행 금지(제6조)

부정청탁을 받은 공직자 등은 그에 따라 직무를 수행해서는 아니 된다.

(2) 부정청탁의 신고 및 처리(제7조)

① 공직자 등은 부정청탁을 받았을 때에는 부정청탁을 한 자에게 부정청탁임을 알리고 이를 거절하는 의사를 명확히 표시하여야 한다.

② 공직자 등은 ①에 따른 조치를 하였음에도 불구하고 동일한 부정청탁을 다시 받은 경우에는 이를 소속 기관장에게 서면(전자문서를 포함한다)으로 신고하여야 한다.

③ 신고를 받은 소속 기관장은 신고의 경위・취지・내용・증거자료 등을 조사하여 신고 내용이 부정청탁에 해당하는지를 신속하게 확인하여야 한다.

④ 소속 기관장은 부정청탁이 있었던 사실을 알게 된 경우 또는 부정청탁에 관한 신고・확인 과정에서 해당 직무의 수행에 지장이 있다고 인정하는 경우에는 부정청탁을 받은 공직자 등에 대하여 다음의 조치를 할 수 있다.

㉠ 직무 참여 일시중지

㉡ 직무 대리자의 지정

㉢ 전보

㉣ 그 밖에 국회규칙, 대법원규칙, 헌법재판소규칙, 중앙선거관리위원회규칙 또는 대통령령으로 정하는 조치

⑤ 소속 기관장은 공직자 등이 다음의 어느 하나에 해당하는 경우에는 ④에도 불구하고 그 공직자 등에게 직무를 수행하게 할 수 있다. 이 경우 소속기관의 담당관 또는 다른 공직자 등으로 하여금 그 공직자 등의 공정한 직무수행 여부를 주기적으로 확인・점검하도록 하여야 한다.

㉠ 직무를 수행하는 공직자 등을 대체하기 지극히 어려운 경우

㉡ 공직자 등의 직무수행에 미치는 영향이 크지 아니한 경우

㉢ 국가의 안전보장 및 경제발전 등 공익증진을 이유로 직무수행의 필요성이 더 큰 경우

⑥ 공직자 등은 ②에 따른 신고를 감독기관・감사원・수사기관 또는 국민권익위원회에도 할 수 있다.

⑦ 소속 기관장은 다른 법령에 위반되지 아니하는 범위에서 부정청탁의 내용 및 조치사항을 해당 공공기관의 인터넷 홈페이지 등에 공개할 수 있다.

3. 금품 등의 수수 금지 등

금품 등의 수수 금지 (제8조)

① 공직자 등은 직무 관련 여부 및 기부·후원·증여 등 그 명목에 관계없이 동일인으로부터 1회에 100만원 또는 매 회계연도에 300만원을 초과하는 금품 등을 받거나 요구 또는 약속해서는 아니 된다.

② 공직자 등은 직무와 관련하여 대가성 여부를 불문하고 ①에서 정한 금액 이하의 금품 등을 받거나 요구 또는 약속해서는 아니 된다.

③ 제10조의 외부강의 등에 관한 사례금 또는 다음의 어느 하나에 해당하는 금품 등의 경우에는 ① 또는 ②에서 수수를 금지하는 금품 등에 해당하지 아니한다.

㉠ 공공기관이 소속 공직자 등이나 파견 공직자 등에게 지급하거나 상급 공직자 등이 위로·격려·포상 등의 목적으로 하급 공직자등에게 제공하는 금품 등

㉡ 원활한 직무수행 또는 사교·의례 또는 부조의 목적으로 제공되는 음식물·경조사비·선물 등으로서 대통령령으로 정하는 가액 범위 안의 금품 등

【별표1】 부정청탁 및 금품 등 수수의 금지에 관한 법률 시행령

음식물·경조사비·선물 등의 가액 범위(제17조 관련)

구분	가액범위
음식물(제공자와 공직자등이 함께 하는 식사, 다과, 주류, 음료, 그 밖에 이에 준하는 것을 말한다)	5만원
경조사비 : 축의금·조의금	5만원
다만, 축의금·조의금을 대신하는 화환·조화	10만원
선물 : 다음 각 목의 금품등을 제외한 일체의 물품, 상품권(물품상품권 및 용역상품권만 해당하며, 이하 "상품권"이라 한다) 및 그 밖에 이에 준하는 것 가. 금전 나. 유가증권(상품권은 제외한다) 다. 제1호의 음식물 라. 제2호의 경조사비	5만원
다만, 「농수산물 품질관리법」 제2조제1항제1호에 따른 농수산물(이하 "농수산물"이라 한다) 및 같은 항 제13호에 따른 농수산가공품(농수산물을 원료 또는 재료의 50퍼센트를 넘게 사용하여 가공한 제품만 해당하며, 이하 "농수산가공품"이라 한다)과 농수산물·농수산가공품 상품권	15만원 (제17조제2항에 따른 기간 중에는 30만원)

㉢ 사적 거래(증여는 제외한다)로 인한 채무의 이행 등 정당한 권원(權原)에 의하여 제공되는 금품 등

㉣ 공직자 등의 친족(민법 제777조에 따른 친족을 말한다)이 제공하는 금품 등

㉤ 공직자 등과 관련된 직원상조회·동호인회·동창회·향우회·친목회·종교단체·사회단체 등이 정하는 기준에 따라 구성원에게 제공하는 금품 등 및 그 소속 구성원 등 공직자 등과 특별히 장기적·지속적인 친분관계를 맺고 있는 자가 질병·재난 등으로 어려운 처지에 있는 공직자 등에게 제공하는 금품 등

㉥ 공직자 등의 직무와 관련된 공식적인 행사에서 주최자가 참석자에게 통상적인 범위에서 일률적으로 제공하는 교통, 숙박, 음식물 등의 금품 등

㉦ 불특정 다수인에게 배포하기 위한 기념품 또는 홍보용품 등이나 경연·추첨을 통하여 받는 보상 또는 상품 등

㉧ 그 밖에 다른 법령·기준 또는 사회상규에 따라 허용되는 금품 등

④ 공직자 등의 배우자는 공직자 등의 직무와 관련하여 ① 또는 ②에 따라 공직자 등이 받는 것이 금지되는 금품 등(이하 '수수 금지 금품 등'이라 한다)을 받거나 요구하거나 제공받기로 약속해서는 아니 된다.

<table>
<tr><td></td><td>⑤ 누구든지 공직자 등에게 또는 그 공직자 등의 배우자에게 수수 금지 금품 등을 제공하거나 그 제공의 약속 또는 의사표시를 해서는 아니 된다.</td></tr>
<tr><td>수수 금지 금품 등의 신고 및 처리 (제9조)</td><td>① 공직자 등은 다음의 어느 하나에 해당하는 경우에는 소속 기관장에게 지체 없이 서면으로 신고하여야 한다.
㉠ 공직자 등 자신이 수수 금지 금품 등을 받거나 그 제공의 약속 또는 의사표시를 받은 경우
㉡ 공직자 등이 자신의 배우자가 수수 금지 금품 등을 받거나 그 제공의 약속 또는 의사표시를 받은 사실을 안 경우
② 공직자 등은 자신이 수수 금지 금품 등을 받거나 그 제공의 약속이나 의사표시를 받은 경우 또는 자신의 배우자가 수수 금지 금품 등을 받거나 그 제공의 약속이나 의사표시를 받은 사실을 알게 된 경우에는 이를 제공자에게 지체 없이 반환하거나 반환하도록 하거나 그 거부의 의사를 밝히거나 밝히도록 하여야 한다. 다만, 받은 금품 등이 다음의 어느 하나에 해당하는 경우에는 소속 기관장에게 인도하거나 인도하도록 하여야 한다.
㉠ 멸실·부패·변질 등의 우려가 있는 경우
㉡ 해당 금품 등의 제공자를 알 수 없는 경우
㉢ 그 밖에 제공자에게 반환하기 어려운 사정이 있는 경우
③ 소속 기관장은 ①에 따라 신고를 받거나 ② 단서에 따라 금품 등을 인도받은 경우 수수 금지 금품 등에 해당한다고 인정하는 때에는 반환 또는 인도하게 하거나 거부의 의사를 표시하도록 하여야 하며, 수사의 필요성이 있다고 인정하는 때에는 그 내용을 지체 없이 수사기관에 통보하여야 한다.
④ 소속 기관장은 공직자 등 또는 그 배우자가 수수 금지 금품 등을 받거나 그 제공의 약속 또는 의사표시를 받은 사실을 알게 된 경우 수사의 필요성이 있다고 인정하는 때에는 그 내용을 지체 없이 수사기관에 통보하여야 한다.
⑤ 소속 기관장은 소속 공직자 등 또는 그 배우자가 수수 금지 금품 등을 받거나 그 제공의 약속 또는 의사표시를 받은 사실을 알게 된 경우 또는 ①부터 ④까지의 규정에 따른 금품 등의 신고, 금품 등의 반환·인도 또는 수사기관에 대한 통보의 과정에서 직무의 수행에 지장이 있다고 인정하는 경우에는 해당 공직자 등에게 제7조 제4항 각 호 및 같은 조 제5항의 조치를 할 수 있다.
⑥ 공직자 등은 ① 또는 같은 조 ② 단서에 따른 신고나 인도를 감독기관·감사원·수사기관 또는 국민권익위원회에도 할 수 있다.
⑦ 소속 기관장은 공직자 등으로부터 ①의 ㉡에 따른 신고를 받은 경우 그 공직자 등의 배우자가 반환을 거부하는 금품 등이 수수 금지 금품 등에 해당한다고 인정하는 때에는 그 공직자 등의 배우자로 하여금 그 금품 등을 제공자에게 반환하도록 요구하여야 한다.
⑧ ①부터 ⑦까지에서 규정한 사항 외에 수수 금지 금품 등의 신고 및 처리 등에 필요한 사항은 대통령령으로 정한다.</td></tr>
<tr><td>외부강의 등의 사례금 수수 제한 (제10조)</td><td>① 공직자 등은 자신의 직무와 관련되거나 그 지위·직책 등에서 유래되는 사실상의 영향력을 통하여 요청받은 교육·홍보·토론회·세미나·공청회 또는 그 밖의 회의 등에서 한 강의·강연·기고 등(이하 '외부강의 등'이라 한다)의 대가로서 대통령령으로 정하는 금액을 초과하는 사례금을 받아서는 아니 된다.

【별표2】 부정청탁 및 금품 등 수수의 금지에 관한 법률 시행령
외부강의 등 사례금 상한액(제25조 관련)
1. 공직자 등별 사례금 상한액
가. 법 제2조 제2호 가목 및 나목에 따른 공직자 등(같은 호 다목에 따른 각급 학교의 장과 교직원 및 같은 호 라목에 따른 공직자 등에도 해당하는 사람은 제외한다): 40만원
나. 법 제2조 제2호 다목 및 라목에 따른 공직자 등: 100만원</td></tr>
</table>

외부강의 등의 사례금 수수 제한 (제10조)

> 다. 가목 및 나목에도 불구하고 국제기구, 외국정부, 외국대학, 외국연구기관, 외국학술단체, 그 밖에 이에 준하는 외국기관에서 지급하는 외부강의 등의 사례금 상한액은 사례금을 지급하는 자의 지급기준에 따른다.
>
> 2. 적용기준
>
> 가. 제1호 가목 및 나목의 상한액은 강의 등의 경우 1시간당, 기고의 경우 1건당 상한액으로 한다.
>
> 나. 제1호 가목에 따른 공직자 등은 1시간을 초과하여 강의 등을 하는 경우에도 사례금 총액은 강의시간에 관계없이 1시간 상한액의 100분의 150에 해당하는 금액을 초과하지 못한다.
>
> 다. 제1호 가목 및 나목의 상한액에는 강의료, 원고료, 출연료 등 명목에 관계없이 외부강의 등 사례금 제공자가 외부강의 등과 관련하여 공직자 등에게 제공하는 일체의 사례금을 포함한다.
>
> 라. 다목에도 불구하고 공직자 등이 소속 기관에서 교통비, 숙박비, 식비 등 여비를 지급받지 못한 경우에는 공무원 여비 규정 등 공공기관별로 적용되는 여비 규정의 기준 내에서 실비수준으로 제공되는 교통비, 숙박비 및 식비는 제1호의 사례금에 포함되지 않는다.

② 공직자 등은 사례금을 받는 외부강의 등을 할 때에는 대통령령으로 정하는 바에 따라 외부강의 등의 요청 명세 등을 소속 기관장에게 그 외부강의 등을 마친 날부터 10일 이내에 서면으로 신고하여야 한다. 다만, 외부강의 등을 요청한 자가 국가나 지방자치단체인 경우에는 그러하지 아니하다.

> **부정청탁 및 금품등 수수의 금지에 관한 법률 시행령**
>
> **제26조【외부강의 등의 신고】** ② 제1항에 따른 신고를 할 때 상세 명세 또는 사례금 총액 등을 미리 알 수 없는 경우에는 해당 사항을 제외한 사항을 신고한 후 해당 사항을 안 날부터 5일 이내에 보완하여야 한다.

③ 삭제 <2019.11.26.>

④ 소속 기관장은 ②에 따라 공직자 등이 신고한 외부강의 등이 공정한 직무수행을 저해할 수 있다고 판단하는 경우에는 그 공직자 등의 외부강의 등을 제한할 수 있다.

⑤ 공직자 등은 ①에 따른 금액을 초과하는 사례금을 받은 경우에는 대통령령으로 정하는 바에 따라 소속 기관장에게 신고하고, 제공자에게 그 초과금액을 지체 없이 반환하여야 한다.

4. 위반행위의 신고 등(제13조)

(1) 누구든지 이 법의 위반행위가 발생하였거나 발생하고 있다는 사실을 알게 된 경우에는 다음의 어느 하나에 해당하는 기관에 신고할 수 있다.

> ① 이 법의 위반행위가 발생한 공공기관 또는 그 감독기관
> ② 감사원 또는 수사기관
> ③ 국민권익위원회

(2) 신고를 한 자가 다음의 어느 하나에 해당하는 경우에는 이 법에 따른 보호 및 보상을 받지 못한다.

> ① 신고의 내용이 거짓이라는 사실을 알았거나 알 수 있었음에도 신고한 경우
> ② 신고와 관련하여 금품 등이나 근무관계상의 특혜를 요구한 경우
> ③ 그 밖에 부정한 목적으로 신고한 경우

(3) 신고를 하려는 자는 자신의 인적사항과 신고의 취지・이유・내용을 적고 서명한 문서와 함께 신고 대상 및 증거 등을 제출하여야 한다.

⑷ 비실명 대리신고(제13조의2)

① 비실명 신고를 하려는 자는 자신의 인적사항을 밝히지 아니하고 변호사를 선임하여 신고를 대리하게 할 수 있다. 이 경우 신고자의 인적사항 및 신고자가 서명한 문서는 변호사의 인적사항 및 변호사가 서명한 문서로 갈음한다.

② ①에 따른 신고는 국민권익위원회에 하여야 하며, 신고자 또는 신고를 대리하는 변호사는 그 취지를 밝히고 신고자의 인적사항, 신고자임을 입증할 수 있는 자료 및 위임장을 국민권익위원회에 함께 제출하여야 한다.

05 공직자의 이해충돌 방지법

1. 총칙

⑴ 목적(제1조)

이 법은 공직자의 직무수행과 관련한 사적 이익추구를 금지함으로써 공직자의 직무수행 중 발생할 수 있는 이해충돌을 방지하여 공정한 직무수행을 보장하고 공공기관에 대한 국민의 신뢰를 확보하는 것을 목적으로 한다.

⑵ 정의(제2조)

이 법에서 사용하는 용어의 뜻은 다음과 같다.

용어	정의
공공기관	다음 각 목의 어느 하나에 해당하는 기관·단체를 말한다. 가. 국회, 법원, 헌법재판소, 선거관리위원회, 감사원, 고위공직자범죄수사처, 국가인권위원회, 중앙행정기관(대통령 소속 기관과 국무총리 소속 기관을 포함한다)과 그 소속 기관 나. 「지방자치법」에 따른 지방자치단체의 집행기관 및 지방의회 다. 「지방교육자치에 관한 법률」에 따른 교육행정기관 라. 「공직자윤리법」 제3조의2에 따른 공직유관단체 마. 「공공기관의 운영에 관한 법률」 제4조에 따른 공공기관 바. 「초·중등교육법」, 「고등교육법」 또는 그 밖의 다른 법령에 따라 설치된 각급 국립·공립 학교
공직자	다음 각 목의 어느 하나에 해당하는 사람을 말한다. 가. 「국가공무원법」 또는 「지방공무원법」에 따른 공무원과 그 밖에 다른 법률에 따라 그 자격·임용·교육훈련·복무·보수·신분보장 등에 있어서 공무원으로 인정된 사람 나. 제1호라목 또는 마목에 해당하는 공공기관의 장과 그 임직원 다. 제1호바목에 해당하는 각급 국립·공립 학교의 장과 교직원
고위공직자	다음 각 목의 어느 하나에 해당하는 공직자를 말한다. 가. 대통령, 국무총리, 국무위원, 국회의원, 국가정보원의 원장 및 차장 등 국가의 정무직공무원 나. 지방자치단체의 장, 지방의회의원 등 지방자치단체의 정무직공무원 다. 일반직 1급 국가공무원(「국가공무원법」 제23조에 따라 배정된 직무등급이 가장 높은 등급의 직위에 임용된 고위공무원단에 속하는 일반직공무원을 포함한다) 및 지방공무원과 이에 상응하는 보수를 받는 별정직공무원(고위공무원단에 속하는 별정직공무원을 포함한다) 라. 대통령령으로 정하는 외무공무원 마. 고등법원 부장판사급 이상의 법관과 대검찰청 검사급 이상의 검사 바. 중장 이상의 장성급(將星級) 장교 사. 교육공무원 중 총장·부총장·학장(대학교의 학장은 제외한다) 및 전문대학의 장과 대학에 준하는 각종 학교의 장, 특별시·광역시·특별자치시·도·특별자치도의 교육감

고위공직자	아. 치안감 이상의 경찰공무원 및 특별시 · 광역시 · 특별자치시 · 도 · 특별자치도의 시 · 도경찰청장 자. 소방정감 이상의 소방공무원 차. 지방국세청장 및 3급 공무원 또는 고위공무원단에 속하는 공무원인 세관장 카. 다목부터 바목까지, 아목 및 차목의 공무원으로 임명할 수 있는 직위 또는 이에 상당하는 직위에 임용된 「국가공무원법」 제26조의5 및 「지방공무원법」 제25조의5에 따른 임기제공무원. 다만, 라목 · 마목 · 아목 및 차목 중 직위가 지정된 경우에는 그 직위에 임용된 「국가공무원법」 제26조의5 및 「지방공무원법」 제25조의5에 따른 임기제공무원만 해당한다. 타. 공기업의 장 · 부기관장 및 상임감사, 한국은행의 총재 · 부총재 · 감사 및 금융통화위원회의 추천직 위원, 금융감독원의 원장 · 부원장 · 부원장보 및 감사, 농업협동조합중앙회 · 수산업협동조합중앙회의 회장 및 상임감사 파. 그 밖에 대통령령으로 정하는 정부의 공무원 및 공직유관단체의 임원
이해충돌	공직자가 직무를 수행할 때에 자신의 사적 이해관계가 관련되어 공정하고 청렴한 직무수행이 저해되거나 저해될 우려가 있는 상황을 말한다.
직무관련자	공직자가 법령(조례 · 규칙을 포함한다. 이하 같다) · 기준(제1호라목부터 바목까지의 공공기관의 규정 · 사규 및 기준 등을 포함한다. 이하 같다)에 따라 수행하는 직무와 관련되는 자로서 다음 각 목의 어느 하나에 해당하는 개인 · 법인 · 단체 및 공직자를 말한다. 가. 공직자의 직무수행과 관련하여 일정한 행위나 조치를 요구하는 개인이나 법인 또는 단체 나. 공직자의 직무수행과 관련하여 이익 또는 불이익을 직접적으로 받는 개인이나 법인 또는 단체 다. 공직자가 소속된 공공기관과 계약을 체결하거나 체결하려는 것이 명백한 개인이나 법인 또는 단체 라. 공직자의 직무수행과 관련하여 이익 또는 불이익을 직접적으로 받는 다른 공직자. 다만, 공공기관이 이익 또는 불이익을 직접적으로 받는 경우에는 그 공공기관에 소속되어 해당 이익 또는 불이익과 관련된 업무를 담당하는 공직자를 말한다.
사적 이해관계자	가. 공직자 자신 또는 그 가족(「민법」 제779조에 따른 가족을 말한다. 이하 같다) 나. 공직자 자신 또는 그 가족이 임원 · 대표자 · 관리자 또는 사외이사로 재직하고 있는 법인 또는 단체 다. 공직자 자신이나 그 가족이 대리하거나 고문 · 자문 등을 제공하는 개인이나 법인 또는 단체 라. 공직자로 채용 · 임용되기 전 2년 이내에 공직자 자신이 재직하였던 법인 또는 단체 마. 공직자로 채용 · 임용되기 전 2년 이내에 공직자 자신이 대리하거나 고문 · 자문 등을 제공하였던 개인이나 법인 또는 단체 바. 공직자 자신 또는 그 가족이 대통령령으로 정하는 일정 비율 이상의 주식 · 지분 또는 자본금 등을 소유하고 있는 법인 또는 단체 1. 공직자 자신이나 그 가족(「민법」 제779조에 따른 가족을 말한다. 이하 같다)이 단독으로 또는 합산하여 발행주식 총수의 100분의 30 이상을 소유하고 있는 법인 또는 단체 2. 공직자 자신이나 그 가족이 단독으로 또는 합산하여 출자지분 총수의 100분의 30 이상을 소유하고 있는 법인 또는 단체 3. 공직자 자신이나 그 가족이 단독으로 또는 합산하여 자본금 총액의 100분의 50 이상을 소유하고 있는 법인 또는 단체 사. 최근 2년 이내에 퇴직한 공직자로서 퇴직일 전 2년 이내에 제5조 제1항 각 호의 어느 하나에 해당하는 직무를 수행하는 공직자와 국회규칙, 대법원규칙, 헌법재판소규칙, 중앙선거관리위원회규칙 또는 대통령령으로 정하는 범위의 부서에서 같이 근무하였던 사람

<table>
<tr><td>사적
이해관계자</td><td>아. 그 밖에 공직자의 사적 이해관계와 관련되는 자로서 국회규칙, 대법원규칙, 헌법재판소규칙, 중앙선거관리위원회규칙 또는 대통령령으로 정하는 자

1. 법령 · 기준에 따라 공직자를 지휘 · 감독하는 상급자
2. 다음 각 목의 어느 하나에 해당하는 행위(「금융실명거래 및 비밀보장에 관한 법률」에 따른 금융회사등, 「대부업 등의 등록 및 금융이용자 보호에 관한 법률」에 따른 대부업자등이나 그 밖의 금융회사로부터 통상적인 조건으로 금전을 빌리는 행위는 제외한다)를 한 공직자의 거래 상대방(「민법」 제777조에 따른 친족인 경우는 제외한다)
가. 최근 2년간 1회에 100만원을 초과하는 금전을 빌리거나 빌려주는 행위
나. 최근 2년간 매 회계연도에 300만원을 초과하는 금전을 빌리거나 빌려주는 행위
3. 그 밖에 공공기관의 장이 해당 공공기관의 업무 특성을 반영하여 공정한 직무수행에 영향을 미칠 수 있다고 인정하여 훈령 등 행정규칙이나 기준으로 정하는 자</td></tr>
<tr><td>소속기관장</td><td>공직자가 소속된 공공기관의 장을 말한다.</td></tr>
</table>

(3) 국가 등의 책무(제3조)

① 국가는 공직자가 공정하고 청렴하게 직무를 수행할 수 있는 근무 여건을 조성하기 위하여 노력하여야 한다.

② 공공기관은 공직자가 사적 이해관계로 인하여 공정하고 청렴한 직무수행에 지장을 주지 아니하도록 이해충돌을 효과적으로 확인 · 관리하기 위한 조치를 하여야 한다.

③ 공공기관은 공직자가 위반행위 신고 등 이 법에 따른 조치를 함으로써 불이익을 당하지 아니하도록 적절한 보호조치를 하여야 한다.

(4) 공직자의 의무(제4조)

① 공직자는 사적 이해관계에 영향을 받지 아니하고 직무를 공정하고 청렴하게 수행하여야 한다.

② 공직자는 직무수행과 관련하여 공평무사하게 처신하고 직무관련자를 우대하거나 차별하여서는 아니 된다.

③ 공직자는 사적 이해관계로 인하여 공정하고 청렴한 직무수행이 곤란하다고 판단하는 경우에는 직무수행을 회피하는 등 이해충돌을 방지하여야 한다.

2. 공직자의 이해충돌 방지 및 관리

(1) 사적이해관계자의 신고 및 회피 · 기피 신청(제5조)

① 다음 각 호의 어느 하나에 해당하는 직무를 수행하는 공직자는 직무관련자(직무관련자의 대리인을 포함한다. 이하 이 조에서 같다)가 사적이해관계자임을 안 경우 안 날부터 14일 이내에 소속기관장에게 그 사실을 서면(전자문서를 포함한다. 이하 같다)으로 신고하고 회피를 신청하여야 한다.

> 1. 인가 · 허가 · 면허 · 특허 · 승인 · 검사 · 검정 · 시험 · 인증 · 확인, 지정 · 등록, 등재 · 인정 · 증명, 신고 · 심사, 보호 · 감호, 보상 또는 이에 준하는 직무
> 2. 행정지도 · 단속 · 감사 · 조사 · 감독에 관계되는 직무
> 3. 병역판정검사, 징집 · 소집 · 동원에 관계되는 직무
> 4. 개인 · 법인 · 단체의 영업 등에 관한 작위 또는 부작위의 의무부과 처분에 관계되는 직무
> 5. 조세 · 부담금 · 과태료 · 과징금 · 이행강제금 등의 조사 · 부과 · 징수 또는 취소 · 철회 · 시정명령 등 제재적 처분에 관계되는 직무
> 6. 보조금 · 장려금 · 출연금 · 출자금 · 교부금 · 기금의 배정 · 지급 · 처분 · 관리에 관계되는 직무
> 7. 공사 · 용역 또는 물품 등의 조달 · 구매의 계약 · 검사 · 검수에 관계되는 직무

8. 사건의 수사 · 재판 · 심판 · 결정 · 조정 · 중재 · 화해 또는 이에 준하는 직무
9. 공공기관의 재화 또는 용역의 매각 · 교환 · 사용 · 수익 · 점유에 관계되는 직무
10. 공직자의 채용 · 승진 · 전보 · 상벌 · 평가에 관계되는 직무
11. 공공기관이 실시하는 행정감사에 관계되는 직무
12. 각급 국립 · 공립 학교의 입학 · 성적 · 수행평가에 관계되는 직무
13. 공공기관이 주관하는 각종 수상, 포상, 우수기관 선정, 우수자 선발에 관계되는 직무
14. 공공기관이 실시하는 각종 평가 · 판정에 관계되는 직무
15. 국회의원 또는 지방의회의원의 소관 위원회 활동과 관련된 청문, 의안 · 청원 심사, 국정감사, 지방자치단체의 행정사무감사, 국정조사, 지방자치단체의 행정사무조사와 관계되는 직무
16. 그 밖에 국회규칙, 대법원규칙, 헌법재판소규칙, 중앙선거관리위원회규칙 또는 대통령령으로 정하는 직무

② 직무관련자 또는 공직자의 직무수행과 관련하여 직접적인 이해관계가 있는 자는 해당 공직자에게 제1항에 따른 신고 및 회피 의무가 있거나 그 밖에 공정한 직무수행을 저해할 우려가 있는 사적 이해관계가 있다고 판단하는 경우에는 그 공직자의 소속기관장에게 기피를 신청할 수 있다.

③ 다음 각 호의 어느 하나에 해당하는 경우에는 제1항 및 제2항을 적용하지 아니한다.

1. 제1항 각 호에 해당하는 직무와 관련하여 불특정다수를 대상으로 하는 법률이나 대통령령의 제정 · 개정 또는 폐지를 수반하는 경우
2. 특정한 사실 또는 법률관계에 관한 확인 · 증명을 신청하는 민원에 따라 해당 서류를 발급하는 경우

④ 제1항 각 호에 해당하는 직무와 관련된 다른 법령 · 기준에 제척 · 기피 · 회피 등 이해충돌 방지를 위한 절차가 마련되어 있어 공직자가 그 절차에 따른 경우, 제1항에 따른 신고 · 회피 의무를 다한 것으로 본다.

(2) 공공기관 직무 관련 부동산 보유 · 매수 신고(제6조)

① 부동산을 직접적으로 취급하는 대통령령으로 정하는 공공기관의 공직자는 다음 각 호의 어느 하나에 해당하는 사람이 소속 공공기관의 업무와 관련된 부동산을 보유하고 있거나 매수하는 경우 소속기관장에게 그 사실을 서면으로 신고하여야 한다.

1. 공직자 자신, 배우자
2. 공직자와 생계를 같이하는 직계존속 · 비속(배우자의 직계존속 · 비속으로 생계를 같이하는 경우를 포함한다)

② ①에 따른 공공기관 외의 공공기관의 공직자는 소속 공공기관이 택지개발, 지구 지정 등 대통령령으로 정하는 부동산 개발 업무를 하는 경우 제1항 각 호의 어느 하나에 해당하는 사람이 그 부동산을 보유하고 있거나 매수하는 경우 소속기관장에게 그 사실을 서면으로 신고하여야 한다.

③ ① 및 ②에 따른 신고는 부동산을 보유한 사실을 알게 된 날부터 14일 이내, 매수 후 등기를 완료한 날부터 14일 이내에 하여야 한다.

(3) 사적이해관계자의 신고 등에 대한 조치(제7조)

① 신고 · 회피신청이나 기피신청 또는 부동산 보유 · 매수 신고를 받은 소속기관장은 해당 공직자의 직무수행에 지장이 있다고 인정하는 경우에는 다음 각 호의 어느 하나에 해당하는 조치를 하여야 한다.

1. 직무수행의 일시 중지 명령
2. 직무 대리자 또는 직무 공동수행자의 지정
3. 직무 재배정
4. 전보

② 소속기관장은 ①에도 불구하고 다음 각 호의 어느 하나에 해당하는 경우에는 해당 공직자가 계속 그 직무를 수행하도록 할 수 있다. 이 경우 제25조에 따른 이해충돌방지담당관 또는 다른 공직자로 하여금 공정한 직무수행 여부를 확인·점검하게 하여야 한다.

1. 직무를 수행하는 공직자를 대체하기가 지극히 어려운 경우
2. 국가의 안전보장 및 경제발전 등 공익 증진을 위하여 직무수행의 필요성이 더 큰 경우

공직자의 이해충돌 방지법 시행령
제10조 【사적이해관계자의 신고 등에 대한 조치】 ① 법 제7조제1항 또는 제2항에 따른 조치는 법 제5조제1항에 따른 신고·회피신청, 같은 조 제2항에 따른 기피신청이나 법 제6조에 따른 부동산 보유·매수 신고를 받은 날부터 7일 이내에 해야 한다.

③ 소속기관장은 ① 또는 ②에 따른 조치를 하였을 때에는 그 처리 결과를 해당 공직자와 기피를 신청한 자에게 통보하여야 한다.

④ 부동산 보유 또는 매수 신고를 받은 소속기관장은 해당 부동산 보유·매수가 이 법 또는 다른 법률에 위반되는 것으로 의심될 경우 지체 없이 수사기관·감사원·감독기관 또는 국민권익위원회에 신고하거나 고발하여야 한다.

공직자의 이해충돌 방지법 시행령
제10조 【사적이해관계자의 신고 등에 대한 조치】 ⑤ 법 제7조제4항에 따라 고발을 받은 수사기관은 수사를 마친 날부터 10일 이내에 그 결과를 해당 공공기관에 통보해야 한다.

(4) 고위공직자의 민간 부문 업무활동 내역 제출 및 공개(제8조)

① 고위공직자는 그 직위에 임용되거나 임기를 개시하기 전 3년 이내에 민간 부문에서 업무활동을 한 경우, 그 활동 내역을 그 직위에 임용되거나 임기를 개시한 날부터 30일 이내에 소속기관장에게 제출하여야 한다.

② 업무활동 내역에는 다음 각 호의 사항이 포함되어야 한다.

1. 재직하였던 법인·단체 등과 그 업무 내용
2. 대리, 고문·자문 등을 한 경우 그 업무 내용
3. 관리·운영하였던 사업 또는 영리행위의 내용

공직자의 이해충돌 방지법 시행령
제11조 【고위공직자의 민간 부문 업무활동 내역 제출】 ② 소속기관장은 제1항에 따라 제출받은 업무활동 내역이 구체적이지 않거나 보완이 필요하다고 판단하는 경우에는 해당 고위공직자에게 보완을 요청할 수 있다.
③ 제2항에 따른 요청을 받은 고위공직자는 특별한 사유가 없으면 요청을 받은 날부터 7일 이내에 보완해야 한다.

③ 소속기관장은 제출된 업무활동 내역을 보관·관리하여야 한다.

④ 소속기관장은 다른 법령에서 정보공개가 금지되지 아니하는 범위에서 업무활동 내역을 공개할 수 있다.

(5) 직무관련자와의 거래 신고(제9조)

① 공직자는 자신, 배우자 또는 직계존속·비속(배우자의 직계존속·비속으로 생계를 같이하는 경우를 포함한다. 이하 이 조에서 같다) 또는 특수관계사업자(자신, 배우자 또는 직계존속·비속이 대통령령으로 정하는 일정 비율 이상의 주식·지분 등을 소유하고 있는 법인 또는 단체를 말한다. 이하 같다)가 공직자 자신의 직무관련자(「민법」 제777조에 따른 친족인 경우는 제외한다)와 다음 각 호의 어느 하나에 해당하는 행위를 한다는 것을 사전에 안 경우에는 안 날부터 14일 이내에 소속기관장에게 그 사실을 서면으로 신고하여야 한다.

1. 금전을 빌리거나 빌려주는 행위 및 유가증권을 거래하는 행위. 다만, 「금융실명거래 및 비밀보장에 관한 법률」에 따른 금융회사등, 「대부업 등의 등록 및 금융이용자 보호에 관한 법률」에 따른 대부업자등이나 그 밖의 금융회사로부터 통상적인 조건으로 금전을 빌리는 행위 및 유가증권을 거래하는 행위는 제외한다.
2. 토지 또는 건축물 등 부동산을 거래하는 행위. 다만, 공개모집에 의하여 이루어지는 분양이나 공매·경매·입찰을 통한 재산상 거래 행위는 제외한다.
3. 제1호 및 제2호의 거래 행위 외의 물품·용역·공사 등의 계약을 체결하는 행위. 다만, 공매·경매·입찰을 통한 계약 체결 행위 또는 거래관행상 불특정다수를 대상으로 반복적으로 행하여지는 계약 체결 행위는 제외한다.

② 공직자는 ①에 따른 행위가 있었음을 사후에 알게 된 경우에도 안 날부터 14일 이내에 소속기관장에게 그 사실을 서면으로 신고하여야 한다.

③ 소속기관장은 ① 또는 ②에 따라 공직자가 신고한 행위가 직무의 공정한 수행을 저해할 수 있다고 판단되는 경우에는 해당 공직자에게 (3)의 ① 또는 ②의 조치를 할 수 있다.

(6) 직무 관련 외부활동의 제한(제10조)

공직자는 다음 각 호의 행위를 하여서는 아니 된다. 다만, 「국가공무원법」 등 다른 법령·기준에 따라 허용되는 경우는 그러하지 아니하다.

1. 직무관련자에게 사적으로 노무 또는 조언·자문 등을 제공하고 대가를 받는 행위
2. 소속 공공기관의 소관 직무와 관련된 지식이나 정보를 타인에게 제공하고 대가를 받는 행위. 다만, 「부정청탁 및 금품등 수수의 금지에 관한 법률」 제10조에 따른 외부강의등의 대가로서 사례금 수수가 허용되는 경우와 소속기관장이 허가한 경우는 제외한다.
3. 공직자가 소속된 공공기관이 당사자이거나 직접적인 이해관계를 가지는 사안에서 자신이 소속된 공공기관의 상대방을 대리하거나 그 상대방에게 조언·자문 또는 정보를 제공하는 행위
4. 외국의 기관·법인·단체 등을 대리하는 행위. 다만, 소속기관장이 허가한 경우는 제외한다.
5. 직무와 관련된 다른 직위에 취임하는 행위. 다만, 소속기관장이 허가한 경우는 제외한다.

(7) 가족 채용 제한(제11조)

① 공공기관(공공기관으로부터 출연금·보조금 등을 받거나 법령에 따라 업무를 위탁받는 산하 공공기관과 「상법」 제342조의2에 따른 자회사를 포함한다)은 다음 각 호의 어느 하나에 해당하는 공직자의 가족을 채용할 수 없다.

1. 소속 고위공직자
2. 채용업무를 담당하는 공직자
3. 해당 산하 공공기관의 감독기관인 공공기관 소속 고위공직자
4. 해당 자회사의 모회사인 공공기관 소속 고위공직자

② 다음 각 호의 어느 하나에 해당하는 경우에는 ①을 적용하지 아니한다.

1. 「국가공무원법」 등 다른 법령(제2조제1호라목 또는 마목에 해당하는 공공기관의 인사 관련 규정을 포함한다. 이하 이 조에서 같다)에서 정하는 공개경쟁채용시험 또는 경력 등 응시요건을 정하여 같은 사유에 해당하는 다수인을 대상으로 하는 채용시험에 합격한 경우
2. 「국가공무원법」 등 다른 법령에 따라 다수인을 대상으로 시험을 실시하는 것이 적당하지 아니하여 다수인을 대상으로 하지 아니한 시험으로 공무원을 채용하는 경우로서 다음 각 목의 어느 하나에 해당하는 경우
   가. 공무원으로 재직하였다가 퇴직한 사람을 퇴직 시에 재직한 직급(고위공무원단에 속하는 공무원은 퇴직 시에 재직한 직위와 곤란성과 책임도가 유사한 직위를 말한다. 이하 이 호에서 같다)으로 재임용하는 경우
   나. 임용예정 직급·직위와 같은 직급·직위에서의 근무경력이 해당 법령에서 정하는 기간 이상인 사람을 임용하는 경우
   다. 국가공무원을 그 직급·직위에 해당하는 지방공무원으로 임용하거나, 지방공무원을 그 직급·직위에 해당하는 국가공무원으로 임용하는 경우
   라. 자격 요건 충족 여부만이 요구되거나 자격 요건에 해당하는 다른 대상자가 없어 다수인을 대상으로 할 수 없는 경우

③ ①의 어느 하나에 해당하는 공직자는 ①을 위반하여 자신의 가족이 채용되도록 지시·유도 또는 묵인을 하여서는 아니 된다.

④ ① 및 ③에도 불구하고 다른 법률에서 이 법의 적용을 받는 공공기관이 제1항 각 호의 어느 하나에 해당하는 공직자의 가족을 채용할 수 있도록 허용하고 있는 경우에는 그 법률의 규정에 따른다.

(8) 수의계약 체결 제한(제12조)

① 공공기관(공공기관으로부터 출연금·보조금 등을 받거나 법령에 따라 업무를 위탁받는 산하 공공기관과 「상법」 제342조의2에 따른 자회사를 포함한다)은 다음 각 호의 어느 하나에 해당하는 자와 물품·용역·공사 등의 수의계약(이하 "수의계약"이라 한다)을 체결할 수 없다. 다만, 해당 물품의 생산자가 1명뿐인 경우 등 대통령령으로 정하는 불가피한 사유가 있는 경우에는 그러하지 아니하다.

1. 소속 고위공직자
2. 해당 계약업무를 법령상·사실상 담당하는 소속 공직자
3. 해당 산하 공공기관의 감독기관 소속 고위공직자
4. 해당 자회사의 모회사인 공공기관 소속 고위공직자
5. 해당 공공기관이 「국회법」 제37조에 따른 상임위원회의 소관인 경우 해당 상임위원회 위원으로서 직무를 담당하는 국회의원
6. 「지방자치법」 제41조에 따라 해당 지방자치단체 등 공공기관을 감사 또는 조사하는 지방의회의원
7. 제1호부터 제6호까지의 어느 하나에 해당하는 공직자의 배우자 또는 직계존속·비속(배우자의 직계존속·비속으로 생계를 같이하는 경우를 포함한다. 이하 이 조에서 같다)
8. 제1호부터 제7호까지의 어느 하나에 해당하는 사람이 대표자인 법인 또는 단체
9. 제1호부터 제7호까지의 어느 하나에 해당하는 사람과 관계된 특수관계사업자

② ①에 해당하는 공직자는 ①을 위반하여 수의계약을 체결하도록 지시·유도 또는 묵인을 하여서는 아니 된다.

(9) 공공기관 물품 등의 사적 사용·수익 금지(제13조)

공직자는 공공기관이 소유하거나 임차한 물품·차량·선박·항공기·건물·토지·시설 등을 사적인 용도로 사용·수익하거나 제3자로 하여금 사용·수익하게 하여서는 아니 된다. 다만, 다른 법령·기준 또는 사회상규에 따라 허용되는 경우에는 그러하지 아니하다.

⑽ 직무상 비밀 등 이용 금지(제14조)

① 공직자(공직자가 아니게 된 날부터 3년이 경과하지 아니한 사람을 포함하되, 다른 법률에서 이와 달리 규정하고 있는 경우에는 그 법률에서 규정한 바에 따른다. 이하 이 조, 제27조제1항, 같은 조 제2항제1호 및 같은 조 제3항제1호에서 같다)는 직무수행 중 알게 된 비밀 또는 소속 공공기관의 미공개정보(재물 또는 재산상 이익의 취득 여부의 판단에 중대한 영향을 미칠 수 있는 정보로서 불특정 다수인이 알 수 있도록 공개되기 전의 것을 말한다. 이하 같다)를 이용하여 재물 또는 재산상의 이익을 취득하거나 제3자로 하여금 재물 또는 재산상의 이익을 취득하게 하여서는 아니 된다.

② 공직자로부터 직무상 비밀 또는 소속 공공기관의 미공개정보임을 알면서도 제공받거나 부정한 방법으로 취득한 자는 이를 이용하여 재물 또는 재산상의 이익을 취득하여서는 아니 된다.

③ 공직자는 직무수행 중 알게 된 비밀 또는 소속 공공기관의 미공개정보를 사적 이익을 위하여 이용하거나 제3자로 하여금 이용하게 하여서는 아니 된다.

⑾ 퇴직자 사적 접촉 신고(제15조)

① 공직자는 직무관련자인 소속 기관의 퇴직자(공직자가 아니게 된 날부터 2년이 지나지 아니한 사람만 해당한다)와 사적 접촉(골프, 여행, 사행성 오락을 같이 하는 행위를 말한다)을 하는 경우 소속기관장에게 신고하여야 한다. 다만, 사회상규에 따라 허용되는 경우에는 그러하지 아니하다.

② 제1항에 따른 신고 내용 및 신고 방법, 기록 관리 등 필요한 사항은 국회규칙, 대법원규칙, 헌법재판소규칙, 중앙선거관리위원회규칙 또는 대통령령으로 정한다.

공직자의 이해충돌 방지법 시행령
제15조 【퇴직자 사적 접촉 신고】 법 제15조제1항 본문에 따른 신고를 하려는 공직자는 사적 접촉을 하기 전에 다음 각 호의 사항을 적은 서면을 소속기관장에게 제출해야 한다. 다만, 불가피한 사유가 있는 경우에는 사적 접촉을 한 날부터 14일 이내에 제출해야 한다.
1. 신고인의 성명, 소속, 직위 · 직급, 담당 직무 등 인적사항
2. 퇴직자의 성명, 연락처, 현 소속 기관, 퇴직 전 소속 기관 등 인적사항
3. 접촉 일시 · 유형 · 사유
4. 그 밖의 참고자료

CHAPTER 07

⑿ 공무수행사인의 공무수행과 관련된 행위제한 등(제16조)

① 다음 각 호의 어느 하나에 해당하는 자(이하 "공무수행사인"이라 한다)의 공무수행에 관하여는 제5조, 제7조, 제14조, 제21조(제5조 및 제14조에 관한 사항에 한정한다. 이하 이 조에서 같다), 제22조제1항 · 제3항 및 제25조 제1항을 준용한다.

1. 「행정기관 소속 위원회의 설치 · 운영에 관한 법률」 또는 다른 법령에 따라 설치된 각종 위원회의 위원 중 공직자가 아닌 위원
2. 법령에 따라 공공기관의 권한을 위임 · 위탁받은 개인이나 법인 또는 단체(법인 또는 단체에 소속되어 위임 · 위탁받은 권한에 관계되는 업무를 수행하는 임직원을 포함한다)
3. 공무를 수행하기 위하여 민간부문에서 공공기관에 파견 나온 사람
4. 법령에 따라 공무상 심의 · 평가 등을 하는 개인이나 법인 또는 단체(법인 또는 단체에 소속되어 심의 · 평가 등을 하는 임직원을 포함한다)

② 제1항에 따라 공무수행사인에 대하여 제5조, 제7조, 제14조, 제21조, 제22조제1항 · 제3항 및 제25조제1항을 준용하는 경우 "공직자"는 "공무수행사인"으로, "소속기관장"은 다음 각 호의 구분에 따른 자로 본다.

1. 제1항제1호에 따른 위원회의 위원: 그 위원회가 설치된 공공기관의 장
2. 제1항제2호에 따른 개인이나 법인 또는 단체: 감독기관 또는 권한을 위임하거나 위탁한 공공기관의 장
3. 제1항제3호에 따른 사람: 파견을 받은 공공기관의 장
4. 제1항제4호에 따른 개인이나 법인 또는 단체: 해당 공무를 제공받는 공공기관의 장

3. 이해충돌 방지에 관한 업무의 총괄 등

(1) 공직자의 이해충돌 방지에 관한 업무의 총괄(제17조)

국민권익위원회는 이 법에 따른 다음 각 호의 사항에 관한 업무를 관장한다.

1. 공직자의 이해충돌 방지에 관한 제도개선 및 교육 · 홍보 계획의 수립 및 시행
2. 이 법에 따른 신고 등의 안내 · 상담 · 접수 · 처리 등
3. 제18조제1항에 따른 신고를 한 자(이하 "신고자"라 한다) 등에 대한 보호 및 보상
4. 제1호부터 제3호까지의 업무 수행에 필요한 실태조사 및 자료의 수집 · 관리 · 분석 등

(2) 위반행위의 신고 등(제18조)

① 누구든지 이 법의 위반행위가 발생하였거나 발생하고 있다는 사실을 알게 된 경우에는 다음 각 호의 어느 하나에 해당하는 기관에 신고할 수 있다.

1. 이 법의 위반행위가 발생한 공공기관 또는 그 감독기관
2. 감사원 또는 수사기관
3. 국민권익위원회

② 신고자가 다음 각 호의 어느 하나에 해당하는 경우에는 이 법에 따른 보호 및 보상을 받지 못한다.

1. 신고의 내용이 거짓이라는 사실을 알았거나 알 수 있었음에도 불구하고 신고한 경우
2. 신고와 관련하여 금품이나 근로관계상의 특혜를 요구한 경우
3. 그 밖에 부정한 목적으로 신고한 경우

③ ①에 따라 신고를 하려는 자는 자신의 인적사항과 신고의 취지 · 이유 · 내용을 적고 서명한 문서와 함께 신고 대상 및 증거 등을 제출하여야 한다.

(3) 위반행위 신고의 처리(제19조)

① (2)의 ① 또는 ②의 기관(이하 "조사기관"이라 한다)은 신고를 받거나 국민권익위원회로부터 신고를 이첩받은 경우에는 그 내용에 관하여 필요한 조사 · 감사 또는 수사를 하여야 한다.

② 국민권익위원회가 (2)의 ①에 따른 신고를 받은 경우에는 그 내용에 관하여 신고자를 상대로 사실관계를 확인한 후 대통령령으로 정하는 바에 따라 조사기관에 이첩하고, 그 사실을 신고자에게 통보하여야 한다.

③ 국민권익위원회는 ②에 따라 신고자를 상대로 사실관계를 확인한 후에도 불구하고 ②에 따른 이첩 여부를 결정할 수 없는 경우에는 그 결정에 필요한 범위에서 피신고자의 의사에 반하지 아니하는 때에 한정하여 피신고자에게 의견 또는 자료 제출 기회를 부여할 수 있다.

④ 조사기관은 ①에 따른 조사·감사 또는 수사를 마친 날부터 10일 이내에 그 결과를 신고자와 국민권익위원회에 통보(국민권익위원회로부터 이첩받은 경우만 해당한다)하고, 조사·감사 또는 수사 결과에 따라 공소 제기, 과태료 부과 대상 위반행위의 통보, 징계처분 등 필요한 조치를 하여야 한다.

⑤ 국민권익위원회는 ④에 따라 조사기관으로부터 조사·감사 또는 수사 결과를 통보받은 경우에는 지체 없이 신고자에게 조사·감사 또는 수사 결과를 통보하여야 한다.

⑥ ④ 또는 ⑤에 따라 조사·감사 또는 수사 결과를 통보받은 신고자는 대통령령으로 정하는 바에 따라 조사기관에 이의신청을 할 수 있으며, ⑤에 따라 조사·감사 또는 수사 결과를 통보받은 신고자는 국민권익위원회에도 이의신청을 할 수 있다.

⑦ 국민권익위원회는 조사기관의 조사·감사 또는 수사 결과가 충분하지 아니하다고 인정되는 경우에는 조사·감사 또는 수사 결과를 통보받은 날부터 30일 이내에 새로운 증거자료의 제출 등 합리적인 이유를 들어 조사기관에 재조사를 요구할 수 있다.

⑧ ⑦에 따른 재조사를 요구받은 조사기관은 재조사를 종료한 날부터 7일 이내에 그 결과를 국민권익위원회에 통보하여야 한다. 이 경우 국민권익위원회는 통보를 받은 즉시 신고자에게 재조사 결과의 요지를 통보하여야 한다.

(4) 신고자 등의 보호·보상(제20조)

① 누구든지 다음 각 호의 어느 하나에 해당하는 신고 등(이하 "신고등"이라 한다)을 하지 못하도록 방해하거나 신고등을 한 자(이하 "신고자등"이라 한다)에게 이를 취소하도록 강요하여서는 아니 된다.

> 1. 제18조제1항에 따른 신고
> 2. 제1호에 따른 신고에 관한 조사·감사·수사·소송 또는 보호조치에 관한 조사·소송 등에서 진술·증언 및 자료제공 등의 방법으로 돕는 행위

② 누구든지 신고자등에게 신고등을 이유로 불이익조치(「공익신고자 보호법」 제2조제6호에 따른 불이익조치를 말한다. 이하 같다)를 하여서는 아니 된다.

③ 이 법의 위반행위를 한 자가 위반사실을 자진하여 신고하거나 신고자등이 신고등을 함으로 인하여 자신이 한 이 법의 위반행위가 발견된 경우에는 그 위반행위에 대한 형사처벌, 과태료 부과, 징계처분, 그 밖의 행정처분 등을 감경하거나 면제할 수 있다.

④ 국민권익위원회는 (2)의 ①에 따른 신고로 인하여 공공기관에 재산상 이익을 가져오거나 손실을 방지한 경우 또는 공익을 증진시킨 경우에는 그 신고자에게 포상금을 지급할 수 있다.

⑤ 국민권익위원회는 제18조제1항에 따른 신고로 인하여 공공기관에 직접적인 수입의 회복·증대 또는 비용의 절감을 가져온 경우에는 그 신고자의 신청에 의하여 보상금을 지급하여야 한다.

⑥ 신고자등과 그 친족(「민법」 제777조에 따른 친족을 말한다) 또는 동거인은 신고등과 관련하여 다음 각 호의 어느 하나에 해당하는 피해를 입었거나 비용을 지출한 경우 국민권익위원회에 구조금의 지급을 신청할 수 있다.

> 1. 육체적 · 정신적 치료 등에 든 비용
> 2. 전직 · 파견근무 등에 따른 이사비용
> 3. 원상회복 관련 쟁송절차에 든 비용
> 4. 불이익조치 기간의 임금 손실액
> 5. 그 밖에 중대한 경제적 손해(「공익신고자 보호법」 제2조제6호아목 및 자목에 따른 손해는 제외한다)

(5) 위법한 직무처리에 대한 조치(제21조)

소속기관장은 공직자가 이 법을 위반한 사실을 발견한 경우에는 해당 공직자에게 위반사실을 즉시 시정할 것을 명하고 계속 불이행할 경우 해당 공직자의 직무를 중지하거나 취소하는 등 필요한 조치를 하여야 한다.

(6) 부당이득의 환수 등(제22조)

① 소속기관장은 공직자가 제5조의 신고 및 회피 의무 또는 제6조의 신고 의무를 위반하여 수행한 직무가 위법한 것으로 확정된 경우에는 그 직무를 통하여 공직자 또는 제3자가 얻은 재산상 이익을 환수하여야 한다.

② 소속기관장은 공직자가 제13조의 공공기관 물품 등의 사적 사용 · 수익 금지 의무를 위반한 경우에는 공직자 또는 제3자가 얻은 재산상 이익을 환수하여야 한다.

③ ① 또는 ②에도 불구하고 다른 법률에서 공직자 또는 제3자가 얻은 부당이득의 몰수, 환수 등에 대하여 규정하고 있는 경우에는 그 법률에 따른다.

(7) 비밀누설 금지(제23조)

다음 각 호의 어느 하나에 해당하는 업무를 수행하거나 수행하였던 공직자는 재직 중은 물론 퇴직 후에도 그 업무처리 과정에서 알게 된 비밀을 누설하여서는 아니 된다. 다만, 제2호의 업무로서 제8조제4항에 따라 공개하는 경우에는 그러하지 아니하다.

> 1. 제5조부터 제7조까지의 규정에 따른 사적이해관계자의 신고 및 회피 · 기피 신청 또는 부동산 보유 · 매수 신고의 처리에 관한 업무
> 2. 제8조에 따른 고위공직자의 업무활동 내역 보관 · 관리에 관한 업무
> 3. 제9조에 따른 직무관련자와의 거래 신고 및 조치에 관한 업무
> 4. 제15조에 따른 퇴직자 사적 접촉 신고 및 조치에 관한 업무

(8) 교육 및 홍보 등(제24조)

① 공공기관의 장은 공직자에게 이해충돌 방지에 관한 내용을 매년 1회 이상 정기적으로 교육하여야 한다.

② 공공기관의 장은 이 법에서 금지하고 있는 사항을 적극적으로 알리는 등 국민들이 이 법을 준수하도록 유도하여야 한다.

③ 공공기관의 장은 ① 및 ②에 따른 교육 및 홍보 등을 하기 위하여 필요하면 국민권익위원회에 지원을 요청할 수 있다. 이 경우 국민권익위원회는 적극 협력하여야 한다.

(9) 이해충돌방지담당관의 지정(제25조)

① 공공기관의 장은 소속 공직자 중에서 다음 각 호의 업무를 담당하는 이해충돌방지담당관을 지정하여야 한다.

1. 공직자의 이해충돌 방지에 관한 내용의 교육·상담
2. 사적이해관계자의 신고 및 회피·기피 신청, 부동산 보유·매수 신고 또는 직무관련자와의 거래에 관한 신고의 접수 및 관리
3. 사적이해관계자의 신고 및 회피·기피 신청 또는 부동산 보유·매수 신고에도 불구하고 그 직무를 계속 수행하게 된 공직자의 공정한 직무수행 여부의 확인·점검
4. 고위공직자의 업무활동 내역 관리 및 공개
5. 퇴직자 사적 접촉 신고의 접수 및 관리
6. 이 법에 따른 위반행위 신고·신청의 접수, 처리 및 내용의 조사
7. 이 법에 따른 소속기관장의 위반행위를 발견한 경우 법원 또는 수사기관에 그 사실의 통보

② 이 법에 따라 소속기관장에게 신고·신청·제출하여야 하는 사람이 소속기관장 자신인 경우에는 해당 신고·신청·제출을 이해충돌방지담당관에게 하여야 한다.

4. 징계(제26조)

공공기관의 장은 소속 공직자가 이 법 또는 이 법에 따른 명령을 위반한 경우에는 징계처분을 하여야 한다.

06 경찰청 공무원 행동강령

(1) 목적(제1조)

경찰청 공무원 행동강령(이하 '규칙'이라 한다)은 부패방지 및 국민권익위원회의 설치와 운영에 관한 법률 제8조 및 공무원 행동강령에 따라 경찰청(소속 기관, 시·도경찰청, 경찰서를 포함한다)소속 공무원(이하 '공무원'이라 한다)이 준수하여야 할 행동기준을 규정하는 것을 목적으로 한다.

(2) 용어의 정의(제2조)

이 규칙에서 사용하는 용어의 뜻은 다음과 같다.

직무 관련자	공무원의 소관 업무와 관련되는 자로서 다음의 어느 하나에 해당하는 개인[공무원이 사인(私人)의 지위에 있는 경우에는 개인으로 본다] 또는 법인·단체를 말한다. ① 다음의 어느 하나에 해당하는 민원을 신청하는 중이거나 신청하려는 것이 명백한 개인 또는 법인·단체 ㉠ 민원 처리에 관한 법률 제2조 제1호 가목 1)에 따른 법정민원(장부·대장 등에 등록·등재를 신청 또는 신고하거나 특정한 사실 또는 법률관계에 관한 확인 또는 증명을 신청하는 민원은 제외한다) ㉡ 민원 처리에 관한 법률 제2조 제1호 가목 2)에 따른 질의민원 ㉢ 민원 처리에 관한 법률 제2조 제1호 나목에 따른 고충민원 ② 인가·허가 등의 취소, 영업정지, 과징금 또는 과태료의 부과 등으로 이익 또는 불이익을 직접적으로 받는 개인 또는 법인·단체 ③ 수사, 감사(監査), 감독, 검사, 단속, 행정지도 등의 대상인 개인 또는 법인·단체 ④ 재결(裁決), 결정, 검정(檢定), 감정(鑑定), 시험, 사정(査定), 조정, 중재 등으로 이익 또는 불이익을 직접적으로 받는 개인 또는 법인·단체

직무 관련자	⑤ 징집·소집·동원 등의 대상인 개인 또는 법인·단체 ⑥ 국가 또는 지방자치단체와 계약을 체결하거나 체결하려는 것이 명백한 개인 또는 법인·단체 ⑦ 장부·대장 등에의 등록·등재의 신청(신고) 중에 있거나 신청(신고)하려는 것이 명백한 개인이나 법인·단체 ⑧ 특정한 사실 또는 법률관계에 관한 확인 또는 증명의 신청 중에 있거나 신청하려는 것이 명백한 개인이나 법인·단체 ⑨ 법령해석이나 유권해석을 요구하는 개인이나 법인·단체 ⑩ 경찰관서에 복무 중인 전투경찰순경·의무경찰의 부모·형제자매 ⑪ 시책·사업 등의 결정 또는 집행으로 이익 또는 불이익을 직접적으로 받는 개인 또는 법인·단체 ⑫ 그 밖에 경찰관서에 대하여 특정한 행위를 요구 중인 개인이나 법인·단체
직무 관련 공무원	공무원의 직무수행과 관련하여 이익 또는 불이익을 직접적으로 받는 다른 공무원(기관이 이익 또는 불이익을 받는 경우에는 그 기관의 관련 업무를 담당하는 공무원을 말한다) 중 다음의 어느 하나에 해당하는 공무원을 말한다. ① 상급자와 직무상 지휘명령을 받는 당해 업무의 하급자 ② 인사·감사·상훈·예산·심사평가업무 담당자와 해당 업무와 직접 관련된 다른 공무원 ③ 행정사무를 위임·위탁한 경우 위임·위탁사무를 관리·감독하는 공무원과 그 사무를 담당하는 공무원 ④ 그 밖에 특별한 사유로 경찰청장이 정하는 경우
금품 등	다음의 어느 하나에 해당하는 것을 말한다. ① 금전, 유가증권, 부동산, 물품, 숙박권, 회원권, 입장권, 할인권, 초대권, 관람권, 부동산 등의 사용권 등 일체의 재산적 이익 ② 음식물·주류·골프 등의 접대·향응 또는 교통·숙박 등의 편의 제공 ③ 채무 면제, 취업 제공, 이권(利權) 부여 등 그 밖의 유형·무형의 경제적 이익
경찰유관단체	경찰기관에서 민관 치안협력 또는 민간전문가를 통한 치안자문활동 목적으로 조직·운영하고 있는 단체를 말한다.

(3) 적용범위(제3조)

이 규칙은 경찰청 소속 공무원과 경찰청에 파견된 공무원에게 적용한다.

(4) 공정한 직무수행

공정한 직무수행을 해치는 지시에 대한 처리 (제4조)	① 공무원은 상급자가 자기 또는 타인의 부당한 이익을 위하여 공정한 직무수행을 현저하게 해치는 지시를 하였을 때에는 별지 제1호 서식 또는 전자우편 등의 방법으로 그 사유를 상급자에게 소명하고 지시에 따르지 아니하거나, 별지 제2호 서식 또는 전자우편 등의 방법으로 제23조에 따라 지정된 행동강령에 관한 업무를 담당하는 공무원(이하 '행동강령책임관'이라 한다)과 상담할 수 있다. ② ①에 따라 지시를 이행하지 아니하였는데도 같은 지시가 반복될 때에는 즉시 행동강령책임관과 상담하여야 한다. ③ ①이나 ②에 따라 상담 요청을 받은 행동강령책임관은 지시 내용을 확인하여 지시를 취소하거나 변경할 필요가 있다고 인정되면 소속 기관의 장에게 보고하여야 한다. 다만, 지시 내용을 확인하는 과정에서 부당한 지시를 한 상급자가 스스로 그 지시를 취소하거나 변경하였을 때에는 소속 기관의 장에게 보고하지 아니할 수 있다. ④ ③에 따른 보고를 받은 소속 기관의 장은 필요하다고 인정되면 지시를 취소·변경하는 등 적절한 조치를 하여야 한다. 이 경우 공정한 직무수행을 해치는 지시를 ①에 따라 이행하지 아니하였는데도 같은 지시를 반복한 상급자에게는 징계 등 필요한 조치를 할 수 있다.

부당한 수사지휘에 대한 이의제기 (제4조의2)	① 공무원은 범죄수사규칙 제30조에 따른 경찰관서 내 수사지휘에 대한 이의제기와 관련하여 행동강령책임관에게 상담을 요청할 수 있다. ② ①의 상담요청을 받은 행동강령책임관은 해당 지휘의 취소·변경이 필요하다고 인정되면 소속 기관장에게 보고하여야 한다.
수사·단속 업무의 공정성 강화 (제5조의2)	① 공무원은 수사·단속의 대상이 되는 업소 중 경찰청장이 지정하는 유형의 업소 관계자와 부적절한 사적 접촉을 하여서는 아니 되며, 공적 또는 사적으로 접촉한 경우 경찰청장이 정하는 방법에 따라 신고하여야 한다. ② 공무원은 수사 중인 사건의 관계자(해당 사건의 처리와 법률적·경제적 이해관계가 있는 자로서 경찰청장이 지정하는 자를 말한다)와 부적절한 사적접촉을 해서는 아니 되며, 소속 경찰관서 내에서만 접촉하여야 한다. 다만, 현장조사 등 공무상 필요한 경우 외부에서 접촉할 수 있으며, 이 경우에는 수사서류 등 공문서에 기록하여야 한다.
특혜의 배제 (제6조)	공무원은 직무를 수행함에 있어 지연·혈연·학연·종교 등을 이유로 특정인에게 특혜를 주어서는 아니 된다.
예산의 목적 외 사용금지 (제7조)	공무원은 여비, 업무추진비 등 공무 활동을 위한 예산을 목적 외의 용도로 사용하여 소속 기관에 재산상 손해를 입혀서는 아니 된다.
정치인 등의 부당한 요구에 대한 처리 (제8조)	① 공무원은 정치인이나 정당 등으로부터 부당한 직무수행을 강요받거나 청탁을 받은 경우에는 별지 제9호 서식 또는 전자우편 등의 방법으로 소속 기관의 장에게 보고하거나 행동강령책임관과 상담하여야 한다. ② ①에 따라 보고를 받은 소속 기관의 장이나 상담을 한 행동강령책임관은 그 공무원이 공정한 직무수행을 할 수 있도록 적절한 조치를 하여야 한다.
경찰유관 단체원의 부정행위에 대한 처리 (제8조의2)	경찰유관단체원이 다음의 어느 하나에 해당하는 행위를 한 경우 행동강령책임관은 해당 경찰유관단체 운영 부서장과 협의하여 소속 기관장에게 경찰유관단체원의 해촉 등 필요한 조치를 건의하여야 하며, 보고를 받은 소속 기관장은 적절한 조치를 취하여야 한다. ① 경찰업무와 관련하여 금품을 수수 또는 경찰관에게 금품을 제공하거나, 이를 알선한 경우 ② 경찰업무와 관련하여 부당한 청탁 또는 알선을 한 경우 ③ 이권개입 등 경찰유관단체원의 지위를 부당하게 이용한 경우 ④ 직무와 관련하여 알게 된 비밀을 누설한 경우 ⑤ 그 밖에 경찰유관단체원으로서 부적절한 처신 등으로 경찰과 소속 단체의 명예를 훼손한 경우
인사청탁 등의 금지 (제9조)	① 공무원은 자신의 임용·승진·전보 등 인사에 부당한 영향을 미치기 위하여 타인으로 하여금 인사 업무 담당자에게 청탁을 하도록 해서는 아니 된다. ② 공무원은 직위를 이용하여 다른 공무원의 임용·승진·전보 등 인사에 부당하게 개입해서는 아니 된다.

(5) 부당이득의 수수금지

이권개입 등의 금지 (제10조)	공무원은 자신의 직위를 직접 이용하여 부당한 이익을 얻거나 타인이 부당한 이익을 얻도록 해서는 아니 된다.
직위의 사적 이용금지 (제10조의2)	공무원은 직무의 범위를 벗어나 사적 이익을 위하여 소속 기관의 명칭이나 직위를 공표·게시하는 등의 방법으로 이용하거나 이용하게 하여서는 아니 된다.

알선·청탁 등의 금지 (제11조)	① 공무원은 자기 또는 타인의 부당한 이익을 위하여 다른 공직자(부패방지 및 국민권익위원회의 설치와 운영에 관한 법률 제2조 제3호 가목 및 나목에 따른 공직자를 말한다)의 공정한 직무수행을 해치는 알선·청탁 등을 해서는 아니 된다. ② 공무원은 직무수행과 관련하여 자기 또는 타인의 부당한 이익을 위하여 직무 관련자를 다른 직무 관련자나 공직자에게 소개해서는 아니 된다. ③ 공무원은 자기 또는 타인의 부당한 이익을 위하여 자신의 직무권한을 행사하거나 지위·직책 등에서 유래되는 사실상 영향력을 행사하여 공직자가 아닌 자에게 다음의 어느 하나에 해당하는 알선·청탁 등을 해서는 아니 된다. ㉠ 특정 개인·법인·단체에 투자·예치·대여·출연·출자·기부·후원·협찬 등을 하도록 개입하거나 영향을 미치도록 하는 행위 ㉡ 채용·승진·전보 등 인사업무나 징계업무에 관하여 개입하거나 영향을 미치도록 하는 행위 ㉢ 입찰·경매·연구개발·시험·특허 등에 관한 업무상 비밀을 누설하도록 하는 행위 ㉣ 계약 당사자 선정, 계약 체결 여부 등에 관하여 개입하거나 영향을 미치도록 하는 행위 ㉤ 특정 개인·법인·단체에 재화 또는 용역을 정상적인 관행에서 벗어나 매각·교환·사용·수익·점유·제공 등을 하도록 하는 행위 ㉥ 각급 학교의 입학·성적·수행평가 등의 업무에 관하여 개입하거나 영향을 미치도록 하는 행위 ㉦ 각종 수상, 포상, 우수기관 또는 우수자 선정, 장학생 선발 등에 관하여 개입하거나 영향을 미치도록 하는 행위 ㉧ 감사·조사대상에서 특정 개인·법인·단체가 선정·배제되도록 하거나 감사·조사 결과를 조작하거나 또는 그 위반사항을 묵인하도록 하는 행위 ㉨ 그 밖에 경찰청장이 공직자가 아닌 자의 공정한 업무수행을 저해하는 알선·청탁 등에 해당한다고 판단하여 정하는 행위
직무 관련 정보를 이용한 거래 등의 제한 (제12조)	공무원은 직무수행 중 알게 된 정보를 이용하여 유가증권, 부동산 등과 관련된 재산상 거래 또는 투자를 하거나 타인에게 그러한 정보를 제공하여 재산상 거래 또는 투자를 돕는 행위를 해서는 아니 된다.
사적 노무 요구금지 (제13조의2)	공무원은 자신의 직무권한을 행사하거나 지위·직책 등에서 유래되는 사실상 영향력을 행사하여 직무 관련자 또는 직무 관련 공무원으로부터 사적 노무를 제공받거나 요구 또는 약속해서는 아니 된다. 다만, 다른 법령 또는 사회상규에 따라 허용되는 경우에는 그러하지 아니하다.
직무권한 등을 행사한 부당 행위의 금지 (제13조의3)	공무원은 자신의 직무권한을 행사하거나 지위·직책 등에서 유래되는 사실상 영향력을 행사하여 다음의 어느 하나에 해당하는 부당한 행위를 해서는 안 된다. ① 인가·허가 등을 담당하는 공무원이 그 신청인에게 불이익을 주거나 제3자에게 이익 또는 불이익을 주기 위하여 부당하게 그 신청의 접수를 지연하거나 거부하는 행위 ② 직무 관련 공무원에게 직무와 관련이 없거나 직무의 범위를 벗어나 부당한 지시·요구를 하는 행위 ③ 공무원 자신이 소속된 기관이 체결하는 물품·용역·공사 등 계약에 관하여 직무 관련자에게 자신이 소속된 기관의 의무 또는 부담의 이행을 부당하게 전가하거나 자신이 소속된 기관이 집행해야 할 업무를 부당하게 지연하는 행위 ④ 공무원 자신이 소속된 기관의 소속 기관 또는 산하기관에 자신이 소속된 기관의 업무를 부당하게 전가하거나 그 업무에 관한 비용·인력을 부담하도록 부당하게 전가하는 행위 ⑤ 그 밖에 직무 관련자, 직무 관련 공무원, 공무원 자신이 소속된 기관의 소속 기관 또는 산하기관의 권리·권한을 부당하게 제한하거나 의무가 없는 일을 부당하게 요구하는 행위

금품 등을 받는 행위의 제한 (제14조)

① 공무원은 직무 관련 여부 및 기부 · 후원 · 증여 등 그 명목에 관계없이 동일인으로부터 1회에 100만원 또는 매 회계연도에 300만원을 초과하는 금품 등을 받거나 요구 또는 약속해서는 아니 된다.

② 공무원은 직무와 관련하여 대가성 여부를 불문하고 ①에서 정한 금액 이하의 금품 등을 받거나 요구 또는 약속해서는 아니 된다.

③ 제15조의 외부강의 등에 관한 사례금 또는 다음의 어느 하나에 해당하는 금품 등은 ① 또는 ②에서 수수(收受)를 금지하는 금품 등에 해당하지 아니한다.

㉠ 소속 기관의 장 등이 소속 공무원이나 파견 공무원에게 지급하거나 상급자가 위로 · 격려 · 포상 등의 목적으로 하급자에게 제공하는 금품 등

㉡ 원활한 직무수행 또는 사교 · 의례 또는 부조의 목적으로 제공되는 음식물 · 경조사비 · 선물 등으로서 별표 1의 가액범위 내의 금품 등

【별표1】

음식물 · 경조사비 · 선물 등의 가액범위(제14조 제3항 관련)

구분	가액범위
1. 음식물(제공자와 공무원이 함께 하는 식사, 다과, 주류, 음료, 그 밖에 이에 준하는 것을 말한다)	3만원
2. 경조사비 : 축의금 · 조의금	5만원
다만, 축의금 · 조의금을 대신하는 화환 · 조화	10만원
3. 선물 : 금전, 유가증권, 제1호의 음식물 및 제2호의 경조사비를 제외한 일체의 물품, 그 밖에 이에 준하는 것	5만원
다만, 농수산물 품질관리법 제2조 제1항 제1호에 따른 농수산물(이하 '농수산물'이라 한다) 및 같은 항 제13호에 따른 농수산가공품(농수산물을 원료 또는 재료의 50퍼센트를 넘게 사용하여 가공한 제품만 해당하며, 이하 '농수산가공품'이라 한다)	10만원 (「부정청탁 및 금품등 수수의 금지에 관한 법률 시행령」 제17조제2항에 따른 기간 중에는 20만원)

비고

가. 제1호, 제2호 본문 · 단서 및 제3호 본문 · 단서의 각각의 가액범위는 각각에 해당하는 것을 모두 합산한 금액으로 한다.

나. 제2호 본문의 축의금 · 조의금과 같은 호 단서의 화환 · 조화를 함께 받은 경우 또는 제3호 본문의 선물과 같은 호 단서의 농수산물 · 농수산가공품을 함께 받은 경우에는 각각 그 가액을 합산한다. 이 경우 가액범위는 10만원으로 하되, 제2호 본문 또는 단서나 제3호 본문 또는 단서의 가액범위를 각각 초과해서는 안 된다.

다. 제1호의 음식물, 제2호의 경조사비 및 제3호의 선물 중 2가지 이상을 함께 받은 경우에는 그 가액을 합산한다. 이 경우 가액범위는 함께 받은 음식물, 경조사비 및 선물의 가액범위 중 가장 높은 금액으로 하되, 제1호부터 제3호까지의 규정에 따른 가액범위를 각각 초과해서는 안 된다.

㉢ 사적 거래(증여는 제외한다)로 인한 채무의 이행 등 정당한 권원(權原)에 의하여 제공되는 금품 등

㉣ 공무원의 친족(민법 제777조에 따른 친족을 말한다)이 제공하는 금품 등

㉤ 공무원과 관련된 직원상조회 · 동호인회 · 동창회 · 향우회 · 친목회 · 종교단체 · 사회단체 등이 정하는 기준에 따라 구성원에게 제공하는 금품 등 및 그 소속 구성원 등 공무원과 특별히 장기적 · 지속적인 친분관계를 맺고 있는 자가 질병 · 재난 등으로 어려운 처지에 있는 공무원에게 제공하는 금품 등

㉥ 공무원의 직무와 관련된 공식적인 행사에서 주최자가 참석자에게 통상적인 범위에서 일률적으로 제공하는 교통, 숙박, 음식물 등의 금품 등

금품 등을 받는 행위의 제한 (제14조)	㉦ 불특정 다수인에게 배포하기 위한 기념품 또는 홍보용품 등이나 경연·추첨을 통하여 받는 보상 또는 상품 등 ㉧ 그 밖에 사회상규(社會常規)에 따라 허용되는 금품 등 ④ 공무원은 ③의 ㉤에도 불구하고 같은 호에 따라 특별히 장기적·지속적인 친분관계를 맺고 있는 자가 직무 관련자 또는 직무 관련 공무원으로서 금품 등을 제공한 경우에는 그 수수 사실을 별지 제10호 서식에 따라 소속 기관의 장에게 신고하여야 한다. ⑤ 공무원은 자신의 배우자나 직계 존속·비속이 자신의 직무와 관련하여 ① 또는 ②에 따라 공무원이 받는 것이 금지되는 금품 등(이하 '수수금지 금품 등'이라 한다)을 받거나 요구하거나 제공받기로 약속하지 아니하도록 하여야 한다. ⑥ 공무원은 다른 공무원에게 또는 그 공무원의 배우자나 직계 존속·비속에게 수수금지 금품 등을 제공하거나 그 제공의 약속 또는 의사표시를 해서는 아니 된다.
감독기관의 부당한 요구금지 (제14조의2)	① 감독·감사·조사·평가를 하는 기관(이하 '감독기관'이라 한다)에 소속된 공무원은 자신이 소속된 기관의 출장·행사·연수 등과 관련하여 감독·감사·조사·평가를 받는 기관(이하 '피감기관'이라 한다)에 다음의 어느 하나에 해당하는 부당한 요구를 해서는 안 된다. ㉠ 법령에 근거가 없거나 예산의 목적·용도에 부합하지 않는 금품등의 제공 요구 ㉡ 감독기관 소속 공무원에 대하여 정상적인 관행을 벗어난 예우·의전의 요구 ② ①에 따른 부당한 요구를 받은 피감기관 소속 공직자는 그 이행을 거부해야 하며, 거부했음에도 불구하고 감독기관 소속 공무원으로부터 같은 요구를 다시 받은 때에는 그 사실을 별지 제11호의 서식에 따라 피감기관의 행동강령책임관(피감기관이 공직자윤리법 제3조의2 제1항에 따른 공직유관단체인 경우에는 행동강령에 관한 업무를 담당하는 직원을 말한다)에게 알려야 한다. 이 경우 행동강령책임관은 그 요구가 제1항 각 호의 어느 하나에 해당하는 경우에는 지체 없이 피감기관의 장에게 보고해야 한다. ③ ② 후단에 따른 보고를 받은 피감기관의 장은 ①의 각 사항의 어느 하나에 해당하는 경우에는 그 사실을 해당 감독기관의 장에게 알려야 하며, 그 사실을 통지받은 감독기관의 장은 해당 요구를 한 소속 공무원에 대하여 징계 등 필요한 조치를 해야 한다.

(6) 건전한 공직풍토의 조성

외부강의 등의 사례금 수수 제한 (제15조)	① 공무원은 자신의 직무와 관련되거나 그 지위·직책 등에서 유래되는 사실상의 영향력을 통하여 요청받은 교육·홍보·토론회·세미나·공청회 또는 그 밖의 회의 등에서 한 강의·강연·기고 등(이하 '외부강의 등'이라 한다)의 대가로서 별표 2에서 정하는 금액을 초과하는 사례금을 받아서는 아니 된다. **【별표2】** 외부강의 등 사례금 상한액(제15조 제1항 관련) 1. 사례금 상한액 가. 직급 구분 없이 40만원 나. 가목에도 불구하고 국제기구, 외국정부, 외국대학, 외국연구기관, 외국 학술단체, 그 밖에 이에 준하는 외국기관에서 지급하는 외부강의 등의 사례금 상한액은 사례금을 지급하는 자의 지급기준에 따른다. 2. 적용기준 가. 제1호의 상한액은 강의 등의 경우 1시간당, 기고의 경우 1건당 상한액으로 한다. 나. 1시간을 초과하여 강의 등을 하는 경우에도 사례금 총액은 강의시간에 관계없이 1시간 상한액의 100분의 150에 해당하는 금액을 초과하지 못한다.

외부강의 등의 사례금 수수 제한 (제15조)	다. 상한액에는 강의료, 원고료, 출연료 등 명목에 관계없이 외부강의 등 사례금 제공자가 외부강의 등과 관련하여 공무원에게 제공하는 일체의 사례금을 포함한다. 라. 다목에도 불구하고 공무원이 소속 기관에서 교통비, 숙박비, 식비 등 여비를 지급받지 못한 경우에는 공무원 여비 규정의 기준 내에서 실비수준으로 제공되는 교통비, 숙박비 및 식비는 제1호의 사례금에 포함되지 않는다. ② 공무원은 사례금을 받는 외부강의 등을 할 때에는 외부강의 등의 요청 명세 등을 별지 제12호 서식의 외부강의 등 신고서에 따라 소속 기관의 장에게 그 외부강의 등을 마친 날부터 10일 이내에 신고하여야 한다. 다만, 외부강의 등을 요청한 자가 국가나 지방자치단체인 경우에는 그러하지 아니하다. ③ 공무원은 ②에 따른 신고를 할 때 신고사항 중 상세 명세 또는 사례금 총액 등을 제2항의 기간 내에 알 수 없는 경우에는 해당 사항을 제외한 사항을 신고한 후 해당 사항을 안 날부터 5일 이내에 보완하여야 한다. ④ 공무원이 대가를 받고 수행하는 외부강의 등은 월 3회를 초과할 수 없다. 국가나 지방자치단체에서 요청하거나 겸직 허가를 받고 수행하는 외부강의 등은 그 횟수에 포함하지 아니한다. ⑤ 공무원은 ④에도 불구하고 월 3회를 초과하여 대가를 받고 외부강의 등을 하려는 경우에는 미리 소속 기관의 장의 승인을 받아야 한다.
초과사례금의 신고 등 (제15조의2)	① 공무원은 제15조 제1항에 따른 금액을 초과하는 사례금(이하 '초과사례금'이라 한다)을 받은 경우에는 그 사실을 안 날로부터 2일 이내에 별지 제13호 서식으로 소속 기관의 장에게 신고하여야 하며, 제공자에게 그 초과금액을 지체 없이 반환하여야 한다. ② ①에 따른 신고를 받은 소속 기관의 장은 초과사례금을 반환하지 아니한 공무원에 대하여 신고사항을 확인한 후 7일 이내에 반환하여야 할 초과사례금의 액수를 산정하여 해당 공무원에게 통지하여야 한다. ③ ②에 따라 통지를 받은 공무원은 지체 없이 초과사례금(신고자가 초과사례금의 일부를 반환한 경우에는 그 차액으로 한정한다)을 제공자에게 반환하고 그 사실을 소속 기관의 장에게 알려야 한다. ④ 공무원은 ① 또는 ③에 따라 초과 사례금을 반환한 경우에는 증명자료를 첨부하여 그 반환비용을 소속 기관의 장에게 청구할 수 있다.
직무 관련자에게 협찬 요구금지 (제16조의2)	공무원은 직무 관련자에게 직위를 이용하여 행사 진행에 필요한 직·간접적 경비, 장소, 인력, 또는 물품 등의 협찬을 요구하여서는 아니 된다.
직무 관련자와 골프 및 사적여행 제한 (제16조의3)	① 공무원은 직무 관련자와는 비용 부담 여부와 관계없이 골프를 같이 하여서는 아니 된다. 다만, 다음과 같은 부득이한 사정에 따라 골프를 같이 하는 경우에는 소속 관서 행동강령 책임관에게 사전에 신고하여야 하며 사전에 신고하기 어려운 특별한 사유가 있는 경우에는 사후에 즉시 신고하여야 한다. ㉠ 정책의 수립·시행을 위한 의견교환 또는 업무협의 등 공적인 목적을 위하여 필요한 경우 ㉡ 직무 관련자인 친족과 골프를 하는 경우 ㉢ 동창회 등 친목단체에 직무 관련자가 있어 부득이 골프를 하는 경우 ㉣ 그 밖에 위 각 사항과 유사한 사유로 부득이하다고 인정되는 경우 ② 공무원은 직무 관련자와 함께 사적인 여행을 하여서는 아니 된다. 다만, ①의 각 사항의 사유가 있어 같은 항 단서에 따른 신고를 한 경우에는 그러하지 아니하다.

CHAPTER 07

직무 관련자와 사행성 오락금지 (제16조의4)	공무원은 직무 관련자와 마작, 화투, 카드 등 우연의 결과나 불확실한 승패에 의하여 금품 등 경제적 이익을 취할 목적으로 하는 사행성 오락을 같이 하여서는 아니 된다.
경조사의 통지 제한 (제17조)	공무원은 직무 관련자나 직무 관련 공무원에게 경조사를 알려서는 아니 된다. 다만, 다음의 어느 하나에 해당하는 경우에는 경조사를 알릴 수 있다. ① 친족(민법 제767조에 따른 친족을 말한다)에게 알리는 경우 ② 현재 근무하고 있거나 과거에 근무하였던 기관의 소속 직원에게 알리는 경우 ③ 신문, 방송 또는 ⓒ에 따른 직원에게만 열람이 허용되는 내부통신망 등을 통하여 알리는 경우 ④ 공무원 자신(배우자×)이 소속된 종교단체·친목단체 등의 회원에게 알리는 경우

(7) 위반시의 조치

위반 여부에 대한 상담 (제18조)	① 공무원은 알선·청탁, 금품 등의 수수, 외부강의 등의 사례금수수, 경조사의 통지 등에 대하여 이 규칙을 위반하는 지가 분명하지 아니할 때에는 행동강령책임관과 상담한 후 처리하여야 하며 행동강령책임관은 별지 제15호 서식에 따라 상담내용을 관리하여야 한다. ② 행동강령책임관은 ①에 따른 상담이 원활하게 이루어질 수 있도록 해당 기관의 규모 등 여건을 고려하여 전용전화·상담실 설치 등 필요한 조치를 취할 수 있다.
위반행위의 신고 및 확인 (제19조)	① 누구든지 공무원이 이 규칙을 위반한 사실을 알게 되었을 때에는 그 공무원이 소속된 기관의 장, 그 기관의 행동강령책임관 또는 국민권익위원회에 신고할 수 있다. ② ①에 따라 신고하는 자는 별지 제16호 서식의 위반행위신고서에 본인과 위반자의 인적 사항과 위반 내용을 구체적으로 제시해야 한다. ③ ①에 따라 위반행위를 신고받은 소속 기관의 장과 행동강령책임관은 신고인과 신고내용에 대하여 비밀을 보장하여야 하며, 신고인이 신고에 따른 불이익을 받지 아니하도록 하여야 한다. ④ 행동강령책임관은 ①에 따라 신고된 위반행위를 확인한 후 해당 공무원으로부터 받은 소명자료를 첨부하여 소속 기관의 장에게 보고하여야 한다.
징계 등 (제20조)	제19조 제4항에 따른 보고를 받은 소속 기관의 장은 해당 공무원을 징계하는 등 필요한 조치를 할 수 있다.
수수금지 금품 등의 신고 및 처리 (제21조)	① 공무원은 다음의 어느 하나에 해당하는 경우에는 소속 기관의 장에게 지체 없이 별지 제17호 서식에 따라 서면 신고하여야 한다. ㉠ 공무원 자신이 수수금지 금품 등을 받거나 그 제공의 약속 또는 의사표시를 받은 경우 ㉡ 공무원이 자신의 배우자나 직계 존속·비속이 수수금지 금품 등을 받거나 그 제공의 약속 또는 의사표시를 받은 사실을 알게 된 경우 ② 공무원은 ①의 각 사항의 어느 하나에 해당하는 경우에는 금품 등을 제공한 자(이하 '제공자'라 한다) 또는 제공의 약속이나 의사표시를 한 자에게 그 제공받은 금품 등을 지체 없이 반환하거나 반환하도록 하거나 그 거부의 의사를 밝히거나 밝히도록 하여야 한다. ③ 공무원은 ②에 따라 금품 등을 반환한 경우에는 별지 제18호 서식에 따라 그 반환 비용을 소속 기관의 장에게 청구할 수 있다. ④ 공무원은 ②에 따라 반환하거나 반환하도록 하여야 하는 금품 등이 다음의 어느 하나에 해당하는 경우에는 소속 기관의 장에게 인도하거나 인도하도록 하여야 한다. ㉠ 멸실·부패·변질 등의 우려가 있는 경우 ㉡ 제공자나 제공자의 주소를 알 수 없는 경우 ㉢ 그 밖에 제공자에게 반환하기 어려운 사정이 있는 경우

구분	내용
수수금지 금품 등의 신고 및 처리 (제21조)	⑤ 소속 기관의 장은 ④에 따라 금품 등을 인도받은 경우에는 즉시 사진으로 촬영하거나 영상으로 녹화하고 별지 19호 서식으로 관리하여야 하며, 다른 법령에 특별한 규정이 있는 경우를 제외하고는 다음에 따라 처리한다. ㉠ **수수금지 금품 등이 아닌 것으로 확인된 경우**: 금품 등을 인도한 자에게 반환 ㉡ **수수금지 금품 등에 해당하는 것으로 확인된 경우로서 추가적인 조사·감사·수사 또는 징계 등 후속조치를 위하여 필요한 경우**: 관계 기관에 증거자료로 제출하거나 후속조치가 완료될 때까지 보관 ㉢ **㉠ 및 ㉡에도 불구하고 멸실·부패·변질 등으로 인하여 반환·제출·보관이 어렵다고 판단되는 경우**: 별지 제20호 서식에 따라 금품 등을 인도한 자의 동의를 받아 폐기처분 ㉣ **그 밖의 경우**: 세입조치 또는 사회복지시설·공익단체 등에 기증하거나 경찰청장이 정하는 기준에 따라 처리 ⑥ 소속 기관의 장은 ③에 따라 처리한 금품 등에 대하여 별지 제21호 서식으로 관리하여야 하며, ③에 따른 처리 결과를 금품 등을 인도한 자에게 통보하여야 한다. ⑦ 소속 기관의 장은 금지된 금품 등의 신고자에 대하여 인사우대·포상 등의 방안을 마련하여 시행할 수 있다.

(8) 보칙

① 교육(제22조)

㉠ 경찰청장(소속 기관장, 시·도경찰청장, 경찰서장 등을 포함한다)은 소속 공무원에 대하여 이 규칙의 준수를 위한 교육계획을 수립·시행하여야 하며, 매년 1회 이상 교육을 하여야 한다.

㉡ 경무인사기획관은 신임 및 경사, 경위, 경감, 경정 기본교육과정에 이 규칙의 교육을 포함시켜 시행하여야 한다.

② 행동강령책임관의 지정(제23조)

㉠ 경찰청, 소속 기관, 시·도경찰청, 경찰서에 이 규칙의 시행을 담당하는 행동강령책임관을 둔다.

㉡ 경찰청에 감사관, 시·도경찰청에 청문감사담당관, 경찰서에 청문감사관을 행동강령책임관으로 한다[소속기관 및 청문감사관제 미운영 관서는 감사(운영지원)업무담당 과장으로 한다].

㉢ 행동강령책임관은 소속 기관의 공무원에 대한 이 규칙의 교육·상담, 준수 여부에 대한 점검 및 위반행위의 신고접수·조사처리에 관한 업무를 담당한다.

㉣ 행동강령책임관은 이 규칙과 관련하여 상담한 내용에 대하여 비밀을 누설해서는 아니 된다.

㉤ 행동강령책임관은 상담내용을 별지 제15호 서식의 행동강령책임관 상담기록관리부에 기록·관리하여야 한다.

③ 행동강령 세부운영 지침(제24조): 소속 기관장 및 시·도경찰청장은 이 규칙의 운영에 필요한 세부사항을 따로 정하여 시행할 수 있다.

06 경찰활동의 이념적 기초

1. 사회계약설

구분	저서	자연상태	사회계약	특징
홉스 (T. Hobbes)	리바이어던 (leviathan)	① 만인에 대한 만인의 투쟁상태 ② 약육강식의 투쟁상태	① 자연권(기본권)의 전면적 양도(전부 양도설) ② 각 개인의 자연권 포기	① 국왕의 통치에 절대복종 ② 절대군주제를 통한 평화와 안전의 기대 ③ 혁명은 절대불가(저항권 행사 불가)
로크 (J. Locke)	시민정치 제2론	① 사회형성 초기에는 자유롭고 평등하며 정의가 지배하는 사회 ② 인간관계가 확대되면서 각 개인의 자연권 유지가 불안해짐	① 자연권의 일부를 국가 또는 국왕에게 신탁(일부 양도설) ② 자연권의 보장 ③ 최소한의 정부가 최선의 정부	① 저항권의 유보 ② 입헌(제한)군주제(이권 분립)를 통해 시민권의 확보
루소 (J. J. Rousseau)	사회계약론	① 처음에는 자유·평등이 보장되는 목가적 상태 ② 점차 강자와 약자의 구별이 생기고 불평등 관계가 성립	① 모든 사람의 의지를 종합·통일한 일반의지를 바탕으로 함 ② 자연적 자유 대신에 사회적 자유를 얻게 됨 ③ 모든 사람들의 자연적 자유를 회복	① 국민주권의 발동으로 불평등관계 시정 ② 일반의지의 결과물인 법을 통하여 인간의 자연권 및 정의 실현

2. 사회계약설로부터 도출되는 경찰활동의 기준(코헨과 펠드버그)

(1) 공정한 접근의 보장

경찰은 사회 전체의 필요에 의해 생겨난 기구이므로 경찰서비스에 대한 공정한 접근이 허용되어야 한다. 다시 말해 공정한 접근이란 치안서비스는 일종의 사회적 공공재로서 누구나 차별 없이 접근할 수 있어야 하며 서비스를 제공받아야 한다는 것이다. 경찰은 법집행과정에서 필요 이외의 기준, 예를 들어 성별과 나이, 신분 등에 따라 서비스를 차별적으로 제공하여서는 아니 된다. 공정한 접근을 저해하는 요소에는 편들기, 서비스 제공의 해태·무시 등이 있다.

사례해설 공정한 접근의 보장 관련 예

1. 유사한 우범지역인 A거리와 B거리에 순찰업무를 맡은 김순경이 A거리에 가족과 친척이 산다는 이유로 방범순찰시간의 대부분을 할애하여, A거리에 불균형적 방범서비스를 제공하였다.
2. 친구나 동료 경찰관에게 특혜를 주는 것을 들 수 있다. 가령 친구라는 이유로, 같은 직업종사자라는 이유로 속도 위반이나 음주운전 사실을 적발하고서도 이를 단속하지 않았다면 공정한 접근이 저해된 사례에 해당한다.
3. 이순경이 순찰하는 A구역은 달동네로 거리가 불결하고 사람들도 경찰에 대해 위협적이고 친절하지 않다. 반면 B구역은 부자들이 살고있는 지역으로 환경이 잘 가꾸어져 거리도 상쾌하고 사람들도 이순경에게 친절하게 대한다. 이런 이유로 이순경은 A구역의 순찰에 대해 거부감을 가지고 있다. 그래서 A구역을 순찰하는 날에는 대충 시간만 때울 생각만 하고 있다. 거리에서 일어나는 말다툼도 그냥 못 본 척하고 지나가는 등 A구역에서 발생하는 상황을 대부분 회피하려 한다. 반면 B구역을 순찰할 때는 거리의 주민에게 상냥하게 웃으며 친절하게 모든 문제를 해결해 준다.

4. 달동네 순찰근무 중이던 박경장이 절도신고를 받고도 현장에 늑장 출동하고, 범죄에 대해 자세히 조사하지도 않고 대략적인 사고 경위만 듣고 철수하려고 하자 신고인이 "부자동네에서 신고했어도 이렇게 할 겁니까?"하고 항의하였다.

(2) 공공의 신뢰 확보

① 개념: 공공의 신뢰 확보란 경찰은 시민들이 자신의 권리행사를 스스로 제한하고 치안을 경찰에게 믿고 맡겼다는 것을 인식하고 이러한 국민의 신뢰에 부응하는 것을 의미한다. 경찰이 직무수행 과정에서 적법절차를 준수하고, 권한을 남용하거나 물리력을 과도하게 사용해서는 아니 되며, 오직 시민의 신뢰에 부합하는 방식으로 권한을 행사하는 것이 '공공의 신뢰'에 부합하는 경찰활동에 해당한다.

② 구체적 사례

㉠ 국민은 경찰이 자신의 대리인으로서의 역할을 한다고 신뢰함: 경찰은 시민의 생명과 재산의 보호를 위해 시민들을 대신하여 권한을 행사하고 있다. 경찰이 시민의 대리인으로서 그 권한을 행사할 수 있는 이유는 시민들이 경찰을 믿고 그들에게 강제력을 행사할 수 있는 권한을 부여했기 때문이다. 즉, 시민사회가 공공질서와 안전을 유지하기 위해서 경찰에게 강제력을 행사하며 구속력 있는 법적 명령을 할 수 있는 권한을 주었기 때문이다.

사례해설

1주일간 출장을 마치고 집에 돌아온 A는 자신의 TV가 없어진 것을 발견하였다. 그래서 이곳저곳을 찾아보던 중에 평소부터 사이가 좋지 않던 옆집의 B가 A의 TV를 몰래 훔쳐가 사용 중인 것을 창문너머로 확인하였다. 이때 A는 몽둥이를 들고 가서 직접 자기의 TV를 찾아오려다가 그만두고, 경찰에 신고하여 TV를 되찾았다.

㉡ 시민은 경찰이 반드시 법집행을 할 것을 신뢰함: 사회계약 체결 이전의 자연상태에서는 시민들이 스스로 자신의 생명·신체 및 재산을 보호할 수 밖에 없었다. 그러므로 자신의 생명이나 신체·재산에 대한 위험이 존재하거나 손해가 발생할 경우 스스로 자구수단을 동원하여 그러한 가치들을 보호했다.

사례해설

김순경은 절도사건의 신고를 받고 사건현장에 도착하였으나 건장한 체격의 범인을 본 순간 자신의 안전이 걱정되었다. 그렇지만 가게 주인이 보고 있으므로 김순경은 골목 안으로 도망가는 범인을 추격하였다. 그런데 사실은 쫓는 척하면서 절도범이 도망가도록 내버려 두었다.

㉢ 시민은 경찰이 강제력을 최소한으로 행사할 것을 신뢰함: 경찰은 법집행을 함에 있어 법집행의 상대방에 대하여 불가피한 상황이 아니라면 법집행의 상대방에게 생명에 위협을 가하거나 부상을 입혀서는 아니 된다. 그러므로 시민들은 경찰이 자의적이고 불필요한 강제력을 행사하지 않을 것이라고 신뢰하고 있으며 이러한 시민의 기대는 경찰이 최소한의 권력을 적절하게 사용할 것을 요구한다.

사례해설

1. 경찰이 시위를 진압하면서 최루탄의 과도한 사용 등 무리한 진압으로 국민으로부터 비판을 받은 경우는 최소한의 침해만 야기할 것이라는 공공의 신뢰를 저버린 행위에 해당한다.
2. 경찰관 乙이 절도범을 추격하던 중 도주하는 범인의 등 뒤에서 권총을 쏘아 사망하게 한 경우는 공공의 신뢰를 저해하는 사례에 해당한다.

㉣ 시민은 경찰이 개인의 이익을 위해 공권력을 사용하지 않을 것을 신뢰함: 시민은 사회 전체의 질서유지와 각 구성원들의 생명·신체 및 재산을 보호하기 위해 사회계약을 통해 경찰에게 공권력을 부여하였다. 그러므로 경찰관은 개인의 이익을 위해 경찰권을 발동해서는 안 된다.

사례해설

교통경찰이 도로교통법 위반자에 대하여 범칙금납부 통고처분을 하지 않고 뇌물을 받는 경우와 미성년자 매춘을 단속하는 소년계 경찰관이 업주로부터 뇌물을 상납받는 경우를 들 수 있다. 이러한 사례는 공권력의 행사를 통하여 개인의 이익을 추구한 것이다.

(3) 생명과 재산의 안전보호

① 개념: 사회계약설에 기초할 때 경찰활동의 궁극적인 목적은 시민의 생명과 재산의 보호에 있으므로 경찰은 시민의 생명과 재산의 보호를 경찰활동의 지표로 삼아야 한다. 경찰의 법집행은 시민의 생명·재산의 안전을 보호하기 위한 수단이지 법집행 자체는 경찰권발동의 목적이 아니다. 결국 경찰의 법집행은 궁극적으로 시민의 생명과 재산의 안전을 보호하는 데 그 목적이 있다.

Add ⊕

대륙법계 경찰의 경우 국민의 생명·신체 및 재산의 보호를 경찰의 임무로 규정하고 있으나 이는 공공의 안녕과 질서유지를 구성하는 일부분에 불과하므로 궁극적으로는 경찰권발동의 목적이 공공의 안녕과 질서유지로 귀결된다. 반면 사회계약설에 기초한 경찰활동의 경우 경찰권발동의 목적이 국민의 생명과 재산의 보호로 귀결되는데, 이는 사회계약설 자체가 영미법계 국가에서 형성·정립된 개념이고, 영미법계 국가의 경찰개념이 반영되어 있어 대륙법계 경찰의 목적과 차이가 발생하게 된 것이다.

② 구체적 사례: 과속하는 운전자의 단속, 불우이웃에 대한 기부금 제공, 노조에 대한 첩보입수 및 살인사건의 범인검거 등과 같이 경찰은 여러 가지 형태로 경찰권을 발동할 수 있지만 로크의 사회계약설에 가장 부합하는 경찰활동은 살인사건의 범인 검거와 같이 국민의 생명과 재산의 안전을 보호하는 활동이라고 할 수 있다.

사례해설

1. 경찰관이 오토바이를 타고 도망가는 난폭운전자를 과도하게 추격(법집행·수단)하여 오토바이 운전자가 전신주에 부딪혀 사망(목적)한 경우 경찰은 생명과 재산의 안전보호에 실패한 것이다.
2. 은행강도가 어린이를 인질로 잡고 차량도주를 하고 있다면 경찰은 주위 시민들의 안전에 대한 위험에도 불구하고 법집행을 하여야 한다. 이는 시민들의 안전(잠재적 위험)과 인질인 어린이의 안전(현재의 위험)이 경합하는 경우에 해당하므로 법집행의 당위성이 인정되기 때문이다.

(4) 협동과 팀워크

① 자신의 역할에 대한 한계를 인식하고 상호간에 협동을 통해 경찰은 그들에게 부여된 활동을 해야 한다. 이러한 협동은 정부의 각 기관들이 자신의 업무영역의 한계와 본분을 지킨다는 전제에서 출발해야 한다. 상호간의 역할한계를 지키지 않을 때 정부기능 상호간에 충돌이 발생하게 되고 이로 인해 시민의 권리가 침해되는 것이다.

② 국민의 생명과 재산의 안전을 보호하기 위해서는 정부 조직간의 협동뿐만 아니라 조직 내에서 구성원간의 협동도 중요하다.

사례해설

1. 형사과에서 근무하는 A경사는 사건을 해결함에 있어서 좋은 사람과 나쁜 사람을 구별하여 나쁜 사람에게 면박을 주거나 구타를 가한다. 이러한 사례는 경찰이 역할한계의 오류를 범한 것이다. 경찰의 임무는 사건을 수사하는 것이고, 피의자에 대한 유죄·무죄를 판단하는 것은 경찰의 임무가 아닌 법원의 역할이다. 그러므로 경찰은 범죄의 수사과정에서 피의자에 대한 유죄·무죄 여부를 판단해서는 안 된다.
2. 탈주범이 자기 관내에 있다는 첩보를 입수하고도 이를 상부에 보고하지 않고, 단독으로 검거하려다 실패했다면 '협동과 팀워크'에 위배된다.

(5) 냉정하고 객관적인 자세

① 사회계약론적 입장에서 볼 때 경찰은 사회 일부분이 아닌 사회 전체의 이익을 염두에 두어야 하며, 냉정하고 객관적인 방식으로 업무를 처리하여야 한다. 경찰관이 냉정하고 객관적인 자세를 유지하지 못하는 주된 원인에는 사건에 대한 '지나친 관여'를 들 수 있다. 지나친 관여는 '열정'이나 '개인적 편견과 선호'에 의하여 초래된다.

② 지나치게 냉정하고 객관적인 자세를 유지할 경우 경찰관이 냉소주의에 빠질 수 있으며, 이러한 냉소주의도 냉정하고 객관적인 자세를 저해하는 원인이 될 수 있다.

사례해설

1. 아버지로부터 가정폭력을 경험한 김경장은 가정문제의 모든 원인이 아버지 또는 남편에게 있다고 생각하고, 가정폭력 관련 사건 처리시 항상 여자 쪽에 감정을 이입하여 사건을 처리하는 경향을 보인다.
2. 김순경은 도둑을 맞은 경험이 있는데 경찰이 된 후 절도죄의 피의자에 대하여 과거 도둑맞은 경험이 생각나서 욕설과 가혹행위를 하였다.

07 객관적 윤리질서와 법

1. 객관적 윤리질서와 악법

(1) 법은 최소한의 도덕(객관적 윤리질서)에 해당한다. "사람을 살해한 자는 사형, 무기 또는 5년 이상의 징역에 처한다."라는 형법 제250조의 바탕에는 '사람을 죽이지 말라'라는 객관적 윤리질서가 담겨있다. 이는 사회구성원들이 살아가면서 지켜야 할 것들 중에서 가장 기본적인 사항들을 법으로 규정하여 강제하고 있는 것이다. 그러나 법률이 객관적 윤리질서와 항상 일치하는 것은 아니며 법률이 객관적 윤리질서를 반영하지 못할 경우 현실적인 법이 정당한 것인가 아닌가에 대한 의문이 생길 수 있다.

(2) 객관적 윤리질서라고 해서 시대와 장소를 초월한 보편·타당성을 가질 수는 없지만(객관적 윤리질서가 보편·타당성을 가진다고 보는 견해도 있음) 당시의 사회 법질서에 대한 판단기준으로 작용하고 있으므로 법의 정당성은 시대와 장소에 따라 달라질 수밖에 없다는 한계성을 갖는다.

(3) 객관적 윤리질서는 정치적 결단과 입법 과정을 거쳐 실정법으로 구체화되는데 완전무결한 정치적 구조나 입법은 존재하지 않기 때문에 객관적 윤리질서가 조작되거나 왜곡될 수 있다. 즉, 전체주의 사회에서는 독재자에 의하여, 민주사회에서는 다수의 횡포에 의해 중우정치(衆愚政治)* 라는 형태로 객관적 윤리질서가 왜곡될 수 있다.

* 중우정치: 다수의 어리석은 민중이 이끄는 정치를 이르는 말

2. 악법에 대한 법철학적 논쟁

(1) 자연법론적 관점

① 자연법론자들은 실정법보다는 객관적 윤리질서가 반영된 자연법이 우선한다고 본다. 그러므로 공동체가 추구하는 객관적 윤리질서에 반하는 법은 명백한 악법에 불과하며, 이러한 악법은 법으로서의 가치를 지니지 않으므로 시민들이 이러한 악법을 준수하여야 할 의무도 없다고 본다.

② 형식적 측면에서 법적 안정성이 공동체 생활에서 요구되기는 하지만 오늘날의 법치주의는 악법에 의한 질서유지나 평온을 의미는 것은 아니다. 그리고 실정법이 일반 시민들에 의해 지지받고 있는 객관적 윤리질서(정의)를 부정하면 비록 법률의 형태를 취하고 있으나 이는 악법에 지나지 않는 것이 된다.

(2) 법실증주의적 관점

① 일반적으로 법실증주의자들은 법적 안정성을 강조하고 실정법에 우선하는 자연법을 부정하는 관점에서 정당한 절차를 거쳐 제정된 법이면 객관적 윤리질서를 반영하지 못한 악법도 법이라고 본다. 법실증주의자는 일반적으로 법률에 특별한 규정이 없는 한, 법률이 정당하지 않다고 해서 효력이 없다거나 법이 아니라는 결론이 도출되는 것은 아니라고 본다.

② 법실증주의자들은 비록 법이 부도덕하거나 객관적 윤리질서에 반한다고 하더라도 형식적 절차를 거쳐 적법하게 제정된 법이라면 적법한 절차를 거쳐 해당 법이 다시 개정되거나 폐지되기 전까지는 복종하여야 할 의무가 있다고 한다. 아무리 부당하고 강압적인 법이라 하더라도 그것은 다수의 사람에게 최소한도의 질서와 안전을 보장해 주고 있기 때문이다.

③ 공동체가 추구하는 객관적 윤리질서보다 법적 안정성에 중점을 두고, 정당한 절차에 의하여 제정된 법이면 악법도 법이라고 보는 것도 법실증주의적 관점으로 볼 수 있다.

(3) 악법에 대한 저항권 행사 여부

① 오늘날의 민주주의는 정부보다 시민의 우위를 인정하고 악법에 대한 저항권의 행사는 시민의 당연한 권리로 인식한다. 현대 사회는 시민에게 법에 대한 무조건적인 복종을 요구하는 것이 아니라 객관적 윤리질서가 반영된 법에 대한 조건부 복종을 요구한다.

② 정부가 국민의 법 감정(객관적 윤리질서)을 무시하고 악법을 집행하게 되면 일정한 요건(불법의 명백성, 최후수단성 등)하에서 당연히 물리력에 기초한 저항권을 행사할 수 있다.

(4) 국민의 저항권 행사에 대한 경찰의 태도

① 경찰이 악법에 대하여 자연법론적 관점에 입각하면 악법에 대한 시민들의 저항을 어느 정도 묵인하는 태도를 취하게 된다. 어떠한 법이 객관적 윤리질서에 반하는 것이 명백하고 정상적인 방법으로 해결이 어렵다면 경찰은 시민의 저항권 행사를 억압하여서는 아니 된다.

② 법이 객관적 윤리질서에 위배되는지 불분명한 경우 또는 다른 수단으로 실정법에 대한 통제가 가능한 경우에는 현실적인 법에 근거하여 국민의 저항권 행사에 대하여 법을 집행해야 한다. 저항권의 행사가 최후수단성과 같은 요건을 갖추지 못한 경우에는 저항권의 행사가 정당화될 수 없고, 이는 다중범죄에 해당하기 때문이다.

MEMO

CHAPTER 08

한국경찰의 향후과제

제1절 행정제도 개혁

01 행정개혁

1. 행정개혁의 의의

(1) 행정개혁의 개념

① 행정개혁이란 행정을 현재 상태로부터 보다 나은 상태·방향으로 개선시키기 위해 행정부가 의도적으로 추구하는 계획된 변화를 의미한다. 행정조직의 구조변동과 새로운 정책·행정기술·방법의 채택·적용뿐만 아니라 행정인의 가치관·신념·태도를 변화시켜 개인발전과 조직발전을 통합시키려고 하는 행정체제의 모든 측면의 변화가 전부 포함되는 개념이다.

② 계획하지 않은 우연한 변화는 행정개혁에 해당하지 않는다.

(2) 행정개혁의 필요성

행정개혁은 행정의 전문화·합리화의 촉진이 동기가 되며 새로운 행정수요를 충족하기 위해 반드시 추진되어야 할 사안이다. 그러나 행정개혁 과정이 조직구성원의 안전성을 위협할수록 저항이 강해지므로 개혁과정에서 나타날 수 있는 조직구성원들의 저항을 극복할 수 있는 대책을 마련하여야 한다.

2. 행정개혁의 특징

구분	내용
미래지향적	행정개혁은 과거보다는 미래를 지향한다.
가치(목표)지향적	행정개혁은 그 자체가 목적이 아니라 행정의 바람직한 상태를 달성하기 위한 수단이다.
행동지향적	행정개혁은 실제 행동으로 옮긴다는 전제가 내포되어 있다.
지속성(계속성)	행정개혁은 행정이 존재하는 한 일시적이기보다는 계속적인 과정이다.
저항의 수반	행정개혁은 기존의 이해관계에 변화를 초래하므로 기득권을 가진 세력에 의해 저항이 수반된다.
인위적·계획적·기술적 노력	행정개혁은 행정을 현재보다 더 나은 상태로 개선하기 위해 새로운 방법으로 의식적·인위적 노력으로 자연발생적인 것이 아니다.
포괄적 관련성	행정개혁은 행정의 어떤 요소를 바꾸더라도 그것이 행정 전체에 영향을 미치게 된다.
불확실성(동태성)	행정개혁은 성공 여부가 불확실한 상황에서 수행된다는 특징이 있다.
정치적 성격	행정개혁은 정치적 상호작용 과정의 산물일 수도 있다.

3. 행정개혁의 주요원인

행정개혁의 주요원인은 다음과 같다.

(1) 새로운 철학의 추구

(2) 행정의 능률화와 새로운 기술도입의 필요성의 발생

(3) 신행정 수요의 발생과 기관장의 변동

(4) 인구 및 고객구조의 변화 등

4. 행정개혁의 추진전략

(1) 개혁의 폭과 속도에 따른 전략

구분	내용
급진적 · 전면적 전략	근본적인 변화를 일시에 달성하려는 광범위하고 빠른 속도의 추진전략으로 주로 개발도상국에서 많이 사용하는 방법이다.
점진적 · 부분적 전략	개혁의 영향, 수용태세, 동원자원을 감안하여 완만하게 추진하는 전략을 말하며, 개혁은 소극적 개혁을 의미한다.

(2) 개혁의 추진방향에 따른 전략

구분	내용
명령적 · 하향적 전략	① 대내외의 참여 없이 상층부에서 일방적으로 추진하는 전략이다. ② 구성원들의 저항을 유발하고, 장기간 지속하기가 곤란하다.
참여적 · 상향적 전략	① 구성원의 아이디어를 수집하고 그들의 의견을 반영하여 추진하는 전략이다. ② 구성원들의 저항을 최소화할 수 있으나, 개혁 과정에서 주변 환경의 변화에 신속한 대응이 어렵다는 단점이 있다.

02 개혁에 따른 저항과 극복방법

1. 저항의 주요원인

개혁상황에서 야기되는 원인	심리적인 원인
① 사회 문화적 가치체계와의 갈등 ② 지원의 부족 ③ 정치적 갈등 ④ 제도와 법적 해석상의 차이 ⑤ 관료제의 경직성과 보수성 ⑥ 개혁 추진세력에 대한 불신 ⑦ 개혁의 시기, 방법, 절차의 차이 ⑧ 개혁과정의 폐쇄성으로 인한 참여부족	① 개혁내용의 불명확성 ② 새로운 상황에 대한 적응의 어려움이나 거부감 ③ 기득권의 침해에 대한 불안 ④ 미래의 불확실성

2. 저항의 순기능

개혁에 대한 저항은 역기능만 가지고 있는 것이 아니라 긍정적인 기능도 가지고 있다. 우선 개혁에 대한 구성원들의 저항은 안정과 변화의 완충작용을 하며 개혁추진자로 하여금 바람직한 변화를 선택하고 신중한 개혁을 행하도록 유도하는 기능을 수행한다.

3. 개혁의 저항극복방법

개혁은 조직구성원들의 저항을 초래할 수밖에 없다. 이러한 저항을 극복하는 방법에는 참여의 확대, 의사소통의 촉진, 개혁안의 명확화와 공공성의 강조, 개혁방법과 기술의 수정, 개혁의 점진적 추진 등을 통해 극복할 수 있다.

03 에찌오니의 저항극복전략

구분	내용	사례
규범적·이상적 전략	① 규범적 전략은 직원들의 윤리규범이나 가치에 호소하는 전략으로 상징조작과 심리적인 지지를 얻기 위한 전략을 의미한다. ② 개혁지도자의 카리스마, 개혁의 논리와 당위성에 대한 여론조성, 교육과 훈련을 통한 의식의 개혁 등을 이용해 잠재적 저항심리를 완화시키거나 개혁에 동참하도록 하는 전략이다.	A는 경찰서장으로 취임하여 새로운 개혁을 추진하는 과정에서 직원들의 저항에 부딪히자 새로운 개혁의 추진으로 국민의 신뢰를 받는 경찰상을 구현하여야 한다는 정신교육을 강화하였다.
공리적·기술적 전략	① 공리적 전략은 경제적 보상을 이용하는 저항 극복전략이다. ② 조직구성원들이 혁신으로 인해 받는 손실 때문에 저항하는 경우 피해를 보상할 수 있는 인센티브를 제공하여 저항을 무마하는 전략이다. ③ 희생비용이 많이 들고 효과는 장기간이 지난 후에 나타나는 혁신의 경우에는 비용만 많이 들고 겉으로만 혁신에 따라오는 현상을 초래할 수도 있다.	경찰청에서는 경찰개혁작업의 일환으로 수사의 효율성을 높이기 위하여 기존에 조사요원들이 인수하여 오던 기소중지자를 관내 소재수사를 담당하는 추적수사요원으로 하여금 인수하여 오도록 조치하였다. 이에 대한 추적수사요원의 불만을 해결하기 위하여 수당을 지급하였다.
강제적 전략	① 강제적 전략은 혁신에 저항하는 행위에 대해 징계나 불이익 처분 등의 제재수단으로 위협함으로써 혁신에 동참시키는 전략이다. ② 강제적 전략은 긴급한 상황에서 신속하게 저항을 극복할 수 있는 방법이다. ③ 혁신의 주창자나 집행자가 강한 리더십을 가지고 통제할 수 있을 때 사용하는 전략이다. ④ 강제적 전략은 다른 전략에 비해서 구성원들의 자발적 동의를 유도하기 어렵다는 점에서 최후의 수단으로 사용하여야 한다. ⑤ 강제적 전략은 제재위협에 대한 반감이나 오해를 부를 수도 있고 면종복배가 나타날 수 있다.	경찰서장은 새로 취임하여 부정부패척결을 위하여 직원들에게 유흥업소에서 절대 금품을 수령하지 말라고 지시하면서 만약 단돈 1,000원이라도 받으면 중징계를 하겠다고 공언하였다.

04 행정개혁의 새로운 전략

1. 구조조정

(1) 의의

① 구조조정은 일반적으로 조직구조의 개편이라는 의미로 간주되지만 구조조정은 구조개편만을 의미하는 것이 아니라 조직이 현재 하고 있는 역할을 효과적으로 수행하도록 구조를 개편하고 조직의 인력관리시스템과 물적 자원관리시스템을 재조정하는 것을 그 목적으로 한다.

② 구조조정은 구조를 개편하는 데 그치는 것이 아니라 경영혁신을 목적으로 한 구조조정을 의미한다(국·과의 통폐합).

(2) 구조조정의 도입과정

구조조정의 필요성에 대한 인식, 비전 및 계획수립, 재구축의 3단계가 지속적으로 순환되면서 제도가 정비되어 왔으며 조직에 대한 단순한 부분적 개선이 아니라 조직운영시스템, 인적 자원관리시스템 등 제반 관리시스템의 재설계과정에 해당한다.

2. 목표에 의한 관리(Management By Objectives ; MBO)

(1) 개념

모든 조직활동에 조직의 상층부와 하층부가 함께 참여하여 공동으로 목표를 설정하고 관리하고자 하는 기법이다. 조직구성원의 참여과정을 통해 생산활동의 목표를 명확하고 체계 있게 설정하여 관리의 효율성을 높이려는 관리 방식이다.

(2) 특징

① 참여에 의한 목표 설정
② 각 계층의 권한과 책임을 상하간의 협의하에 설정하는 등의 참여적 관리의 시행
③ 활동과정과 결과를 평가하여 이를 환류시킴으로써 집단과 개인의 문제해결능력을 향상
④ Y이론에 기초함
⑤ 조직의 운영에 있어서 구성요소간의 상호 의존성 및 팀워크를 중시

(3) 기본과정(일련의 순환적인 환류의 과정)

상위목표의 설정 ⇨ 참여에 의한 구체적 목표의 설정 ⇨ 목표추구의 활동과 중간평가에 의한 환류 ⇨ 최종평가 ⇨ 환류의 과정을 반복한다.

(4) 공공부문에 MBO를 도입할 경우의 장·단점

장점	① 조직목표에 조직구성원들의 활동을 집중시켜 효율성을 제고 ② 조직목표와 개인목표의 통합 ③ 참여적 방법에 의한 조직구성원의 사기 제고 ④ 갈등의 최소화 ⑤ 능동적 조직의 구성이 가능

CHAPTER 08

단점	① 급격한 변화나 복잡한 환경에서는 목표의 설정이 곤란 ② 단기적 · 양적 목표에 치중하게 되는 경향의 발생 ③ 구성원간의 합의 도출이 곤란 ④ 목표성과의 측정이 곤란

3. 전사적 품질관리(총체적 품질관리 ; Total Quality Management)

(1) 의의

전사적 품질관리란 '소비자가 만족할 수 있는 재화와 서비스를 제공하기 위해 조직 내 품질개발, 유지 · 개선 노력들을 통합하는 효과적 시스템'이라고 규정할 수 있다.

(2) 전사적 품질관리의 도입시 고려사항

① 고객을 명확히 규정
② 특정 경찰서비스의 질을 측정
③ 경직된 전통적인 계층구조보다는 과업집단(Task-Force)이나 프로젝트팀, 매트릭스 조직 등과 같은 신축적이고 동태적인 조직을 활용
④ 조직문화에 대한 고려

제2절 경찰제도 개혁

01 경찰개혁의 목표와 전략

1. 개혁의 목표

(1) 국민과 함께하는 국민의 경찰, 국민으로부터 신뢰와 사랑을 받는 경찰상을 정립하고 각각의 경찰관이 움직이는 정부가 되어 국민과 함께 숨쉬고, 국민의 가슴 속에 뜨겁게 파고드는 경찰로 거듭나야 한다.

(2) 조직 내 상하 구성원 사이에는 신뢰와 인정을 바탕으로 하여 활력이 넘치는 조직을 만들어야 하고, 국민에게는 언제나 친절하고 공정한 경찰로 인식되어야 한다.

2. 경찰의 행정서비스

(1) 행정서비스 기능의 강화

고객지향적 행정을 위해 행정조직이 수혜자인 고객(국민)중심의 조직으로 재편되어야 하며 고객지향적 행정의 최종목표는 고객이 감동하는 치안행정서비스의 제공에 있다.

(2) 방범리콜제도

① 잘못된 경찰서비스에 대한 민원제기를 허용하고 이를 통해 잘못된 부분을 시정하는 장치이다. 즉, 방범활동에 주민의 의견을 반영하여 더 나은 서비스를 제공하기 위한 제도라고 할 수 있다.

② 방범활동과 관련한 주민의 건의사항을 방범시책에 반영함으로써 주민의 치안활동에 대한 참여를 확대할 수 있다.

02 다면평가제

(1) 개념

① 다면평가제는 최근 평가의 객관성과 신뢰성을 확보 내지는 보완할 수 있는 방법의 하나로 활용되고 있다. 어느 개인을 평가할 때 전통적인 구조에서 직속 상관에 의해서만 평가되는 것이 아니라, 다수의 평가자가 여러 방면에서 평가하는 제도이다.

② 관련 부문의 상급자, 동료, 하급자에 의한 평가와 함께 민원인에 의한 평가도 함께 이루어지므로 다자평가, 360° 평정법, 집단평정법, 복수평정법이라고도 한다.

(2) 도입 및 발전 추세

다면평가제는 민간기업에서 도입되어 시행되고 있으며 점차 공기업, 공공기관에서도 지도력과 관리능력이 요구되는 고위직에 적용되는 추세이다. 공직사회에서도 고위직 임용시 다면평가제를 실시할 수 있도록 법적 근거를 마련하였다.

경찰공무원 승진임용 규정

제22조의2 【동료 · 민원인 등의 평가 반영】 ① 임용권자(경찰공무원 임용령 제4조 제1항부터 제6항까지의 규정에 따라 임용권을 위임받은 사람을 포함한다. 이하 같다)나 임용제청권자(법 제7조 제1항에 따른 추천이 필요한 경우에는 경찰청장을 포함한다. 이하 같다)는 승진심사를 거쳐 소속 경찰공무원을 승진임용하거나 승진임용을 제청할 때 승진심사대상자에 대한 동료 평가 및 민원 평가를 실시하여 그 결과를 반영할 수 있다. 이 경우 동료 평가는 승진심사대상자의 상위 · 동일 · 하위계급의 경찰공무원이 하고, 민원 평가는 승진심사대상자의 업무와 관련된 민원인 등이 한다.

(3) 전통적 평가방식과 다면평가제의 비교

구분	전통적 평가	다면평가제
평가방식	① 상급자에 의한 일방적 평가 ② 피평가자의 근무성적을 비교하여 서열을 정하는 방식	① 동료, 하급자, 민원인의 평가가 포함 ② 근무성적에 따른 뚜렷한 서열 정립이 곤란
목적	실적 평가의 판단목적이 중심	업무형태변화와 능력향상을 위한 발전적 목적
평가	① 직무분석에 기초하기보다 직관과 경험을 바탕으로 평가요소가 결정 ② 빠르고 쉬운 평가방식	① 평가자의 선발, 평가의 시행, 다양한 정보의 분석 ② 시간과 비용의 소모가 큰 대신에 정교하고 피평가자의 다양한 면모를 반영

Add ⊕

현행 경찰공무원 평정방식

경찰공무원 승진임용 규정

제7조 【근무성적 평정】 ① 총경 이하의 경찰공무원에 대해서는 매년 근무성적을 평정하여야 하며, 근무성적 평정의 결과는 승진 등 인사관리에 반영하여야 한다.

② 근무성적은 다음의 평정요소에 의하여 평정한다. 다만, 총경의 근무성적은 제2 평정요소로만 평정한다.

1. 제1 평정요소
   가. 경찰업무 발전에 대한 기여도
   나. 포상 실적
   다. 그 밖에 행정안전부령으로 정하는 평정요소
2. 제2 평정요소
   가. 근무실적
   나. 직무수행능력
   다. 직무수행태도

③ 제2 평정요소에 의한 근무성적 평정은 평정대상자의 계급별로 평정 결과가 다음의 분포비율에 맞도록 하여야 한다. 다만, 평정 결과 제4호에 해당하는 사람이 없는 경우에는 제4호의 비율을 제3호의 비율에 가산하여 적용한다.

1. 수 : 20%
2. 우 : 40%
3. 양 : 30%
4. 가 : 10%

④ 제11조 제2항 단서에 해당하는 경찰공무원과 경찰서 수사과에서 고소·고발 등에 대한 조사업무를 직접 처리하는 경위 계급의 경찰공무원을 평정할 때에는 제3항의 비율을 적용하지 아니할 수 있다.

⑤ 근무성적 평정 결과는 공개하지 아니한다. 다만, 경찰청장은 근무성적 평정이 완료되면 평정 대상 경찰공무원에게 해당 근무성적 평정 결과를 통보할 수 있다.

⑥ 근무성적 평정의 기준, 시기, 방법, 그 밖에 필요한 사항은 행정안전부령으로 정한다.

(4) 다면평가제의 실제적 효용성

① 전통적 평가방식에서 다면평가제로 전환할 경우 상관에게만 잘 보이면 된다는 단일평가의 폐해의 시정이 가능하다. 또한 인사의 공정성과 객관성 확보가 가능해지고, 근무평가를 통제가 아니라 능력개발의 목적으로 사용하고자 할 때 정확성과 신뢰성을 보장할 수 있다.

② 평가에 참여하는 소수에 의한 편차를 줄임으로 객관성과 공정성을 마련할 수 있다.

(5) 다면평가제를 공직에 도입할 경우 고려사항

① 전통적 가치관에 익숙한 조직구성원의 경우 하급자의 상급자 평가에 대한 반발심리가 있을 수 있고 조직구성원 상호간에 평가를 하기 때문에 조직 내의 갈등을 유발할 수 있다.

② 평가의 객관성을 확보하기 위해서는 평가기준을 문서화하거나 평가를 위한 교육실시가 선행되어야 한다.

③ 평가자의 익명성 보장과 평가자료의 비공개가 전제되어야 하며 평가조사의 신뢰성을 확보하기 위해 자체적으로 실시하는 것 보다는 외부업체에 위탁하는 것이 유리하다.

제3절 수사구조 개혁

01 경찰과 수사권

(1) 수사권의 의의

수사권이란 국가 형벌권을 행사하기 위해 형사소송법에 의거 부여된 권한으로 형사사건에 관한 공소제기 여부의 결정 또는 공소제기 및 이를 유지·수행하기 위한 준비로서 범죄사실을 조사하고 범인 및 증거를 발견·수집·보전하기 위한 권한이라고 정의할 수 있다.

(2) 경찰의 수사권

범죄의 수사와 관련한 경찰의 임무와 관련하여 우리나라의 현행 국가경찰과 자치경찰의 조직 및 운영에 관한 법률 제3조와 경찰관 직무집행법 제2조는 각각 범죄의 수사를 경찰의 임무로 명백히 규정하고 있다.

02 각 국의 경찰제도

영미법계 국가는 경찰의 독자적인 수사권을 인정하고 있으나, 대륙법계 국가는 경찰에게 독자적인 수사권을 부여하지 않고, 경찰은 수사의 주재자인 검찰의 보조기관으로 보는 것이 일반적이다.

Tip 각국의 검사와 사법경찰과의 관계

1. 영국

영국의 지방경찰은 기존의 3원 체제(지방경찰청장, 지방경찰위원회, 내무부장관)에서 4원 체제(지역치안위원장, 지역치안평의회, 지방경찰청장, 내무부장관)로 변화하면서 자치경찰의 성격을 강화하였다.

① 잉글랜드와 웨일즈

㉠ 사법경찰이 독자적 수사권을 보유하고 있으며, 수사종결권도 가지고 있다.

㉡ 잉글랜드와 웨일즈의 경찰은 사건을 검찰에 기소할 것인지에 대한 1차적 결정권을 보유한다.

㉢ 검사는 경찰이 기소한 사건에 대한 공소유지권과 경찰의 기소결정에 구속받지 않고 법원에 사건을 기소할 것인지의 여부에 대한 결정권이 있다.

㉣ 잉글랜드와 웨일즈에서 경찰과 검찰은 실질적·형식적으로 상호 협력 관계를 유지하고 있다.

② 스코틀랜드

㉠ 스코틀랜드에서 검찰과 경찰은 상명하복의 관계로 경찰은 수사에 있어서 검사의 지휘·감독을 받는다.

㉡ 스코틀랜드는 검사의 기소독점주의를 채택하고 있으므로 경찰은 수사종결권이 없어서 모든 사건을 지방 검찰관에게 송치하여야 한다.

2. 미국

미국의 20세기 초 경찰개혁을 이끈 대표적 인물로 1인 순찰제의 효과성을 연구한 윌슨(O. W. Wilson)과 대학에 경찰 관련 교육과정을 개설한 볼머(A. Vollmer)가 있다.

① 미국에서 검찰과 경찰의 관계는 법률조언 및 협력관계로 경찰은 개개의 사건에 대한 독립된 수사주체에 해당한다. 미국의 경찰은 독자적인 수사종결권을 가지고 있으며, 수사의 주재·수사의 개시 및 수행은 경찰에 의해 이루어지고 있다.

② 미국의 검찰은 개별사건에 대한 기소를 결정하는 과정에서 경찰의 수사 방향과 증거수집에 관하여 예외적으로 수사지휘를 하기도 하지만, 검찰은 조직범죄와 같은 일부 특수 범죄를 제외하고는 주로 기소 여부 결정 및 공소유지라는 소송절차상의 역할만 수행한다.

③ 미국경찰에는 기본적으로 지방경찰, 주 경찰, 연방경찰이 존재하며, 광범위한 경찰권을 행사하여 법집행의 범위가 가장 넓은 것은 연방 경찰(주경찰×)이다.

3. 독일

독일경찰은 1949년 「기본법」의 제정으로 대부분의 주(州)에서 주(州)단위 국가경찰제도를 채택하였다.

① 경찰과 검찰과의 관계

㉠ 검찰과 경찰과의 관계는 상명하복관계이다.

㉡ 검사는 수사의 주체이고 경찰은 수사의 보조자이나 경찰에게도 수사에 대한 일반권한을 부여함으로써 검사와 경찰 모두에게 수사권을 인정하고 있다.

② 검사의 지위

㉠ 독일의 검찰은 수사의 주재자로서 수사권을 가지고 있으나, 그 휘하에 고유한 수사조직을 보유하지 않아 '팔 없는 머리'로 불린다.

㉡ 독일의 검찰기관은 중앙집권적 조직이 아니라 지방자치조직에 해당한다.

㉢ 주 검찰청에 대한 지휘감독권은 연방검찰이 아닌 주 법무부가 보유하고 있다.

③ 경찰의 지위경찰은 수사의 보조자이지만 일반적인 수사권이 인정되므로 모든 범죄에 대한 수사의 개시 · 집행은 경찰이 담당하고 있다.

4. 프랑스

11세기경 프랑스의 앙리 1세는 파리의 치안을 유지하기 위해 법원과 경찰기능을 가진 프레보(Prévôt)를 창설하였다.

① 경찰과 검찰과의 관계 : 검찰과 경찰과의 관계는 상명하복 관계이므로 일반적인 사건은 경찰에서 검사의 지휘하에 수사를 행한다.

② 수사의 실행

㉠ 10년 이상의 중죄에 대해서는 검사, 복잡한 범죄에 대해서는 예심판사에게 청구하며 대부분의 경우 사법경찰관이 예심판사의 지시에 따라 수사한다.

㉡ 일반적 범죄에는 사법경찰관이 독자적 수사개시권을 보유한다.

③ 예심판사 : 예심판사는 피의자의 신문, 증거의 수집 등을 행하여 수사를 공소제기 전의 증거수집활동 등 공판 준비활동으로 본다면, 예심판사도 기능적으로 수사의 주체에 해당한다.

④ 사법경찰 : 사법경찰은 수사의 보조자에 불과하므로 모든 범죄를 인지한 경우에는 검사에게 보고할 의무가 있고 수사의 종결시에는 검찰로 송치하여야 한다.

⑤ 수사의 주체가 수사판사 또는 검사이고, 국립경찰 소속 사법경찰뿐만 아니라 사법경찰활동을 하는 군경찰도 수사판사 또는 검사의 수사지휘를 받아야 한다.

5. 일본

① 경찰과 검찰과의 관계

㉠ 일본에서의 경찰과 검사는 각각 상호협력 관계에 있는 대등한 위치의 독립된 수사기관에 해당한다.

㉡ 일본의 경찰은 1차적 수사기관으로서 독자적 수사권을 가지고 있지만 수사결과는 원칙적으로 기소권을 가지고 있는 검사에게 송치하여야 한다.

㉢ 일본의 경찰은 공소에 관해서는 검사의 지휘에 따라야 하며, '수사종결권'과 '구류청구권'은 검사에게만 인정된다.

② 검사의 수사권

㉠ 검사는 모든 범죄에 대한 수사권을 가지며, 공소의 제기나 재판의 집행을 감독하며 직무상 필요로 하는 경우에 법원에 통지 또는 의견진술의 권한을 가지고 있다.

㉡ 검사는 경찰이 정당한 이유 없이 검사의 지휘에 따르지 않을 경우, 국가공안 위원회에 사법경찰관의 징계 또는 파면을 청구할 수 있다.

㉢ 검사는 사법경찰관에 대해 검찰의 준칙을 통한 '일반적 지시권'과 '일반적 지휘권' 및 '구체적 지휘권'을 행사할 수가 있다.

③ 경찰의 수사권

㉠ 일본의 경찰은 수사의 개시 · 진행의 권한을 가지고 있으나 수사종결권은 검찰에게만 인정된다.

㉡ 경부 이상의 경찰은 법원에 체포영장청구권을 가지고 있다.

MEMO

MEMO

MEMO

MEMO

이상훈

주요 약력

경북대학교 법과대학 법학부 졸업
경북대학교 대학원 법학과 졸업
(現) 박문각경찰 경찰학 전임
(前) 대구 가톨릭대학교 산학협력교수
부산 한국경찰학원 경찰학
전주 한빛경찰학원 경찰학
광주 스마트경찰학원 경찰학, 행정법
대전 한국경찰학원 경찰학
노량진 윌비스경찰학원 경찰학, 행정법
노량진 이그잼경찰학원 경찰학
노량진 해커스경찰학원 경찰학

주요 저서

이상훈 경찰학 기본 이론서(박문각)
이상훈 SMART 경찰학개론(서울고시각)
이상훈 경찰학 기출문제집(해커스)

이상훈 경찰학 ✧✦ 기본 이론서

초판 인쇄 2025. 1. 2. | **초판 발행** 2025. 1. 6. | **편저자** 이상훈
발행인 박 용 | **발행처** (주)박문각출판 | **등록** 2015년 4월 29일 제2019-000137호
주소 06654 서울시 서초구 효령로 283 서경 B/D 4층 | **팩스** (02)584-2927
전화 교재 문의 (02)6466-7202

저자와의
협의하에
인지생략

정가 58,000원(1, 2권 포함)
ISBN 979-11-7262-472-9 | ISBN 979-11-7262-471-2(세트)